필수개념으로 꽉 채운 **개념기본서**

낯선개념

미적분

KB059989

동아출판

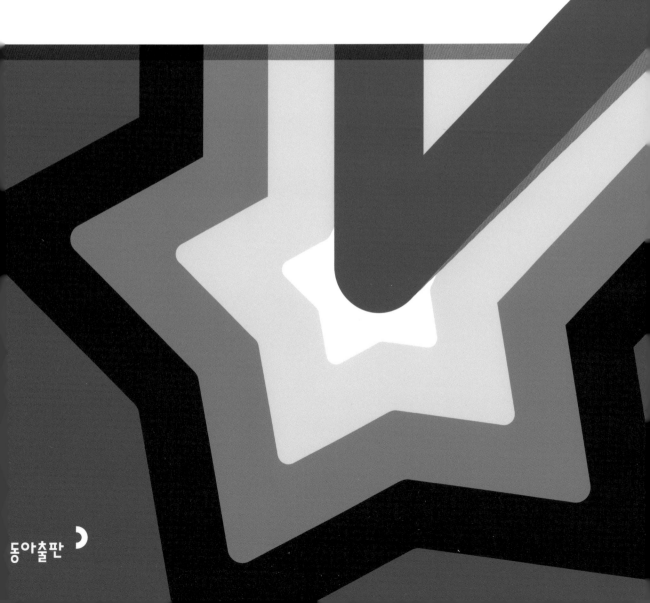

날선개념

날카롭게 선별한 개념기본서

고등 수학, 겁먹을 필요 없다!
특별한 사람만 수학을 잘하는 것은 아니다.

날카롭게 설명하고 엄선한 문제로
수학의 기본을 다지면,
누구나 수학을 잘할 수 있다.

고등 수학의 편안한 출발
날선개념으로 시작하자!

⊘ 날선 가이드

나는 어떤 스타일인가요? 문항을 읽고 체크해 보세요.

☐ 미적분을 처음 공부해요.

☐ 수학 개념이 문제에 어떻게 적용되는지 알고 싶어요.

☐ 능률을 생각하지 않고 무조건 열심히 공부해요.

☐ 수학 문제를 봐도 무슨 말인지 모르겠어요.

☐ 선생님이 설명해 주시면 알겠는데, 다시 풀려면 막막해요.

위 문항 중 한 개 이상 체크했다면 **날선개념**으로 꼭 공부해야 합니다!
미적분을 미리 공부하고 싶을 때
또는 수학 개념을 내 것으로 만들고 싶을 때 **날선개념**으로 공부하세요.
대표Q의 [날선 Guide]로 스스로 생각하는 힘을 키우면
공부 능률도 오르고 수학에 자신감이 생깁니다.

집필진	이창형 | 서울대학교 수학과 및 동 대학원
	김창훈 | 서울대학교 수학교육과
	이창무 | 서울대학교 수학과, 현 대성마이맥 강사
인쇄일	2019년 12월 13일
발행일	2019년 12월 23일
펴낸이	이욱상
펴낸데	동아출판㈜
신고번호	제300-1951-4호(1951. 9. 19)
편집팀장	이상민
책임편집	박지나, 김성일, 김형순, 장수경, 김경숙, 김성희, 이선민
디자인팀장	목진성
책임디자인	강혜빈

필수개념으로 꽉 채운 개념기본서

날선개념

미적분

 선생님이 자신 있게 추천하는 날선개념 추천사를 확인해 보세요.

#날선개념 #고등수학 #개념서 #기본서 #동아출판

낯선개념
이런 점이 좋아요!

1. 학습 플랜 관리
낯선개념 학습 Note에 목표와 학습 계획을
세우고 기록하면서 규칙적인 학습 습관을
기를 수 있어요.

2. 주제별 개념 학습
수학 개념을 주제별로 모아
간단하고 명확하게 설명하고 있어
이해하기 쉬워요.

3. 대표Q & 낯선Q 문제로 생각하는 힘을 향상
유형별로 풀이를 외우는 학습은
진짜 수학 공부가 아니에요.
낯선 Guide를 통해 어떤 개념이 사용되는지
생각하는 힘을 길러 보세요.

4. 복습과 오답 Note로 완벽 이해
낯선개념 학습 Note를 이용하여
문제를 풀이하고 오답 Note를 만들어
개념을 완벽히 내 것으로 만들어 보세요.

수학은
공식을 외우는 것이 아니라
생각하는 힘을 키우는
즐거운 습관입니다.

이 책의 구성과 특징

1 개념 완결 학습

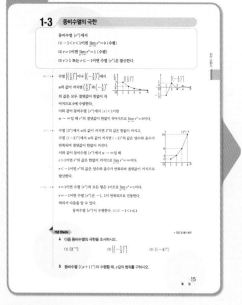

필수개념 개념을 주제별로 나눠 필수개념을 한눈에 보고, 예시를 통해 원리를 쉽게 이해할 수 있습니다.

개념 Check 개념에 따른 확인 문제를 바로 풀어 봄으로써 개념과 원리를 확실히 익힐 수 있습니다.

공부한 날 공부한 날짜를 쓰면서 스스로 진도를 확인할 수 있습니다.

2 대표 문제와 유제

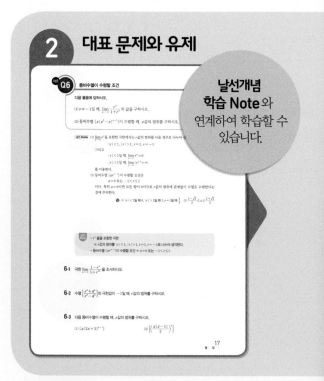

날선개념 학습 Note와 연계하여 학습할 수 있습니다.

대표Q 개념 이해를 돕고 최신 출제 경향을 반영한 대표 문제를 제시하였습니다.

날선 Guide 문제를 푸는 원리와 접근 방법을 제시하여 스스로 생각하고 문제를 해결할 수 있습니다.

날선 Point 문제를 해결하는 데 핵심이 되는 내용을 정리하였습니다.

유제 대표Q와 유사한 문제 및 발전 문제로 구성하여 대표 문제를 충분히 연습할 수 있습니다.

+ 날선개념 학습 Note

• 대표Q 학습 Note

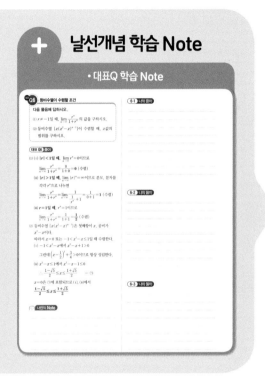

3 연습과 실전

연습과 실전 1 수열의 극한

Step 1 연습 01 다음 중 수렴하는 수열을 모두 고르면?

Step 2 실전 07 다음 극한을 구하시오.

08 다음 극한을 구하시오.

09 등차수열 $\{a_n\}$에 대하여 $a_3=5$, $a_6=11$일 때, ...의 값

대표Q 풀이   대표Q 문제를 해결한 후 자세한
풀이를 확인할 수 있습니다.

나의 풀이   유제 풀이를 Note에 써 보면서 실력을
점검할 수 있습니다.

연습과 실전   단원 마무리 문제를 2단계로 나누어
단계적으로 학습할 수 있습니다.

Step 1   기본이 되는 문제를 Step1에서 연습할 수
있습니다.

Step 2   학교 시험, 교육청, 평가원, 수능 기출 문제를
엄선하여 Step2에서 실전에 대비할 수 있습니다.

이 책의 차례

Contents

Where there is a will,
there is a way.

수학 I 의 수열 단원에서는 여러 가지 수열의 일반항과 제n항까지의 합을 구하는 방법에 대하여 공부하였다. 극한의 개념은 사회 과학, 자연 과학 등 여러 분야의 연구에서 현상을 분석하고 예측하는 도구로 이용되고 있다.

이 단원에서는 수열의 극한의 뜻과 성질을 이해하고, 수열의 극한값을 구하는 방법을 알아보자. 또 등비수열의 극한을 이해하고, 등비수열의 극한값을 구하는 방법을 알아보자.

수열의 극한

1

1-1 수열의 극한

개념

1 수열의 수렴과 발산

(1) $n \to \infty$일 때 수열 $\{a_n\}$이 일정한 값 α에 한없이 가까워지면 수열 $\{a_n\}$은 α에 수렴한다 하고, α를 수열 $\{a_n\}$의 극한 또는 극한값이라 한다.

$$\lim_{n \to \infty} a_n = \alpha \quad \text{또는} \quad n \to \infty \text{일 때 } a_n \to \alpha$$

(2) $n \to \infty$일 때 수열 $\{a_n\}$이 수렴하지 않으면 발산한다고 한다.

2 ∞, $-\infty$로 발산

수열 $\{a_n\}$에서 $n \to \infty$일 때

일반항 a_n의 값이 한없이 커지면 ∞로 발산한다 하고 $\lim_{n \to \infty} a_n = \infty$로 나타낸다.

또 일반항 a_n의 값이 음수이면서 절댓값이 한없이 커지면 $-\infty$로 발산한다 하고 $\lim_{n \to \infty} a_n = -\infty$로 나타낸다.

수열의 수렴 ● 함수 $f(x) = \dfrac{1}{x}$에서 x의 값이 커지면 $f(x)$는 0에 한없이 가까워

진다. 따라서 $x \to \infty$이면 $f(x)$는 0에 수렴한다 하고

$\lim_{x \to \infty} f(x) = 0$으로 나타낸다.

또 수열 $1, \dfrac{1}{2}, \dfrac{1}{3}, \dfrac{1}{4}, \cdots, \dfrac{1}{n}, \cdots$

에서 n의 값이 커지면 $\dfrac{1}{n}$의 값은 0에 한없이 가까워진다.

따라서 $n \to \infty$이면 수열 $\left\{\dfrac{1}{n}\right\}$은 0에 수렴한다 하고

$$\lim_{n \to \infty} \frac{1}{n} = 0$$

으로 나타낸다. 이때 0을 수열 $\left\{\dfrac{1}{n}\right\}$의 극한 또는 극한값이라 한다.

함수의 극한에서 $x \to \infty$는 x가 실수로서 한없이 커진다는 뜻이고,

수열의 극한에서 $n \to \infty$는 n이 자연수로서 한없이 커진다는 뜻이다.

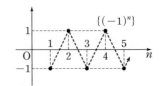

수열의 발산 ● 수열 $-1, 1, -1, 1, \cdots, (-1)^n, \cdots$

에서 n의 값이 커지면 $(-1)^n$의 값은 -1과 1이 반복되지만 하나의 값에 가까워진다고 할 수는 없다. 따라서 $n \to \infty$이면 수열 $\{(-1)^n\}$은 발산한다고 한다.

참고 $\lim_{n \to \infty} (-1)^n = \pm 1$과 같이 쓰지 않는다.

수열 $1, -\dfrac{1}{2}, \dfrac{1}{4}, -\dfrac{1}{8}, \cdots, \left(-\dfrac{1}{2}\right)^{n-1}, \cdots$

에서 n의 값이 커지면 $\left(-\dfrac{1}{2}\right)^{n-1}$의 값은 양수와 음수가 반복되지만 절댓값이 한없이 작아지므로 0에 수렴한다. 곧,

$$\lim_{n \to \infty}\left(-\dfrac{1}{2}\right)^{n-1}=0$$

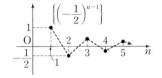

∞, $-\infty$로 발산

수열 $1, 3, 5, 7, \cdots, 2n-1, \cdots$

에서 n의 값이 커지면 $2n-1$의 값은 한없이 커진다. 따라서 수열 $\{2n-1\}$은 ∞로 발산한다 하고 다음과 같이 나타낸다.

$$\lim_{n \to \infty}(2n-1)=\infty \quad \text{또는}$$

$$n \to \infty \text{일 때 } 2n-1 \to \infty$$

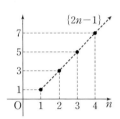

수열 $1, 0, -1, -2, \cdots, -n+2, \cdots$

에서 n의 값이 커지면 $-n+2$의 값은 음수이면서 절댓값이 한없이 커진다. 따라서 수열 $\{-n+2\}$는 $-\infty$로 발산한다 하고 다음과 같이 나타낸다.

$$\lim_{n \to \infty}(-n+2)=-\infty \quad \text{또는}$$

$$n \to \infty \text{일 때 } -n+2 \to -\infty$$

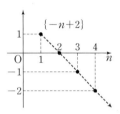

진동 • 수열 $\{(-1)^n\}$은 수렴하지도 않고, ∞나 $-\infty$로 발산하지도 않는다. 이런 경우 수열은 진동한다고 한다.

발산한다. ➡ ❶ ∞나 $-\infty$로 발산한다.

❷ 진동한다.

개념 Check

◆ 정답 및 풀이 1쪽

1 다음 수열의 수렴, 발산을 조사하시오.

(1) $1, -\dfrac{1}{2}, \dfrac{1}{3}, -\dfrac{1}{4}, \cdots, (-1)^{n-1} \times \dfrac{1}{n}, \cdots$

(2) $1, 4, 9, 16, \cdots, n^2, \cdots$

2 다음 수열의 극한을 구하시오.

(1) $\left\{\dfrac{1}{n^2}\right\}$
(2) $\left\{1-\dfrac{2}{n+1}\right\}$

(3) $\left\{\dfrac{2n+3}{n}\right\}$
(4) $\left\{\dfrac{1}{2^n}\right\}$

수열 $\{a_n\}$, $\{b_n\}$이 각각 수렴할 때,

(1) $\lim\limits_{n \to \infty} ca_n = c \lim\limits_{n \to \infty} a_n$ (c는 상수)

(2) $\lim\limits_{n \to \infty} (a_n \pm b_n) = \lim\limits_{n \to \infty} a_n \pm \lim\limits_{n \to \infty} b_n$

(3) $\lim\limits_{n \to \infty} a_n b_n = \lim\limits_{n \to \infty} a_n \times \lim\limits_{n \to \infty} b_n$

(4) $\lim\limits_{n \to \infty} \dfrac{a_n}{b_n} = \dfrac{\lim\limits_{n \to \infty} a_n}{\lim\limits_{n \to \infty} b_n}$ $\left(b_n \neq 0, \ \lim\limits_{n \to \infty} b_n \neq 0 \right)$

수렴하는 극한의 계산

일반항이 $a_n = 3 + \dfrac{1}{n}$, $b_n = \dfrac{1}{n^2 + 1}$인 두 수열 $\{a_n\}$, $\{b_n\}$의 극한은

$$\lim_{n \to \infty} a_n = 3, \ \lim_{n \to \infty} b_n = 0$$

이를 이용하면 수열 $\{a_n - 3b_n\}$, $\{a_n^2 b_n\}$의 극한은 다음과 같이 구할 수 있다.

$$\lim_{n \to \infty} (a_n - 3b_n) = \lim_{n \to \infty} a_n - 3 \lim_{n \to \infty} b_n = 3 - 3 \times 0 = 3$$

$$\lim_{n \to \infty} (a_n^2 b_n) = \left(\lim_{n \to \infty} a_n \right)^2 \times \lim_{n \to \infty} b_n = 3^2 \times 0 = 0$$

발산하는 극한의 계산

수열 $\left\{ \dfrac{n}{n^2 + 1} \right\}$에서 두 수열 $\{n\}$, $\{n^2 + 1\}$은 수렴하지 않으므로 다음 성질을 이용할 수 없다.

$$\lim_{n \to \infty} \frac{a_n}{b_n} = \frac{\lim\limits_{n \to \infty} a_n}{\lim\limits_{n \to \infty} b_n}$$

그러나 $\dfrac{n}{n^2 + 1}$의 분모, 분자를 n으로 각각 나누면 $\dfrac{1}{n + \dfrac{1}{n}}$이고 $\lim\limits_{n \to \infty} \left(n + \dfrac{1}{n} \right) = \infty$이므로

$$\lim_{n \to \infty} \frac{n}{n^2 + 1} = \lim_{n \to \infty} \frac{1}{n + \dfrac{1}{n}} = 0$$

이와 같이 $\dfrac{\infty}{\infty}$, $\infty - \infty$ 꼴의 극한은 주어진 식을 적당히 변형한 다음, 극한을 계산해야 한다.

대표 Q1, **대표 Q2**에서 다양한 꼴의 극한을 계산해 보자.

▶ **개념 Check**

◆ 정답 및 풀이 1쪽

3 $\lim\limits_{n \to \infty} a_n = -2$, $\lim\limits_{n \to \infty} b_n = 4$일 때, 다음 극한을 구하시오.

(1) $\lim\limits_{n \to \infty} (4a_n + 5)$

(2) $\lim\limits_{n \to \infty} (a_n - 2b_n)$

(3) $\lim\limits_{n \to \infty} a_n b_n$

(4) $\lim\limits_{n \to \infty} \dfrac{a_n^2}{b_n}$

대표 Q1 $\dfrac{\infty}{\infty}$ 꼴의 극한

다음 극한을 조사하시오.

(1) $\displaystyle\lim_{n\to\infty} \dfrac{n^2+2n}{3n^2+1}$

(2) $\displaystyle\lim_{n\to\infty} \dfrac{n^2-2n}{n^3+n+1}$

(3) $\displaystyle\lim_{n\to\infty} \dfrac{n^5+1}{n^2(n^2-3)}$

(4) $\displaystyle\lim_{n\to\infty} \dfrac{\sqrt{n^2-n}+n}{n+1}$

날선 Guide $n\to\infty$일 때 (분모) $\to \infty$, (분자) $\to \infty$이다.

(1) 분모의 최고차항 n^2으로 분모, 분자를 각각 나누면 $\displaystyle\lim_{n\to\infty} \dfrac{1+\dfrac{2}{n}}{3+\dfrac{1}{n^2}}$이다.

여기에서 $n\to\infty$이면 $\dfrac{2}{n}\to 0$, $\dfrac{1}{n^2}\to 0$임을 이용한다.

(2) 분모의 최고차항 n^3으로 분모, 분자를 각각 나누고 극한을 구한다.

(3) 분모를 전개하면 $\displaystyle\lim_{n\to\infty} \dfrac{n^5+1}{n^4-3n^2}$이다.

따라서 분모의 최고차항 n^4으로 분모, 분자를 각각 나누고 극한을 조사한다.

(4) 분모나 분자에 무리식을 포함한 경우도 $\dfrac{\infty}{\infty}$ 꼴이면 분모의 최고차항으로 분모, 분자를 각각 나누고 극한을 구한다.

참고 함수의 극한에서와 같이 분모와 분자의 최고차항의 계수의 비만 생각해도 충분하다.

답 (1) $\dfrac{1}{3}$ (2) 0 (3) ∞로 발산 (4) 2

날선 Point $\dfrac{\infty}{\infty}$ 꼴의 극한 ➡ 분모, 분자를 분모의 최고차항으로 각각 나눈다.

1-1 다음 극한을 조사하시오.

(1) $\displaystyle\lim_{n\to\infty} \dfrac{(n-1)(2n+3)}{(n+1)^2}$

(2) $\displaystyle\lim_{n\to\infty} \dfrac{2n^2+2}{(n-1)(n^2+n+1)}$

(3) $\displaystyle\lim_{n\to\infty} \dfrac{n^4-4n^2+1}{n^2+2n+2}$

(4) $\displaystyle\lim_{n\to\infty} \dfrac{3n-2}{n+\sqrt{n+1}}$

 1-2 $\displaystyle\lim_{n\to\infty} \dfrac{1+2+3+\cdots+n}{n^2}$ 의 값을 구하시오.

다음 극한을 조사하시오.

(1) $\displaystyle\lim_{n\to\infty}(n^3-2n+3)$

(2) $\displaystyle\lim_{n\to\infty}(\sqrt{n+2}-\sqrt{n})$

(3) $\displaystyle\lim_{n\to\infty}\dfrac{3}{\sqrt{n^2+n}-\sqrt{n^2-n}}$

날선 Guide (1) $n\to\infty$일 때 $n^3\to\infty$, $2n\to\infty$이므로 $\infty-\infty$ 꼴이다.

$n^3-2n+3=n^3\left(1-\dfrac{2}{n^2}+\dfrac{3}{n^3}\right)$과 같이 최고차항인 n^3으로 묶은 다음,

$n^3\to\infty$, $1-\dfrac{2}{n^2}+\dfrac{3}{n^3}\to1$임을 이용한다.

(2) $n\to\infty$일 때 $\sqrt{n+2}\to\infty$, $\sqrt{n}\to\infty$이므로 $\infty-\infty$ 꼴이다.

분모가 1이라 생각하고 분모, 분자에 각각 $\sqrt{n+2}+\sqrt{n}$을 곱하고 정리한 다음,

극한을 구한다.

(3) $n\to\infty$일 때, 분모가 $\infty-\infty$ 꼴이다.

분모, 분자에 각각 $\sqrt{n^2+n}+\sqrt{n^2-n}$을 곱하고 정리한 다음, 극한을 구한다.

참고 함수의 극한과 수열의 극한을 구하는 방법은 같다.

답 (1) ∞로 발산　(2) 0　(3) 3

 날선 Point

∞ − ∞ 꼴의 극한

• a_n이 다항식일 때 ➡ 최고차항으로 묶는다.

• $\sqrt{a_n}-\sqrt{b_n}$ 꼴 ➡ 분모, 분자에 각각 $\sqrt{a_n}+\sqrt{b_n}$을 곱하고 정리한다.

2-1 다음 극한을 조사하시오.

(1) $\displaystyle\lim_{n\to\infty}(-3n^3+2n+1)$

(2) $\displaystyle\lim_{n\to\infty}\dfrac{\sqrt{2n+1}-\sqrt{n+2}}{\sqrt{n}}$

2-2 다음 극한을 구하시오.

$$\lim_{n\to\infty}\left\{\sqrt{2+4+6+\cdots+2n}-\sqrt{1+3+5+\cdots+(2n-1)}\right\}$$

다음 물음에 답하시오.

(1) $\lim\limits_{n \to \infty} \dfrac{bn+3}{an^2+2n-2} = -\dfrac{3}{2}$일 때, 상수 a, b의 값을 구하시오.

(2) $\lim\limits_{n \to \infty} (\sqrt{n^2+an} - n) = 2$일 때, 상수 a의 값을 구하시오.

날선 Guide (1) $a \neq 0$이면 분모는 이차식, 분자는 일차식 또는 상수이므로

$n \to \infty$일 때 $\lim\limits_{n \to \infty} \dfrac{bn+3}{an^2+2n-2} = 0$이다.

따라서 $a = 0$이다.

이때 분모가 $2n-2$이므로 분모, 분자를 n으로 각각 나누고 극한을 생각한다.

(2) $n \to \infty$일 때 $\sqrt{n^2+an} \to \infty$, $n \to \infty$이므로 $\infty - \infty$ 꼴의 극한이다.

분모가 1이라 생각하고 분모, 분자에 각각 $\sqrt{n^2+an}+n$을 곱하고 정리한 다음, 극한이 2일 조건을 찾는다.

참고 $\lim\limits_{n \to \infty} \dfrac{b_n}{a_n}$에서 a_n, b_n이 n에 대한 다항식이라 하자.

a_n의 차수가 b_n의 차수보다 크면 극한은 0이고,

a_n의 차수가 b_n의 차수보다 작으면 극한은 ∞ 또는 $-\infty$이다.

따라서 극한이 존재하고 극한값이 0이 아니면 a_n과 b_n의 차수는 같다.

답 (1) $a=0$, $b=-3$　(2) 4

날선 Point
- a_n, b_n이 다항식일 때, $\dfrac{b_n}{a_n}$의 극한 ➡ a_n, b_n의 최고차항을 비교한다.
- $\sqrt{a_n} - \sqrt{b_n}$ 꼴 ➡ 분모, 분자에 각각 $\sqrt{a_n} + \sqrt{b_n}$을 곱하고 정리한다.

3-1 다음을 만족시키는 상수 a, b의 값을 구하시오.

(1) $\lim\limits_{n \to \infty} \dfrac{an^2+3n-b}{-n+1} = b$

(2) $\lim\limits_{n \to \infty} \dfrac{an+4}{bn^2+2n+1} = -4$

3-2 $\lim\limits_{n \to \infty} (\sqrt{4n^2+an+2} - bn) = 2$일 때, 양수 a, b의 값을 구하시오.

수열 $\{a_n\}$에 대하여 다음 물음에 답하시오.

(1) $\lim\limits_{n\to\infty}\dfrac{2a_n+1}{a_n-3}=-1$일 때, $\lim\limits_{n\to\infty}a_n$의 값을 구하시오.

(2) 모든 자연수 n에 대하여 $n^2-n<(n^2+1)a_n<n^2+2n$일 때, $\lim\limits_{n\to\infty}a_n$의 값을 구하시오.

날선 Guide (1) $\dfrac{2a_n+1}{a_n-3}=b_n$으로 놓으면 a_n을 b_n으로 나타낼 수 있다.

이때 $\lim\limits_{n\to\infty}b_n=-1$임을 이용하여 $\lim\limits_{n\to\infty}a_n$의 값을 구한다.

참고 $\lim\limits_{n\to\infty}a_n$의 값이 존재한다는 것을 아는 경우에는 극한값을 α로 놓으면

$$\lim\limits_{n\to\infty}\frac{2a_n+1}{a_n-3}=\frac{2\lim\limits_{n\to\infty}a_n+1}{\lim\limits_{n\to\infty}a_n-3}=\frac{2\alpha+1}{\alpha-3}$$

따라서 $\dfrac{2\alpha+1}{\alpha-3}=-1$을 풀면 α의 값을 구할 수 있다.

(2) 각 변을 n^2+1로 나누면 $\dfrac{n^2-n}{n^2+1}<a_n<\dfrac{n^2+2n}{n^2+1}$

따라서 $\lim\limits_{n\to\infty}\dfrac{n^2-n}{n^2+1}$, $\lim\limits_{n\to\infty}\dfrac{n^2+2n}{n^2+1}$의 값부터 생각한다.

답 (1) $\dfrac{2}{3}$ (2) 1

날선 Point 수열 $\{a_n\}$, $\{b_n\}$이 각각 수렴할 때,

● **수열의 극한에 대한 기본 성질**

(1) $\lim\limits_{n\to\infty}ca_n=c\lim\limits_{n\to\infty}a_n$ (c는 상수)
(2) $\lim\limits_{n\to\infty}(a_n\pm b_n)=\lim\limits_{n\to\infty}a_n\pm\lim\limits_{n\to\infty}b_n$

(3) $\lim\limits_{n\to\infty}a_nb_n=\lim\limits_{n\to\infty}a_n\times\lim\limits_{n\to\infty}b_n$
(4) $\lim\limits_{n\to\infty}\dfrac{a_n}{b_n}=\dfrac{\lim\limits_{n\to\infty}a_n}{\lim\limits_{n\to\infty}b_n}$ $\left(b_n\neq0,\ \lim\limits_{n\to\infty}b_n\neq0\right)$

● **수열의 극한의 대소 관계**

수열 $\{c_n\}$에 대하여 $a_n<c_n<b_n$ ➡ $\lim\limits_{n\to\infty}a_n\leq\lim\limits_{n\to\infty}c_n\leq\lim\limits_{n\to\infty}b_n$

4-1 수열 $\{a_n\}$에 대하여 $\lim\limits_{n\to\infty}\dfrac{a_n-1}{2a_n}=3$일 때, $\lim\limits_{n\to\infty}a_n$의 값을 구하시오.

4-2 수열 $\{a_n\}$이 모든 자연수 n에 대하여 $n^2-n-3<na_n<n^2-n+5$를 만족시킬 때, $\lim\limits_{n\to\infty}(a_n-n)$의 값을 구하시오.

1-3 등비수열의 극한

등비수열 $\{r^n\}$에서

(1) $-1 < r < 1$이면 $\lim\limits_{n \to \infty} r^n = 0$ (수렴)

(2) $r = 1$이면 $\lim\limits_{n \to \infty} r^n = 1$ (수렴)

(3) $r > 1$ 또는 $r \leq -1$이면 수열 $\{r^n\}$은 발산한다.

$|r| < 1$ • 수열 $\left\{\left(\dfrac{1}{2}\right)^n\right\}$이나 $\left\{\left(-\dfrac{1}{2}\right)^n\right\}$에서

n의 값이 커지면 $\left(\dfrac{1}{2}\right)^n$과 $\left(-\dfrac{1}{2}\right)^n$

의 값은 모두 절댓값이 한없이 작

아지므로 0에 수렴한다.

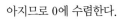

이와 같이 등비수열 $\{r^n\}$에서 $|r| < 1$이면

$n \to \infty$일 때 r^n의 절댓값이 한없이 작아지므로 $\lim\limits_{n \to \infty} r^n = 0$이다.

$|r| > 1$ • 수열 $\{2^n\}$에서 n의 값이 커지면 2^n의 값은 한없이 커지고,

수열 $\{(-2)^n\}$에서 n의 값이 커지면 $(-2)^n$의 값은 양수와 음수가

반복되며 절댓값이 한없이 커진다.

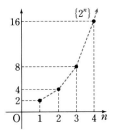

이와 같이 등비수열 $\{r^n\}$에서 $n \to \infty$일 때

$r > 1$이면 r^n의 값은 한없이 커지므로 $\lim\limits_{n \to \infty} r^n = \infty$이다.

$r < -1$이면 r^n의 값은 양수와 음수가 반복되며 절댓값이 커지므로

발산한다.

$r = 1, -1$ • $r = 1$이면 수열 $\{r^n\}$의 모든 항은 1이므로 $\lim\limits_{n \to \infty} r^n = 1$이다.

$r = -1$이면 수열 $\{r^n\}$은 -1, 1이 반복되므로 진동한다.

따라서 다음을 알 수 있다.

$$\text{등비수열 } \{r^n\} \text{이 수렴한다.} \iff -1 < r \leq 1$$

◀ 개념 Check

◆ 정답 및 풀이 **4**쪽

4 다음 등비수열의 극한을 조사하시오.

(1) $\{2^{-n}\}$ (2) $\left\{\left(-\dfrac{1}{3}\right)^n\right\}$ (3) $\{(-4)^n\}$

5 등비수열 $\{(x+1)^n\}$이 수렴할 때, x값의 범위를 구하시오.

다음 극한을 조사하시오.

(1) $\lim\limits_{n \to \infty} \dfrac{3^{n+1}+2^{n+1}}{3^n}$

(2) $\lim\limits_{n \to \infty} \dfrac{3^n+2^{2n+1}}{2^{2n}+2^n}$

(3) $\lim\limits_{n \to \infty} \dfrac{\sqrt{5^n}}{2^n+5}$

(4) $\lim\limits_{n \to \infty} (2^n-3^n)$

 Guide (1) $\dfrac{3^{n+1}+2^{n+1}}{3^n}=3+2\times\left(\dfrac{2}{3}\right)^n$으로 정리하고 극한을 구한다.

(2) $n \to \infty$일 때 (분모) $\to \infty$, (분자) $\to \infty$ 꼴이다.

$2^{2n}=(2^2)^n=4^n$이므로 분모의 밑의 절댓값이 가장 큰 항은 4^n이다.

분모, 분자를 각각 4^n으로 나누고 극한을 구한다.

(3) 역시 $\dfrac{\infty}{\infty}$ 꼴의 극한이므로 분모의 밑의 절댓값이 가장 큰 항으로 분모, 분자를 각각 나

누고 극한을 구한다. 이때 $\sqrt{5^n}=(\sqrt{5})^n$을 이용하면 편하다.

(4) $\infty-\infty$ 꼴의 극한이다.

$3^n\left(\dfrac{2^n}{3^n}-1\right)$로 변형하고 극한을 구한다.

답 (1) 3 (2) 2 (3) ∞로 발산 (4) $-\infty$로 발산

날선 Point 등비수열의 극한에서

• $\dfrac{\infty}{\infty}$ 꼴 ➡ 분모의 밑의 절댓값이 가장 큰 항으로 분모, 분자를 각각 나눈다.

• $\infty-\infty$ 꼴 ➡ 밑의 절댓값이 가장 큰 항으로 묶는다.

5-1 다음 극한을 구하시오.

(1) $\lim\limits_{n \to \infty} \dfrac{3^{n-1}+2^{n+1}}{3^{n+1}+2^{n-1}}$

(2) $\lim\limits_{n \to \infty} \dfrac{4^n+3^{n+1}}{2^{2n-2}-3^n}$

(3) $\lim\limits_{n \to \infty} \dfrac{1+2+2^2+2^3+\cdots+2^{n-1}}{1+2+2^2+2^3+\cdots+2^n}$

5-2 $\lim\limits_{n \to \infty} \{5^n-(-3)^n\}$의 극한을 조사하시오.

대표 Q6 등비수열이 수렴할 조건

◆ 정답 및 풀이 5쪽

다음 물음에 답하시오.

(1) $r \neq -1$일 때, $\lim\limits_{n \to \infty} \dfrac{r^n}{1+r^n}$의 값을 구하시오.

(2) 등비수열 $\{x(x^2-x)^{n-1}\}$이 수렴할 때, x값의 범위를 구하시오.

날선 Guide (1) $\lim\limits_{n \to \infty} r^n$을 포함한 극한에서는 r값의 범위를 다음 경우로 나누어 생각한다.

$$|r| < 1, \ |r| > 1, \ r = 1, \ r = -1$$

그리고

$$|r| < 1일 \ 때, \ \lim\limits_{n \to \infty} r^n = 0$$
$$|r| > 1일 \ 때, \ \lim\limits_{n \to \infty} |r|^n = \infty$$

를 이용한다.

(2) 등비수열 $\{ar^{n-1}\}$이 수렴할 조건은

$$a = 0 \ 또는 \ -1 < r \leq 1$$

이다. 특히 $a = 0$이면 모든 항이 0이므로 r값의 범위에 관계없이 수열은 수렴한다는 것에 주의한다.

답 (1) $|r| < 1$일 때 0, $|r| > 1$일 때 1, $r = 1$일 때 $\dfrac{1}{2}$ (2) $\dfrac{1-\sqrt{5}}{2} \leq x \leq \dfrac{1+\sqrt{5}}{2}$

날선 Point
- r^n 꼴을 포함한 극한
  ➡ r값의 범위를 $|r| < 1, \ |r| > 1, \ r = 1, \ r = -1$로 나누어 생각한다.
- 등비수열 $\{ar^{n-1}\}$이 수렴할 조건 ➡ $a = 0$ 또는 $-1 < r \leq 1$

6-1 극한 $\lim\limits_{n \to \infty} \dfrac{1-r^n}{1+r^{2n}}$을 조사하시오.

6-2 수열 $\left\{ \dfrac{r^n + 4^n}{r^n - 4^n} \right\}$의 극한값이 -1일 때, r값의 범위를 구하시오.

6-3 다음 등비수열이 수렴할 때, x값의 범위를 구하시오.

(1) $\{x(2x+3)^{n-1}\}$

(2) $\left\{ \left(\dfrac{x(x-1)}{2} \right)^n \right\}$

01 다음 중 수렴하는 수열을 모두 고르면?

① $\{-2n+1\}$ ② $\{1+(-2)^n\}$ ③ $\left\{\dfrac{1}{\sqrt{3n-1}+1}\right\}$

④ $\left\{6+\left(\dfrac{5}{9}\right)^n\right\}$ ⑤ $\left\{\sin\dfrac{n\pi}{2}\right\}$

02 다음 극한을 구하시오.

(1) $\displaystyle\lim_{n\to\infty}\dfrac{(n+3)(n+4)-n^2}{(n+1)(n+2)-n^2}$

(2) $\displaystyle\lim_{n\to\infty}\dfrac{3n}{\sqrt{n^2+n}+\sqrt{4n^2-n}}$

03 수열 $\{a_n\}$에 대하여 $\displaystyle\lim_{n\to\infty}\dfrac{a_n}{n}=5$일 때, $\displaystyle\lim_{n\to\infty}\dfrac{n}{n+a_n}$의 값을 구하시오.

04 수열 $\{a_n\}$이 모든 자연수 n에 대하여 $\dfrac{10}{2n^2+3n}<a_n<\dfrac{10}{2n^2+n}$을 만족시킬 때,

$\displaystyle\lim_{n\to\infty}n^2a_n$의 값을 구하시오.

05 $r>0$일 때, $\displaystyle\lim_{n\to\infty}\dfrac{r^{n+1}+2r+1}{r^n+1}=\dfrac{5}{3}$를 만족시키는 r값의 합은?

① $\dfrac{4}{3}$ ② 2 ③ $\dfrac{7}{3}$ ④ 3 ⑤ $\dfrac{10}{3}$

06 수열 $\{a_n\}$은 첫째항이 1이고, 공비가 $r\ (r>1)$인 등비수열이다. $S_n=\sum\limits_{k=1}^{n}a_k$이고 $\lim\limits_{n\to\infty}\dfrac{a_n}{S_n}=\dfrac{3}{4}$일 때, r의 값을 구하시오.

 Step ❷ 실전

07 다음 극한을 구하시오.

(1) $\lim\limits_{n\to\infty}\dfrac{1+3+5+\cdots+(2n-1)}{2+4+6+\cdots+2n}$

(2) $\lim\limits_{n\to\infty}\left(1-\dfrac{1}{2^2}\right)\left(1-\dfrac{1}{3^2}\right)\left(1-\dfrac{1}{4^2}\right)\times\cdots\times\left(1-\dfrac{1}{n^2}\right)$

08 다음 극한을 구하시오.

(1) $\lim\limits_{n\to\infty}\dfrac{\sqrt{n+1}-\sqrt{n}}{\sqrt{n+2}-\sqrt{n}}$

(2) $\lim\limits_{n\to\infty}(\sqrt{n^2+15n+13}-\sqrt{n^2-13n})$

09 등차수열 $\{a_n\}$에 대하여 $a_3=5$, $a_6=11$일 때, $\lim\limits_{n\to\infty}\left(\sqrt{\sum\limits_{k=1}^{n}a_{k+1}}-\sqrt{\sum\limits_{k=1}^{n}a_k}\right)$의 값을 구하시오.

10 x에 대한 이차방정식 $x^2-3x+2n-\sqrt{4n^2-n}=0$의 두 근을 α_n, β_n이라 할 때, $\lim\limits_{n\to\infty}\left(\dfrac{1}{\alpha_n}+\dfrac{1}{\beta_n}\right)$의 값을 구하시오.

11 두 수열 $\{a_n\}$, $\{b_n\}$에 대하여 $\lim\limits_{n\to\infty}(a_n+b_n)=1$, $\lim\limits_{n\to\infty}(2a_n-b_n)=8$일 때, $\lim\limits_{n\to\infty}\dfrac{3a_n+b_n}{a_n-2b_n}$의 값을 구하시오.

12 $\lim\limits_{n \to \infty} \dfrac{1}{n} \sin \dfrac{n\pi}{3}$ 의 값을 구하시오.

13 $\lim\limits_{n \to \infty} \dfrac{a \times 2^{n+1} + b \times 3^n - 3}{2^n + 1} = -2$ 일 때, 상수 a, b의 값을 구하시오.

교육청 기출

14 $f(x) = \lim\limits_{n \to \infty} \dfrac{x^{2n-1} + x^{2n}}{x^{2n} + 2}$ 일 때, $f(-2) + f\left(\dfrac{1}{2}\right)$의 값은?

① -2 ② $-\dfrac{1}{2}$ ③ 0 ④ $\dfrac{1}{2}$ ⑤ 2

수능 기출

15 직선 $x = 4^n$이 곡선 $y = \sqrt{x}$와 만나는 점을 P_n이라 하자. 선분 $\mathrm{P}_n\mathrm{P}_{n+1}$의 길이를 L_n이라 할 때, $\lim\limits_{n \to \infty} \left(\dfrac{L_{n+1}}{L_n}\right)^2$의 값을 구하시오.

교육청 기출

16 두 수열 $\{a_n\}$, $\{b_n\}$에 대하여 보기에서 옳은 것만을 있는 대로 고른 것은?

(단, α는 상수)

┤ 보기 ├

ㄱ. $\lim\limits_{n \to \infty} a_n = \alpha$, $\lim\limits_{n \to \infty} b_n = 0$이면 $\lim\limits_{n \to \infty} a_n b_n = 0$이다.

ㄴ. $\lim\limits_{n \to \infty} a_n = \alpha$, $\lim\limits_{n \to \infty} (a_n - b_n) = 0$이면 $\lim\limits_{n \to \infty} b_n = \alpha$이다.

ㄷ. $\lim\limits_{n \to \infty} a_n = \infty$, $\lim\limits_{n \to \infty} (a_n - b_n) = \alpha$이면 $\lim\limits_{n \to \infty} \dfrac{b_n}{a_n} = 1$이다.

① ㄱ   ② ㄷ   ③ ㄱ, ㄴ   ④ ㄴ, ㄷ   ⑤ ㄱ, ㄴ, ㄷ

급수란 수열의 각 항을 차례대로 덧셈 기호 +로 연결한 식을 말한다. 얼핏 무수히 많은 수를 합하면 한없이 커진다고 생각할 수 있지만 무수히 많은 수의 합이 일정한 값에 한없이 가까워지는 경우도 존재한다.

이 단원에서는 급수의 수렴, 발산의 뜻과 성질을 이해하고, 이를 판별해 보자. 또 등비급수의 뜻을 알고, 이를 활용하여 여러 가지 문제를 해결해 보자.

급수

2

2-1 급수의 수렴과 발산

1 수열 $\{a_n\}$에서 모든 항의 합을 급수라 하고 $\sum\limits_{n=1}^{\infty} a_n$으로 나타낸다. 곧,

$$\sum_{n=1}^{\infty} a_n = a_1 + a_2 + a_3 + \cdots + a_n + \cdots$$

2 급수 $\sum\limits_{n=1}^{\infty} a_n$에서 $S_n = \sum\limits_{k=1}^{n} a_k$를 제$n$항까지의 부분합이라 한다.

그리고 수열 $\{S_n\}$이 S에 수렴하면 급수 $\sum\limits_{n=1}^{\infty} a_n$은 S에 수렴한다 하고

S를 급수의 합이라 한다. 곧,

$$\sum_{n=1}^{\infty} a_n = \lim_{n \to \infty} S_n = S$$

수열 $\{S_n\}$이 발산하면 급수 $\sum\limits_{n=1}^{\infty} a_n$은 발산한다고 한다.

3 급수 $\sum\limits_{n=1}^{\infty} a_n$이 수렴하면 $\lim\limits_{n \to \infty} a_n = 0$이다.

급수 •

수열 $\left\{\left(\dfrac{1}{2}\right)^n\right\}$의 모든 항의 합

$$\frac{1}{2} + \left(\frac{1}{2}\right)^2 + \left(\frac{1}{2}\right)^3 + \cdots + \left(\frac{1}{2}\right)^n + \cdots$$

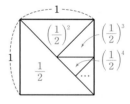

을 급수라 하고 기호 Σ를 사용하여 $\sum\limits_{n=1}^{\infty} \left(\dfrac{1}{2}\right)^n$과 같이 나타낸다.

급수의 수렴 •

급수 $\sum\limits_{n=1}^{\infty} \left(\dfrac{1}{2}\right)^n$의 값을 구하는 방법을 알아보자.

수열 $\left\{\left(\dfrac{1}{2}\right)^n\right\}$의 첫째항부터 제$n$항까지의 합을 S_n이라 하면

$$S_n = \sum_{k=1}^{n} \left(\frac{1}{2}\right)^k = \frac{\dfrac{1}{2}\left\{1 - \left(\dfrac{1}{2}\right)^n\right\}}{1 - \dfrac{1}{2}} = 1 - \left(\frac{1}{2}\right)^n$$

이므로 수열 $\{S_n\}$은 1에 수렴한다. 이 값이 급수 $\sum\limits_{n=1}^{\infty} \left(\dfrac{1}{2}\right)^n$의 합이다. 곧,

$$\sum_{n=1}^{\infty} \left(\frac{1}{2}\right)^n = \lim_{n \to \infty} S_n = 1$$

여기에서 S_n을 이 급수의 제n항까지의 **부분합**이라 한다.

일반적으로 수열 $\{a_n\}$에서 $S_n = \sum\limits_{k=1}^{n} a_k$라 할 때, 수열 $\{S_n\}$의 극한값을 급수 $\sum\limits_{n=1}^{\infty} a_n$의 합이라

한다. 곧,

$$\sum_{n=1}^{\infty} a_n = \lim_{n \to \infty} \sum_{k=1}^{n} a_k \text{ 또는 } \sum_{n=1}^{\infty} a_n = \lim_{n \to \infty} S_n$$

$\lim\limits_{n \to \infty} S_n$이 발산할 때 급수는 발산한다고 한다.

예를 들어 수열 $\{2n\}$에서

$$S_n = \sum_{k=1}^{n} 2k = 2 \times \frac{n(n+1)}{2} = n(n+1)$$

이때 $\lim\limits_{n \to \infty} S_n = \infty$이므로 급수 $\sum\limits_{n=1}^{\infty} 2n$은 ∞로 발산한다.

급수 $\sum\limits_{n=1}^{\infty} a_n$이 S에 수렴하면 $\lim\limits_{n \to \infty} S_n = S$, $\lim\limits_{n \to \infty} S_{n-1} = S$이다.

그런데 $a_n = S_n - S_{n-1} \ (n \geq 2)$이므로

$\lim\limits_{n \to \infty} a_n = \lim\limits_{n \to \infty} (S_n - S_{n-1}) = \lim\limits_{n \to \infty} S_n - \lim\limits_{n \to \infty} S_{n-1} = S - S = 0$이다. 곧,

$$\text{급수 } \sum_{n=1}^{\infty} a_n \text{이 수렴} \Rightarrow \lim_{n \to \infty} a_n = 0 \qquad \cdots \text{㉠}$$

따라서 $\lim\limits_{n \to \infty} a_n \neq 0$이면 급수 $\sum\limits_{n=1}^{\infty} a_n$은 발산한다.

예를 들어 수열 $\left\{\dfrac{n+1}{n}\right\}$은 $\lim\limits_{n \to \infty} \dfrac{n+1}{n} = 1$이므로 급수 $\sum\limits_{n=1}^{\infty} \dfrac{n+1}{n}$은 발산한다.

수열 $\left\{\dfrac{1}{n}\right\}$에서 $\lim\limits_{n \to \infty} \dfrac{1}{n} = 0$이다. 그러나

$$1 + \frac{1}{2} + \frac{1}{3} + \frac{1}{4} + \cdots = 1 + \frac{1}{2} + \left(\frac{1}{3} + \frac{1}{4}\right) + \left(\frac{1}{5} + \cdots + \frac{1}{8}\right) + \left(\frac{1}{9} + \cdots + \frac{1}{16}\right) + \cdots$$

$$> 1 + \frac{1}{2} + \left(\frac{1}{4} + \frac{1}{4}\right) + \left(\frac{1}{8} + \cdots + \frac{1}{8}\right) + \left(\frac{1}{16} + \cdots + \frac{1}{16}\right) + \cdots$$

$$= 1 + \frac{1}{2} + \frac{1}{4} \times 2 + \frac{1}{8} \times 4 + \frac{1}{16} \times 8 + \cdots$$

$$= 1 + \frac{1}{2} + \frac{1}{2} + \frac{1}{2} + \frac{1}{2} + \cdots$$

따라서 $\sum\limits_{n=1}^{\infty} \dfrac{1}{n} = \infty$(발산)이다. 곧, ㉠의 역은 성립하지 않는다.

개념 Check ◆ 정답 및 풀이 **10**쪽

1 수열 $\{a_n\}$의 부분합 S_n이 다음과 같을 때, 급수 $\sum\limits_{n=1}^{\infty} a_n$의 수렴, 발산을 조사하시오.

(1) $S_n = \dfrac{2n}{n+1}$ 　　　　　　　　　　　　　(2) $S_n = 2^n - 1$

2 수열 $\{a_n\}$에 대하여 급수 $\sum\limits_{n=1}^{\infty} (a_n - 2)$가 수렴할 때, $\lim\limits_{n \to \infty} a_n$의 값을 구하시오.

두 급수 $\sum\limits_{n=1}^{\infty} a_n$, $\sum\limits_{n=1}^{\infty} b_n$이 수렴할 때,

(1) $\sum\limits_{n=1}^{\infty} ca_n = c \sum\limits_{n=1}^{\infty} a_n$ (c는 상수)

(2) $\sum\limits_{n=1}^{\infty} (a_n \pm b_n) = \sum\limits_{n=1}^{\infty} a_n \pm \sum\limits_{n=1}^{\infty} b_n$

∑의 성질 ●　수학 Ⅰ에서 두 수열 $\{a_n\}$, $\{b_n\}$에 대하여

$$\sum\limits_{k=1}^{n} ca_k = c \sum\limits_{k=1}^{n} a_k \ (c는 상수)$$

$$\sum\limits_{k=1}^{n} (a_k \pm b_k) = \sum\limits_{k=1}^{n} a_k \pm \sum\limits_{k=1}^{n} b_k$$

가 성립함은 공부하였다. 그리고 앞서 공부한 수열의 극한의 성질을 생각하면 위의 성질이 성립함을 알 수 있다.

급수의 성질 ●　예를 들어 $\sum\limits_{n=1}^{\infty} a_n = 2$, $\sum\limits_{n=1}^{\infty} b_n = -4$이면

$$\sum\limits_{n=1}^{\infty} 3a_n = 3 \sum\limits_{n=1}^{\infty} a_n = 3 \times 2 = 6,$$

$$\sum\limits_{n=1}^{\infty} (3a_n - 2b_n) = 3 \sum\limits_{n=1}^{\infty} a_n - 2 \sum\limits_{n=1}^{\infty} b_n = 3 \times 2 - 2 \times (-4) = 14$$

● ∑의 성질에서 $\sum\limits_{k=1}^{n} a_k b_k \neq \left(\sum\limits_{k=1}^{n} a_k \right)\left(\sum\limits_{k=1}^{n} b_k \right)$이다.

마찬가지로 급수에서도

$$\sum\limits_{n=1}^{\infty} a_n b_n \neq \left(\sum\limits_{n=1}^{\infty} a_n \right)\left(\sum\limits_{n=1}^{\infty} b_n \right)$$

이라는 것에 주의한다.

◤ 개념 Check

◆ 정답 및 풀이 **10**쪽

3 $\sum\limits_{n=1}^{\infty} a_n = -1$, $\sum\limits_{n=1}^{\infty} b_n = 3$일 때, 다음 급수의 합을 구하시오.

(1) $\sum\limits_{n=1}^{\infty} (-2a_n)$　　　　　　　　　(2) $\sum\limits_{n=1}^{\infty} (2a_n + 3b_n)$

대표 **Q1** 급수의 계산

다음 급수의 수렴, 발산을 조사하고, 수렴하면 그 합을 구하시오.

(1) $\dfrac{1}{2^2-1}+\dfrac{1}{3^2-1}+\dfrac{1}{4^2-1}+\dfrac{1}{5^2-1}+\cdots$

(2) $\displaystyle\sum_{n=1}^{\infty}\dfrac{2}{\sqrt{n+1}+\sqrt{n}}$

날선 Guide $\displaystyle\sum_{n=1}^{\infty}a_n=\lim_{n\to\infty}\sum_{k=1}^{n}a_k$이므로 먼저 부분합 $\displaystyle\sum_{k=1}^{n}a_k$부터 구하고, 극한을 생각한다.

(1) 일반항이 분수식 꼴이다.

$$a_k=\dfrac{1}{(k+1)^2-1}=\dfrac{1}{k(k+2)}=\dfrac{1}{2}\left(\dfrac{1}{k}-\dfrac{1}{k+2}\right) \quad\longrightarrow \dfrac{1}{AB}=\dfrac{1}{B-A}\left(\dfrac{1}{A}-\dfrac{1}{B}\right)$$

로 변형한 다음, $k=1,\ 2,\ 3,\ 4,\ \cdots,\ n-2,\ n-1,\ n$을 대입하고 더하여 $\displaystyle\sum_{k=1}^{n}a_k$를 구한다.

(2) 일반항이 무리식 꼴이다.

$$a_k=\dfrac{2}{\sqrt{k+1}+\sqrt{k}}=\dfrac{2(\sqrt{k+1}-\sqrt{k})}{(k+1)-k}=2(\sqrt{k+1}-\sqrt{k}) \quad\longrightarrow 분모의 유리화$$

이므로 $k=1,\ 2,\ 3,\ 4,\ \cdots,\ n-2,\ n-1,\ n$을 대입하고 더하면 $\displaystyle\sum_{k=1}^{n}a_k$를 구할 수 있다.

답 (1) 수렴, $\dfrac{3}{4}$ (2) ∞로 발산

날선 Point 급수의 합을 구하는 기본 방법

• 분수식의 합 ➡ $\dfrac{1}{AB}=\dfrac{1}{B-A}\left(\dfrac{1}{A}-\dfrac{1}{B}\right)$

• 무리식의 합 ➡ 각 항을 $A-B$ 꼴로 만든다.

1-1 다음 급수의 수렴, 발산을 조사하고, 수렴하면 그 합을 구하시오.

(1) $\displaystyle\sum_{n=1}^{\infty}\dfrac{1}{n^2+3n+2}$

(2) $\displaystyle\sum_{n=1}^{\infty}\dfrac{1}{1+2+3+\cdots+n}$

1-2 다음 급수의 수렴, 발산을 조사하고, 수렴하면 그 합을 구하시오.

(1) $\displaystyle\sum_{n=1}^{\infty}(\sqrt{n+2}-\sqrt{n})$

(2) $\displaystyle\sum_{n=1}^{\infty}\dfrac{2}{\sqrt{2n+1}+\sqrt{2n-1}}$

대표 Q2 합의 성질

다음 급수의 수렴, 발산을 조사하고, 수렴하면 그 합을 구하시오.

(1) $\left(\dfrac{1}{2}-\dfrac{2}{3}\right)+\left(\dfrac{2}{3}-\dfrac{3}{4}\right)+\left(\dfrac{3}{4}-\dfrac{4}{5}\right)+\left(\dfrac{4}{5}-\dfrac{5}{6}\right)+\cdots$

(2) $\dfrac{1}{2}-\dfrac{2}{3}+\dfrac{2}{3}-\dfrac{3}{4}+\dfrac{3}{4}-\dfrac{4}{5}+\dfrac{4}{5}-\cdots$

날선 Guide (1) 괄호로 묶은 것을 하나의 항처럼 생각하면

$$S_n=\left(\dfrac{1}{2}-\dfrac{2}{3}\right)+\left(\dfrac{2}{3}-\dfrac{3}{4}\right)+\left(\dfrac{3}{4}-\dfrac{4}{5}\right)+\left(\dfrac{4}{5}-\dfrac{5}{6}\right)+\cdots+\left(\dfrac{n}{n+1}-\dfrac{n+1}{n+2}\right)$$

적당히 소거하면 S_n을 구할 수 있다.

(2) $S_1=\dfrac{1}{2}$

$S_2=\dfrac{1}{2}-\dfrac{2}{3}$

$S_3=\dfrac{1}{2}-\dfrac{2}{3}+\dfrac{2}{3}=\dfrac{1}{2}$

$S_4=\dfrac{1}{2}-\dfrac{2}{3}+\dfrac{2}{3}-\dfrac{3}{4}=\dfrac{1}{2}-\dfrac{3}{4}$

$\vdots$

이므로 S_{2n-1}과 S_{2n}을 따로 계산한 다음, 각각의 극한을 구한다.

이때 $\lim\limits_{n\to\infty}S_{2n-1}$과 $\lim\limits_{n\to\infty}S_{2n}$의 극한이 S로 같으면 $\lim\limits_{n\to\infty}S_n=S$이다.

그리고 $\lim\limits_{n\to\infty}S_{2n-1}$과 $\lim\limits_{n\to\infty}S_{2n}$의 극한이 다르면 $\lim\limits_{n\to\infty}S_n$의 값은 존재하지 않는다.

답 (1) 수렴, $-\dfrac{1}{2}$ (2) 발산

날선 Point $\lim\limits_{n\to\infty}S_{2n-1}=\lim\limits_{n\to\infty}S_{2n}=S \Longleftrightarrow \lim\limits_{n\to\infty}S_n=S$

2-1 다음 급수의 수렴, 발산을 조사하고, 수렴하면 그 합을 구하시오.

(1) $\left(1-\dfrac{1}{2}\right)+\left(\dfrac{1}{2}-\dfrac{1}{3}\right)+\left(\dfrac{1}{3}-\dfrac{1}{4}\right)+\left(\dfrac{1}{4}-\dfrac{1}{5}\right)+\cdots$

(2) $1-\dfrac{1}{2}+\dfrac{1}{2}-\dfrac{1}{3}+\dfrac{1}{3}-\dfrac{1}{4}+\dfrac{1}{4}-\dfrac{1}{5}+\cdots$

다음 물음에 답하시오.

(1) 두 수열 $\{a_n\}$, $\{b_n\}$에 대하여 $\displaystyle\sum_{n=1}^{\infty}(a_n+b_n)=3$, $\displaystyle\sum_{n=1}^{\infty}(a_n-2b_n)=9$일 때,

급수 $\displaystyle\sum_{n=1}^{\infty}(a_n-b_n)$의 합을 구하시오.

(2) 수열 $\{a_n\}$에 대하여 급수 $(a_1+1)+\left(\dfrac{a_2}{2}+1\right)+\left(\dfrac{a_3}{3}+1\right)+\left(\dfrac{a_4}{4}+1\right)+\cdots$이 수렴할

때, $\displaystyle\lim_{n\to\infty}\dfrac{a_n-3n}{2a_n+n}$의 값을 구하시오.

날선 Guide (1) $a_n+b_n=p_n$, $a_n-2b_n=q_n$이라 하고 두 식을 연립하여 풀면

$$a_n=\frac{2p_n+q_n}{3},\ b_n=\frac{p_n-q_n}{3}$$

따라서 $\displaystyle\sum_{n=1}^{\infty}p_n=3$, $\displaystyle\sum_{n=1}^{\infty}q_n=9$임을 이용하여 $\displaystyle\sum_{n=1}^{\infty}a_n$, $\displaystyle\sum_{n=1}^{\infty}b_n$을 각각 구한다.

참고 $\displaystyle\sum_{n=1}^{\infty}a_n$, $\displaystyle\sum_{n=1}^{\infty}b_n$이 수렴한다는 조건이 있으면

$$\sum_{n=1}^{\infty}a_n+\sum_{n=1}^{\infty}b_n=3,\ \sum_{n=1}^{\infty}a_n-2\sum_{n=1}^{\infty}b_n=9로\ 고쳐서\ 풀\ 수\ 있다.$$

(2) 급수 $\displaystyle\sum_{n=1}^{\infty}\left(\dfrac{a_n}{n}+1\right)$이 수렴하므로 $\displaystyle\lim_{n\to\infty}\left(\dfrac{a_n}{n}+1\right)=0$이다.

이를 이용하여 주어진 극한을 조사한다.

답 (1) 7 (2) 4

날선 Point • 두 급수 $\displaystyle\sum_{n=1}^{\infty}a_n$, $\displaystyle\sum_{n=1}^{\infty}b_n$이 수렴할 때,

(1) $\displaystyle\sum_{n=1}^{\infty}ca_n=c\sum_{n=1}^{\infty}a_n$ (c는 상수) (2) $\displaystyle\sum_{n=1}^{\infty}(a_n\pm b_n)=\sum_{n=1}^{\infty}a_n\pm\sum_{n=1}^{\infty}b_n$

• 급수 $\displaystyle\sum_{n=1}^{\infty}a_n$이 수렴 $\Rightarrow$ $\displaystyle\lim_{n\to\infty}a_n=0$

3-1 두 급수 $\displaystyle\sum_{n=1}^{\infty}a_n$, $\displaystyle\sum_{n=1}^{\infty}b_n$이 수렴하고 $\displaystyle\sum_{n=1}^{\infty}(a_n+2b_n)=6$, $\displaystyle\sum_{n=1}^{\infty}(2a_n+b_n)=60$일 때,

급수 $\displaystyle\sum_{n=1}^{\infty}(a_n+b_n)$의 합을 구하시오.

3-2 수열 $\{a_n\}$에 대하여 급수 $\displaystyle\sum_{n=1}^{\infty}\left(\dfrac{a_n}{2n^2-1}-\dfrac{1}{4}\right)$이 수렴할 때, $\displaystyle\lim_{n\to\infty}\dfrac{a_n}{n^2}$의 값을 구하시오.

2-3 등비급수

등비급수 $\sum\limits_{n=1}^{\infty} ar^{n-1}=a+ar+ar^2+ar^3+\cdots+ar^{n-1}+\cdots\ (a\neq0)$은

$|r|<1$일 때, 수렴하고 그 합은 $\dfrac{a}{1-r}$

$|r|\geq1$일 때, 발산한다.

등비급수

등비수열 $\{ar^{n-1}\}$의 급수를 등비급수라 한다. 곧,

$$\sum_{n=1}^{\infty} ar^{n-1}=a+ar+ar^2+ar^3+\cdots+ar^{n-1}+\cdots$$

등비급수의 수렴, 발산

등비급수에서 부분합 S_n은

$$r\neq1\text{일 때, } S_n=\frac{a(1-r^n)}{1-r}$$

$$r=1\text{일 때, } S_n=a+a+a+\cdots+a=na$$

따라서 $a\neq0$이면

(ⅰ) $|r|<1$일 때, $\lim\limits_{n\to\infty} r^n=0$이므로 $\lim\limits_{n\to\infty} S_n=\dfrac{a}{1-r}$

(ⅱ) $|r|>1$일 때, $\lim\limits_{n\to\infty} |r|^n=\infty$이므로 $\lim\limits_{n\to\infty} S_n$은 발산한다.

(ⅲ) $r=1$일 때, $\lim\limits_{n\to\infty} S_n=\lim\limits_{n\to\infty} na=\infty$이므로 발산한다.

곧, 급수 $\sum\limits_{n=1}^{\infty} ar^{n-1}$에서 $a=0$이거나 $|r|<1$이면 수렴한다는 것을 알 수 있다.

$$\sum_{n=1}^{\infty} ar^{n-1}\text{이 수렴할 조건} \Rightarrow a=0 \text{ 또는 } -1<r<1$$

등비급수의 합

이 결과를 이용하면 등비급수에서 부분합을 구하지 않아도 급수의 합을 구할 수 있다.

예를 들어 첫째항이 1, 공비가 $\dfrac{1}{2}$인 등비급수의 합은

$$\sum_{n=1}^{\infty}\left(\frac{1}{2}\right)^{n-1}=1+\frac{1}{2}+\left(\frac{1}{2}\right)^2+\left(\frac{1}{2}\right)^3+\cdots+\left(\frac{1}{2}\right)^{n-1}+\cdots$$

$$=\frac{1}{1-\dfrac{1}{2}}=2$$

개념 Check

◆ 정답 및 풀이 **12**쪽

4 다음 등비급수의 수렴, 발산을 조사하고, 수렴하면 그 합을 구하시오.

(1) $\sum\limits_{n=1}^{\infty} \dfrac{1}{3^n}$

(2) $\sum\limits_{n=1}^{\infty} \dfrac{2^{2n}}{3^n}$

대표 Q4 등비급수의 합

다음 급수의 합을 구하시오.

(1) $2 - \dfrac{4}{3} + \dfrac{8}{9} - \dfrac{16}{27} + \cdots$

(2) $1 + \dfrac{1}{\sqrt{2}} + \dfrac{1}{2} + \dfrac{1}{2\sqrt{2}} + \dfrac{1}{4} + \cdots$

(3) $\displaystyle\sum_{n=1}^{\infty} 2^{1-2n}$

(4) $\displaystyle\sum_{n=1}^{\infty} \dfrac{1-2^{n-1}}{3^n}$

날선 Guide 첫째항이 $a\,(a\neq 0)$, 공비가 r인 등비급수는 $-1<r<1$일 때 수렴하고 그 합은 $\dfrac{a}{1-r}$이다.

따라서 첫째항 a와 공비 r부터 찾는다.

(1) $a=2$이고 $r=-\dfrac{2}{3}$이다.

(2) $a=1$이고 $r=\dfrac{1}{\sqrt{2}}$이다.

(3) $a_n = 2^{1-2n} = 2 \times 2^{-2n} = 2 \times \left(\dfrac{1}{4}\right)^n$이므로 $a=2 \times \dfrac{1}{4}$이고 $r=\dfrac{1}{4}$이다.

(4) $a_n = \dfrac{1}{3^n} - \dfrac{2^{n-1}}{3 \times 3^{n-1}} = \dfrac{1}{3^n} - \dfrac{1}{3} \times \left(\dfrac{2}{3}\right)^{n-1}$

이므로 수열 $\{a_n\}$은 공비가 $\dfrac{1}{3}$, $\dfrac{2}{3}$인 두 등비수열의 차이다.

그리고 두 등비급수 $\displaystyle\sum_{n=1}^{\infty} \dfrac{1}{3^n}$, $\displaystyle\sum_{n=1}^{\infty} \dfrac{1}{3} \times \left(\dfrac{2}{3}\right)^{n-1}$은 수렴하므로 $\displaystyle\sum_{n=1}^{\infty} \dfrac{1}{3^n} - \sum_{n=1}^{\infty} \dfrac{1}{3} \times \left(\dfrac{2}{3}\right)^{n-1}$
의 합을 구한다.

답 (1) $\dfrac{6}{5}$ (2) $2+\sqrt{2}$ (3) $\dfrac{2}{3}$ (4) $-\dfrac{1}{2}$

날선 Point 등비급수의 합

$$\sum_{n=1}^{\infty} ar^{n-1} = \dfrac{a}{1-r} \quad (-1<r<1)$$

4-1 다음 등비급수의 합을 구하시오.

(1) $1 + \left(-\dfrac{1}{4}\right) + \dfrac{1}{16} + \left(-\dfrac{1}{64}\right) + \cdots$

(2) $\sqrt{3} - \dfrac{3}{2} + \dfrac{3\sqrt{3}}{4} - \dfrac{9}{8} + \cdots$

4-2 다음 급수의 합을 구하시오.

(1) $\displaystyle\sum_{n=1}^{\infty} \dfrac{3^n}{(-4)^{n-1}}$

(2) $\displaystyle\sum_{n=1}^{\infty} 4^n \left(\dfrac{1}{5}\right)^{n-1}$

(3) $\displaystyle\sum_{n=1}^{\infty} \dfrac{2^{n+1} - 3^{n-1}}{6^n}$

대표 Q5 나열하는 등비급수

다음 물음에 답하시오.

(1) 급수 $\sum\limits_{n=1}^{\infty} \left(\dfrac{1}{2}\right)^n \sin \dfrac{n\pi}{2}$ 의 합을 구하시오.

(2) 9^n을 10으로 나눈 나머지를 a_n이라 할 때, 급수 $\sum\limits_{n=1}^{\infty} \dfrac{a_n}{10^n}$ 의 합을 구하시오.

날선 Guide (1) $\sum\limits_{n=1}^{\infty} \left(\dfrac{1}{2}\right)^n \sin \dfrac{n\pi}{2} = \dfrac{1}{2}\sin \dfrac{\pi}{2} + \left(\dfrac{1}{2}\right)^2 \sin \pi + \left(\dfrac{1}{2}\right)^3 \sin \dfrac{3}{2}\pi + \left(\dfrac{1}{2}\right)^4 \sin 2\pi$

$\qquad\qquad\qquad\qquad + \left(\dfrac{1}{2}\right)^5 \sin \dfrac{5}{2}\pi + \cdots$

$\qquad\qquad\qquad = \dfrac{1}{2} + 0 - \left(\dfrac{1}{2}\right)^3 + 0 + \left(\dfrac{1}{2}\right)^5 + \cdots$

따라서 첫째항이 $\dfrac{1}{2}$이고 공비가 $-\left(\dfrac{1}{2}\right)^2$인 등비급수이다.

(2) $\sum\limits_{n=1}^{\infty} \dfrac{a_n}{10^n} = \dfrac{9}{10} + \dfrac{1}{10^2} + \dfrac{9}{10^3} + \dfrac{1}{10^4} + \dfrac{9}{10^5} + \dfrac{1}{10^6} + \cdots$

$\qquad\qquad\quad = \left(\dfrac{9}{10} + \dfrac{9}{10^3} + \dfrac{9}{10^5} + \cdots\right) + \left(\dfrac{1}{10^2} + \dfrac{1}{10^4} + \dfrac{1}{10^6} + \cdots\right)$

따라서 첫째항이 $\dfrac{9}{10}$, 공비가 $\dfrac{1}{10^2}$인 등비급수와

첫째항이 $\dfrac{1}{10^2}$, 공비가 $\dfrac{1}{10^2}$인 등비급수의 합이라 생각할 수 있다.

답 (1) $\dfrac{2}{5}$ (2) $\dfrac{91}{99}$

날선 Point
- 항을 나열하고 규칙을 찾는다.
- $\sum\limits_{n=1}^{\infty} a_{2n-1}$과 $\sum\limits_{n=1}^{\infty} a_{2n}$이 수렴하면 $\sum\limits_{n=1}^{\infty} a_n = \sum\limits_{n=1}^{\infty} a_{2n-1} + \sum\limits_{n=1}^{\infty} a_{2n}$
  역은 성립하지 않는다.

5-1 다음 급수의 합을 구하시오.

(1) $\sum\limits_{n=1}^{\infty} \left(\dfrac{1}{2}\right)^n \cos \dfrac{n\pi}{2}$

(2) $\sum\limits_{n=1}^{\infty} \dfrac{1}{2^n} \left(\sin \dfrac{n\pi}{2} - \cos \dfrac{n\pi}{2}\right)$

5-2 자연수 n을 3으로 나눈 나머지를 a_n이라 할 때, 급수 $\sum\limits_{n=1}^{\infty} \dfrac{a_n}{3^n}$ 의 합을 구하시오.

대표 Q6 등비급수의 합이 주어진 문제

다음 물음에 답하시오.

(1) 수열 $\{a_n\}$은 등비수열이다. $a_1=3$이고 $\displaystyle\sum_{n=1}^{\infty} a_n=2$일 때, 급수 $\displaystyle\sum_{n=1}^{\infty} a_n^{\,2}$의 합을 구하시오.

(2) 수열 $\{a_n\}$은 등비수열이다. $\displaystyle\sum_{n=1}^{\infty} a_{2n-1}=2$이고 $\displaystyle\sum_{n=1}^{\infty} a_{2n}=\frac{4}{3}$일 때, 급수 $\displaystyle\sum_{n=1}^{\infty}(-1)^{n-1}a_n$의 합을 구하시오.

날선 Guide (1) 수열 $\{a_n\}$의 첫째항을 a, 공비를 r라 하면
$$a_n=ar^{n-1},\ a_n^{\,2}=a^2 r^{2(n-1)}$$
이므로 수열 $\{a_n^{\,2}\}$은 첫째항이 $a_1^{\,2}$이고 공비가 r^2인 등비수열이다.
따라서 다음 등비급수의 합을 이용한다.
$$\sum_{n=1}^{\infty} a_n=\frac{a}{1-r},\ \sum_{n=1}^{\infty} a_n^{\,2}=\frac{a^2}{1-r^2}$$
(2) 수열 $\{a_n\}$의 첫째항을 a, 공비를 r라 하면
$$\sum_{n=1}^{\infty} a_{2n-1}=a+ar^2+ar^4+\cdots$$
은 첫째항이 a이고 공비가 r^2인 등비급수이다. 또
$$\sum_{n=1}^{\infty} a_{2n}=ar+ar^3+ar^5+\cdots$$
은 첫째항이 ar이고 공비가 r^2인 등비급수이다.
이를 이용하여 a와 r의 값부터 찾는다.

답 (1) 12 (2) $\dfrac{2}{3}$

날선 Point 등비급수의 합 ➡ ❶ 첫째항 a와 공비 r의 값부터 구한다.
❷ $S=\dfrac{a}{1-r}$ $(-1<r<1)$를 이용한다.

6-1 수열 $\{a_n\}$은 등비수열이다. $a_1=40$이고 $\displaystyle\sum_{n=1}^{\infty}(-1)^n a_n=-5$일 때, 급수 $\displaystyle\sum_{n=1}^{\infty} a_n^{\,2}$의 합을 구하시오.

6-2 수열 $\{a_n\}$은 등비수열이다. $\displaystyle\sum_{n=1}^{\infty} a_n=\frac{2}{3}$이고 $\displaystyle\sum_{n=1}^{\infty} a_{2n-1}=\frac{4}{3}$일 때, a_n을 구하시오.

수열 $\{a_n\}$의 일반항이 $a_n=(x+3)\left(\dfrac{x}{2}\right)^n$일 때, 다음 물음에 답하시오.

(1) 수열 $\{a_n\}$이 수렴할 때, x값의 범위를 구하시오.

(2) $\displaystyle\sum_{n=1}^{\infty} a_n$이 수렴할 때, x값의 범위를 구하시오.

(3) $\displaystyle\sum_{n=1}^{\infty} a_n=4$일 때, x의 값을 구하시오.

날선 Guide (1) 수열 $\{a_n\}$은 첫째항이 $(x+3)\times\dfrac{x}{2}$, 공비가 $\dfrac{x}{2}$인 등비수열이다.

첫째항이 a, 공비가 r인 등비수열이 수렴할 조건은
$$a=0 \ \text{또는} \ -1<r\leq1$$
이다.

(2) 첫째항이 a, 공비가 r인 등비급수가 수렴할 조건은
$$a=0 \ \text{또는} \ -1<r<1$$
이다.

(3) $\displaystyle\sum_{n=1}^{\infty} a_n=4$에서 $\dfrac{a}{1-r}=4$를 푼다. 이때 구한 x의 값이 (2)를 만족시켜야 한다는 것에 주의한다.

답 (1) $x=-3$ 또는 $-2<x\leq2$ (2) $x=-3$ 또는 $-2<x<2$ (3) $x=1$

날선 Point

- **등비수열** $\{ar^{n-1}\}$**이 수렴** ➡ $a=0$ 또는 $-1<r\leq1$
- **등비급수** $\displaystyle\sum_{n=1}^{\infty} ar^{n-1}$**이 수렴** ➡ $a=0$ 또는 $-1<r<1$

7-1 다음 등비급수가 수렴할 때, x값의 범위를 구하시오.

(1) $x+x(2x-1)+x(2x-1)^2+x(2x-1)^3+\cdots$

(2) $\displaystyle\sum_{n=1}^{\infty}\left(\dfrac{x}{2}\right)^n(x-2)^{n-1}$

up 7-2 등비급수 $\displaystyle\sum_{n=1}^{\infty} r^n$이 수렴할 때, 다음 중 반드시 수렴한다고 할 수 <u>없는</u> 것은?

① $\displaystyle\sum_{n=1}^{\infty} r^{2n}$ ② $\displaystyle\sum_{n=1}^{\infty}(-r)^n$ ③ $\displaystyle\sum_{n=1}^{\infty} 2\{r^n+(-r)^n\}$

④ $\displaystyle\sum_{n=1}^{\infty}\left(\dfrac{r-1}{2}\right)^n$ ⑤ $\displaystyle\sum_{n=1}^{\infty}\left(\dfrac{r}{2}-1\right)^n$

그림과 같이 좌표평면 위의 점 P_n이

$$\overline{OP_1}=1, \overline{P_1P_2}=\frac{1}{2}, \overline{P_2P_3}=\frac{1}{2^2}, \overline{P_3P_4}=\frac{1}{2^3}, \cdots$$

$$\angle AOP_1=30°, \angle OP_1P_2=60°, \angle P_1P_2P_3=60°, \cdots$$

를 만족시킬 때, P_n이 한없이 가까워지는 점의 좌표를 구하시오.
(단, O는 원점이다.)

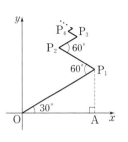

날선 Guide 점 $P_n(x_n, y_n)$이라 하면 그림에서
$\overline{OP_1}=1$이므로 $x_1=\cos 30°$
$\overline{P_1P_2}=\frac{1}{2}$이므로 $x_2=x_1-\frac{1}{2}\cos 30°$
$\overline{P_2P_3}=\left(\frac{1}{2}\right)^2$이므로 $x_3=x_2+\left(\frac{1}{2}\right)^2\cos 30°$
$\overline{P_3P_4}=\left(\frac{1}{2}\right)^3$이므로 $x_4=x_3-\left(\frac{1}{2}\right)^3\cos 30°, \cdots$

따라서 x_n은 등비수열의 합이고, x_n의 극한은 등비급수의 합이다.
같은 방법으로 $y_1, y_2, y_3, \cdots$을 찾아 y_n의 극한을 구한다.

답 $\left(\frac{\sqrt{3}}{3}, 1\right)$

날선 Point
- 좌표의 극한 ➡ x좌표, y좌표의 극한을 따로 구한다.
- 반복되는 도형의 닮음비는 등비수열의 공비이다.

8-1 그림과 같이 좌표평면 위의 점 A_n이

$$\overline{OA_1}=1, \overline{A_1A_2}=\frac{1}{2}\overline{OA_1}, \overline{A_2A_3}=\frac{1}{2}\overline{A_1A_2}, \cdots$$

$$\angle OA_1A_2=90°, \angle A_1A_2A_3=90°, \cdots$$

를 만족시킬 때, A_n이 한없이 가까워지는 점의 좌표를 구하시오.
(단, O는 원점이다.)

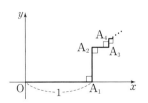

◆ 정답 및 풀이 **17쪽**

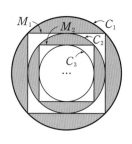

그림과 같이 반지름의 길이가 1인 원 C_1에 내접하는 정사각형을 M_1이라 하자. M_1에 내접하는 원을 C_2, C_2에 내접하는 정사각형을 M_2라 하자. 이와 같이 원과 정사각형을 그리는 과정을 한없이 반복할 때, 다음 물음에 답하시오.

(1) C_n의 둘레의 길이를 l_n이라 할 때, $\sum_{n=1}^{\infty} l_n$의 값을 구하시오.

(2) C_n과 M_n으로 둘러싸인 부분의 넓이를 S_n이라 할 때, $\sum_{n=1}^{\infty} S_n$의 값을 구하시오.

날선 Guide

(1) 원 C_n의 반지름의 길이를 r_n이라 하자.

정사각형 M_n의 한 변의 길이는 $2r_{n+1}$이고, M_n의 대각선이 C_n의 지름이므로

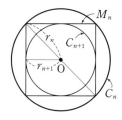

$$\sqrt{2} \times 2r_{n+1} = 2r_n \qquad \therefore r_{n+1} = \frac{1}{\sqrt{2}} \times r_n$$

$l_n = 2\pi r_n$이므로 수열 $\{l_n\}$은 공비가 $\frac{1}{\sqrt{2}}$인 등비수열이다.

(2) 원 C_n의 넓이는 $\pi r_n{}^2$이고, 정사각형 M_n의 넓이는 $2r_n{}^2$이다.

따라서 C_n의 넓이와 M_n의 넓이는 각각 공비가 $r_n{}^2$인 등비수열이다.

이와 같이 같은 꼴이 반복되면 닮음비가 일정하므로 길이나 넓이는 등비수열을 이룬다. 따라서 반지름의 길이 r_1과 r_2만 구해도 공비를 알 수 있다.

답 (1) $2(2+\sqrt{2})\pi$ (2) $2(\pi-2)$

날선 Point **같은 꼴이 반복되는 도형 문제**

❶ 등비수열을 생각한다.

❷ 공비는 닮음비를 이용하여 구한다.

9-1 그림과 같이 $\overline{AB}=1$, $\angle C=30°$인 직각삼각형 ABC에 내접하는 정사각형 $A_1B_1BC_1$을 그리고, 직각삼각형 A_1B_1C에 내접하는 정사각형 $A_2B_2B_1C_2$를 그린다. 이와 같이 직각삼각형에 내접하는 정사각형을 그리는 과정을 한없이 반복할 때, 다음 물음에 답하시오.

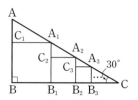

(1) n번째 얻은 정사각형의 둘레의 길이를 l_n이라 할 때, $\sum_{n=1}^{\infty} l_n$의 값을 구하시오.

(2) n번째 얻은 정사각형의 넓이를 S_n이라 할 때, $\sum_{n=1}^{\infty} S_n$의 값을 구하시오.

반지름의 길이가 1인 원에 중심각의 크기가 60°인 부채꼴 4개를 서로 겹치지 않게 그린 후 원의 내부와 부채꼴의 외부에 속하는 영역을 색칠한 그림을 [그림 1]이라 하자. [그림 1]에서 색칠하지 않은 각 부채꼴에 두 반지름과 호에 접하는 원을 그린다. 그린 각 원에서 [그림 1]과 같은 방법으로 부채꼴을 각각 4개 그린 후 색칠한 그림을 [그림 2]라 하자. 이와 같은 과정을 계속하여 n번째 그린 그림에서 색칠한 부분의 넓이를 S_n이라 할 때, $\lim_{n \to \infty} S_n$의 값을 구하시오.

[그림 1]   [그림 2]

날선 **Guide** k번째 그림에서 새로 색칠하는 부분의 넓이를 s_k라 하면 $S_n = \sum_{k=1}^{n} s_k$이다.

따라서 s_k를 구하여 S_n의 극한을 구한다.

[그림 n]에서 새로 그리는 원의 반지름의 길이를 r_n이라 하면 닮은 꼴이 반복되므로 수열 $\{r_n\}$은 등비수열이다.

그림에서 두 번째 원의 반지름의 길이 r_2를 구하면 공비를 찾을 수 있다.

그리고 새로 그리는 원의 개수는 1, 4, 4^2, $\cdots$이다. 이를 이용하면 등비수열 $\{s_n\}$의 공비를 찾을 수 있다.

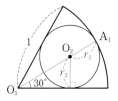

❸ $\dfrac{3}{5}\pi$

날선 **Point**   **같은 꼴이 반복되는 도형 문제 ➡ 등비수열을 생각한다.**

10-1 그림과 같이 두 변의 길이가 1인 직각이등변삼각형이 있다. 빗변에 꼭짓점이 2개 있고 나머지 두 변에 꼭짓점이 하나씩 있는 정사각형을 그리고 정사각형에 색칠한 그림을 [그림 1]이라 하자. [그림 1]에서 합동인 직각이등변삼각형 2개에 [그림 1]과 같은 방법으로 정사각형을 각각 그린 후 색칠한 그림을 [그림 2]라 하자. 이와 같은 과정을 계속하여 n번째 그린 그림에서 색칠한 부분의 넓이를 S_n이라 할 때, $\lim_{n \to \infty} S_n$의 값을 구하시오.

[그림 1]   [그림 2]   [그림 3]

01 다음 급수의 부분합 S_n을 구하고, 급수의 합을 조사하시오.

(1) $\dfrac{2}{n} + \dfrac{3}{n} + \dfrac{4}{n} + \dfrac{5}{n} + \cdots + \dfrac{n+1}{n} + \cdots$

(2) $\dfrac{2}{n^2} + \dfrac{3}{n^2} + \dfrac{4}{n^2} + \dfrac{5}{n^2} + \cdots + \dfrac{n+1}{n^2} + \cdots$

02 첫째항이 2, 공차가 2인 등차수열 $\{a_n\}$의 첫째항부터 제n항까지의 합을 S_n이라

할 때, $\displaystyle\lim_{n \to \infty} \sum_{k=1}^{n} \dfrac{1}{S_k}$의 값을 구하시오.

03 다음 급수의 합을 구하시오.

(1) $\displaystyle\sum_{n=1}^{\infty} \left(\dfrac{1}{\sqrt{3}}\right)^{3n-1} (\sqrt{3})^n$

(2) $\displaystyle\sum_{n=1}^{\infty} (2^{n+1}+1)\left(\dfrac{1}{4}\right)^n$

04 수열 $\{a_n\}$은 등비수열이다. $\displaystyle\sum_{n=1}^{\infty} a_{2n} = \dfrac{3}{2}$, $\displaystyle\sum_{n=1}^{\infty} a_{2n-1} = \dfrac{9}{2}$일 때, 수열 $\{a_n\}$의 공비는?

① $\dfrac{1}{2}$ ② $\dfrac{1}{3}$ ③ $\dfrac{1}{4}$ ④ $\dfrac{1}{5}$ ⑤ $\dfrac{1}{6}$

05 급수 $\displaystyle\sum_{n=1}^{\infty} \left(\dfrac{x}{5}\right)^n$이 수렴하도록 하는 모든 정수 x의 개수는?

① 1   ② 3   ③ 5   ④ 7   ⑤ 9

06 그림과 같이 좌표평면 위의 점 $P_1(1, 0)$에서 직선 $y=x$에 내린 수선의 발을 P_2, 점 P_2에서 y축에 내린 수선의 발을 P_3, 점 P_3에서 직선 $y=-x$에 내린 수선의 발을 P_4라 하자. 이와 같은 과정을 한없이 반복할 때, $\overline{P_1P_2}+\overline{P_2P_3}+\overline{P_3P_4}+\cdots$의 값을 구하시오. (단, O는 원점이다.)

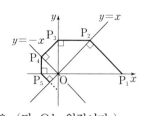

07 다음 급수의 수렴, 발산을 조사하고, 수렴하면 그 합을 구하시오.

(1) $\dfrac{1}{1^2+2}+\dfrac{1}{2^2+4}+\dfrac{1}{3^2+6}+\dfrac{1}{4^2+8}+\cdots$

(2) $\log\left(1-\dfrac{1}{2^2}\right)+\log\left(1-\dfrac{1}{3^2}\right)+\log\left(1-\dfrac{1}{4^2}\right)+\cdots$

08 다음 급수의 수렴, 발산을 조사하고, 수렴하면 그 합을 구하시오.

(1) $\left(1-\dfrac{1}{3}\right)+\left(\dfrac{1}{3}-\dfrac{1}{5}\right)+\left(\dfrac{1}{5}-\dfrac{1}{7}\right)+\left(\dfrac{1}{7}-\dfrac{1}{9}\right)+\cdots$

(2) $1-\dfrac{1}{3}+\dfrac{1}{3}-\dfrac{1}{5}+\dfrac{1}{5}-\dfrac{1}{7}+\dfrac{1}{7}-\dfrac{1}{9}+\cdots$

09 수열 $\{a_n\}$에 대하여 $\displaystyle\sum_{n=1}^{\infty}\left(na_n-\dfrac{n^2+1}{2n+1}\right)=3$일 때, $\displaystyle\lim_{n\to\infty}(a_n^2+2a_n+2)$의 값은?

① $\dfrac{13}{4}$ ② 3 ③ $\dfrac{11}{4}$ ④ $\dfrac{5}{2}$ ⑤ $\dfrac{9}{4}$

10 다음 급수의 합을 구하시오.

(1) $\dfrac{5-3}{8}+\dfrac{5^2-3^2}{8^2}+\dfrac{5^3-3^3}{8^3}+\dfrac{5^4-3^4}{8^4}+\cdots$

(2) $\dfrac{1}{5}+\dfrac{2}{5^2}+\dfrac{1}{5^3}+\dfrac{2}{5^4}+\dfrac{1}{5^5}+\dfrac{2}{5^6}+\cdots$

11 수열 $\{a_n\}$은 등비수열이다. $\sum\limits_{n=1}^{\infty} a_n = 3$, $\sum\limits_{n=1}^{\infty} a_n^2 = \dfrac{9}{2}$일 때, $\sum\limits_{n=1}^{\infty} a_n^3$의 합을 구하시오.

평가원 기출

12 수열 $\{a_n\}$은 첫째항이 1, 공비가 $\dfrac{1}{3}$인 등비수열이고, 수열 $\{b_n\}$은 첫째항이 1, 공비가 $\dfrac{1}{2}$인 등비수열이다. 다음 중 수렴하지 <u>않는</u> 급수는?

① $\sum\limits_{n=1}^{\infty} 2a_n$ ② $\sum\limits_{n=1}^{\infty} (a_n - b_n)$ ③ $\sum\limits_{n=1}^{\infty} (-1)^n b_n$

④ $\sum\limits_{n=1}^{\infty} a_n b_n$ ⑤ $\sum\limits_{n=1}^{\infty} \dfrac{b_n}{a_n}$

13 $\dfrac{124}{999}$를 순환소수로 나타낼 때, 소수점 아래 n번째 자리의 숫자를 a_n이라 하자. $\sum\limits_{n=1}^{\infty} \dfrac{a_n}{2^n}$의 합을 구하시오.

14 보기에서 옳은 것만을 있는 대로 고른 것은?

┤ 보기 ├

ㄱ. $\sum\limits_{n=1}^{\infty} a_n = \alpha$, $\lim\limits_{n \to \infty} b_n = \beta$이면 $\lim\limits_{n \to \infty} a_n b_n = 0$이다. (단, α, β는 실수이다.)

ㄴ. $\sum\limits_{n=1}^{\infty} (2a_n + b_n)$과 $\sum\limits_{n=1}^{\infty} (a_n - 2b_n)$이 수렴하면 $\sum\limits_{n=1}^{\infty} a_n$과 $\sum\limits_{n=1}^{\infty} b_n$도 수렴한다.

ㄷ. $a_n < b_n$이고 $\sum\limits_{n=1}^{\infty} b_n$이 수렴하면 $\sum\limits_{n=1}^{\infty} a_n$도 수렴한다.

① ㄱ   ② ㄴ   ③ ㄷ   ④ ㄱ, ㄴ   ⑤ ㄴ, ㄷ

15 한 변의 길이가 2인 정삼각형 T_1에 내접하는 원을 C_1이라 하자. C_1에 내접하는 정삼각형을 T_2, T_2에 내접하는 원을 C_2라 하자. 이와 같이 T_n과 C_n을 한없이 그리고, T_n과 C_n으로 둘러싸인 부분의 넓이를 S_n이라 하자. $\sum\limits_{n=1}^{\infty} S_n$의 값을 구하시오.

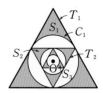

16 그림과 같이 $\overline{OA_1}=4$, $\overline{OB_1}=4\sqrt{3}$인 직
각삼각형 OA_1B_1이 있다. 중심이 O이
고 반지름의 길이가 $\overline{OA_1}$인 원이 선분
OB_1과 만나는 점을 B_2라 하자. 삼각형
과 부채꼴의 공통된 부분을 제외한 도형

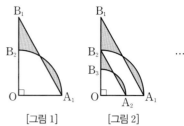

[그림 1]　[그림 2]

에 색칠한 그림을 [그림 1]이라 하자. [그림 1]에서 점 B_2를 지나고 선분 A_1B_1에 평
행한 직선이 선분 OA_1과 만나는 점을 A_2, 중심이 O이고 반지름의 길이가 $\overline{OA_2}$
인 원이 선분 OB_2와 만나는 점을 B_3이라 하자. 삼각형과 부채꼴의 공통된 부분
을 제외한 도형에 색칠한 그림을 [그림 2]라 하자. 이와 같은 과정을 계속하여 n번
째 그린 그림에 색칠한 도형의 넓이를 S_n이라 할 때, $\lim_{n \to \infty} S_n$의 값은?

① $\dfrac{3}{2}\pi$　　② $\dfrac{5}{3}\pi$　　③ $\dfrac{11}{6}\pi$　　④ 2π　　⑤ $\dfrac{13}{6}\pi$

17 그림과 같이 길이가 6인 선분 AB를 지름으로 하는 원을 그리고, 선분 AB의 3등
분점을 각각 P_1, P_2라 하자. 선분 AP_1을 지름으로 하는 원의 아래쪽 반원, 선분
AP_2를 지름으로 하는 원의 아래쪽 반원, 선분 P_2B를 지름으로 하는 원의 위쪽
반원, 선분 P_1B를 지름으로 하는 원의 위쪽 반원을 경계로 하여 만든 모양에 색
칠한 그림을 [그림 1]이라 하자. [그림 1]에서 선분 AB 위의 색칠되지 않은 두 선분
AP_1, P_2B를 각각 지름으로 하는 두 원을 그리고, 이 두 원 안에 각각 [그림 1]과
같은 방법으로 만들어지는 두 모양에 색칠한 그림을 [그림 2]라 하자. 이와 같은
과정을 계속하여 n번째 그린 그림에 색칠한 도형의 넓이를 S_n이라 할 때,
$\lim_{n \to \infty} S_n$의 값은?

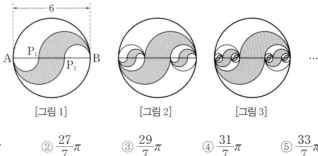

[그림 1]　　[그림 2]　　[그림 3]

① $\dfrac{25}{7}\pi$　　② $\dfrac{27}{7}\pi$　　③ $\dfrac{29}{7}\pi$　　④ $\dfrac{31}{7}\pi$　　⑤ $\dfrac{33}{7}\pi$

순환소수와 등비급수

순환소수 $0.\dot{4}\dot{3}$은 소수점 아래에서 43이 무한히 반복된다. 이를 분모가 10의 거듭제곱 꼴이 되도록 나타내면

$$0.\dot{4}\dot{3}=0.434343\cdots$$

$$=0.43+0.0043+0.000043+\cdots$$

$$=\frac{43}{10^2}+\frac{43}{10^4}+\frac{43}{10^6}+\cdots$$

따라서 $0.\dot{4}\dot{3}$은 첫째항이 $\dfrac{43}{10^2}$, 공비가 $\dfrac{1}{10^2}$인 등비급수의 합이므로 그 합은

$$0.\dot{4}\dot{3}=\frac{\dfrac{43}{10^2}}{1-\dfrac{1}{10^2}}=\frac{43}{10^2-1}=\frac{43}{99} \qquad \cdots \text{㉠}$$

순환소수 $0.2\dot{3}1\dot{5}$는 소수점 아래에서 2는 반복되지 않고 315만 무한히 반복된다. 역시 분모가 10의 거듭제곱 꼴이 되도록 나타내면

$$0.2\dot{3}1\dot{5}=0.2315315315\cdots$$

$$=0.2+0.0315+0.0000315+0.0000000315+\cdots$$

$$=\frac{2}{10}+\frac{315}{10^4}+\frac{315}{10^7}+\frac{315}{10^{10}}+\cdots$$

따라서 $0.2\dot{3}1\dot{5}$는 $\dfrac{2}{10}$와 첫째항이 $\dfrac{315}{10^4}$, 공비가 $\dfrac{1}{10^3}$인 등비급수의 합이므로 그 합은

$$0.2\dot{3}1\dot{5}=\frac{2}{10}+\frac{\dfrac{315}{10^4}}{1-\dfrac{1}{10^3}}=\frac{2}{10}+\frac{315}{10(10^3-1)}$$

$$=\frac{2(10^3-1)+315}{9990}=\frac{2315-2}{9990} \qquad \cdots \text{㉡}$$

중학교 과정에서 순환소수를 분수로 고치는 방법과 ㉠, ㉡의 결과가 같음을 알 수 있다. 따라서 순환소수를 분수로 고칠 때에는 위와 같이 등비급수의 합을 이용할 수도 있다.

개념 Check

◆ 정답 및 풀이 **22**쪽

5 등비급수를 이용하여 다음 순환소수를 분수로 나타내시오.

(1) $0.5\dot{8}\dot{6}$ (2) $1.\dot{2}\dot{9}$ (3) $3.1\dot{4}$

물리학의 속도, 화학의 반응률, 생물학의 혈액의 속도, 경제학의 한계 비용 등은 미분 개념으로 설명할 수 있다. 이때 사용되는 함수들은 매우 복잡하기 때문에 이 함수들의 변화율을 구하기 위해서는 수학Ⅱ에서 배운 다항함수의 미분법 외에 다양한 종류의 미분법을 알아야 한다.

이 단원에서는 함수의 몫과 합성함수를 미분하는 방법을 알아보자.

합성함수의 미분법

1 함수의 극한

(1) x의 값이 a가 아니면서 a에 한없이 가까워질 때, 함수 $f(x)$의 값이 일정한 값 L에 가까워지면 $f(x)$는 L에 수렴한다 하고, L을 $x=a$에서 $f(x)$의 **극한값** 또는 극한이라 한다. 이것을 기호로 다음과 같이 나타낸다.

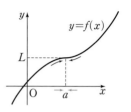

$$x \to a일 \ 때 \ f(x) \to L \ 또는 \ \lim_{x \to a} f(x) = L$$

(2) $x \to a+$이면서 함수 $f(x)$의 값이 일정한 값 L에 가까워지면 $\lim\limits_{x \to a+} f(x) = L$로 나타내고 L을 $x=a$에서 $f(x)$의 **우극한**이라 한다.

또 $x \to a-$이면서 함수 $f(x)$의 값이 일정한 값 M에 가까워지면 $\lim\limits_{x \to a-} f(x) = M$으로 나타내고 M을 $x=a$에서 $f(x)$의 **좌극한**이라 한다.

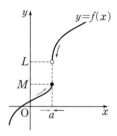

(3) $x=a$에서 $f(x)$의 우극한과 좌극한이 같으면 $f(x)$는 $x=a$에서 수렴한다. 곧,

$$\lim_{x \to a+} f(x) = \lim_{x \to a-} f(x) = L \iff \lim_{x \to a} f(x) = L$$

2 함수의 극한의 성질

두 함수 $f(x)$, $g(x)$에 대하여 $\lim\limits_{x \to a} f(x)$, $\lim\limits_{x \to a} g(x)$가 존재할 때,

(1) $\lim\limits_{x \to a} cf(x) = c\lim\limits_{x \to a} f(x)$ (c는 상수)

(2) $\lim\limits_{x \to a} \{f(x) \pm g(x)\} = \lim\limits_{x \to a} f(x) \pm \lim\limits_{x \to a} g(x)$

(3) $\lim\limits_{x \to a} f(x)g(x) = \lim\limits_{x \to a} f(x) \times \lim\limits_{x \to a} g(x)$

(4) $\lim\limits_{x \to a} \dfrac{f(x)}{g(x)} = \dfrac{\lim\limits_{x \to a} f(x)}{\lim\limits_{x \to a} g(x)}$ $\left(g(x) \neq 0, \ \lim\limits_{x \to a} g(x) \neq 0 \right)$

3 함수의 극한과 미정계수

(1) $\lim\limits_{x \to a} \dfrac{f(x)}{g(x)}$의 극한이 존재하고 $\lim\limits_{x \to a} g(x) = 0$이면 $\lim\limits_{x \to a} f(x) = 0$이다.

(2) $\lim\limits_{x \to a} \dfrac{f(x)}{g(x)}$의 극한이 0이 아닌 값이고, $\lim\limits_{x \to a} f(x) = 0$이면 $\lim\limits_{x \to a} g(x) = 0$이다.

함수의 극한 개념은 수학Ⅱ에서 공부하였다. 이 중 앞으로의 공부에 꼭 필요한 내용은 위에 정리하였다.

3-2 함수의 연속

1 연속함수

(1) 함수 $f(x)$가 다음을 모두 만족시키면 $f(x)$는 $x=a$에서 **연속**이라 한다.

   (i) $x=a$에서 정의되고,

   (ii) $\lim\limits_{x \to a} f(x)$의 값이 존재하고, $\lim\limits_{x \to a} f(x) = f(a)$이다.

(2) 함수 $f(x)$가 $x=a$에서 연속이면 $y=f(x)$의 그래프는 $x=a$에서 연결되어 있다.

(3) 함수 $f(x)$가 어떤 구간에 속하는 모든 x에서 연속일 때, $f(x)$는 그 구간에서 연속 또는 연속함수라 한다.

2 연속함수의 성질

(1) 두 함수 $f(x)$, $g(x)$가 $x=a$에서 연속이면 다음 함수도 $x=a$에서 연속이다.

   ① $cf(x)$ (c는 상수)　　　　② $f(x)+g(x)$, $f(x)-g(x)$

   ③ $f(x)g(x)$　　　　　　　　④ $\dfrac{f(x)}{g(x)}$ $(g(a) \neq 0)$

(2) 두 함수 $f(x)$, $g(x)$가 연속이면 합성함수 $f \circ g$와 $g \circ f$도 연속이다.

연속함수 •　두 함수 $y=g(x)$, $y=h(x)$의 그래프가 그림과 같다고 하자.

$x \to a$일 때 $g(x)$의 극한이 존재하지 않는다. 따라서 $g(x)$는 $x=a$에서 연속이 아니다.

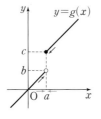 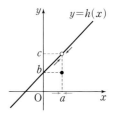

또 $x \to a$일 때 $h(x)$의 극한은 존재하지만 $h(a) \neq \lim\limits_{x \to a} h(x)$이다.

따라서 $h(x)$는 $x=a$에서 연속이 아니다.

합성함수의 •　두 함수 $f(x)$, $g(x)$가 연속이라 하면 $x \to a$일 때 $g(x) \to g(a)$이므로 $g(x)=t$라 하면
연속
$$\lim_{x \to a} f(g(x)) = \lim_{t \to g(a)} f(t) = f(g(a))$$

따라서 합성함수 $f \circ g$는 연속이다. 같은 이유로 합성함수 $g \circ f$도 연속이다.

또 합성함수 $f \circ g$가 $x=a$에서 불연속이면 $g(x)$가 $x=a$에서 불연속이거나

$f(x)$가 $x=g(a)$에서 불연속이다.

극한값과 •　함수 $f(x)$가 다항함수이면 연속이므로 $x=a$에서 극한은 함숫값이다.
함숫값
따라서 $\lim\limits_{x \to a} f(x) = f(a)$와 같이 계산하였다.

일반적으로 $f(x)$가 유리함수, 무리함수, 지수함수나 로그함수, 삼각함수인 경우 함수가

$x=a$에서 정의되면 $x=a$에서 연속이다. 따라서 극한값은 함숫값이다.

지수함수나 로그함수, 삼각함수의 극한에 대해서는 다음 단원에서 자세히 공부한다.

함수 $y=f(x)$와 $y=g(x)$의 그래프가 그림과
같다. 다음 물음에 답하시오.

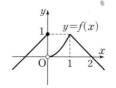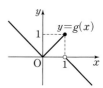

(1) $\lim_{x \to 0} f(g(x))$의 극한을 조사하시오.

(2) $\lim_{x \to 1} f(g(x))$의 극한을 조사하시오.

(3) 함수 $f(g(x))$가 불연속인 x의 값을 구하시오.

 날선 Guide (1) $x \to 0+$일 때 $g(x)$는 양수이면서 0에 한없이 가까워지므로

$x \to 0+$일 때 $g(x) \to 0+$이다.

따라서 $g(x)=t$라 하면 $\lim_{x \to 0+} f(g(x)) = \lim_{t \to 0+} f(t)$

$x \to 0-$일 때도 같은 방법으로 조사한다.

이때 단순히 $g(x) \to 0$이라 하면 $f(x)$는 $x=0$에서 불연속이므로 극한을 구할 수 없다.

(2) $x=1$에서 $g(x)$의 좌극한과 우극한이 다르다.

곧, $x \to 1+$일 때 $g(x) \to 0-$이고,

$x \to 1-$일 때 $g(x) \to 1-$이다.

따라서 $\lim_{x \to 1+} f(g(x))$와 $\lim_{x \to 1-} f(g(x))$의 값을 각각 계산한다.

(3) 두 함수 $f(x)$, $g(x)$가 연속이면 함수 $f(g(x))$는 연속이다.

따라서 함수 $f(g(x))$가 $x=a$에서 불연속이면

$g(x)$가 $x=a$에서 불연속이거나 $f(x)$가 $x=g(a)$에서 불연속이다.

이 중 $\lim_{x \to a} f(g(x))$가 존재하지 않거나 $\lim_{x \to a} f(g(x)) \neq f(g(a))$인 a의 값을 찾는다.

답 (1) 0 (2) 1 (3) 0

날선 Point
- $\lim_{x \to a} f(g(x))$의 극한은 $g(x)=t$로 놓고 t의 극한부터 구한다.
- $f(g(x))$가 $x=a$에서 불연속이면
$g(x)$가 $x=a$에서 불연속이거나 $f(x)$가 $x=g(a)$에서 불연속이다.

1-1 함수 $y=f(x)$의 그래프가 그림과 같다. 다음 물음에 답하시오.

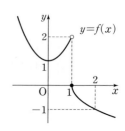

(1) $\lim_{x \to 0} f(f(x))$의 극한을 조사하시오.

(2) $\lim_{x \to 1} f(f(x))$의 극한을 조사하시오.

(3) 함수 $f(f(x))$가 불연속인 x의 값을 구하시오.

3-3 미분법

1 순간변화율과 도함수

(1) 함수 $f(x)$에서 $\Delta x \to 0$일 때 평균변화율

$$\frac{\Delta y}{\Delta x} = \frac{f(a + \Delta x) - f(a)}{\Delta x}$$

의 극한값이 존재하면 $f(x)$는 $x = a$에서 미분가
능하다고 한다. 또 극한값을 $f'(a)$로 나타내고
$x = a$에서 순간변화율 또는 미분계수라 한다.

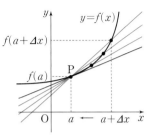

$$f'(a) = \lim_{\Delta x \to 0} \frac{\Delta y}{\Delta x} = \lim_{\Delta x \to 0} \frac{f(a + \Delta x) - f(a)}{\Delta x}$$

(2) $f'(a)$는 곡선 $y = f(x)$ 위의 점 $\mathrm{P}(a, f(a))$에서 접선의 기울기이다.

(3) 함수 $f(x)$가 정의역의 모든 원소에 대하여 미분가능할 때, $f(x)$는 미분가능하다
고 한다. 또 x에 $f'(x)$를 대응시키는 함수를 $f(x)$의 도함수라 하고

$$f'(x), \; y', \; \frac{dy}{dx}, \; \frac{d}{dx} f(x)$$

와 같이 나타낸다.

(4) 함수 $f(x)$가 $x = a$에서 미분가능하면 $x = a$에서 연속이다.

2 미분법

도함수를 구하는 것을 미분한다고 하고, 미분하는 방법을 미분법이라 한다.

(1) 도함수의 성질

함수 $f(x)$, $g(x)$가 미분가능할 때,

① $\{cf(x)\}' = cf'(x)$ (c는 상수)

② $\{f(x) \pm g(x)\}' = f'(x) \pm g'(x)$

③ $\{f(x)g(x)\}' = f'(x)g(x) + f(x)g'(x)$

(2) 다항함수의 미분

① $f(x) = c$ (c는 상수) $\Rightarrow$ $f'(x) = 0$

② $f(x) = x$ $\Rightarrow$ $f'(x) = 1$

③ $f(x) = x^n$ (n은 자연수) $\Rightarrow$ $f'(x) = nx^{n-1}$

④ $y = \{f(x)\}^n$ (n은 자연수) $\Rightarrow$ $y' = n\{f(x)\}^{n-1} f'(x)$

미분의 개념은 수학 Ⅱ에서 공부하였다. 이 중 앞으로 공부에 꼭 필요한 내용은 위에 정리하였
다. 수학 Ⅱ에서는 다항함수에 대한 미분과 도함수만 생각하였다. 앞으로는 유리함수, 무리함
수, 지수함수나 로그함수, 삼각함수에 대한 미분을 공부한다.

함수 $f(x)$, $g(x)$가 미분가능하고 $g(x) \neq 0$일 때,

(1) $\left\{ \dfrac{1}{g(x)} \right\}' = -\dfrac{g'(x)}{\{g(x)\}^2}$

(2) $\left\{ \dfrac{f(x)}{g(x)} \right\}' = \dfrac{f'(x)g(x) - f(x)g'(x)}{\{g(x)\}^2}$

$\left\{ \dfrac{1}{g(x)} \right\}'$ ·

함수 $g(x)$가 미분가능하고 $g(x) \neq 0$이라 하면

$$\lim_{h \to 0} \frac{\dfrac{1}{g(x+h)} - \dfrac{1}{g(x)}}{h} = \lim_{h \to 0} \frac{\dfrac{g(x) - g(x+h)}{g(x+h)g(x)}}{h}$$

$$= \lim_{h \to 0} \left\{ \frac{g(x) - g(x+h)}{h} \times \frac{1}{g(x+h)g(x)} \right\}$$

이때 함수 $g(x)$가 미분가능하면 $g(x)$는 연속이므로 $\lim\limits_{h \to 0} g(x+h) = g(x)$

$$\therefore \lim_{h \to 0} \left\{ -\frac{g(x+h) - g(x)}{h} \times \frac{1}{g(x+h)g(x)} \right\} = -g'(x) \times \frac{1}{\{g(x)\}^2}$$

$$\therefore \left\{ \frac{1}{g(x)} \right\}' = -\frac{g'(x)}{\{g(x)\}^2}$$

예를 들어 $y = \dfrac{1}{x^2 + 2}$ 을 미분하면

$$y' = -\frac{(x^2 + 2)'}{(x^2 + 2)^2} = -\frac{2x}{(x^2 + 2)^2}$$

$\left\{ \dfrac{f(x)}{g(x)} \right\}'$ ·

$\dfrac{f(x)}{g(x)} = f(x) \times \dfrac{1}{g(x)}$ 이므로 두 함수 $f(x)$, $g(x)$가 미분가능하면

$$\left\{ \frac{f(x)}{g(x)} \right\}' = f'(x) \times \frac{1}{g(x)} + f(x) \times \left\{ \frac{1}{g(x)} \right\}' = \frac{f'(x)}{g(x)} - \frac{f(x)g'(x)}{\{g(x)\}^2}$$

$$\therefore \left\{ \frac{f(x)}{g(x)} \right\}' = \frac{f'(x)g(x) - f(x)g'(x)}{\{g(x)\}^2}$$

예를 들어 $y = \dfrac{x+1}{x^2}$ 을 미분하면

$$y' = \frac{(x+1)'x^2 - (x+1)(x^2)'}{(x^2)^2} = \frac{x^2 - (x+1) \times 2x}{x^4} = -\frac{x+2}{x^3}$$

▶ 개념 Check

◆ 정답 및 풀이 **23**쪽

1 다음 함수의 도함수를 구하시오.

(1) $y = \dfrac{1}{2x-1}$

(2) $y = \dfrac{x-1}{x^2+1}$

3-5 합성함수의 미분법

함수 $y=f(u)$, $u=g(x)$가 미분가능할 때,

$$\{f(g(x))\}'=f'(g(x))g'(x) \ 또는 \ \frac{dy}{dx}=\frac{dy}{du}\times\frac{du}{dx}$$

합성함수의 • 미분법

함수 $f(g(x))$에서 두 함수 $f(x)$, $g(x)$가 미분가능한 함수라 하자.

$$\frac{f(g(a+h))-f(g(a))}{h}=\frac{f(g(a+h))-f(g(a))}{g(a+h)-g(a)}\times\frac{g(a+h)-g(a)}{h}$$

$g(a+h)-g(a)=k$라 하면

$$\frac{f(g(a+h))-f(g(a))}{h}=\frac{f(g(a+h))-f(g(a))}{k}\times\frac{g(a+h)-g(a)}{h}$$

함수 $g(x)$가 미분가능하므로 $h\to0$이면 $\displaystyle\lim_{h\to0}\frac{g(a+h)-g(a)}{h}=g'(a)$

또 $g(x)$가 연속이므로 $h\to0$이면 $k\to0$이고 $\displaystyle\lim_{k\to0}\frac{f(g(a+h))-f(g(a))}{k}$는

$x=g(a)$에서 $f(x)$의 미분계수이므로 $\displaystyle\lim_{k\to0}\frac{f(g(a+h))-f(g(a))}{k}=f'(g(a))$

$$\therefore \lim_{h\to0}\frac{f(g(a+h))-f(g(a))}{h}=f'(g(a))g'(a)$$

$$\therefore \{f(g(x))\}'=f'(g(x))g'(x) \quad \cdots \ \unicode{x1F150}$$

예를 들어 $f(x)=x^5$, $g(x)=x^2+1$일 때, $f'(x)=5x^4$, $g'(x)=2x$이므로

$$\{f(g(x))\}'=\underline{5(x^2+1)^4}\times\underset{g'(x)}{\underline{2x}}=10x(x^2+1)^4$$

$f'(x)$의 x에 $g(x)$를 대입

• $y=f(u)$, $u=g(x)$라 하면 $\dfrac{dy}{du}=f'(u)$, $\dfrac{du}{dx}=g'(x)$

이므로 $\unicode{x1F150}$은 다음과 같이 나타낼 수 있다.

$$\frac{dy}{dx}=\frac{dy}{du}\times\frac{du}{dx}$$

u가 x에 대하여 미분가능한 함수일 때,

이 식을 이용하여 $y=u^5$을 x에 대하여 미분하면

u^5을 u에 대하여 미분한 다음, u를 x에 대하여 미분하면 된다. 곧,

$$\frac{d}{dx}u^5=\frac{d}{du}(u^5)\frac{du}{dx}=5u^4\frac{du}{dx}$$

> **참고**
>
> $$\frac{dy}{dx}=\frac{dy}{d\not{u}}\times\frac{d\not{u}}{dx}$$
>
> 와 같이 du가 소거된다고 기억한다.

▶ 개념 Check

◆ 정답 및 풀이 **23**쪽

2 합성함수의 미분법을 이용하여 다음 함수의 도함수를 구하시오.

(1) $y=(2x+5)^3$ (2) $y=(x^2+3x)^2$

3-6 $y=x^n$ (n은 유리수)의 도함수

> **1** $f(x)=x^n$ (n은 유리수) $\Rightarrow$ $f'(x)=nx^{n-1}$
>
> **2** $y=\sqrt{x}$ $\Rightarrow$ $y'=\dfrac{1}{2\sqrt{x}}$

x^n의 도함수
(n은 정수)

$y=x^n$ (n은 자연수)일 때 $y'=nx^{n-1}$임은 앞서 공부하였다.

n이 음의 정수이면 $n=-m$ (m은 자연수)으로 놓을 수 있다. 이때 함수의 몫의 미분법에 의해

$$(x^n)'=\left(\frac{1}{x^m}\right)'=-\frac{(x^m)'}{x^{2m}}=-\frac{mx^{m-1}}{x^{2m}}=-mx^{-m-1}=nx^{n-1}$$

또 $n=0$이면 $y'=(1)'=0=0\times x^{0-1}$이므로 n이 정수일 때에도 $(x^n)'=nx^{n-1}$이다.

예를 들어 $y=x^{-2}$이면 $y'=-2x^{-3}$이다.

x^n의 도함수
(n은 유리수)

$y=x^n$에서 $x>0$이고 n이 유리수이면 $n=\dfrac{q}{p}$ (p, q는 정수, $p\neq0$)로 놓을 수 있다.

$y=x^{\frac{q}{p}}$에서 $y^p=x^q$이므로 양변을 x에 대하여 미분하면 $\dfrac{d}{dx}y^p=qx^{q-1}$

이때 $\dfrac{d}{dx}y^p=\left(\dfrac{d}{dy}y^p\right)\dfrac{dy}{dx}=py^{p-1}\dfrac{dy}{dx}$이므로 $py^{p-1}\dfrac{dy}{dx}=qx^{q-1}$

$$\therefore \frac{dy}{dx}=\frac{q}{p}\times\frac{x^{q-1}}{y^{p-1}}=\frac{q}{p}\times\frac{x^{q-1}}{(x^{\frac{q}{p}})^{p-1}}=\frac{q}{p}x^{\frac{q}{p}-1}=nx^{n-1}$$

따라서 n이 유리수일 때에도 $(x^n)'=nx^{n-1}$이 성립한다.

예를 들어 $y=x^{\frac{3}{2}}$이면 $y'=\dfrac{3}{2}x^{\frac{1}{2}}$이다.

$\sqrt{x}$의 도함수

$y=\sqrt{x}$는 $x>0$에서 미분가능한 함수이다.

지수를 이용하여 나타내면 $y=x^{\frac{1}{2}}$이므로 $y'=\dfrac{1}{2}x^{\frac{1}{2}-1}=\dfrac{1}{2}x^{-\frac{1}{2}}=\dfrac{1}{2\sqrt{x}}$

예를 들어 $y=\sqrt{x^2+1}$의 도함수는 합성함수의 미분법에서

$$y'=\frac{1}{2\sqrt{x^2+1}}\times(x^2+1)'=\frac{2x}{2\sqrt{x^2+1}}=\frac{x}{\sqrt{x^2+1}}$$

▶ 개념 Check

◆ 정답 및 풀이 **23**쪽

3 다음 함수의 도함수를 구하시오.

(1) $y=x^{-1}$ (2) $y=x^{-3}$

4 $x>0$에서 다음 함수의 도함수를 구하시오.

(1) $y=x^{\frac{1}{3}}$ (2) $y=x^{-\frac{5}{2}}$

대표 Q2 $y=\{f(x)\}^n$, $y=\sqrt{f(x)}$ 꼴의 미분

다음 함수의 도함수를 구하시오.

(1) $y=(x^2+x)^{-3}$

(2) $y=(x^2+2)^3(2x-5)^5$

(3) $y=\sqrt{2x-1}$

(4) $y=\sqrt[3]{x^2}$ $(x>0)$

날선 Guide (1) $f(x)=x^2+x$라 하면 $y=\{f(x)\}^{-3}$ 꼴이다.

$$y=\{f(x)\}^n \Rightarrow y'=n\{f(x)\}^{n-1}f'(x)$$

를 이용한다.

(2) $f(x)=(x^2+2)^3$, $g(x)=(2x-5)^5$으로 놓고, 곱의 미분법을 이용한다.

$$\{f(x)g(x)\}'=f'(x)g(x)+f(x)g'(x)$$

(3) $f(x)=2x-1$이라 하고 $y=\sqrt{f(x)}$를 미분한다.

특히 $y=\sqrt{f(x)}$의 도함수는 $\sqrt{f(x)}=\{f(x)\}^{\frac{1}{2}}$이므로

$$y'=\frac{1}{2}\{f(x)\}^{-\frac{1}{2}}f'(x)=\frac{f'(x)}{2\sqrt{f(x)}}$$

를 기억하고 미분하면 편하다.

(4) $x>0$이므로 지수로 고칠 수 있다. 곧, $y=x^{\frac{2}{3}}$을 미분한다.

답 (1) $y'=-\dfrac{3(2x+1)}{(x^2+x)^4}$　(2) $y'=2(x^2+2)^2(2x-5)^4(11x^2-15x+10)$

(3) $y'=\dfrac{1}{\sqrt{2x-1}}$　　(4) $y'=\dfrac{2}{3\sqrt[3]{x}}$

날선 Point

• $y=\{f(x)\}^n \Rightarrow y'=n\{f(x)\}^{n-1}f'(x)$ (n은 유리수)

• $y=\sqrt{f(x)} \Rightarrow y'=\dfrac{f'(x)}{2\sqrt{f(x)}}$

• $\sqrt[n]{}$ 꼴의 미분 ➡ 지수로 고친다.

2-1 다음 함수의 도함수를 구하시오.

(1) $y=(3x^2+2x+1)^5$

(2) $y=(x+1)^2(x^2-1)^3$

(3) $y=x\sqrt{x^2+1}$

(4) $y=\dfrac{1}{\sqrt[3]{x^2-3x}}$

2-2 함수 $f(x)=\sqrt[3]{2x+1}$에 대하여 $f'(0)$의 값을 구하시오.

◆ 정답 및 풀이 **24**쪽

대표 **Q3** $y = \dfrac{f(x)}{g(x)}$ 꼴의 미분

다음 함수의 도함수를 구하시오.

(1) $y = \dfrac{2x-3}{x^2-1}$

(2) $y = \dfrac{x^2-3x+1}{x^5}$

(3) $y = \left(\dfrac{x}{1-x^2}\right)^3$

(4) $y = \dfrac{x}{\sqrt{x+1}}$

날선 Guide (1) $y = \dfrac{f(x)}{g(x)}$ 꼴이므로 다음 몫의 미분법을 이용한다.

$$\left\{\frac{f(x)}{g(x)}\right\}' = \frac{f'(x)g(x)-f(x)g'(x)}{\{g(x)\}^2}$$

(2) 몫의 미분법을 이용하여 미분할 수도 있고,

$y = x^{-3} - 3x^{-4} + x^{-5}$으로 정리한 다음 x^{-3}, $-3x^{-4}$, x^{-5}을 미분할 수도 있다.

(3) $f(x) = \dfrac{x}{1-x^2}$라 하면 $y = \{f(x)\}^3$ 꼴의 미분이다.

이때 $f(x)$는 몫의 미분법을 이용하여 미분한다.

(4) 몫의 미분법을 이용하거나

$y = x(x+1)^{-\frac{1}{2}}$으로 나타내어 곱의 미분법을 이용한다.

답 (1) $y' = \dfrac{-2x^2+6x-2}{(x^2-1)^2}$ (2) $y' = \dfrac{-3x^2+12x-5}{x^6}$

(3) $y' = \dfrac{3x^2(1+x^2)}{(1-x^2)^4}$ (4) $y' = \dfrac{x+2}{2(x+1)\sqrt{x+1}}$

날선 Point

• $\left\{\dfrac{1}{g(x)}\right\}' = -\dfrac{g'(x)}{\{g(x)\}^2}$

• $\left\{\dfrac{f(x)}{g(x)}\right\}' = \dfrac{f'(x)g(x)-f(x)g'(x)}{\{g(x)\}^2}$

3-1 다음 함수의 도함수를 구하시오.

(1) $y = \dfrac{(2x-5)^2}{x+1}$

(2) $y = \dfrac{x^6-3x^4+4x+2}{x^3}$

(3) $y = \left(\dfrac{x^2+1}{x-1}\right)^2$

(4) $y = \dfrac{\sqrt{x-1}}{x+1}$

3-2 함수 $f(x) = \dfrac{x-1}{\sqrt{x^2+3}}$에 대하여 $f'(1)$의 값을 구하시오.

함수 $f(x)$는 미분가능하고 $\displaystyle\lim_{x \to 0} \frac{x}{f(x)} = 2$, $\displaystyle\lim_{x \to 1} \frac{x-1}{f(x)} = 4$이다. 다음 물음에 답하시오.

(1) $\displaystyle\lim_{x \to 1} \frac{f(f(x))}{3x^2 - x - 2}$의 값을 구하시오.

(2) $h(x) = f(f(x))$라 할 때, $h'(0)$의 값을 구하시오.

날선 Guide 주어진 조건에서 알 수 있는 사실을 정리하면 다음과 같다.

 (i) $\displaystyle\lim_{x \to 0} \frac{x}{f(x)} = 2$에서 0이 아닌 극한값이 존재하고 $x \to 0$일 때 (분자) $\to 0$이므로

  (분모) $\to 0$이다. 그리고 $f(x)$는 연속이므로 $f(0) = 0$이다.

  이때 $\displaystyle\lim_{x \to 0} \frac{f(x)}{x} = \lim_{x \to 0} \frac{f(x) - f(0)}{x - 0} = \frac{1}{2}$이므로 $f'(0) = \frac{1}{2}$

 (ii) 같은 이유로 $\displaystyle\lim_{x \to 1} \frac{x-1}{f(x)} = 4$에서 $f(1) = 0$이고, $f'(1) = \frac{1}{4}$이다.

 (1) $\dfrac{f(f(x))}{3x^2 - x - 2} = \dfrac{f(f(x))}{f(x)} \times \dfrac{f(x)}{(x-1)(3x+2)}$에서

  $f(x) = t$라 하면 $x \to 1$일 때 $t \to 0$이므로 $\displaystyle\lim_{x \to 1} \frac{f(f(x))}{f(x)} = \lim_{t \to 0} \frac{f(t)}{t}$임을 이용한다.

 (2) $h'(x) = f'(f(x)) f'(x)$임을 이용한다.

답 (1) $\dfrac{1}{40}$ (2) $\dfrac{1}{8}$

날선 Point
- $\dfrac{0}{0}$ 꼴의 극한 ➡ 미분계수로 나타낸다.

- $\displaystyle\lim_{x \to a} g(f(x))$ 꼴의 극한 ➡ $f(x) = t$로 놓고 $\displaystyle\lim_{x \to a} f(x)$부터 구한다.

4-1 두 함수 $f(x)$, $g(x)$는 미분가능하고

$$\lim_{x \to 0} \frac{f(x) + 1}{x} = -2, \quad \lim_{x \to -1} \frac{g(x)}{x+1} = \frac{1}{3}$$

이다. 다음 물음에 답하시오.

(1) $\displaystyle\lim_{x \to -1} \frac{f(g(x)) + 1}{2x^2 + 5x + 3}$의 값을 구하시오.

(2) $h(x) = (f \circ g)(x)$라 할 때, $h'(-1)$의 값을 구하시오.

3 합성함수의 미분법

01 다음 함수의 도함수를 구하시오.

(1) $y=(x^3-x+3)(x+2)^4$

(2) $y=\sqrt[3]{2x+3}$

(3) $y=\dfrac{x^2-1}{(x^2+5)^3}$

(4) $y=\sqrt{\dfrac{x+1}{x-1}}$

02 함수 $f(x)$는 미분가능하고 $f(0)=2$, $g(x)=\dfrac{2x}{f(x)+1}$일 때, $g'(0)$의 값을 구하시오.

03 구간 $[-1, 2]$에서 정의된 함수 $y=f(x)$, $y=g(x)$의 그래프가 그림과 같을 때, 다음 값을 구하시오.

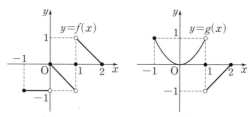

(1) $\displaystyle\lim_{x\to1}g(f(x))$

(2) $\displaystyle\lim_{x\to1}f(g(x))$

04 함수

$$f(x)=\begin{cases}x^2-x+2a & (x\geq1) \\ 3x+a & (x<1)\end{cases}, g(x)=x^2+ax+3$$

이고 함수 $(g\circ f)(x)$가 실수 전체의 집합에서 연속일 때, a의 값을 모두 구하시오.

🔍 **평가원 기출**

05 실수 전체의 집합에서 미분가능한 함수 $f(x)$가 모든 실수 x에 대하여

$$f(2x+1)=(x^2+1)^2$$

을 만족시킬 때, $f'(3)$의 값은?

① 1　　　　② 2　　　　③ 3　　　　④ 4　　　　⑤ 5

바이러스의 발병과 확산, 화석의 연대 측정 등은 지수함수의 규칙을 따르고, 행성의 밝기, 소리의 세기, 산성의 강도 등은 로그함수를 이용하여 연구한다.

이 단원에서는 지수함수와 로그함수의 극한을 이해하고, 지수함수와 로그함수를 미분하는 방법을 알아보자. 또 무리수 e와 자연로그를 배우고, $y=\ln|x|$의 도함수를 구하는 방법을 알아보자.

지수함수, 로그함수의 미분

4

지수함수, 로그함수의 극한

1 지수함수의 극한

(1) $a>1$일 때 $\displaystyle\lim_{x\to\infty} a^x=\infty$, $\displaystyle\lim_{x\to-\infty} a^x=0$

(2) $0<a<1$일 때 $\displaystyle\lim_{x\to\infty} a^x=0$, $\displaystyle\lim_{x\to-\infty} a^x=\infty$

2 로그함수의 극한

(1) $a>1$일 때 $\displaystyle\lim_{x\to\infty} \log_a x=\infty$, $\displaystyle\lim_{x\to 0+} \log_a x=-\infty$

(2) $0<a<1$일 때 $\displaystyle\lim_{x\to\infty} \log_a x=-\infty$, $\displaystyle\lim_{x\to 0+} \log_a x=\infty$

지수함수의
극한

$y=2^x$과 $y=\left(\dfrac{1}{2}\right)^x$의 그래프는 그림과 같으므로

$$\lim_{x\to\infty} 2^x=\infty,\ \lim_{x\to-\infty} 2^x=0$$

$$\lim_{x\to\infty} \left(\dfrac{1}{2}\right)^x=0,\ \lim_{x\to-\infty} \left(\dfrac{1}{2}\right)^x=\infty$$

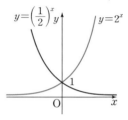

이와 같이 지수함수 $y=a^x$의 극한은 $a>1$일 때와 $0<a<1$일

때로 나누어 생각한다.

로그함수의
극한

$y=\log_2 x$와 $y=\log_{\frac{1}{2}} x$의 그래프는 그림과 같으므로

$$\lim_{x\to\infty} \log_2 x=\infty,\ \lim_{x\to 0+} \log_2 x=-\infty$$

$$\lim_{x\to\infty} \log_{\frac{1}{2}} x=-\infty,\ \lim_{x\to 0+} \log_{\frac{1}{2}} x=\infty$$

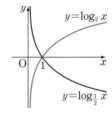

이와 같이 로그함수 $y=\log_a x$의 극한도 $a>1$일 때와 $0<a<1$일

때로 나누어 생각한다.

지수함수는 연속이므로 $\displaystyle\lim_{x\to p} a^x=a^p$이고,

로그함수도 연속이므로 $\displaystyle\lim_{x\to p} \log_a x=\log_a p$이다.

개념 Check

◆ 정답 및 풀이 **28**쪽

1 다음 극한을 조사하시오.

(1) $\displaystyle\lim_{x\to\infty} 3^x$

(2) $\displaystyle\lim_{x\to-\infty} 3^x$

(3) $\displaystyle\lim_{x\to\infty} \left(\dfrac{1}{2}\right)^{2x}$

(4) $\displaystyle\lim_{x\to\infty} \log x$

(5) $\displaystyle\lim_{x\to 0+} \log x^2$

(6) $\displaystyle\lim_{x\to 0+} \log_{\frac{1}{3}} x$

4-2 무리수 e

1 $x \to 0$일 때 $(1+x)^{\frac{1}{x}}$의 극한값을 기호 e로 나타낸다.

$$\lim_{x \to 0}(1+x)^{\frac{1}{x}}=e, \quad \lim_{x \to \infty}\left(1+\frac{1}{x}\right)^{x}=e$$

2 밑이 e인 로그를 자연로그라 하고 $\ln$으로 나타낸다.

$\lim_{x \to 0}(1+x)^{\frac{1}{x}}=e$ • $x \to 0$일 때 $(1+x)^{\frac{1}{x}}$의 값은 어떤 실수에 한없이 가까워진다는 것이 알려져 있다. 이 값을 e로 나타낸다.

$$\lim_{x \to 0}(1+x)^{\frac{1}{x}}=e \qquad \cdots \ \text{㉠}$$

e는 무리수이고 $e=2.718\cdots$이다.

$\lim_{x \to \infty}\left(1+\frac{1}{x}\right)^{x}=e$ • $\dfrac{1}{x}=t$라 하면 $x \to 0+$일 때 $t \to \infty$이므로

$$\lim_{t \to \infty}\left(1+\frac{1}{t}\right)^{t}=e \qquad \cdots \ \text{㉡}$$

이다. ㉠, ㉡ 모두 좌변은 1^{∞} 꼴의 극한이다.

e의 정의는 기억하고 있어야 하고, 1^{∞} 꼴의 극한을 구하는 기본으로 이용할 수도 있어야 한다.

자연로그 • $\log_{e}2$, $\log_{e}10$과 같이 밑이 e인 로그를 자연로그라 한다.

자연로그는 기호 $\ln$을 써서 $\ln 2$, $\ln 10$과 같이 나타낸다.

$e>1$이므로 $y=\ln x$의 그래프는 그림과 같다.

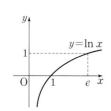

$y=e^{x}$ • 밑이 e인 지수함수는 $y=e^{x}$이다.

$y=e^{x}$은 $y=\ln x$의 역함수이고, 두 함수의 그래프는 직선 $y=x$에 대칭이다.

참고 자연로그의 성질

$x>0$, $y>0$일 때, 다음이 성립한다.

(1) $\ln 1=0$, $\ln e=1$ (2) $\ln xy=\ln x+\ln y$

(3) $\ln \dfrac{x}{y}=\ln x-\ln y$ (4) $\ln x^{n}=n\ln x$ (n은 실수)

▶ **개념 Check**   ◆ 정답 및 풀이 **28**쪽

2 다음을 만족시키는 x의 값을 구하시오.

(1) $\ln 1=x$ (2) $\ln e^{2}=x$ (3) $\ln \dfrac{1}{e}=x$

(4) $\ln x=1$ (5) $\ln x=3$ (6) $\ln x=-5$

다음 극한을 조사하시오.

(1) $\displaystyle\lim_{x\to\infty}\dfrac{2^{2x}-3^x}{3^x+2^{x+1}}$

(2) $\displaystyle\lim_{x\to\infty}(3^x-2^x)^{\frac{1}{x}}$

(3) $\displaystyle\lim_{x\to\infty}\{\log(2x+1)-\log(3x-1)\}$

(4) $\displaystyle\lim_{x\to 3+}\{\log(x-3)-\log(x^2-2x-3)\}$

날선 Guide (1) 등비수열의 극한에서 공부한 $\displaystyle\lim_{n\to\infty}\dfrac{2^{2n}-3^n}{3^n+2^{n+1}}$ 을 조사하는 방법과 같다.

분모에서 밑이 가장 큰 항 3^x으로 분모, 분자를 각각 나누고 극한을 조사한다.

(2) 3^x-2^x은 $\infty-\infty$ 꼴이므로

$$3^x-2^x=3^x\left\{1-\left(\dfrac{2}{3}\right)^x\right\}$$

과 같이 밑이 가장 큰 항 3^x으로 묶고 극한을 생각한다.

(3) $a>1$일 때, $\displaystyle\lim_{x\to\infty}\log_a x=\infty$이므로 $\infty-\infty$ 꼴이다.

$\log(2x+1)-\log(3x-1)=\log\dfrac{2x+1}{3x-1}$이므로 $\dfrac{2x+1}{3x-1}$의 극한부터 구한다.

(4) $x\to 3+$일 때, $\log(x-3)$, $\log(x^2-2x-3)$의 진수가 모두 0에 가까워진다.

$$\log(x-3)-\log(x^2-2x-3)=\log\dfrac{x-3}{x^2-2x-3}$$

에서 진수의 분모, 분자를 간단히 할 수 있다.

답 (1) ∞로 발산 (2) 3 (3) $\log\dfrac{2}{3}$ (4) $-2\log 2$

날선 Point

• $x\to\infty$일 때 **지수함수의 극한**

➡ $n\to\infty$일 때 등비수열의 극한과 같은 방법으로 구한다.

• **로그함수의 극한**

➡ $\displaystyle\lim_{x\to\infty}\log_a f(x)$ 꼴로 고치고 $f(x)$의 극한부터 생각한다.

1-1 다음 극한을 조사하시오.

(1) $\displaystyle\lim_{x\to\infty}\dfrac{2^x}{5^x-1}$

(2) $\displaystyle\lim_{x\to\infty}(3^{2x+1}-4^x)$

1-2 다음 극한값을 구하시오.

(1) $\displaystyle\lim_{x\to\infty}\left\{\log_{\frac{1}{5}}(5x+1)-\log_{\frac{1}{5}}x\right\}$

(2) $\displaystyle\lim_{x\to 1+}\{\log_3(x^2-1)-\log_3(x-1)\}$

다음 극한값을 구하시오.

(1) $\displaystyle\lim_{x \to 0} (1+2x)^{\frac{4}{x}}$

(2) $\displaystyle\lim_{x \to 0} \left(1+\frac{x}{2}\right)^{-\frac{1}{x}}$

(3) $\displaystyle\lim_{x \to \infty} \left(1+\frac{3}{x}\right)^{2x}$

(4) $\displaystyle\lim_{x \to -\infty} \left(1-\frac{1}{x}\right)^{3x}$

(날선 **Guide**) $x \to 0$일 때 1^{∞} 또는 $x \to \infty$일 때 1^{∞} 꼴이므로 다음 극한을 이용한다.

$$\lim_{x \to 0} (1+x)^{\frac{1}{x}} = e, \ \lim_{x \to \infty} \left(1+\frac{1}{x}\right)^{x} = e$$

이때에는 색칠한 부분이 같은 꼴이어야 한다는 것에 주의한다.

(1) $\displaystyle\lim_{x \to 0} (1+2x)^{\frac{1}{2x}} = e$이므로

$\displaystyle\lim_{x \to 0} (1+2x)^{\frac{4}{x}} = \lim_{x \to 0} \left\{(1+2x)^{\frac{1}{2x}}\right\}^{8}$으로 변형한다.

(2) $\displaystyle\lim_{x \to 0} \left(1+\frac{x}{2}\right)^{\frac{2}{x}} = e$임을 이용하여 식을 변형한다.

(3) $\displaystyle\lim_{x \to \infty} \left(1+\frac{3}{x}\right)^{\frac{x}{3}} = e$임을 이용하여 식을 변형한다.

(4) $x \to -\infty$이고 $1^{-\infty}$ 꼴이다.

$-x = t$로 치환하면 (3)과 같은 방법으로 풀 수 있다.

(답) (1) e^{8}　(2) $\dfrac{1}{\sqrt{e}}$　(3) e^{6}　(4) $\dfrac{1}{e^{3}}$

1[∞] 또는 1^{−∞} 꼴의 극한

➡ $\displaystyle\lim_{x \to 0} (1+x)^{\frac{1}{x}} = e, \ \lim_{x \to \infty} \left(1+\frac{1}{x}\right)^{x} = e$

2-1 다음 극한값을 구하시오.

(1) $\displaystyle\lim_{x \to \infty} \left(1+\frac{1}{x}\right)^{-2x}$

(2) $\displaystyle\lim_{x \to \infty} \left(1+\frac{1}{2x}\right)^{\frac{x}{2}}$

(3) $\displaystyle\lim_{x \to 0} (1-3x)^{-\frac{2}{x}}$

(4) $\displaystyle\lim_{x \to \infty} \left(1+\frac{1}{3^{x}}\right)^{3^{x+1}}$

대표 Q3 $\dfrac{0}{0}$ 꼴인 로그함수의 극한

다음 극한값을 구하시오.

(1) $\displaystyle\lim_{x \to 0}\frac{\log_a(1+x)}{x}$ (2) $\displaystyle\lim_{x \to 0}\frac{\ln(1-2x)}{3x}$ (3) $\displaystyle\lim_{x \to 0}\frac{2x}{\log(1+x)}$

날선 Guide (1) $x \to 0$일 때 (분자) $\to 0$, (분모) $\to 0$인 꼴이다.

$$\frac{\log_a(1+x)}{x}=\frac{1}{x}\log_a(1+x)=\log_a(1+x)^{\frac{1}{x}}$$

에서 $\displaystyle\lim_{x \to 0}(1+x)^{\frac{1}{x}}$의 값을 생각한다.

(2) $\dfrac{\ln(1-2x)}{3x}=\ln(1-2x)^{\frac{1}{3x}}$

에서 $\displaystyle\lim_{x \to 0}(1-2x)^{\frac{1}{3x}}$의 값을 구한다.

(3) $\displaystyle\lim_{x \to 0}\frac{\log(1+x)}{2x}$ 를 먼저 계산한 다음 극한을 생각한다.

참고 (1)과 마찬가지로 $\dfrac{\ln(1+x)}{x}=\ln(1+x)^{\frac{1}{x}}$에서

$$\lim_{x \to 0}\frac{\ln(1+x)}{x}=\lim_{x \to 0}\ln(1+x)^{\frac{1}{x}}=\ln e=1$$

이 결과는 공식처럼 기억해도 좋다.

탑 (1) $\dfrac{1}{\ln a}$ (2) $-\dfrac{2}{3}$ (3) $2\ln 10$

날선 Point • $\dfrac{0}{0}$ 꼴인 로그함수의 극한

➡ $\displaystyle\lim_{x \to 0}(1+x)^{\frac{1}{x}}=e,\ \lim_{x \to \infty}\left(1+\frac{1}{x}\right)^{x}=e$를 이용하는 꼴로 정리한다.

• $\displaystyle\lim_{x \to 0}\frac{\ln(1+x)}{x}=1,\ \lim_{x \to 0}\frac{\log_a(1+x)}{x}=\frac{1}{\ln a}$

3-1 다음 극한값을 구하시오.

(1) $\displaystyle\lim_{x \to 0}\frac{\log_2(1+3x)}{x}$ (2) $\displaystyle\lim_{x \to 0}\frac{\ln(1-x)}{x}$ (3) $\displaystyle\lim_{x \to 0}\frac{4x}{\log_3(1+2x)}$

up 3-2 $\displaystyle\lim_{x \to 0}\frac{\ln(1-3x)}{\ln(1+x)}$의 값을 구하시오.

대표 Q4 치환하는 극한

다음 극한값을 구하시오.

(1) $\lim\limits_{x \to 0} \dfrac{e^x - 1}{x}$

(2) $\lim\limits_{x \to 0} \dfrac{e^{3x} - 1}{x}$

(3) $\lim\limits_{x \to 0} \dfrac{a^x - 1}{x}$

(4) $\lim\limits_{x \to 1} x^{\frac{1}{1-x}}$

날선 Guide (1) $x \to 0$일 때 (분자) $\to 0$, (분모) $\to 0$인 꼴이다.

$e^x - 1 = t$라 하면 $e^x = 1 + t$, $x = \ln(1+t)$

$x \to 0$일 때 $t \to 0$이므로 $\lim\limits_{x \to 0} \dfrac{e^x - 1}{x} = \lim\limits_{t \to 0} \dfrac{t}{\ln(1+t)}$

곧, 이 식은 $\dfrac{0}{0}$ 꼴인 로그함수의 극한이다.

따라서 **대표 03**과 같은 방법으로 푼다.

(2) $e^{3x} - 1 = t$로 치환한 다음 (1)과 같이 푼다.

(3) $a^x - 1 = t$라 하면 $a^x = 1 + t$, $x = \log_a(1+t)$

$x \to 0$일 때 $t \to 0$이므로 $\lim\limits_{x \to 0} \dfrac{a^x - 1}{x} = \lim\limits_{t \to 0} \dfrac{t}{\log_a(1+t)}$

(4) $x \to 1$일 때 $\left| \dfrac{1}{1-x} \right| \to \infty$이므로 1^{∞} 꼴이다.

$1 - x = t$로 치환하거나 $\dfrac{1}{1-x} = t$로 치환하고 정리한다.

탭 (1) 1 (2) 3 (3) $\ln a$ (4) $\dfrac{1}{e}$

날선 Point
- 1^{∞}, $\dfrac{0}{0}$ 꼴인 지수함수의 극한

  $\Rightarrow \lim\limits_{x \to 0} (1+x)^{\frac{1}{x}} = e$, $\lim\limits_{x \to \infty} \left(1 + \dfrac{1}{x}\right)^x = e$를 이용하는 꼴로 정리한다.

- $\lim\limits_{x \to 0} \dfrac{e^x - 1}{x} = 1$, $\lim\limits_{x \to 0} \dfrac{a^x - 1}{x} = \ln a$

4-1 다음 극한값을 구하시오.

(1) $\lim\limits_{x \to 0} \dfrac{3^x - 1}{2x}$

(2) $\lim\limits_{x \to 0} \dfrac{x}{e^{3x} - 1}$

(3) $\lim\limits_{x \to 1} \dfrac{\ln x}{x - 1}$

(4) $\lim\limits_{x \to -1} (x+2)^{\frac{2}{x+1}}$

다음 물음에 답하시오.

(1) $\displaystyle\lim_{x \to 0} \dfrac{a^x - 1}{\ln(x+b)} = \ln 2$일 때, a, b의 값을 구하시오.

(2) 함수 $f(x) = \begin{cases} \dfrac{e^{2x} - a}{x} & (x \neq 0) \\ b & (x = 0) \end{cases}$ 가 $x = 0$에서 연속일 때, a, b의 값을 구하시오.

날선 Guide (1) 다항함수의 극한에서 미정계수를 구하는 방법과 같다.

$x \to 0$일 때 0이 아닌 극한값이 존재하고 (분자) $\to$ 0이므로 (분모) $\to$ 0임을 이용하여 b의 값부터 구한다.

그리고 $\dfrac{a^x - 1}{\ln(x+b)} = \dfrac{a^x - 1}{x} \times \dfrac{x}{\ln(x+b)}$임을 이용하여 극한을 구한다.

(2) $x = 0$에서 $f(x)$가 연속이면 $\displaystyle\lim_{x \to 0} f(x) = f(0)$이다.

따라서 $\displaystyle\lim_{x \to 0} f(x)$의 값이 존재할 조건부터 찾는다.

곧, $x \to 0$일 때 극한값이 존재하고 (분모) $\to$ 0이므로 (분자) $\to$ 0이다.

🔲 (1) $a = 2$, $b = 1$　(2) $a = 1$, $b = 2$

날선 Point

• $\displaystyle\lim_{x \to a} \dfrac{f(x)}{g(x)} = p$일 때

➡ (ⅰ) $\displaystyle\lim_{x \to a} g(x) = 0$이면 $\displaystyle\lim_{x \to a} f(x) = 0$

(ⅱ) $p \neq 0$, $\displaystyle\lim_{x \to a} f(x) = 0$이면 $\displaystyle\lim_{x \to a} g(x) = 0$

• 함수 $f(x)$가 $x = a$에서 연속

➡ $\displaystyle\lim_{x \to a} f(x)$의 값이 존재하고 $\displaystyle\lim_{x \to a} f(x) = f(a)$이다.

5-1 $\displaystyle\lim_{x \to 0} \dfrac{\ln(2x+a)}{e^x - 1} = b$일 때, a, b의 값을 구하시오.

5-2 함수 $f(x) = \begin{cases} \dfrac{\ln(1+ax)}{x} & (x \neq 0) \\ 3 & (x = 0) \end{cases}$ 이 $x = 0$에서 연속일 때, a의 값을 구하시오.

4-3 지수함수의 미분

1 지수함수의 미분

$$y = a^x \ (a > 0, \ a \neq 1) \Rightarrow y' = a^x \ln a$$

$$y = e^x \Rightarrow y' = e^x$$

2 $f(x)$가 미분가능할 때,

$$y = a^{f(x)} \ (a > 0, \ a \neq 1) \Rightarrow y' = a^{f(x)} \times \ln a \times f'(x)$$

$$y = e^{f(x)} \Rightarrow y' = e^{f(x)} \times f'(x)$$

● 지수함수의 미분

$\displaystyle\lim_{h \to 0} \frac{a^h - 1}{h} = \ln a$이다. 이를 이용하여 지수함수 $f(x) = a^x$을 미분하면

$$f'(x) = \lim_{h \to 0} \frac{f(x+h) - f(x)}{h} = \lim_{h \to 0} \frac{a^{x+h} - a^x}{h}$$

$$= \lim_{h \to 0} \frac{a^x(a^h - 1)}{h} = a^x \lim_{h \to 0} \frac{a^h - 1}{h} = a^x \ln a$$

특히 $a = e$이면 $\ln a = \ln e = 1$이므로 $f(x) = e^x$이면 $f'(x) = e^x$이다.

$$y = a^x \Rightarrow y' = a^x \ln a$$

$$y = e^x \Rightarrow y' = e^x$$

● $y = a^{f(x)}$의 미분

$y = 2^{x^2}$의 도함수를 $y' = 2^{x^2} \ln 2$라 하면 안 된다.

$y = 2^{x^2}$은 $y = 2^t$과 $t = x^2$의 합성함수라 생각할 수 있고,

$\dfrac{dy}{dt} = 2^t \ln 2$, $\dfrac{dt}{dx} = 2x$이므로

> 미분
> $$y = 2^{x^2} \Rightarrow y' = 2^{x^2} \times \ln 2 \times 2x$$

$$\frac{dy}{dx} = \frac{dy}{dt} \times \frac{dt}{dx}$$

$$= (2^t \ln 2) \times 2x = (2 \ln 2) x \times 2^{x^2}$$

따라서 $f(x)$가 미분가능한 함수일 때, $y = a^{f(x)}$, $y = e^{f(x)}$의 도함수는 다음과 같다.

$$y = a^{f(x)} \Rightarrow y' = a^{f(x)} \times \ln a \times f'(x)$$

$$y = e^{f(x)} \Rightarrow y' = e^{f(x)} \times f'(x)$$

개념 Check

◆ 정답 및 풀이 **31**쪽

3 다음 함수를 미분하시오.

(1) $y = 3^x$ (2) $y = \left(\dfrac{1}{5}\right)^x$ (3) $y = 2^{2x}$

(4) $y = e^{-x}$ (5) $y = 3e^x$ (6) $y = e^{2x-1}$

4-4 로그함수의 미분

1 로그함수의 미분

$$y=\ln x \;\Rightarrow\; y'=\frac{1}{x}$$

$$y=\log_a x \;(a>0,\;a\neq1) \;\Rightarrow\; y'=\frac{1}{x\ln a}$$

2 $f(x)$가 미분가능한 함수이고 $f(x)>0$일 때,

$$y=\ln f(x) \;\Rightarrow\; y'=\frac{f'(x)}{f(x)}$$

$$y=\log_a f(x) \;(a>0,\;a\neq1) \;\Rightarrow\; y'=\frac{f'(x)}{f(x)\ln a}$$

로그함수의 미분

$\displaystyle\lim_{h\to0}(1+h)^{\frac{1}{h}}=e$이다. 이를 이용하여 로그함수 $f(x)=\ln x$를 미분하면

$$f'(x)=\lim_{h\to0}\frac{f(x+h)-f(x)}{h}=\lim_{h\to0}\frac{\ln(x+h)-\ln x}{h}$$

$$=\lim_{h\to0}\frac{1}{h}\ln\frac{x+h}{x}=\lim_{h\to0}\left\{\frac{1}{x}\times\frac{x}{h}\ln\left(1+\frac{h}{x}\right)\right\}$$

$\dfrac{h}{x}=t$라 하면 $\dfrac{x}{h}=\dfrac{1}{t}$이고, $h\to0$일 때 $t\to0$이므로

$$f'(x)=\lim_{t\to0}\left\{\frac{1}{x}\ln(1+t)^{\frac{1}{t}}\right\}=\frac{1}{x}\ln e=\frac{1}{x}$$

또 $y=\log_a x$이면 $y=\dfrac{\ln x}{\ln a}$이므로 $y'=\dfrac{1}{\ln a}(\ln x)'=\dfrac{1}{x\ln a}$

$$y=\ln x \;\Rightarrow\; y'=\frac{1}{x}, \quad y=\log_a x \;\Rightarrow\; y'=\frac{1}{x\ln a}$$

$y=\ln f(x)$의 미분

$y=\ln(x^2+1)$의 도함수를 $y'=\dfrac{1}{x^2+1}$이라 하면 안 된다.

$y=\ln(x^2+1)$은 $y=\ln t$와 $t=x^2+1$의 합성함수이므로

$$\frac{dy}{dx}=\frac{dy}{dt}\times\frac{dt}{dx}=\frac{1}{t}\times2x=\frac{2x}{x^2+1}$$

> 미분
> $$y=\ln(x^2+1) \;\Rightarrow\; y'=\frac{1}{x^2+1}\times2x$$

일반적으로 $f(x)$가 미분가능한 함수일 때,

$$y=\ln f(x) \;\Rightarrow\; y'=\frac{f'(x)}{f(x)}, \quad y=\log_a f(x) \;\Rightarrow\; y'=\frac{f'(x)}{f(x)\ln a}$$

개념 Check

◆ 정답 및 풀이 **31**쪽

4 다음 함수를 미분하시오.

(1) $y=\log_5 x$ (2) $y=\ln x^3$ (3) $y=\ln(2x+1)$

4-5 $y=\ln|x|$의 도함수

> **1** $y=\ln|x| \;\Rightarrow\; y'=\dfrac{1}{x}$
>
> **2** $y=x^{a}$ ($x>0$, a는 실수) $\;\Rightarrow\; y'=ax^{a-1}$

$y=\ln|x|$의 도함수

$y=\ln x$는 $x>0$에서 정의된 함수이고

$y=\ln|x|$는 $x\neq0$에서 정의된 함수이다.

또 $y=\ln|x|$를 미분하면

$x>0$일 때, $y=\ln x$이므로 $y'=\dfrac{1}{x}$

$x<0$일 때, $y=\ln(-x)$이므로

$$y'=\frac{1}{-x}\times(-x)'=\frac{1}{x}$$

$$y=\ln|x| \;\Rightarrow\; y'=\frac{1}{x}$$

$$y=\ln|f(x)| \;\Rightarrow\; y'=\frac{f'(x)}{f(x)}$$

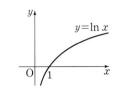

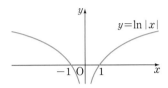

$y=\dfrac{(x^{2}-1)^{3}}{(2x+1)^{2}}$에서 양변의 절댓값에 자연로그를 잡으면

$$\ln|y|=3\ln|x^{2}-1|-2\ln|2x+1|$$

양변을 x에 대하여 미분하면

$$\frac{y'}{y}=3\times\frac{(x^{2}-1)'}{x^{2}-1}-2\times\frac{(2x+1)'}{2x+1}=\frac{2(4x^{2}+3x+2)}{(x^{2}-1)(2x+1)}$$

$$\therefore\; y'=y\times\frac{2(4x^{2}+3x+2)}{(x^{2}-1)(2x+1)}=\frac{2(4x^{2}+3x+2)(x^{2}-1)^{2}}{(2x+1)^{3}}$$

$y=x^{a}$의 도함수

$y=x^{a}$ ($x>0$, a는 실수)의 도함수도 양변에 자연로그를 잡고, 미분하여 구할 수 있다.

$\ln y=a\ln x$에서 $\dfrac{y'}{y}=\dfrac{a}{x}$이므로

$$y'=y\times\frac{a}{x}=x^{a}\times\frac{a}{x} \qquad \therefore\; y'=ax^{a-1}$$

예를 들어 $y=x^{\sqrt{2}}$을 미분하면 $y=\sqrt{2}\,x^{\sqrt{2}-1}$

◆ 정답 및 풀이 **31**쪽

개념 Check

5 다음 함수를 미분하시오.

(1) $y=\ln|x^{2}-3x|$ (2) $y=x^{e}$

다음 함수를 미분하시오.

(1) $y = e^{2x+1} + 3e^x - 4$　　　(2) $y = (x+1)e^{x^2}$　　　(3) $y = (2e^x - 3)^4$

(4) $y = \dfrac{e^x - 1}{e^x + 1}$　　　(5) $y = 2^{x^2 - 3x + 1}$

날선 Guide (1) 밑이 e인 지수함수의 도함수를 구하는 기본은

$$(e^x)' = e^x, \ \{e^{f(x)}\}' = e^{f(x)} \times f'(x)$$

이다. 이를 이용하여 e^{2x+1}, $3e^x$, -4를 각각 미분한다.

(2) $x+1$과 e^{x^2}의 곱이므로

$$y' = (x+1)'e^{x^2} + (x+1)(e^{x^2})'$$

을 계산한다.

(3) $y = \{f(x)\}^n$ 꼴이다. 이 함수의 도함수는 공식처럼 기억하고 이용하면 편리하다.

$$y = \{f(x)\}^n \ \Rightarrow \ y' = n\{f(x)\}^{n-1}f'(x)$$

(4) 분수 꼴이므로

$$y' = \frac{(e^x-1)'(e^x+1) - (e^x-1)(e^x+1)'}{(e^x+1)^2}$$

과 같이 몫의 미분법을 이용하여 계산한다.

(5) 밑이 e가 아닌 지수함수의 도함수는

$$(a^x)' = a^x \ln a, \ \{a^{f(x)}\}' = a^{f(x)} \times f'(x) \times \ln a$$

를 이용하여 구한다.

답 (1) $y' = 2e^{2x+1} + 3e^x$　(2) $y' = (2x^2 + 2x + 1)e^{x^2}$　(3) $y' = 8e^x(2e^x-3)^3$

(4) $y' = \dfrac{2e^x}{(e^x+1)^2}$　(5) $y' = 2^{x^2-3x+1}(2x-3)\ln 2$

날선 Point 지수함수의 미분

$$y = e^x \ \Rightarrow \ y' = e^x, \qquad y = e^{f(x)} \ \Rightarrow \ y' = e^{f(x)}f'(x)$$
$$y = a^x \ \Rightarrow \ y' = a^x \ln a, \quad y = a^{f(x)} \ \Rightarrow \ y = a^{f(x)}f'(x)\ln a$$

6-1 다음 함수를 미분하시오.

(1) $y = (x^3 + 2x)e^{3x-1}$　　　　　　(2) $y = \dfrac{e^x}{3x-2}$

(3) $y = (e^x + 2)^3$　　　　　　　　(4) $y = 5^{x^3 - x^2 + 4}$

대표 Q7 로그함수의 미분

◆ 정답 및 풀이 **32**쪽

다음 함수를 미분하시오.

(1) $y = \ln(e^x + 1)$ (2) $y = x^2 \ln(2x+1)$ (3) $y = \dfrac{\ln x}{x}$

(4) $y = (\ln x)^2 + \ln x^2$ (5) $y = \log(x^2 + x + 1)$

날선 Guide (1) 밑이 e인 로그함수의 도함수는 다음을 이용하여 구한다.

$$(\ln x)' = \frac{1}{x}, \quad \{\ln f(x)\}' = \frac{f'(x)}{f(x)}$$

(2) x^2과 $\ln(2x+1)$의 곱이므로 다음과 같이 곱의 미분법을 이용한다.

$$y' = (x^2)' \ln(2x+1) + x^2 \{\ln(2x+1)\}'$$

(3) 분수 꼴이므로 다음과 같이 몫의 미분법을 이용하여 계산한다.

$$y' = \frac{(\ln x)' \times x - \ln x \times (x)'}{x^2}$$

(4) $(\ln x)^2$은 $y = \{f(x)\}^n$ 꼴의 미분법을 이용한다.

$\ln x^2$은 $\ln f(x)$의 미분법을 이용해도 되고,

$\ln x^2 = 2\ln|x|$에서 $\ln|x|$의 미분을 이용해도 된다.

$$y = \ln|x| \implies y' = \frac{1}{x}$$

(5) 밑이 e가 아닌 로그함수의 도함수는

$$(\log_a x)' = \frac{1}{x \ln a}, \quad \{\log_a f(x)\}' = \frac{f'(x)}{f(x) \ln a}$$

를 이용하여 구한다.

답 (1) $y' = \dfrac{e^x}{e^x + 1}$ (2) $y' = 2x\ln(2x+1) + \dfrac{2x^2}{2x+1}$ (3) $y' = \dfrac{1 - \ln x}{x^2}$

(4) $y' = \dfrac{2(\ln x + 1)}{x}$ (5) $y' = \dfrac{2x+1}{(x^2 + x + 1)\ln 10}$

날선 Point 로그함수의 미분

$$y = \ln x \implies y' = \frac{1}{x}, \qquad y = \ln f(x) \implies y' = \frac{f'(x)}{f(x)}$$

$$y = \log_a x \implies y' = \frac{1}{x \ln a}, \qquad y = \log_a f(x) \implies y' = \frac{f'(x)}{f(x) \ln a}$$

7-1 다음 함수를 미분하시오.

(1) $y = (x-1)\log(x+1)$ (2) $y = \dfrac{x}{\ln x}$

(3) $y = e^x \ln x$ (4) $y = e^{x + \ln x}$

대표 Q8 로그미분법

다음 함수를 미분하시오.

(1) $y = x^{\ln x}\ (x > 0)$

(2) $y = \dfrac{x^2(x+3)^3}{(x-2)^4}$

날선 Guide (1) $y = x^{\ln x}$에서 지수가 $\ln x$로 변수이지만 밑도 x로 변수이므로 지수함수는 아니다.

이런 경우 지수함수의 미분을 이용할 수 없다는 것에 주의한다.

양변에 자연로그를 잡으면

$$\ln y = \ln x^{\ln x} = \ln x \times \ln x$$

이때 $\ln y$는 y에 대한 함수이므로 x에 대하여 미분하려면

$$\frac{d}{dx}(\ln y) = \frac{d}{dy}(\ln y)\frac{dy}{dx} = \frac{1}{y} \times y' \qquad \cdots \ \ominus$$

과 같이 미분한다. 그리고 $y = x^{\ln x}$을 대입하면 y'을 구할 수 있다.

(2) 몫의 미분법을 이용하면 계산이 복잡하다.

분모, 분자가 다항식의 곱으로만 되어 있다는 것을 이용하기 위해 양변의 절댓값에 자연로그를 잡으면

$$\ln |y| = \ln \left| \frac{x^2(x+3)^3}{(x-2)^4} \right| = 2\ln |x| + 3\ln |x+3| - 4\ln |x-2|$$

이 식의 양변을 x에 대하여 미분한 다음 정리한다.

이때 $\ln |y|$도 ㉠과 같은 방법으로 미분한다.

이와 같이 양변에 자연로그를 잡고 미분하는 방법을 로그미분법이라 한다.

답 (1) $y' = 2x^{\ln x - 1}\ln x$　(2) $y' = \dfrac{x(x+3)^2(x^2-16x-12)}{(x-2)^5}$

날선 Point

- $y = x^a$ (a는 상수)의 도함수 ➡ $y' = ax^{a-1}$
- $y = a^x$ (a는 상수)의 도함수 ➡ $y' = a^x \ln a$ (지수함수의 미분)
- 밑과 지수에 모두 변수가 있는 함수의 도함수
  ➡ 양변에 자연로그를 잡고 미분한다.
- 복잡한 분수식의 미분
  ➡ 양변에 자연로그를 잡고 미분한다.

8-1 다음 함수를 미분하시오.

(1) $y = x^x\ (x > 0)$

(2) $y = \dfrac{(x+1)(x+2)^2}{(x-1)^3}$

다음 물음에 답하시오.

(1) $\lim_{x \to 2} \dfrac{e^{x-2} - x^2 + 3}{x - 2}$의 값을 구하시오.

(2) 함수 $f(x) = \begin{cases} ax^2 + b & (x < 2) \\ \ln x & (x \geq 2) \end{cases}$가 구간 $(-\infty, \infty)$에서 미분가능한 함수일 때, a, b의

값을 구하시오.

날선 Guide (1) $\dfrac{0}{0}$ 꼴의 극한이다. $\lim_{x \to 0} \dfrac{e^x - 1}{x} = 1$을 이용할 수 있는 꼴로 바꾸는 것보다 적당한 함수

$f(x)$를 잡고 다음 미분계수의 정의를 이용하는 것이 편하다.

$$\lim_{x \to 2} \frac{f(x) - f(2)}{x - 2} = f'(2)$$

(2) $f_1(x)$, $f_2(x)$가 미분가능한 함수이고,

$f(x) = \begin{cases} f_1(x) & (x < a) \\ f_2(x) & (x \geq a) \end{cases}$가 $x = a$에서 미분가능하면

$x = a$에서 연속이므로 $f_1(a) = f_2(a)$

또 $x = a$에서 미분계수 $\lim_{x \to a} \dfrac{f(x) - f(a)}{x - a}$가 존재하므로

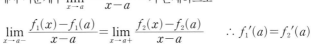

$$\lim_{x \to a-} \frac{f_1(x) - f_1(a)}{x - a} = \lim_{x \to a+} \frac{f_2(x) - f_2(a)}{x - a} \qquad \therefore f_1'(a) = f_2'(a)$$

이 사실은 공식처럼 기억하고 이용한다.

답 (1) -3 (2) $a = \dfrac{1}{8}$, $b = \ln 2 - \dfrac{1}{2}$

날선 Point

• $\dfrac{0}{0}$ 꼴의 극한은 $\lim_{x \to a} \dfrac{f(x) - f(a)}{x - a} = f'(a)$를 이용할 수 있는지 확인한다.

• $f(x) = \begin{cases} f_1(x) & (x < a) \\ f_2(x) & (x \geq a) \end{cases}$가 $x = a$에서 미분가능

➡ $f_1(a) = f_2(a)$, $f_1'(a) = f_2'(a)$

9-1 $\lim_{x \to 1} \dfrac{e^{x^2} + x^4 - 1 - e}{x^2 - 1}$의 값을 구하시오.

9-2 함수 $f(x) = \begin{cases} a \ln x & (x \geq 1) \\ xe^x + b & (0 < x < 1) \end{cases}$가 $x = 1$에서 미분가능한 함수일 때, 다음 물음에 답하시오.

(1) a, b의 값을 구하시오.

(2) $\lim_{h \to 0} \dfrac{f(2 + 2h) - f(2 - h)}{h}$의 값을 구하시오.

01 다음을 만족시키는 a의 값을 구하시오.

(1) $\lim\limits_{x \to \infty} \dfrac{a \times 3^{2x-1} + 2^x}{9^{x-1} - 2^x} = 18$

(2) $\lim\limits_{x \to \infty} \{\log_2(ax-2) - \log_2(4x+1)\} = 1$

02 다음 중 극한값이 e가 <u>아닌</u> 것은?

① $\lim\limits_{x \to 0} \left(\dfrac{3+x}{3} \right)^{\frac{3}{x}}$

② $\lim\limits_{x \to \infty} \left(1 - \dfrac{1}{x} \right)^{x}$

③ $\lim\limits_{x \to 0} (1-x)^{-\frac{1}{x}}$

④ $\lim\limits_{x \to -\infty} \left(1 - \dfrac{1}{x} \right)^{-x}$

⑤ $\lim\limits_{x \to -\infty} \left(\dfrac{x}{x-1} \right)^{x}$

03 다음 극한값을 구하시오.

(1) $\lim\limits_{x \to 0} \dfrac{\ln(1+3x) + 2x}{x}$

(2) $\lim\limits_{x \to \infty} x\{\ln(e+x) - \ln x\}$

(3) $\lim\limits_{x \to 0} \dfrac{2^x - 3^x}{x}$

04 다음 함수의 도함수를 구하시오.

(1) $y = (e^x - e^{-x})^2$

(2) $y = \ln|\log x|$

(3) $y = \dfrac{3\ln x}{x^2}$

05 함수 $f(x) = x^2 + x\ln x$일 때, $\lim\limits_{h \to 0} \dfrac{f(1+2h) - f(1-h)}{h}$의 값은?

① 6   ② 7   ③ 8   ④ 9   ⑤ 10

06 $f(x)$는 실수 전체의 집합에서 미분가능한 함수이고 $g(x) = \dfrac{f(x)}{e^{x-2}}$이다.

$\displaystyle\lim_{x \to 2} \dfrac{f(x)-3}{x-2} = 5$일 때, $g'(2)$의 값은?

① 1   ② 2   ③ 3   ④ 4   ⑤ 5

07 $\displaystyle\lim_{x \to 0} \dfrac{ax+b}{\ln(x+1)} = \ln 3$일 때, a, b의 값을 구하시오.

08 다음 극한값을 구하시오.

(1) $\displaystyle\lim_{x \to \infty}\left\{\left(1+\dfrac{1}{x}\right)\left(1+\dfrac{1}{2x}\right)\right\}^x$ (2) $\displaystyle\lim_{x \to \infty}\left(\dfrac{x+1}{x-1}\right)^x$

(3) $\displaystyle\lim_{x \to 0} \dfrac{\ln(1+5x)}{e^{2x}-1}$

09 $\displaystyle\lim_{n \to \infty}\left\{\dfrac{1}{2}\left(1+\dfrac{1}{n}\right)\left(1+\dfrac{1}{n+1}\right)\left(1+\dfrac{1}{n+2}\right)\cdots\left(1+\dfrac{1}{2n}\right)\right\}^n$의 값은?

① $\sqrt{e}$ ② $2\sqrt{e}$ ③ e ④ $2e$ ⑤ e^2

🔍 **평가원 기출**

10 함수 $f(x)$가 $x > -1$인 모든 실수 x에 대하여 부등식

$$\ln(1+x) \le f(x) \le \dfrac{1}{2}(e^{2x}-1)$$

을 만족시킬 때, $\displaystyle\lim_{x \to 0} \dfrac{f(3x)}{x}$의 값은?

① 1   ② e ③ 3   ④ 4   ⑤ $2e$

11 함수 $f(x)=\begin{cases} -14x+a & (x\leq 1) \\ \dfrac{5\ln x}{x-1} & (x>1) \end{cases}$ 가 실수 전체의 집합에서 연속일 때, a의 값을 구하시오.

교육청 기출

12 $t<1$인 실수 t에 대하여 곡선 $y=\ln x$와 직선 $x+y=t$가 만나는 점을 P라 하자. 점 P에서 x축에 내린 수선의 발을 H, 직선 PH와 곡선 $y=e^x$이 만나는 점을 Q라 할 때, 삼각형 OHQ의 넓이를 $S(t)$라 하자. $\displaystyle\lim_{t\to 0+}\dfrac{2S(t)-1}{t}$의 값은?

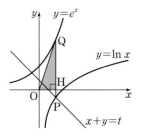

① 1   ② $e-1$ ③ 2   ④ e ⑤ 3

13 $\displaystyle\lim_{x\to 0}\dfrac{1}{x}\ln\dfrac{e^x+e^{2x}+e^{3x}+\cdots+e^{nx}}{n}$의 값을 구하시오.

14 $y=(\ln x)^x$의 도함수를 구하시오.

15 함수 $f(x)=x^2+ax+4$에 대하여 $g(x)=\begin{cases} f(x) & (x\leq k) \\ f(x)e^{-x} & (x>k) \end{cases}$ 이 $x=k$에서 미분가능한 함수일 때, 양수 k의 값과 $f(x)$를 구하시오.

삼각함수는 천문학, 건축, 측량 등의 여러 분야에 걸쳐 실용적인 이유로 시작되었고 17세기에 일반각의 개념이 확립되면서 학문적 체계를 갖추게 되었다.

이 단원에서는 수학 I 에서 공부한 두 각의 삼각함수의 값을 이용하여 삼각함수의 덧셈정리를 이해하고, 이를 활용하여 여러 가지 문제를 해결해 보자. 또 배각의 공식, 반각의 공식, 삼각함수의 합성을 알고, 이를 활용하여 여러 가지 문제를 해결해 보자.

삼각함수의 덧셈정리

5-1 삼각함수

1 삼각함수

(1) 그림에서

$$\sin\theta=\frac{y}{r},\ \cos\theta=\frac{x}{r},\ \tan\theta=\frac{y}{x}\ (x\neq0)$$

로 약속한다.

그리고 $\sin\theta$, $\cos\theta$, $\tan\theta$를 각각 **사인함수**, **코사인함수**, **탄젠트함수**라 한다.

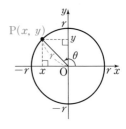

(2) $\sin\theta$, $\cos\theta$, $\tan\theta$의 역수 $\dfrac{r}{y}$, $\dfrac{r}{x}$, $\dfrac{x}{y}$를 대응시키는 함수를 각각 **코시컨트함수**, **시컨트함수**, **코탄젠트함수**라 하고 기호로 다음과 같이 나타낸다.

$$\csc\theta=\frac{r}{y}\ (y\neq0),\ \sec\theta=\frac{r}{x}\ (x\neq0),\ \cot\theta=\frac{x}{y}\ (y\neq0)$$

2 삼각함수 사이의 관계

(1) $\tan\theta=\dfrac{\sin\theta}{\cos\theta},\ \cot\theta=\dfrac{\cos\theta}{\sin\theta}$

(2) $\sin^2\theta+\cos^2\theta=1,\ \tan^2\theta+1=\sec^2\theta,\ 1+\cot^2\theta=\csc^2\theta$

삼각함수⑴ ● 좌표평면에서 반지름의 길이가 r인 원과 각 θ를 나타내는 동경이 만나는 점을 $P(x, y)$라 할 때,

$$\sin\theta=\frac{y}{r},\ \cos\theta=\frac{x}{r},\ \tan\theta=\frac{y}{x}\ (x\neq0)$$

로 약속한다. 그리고 $\sin\theta$, $\cos\theta$, $\tan\theta$를 θ에 각각

$\dfrac{y}{r}$, $\dfrac{x}{r}$, $\dfrac{y}{x}$를 대응시키는 함수라 생각하여 사인함수, 코사인함수,

탄젠트함수라 한다. 이에 대해서는 수학Ⅰ에서 공부하였다.

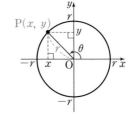

삼각함수⑵ ● 위의 그림에서 θ에 $\dfrac{r}{y}$, $\dfrac{r}{x}$, $\dfrac{x}{y}$를 대응시키는 함수를 각각 코시컨트함수, 시컨트함수, 코탄젠트함수라 한다. 곧,

$$\csc\theta=\frac{r}{y}(y\neq0),\ \sec\theta=\frac{r}{x}(x\neq0),\ \cot\theta=\frac{x}{y}(y\neq0)$$

따라서 다음도 성립한다.

$$\csc\theta=\frac{1}{\sin\theta},\ \sec\theta=\frac{1}{\cos\theta},\ \cot\theta=\frac{1}{\tan\theta}$$

삼각함수의 값 • 반지름의 길이가 2인 원과 $\theta = \dfrac{4}{3}\pi$를 나타내는 동경이 만나는 점은

$P(-1, -\sqrt{3})$이므로

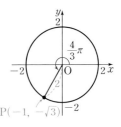

$$\sin\theta = -\frac{\sqrt{3}}{2}, \ \cos\theta = -\frac{1}{2}, \ \tan\theta = \sqrt{3}$$

$$\csc\theta = -\frac{2}{\sqrt{3}}, \ \sec\theta = -2, \ \cot\theta = \frac{1}{\sqrt{3}}$$

삼각함수
사이의 관계(1) • 반지름의 길이가 1인 원과 각 θ를 나타내는 동경이 만나는 점을

$P(x, y)$라 하면 $x = \cos\theta$, $y = \sin\theta$이므로

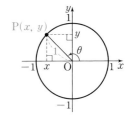

$$\tan\theta = \frac{y}{x} = \frac{\sin\theta}{\cos\theta}, \ \cot\theta = \frac{x}{y} = \frac{\cos\theta}{\sin\theta}$$

삼각함수
사이의 관계(2) • 또 $x^2 + y^2 = 1$이므로

$$\sin^2\theta + \cos^2\theta = 1 \qquad \cdots \ \text{㉠}$$

㉠의 양변을 $\cos^2\theta$로 나누면

$$\left(\frac{\sin\theta}{\cos\theta}\right)^2 + 1 = \frac{1}{\cos^2\theta} \qquad \therefore \ \mathbf{tan^2\theta + 1 = sec^2\theta}$$

㉠의 양변을 $\sin^2\theta$로 나누면

$$1 + \left(\frac{\cos\theta}{\sin\theta}\right)^2 = \frac{1}{\sin^2\theta} \qquad \therefore \ \mathbf{1 + cot^2\theta = csc^2\theta}$$

예를 들어 θ가 제4사분면의 각이고 $\cos\theta = \dfrac{4}{5}$일 때, $\tan\theta$의 값은 다음과 같이 구할 수 있다.

$\sec\theta = \dfrac{5}{4}$이므로 $\tan^2\theta + 1 = \sec^2\theta$에서

$$\tan^2\theta = \sec^2\theta - 1 = \frac{25}{16} - 1 = \frac{9}{16}$$

$$\therefore \tan\theta = -\frac{3}{4} \ (\because \tan\theta < 0)$$

▶ **개념 Check**

◆ 정답 및 풀이 **38**쪽

1 다음 삼각함수의 값을 구하시오.

(1) $\csc \dfrac{7}{6}\pi$ (2) $\csc \dfrac{5}{3}\pi$ (3) $\sec \dfrac{\pi}{4}$

(4) $\sec \dfrac{5}{6}\pi$ (5) $\cot \dfrac{2}{3}\pi$ (6) $\cot \dfrac{7}{4}\pi$

5-2 삼각함수의 덧셈정리

1 $\cos(\alpha+\beta)=\cos\alpha\cos\beta-\sin\alpha\sin\beta$

$\quad\cos(\alpha-\beta)=\cos\alpha\cos\beta+\sin\alpha\sin\beta$

2 $\sin(\alpha+\beta)=\sin\alpha\cos\beta+\cos\alpha\sin\beta$

$\quad\sin(\alpha-\beta)=\sin\alpha\cos\beta-\cos\alpha\sin\beta$

3 $\tan(\alpha+\beta)=\dfrac{\tan\alpha+\tan\beta}{1-\tan\alpha\tan\beta}$, $\tan(\alpha-\beta)=\dfrac{\tan\alpha-\tan\beta}{1+\tan\alpha\tan\beta}$

$\cos(\alpha\pm\beta)$ ●

$15°=45°-30°$임을 이용하면 $\cos 15°$의 값을 구할 수 있다.
그림과 같이 크기가 $45°$, $30°$인 각을 나타내는 동경이 단위
원과 만나는 점을 각각 A, B라 하자.

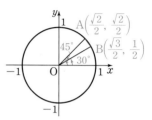

$A\left(\dfrac{\sqrt{2}}{2},\ \dfrac{\sqrt{2}}{2}\right)$, $B\left(\dfrac{\sqrt{3}}{2},\ \dfrac{1}{2}\right)$이므로

$$\overline{AB}^2=\left(\dfrac{\sqrt{3}}{2}-\dfrac{\sqrt{2}}{2}\right)^2+\left(\dfrac{1}{2}-\dfrac{\sqrt{2}}{2}\right)^2=2-\dfrac{\sqrt{6}}{2}-\dfrac{\sqrt{2}}{2}$$

또 $\angle AOB=15°$, $\overline{OA}=\overline{OB}=1$이므로 삼각형 AOB에서 코사인법칙을 쓰면

$$\overline{AB}^2=1^2+1^2-2\times1\times1\times\cos 15°=2-2\cos 15°$$

곧, $2-\dfrac{\sqrt{6}}{2}-\dfrac{\sqrt{2}}{2}=2-2\cos 15°$ $\qquad\therefore\cos 15°=\dfrac{\sqrt{6}+\sqrt{2}}{4}$

●

이와 같은 방법으로 $\cos(\alpha-\beta)$를 정리해 보자.

그림과 같이 크기가 α, β인 각을 나타내는 동경이
단위원과 만나는 점을 각각 A, B라 하자.

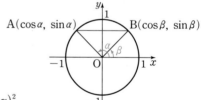

$$A(\cos\alpha,\ \sin\alpha),\ B(\cos\beta,\ \sin\beta)$$

이므로

$$\overline{AB}^2=(\cos\beta-\cos\alpha)^2+(\sin\beta-\sin\alpha)^2$$
$$=2-2(\cos\alpha\cos\beta+\sin\alpha\sin\beta) \quad\cdots\text{㉠}$$

또 $\angle AOB=\alpha-\beta$, $\overline{OA}=\overline{OB}=1$이므로 삼각형 AOB에서 코사인법칙을 쓰면

$$\overline{AB}^2=1^2+1^2-2\times1\times1\times\cos(\alpha-\beta)$$
$$=2-2\cos(\alpha-\beta) \quad\cdots\text{㉡}$$

㉠, ㉡에서

$$2-2(\cos\alpha\cos\beta+\sin\alpha\sin\beta)=2-2\cos(\alpha-\beta)$$

$$\therefore\cos(\alpha-\beta)=\cos\alpha\cos\beta+\sin\alpha\sin\beta$$

이 식의 β에 $-\beta$를 대입하면 $\cos(-\beta)=\cos\beta$, $\sin(-\beta)=-\sin\beta$이므로

$$\cos(\alpha+\beta)=\cos\alpha\cos\beta-\sin\alpha\sin\beta$$

$sin(\alpha \pm \beta)$ • $\quad \cos\left(\dfrac{\pi}{2}-\theta\right)=\sin\theta,\ \sin\left(\dfrac{\pi}{2}-\theta\right)=\cos\theta$이므로

$$\sin(\alpha+\beta)=\cos\left\{\dfrac{\pi}{2}-(\alpha+\beta)\right\}=\cos\left\{\left(\dfrac{\pi}{2}-\alpha\right)-\beta\right\}$$

$$=\cos\left(\dfrac{\pi}{2}-\alpha\right)\cos\beta+\sin\left(\dfrac{\pi}{2}-\alpha\right)\sin\beta$$

$$=\sin\alpha\cos\beta+\cos\alpha\sin\beta$$

$$\therefore\ \sin(\alpha+\beta)=\sin\alpha\cos\beta+\cos\alpha\sin\beta$$

이 식의 β에 $-\beta$를 대입하면

$$\sin(\alpha-\beta)=\sin\alpha\cos\beta-\cos\alpha\sin\beta$$

$tan(\alpha \pm \beta)$ • $\quad \tan(\alpha+\beta)=\dfrac{\sin(\alpha+\beta)}{\cos(\alpha+\beta)}=\dfrac{\sin\alpha\cos\beta+\cos\alpha\sin\beta}{\cos\alpha\cos\beta-\sin\alpha\sin\beta}$

에서 분모, 분자를 각각 $\cos\alpha\cos\beta$로 나누면

$$\tan(\alpha+\beta)=\dfrac{\dfrac{\sin\alpha}{\cos\alpha}+\dfrac{\sin\beta}{\cos\beta}}{1-\dfrac{\sin\alpha\sin\beta}{\cos\alpha\cos\beta}}=\dfrac{\tan\alpha+\tan\beta}{1-\tan\alpha\tan\beta}$$

$$\therefore\ \tan(\alpha+\beta)=\dfrac{\tan\alpha+\tan\beta}{1-\tan\alpha\tan\beta}$$

이 식의 β에 $-\beta$를 대입하면 $\tan(-\beta)=-\tan\beta$이므로

$$\tan(\alpha-\beta)=\dfrac{\tan\alpha-\tan\beta}{1+\tan\alpha\tan\beta}$$

참고 1. $\sin(2n\pi+\theta)=\sin\theta,\ \cos(2n\pi+\theta)=\cos\theta,\ \tan(n\pi+\theta)=\tan\theta$ (n은 정수)

2. $\sin(-\theta)=-\sin\theta,\ \cos(-\theta)=\cos\theta,\ \tan(-\theta)=-\tan\theta$

3. $\sin\left(\dfrac{\pi}{2}-\theta\right)=\cos\theta,\ \cos\left(\dfrac{\pi}{2}-\theta\right)=\sin\theta,\ \tan\left(\dfrac{\pi}{2}-\theta\right)=\dfrac{1}{\tan\theta}$

개념 Check ◆ 정답 및 풀이 **38**쪽

2 $75°=45°+30°$임을 이용하여 다음 삼각함수의 값을 구하시오.

(1) $\sin 75°$ (2) $\cos 75°$ (3) $\tan 75°$

3 $\dfrac{\pi}{12}=\dfrac{\pi}{3}-\dfrac{\pi}{4}$임을 이용하여 다음 삼각함수의 값을 구하시오.

(1) $\sin\dfrac{\pi}{12}$ (2) $\cos\dfrac{\pi}{12}$ (3) $\tan\dfrac{\pi}{12}$

대표 Q1 삼각함수

다음 물음에 답하시오.

(1) $\pi < \theta < 2\pi$이고 $\sec\theta = -\dfrac{3}{2}$일 때, $\csc\theta$, $\cot\theta$의 값을 구하시오.

(2) $\dfrac{1+\cos\theta}{\sec\theta - \tan\theta} - \dfrac{1-\cos\theta}{\sec\theta + \tan\theta} = 3$일 때, $\tan\theta$의 값을 구하시오.

낱선 Guide (1) $\csc\theta = \dfrac{1}{\sin\theta}$, $\sec\theta = \dfrac{1}{\cos\theta}$, $\cot\theta = \dfrac{1}{\tan\theta}$이므로

$\cos\theta = -\dfrac{2}{3}$일 때, $\dfrac{1}{\sin\theta}$과 $\dfrac{1}{\tan\theta}$의 값을 구하면 된다.

$$\sin^2\theta + \cos^2\theta = 1, \quad \tan\theta = \dfrac{\sin\theta}{\cos\theta}$$

를 이용하여 $\sin\theta$와 $\tan\theta$의 값을 구한다.

(2) $\sin^2\theta + \cos^2\theta = 1$에서

양변을 $\cos^2\theta$로 나누면 $\tan^2\theta + 1 = \sec^2\theta$

양변을 $\sin^2\theta$로 나누면 $1 + \cot^2\theta = \csc^2\theta$

이 식을 이용하여 주어진 식의 좌변을 정리한다.

또는 $\sec\theta = \dfrac{1}{\cos\theta}$, $\tan\theta = \dfrac{\sin\theta}{\cos\theta}$를 대입하고 좌변을 정리한다.

답 (1) $\csc\theta = -\dfrac{3\sqrt{5}}{5}$, $\cot\theta = \dfrac{2\sqrt{5}}{5}$ (2) $\dfrac{1}{2}$

낱선 Point

- $\csc\theta = \dfrac{1}{\sin\theta}$, $\sec\theta = \dfrac{1}{\cos\theta}$, $\cot\theta = \dfrac{1}{\tan\theta}$이므로

  $\csc\theta$, $\sec\theta$, $\cot\theta$는 각각 $\sin\theta$, $\cos\theta$, $\tan\theta$로 바꾸어 정리한다.

- $\tan\theta = \dfrac{\sin\theta}{\cos\theta}$, $\cot\theta = \dfrac{\cos\theta}{\sin\theta}$

- $\sin^2\theta + \cos^2\theta = 1$, $\tan^2\theta + 1 = \sec^2\theta$, $1 + \cot^2\theta = \csc^2\theta$

1-1 $\dfrac{\pi}{2} < \theta < \dfrac{3}{2}\pi$이고 $\csc\theta = 4$일 때, 다음 값을 구하시오.

(1) $\sec\theta$ 　　　　　　　　　　　　(2) $\cot\theta$

1-2 $\dfrac{\sin\theta}{1+\cos\theta} + \dfrac{\sin\theta}{1-\cos\theta} = 2\csc\theta$가 성립함을 보이시오.

$\pi < \alpha < \dfrac{3}{2}\pi$, $\dfrac{3}{2}\pi < \beta < 2\pi$이고 $\sin\alpha = -\dfrac{4}{5}$, $\cos\beta = \dfrac{5}{13}$일 때, 다음 값을 구하시오.

(1) $\sin(\alpha+\beta)$

(2) $\sin(\alpha-\beta)$

(3) $\cos(\alpha+\beta)$

(4) $\cos(\alpha-\beta)$

(5) $\tan(\alpha+\beta)$

(6) $\tan(\alpha-\beta)$

날선 Guide 삼각함수 사이의 관계

$$\sin^2\theta + \cos^2\theta = 1, \quad \tan\theta = \frac{\sin\theta}{\cos\theta}$$

와 $\pi < \alpha < \dfrac{3}{2}\pi$, $\dfrac{3}{2}\pi < \beta < 2\pi$임을 이용하여 $\cos\alpha$, $\tan\alpha$와 $\sin\beta$, $\tan\beta$의 값부터 구한다.

그리고 삼각함수의 덧셈정리를 이용하면 필요한 값을 구할 수 있다.

참고 $\tan(\alpha+\beta)$, $\tan(\alpha-\beta)$의 값은 삼각함수의 덧셈정리를 이용하여 구할 수도 있고,

$$\tan(\alpha+\beta) = \frac{\sin(\alpha+\beta)}{\cos(\alpha+\beta)}, \quad \tan(\alpha-\beta) = \frac{\sin(\alpha-\beta)}{\cos(\alpha-\beta)}$$

임을 이용하여 구할 수도 있다.

답 (1) $\dfrac{16}{65}$ (2) $-\dfrac{56}{65}$ (3) $-\dfrac{63}{65}$ (4) $\dfrac{33}{65}$ (5) $-\dfrac{16}{63}$ (6) $-\dfrac{56}{33}$

날선 Point
- $\sin(\alpha \pm \beta) = \sin\alpha\cos\beta \pm \cos\alpha\sin\beta$
- $\cos(\alpha \pm \beta) = \cos\alpha\cos\beta \mp \sin\alpha\sin\beta$
- $\tan(\alpha+\beta) = \dfrac{\tan\alpha + \tan\beta}{1 - \tan\alpha\tan\beta}$, $\tan(\alpha-\beta) = \dfrac{\tan\alpha - \tan\beta}{1 + \tan\alpha\tan\beta}$

2-1 $\dfrac{\pi}{2} < \alpha < \pi$, $\pi < \beta < \dfrac{3}{2}\pi$이고 $\sin\alpha = \dfrac{1}{\sqrt{3}}$, $\sin\beta = -\dfrac{2\sqrt{2}}{3}$일 때, 다음 값을 구하시오.

(1) $\sin(\alpha-\beta)$

(2) $\cos(\alpha+\beta)$

(3) $\tan(\alpha-\beta)$

2-2 다음 식의 값을 구하시오.

(1) $\sin 65° \cos 20° - \cos 65° \sin 20°$

(2) $\sin 100° \sin 35° - \cos 100° \cos 35°$

(3) $\dfrac{\tan 110° + \tan 100°}{1 - \tan 110° \tan 100°}$

다음 물음에 답하시오.

(1) 그림과 같은 직각삼각형 ABC에서 점 D가 변 AC의 중점이고 $\angle ABD = \theta$라 할 때, $\tan\theta$의 값을 구하시오.

(2) 두 직선 $y = 3x - 1$, $y = \dfrac{1}{2}x + 1$이 이루는 예각의 크기를 구하시오.

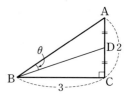

날선 Guide (1) 그림에서 $\theta = \alpha - \beta$이고

$$\tan\alpha = \frac{2}{3}, \ \tan\beta = \frac{1}{3}$$

임을 이용하여 $\tan\theta$의 값을 구한다.

(2) 그림에서 $m_1 > m_2$이면 $\theta_1 = \theta + \theta_2$이고

$$\tan\theta_1 = m_1, \ \tan\theta_2 = m_2$$

이므로

$$\tan\theta = \tan(\theta_1 - \theta_2)$$
$$= \frac{\tan\theta_1 - \tan\theta_2}{1 + \tan\theta_1 \tan\theta_2} = \frac{m_1 - m_2}{1 + m_1 m_2}$$

이 문제에서는 $m_1 = 3$, $m_2 = \dfrac{1}{2}$이다.

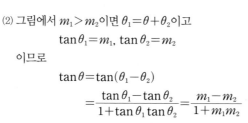

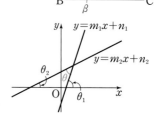

답 (1) $\dfrac{3}{11}$ (2) $\dfrac{\pi}{4}$

 날선 Point

• 두 선분이 이루는 각의 크기 θ

➡ $\theta = \alpha - \beta$로 나타내고 $\tan(\alpha - \beta) = \dfrac{\tan\alpha - \tan\beta}{1 + \tan\alpha \tan\beta}$ 를 계산한다.

• 두 직선 $y = m_1 x + n_1$, $y = m_2 x + n_2$가 이루는 예각의 크기를 θ라 하면

➡ $\tan\theta = \dfrac{m_1 - m_2}{1 + m_1 m_2}$ $(m_1 > m_2)$

3-1 그림과 같은 직각삼각형 ABC에서 $\overline{BC}$ 위의 점 D에 대하여 $\angle CAD = \theta$라 할 때, $\tan\theta$의 값을 구하시오.

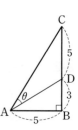

3-2 두 직선 $y = 2x + 1$, $y = \dfrac{1}{3}x - 2$가 이루는 예각의 크기를 구하시오.

5-3 배각의 공식, 반각의 공식

1 배각의 공식

(1) $\sin 2\theta = 2\sin\theta\cos\theta$

(2) $\cos 2\theta = \cos^2\theta - \sin^2\theta = 2\cos^2\theta - 1 = 1 - 2\sin^2\theta$

(3) $\tan 2\theta = \dfrac{2\tan\theta}{1-\tan^2\theta}$

2 반각의 공식

(1) $\sin^2\dfrac{\theta}{2} = \dfrac{1-\cos\theta}{2}$ (2) $\cos^2\dfrac{\theta}{2} = \dfrac{1+\cos\theta}{2}$

배각의 공식 ●
삼각함수의 덧셈정리를 이용하면 여러 가지 삼각함수의 공식을 유도할 수 있다.

$$\sin(\alpha+\beta) = \sin\alpha\cos\beta + \cos\alpha\sin\beta$$

$$\cos(\alpha+\beta) = \cos\alpha\cos\beta - \sin\alpha\sin\beta$$

$$\tan(\alpha+\beta) = \frac{\tan\alpha+\tan\beta}{1-\tan\alpha\tan\beta}$$

이 식에 $\alpha=\theta$, $\beta=\theta$를 대입하면

$$\sin 2\theta = \sin\theta\cos\theta + \cos\theta\sin\theta = 2\sin\theta\cos\theta$$

$$\cos 2\theta = \cos\theta\cos\theta - \sin\theta\sin\theta = \cos^2\theta - \sin^2\theta$$

$$= \cos^2\theta - (1-\cos^2\theta) = 2\cos^2\theta - 1$$

$$= (1-\sin^2\theta) - \sin^2\theta = 1 - 2\sin^2\theta$$

$$\tan 2\theta = \frac{\tan\theta+\tan\theta}{1-\tan\theta\tan\theta} = \frac{2\tan\theta}{1-\tan^2\theta}$$

이 관계를 배각의 공식이라 한다. 삼각함수의 덧셈정리와 비교하면 쉽게 기억할 수 있다.

반각의 공식 ●
$\cos 2\theta = 1 - 2\sin^2\theta$에서 $\sin^2\theta = \dfrac{1-\cos 2\theta}{2}$

$\cos 2\theta = 2\cos^2\theta - 1$에서 $\cos^2\theta = \dfrac{1+\cos 2\theta}{2}$

두 식의 θ 대신 $\dfrac{\theta}{2}$를 대입하면 $\sin^2\dfrac{\theta}{2} = \dfrac{1-\cos\theta}{2}$, $\cos^2\dfrac{\theta}{2} = \dfrac{1+\cos\theta}{2}$

이 관계를 반각의 공식이라 한다. 코사인 배각의 공식과 같이 기억한다.

예를 들어 $\sin^2 22.5° = \dfrac{1-\cos 45°}{2} = \dfrac{1-\dfrac{\sqrt{2}}{2}}{2} = \dfrac{2-\sqrt{2}}{4}$

▶ **개념 Check**

◆ 정답 및 풀이 **41**쪽

4 $\sin^2 15°$와 $\cos^2 15°$의 값을 구하시오.

5-4 $a\sin\theta + b\cos\theta$

$a\sin\theta + b\cos\theta$를 정리하는 방법

$\cos\alpha = \dfrac{a}{\sqrt{a^2+b^2}}$, $\sin\alpha = \dfrac{b}{\sqrt{a^2+b^2}}$인 α를 찾은 다음,

$a\sin\theta + b\cos\theta = \sqrt{a^2+b^2}(\cos\alpha\sin\theta + \sin\alpha\cos\theta)$

$\qquad\qquad\qquad\quad = \sqrt{a^2+b^2}\sin(\theta+\alpha)$

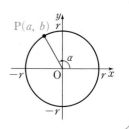

삼각함수의
합성

$f(\theta) = -\sin\theta + \sqrt{3}\cos\theta$라 하자.

점 $P(-1, \sqrt{3})$이라 할 때, 동경 OP가 x축과 이루는 한 각의 크기

가 $\dfrac{2}{3}\pi$이고 $\overline{OP} = \sqrt{3+1} = 2$이므로

$-1 = 2\cos\dfrac{2}{3}\pi$, $\sqrt{3} = 2\sin\dfrac{2}{3}\pi$이다.

$\therefore f(\theta) = 2\cos\dfrac{2}{3}\pi\sin\theta + 2\sin\dfrac{2}{3}\pi\cos\theta$

$\qquad = 2\sin\left(\theta + \dfrac{2}{3}\pi\right)$

이와 같이 고치면 $y = f(\theta)$의 그래프는 그림과 같고, $f(\theta)$는

최댓값이 2, 최솟값이 -2이고 주기가 2π인 함수라는 것을 알

수 있다.

이와 같이 $f(\theta) = a\sin\theta + b\cos\theta$는

$$f(\theta) = \sqrt{a^2+b^2}\left(\dfrac{a}{\sqrt{a^2+b^2}}\sin\theta + \dfrac{b}{\sqrt{a^2+b^2}}\cos\theta\right)$$

로 고친 다음, $\cos\alpha = \dfrac{a}{\sqrt{a^2+b^2}}$, $\sin\alpha = \dfrac{b}{\sqrt{a^2+b^2}}$인 α를 찾으면

$$f(\theta) = \sqrt{a^2+b^2}\sin(\theta+\alpha)$$

로 정리할 수 있다.

이와 같이 정리하면 $y = f(\theta)$의 최댓값, 최솟값, 주기 등을 알 수 있다. 또 $f(\theta) = k$ 꼴의 방
정식이나 $f(\theta) < k$ 꼴의 부등식도 풀 수 있다. 이렇게 고치는 것을 삼각함수의 합성이라고도
한다.

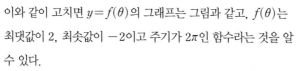

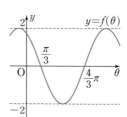

개념 Check

정답 및 풀이 **41**쪽

5 $f(\theta) = \sin\theta + \sqrt{3}\cos\theta$라 할 때, 다음 물음에 답하시오.

(1) $0 \le \alpha < 2\pi$일 때, $\sin\alpha = \dfrac{\sqrt{3}}{2}$, $\cos\alpha = \dfrac{1}{2}$인 α의 값을 구하시오.

(2) $f(\theta) = k\sin(\theta+\alpha)$ $(k > 0,\ 0 \le \alpha < 2\pi)$일 때, k, α의 값을 구하시오.

Q4 배각의 공식, 반각의 공식

◆ 정답 및 풀이 **41**쪽

$\dfrac{\pi}{2}<\theta<\pi$이고 $\sin\theta=\dfrac{3}{5}$일 때, 다음 값을 구하시오.

(1) $\sin 2\theta$ (2) $\cos 2\theta$

(3) $\sin\dfrac{\theta}{2}$ (4) $\cos\dfrac{\theta}{2}$

날선 Guide (1) 2θ의 값을 구하기 위해서는 배각의 공식을 생각한다.

$\dfrac{\pi}{2}<\theta<\pi$이고 $\sin^2\theta+\cos^2\theta=1$이므로 $\cos\theta$의 값을 구한 다음

$$\sin 2\theta=2\sin\theta\cos\theta$$

를 이용한다.

(2) $\cos 2\theta=\cos^2\theta-\sin^2\theta$ 또는 $\cos 2\theta=1-2\sin^2\theta$를 이용한다.

(3) θ가 주어질 때, $\dfrac{\theta}{2}$를 구하는 문제이므로 반각의 공식을 생각한다.

곧, $\sin^2\dfrac{\theta}{2}=\dfrac{1-\cos\theta}{2}$에서 $\sin^2\dfrac{\theta}{2}$의 값부터 구한다. 이때 $\dfrac{\pi}{4}<\dfrac{\theta}{2}<\dfrac{\pi}{2}$이다.

(4) $\cos^2\dfrac{\theta}{2}=\dfrac{1+\cos\theta}{2}$에서 $\cos^2\dfrac{\theta}{2}$의 값부터 구한다.

답 (1) $-\dfrac{24}{25}$ (2) $\dfrac{7}{25}$ (3) $\dfrac{3\sqrt{10}}{10}$ (4) $\dfrac{\sqrt{10}}{10}$

날선 Point

- **배각의 공식**

  (1) $\sin 2\theta=2\sin\theta\cos\theta$

  (2) $\cos 2\theta=\cos^2\theta-\sin^2\theta=2\cos^2\theta-1=1-2\sin^2\theta$

- **반각의 공식**

  (1) $\sin^2\dfrac{\theta}{2}=\dfrac{1-\cos\theta}{2}$ (2) $\cos^2\dfrac{\theta}{2}=\dfrac{1+\cos\theta}{2}$

4-1 $\dfrac{\pi}{2}<\theta<\pi$이고 $\sin\theta=\dfrac{2\sqrt{5}}{5}$일 때, 다음 값을 구하시오.

(1) $\sin 2\theta$ (2) $\cos 2\theta$ (3) $\tan 2\theta$

4-2 다음 물음에 답하시오.

(1) $\tan^2\dfrac{\theta}{2}=\dfrac{1-\cos\theta}{1+\cos\theta}$가 성립함을 보이시오.

(2) $\cos\theta=\dfrac{1}{4}$일 때, $\tan^2\dfrac{\theta}{2}$의 값을 구하시오.

$f(\theta)=2\sqrt{3}\sin\theta+3\cos\left(\theta+\dfrac{2}{3}\pi\right)$에 대하여 다음 물음에 답하시오.

(1) $f(\theta)=a\sin\theta+b\cos\theta$일 때, a, b의 값을 구하시오.

(2) $f(\theta)=r\sin(\theta+\alpha)\,(r>0,\ -\pi<\alpha\leq\pi)$ 꼴로 나타내시오.

(3) $f(\theta)$의 최댓값, 최솟값과 주기를 구하시오.

(4) $0\leq\theta\leq2\pi$일 때, 방정식 $f(\theta)=\dfrac{3}{2}$의 해를 구하시오.

날선 Guide (1) 삼각함수의 덧셈정리를 이용하여

$$\cos\left(\theta+\frac{2}{3}\pi\right)=\cos\theta\cos\frac{2}{3}\pi-\sin\theta\sin\frac{2}{3}\pi$$

로 고친 다음 정리한다.

(2) $f(\theta)=\sqrt{a^2+b^2}\left(\dfrac{a}{\sqrt{a^2+b^2}}\sin\theta+\dfrac{b}{\sqrt{a^2+b^2}}\cos\theta\right)$

로 고친 다음

$$\cos\alpha=\frac{a}{\sqrt{a^2+b^2}},\ \sin\alpha=\frac{b}{\sqrt{a^2+b^2}}$$

인 α를 찾는다.

(3), (4)는 (2)의 결과를 이용한다.

답 (1) $a=\dfrac{\sqrt{3}}{2},\ b=-\dfrac{3}{2}$　　　　(2) $f(\theta)=\sqrt{3}\sin\left(\theta-\dfrac{\pi}{3}\right)$

(3) 최댓값 : $\sqrt{3}$, 최솟값 : $-\sqrt{3}$, 주기 : 2π　(4) $\theta=\dfrac{2}{3}\pi$ 또는 $\theta=\pi$

날선 Point $a\sin\theta+b\cos\theta$를 정리하는 방법

→ $\cos\alpha=\dfrac{a}{\sqrt{a^2+b^2}},\ \sin\alpha=\dfrac{b}{\sqrt{a^2+b^2}}$인 α를 찾은 다음,

$$a\sin\theta+b\cos\theta=\sqrt{a^2+b^2}(\cos\alpha\sin\theta+\sin\alpha\cos\theta)$$
$$=\sqrt{a^2+b^2}\sin(\theta+\alpha)$$

5-1 $f(\theta)=\sqrt{3}\sin\theta-\cos\theta+2$에 대하여 다음 물음에 답하시오.

(1) $f(\theta)$의 최댓값, 최솟값과 주기를 구하시오.

(2) $0\leq\theta\leq2\pi$일 때, 방정식 $f(\theta)=2$의 해를 구하시오.

5-2 다음 등식이 성립할 때, r, α의 값을 구하시오. (단, $r>0$, $-\pi<\alpha\leq\pi$)

$$\sin\theta+\sqrt{3}\cos\theta=r\cos(\theta+\alpha)$$

5 삼각함수의 덧셈정리

01 $\tan\theta=5$일 때, $\sec^2\theta$의 값을 구하시오.

02 함수 $f(x)=\cos 2x\cos x-\sin 2x\sin x$의 주기는?

① 2π　　　② $\dfrac{5}{3}\pi$　　　③ $\dfrac{4}{3}\pi$　　　④ π　　　⑤ $\dfrac{2}{3}\pi$

03 이차방정식 $2x^2+kx-3=0$의 두 근이 $\tan\alpha$, $\tan\beta$이고 $\tan(\alpha+\beta)=1$일 때, k의 값을 구하시오.

04 두 직선 $x-y-1=0$, $ax-y+1=0$이 이루는 예각의 크기를 θ라 하자. $\tan\theta=\dfrac{1}{6}$일 때, 상수 a의 값은? (단, $a>1$)

① $\dfrac{11}{10}$　　　② $\dfrac{6}{5}$　　　③ $\dfrac{13}{10}$　　　④ $\dfrac{7}{5}$　　　⑤ $\dfrac{3}{2}$

05 $\sin\theta+\cos\theta=\dfrac{1}{2}$일 때, 다음 값을 구하시오. $\left(단, \dfrac{\pi}{2}<\theta<\dfrac{3}{4}\pi\right)$

(1) $\sin 2\theta$　　　　　　　　　　　(2) $\tan 2\theta$

06 다음 값을 구하시오.

(1) $\sin^2\dfrac{\pi}{8}$　　　　　　　　　　(2) $\cos^2\dfrac{\pi}{8}$

07 다음을 간단히 하시오.

(1) $(\sin\theta+\csc\theta)^2+(\cos\theta+\sec\theta)^2-(\tan\theta+\cot\theta)^2$

(2) $\dfrac{\sec\theta}{\csc\theta-\cot\theta}+\dfrac{\sec\theta}{\csc\theta+\cot\theta}$

08 $0<\alpha<\beta<\dfrac{\pi}{2}$이고 $\sin\alpha\sin\beta=\dfrac{\sqrt{3}+1}{4}$, $\cos\alpha\cos\beta=\dfrac{\sqrt{3}-1}{4}$일 때, $\cos\alpha$의 값은?

① 0
② $\dfrac{1}{2}$
③ $\dfrac{\sqrt{2}}{2}$
④ $\dfrac{\sqrt{3}}{2}$
⑤ 1

수능 기출

09 그림과 같이 $\overline{AB}=5$, $\overline{AC}=2\sqrt{5}$인 삼각형 ABC의 꼭짓점 A에서 선분 BC에 내린 수선의 발을 D, 선분 AD를 $3:1$로 내분하는 점 E에 대하여 $\overline{EC}=\sqrt{5}$이다. $\angle ABD=\alpha$, $\angle DCE=\beta$라 할 때, $\cos(\alpha-\beta)$의 값은?

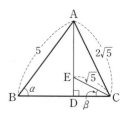

① $\dfrac{\sqrt{5}}{5}$
② $\dfrac{\sqrt{5}}{4}$
③ $\dfrac{3\sqrt{5}}{10}$
④ $\dfrac{7\sqrt{5}}{20}$
⑤ $\dfrac{2\sqrt{5}}{5}$

수능 기출

10 방정식 $3\cos2x+17\cos x=0$을 만족시키는 x에 대하여 $\tan^2 x$의 값을 구하시오.

평가원 기출

11 함수 $f(x)=a\sin x+\sqrt{11}\cos x$의 최댓값이 6일 때, 양수 a의 값은?

① 1
② 2
③ 3
④ 4
⑤ 5

정답 개수: /11   오답 번호 Check:

자연 현상과 공학에서 규칙적으로 반복되는 것, 즉 일정한 주기로 변하는 것은 삼각함수로 표현할 수 있다. 이에 따라 삼각함수는 전자 공학, 광학, 음향학 등의 다양한 분야에서 주기적인 성질을 연구하는 데 쓰이고 있다.

이 단원에서는 삼각함수의 극한을 이해하고, 삼각함수를 미분하는 방법을 알아보자.

삼각함수의 미분

6-1 삼각함수의 극한

개념

x의 단위가 라디안일 때, $\lim\limits_{x \to 0} \dfrac{\sin x}{x} = 1$

sin x, cos x의 극한

$y = \sin x$와 $y = \cos x$는 연속함수이므로

$$\lim_{x \to a} \sin x = \sin a$$

$$\lim_{x \to a} \cos x = \cos a$$

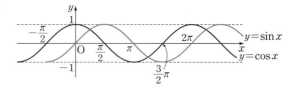

이다. 그러나 $x \to \infty$일 때 $\sin x$나 $\cos x$의 값은 -1 이상 1 이하의 값을 갖지만 특정한 실수에 가까워지지는 않는다.

따라서 극한은 존재하지 않는다.

$x \to -\infty$일 때도 $\sin x$와 $\cos x$의 극한은 존재하지 않는다.

tan x의 극한

$y = \tan x$는 $x \neq n\pi + \dfrac{\pi}{2}$ (n은 정수)일 때

연속함수이므로 a가 정의역의 원소일 때,

$$\lim_{x \to a} \tan x = \tan a$$

또 $x = \dfrac{\pi}{2}$에서 정의되지는 않지만

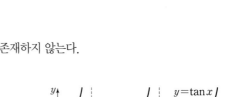

$$\lim_{x \to \frac{\pi}{2}-} \tan x = \infty, \quad \lim_{x \to \frac{\pi}{2}+} \tan x = -\infty$$

이다. $\dfrac{\pi}{2}$ 대신 $n\pi + \dfrac{\pi}{2}$일 때도 같다.

$x \to \infty$ 또는 $x \to -\infty$일 때 $\tan x$의 극한은 존재하지 않는다.

$\dfrac{\sin x}{x}$의 극한

$0 < x < \dfrac{\pi}{2}$일 때, 그림과 같이 반지름의 길이가 1인 부채꼴에서

($\triangle$AOB의 넓이) < (부채꼴 AOB의 넓이) < ($\triangle$AOT의 넓이)

이다. $\angle$AOB $= x(\mathrm{rad})$이라 하면

($\triangle$AOB의 넓이) $= \dfrac{1}{2} \times 1 \times 1 \times \sin x = \dfrac{1}{2} \sin x$

(부채꼴 AOB의 넓이) $= \dfrac{1}{2} \times 1^2 \times x = \dfrac{1}{2} x$

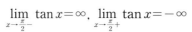

$\overline{\mathrm{AT}} = \tan x$이므로 ($\triangle$AOT의 넓이) $= \dfrac{1}{2} \times 1 \times \tan x = \dfrac{1}{2} \tan x$

곧, $\sin x < x < \dfrac{\sin x}{\cos x}$

x가 양수이고 충분히 작으면 $\sin x > 0$이므로 $1 < \dfrac{x}{\sin x} < \dfrac{1}{\cos x}$

$x \to 0+$일 때, $\dfrac{1}{\cos x} \to 1$이므로 $\displaystyle\lim_{x \to 0+} \dfrac{x}{\sin x} = 1$

$\therefore \displaystyle\lim_{x \to 0+} \dfrac{\sin x}{x} = 1$ $\cdots$ ㉠

$-\dfrac{\pi}{2} < x < 0$일 때, $x \to 0-$이면 $-x \to 0+$이고 $\sin(-x) = -\sin x$이므로

$$\lim_{x \to 0-} \frac{\sin x}{x} = \lim_{-x \to 0+} \frac{\sin(-x)}{-x} = 1 \quad \cdots ㉡$$

㉠, ㉡에서 $\displaystyle\lim_{x \to 0} \dfrac{\sin x}{x} = 1$

$\sin x$에서 x의 단위는 라디안임에 주의한다.

$\dfrac{\sin bx}{ax}$의 극한 ● 예를 들어

$$\lim_{x \to 0} \frac{\sin 3x}{x} = \lim_{x \to 0} \left(\frac{\sin 3x}{3x} \times 3 \right) = 1 \times 3 = 3$$

$$\lim_{x \to 0} \frac{\sin x}{3x} = \lim_{x \to 0} \left(\frac{\sin x}{x} \times \frac{1}{3} \right) = 1 \times \frac{1}{3} = \frac{1}{3}$$

$$\boxed{\lim_{x \to 0} \frac{\sin x}{x} = 1}$$

일반적으로

$$\lim_{x \to 0} \frac{\sin bx}{ax} = \lim_{x \to 0} \left(\frac{\sin bx}{bx} \times \frac{b}{a} \right) = 1 \times \frac{b}{a} = \frac{b}{a}$$

$\dfrac{\tan x}{x}$의 극한 ● $\displaystyle\lim_{x \to 0} \dfrac{\tan x}{x}$는 $x \to 0$일 때 $\dfrac{0}{0}$ 꼴의 극한이다. $\tan x = \dfrac{\sin x}{\cos x}$이므로

$$\lim_{x \to 0} \frac{\tan x}{x} = \lim_{x \to 0} \left(\frac{\sin x}{x} \times \frac{1}{\cos x} \right) = 1 \times \frac{1}{\cos 0} = 1$$

개념 Check

◆ 정답 및 풀이 **45**쪽

1 다음 극한값을 구하시오.

(1) $\displaystyle\lim_{x \to \frac{\pi}{4}} \cos x$

(2) $\displaystyle\lim_{x \to \frac{\pi}{3}} \sin 2x$

(3) $\displaystyle\lim_{x \to \pi} (\sin^2 x + \cos 3x)$

(4) $\displaystyle\lim_{x \to 0} \dfrac{\tan x}{\sin x}$

2 다음 극한값을 구하시오.

(1) $\displaystyle\lim_{x \to 0} \dfrac{x}{\sin x}$

(2) $\displaystyle\lim_{x \to 0} \dfrac{\sin 2x}{3x}$

(3) $\displaystyle\lim_{x \to 0} \dfrac{\sin 5x^2}{x^2}$

(4) $\displaystyle\lim_{x \to 0} \dfrac{x}{\tan x}$

대표 Q1 $\dfrac{0}{0}$ 꼴의 극한(1) $-\sin x,\ \tan x$

다음 극한값을 구하시오.

(1) $\displaystyle\lim_{x\to 0}\dfrac{\sin 3x}{\sin 2x}$

(2) $\displaystyle\lim_{x\to 0}\dfrac{\sin(\sin x)}{x}$

(3) $\displaystyle\lim_{x\to 0}\dfrac{\tan 2x}{\tan 5x}$

(4) $\displaystyle\lim_{x\to 0}\dfrac{\tan 4x}{\sin 3x}$

날선 Guide (1) $\dfrac{0}{0}$ 꼴의 삼각함수 극한의 기본은

$$\lim_{x\to 0}\dfrac{\sin x}{x}=1,\quad \lim_{x\to 0}\dfrac{x}{\sin x}=1$$

이다. 따라서 다음과 같이 정리하고 계산한다.

$$\dfrac{\sin 3x}{\sin 2x}=\dfrac{\sin 3x}{3x}\times\dfrac{2x}{\sin 2x}\times\dfrac{3}{2}$$

$\boxed{\displaystyle\lim_{x\to 0}\dfrac{\sin x}{x}=1}$

(2) $x\to 0$일 때 $\sin x\to 0$이므로 $\displaystyle\lim_{\sin x\to 0}\dfrac{\sin(\sin x)}{\sin x}=1$을 이용한다.

(3) $\displaystyle\lim_{x\to 0}\dfrac{\tan x}{x}=1,\ \lim_{x\to 0}\dfrac{x}{\tan x}=1$ $\longrightarrow \displaystyle\lim_{x\to 0}\dfrac{\tan x}{x}=\lim_{x\to 0}\left(\dfrac{\sin x}{x}\times\dfrac{1}{\cos x}\right)=1$

을 이용하여 계산한다.

참고 $\dfrac{\tan 2x}{\tan 5x}=\dfrac{\sin 2x}{\cos 2x}\times\dfrac{\cos 5x}{\sin 5x}$ 와 같이 고쳐서 계산해도 된다.

(4) $\dfrac{\tan 4x}{\sin 3x}=\dfrac{\tan 4x}{4x}\times\dfrac{3x}{\sin 3x}\times\dfrac{4}{3}$ 와 같이 정리하고 계산한다.

답 (1) $\dfrac{3}{2}$ (2) 1 (3) $\dfrac{2}{5}$ (4) $\dfrac{4}{3}$

날선 Point $\sin x,\ \tan x$를 포함한 $\dfrac{0}{0}$ 꼴의 극한

➡ $\displaystyle\lim_{x\to 0}\dfrac{\sin x}{x}=1,\ \lim_{x\to 0}\dfrac{\tan x}{x}=1$

1-1 다음 극한값을 구하시오.

(1) $\displaystyle\lim_{x\to 0}\dfrac{\sin^2 2x}{x^2}$

(2) $\displaystyle\lim_{x\to 0}\dfrac{\sin(2\sin x)}{x}$

(3) $\displaystyle\lim_{x\to 0}\dfrac{\sin 3x}{\tan 5x}$

(4) $\displaystyle\lim_{x\to 0}\dfrac{\tan(\tan x)}{x}$

 1-2 $\displaystyle\lim_{x\to 0}\dfrac{\sin x^\circ}{x}$의 값을 구하시오.

대표 Q2 $\dfrac{0}{0}$ 꼴의 극한(2) $-\cos x$, 치환

◆ 정답 및 풀이 **46**쪽

다음 극한값을 구하시오.

(1) $\displaystyle\lim_{x \to 0} \dfrac{1-\cos x}{x^2}$

(2) $\displaystyle\lim_{x \to 0} \dfrac{\cos 2x-1}{x \sin x}$

(3) $\displaystyle\lim_{x \to \frac{\pi}{2}} \dfrac{\cos x}{x-\dfrac{\pi}{2}}$

(4) $\displaystyle\lim_{x \to \infty} x \sin \dfrac{1}{x}$

날선 Guide (1) $\dfrac{0}{0}$ 꼴이므로 $\displaystyle\lim_{x \to 0} \dfrac{\sin x}{x}=1$을 이용하는 꼴로 정리하는 것이 기본이다.

$\dfrac{1-\cos x}{x^2}$의 분모, 분자에 각각 $1+\cos x$를 곱하면

$$\dfrac{(1-\cos x)(1+\cos x)}{x^2(1+\cos x)}=\dfrac{1-\cos^2 x}{x^2(1+\cos x)}=\dfrac{\sin^2 x}{x^2(1+\cos x)}$$

따라서 $\displaystyle\lim_{x \to 0} \dfrac{\sin x}{x}=1$을 이용하여 극한을 구할 수 있다.

(2) $\dfrac{\cos 2x-1}{x \sin x}$의 분모, 분자에 각각 $\cos 2x+1$을 곱하고 정리한다.

(3) $x \to 0$은 아니지만 $\dfrac{0}{0}$ 꼴이다. $x-\dfrac{\pi}{2}=t$로 치환한다.

이때 $\cos x=\cos\left(t+\dfrac{\pi}{2}\right)=-\sin t$임을 이용한다.

(4) $x \to \infty$일 때 $\dfrac{1}{x} \to 0$, $\sin \dfrac{1}{x} \to 0$이므로 $\infty \times 0$ 꼴이다. $\dfrac{1}{x}=t$로 치환한다.

답 (1) $\dfrac{1}{2}$　(2) -2　(3) -1　(4) 1

 날선 Point $\cos x$를 포함한 $\dfrac{0}{0}$ 꼴의 극한

➡ $1-\cos^2 x=\sin^2 x$를 이용하여 $\cos$을 $\sin$으로 나타낸다.

2-1 다음 극한값을 구하시오.

(1) $\displaystyle\lim_{x \to 0} \dfrac{1-\cos 3x}{x^2}$

(2) $\displaystyle\lim_{x \to 0} \dfrac{x \sin x}{1-\cos x}$

(3) $\displaystyle\lim_{x \to 1} \dfrac{\sin \pi x}{x-1}$

(4) $\displaystyle\lim_{x \to \infty} x \tan \dfrac{1}{x}$

다음 물음에 답하시오.

(1) $\lim\limits_{x \to \pi} \dfrac{a\cos x + b}{(x-\pi)^2} = 3$일 때, a, b의 값을 구하시오.

(2) 함수 $f(x) = \begin{cases} \dfrac{e^x + a}{\sin \pi x} & (x \neq 0) \\ b & (x=0) \end{cases}$ 가 $x=0$에서 연속일 때, a, b의 값을 구하시오.

낡선 Guide (1) $x \to \pi$일 때, 극한값이 존재하고 (분모) → 0이므로 (분자) → 0이다.

이를 이용하여 a, b의 관계를 구한다.

그리고 $x - \pi = t$로 치환하면

$t \to 0$일 때 $\dfrac{0}{0}$ 꼴의 극한이므로 앞의 **대표 02**와 같은 방법으로 극한값을 a나 b로 나타낸다.

(2) $f(x)$가 $x=0$에서 연속이면 $\lim\limits_{x \to 0} f(x) = f(0)$이다.

따라서 $\lim\limits_{x \to 0} f(x)$의 극한이 존재할 조건부터 찾는다.

곧, $x \to 0$일 때 (분모) → 0이므로 (분자) → 0이다.

답 (1) $a=6$, $b=6$ (2) $a=-1$, $b=\dfrac{1}{\pi}$

낡선 Point
- $\lim\limits_{x \to a} \dfrac{f(x)}{g(x)} = p$일 때,
  - ➡ (i) $\lim\limits_{x \to a} g(x) = 0$이면 $\lim\limits_{x \to a} f(x) = 0$
  - (ii) $p \neq 0$, $\lim\limits_{x \to a} f(x) = 0$이면 $\lim\limits_{x \to a} g(x) = 0$
- 함수 $f(x)$가 $x=a$에서 연속
  - ➡ $\lim\limits_{x \to a} f(x)$의 값이 존재하고 $\lim\limits_{x \to a} f(x) = f(a)$이다.

3-1 $\lim\limits_{x \to 0} \dfrac{a + b\cos x}{x^2} = 2$일 때, a, b의 값을 구하시오.

3-2 함수 $f(x) = \begin{cases} \dfrac{\sin \pi x}{x - a} & (x \neq 2) \\ b & (x=2) \end{cases}$ 가 $x=2$에서 연속일 때, a, b의 값을 구하시오. (단, $b \neq 0$)

그림과 같이 반지름의 길이가 2이고 중심이 O인 반원이 있다. 호 AB 위에 ∠PAB=θ인 점 P와 지름 AB 위에 ∠APQ=3θ인 점 Q를 잡자. $0<\theta<\dfrac{\pi}{6}$일 때, 다음 물음에 답하시오.

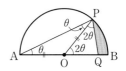

(1) $\displaystyle\lim_{\theta\to 0+}\dfrac{1-\overline{OQ}}{\theta^2}$의 값을 구하시오.

(2) 그림에서 색칠한 부분의 넓이를 $S(\theta)$라 할 때, $\displaystyle\lim_{\theta\to 0+}\dfrac{S(\theta)}{\theta}$의 값을 구하시오.

날선 Guide (1) 중심각의 크기는 원주각의 크기의 2배이므로
∠POQ=2∠PAB=2θ이다.
또 △OPA는 이등변삼각형이므로 ∠OPA=θ이다.
따라서 ∠OPQ=2θ이고, △POQ는 $\overline{QO}=\overline{QP}$인 이등변삼각형이다.
점 Q에서 변 OP에 수선을 긋고 변 OQ의 길이를 θ로 나타낸다.

(2) $S(\theta)$는 부채꼴 POB의 넓이에서 삼각형 POQ의 넓이를 뺀 값이다.

참고 반지름의 길이가 r이고 중심각의 크기가 $\theta(\mathrm{rad})$인 부채꼴에서
$$l=r\theta,\ S=\frac{1}{2}r^2\theta=\frac{1}{2}rl$$

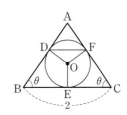

답 (1) -2 (2) 2

날선 Point **도형에서 삼각함수의 극한**

➡ 길이나 넓이를 θ에 대한 식으로 나타낸다.

4-1 그림과 같이 ∠ABC=∠ACB=θ, $\overline{BC}=2$인 삼각형 ABC의 내접원이 세 변 AB, BC, CA와 만나는 점을 각각 D, E, F라 하자. 다음을 구하시오.

(1) 부채꼴 DOE의 넓이를 $f(\theta)$라 할 때, $\displaystyle\lim_{\theta\to 0+}\dfrac{f(\theta)}{\theta^2}$의 값

(2) 삼각형 DOF의 넓이를 $g(\theta)$라 할 때, $\displaystyle\lim_{\theta\to 0+}\dfrac{g(\theta)}{\theta^3}$의 값

$f(x)$가 미분가능한 함수일 때,

1 $(\sin x)'=\cos x,$ \qquad $\{\sin f(x)\}'=\cos f(x)\times f'(x)$

2 $(\cos x)'=-\sin x,$ \qquad $\{\cos f(x)\}'=-\sin f(x)\times f'(x)$

3 $(\tan x)'=\sec^2 x,$ \qquad $\{\tan f(x)\}'=\sec^2 f(x)\times f'(x)$

$y=\sin x$의
도함수

$y=\sin x$를 미분하면

$$y'=\lim_{h\to 0}\frac{\sin(x+h)-\sin x}{h}=\lim_{h\to 0}\frac{\sin x\cos h+\cos x\sin h-\sin x}{h}$$

$$=\lim_{h\to 0}\left\{\frac{\cos x\sin h}{h}-\frac{\sin x(1-\cos h)}{h}\right\} \quad \cdots \text{㉠}$$

여기에서 $\lim_{h\to 0}\dfrac{\sin h}{h}=1$

$$\lim_{h\to 0}\frac{\cos h-1}{h}=\lim_{h\to 0}\frac{(\cos h-1)(\cos h+1)}{h(\cos h+1)}=\lim_{h\to 0}\frac{-\sin^2 h}{h(\cos h+1)}$$

$$=\lim_{h\to 0}\left(\frac{\sin h}{h}\times\frac{-\sin h}{\cos h+1}\right)=1\times 0=0$$

이므로 ㉠은 $y'=\cos x$이다.

$$\therefore (\sin x)'=\cos x$$

$y=\cos x$의
도함수

$\cos x=\sin\left(\dfrac{\pi}{2}-x\right)$이므로 합성함수의 미분법에서

$$\left\{\sin\left(\frac{\pi}{2}-x\right)\right\}'=\cos\left(\frac{\pi}{2}-x\right)\times\left(\frac{\pi}{2}-x\right)'=\sin x\times(-1)$$

$$\therefore (\cos x)'=-\sin x$$

참고 삼각함수의 덧셈정리를 이용하여 다음과 같이 미분해도 된다.

$$y'=\lim_{h\to 0}\frac{\cos(x+h)-\cos x}{h}=\lim_{h\to 0}\frac{\cos x\cos h-\sin x\sin h-\cos x}{h}$$

$$=\lim_{h\to 0}\left\{\frac{\cos x(\cos h-1)}{h}-\frac{\sin x\sin h}{h}\right\}=-\sin x$$

$y=\tan x$의
도함수

$\tan x=\dfrac{\sin x}{\cos x}$이고 몫의 미분법을 이용하면

$$\left(\frac{\sin x}{\cos x}\right)'=\frac{(\sin x)'\cos x-\sin x(\cos x)'}{\cos^2 x}$$

$$=\frac{\cos^2 x+\sin^2 x}{\cos^2 x}=\frac{1}{\cos^2 x}=\sec^2 x$$

$$\therefore (\tan x)'=\sec^2 x$$

$y=\sin f(x)$ 꼴의 미분

$y=\sin(x^2+1)$은 합성함수의 미분법에서

$$y'=\cos(x^2+1)\times(x^2+1)'$$
$$=2x\cos(x^2+1)$$

$$y=\sin f(x) \Rightarrow y'=\{\cos f(x)\}f'(x)$$

이와 같이 $\sin f(x)$, $\cos f(x)$, $\tan f(x)$ 꼴의 함수는 합성함수의 미분법을 이용한다.

예를 들어 $y=\sin^3 x$의 도함수는 $f(x)=x^3$이라 하면 $y=f(\sin x)$이므로

$$y'=f'(\sin x)\times(\sin x)'=3(\sin x)^2\cos x=3\sin^2 x\cos x$$

$y=\csc x,$ $y=\sec x,$ $y=\cot x$ 의 도함수

$\csc x=\dfrac{1}{\sin x}$이므로

$$(\csc x)'=\dfrac{-(\sin x)'}{\sin^2 x}=-\dfrac{\cos x}{\sin x}\times\dfrac{1}{\sin x}=-\csc x\cot x$$

$\sec x=\dfrac{1}{\cos x}$이므로

$$(\sec x)'=\dfrac{-(\cos x)'}{\cos^2 x}=\dfrac{\sin x}{\cos x}\times\dfrac{1}{\cos x}=\sec x\tan x$$

$\cot x=\dfrac{\cos x}{\sin x}$이므로

$$(\cot x)'=\dfrac{(\cos x)'\sin x-\cos x(\sin x)'}{\sin^2 x}$$
$$=\dfrac{-\sin^2 x-\cos^2 x}{\sin^2 x}=-\dfrac{1}{\sin^2 x}=-\csc^2 x$$

$\csc x$, $\sec x$, $\cot x$를 미분한 결과는 공식처럼 기억하고 이용해도 되고, 위와 같이 몫의 미분법을 이용하여 구해도 된다.

개념 Check

◆ 정답 및 풀이 **48**쪽

3 다음 함수를 미분하시오.

(1) $y=\sin x^2$ (2) $y=2\cos x+1$ (3) $y=\tan 2x$

4 다음 함수를 미분하시오.

(1) $y=\csc \pi x$ (2) $y=\sec x^2$

다음 함수를 미분하시오.

(1) $y = \sin x \cos x$

(2) $y = (1 + \tan x)^3$

(3) $y = \dfrac{\cos x}{1 + \sin x}$

(4) $y = \sin \sqrt{1 + x^2}$

날선 Guide (1) $\sin x$와 $\cos x$의 곱이므로
$$y' = (\sin x)' \cos x + \sin x (\cos x)'$$
을 계산한다.

(2) $f(x) = x^3$이라 하면 $y = f(1 + \tan x)$이다. 합성함수의 미분법을 이용하여
$$y' = f'(1 + \tan x) \times (1 + \tan x)'$$
을 계산한다.

(3) 분수 꼴이므로 몫의 미분법을 이용하여
$$y' = \frac{(\cos x)'(1 + \sin x) - \cos x(1 + \sin x)'}{(1 + \sin x)^2}$$
을 계산한다.

(4) $f(x) = \sqrt{1 + x^2}$이라 하면 $y = \sin f(x)$이므로
$$y' = \cos f(x) \times f'(x)$$
를 계산한다.

답 (1) $y' = \cos^2 x - \sin^2 x$ (2) $y' = 3(1 + \tan x)^2 \sec^2 x$

(3) $y' = -\dfrac{1}{1 + \sin x}$ (4) $y' = \dfrac{x \cos \sqrt{1 + x^2}}{\sqrt{1 + x^2}}$

날선 Point

- $(\sin x)' = \cos x, \quad (\cos x)' = -\sin x, \quad (\tan x)' = \sec^2 x$
- $\{\sin f(x)\}' = \cos f(x) \times f'(x), \quad \{f(\sin x)\}' = f'(\sin x) \times \cos x$
  $\{\cos f(x)\}' = -\sin f(x) \times f'(x), \quad \{f(\cos x)\}' = f'(\cos x) \times (-\sin x)$
  $\{\tan f(x)\}' = \sec^2 f(x) \times f'(x), \quad \{f(\tan x)\}' = f'(\tan x) \times \sec^2 x$

5-1 다음 함수를 미분하시오.

(1) $y = (\sin x + \cos x)^2$

(2) $y = \dfrac{1}{1 + \tan x}$

(3) $y = \sqrt{1 + \cos x}$

(4) $y = x \sin \dfrac{1}{x}$

다음 함수를 미분하시오.

(1) $y=\cos(\cot x)$

(2) $y=e^x \sin x$

(3) $y=e^{\tan x}$

(4) $y=\ln|\sec x|$

날선 Guide (1) $f(x)=\cot x$라 하면 $y=\cos f(x)$이므로

$$y'=-\sin f(x) \times f'(x)$$

를 계산한다.

(2) e^x과 $\sin x$의 곱이므로 다음을 계산한다.

$$y'=(e^x)'\sin x+e^x(\sin x)'$$

(3) $f(x)=e^x$이라 하면 $y=f(\tan x)$이므로 다음을 계산한다.

$$y'=f'(\tan x) \times (\tan x)'$$

참고 $g(x)=\tan x$라 하면 $y=e^{g(x)}$이고 $(e^x)'=e^x$이므로

$$y'=e^{g(x)} \times g'(x)$$

를 계산해도 된다.

(4) $f(x)=\sec x$라 하고 로그함수의 미분법을 이용한다.

$$\{\ln|f(x)|\}'=\frac{f'(x)}{f(x)}$$

답 (1) $y'=\csc^2 x \sin(\cot x)$ (2) $y'=e^x(\sin x+\cos x)$

(3) $y'=e^{\tan x}\sec^2 x$ (4) $y'=\tan x$

날선 Point

$(\sin x)'=\cos x,$ $(\csc x)'=-\csc x \cot x$

$(\cos x)'=-\sin x,$ $(\sec x)'=\sec x \tan x$

$(\tan x)'=\sec^2 x,$ $(\cot x)'=-\csc^2 x$

6-1 다음 함수를 미분하시오.

(1) $y=\tan x+\cot x$

(2) $y=\csc x-\sec x$

6-2 다음 함수를 미분하시오.

(1) $y=e^x \cos x$

(2) $y=\dfrac{1+\sec x}{\tan x}$

(3) $y=e^{\sin x+\cos x}$

(4) $y=\log_a|\sin x|$

다음 물음에 답하시오.

(1) 함수 $f(x) = \begin{cases} x^2 \sin \dfrac{1}{x} & (x \neq 0) \\ 0 & (x = 0) \end{cases}$ 이 $x=0$에서 미분가능한지 조사하시오.

(2) 함수 $f(x) = \begin{cases} \dfrac{x \sin 2x}{e^x - 1} & (x \neq 0) \\ 0 & (x = 0) \end{cases}$ 일 때, $f'(0)$의 값을 구하시오.

낯선 Guide (1) $x=0$에서 미분가능한지 조사할 때에는 미분계수의 정의에서

$$\lim_{h \to 0} \frac{f(0+h) - f(0)}{h}$$

의 값이 존재하는지 확인한다.

$\lim\limits_{x \to 0} f'(x)$의 값이 존재하는지 확인하는 것과는 다르다는 것에 주의한다.

(2) 보통 $f'(a)$는 $f'(x)$를 구한 다음 $x=a$를 대입한다.

이 문제에서는 $x \neq 0$에서 $f'(x)$는 구할 수 있지만 $f'(x)$는 $x=0$일 때 분모가 0이므로 $x=0$을 대입할 수는 없다. 따라서

$$f'(0) = \lim_{h \to 0} \frac{f(0+h) - f(0)}{h}$$

을 직접 계산한다.

답 (1) 미분가능하다. (2) 2

> **낯선 Point** **$f(x)$가 $x=a$에서 미분가능**
>
> $\Rightarrow \lim\limits_{x \to a} \dfrac{f(x) - f(a)}{x - a}$ 또는 $\lim\limits_{h \to 0} \dfrac{f(a+h) - f(a)}{h}$ 가 존재한다.

7-1 함수 $f(x) = \begin{cases} x \sin \dfrac{1}{x} & (x \neq 0) \\ 0 & (x = 0) \end{cases}$ 에 대하여 다음 물음에 답하시오.

(1) $f(x)$가 $x=0$에서 연속인지 조사하시오.

(2) $f(x)$가 $x=0$에서 미분가능한지 조사하시오.

7-2 함수 $f(x) = \begin{cases} \dfrac{1 - \cos x}{\sin x} & (x \neq 0) \\ 0 & (x = 0) \end{cases}$ 일 때, $f'(0)$의 값을 구하시오.

6 삼각함수의 미분

6

01 다음 극한값을 구하시오.

(1) $\lim_{x \to \frac{\pi}{2}} \dfrac{\cos^2 x}{1-\sin x}$

(2) $\lim_{x \to \frac{\pi}{2}} (\sec x - \tan x)$

02 다음 극한값을 구하시오.

(1) $\lim_{x \to 0} x \cos \dfrac{1}{x}$

(2) $\lim_{x \to \infty} \dfrac{e^{\sin x}}{x}$

03 다음 극한값을 구하시오.

(1) $\lim_{x \to 0} \dfrac{\sin 2x}{x \cos x}$

(2) $\lim_{x \to 0} \dfrac{\tan^2 2x}{x \sin x}$

(3) $\lim_{x \to 0} \dfrac{\sin x + \sin 3x}{\sin 2x}$

(4) $\lim_{x \to 0} \dfrac{\sin x}{x + \tan 2x}$

04 $\lim_{x \to 0} \dfrac{1-\cos kx}{\sin^2 x} = \dfrac{9}{2}$ 일 때, 양수 k의 값은?

① 1　　　② 2　　　③ 3　　　④ 4　　　⑤ 5

05 다음 극한값을 구하시오.

(1) $\lim_{x \to \frac{\pi}{2}} (\pi - 2x) \tan x$

(2) $\lim_{x \to 2\pi} \dfrac{\sin x}{x^2 - 4\pi^2}$

06 다음 함수를 미분하시오.

(1) $y=\sin(1+\cos x)$

(2) $y=\dfrac{1+\sin x}{1+\cos x}$

(3) $y=\sqrt{3+\tan^2 x}$

(4) $y=\sec x\tan x$

07 함수 $f(x)=\sin x+a\cos x$에 대하여 $\displaystyle\lim_{x\to\frac{\pi}{2}}\dfrac{f(x)-1}{x-\dfrac{\pi}{2}}=3$일 때, a의 값은?

① -5 ② -4 ③ -3 ④ -2 ⑤ -1

08 함수 $f(x)=\tan 2x+3\sin x$에 대하여 $\displaystyle\lim_{h\to 0}\dfrac{f\left(\dfrac{\pi}{3}+2h\right)-f\left(\dfrac{\pi}{3}-h\right)}{3h}$의 값을 구하시오.

09 다음 극한값을 구하시오.

(1) $\displaystyle\lim_{x\to 0}\dfrac{\sin(4x^3+2x)}{3x^3+x}$

(2) $\displaystyle\lim_{x\to 0}\dfrac{\sin(\sin 4x)}{\tan(\tan 2x)}$

(3) $\displaystyle\lim_{x\to 0}\dfrac{e^x-1}{\sin 2x}$

(4) $\displaystyle\lim_{x\to 0}\dfrac{x}{\ln(1+\sin x)}$

10 다음 극한값을 구하시오.

(1) $\displaystyle\lim_{x\to\frac{\pi}{2}}(1-\cos x)^{\sec x}$

(2) $\displaystyle\lim_{x\to\frac{1}{2}}\dfrac{\tan(\cos \pi x)}{2x-1}$

11 자연수 n에 대하여 $f(n)=\lim\limits_{x\to 0}\dfrac{x}{\sin x+\sin 2x+\cdots+\sin nx}$일 때,

$\displaystyle\sum_{n=1}^{\infty}f(n)$의 값은?

① 1   ② 2   ③ 3   ④ 4   ⑤ 5

🔍 평가원 기출

12 두 양수 a, b가 $\lim\limits_{x\to 0}\dfrac{\sin 7x}{2^{x+1}-a}=\dfrac{b}{2\ln 2}$를 만족시킬 때, ab의 값을 구하시오.

교육청 기출

13 함수 $f(x)=\begin{cases}\dfrac{\sin x-a}{x-\dfrac{\pi}{2}} & \left(x\neq\dfrac{\pi}{2}\right)\\[3mm] b & \left(x=\dfrac{\pi}{2}\right)\end{cases}$ 가 $x=\dfrac{\pi}{2}$에서 연속일 때, $a+b$의 값은?

① 1   ② 2   ③ 3   ④ 4   ⑤ 5

14 $f(x)=(\sin x)^x\ (x>0)$일 때, $f'\left(\dfrac{\pi}{2}\right)$의 값을 구하시오.

15 함수 $f(x)=\begin{cases}bxe^{x-1} & (x<1)\\ \sin \pi x-a & (x\geq 1)\end{cases}$ 가 $x=1$에서 미분가능할 때, a, b의 값을 구하시오.

16 함수 $f(x) = \begin{cases} -x+2\pi & (x<0) \\ 0 & (x=0) \\ x+2\pi & (x>0) \end{cases}$ 일 때, **보기**에서 $x=0$에서 미분가능한 함수

만을 있는 대로 고른 것은?

┌─ **보기** ┐

ㄱ. $f(x)\sin x$ ㄴ. $\sin f(x)$ ㄷ. $\cos f(x)$

① ㄱ   ② ㄱ, ㄴ   ③ ㄱ, ㄷ   ④ ㄴ, ㄷ   ⑤ ㄱ, ㄴ, ㄷ

수능 기출

17 그림과 같이 곡선 $y=\sin x$ 위의 점 $P(t, \sin t)$

$(0<t<\pi)$를 중심으로 하고 x축에 접하는 원을 C라

하자. 원 C가 x축에 접하는 점을 Q, 선분 OP와 만나

는 점을 R라 하자. $\displaystyle\lim_{t \to 0+} \dfrac{\overline{OQ}}{\overline{OR}} = a+b\sqrt{2}$일 때, $a+b$의

값을 구하시오. (단, O는 원점이고, a, b는 정수이다.)

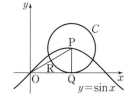

평가원 기출

18 그림과 같이 양수 θ에 대하여 $\angle AOB = \theta$,

$\angle OAB = \dfrac{\pi}{2}$, $\overline{OA} = 10$인 직각삼각형 OAB가 있다.

변 OB 위에 있는 $\overline{OC} = 10$인 점 C에 대하여 삼각형

ABC의 둘레의 길이를 $f(\theta)$라 하자. $\displaystyle\lim_{\theta \to 0+} \dfrac{f(\theta)}{\theta}$의 값

을 구하시오.

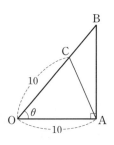

정답 개수: /18   오답 번호 **Check** :

3단원에서 다양한 종류의 미분법의 필요성을 이해하고, 함수의 몫과 합성함수를 미분하는 방법에 대하여 공부하였다.

이 단원에서는 음함수와 역함수, 매개변수로 나타낸 함수를 미분하는 방법을 알아보자. 또 도함수를 다시 미분한 이계도함수를 알고, 이를 구하는 방법을 알아보자.

여러 가지 미분법

7-1 음함수의 미분법

x와 y의 대응 관계가 $f(x, y)=0$으로 주어질 때,

y를 x에 대한 함수로 보고 각 항을 x에 대하여 미분하여 $\dfrac{dy}{dx}$를 구한다.

음함수 표현 • $x^2+y^2=1$은 x에서 y로 정의된 함수가 아니다. 그러나

$-1 \leq x \leq 1$, $y \geq 0$일 때 $y=\sqrt{1-x^2}$ ⋯ ㉠

$-1 \leq x \leq 1$, $y \leq 0$일 때 $y=-\sqrt{1-x^2}$ ⋯ ㉡

과 같이 나누면 각각은 x에서 y로의 함수이다.

이와 같이 x, y의 대응 관계를 $f(x, y)=0$ 꼴로 나타낸 경우

y는 x에 대하여 음함수 꼴로 표현되어 있다고 한다.

음함수에서 x와 y의 범위를 정하면 ㉠, ㉡과 같이 $y=g(x)$ 꼴의 함수로 나타낼 수 있는 경우도 있다.

음함수의 미분법 • $-1 < x < 1$에서 ㉠, ㉡은 미분가능한 함수이다. 각각을 미분하면

㉠은 $y'=\dfrac{(1-x^2)'}{2\sqrt{1-x^2}}=-\dfrac{x}{\sqrt{1-x^2}}=-\dfrac{x}{y}$

㉡은 $y'=-\dfrac{(1-x^2)'}{2\sqrt{1-x^2}}=\dfrac{x}{\sqrt{1-x^2}}=-\dfrac{x}{y}$ → x, y로 나타내면 미분한 결과가 같다.

$x^2+y^2=1$은 위와 같이 $y=g(x)$ 꼴로 고치지 않고 미분할 수 있다.

합성함수의 미분법을 이용하면 $\dfrac{d}{dx}y^2=\left(\dfrac{d}{dy}y^2\right)\dfrac{dy}{dx}=2y\dfrac{dy}{dx}$

따라서 $x^2+y^2=1$의 양변을 x에 대하여 미분하면

$$2x+2y\dfrac{dy}{dx}=0 \qquad \therefore \dfrac{dy}{dx}=-\dfrac{x}{y} \ (y \neq 0)$$

이 결과는 ㉠, ㉡을 미분한 결과와 같다.

이와 같이 x에 대한 함수 y가 음함수 $f(x, y)=0$으로 주어진 경우

x와 y의 범위를 주고 y를 x로 나타내고 미분하지 않아도

y를 x에 대하여 미분가능한 함수로 보고 미분할 수 있다.

개념 Check

◆ 정답 및 풀이 **56**쪽

1 방정식 $x^2-y^2=1$에서 $\dfrac{dy}{dx}$를 구하시오.

7-2 역함수의 미분법

$f(x)$가 미분가능하고 역함수가 존재할 때,

(1) $f(a)=b$이고 $f'(a)\neq0$이면 $(f^{-1})'(b)=\dfrac{1}{f'(a)}$

(2) $f^{-1}(x)$의 도함수는 $\dfrac{dx}{dy}=\dfrac{1}{\dfrac{dy}{dx}}\left(\dfrac{dy}{dx}\neq0\right)$

$(f^{-1})'(b)$와 $f'(a)$의 관계

$f(x)$는 미분가능하고 역함수가 존재한다고 하자.
$f(a)=b$라 하면 곡선 $y=f(x)$ 위의 점 $\mathrm{A}(a,\ b)$에서의 접선과 곡선 $y=f^{-1}(x)$ 위의 점 $\mathrm{B}(b,\ a)$에서의 접선이 직선 $y=x$에 대칭이다. 따라서 $f'(a)\neq0$이면 두 접선의 기울기의 곱이 1이므로 $f'(a)\times(f^{-1})'(b)=1$에서

$$(f^{-1})'(b)=\frac{1}{f'(a)}\qquad\cdots\ \text{㉠}$$

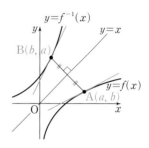

역함수의 미분법

위 식에서 $f'(x)\times(f^{-1})'(y)=1$

그런데 $\dfrac{dy}{dx}=f'(x)$이고, $x=f^{-1}(y)$에서 $\dfrac{dx}{dy}=(f^{-1})'(y)$이므로

$$\frac{dy}{dx}\times\frac{dx}{dy}=1\qquad\therefore\ \frac{dx}{dy}=\frac{1}{\dfrac{dy}{dx}}$$

예를 들어 $f(x)=x^2+1\ (x>0)$이라 할 때,
$(f^{-1})'(2)$와 $\dfrac{dx}{dy}$는 다음과 같이 구할 수 있다.

$$f(1)=2\text{이고}\ f'(1)=2\text{이므로}\ (f^{-1})'(2)=\frac{1}{f'(1)}=\frac{1}{2}$$

또 $\dfrac{dy}{dx}=2x$이므로 $\dfrac{dx}{dy}=\dfrac{1}{2x}$

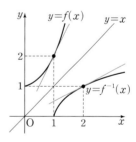

참고 ㉠은 다음과 같이 설명할 수 있다.
$f(x)$와 역함수 $f^{-1}(x)$가 미분가능하다고 하자.
$f^{-1}(f(x))=x$이므로 양변을 x에 대하여 미분하면 $(f^{-1})'(f(x))\times f'(x)=1$
따라서 $f(a)=b$이면 $(f^{-1})'(b)\times f'(a)=1$ $\therefore\ (f^{-1})'(b)=\dfrac{1}{f'(a)}$

▶ 개념 Check

◆ 정답 및 풀이 **56**쪽

2 $y=x^3+1$에서 $\dfrac{dx}{dy}$를 구하시오.

$x=f(t)$, $y=g(t)$이고 $f(t)$, $g(t)$는 미분가능한 함수일 때,

$$\frac{dy}{dx}=\frac{\dfrac{dy}{dt}}{\dfrac{dx}{dt}}=\frac{g'(t)}{f'(t)} \ (f'(t)\neq0)$$

매개변수로 나타낸 함수

$$x=t-1, \ y=t^2 \quad \cdots \ \text{㉠}$$

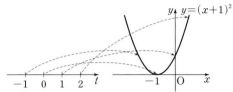

은 x, y가 실수 t의 함수이다.

$t=x+1$을 $y=t^2$에 대입하면

$$y=(x+1)^2$$

따라서 ㉠은 함수 $y=(x+1)^2$을 실수 t를 이용하여 나타내는 방법 중의 하나이다.

이와 같이 x, y 사이의 관계를 변수 t를 이용하여

$$x=f(t), \ y=g(t)$$

꼴로 나타낸 경우 **매개변수 t로 나타낸 함수**라 한다.

매개변수로 나타낸 함수의 미분법

$x=f(t)$, $y=g(t)$가 t에 대하여 미분가능하다고 하자.

$f'(t)\neq0$이고 $\Delta x \to 0$이면 $\Delta t \to 0$이라는 것이 알려져 있다.

따라서 $f'(t)\neq0$이면

$$\frac{dy}{dx}=\lim_{\Delta x\to0}\frac{\Delta y}{\Delta x}=\lim_{\Delta t\to0}\frac{\dfrac{\Delta y}{\Delta t}}{\dfrac{\Delta x}{\Delta t}}=\frac{\displaystyle\lim_{\Delta t\to0}\frac{\Delta y}{\Delta t}}{\displaystyle\lim_{\Delta t\to0}\frac{\Delta x}{\Delta t}}=\frac{\dfrac{dy}{dt}}{\dfrac{dx}{dt}}=\frac{g'(t)}{f'(t)}$$

이때 특별한 말이 없어도 $f'(t)\neq0$이라 생각한다.

예를 들어 ㉠에서

$$\frac{dx}{dt}=1, \ \frac{dy}{dt}=2t이므로 \ \frac{dy}{dx}=\frac{\dfrac{dy}{dt}}{\dfrac{dx}{dt}}=\frac{2t}{1}=2t$$

이때 $t=x+1$이므로 $\dfrac{dy}{dx}=2(x+1)$과 같이 x에 대한 식으로 나타낼 수도 있다.

개념 Check

◆ 정답 및 풀이 **56**쪽

3 매개변수 t로 나타낸 함수 $x=\cos t$, $y=\sin t$ $(0\leq t\leq2\pi)$에서 $\dfrac{dy}{dx}$를 구하시오.

대표 Q1 음함수의 미분법

다음 방정식에서 $\dfrac{dy}{dx}$ 를 구하시오.

(1) $2x^2+3y^2=1$

(2) $xy^2=1$

(3) $\dfrac{x}{y}-\dfrac{y}{x}=1$

(4) $\cos x+\sin y=1$

날선 Guide (1) y^n을 x에 대하여 미분하면

$$\frac{d}{dx}y^n=\left(\frac{d}{dy}y^n\right)\frac{dy}{dx}=ny^{n-1}\frac{dy}{dx}$$

이다. 곧, y^n을 y에 대하여 미분하고 $\dfrac{dy}{dx}$를 곱한다.

(2) xy^2은 x와 y^2의 곱으로 생각하고 다음과 같이 곱의 미분을 생각한다.

$$\frac{d}{dx}(xy^2)=\left(\frac{d}{dx}x\right)y^2+x\left(\frac{d}{dx}y^2\right)$$

(3) $\dfrac{x}{y}$와 같은 분수 꼴을 바로 미분하는 것은 쉽지 않다.

양변에 xy를 곱하면 $x^2-y^2=xy$, $x^2-y^2-xy=0$
이 식의 양변을 x에 대하여 미분한다.

(4) $\sin y$와 같이 삼각함수인 경우도 y에 대하여 미분하고 $\dfrac{dy}{dx}$를 곱한다. 곧,

$$\frac{d}{dx}\sin y=\left(\frac{d}{dy}\sin y\right)\frac{dy}{dx}$$

답 (1) $\dfrac{dy}{dx}=-\dfrac{2x}{3y}$ (2) $\dfrac{dy}{dx}=-\dfrac{y}{2x}$ (3) $\dfrac{dy}{dx}=\dfrac{2x-y}{x+2y}$ (4) $\dfrac{dy}{dx}=\dfrac{\sin x}{\cos y}$

날선 Point

• $g(y)$ 꼴을 x에 대하여 미분하면 ➡ $\dfrac{d}{dx}g(y)=\left\{\dfrac{d}{dy}g(y)\right\}\dfrac{dy}{dx}$

• $\dfrac{d}{dx}y^n=\left(\dfrac{d}{dy}y^n\right)\dfrac{dy}{dx}=ny^{n-1}\dfrac{dy}{dx}$

$\dfrac{d}{dx}(xy)=\left(\dfrac{d}{dx}x\right)y+x\left(\dfrac{d}{dx}y\right)=y+x\dfrac{dy}{dx}$

1-1 다음 방정식에서 $\dfrac{dy}{dx}$ 를 구하시오.

(1) $x^2-xy+y=0$

(2) $\dfrac{y^2}{x}-\dfrac{1}{y}=1$

(3) $\sqrt{x^2+1}+\sqrt{y^2+1}=1$

(4) $x^2=\ln|y|$

함수 $f(x)=x^3+3x+1$에 대하여 다음 물음에 답하시오.

(1) $f(x)$의 역함수를 $g(x)$라 할 때, $g'(1)$의 값을 구하시오.

(2) $y=f(x)$라 할 때, $\dfrac{dx}{dy}$를 구하시오.

날선 Guide (1) $f'(x)=3x^2+3>0$이므로 $f(x)$는 증가하고 역함수가 존재한다.

$g(x)$를 구하지 않아도 $g(a)=b$이면

$$g'(a)=\frac{1}{f'(b)}\ (f'(b)\neq0)$$

임을 이용하여 $g'(1)$의 값을 구할 수 있다.

(2) $y=x^3+3x+1$에서 양변을 x에 대하여 미분하면 $\dfrac{dy}{dx}$를 구할 수 있다.

따라서 $\dfrac{dx}{dy}=\dfrac{1}{\dfrac{dy}{dx}}$임을 이용한다. 이때 $\dfrac{dx}{dy}$는 x에 대한 식으로 나타내도 된다.

참고 $y=x^3$에서 x가 y에 대하여 미분가능한 식으로 보고 양변을 y에 대하여 미분하면

$$\frac{d}{dy}y=\Big(\frac{d}{dx}x^3\Big)\frac{dx}{dy},\ 1=3x^2\frac{dx}{dy}\qquad \therefore \frac{dx}{dy}=\frac{1}{3x^2}$$

이와 같은 방법으로 $\dfrac{dx}{dy}$를 구해도 된다.

답 (1) $\dfrac{1}{3}$ (2) $\dfrac{dx}{dy}=\dfrac{1}{3x^2+3}$

날선 Point
- g가 미분가능한 f의 역함수일 때,

$$g(a)=b$$이고 $$f'(b)\neq0$$이면 $$g'(a)=\frac{1}{f'(b)}$$

- $\dfrac{dx}{dy}=\dfrac{1}{\dfrac{dy}{dx}}\ \Big(\dfrac{dy}{dx}\neq0\Big),\ \dfrac{dy}{dx}=\dfrac{1}{\dfrac{dx}{dy}}\ \Big(\dfrac{dx}{dy}\neq0\Big)$

2-1 다음에서 $\dfrac{dy}{dx}$를 구하시오.

(1) $x=\Big(\dfrac{y}{y+2}\Big)^2$ \qquad (2) $x=\ln(e^y+1)$ \qquad (3) $x=\sin y$

2-2 $g(x)$는 미분가능한 함수 $f(x)$의 역함수이고 $\displaystyle\lim_{x\to1}\dfrac{f(x)+2}{x-1}=-3$일 때, $g'(-2)$의 값을 구하시오.

대표 Q3 매개변수로 나타낸 함수의 미분법

다음 매개변수 t로 나타낸 함수에서 $\dfrac{dy}{dx}$ 를 구하시오.

(1) $x=t+\dfrac{1}{t}$, $y=t-\dfrac{1}{t}$ (2) $x=\cos^3 t$, $y=\sin^3 t$

날선 Guide x, y가 t에 대하여 미분가능한 함수이므로 $\dfrac{dx}{dt}$, $\dfrac{dy}{dt}$ 를 구한 다음

$$\dfrac{dx}{dt}\neq 0일 \ 때, \ \dfrac{dy}{dx}=\dfrac{\dfrac{dy}{dt}}{\dfrac{dx}{dt}}$$

를 이용한다. 이때 $\dfrac{dy}{dx}$ 는 t로 나타내도 되고, 간단하면 x와 y로 나타내도 된다.

참고 (2) $\cos^2 t+\sin^2 t=1$이므로 $x^{\frac{2}{3}}+y^{\frac{2}{3}}=1$

이 방정식이 나타내는 곡선은 그림과 같다.

또 음함수로 나타낸 함수라 생각하고 미분하면

$$\dfrac{2}{3}x^{-\frac{1}{3}}+\dfrac{2}{3}y^{-\frac{1}{3}}\dfrac{dy}{dx}=0$$

$$\therefore \dfrac{dy}{dx}=-\dfrac{y^{\frac{1}{3}}}{x^{\frac{1}{3}}}=-\dfrac{\sin t}{\cos t}=-\tan t$$

이와 같이 t를 소거하고 x와 y의 관계식으로 나타낸 다음 미분해도 된다.

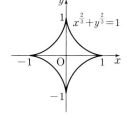

답 (1) $\dfrac{dy}{dx}=\dfrac{t^2+1}{t^2-1}$ (2) $\dfrac{dy}{dx}=-\tan t$

날선 Point $x=f(t)$, $y=g(t)$이고 $f(t)$, $g(t)$는 미분가능한 함수일 때,

$$\dfrac{dy}{dx}=\dfrac{\dfrac{dy}{dt}}{\dfrac{dx}{dt}}=\dfrac{g'(t)}{f'(t)} \ (f'(t)\neq 0)$$

3-1 다음 매개변수 t로 나타낸 함수에서 $\dfrac{dy}{dx}$ 를 구하시오.

(1) $x=\sqrt{t}$, $y=(2t-1)^4$ (2) $x=t^2$, $y=e^t-t$

3-2 매개변수 t로 나타낸 함수 $x=3t+2$, $y=1-2t^2$에 대하여 $t=-3$에서 접선의 기울기를 구하시오.

7-4 이계도함수

$y=f(x)$의 도함수 $f'(x)$가 미분가능할 때 $f'(x)$의 도함수를

$$y'', \; f''(x), \; \frac{d^2y}{dx^2}, \; \frac{d^2}{dx^2}f(x)$$

와 같이 나타내고, $f(x)$의 **이계도함수**라 한다.

이계도함수 $\quad f(x)=\sin x$의 도함수는

$$f'(x)=\cos x$$

이때 $\cos x$는 미분가능한 함수이므로 $f'(x)$를 미분하면

$$(f')'(x)=-\sin x$$

이다. 이때 $f'(x)$의 도함수 $(f')'(x)$는 $f''(x)$로 나타내고 f의 이계도함수라 한다.

y'의 도함수는 $(y')'=y''$

$\dfrac{dy}{dx}$의 도함수는 $\dfrac{d}{dx}\left(\dfrac{dy}{dx}\right)=\dfrac{d^2y}{dx^2}$

$\dfrac{d}{dx}f(x)$의 도함수는 $\dfrac{d}{dx}\left\{\dfrac{d}{dx}f(x)\right\}=\dfrac{d^2}{dx^2}f(x)$

로 나타낸다.

$f(x)=\begin{cases} x^2 & (x\geq 0) \\ -x^2 & (x<0) \end{cases}$ 은 미분가능하고

$$f'(x)=\begin{cases} 2x & (x\geq 0) \\ -2x & (x<0) \end{cases}$$

이다. 그러나 $f'(x)$는 $x=0$에서 미분가능

하지 않으므로 $f(x)$의 이계도함수는 없다.

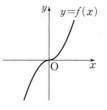
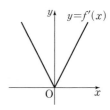

n계도함수 $\quad f(x)$를 n번 미분한 함수를 $f(x)$의 n계도함수라 하고

$$f^{(n)}(x), \; y^{(n)}, \; \frac{d^ny}{dx^n}, \; \frac{d^n}{dx^n}f(x)$$

로 나타낸다.

예를 들어 $f(x)=\sin x$를 연속으로 미분하면

$$f(x)=\sin x \;\Rightarrow\; f'(x)=\cos x \;\Rightarrow\; f''(x)=-\sin x \;\Rightarrow\; f'''(x)=-\cos x \;\Rightarrow\; \cdots$$

▶ **개념 Check**

◆ 정답 및 풀이 **58**쪽

4 다음 함수의 이계도함수를 구하시오.

(1) $y=3x^4+2x^3$ (2) $y=\dfrac{1}{x}$ (3) $y=\sqrt{x}$

(4) $y=e^x$ (5) $y=\ln x$ (6) $y=\cos x$

> 함수 $f(x)=xe^{ax}$에 대하여 $f''(0)=2$일 때, 다음 물음에 답하시오.
>
> (1) a의 값을 구하시오.
>
> (2) $f(x)+pf'(x)+qf''(x)=0$일 때, p, q의 값을 구하시오.

날선 Guide (1) $f(x)$를 미분하면
$$f'(x)=e^{ax}+xe^{ax}\times a=(1+ax)e^{ax}$$
$f'(x)$를 미분하여 구한 도함수
$$f''(x)=ae^{ax}+(1+ax)e^{ax}\times a$$
는 $f(x)$의 이계도함수 $f''(x)$이다.
이 식에서 $f''(0)=2$를 풀어 a의 값을 구한다.
(2) (1)에서 구한 $f'(x)$와 $f''(x)$를
$$f(x)+pf'(x)+qf''(x)=0$$
에 대입하고 정리한 다음, 이 식이 x에 대한 항등식임을 이용한다.

답 (1) 1 (2) $p=-2$, $q=1$

날선 Point $f(x) \Rightarrow f'(x) \Rightarrow f''(x) \Rightarrow \cdots \Rightarrow f^{(n)}(x)$
미분   미분

4-1 다음 함수의 이계도함수를 구하시오.

(1) $y=(x^2+1)^4$ (2) $y=\sin x\cos x$

4-2 함수 $f(x)=(2x+a)e^{bx}$에 대하여 $f'(0)=4$, $f''(0)=12$일 때, 다음 물음에 답하시오.

(1) a, b의 값을 구하시오.

(2) $\displaystyle\lim_{x\to 1}\frac{f'(x)-f'(1)}{x-1}$의 값을 구하시오.

01 다음 방정식에서 $\dfrac{dy}{dx}$ 를 구하시오.

(1) $x^2 - 2xy + y^2 - 3 = 0$ (2) $\sqrt[3]{x^2} + \sqrt[3]{y^2} = 5$

(3) $y^2 = \sqrt{x^3 + 3x^2}$ (4) $e^x \ln y = e^2$

02 다음 방정식에서 $\dfrac{dy}{dx}$ 를 구하시오.

(1) $x = y\sqrt{y+1}$ (2) $x = \dfrac{2y}{y^2 - 1}$

03 함수 $f(x) = \dfrac{1}{1 + e^{-x}}$ 의 역함수를 $g(x)$라 할 때, $g'(f(-1))$의 값은?

① $\dfrac{1}{(1+e)^2}$ ② $\dfrac{e}{1+e}$ ③ $\left(\dfrac{1+e}{e}\right)^2$ ④ $\dfrac{e^2}{1+e}$ ⑤ $\dfrac{(1+e)^2}{e}$

04 $f(x)$, $g(x)$는 실수 전체의 집합에서 미분가능한 함수이다. $f(x)$가 $g(x)$의 역함수이고 $f(1) = 2$, $f'(1) = 3$이다. 함수 $h(x) = xg(x)$라 할 때, $h'(2)$의 값은?

① 1 ② $\dfrac{4}{3}$ ③ $\dfrac{5}{3}$ ④ 2 ⑤ $\dfrac{7}{3}$

05 매개변수 t로 나타낸 함수

$$x = e^{t+1}, \; y = e^{2t+3}$$

에 대하여 $t = -2$일 때, $\dfrac{dy}{dx}$ 의 값을 구하시오.

06 다음 함수의 이계도함수를 구하시오.

(1) $y = \dfrac{x^3 + 2x - 1}{x^2}$ (2) $y = \sqrt{x^3 + 1}$

(3) $y = x\cos 2x$ (4) $y = \ln(\sin x)$

07 방정식 $\dfrac{ax^2}{y} + \dfrac{y}{x} = bxy$가 나타내는 도형은 점 $(1,\,-1)$을 지나고, 이 점에서 접선의 기울기가 2이다. 상수 a, b의 값을 구하시오.

08 $a > 0$이고 함수 $f(x) = ae^{5x} + x + \sin x$의 역함수를 $g(x)$라 하자. 곡선 $y = g(x)$가 점 $(3, 0)$을 지날 때, $\displaystyle\lim_{x \to 3} \dfrac{x - 3}{g(x)}$의 값을 구하시오.

🔍 평가원 기출

09 함수 $f(x) = \ln(e^x - 1)$의 역함수를 $g(x)$라 할 때, 양수 a에 대하여 $\dfrac{1}{f'(a)} + \dfrac{1}{g'(a)}$의 값은?

① 2   ② 4   ③ 6   ④ 8   ⑤ 10

10 매개변수 t로 나타낸 함수

$$x = t + t^3 + t^5 + \cdots + t^{2n-1},\ y = t^2 + t^4 + t^6 + \cdots + t^{2n} \ (n은\ 자연수)$$

에 대하여 $\displaystyle\lim_{n \to \infty}\left(\lim_{t \to 1} \dfrac{dy}{dx}\right)$의 값을 구하시오.

11 매개변수 $\theta\left(\dfrac{\pi}{4}<\theta<\dfrac{5}{4}\pi\right)$로 나타낸 함수

$$x=\sin\theta+\cos\theta,\ y=\theta-\cos\theta$$

를 $y=f(x)$로 나타낼 때, $\displaystyle\lim_{h\to0}\dfrac{f(1+3h)-f(1+h)}{h}$의 값을 구하시오.

교육청 기출

12 $f(x)$는 두 번 미분가능한 함수이고 $f(1)=2$, $f'(1)=3$이다.

$\displaystyle\lim_{x\to1}\dfrac{f'(f(x))-1}{x-1}=3$일 때, $f''(2)$의 값은?

① 1   ② 2   ③ 3   ④ 4   ⑤ 5

교육청 기출

13 $f(x)$는 구간 $\left(0,\dfrac{\pi}{2}\right)$에서 미분가능한 함수이고,

$$f\left(\dfrac{\pi}{4}\right)=1,\ f'(x)=1+\{f(x)\}^2$$

이다. 함수 $g(x)=\ln f'(x)$라 할 때, $g'\left(\dfrac{\pi}{4}\right)$의 값을 구하시오.

14 함수 $f(x)=e^x(\sin x+\cos x)$가 등식 $f(x)+pf'(x)+qf''(x)=0$을 만족시킬 때, p, q의 값을 구하시오.

15 함수 $f(x)=x^{\ln x}$일 때, $f''(e)$의 값은?

① $\dfrac{1}{e}$ ② $\dfrac{2}{e}$ ③ 1   ④ $\dfrac{3}{e}$ ⑤ $\dfrac{4}{e}$

정답 개수: /15   오답 번호 Check:

수학 II 에서 다항함수의 그래프의 접선의 방정식을 구하는 방법에 대하여 공부하였다.

이 단원에서는 지수함수, 로그함수, 삼각함수의 접선의 방정식을 구하는 방법을 알아보자. 또 롤의 정리, 평균값 정리, 로피탈 정리를 이해하고, 이를 활용하여 여러 가지 문제를 해결해 보자.

접선의 방정식

8-1 접선의 방정식

1 곡선 $y=f(x)$ 위의 점 $\mathrm{P}(a,\,f(a))$에서 접선의 방정식은
$$y-f(a)=f'(a)(x-a)$$

2 접점이 주어지지 않은 경우 접점의 좌표를 $(a,\,f(a))$로
놓고 접선의 방정식을 구한 다음, 주어진 조건을 활용한다.

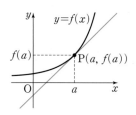

접점이 주어진 경우

$f(x)$가 미분가능한 함수일 때,

$x=a$에서 곡선 $y=f(x)$에 접하는 직선의 기울기는 $f'(a)$이다.

따라서 곡선 $y=f(x)$ 위의 점 $(a,\,f(a))$에서 접하는 직선의 방정식은
$$y-f(a)=f'(a)(x-a)$$

예를 들어 곡선 $y=e^x$ 위의 점 $\mathrm{P}(1,\,e)$에서 접선의 방정식은

다음과 같이 구한다.

$f(x)=e^x$이라 하면 $f'(x)=e^x$, $f'(1)=e$이므로
$$y-e=e(x-1) \qquad \therefore y=ex$$

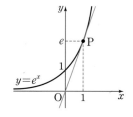

접점이 주어지지 않은 경우

접점이 주어지지 않은 경우 접점의 좌표를 $(a,\,f(a))$로 놓고 푼다.

예를 들어 곡선 $y=e^x$에 접하고 기울기가 1인 접선의 방정식은

다음과 같이 구한다.

접점의 좌표를 $(a,\,e^a)$이라 하자.

$f(x)=e^x$이라 하면 $f'(x)=e^x$이고 접선의 기울기가 1이므로

$f'(a)=1$에서 $e^a=1$ $\quad \therefore a=0$

곧, 접점의 좌표가 $(0,\,1)$이므로 접선의 방정식은
$$y=x+1$$

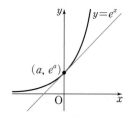

개념 Check

◆ 정답 및 풀이 **63**쪽

1 곡선 $y=\ln x$ 위의 점 $(e,\,1)$에서 접선의 방정식을 구하시오.

2 $y=\ln x$의 그래프에 대하여 다음을 구하시오.

　(1) 기울기가 1인 직선이 접하는 점의 좌표

　(2) 기울기가 1인 접선의 방정식

◆ 정답 및 풀이 63쪽

대표 Q1 접점이 주어진 접선의 방정식

다음 물음에 답하시오.

(1) 곡선 $y=\dfrac{x^2+2}{x}$ 위의 $x=-1$인 점에서 접선의 방정식을 구하시오.

(2) 곡선 $y=xe^x$ 위의 $x=1$인 점에서 접선의 방정식을 구하시오.

(3) 곡선 $y=\sin^2 x$ 위의 $x=\dfrac{\pi}{4}$인 점에서 접선의 방정식을 구하시오.

날선 **Guide** (1) $f(x)=\dfrac{x^2+2}{x}$라 할 때, $x=-1$인 점에서 접선의 방정식은

$$y-f(-1)=f'(-1)(x+1)$$

이때 $f(x)=x+\dfrac{2}{x}$로 고치고 $f'(x)$와 $f(-1)$, $f'(-1)$의 값을 구한다.

(2) $f(x)=xe^x$으로 놓고 $f'(x)$와 $f(1)$, $f'(1)$의 값을 구한다.

(3) $f(x)=\sin^2 x$로 놓고 $f'(x)$와 $f\left(\dfrac{\pi}{4}\right)$, $f'\left(\dfrac{\pi}{4}\right)$의 값을 구한다.

참고 그래프는 다음과 같다. 그래프를 그리는 방법은 다음 단원에서 공부한다.

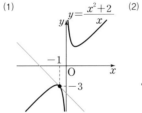
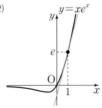
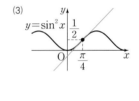

답 (1) $y=-x-4$ (2) $y=2ex-e$ (3) $y=x-\dfrac{\pi}{4}+\dfrac{1}{2}$

 날선 **Point** 곡선 $y=f(x)$ 위의 점 $(a,\ f(a))$에서 접선의 방정식

➡ $y-f(a)=f'(a)(x-a)$

1-1 다음 물음에 답하시오.

(1) 곡선 $y=\sqrt{x-1}$ 위의 $x=5$인 점에서 접선의 방정식을 구하시오.

(2) 곡선 $y=\ln(x^2-3)$ 위의 $x=2$인 점에서 접선의 방정식을 구하시오.

(3) 곡선 $y=\sin x+\cos x$ 위의 $x=\dfrac{\pi}{2}$인 점에서 접선의 방정식을 구하시오.

1-2 $f(x)$는 미분가능한 함수이고, $g(x)=f(x)\ln x^4$이다. 곡선 $y=f(x)$ 위의 점 $(e,\ -e)$에서의 접선과 곡선 $y=g(x)$ 위의 점 $(e,\ -4e)$에서의 접선이 수직일 때, $f'(e)$의 값을 구하시오.

다음 물음에 답하시오.

(1) 곡선 $y=\sqrt{x^2+3}$에 접하고 기울기가 $\dfrac{1}{2}$인 접선의 방정식을 구하시오.

(2) 곡선 $y=x\ln x$에 접하고 직선 $3x-2y-1=0$에 평행한 직선의 방정식을 구하시오.

(3) 곡선 $y=2\sin 2x\,(0\le x\le\pi)$에 접하고 직선 $x-2y=0$에 수직인 직선의 방정식을 모두 구하시오.

낱선 Guide 접점의 x좌표를 a라 하면 접선의 기울기가 $f'(a)$이다.

(1) $f(x)=\sqrt{x^2+3}$으로 놓고 $f'(a)=\dfrac{1}{2}$인 a의 값부터 구한다.

(2) 직선 $y=\dfrac{3}{2}x-\dfrac{1}{2}$에 평행하므로 접선의 기울기는 $\dfrac{3}{2}$이다.

$f(x)=x\ln x$로 놓고 $f'(a)=\dfrac{3}{2}$인 a의 값부터 구한다.

(3) 직선 $y=\dfrac{1}{2}x$에 수직이므로 접선의 기울기는 -2이다.

$f(x)=2\sin 2x$로 놓고 $f'(a)=-2$인 a의 값부터 구한다.

참고 (1)

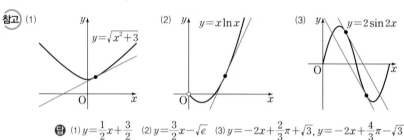

답 (1) $y=\dfrac{1}{2}x+\dfrac{3}{2}$ (2) $y=\dfrac{3}{2}x-\sqrt{e}$ (3) $y=-2x+\dfrac{2}{3}\pi+\sqrt{3},\ y=-2x+\dfrac{4}{3}\pi-\sqrt{3}$

낱선 Point 곡선 $y=f(x)$에 접하고 기울기가 m인 접선의 방정식
➡ 접점의 x좌표를 a라 하고 $f'(a)=m$인 a의 값부터 구한다.

2-1 다음 물음에 답하시오.

(1) 곡선 $y=-\dfrac{2x}{x+1}$에 접하고 기울기가 -2인 접선의 방정식을 모두 구하시오.

(2) 곡선 $y=\cos 3x\,(0\le x\le\pi)$에 접하고 직선 $3x+y=0$에 평행한 직선의 방정식을 모두 구하시오.

(3) 곡선 $y=e^{4x}$에 접하고 직선 $x+4y=0$에 수직인 직선의 방정식을 구하시오.

곡선 밖의 한 점을 지나는 접선의 방정식

◆ 정답 및 풀이 **65**쪽

다음 물음에 답하시오.

(1) 원점에서 곡선 $y=\ln x$에 그은 접선의 방정식을 구하시오.

(2) 점 $(k, 0)$에서 곡선 $y=xe^{-x}$에 접선을 한 개만 그을 수 있을 때, k의 값을 모두 구하시오.

날선 Guide (1) $f(x)=\ln x$라 하자.

접점의 x좌표를 a라 하면 접선의 방정식은
$$y-f(a)=f'(a)(x-a)$$
이 직선이 원점을 지나므로
$x=0$, $y=0$을 대입하여 a의 값부터 구한다.

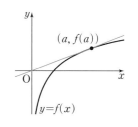

(2) $f(x)=xe^{-x}$이라 하자.

접점의 x좌표를 a라 하면 접선의 방정식은
$$y-f(a)=f'(a)(x-a)$$
이 직선이 점 $(k, 0)$을 지나므로
$$0-f(a)=f'(a)(k-a)$$
이 식이 성립하는 a의 값이 1개이면 접점이 한 개이고, 접선도 한 개이다.

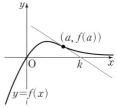

답 (1) $y=\dfrac{1}{e}x$ (2) 0, 4

날선 Point 곡선 $y=f(x)$ 밖의 한 점 A를 지나는 접선의 방정식

➡ 접점의 좌표를 $(a, f(a))$라 하고 접선
$$y-f(a)=f'(a)(x-a)$$
가 A를 지날 때, a의 값을 구한다.

3-1 다음 물음에 답하시오.

(1) 원점에서 곡선 $y=e^x$에 그은 접선의 방정식을 구하시오.

(2) 점 $(-3, 2)$에서 곡선 $y=\dfrac{x+1}{x}$에 그은 접선의 방정식을 모두 구하시오.

3-2 점 $(k, 0)$에서 곡선 $y=e^{-x^3}$에 접선을 2개 그을 수 있을 때, k값의 범위를 구하시오.

다음 물음에 답하시오.

(1) 곡선 $4x^2+9y^2=25$ 위의 $x=\dfrac{3}{2}$인 점의 좌표를 모두 구하고, 이 점에서 접선의 방정식을 구하시오.

(2) 매개변수 t로 나타낸 곡선 $x=\cos^3 t$, $y=\sin^3 t$에 대하여 $t=\dfrac{\pi}{3}$에 대응하는 점에서 접선의 방정식을 구하시오.

날선 Guide　(1) $4x^2+9y^2=25$에 $x=\dfrac{3}{2}$을 대입하면 접점의 y좌표를 구할 수 있다. 그리고 음함수로 나타낸 함수의 미분법을 이용하여 $\dfrac{dy}{dx}$를 구하면 접선의 기울기를 구할 수 있다.

참고 $4x^2+9y^2=25$가 나타내는 곡선은 그림과 같다.

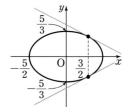

(2) $x=\cos^3 t$, $y=\sin^3 t$에 $t=\dfrac{\pi}{3}$를 대입하면 접점의 좌표를 구할 수 있다.

또 매개변수로 나타낸 함수의 미분법을 이용하여 $\dfrac{dy}{dx}$를 구하면 접선의 기울기도 알 수 있다.

참고 $\cos^2 t+\sin^2 t=1$이므로 $x^{\frac{2}{3}}+y^{\frac{2}{3}}=1$
이 방정식이 나타내는 곡선은 그림과 같다.

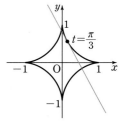

답 (1) $\left(\dfrac{3}{2},\dfrac{4}{3}\right)$일 때 $y=-\dfrac{1}{2}x+\dfrac{25}{12}$, $\left(\dfrac{3}{2},-\dfrac{4}{3}\right)$일 때 $y=\dfrac{1}{2}x-\dfrac{25}{12}$　(2) $y=-\sqrt{3}x+\dfrac{\sqrt{3}}{2}$

날선 Point　**음함수 또는 매개변수로 나타낸 곡선의 접선의 방정식**
❶ 접점의 좌표를 구한다.
❷ $\dfrac{dy}{dx}$를 구하고 접선의 기울기를 찾는다.

4-1 곡선 $x^2+xy-y=3$ 위의 $y=-1$인 점의 좌표를 모두 구하고, 이 점에서 접선의 방정식을 구하시오.

4-2 매개변수 t로 나타낸 곡선 $x=\dfrac{t}{1-t^2}$, $y=\dfrac{t-2}{1-t^2}$에 대하여 $t=a$에 대응하는 점에서 접선의 기울기가 1일 때, 이 점에서 접선의 방정식을 구하시오.

두 함수 $f(x)=kx^3+1$, $g(x)=\ln x$에 대하여 다음 물음에 답하시오.

(1) 기울기가 1인 직선이 두 곡선 $y=f(x)$, $y=g(x)$에 동시에 접할 때, k의 값을 구하시오.

(2) 두 곡선 $y=f(x)$, $y=g(x)$가 접할 때, 접점의 좌표와 k의 값을 구하시오.

날선 Guide (1) 기울기가 1인 직선이 두 곡선 $y=f(x)$, $y=g(x)$와 접하는 점을 각각 $\mathrm{A}(a,\ ka^3+1)$, $\mathrm{B}(b,\ \ln b)$라 하자.
점 B에서 접선의 기울기가 1이므로

$g'(b)=1$에서 $\dfrac{1}{b}=1$ $\therefore b=1$

이때 $\mathrm{B}(1,\ 0)$이므로 접선의 방정식은 $y=x-1$

이 직선이 곡선 $y=kx^3+1$과 점 A에서 접할 조건을 찾으면 k의 값을 구할 수 있다.

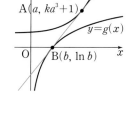

(2) 두 곡선 $y=f(x)$, $y=g(x)$가 $x=p$인 점에서 접한다고 하자.
두 곡선이 $x=p$에서 만나므로

$$f(p)=g(p) \qquad \cdots \ \unicode{x24E4}$$

또 만나는 점에서 두 곡선 $y=f(x)$, $y=g(x)$의 접선이 일치하므로 접선의 기울기가 같다.

$$\therefore f'(p)=g'(p) \qquad \cdots \ \unicode{x24C1}$$

$\unicode{x24E4}$, $\unicode{x24C1}$을 연립하여 풀면 p, k의 값을 구할 수 있다.

답 (1) $\dfrac{1}{27}$　(2) 접점의 좌표 : $\left(e^{\frac{4}{3}},\ \dfrac{4}{3}\right)$, $k=\dfrac{1}{3e^4}$

 날선 Point 두 곡선 $y=f(x)$, $y=g(x)$가 $x=p$에서 접한다.

$\Rightarrow f(p)=g(p)$, $f'(p)=g'(p)$

5-1 곡선 $y=e^x$ 위의 점 $(1,\ e)$에서의 접선이 곡선 $y=2\sqrt{x-k}$에 접할 때, k의 값을 구하시오.

5-2 두 곡선 $y=\dfrac{k}{x}$, $y=e^x$이 접할 때, 접점의 좌표와 k의 값을 구하시오. (단, $k\neq0$)

8-2 롤의 정리, 평균값 정리

1 롤의 정리

함수 $f(x)$가 구간 $[a, b]$에서 연속이고 구간 (a, b)에서 미분가능할 때, $f(a)=f(b)$이면
$$f'(c)=0$$
인 c가 구간 (a, b)에 적어도 하나 존재한다.

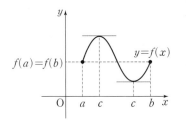

2 평균값 정리

함수 $f(x)$가 구간 $[a, b]$에서 연속이고 구간 (a, b)에서 미분가능할 때,
$$\frac{f(b)-f(a)}{b-a}=f'(c)$$
인 c가 구간 (a, b)에 적어도 하나 존재한다.

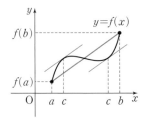

롤의 정리와 평균값 정리는 수학 Ⅱ에서 공부하였다. 미분의 기본이므로 여기에서 간단히 복습하자.

롤의 정리 $f(x)=\sin x$라 하면 $f(x)$는 구간 $[0, 2\pi]$에서 연속이고 구간 $(0, 2\pi)$에서 미분가능하며 $f(0)=f(2\pi)$이다. 이때 $f'(c)=0$인 c가 구간 $(0, 2\pi)$에 적어도 하나 존재한다. 직접 $f'(c)=0$인 c를 구하면

$f'(c)=\cos c=0$에서 $c=\dfrac{\pi}{2}$ 또는 $c=\dfrac{3}{2}\pi$

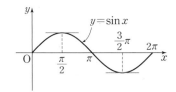

평균값 정리 $f(x)=\ln x$라 하면 $f(x)$는 구간 $[1, e]$에서 연속이고 구간 $(1, e)$에서 미분가능하다.

이때 $\dfrac{f(e)-f(1)}{e-1}=f'(c)$인 c가 구간 $(1, e)$에 적어도 하나 존재한다.

직접 계산하면 $f(e)=1$, $f(1)=0$, $f'(c)=\dfrac{1}{c}$이므로

$$\frac{1-0}{e-1}=\frac{1}{c} \qquad \therefore c=e-1$$

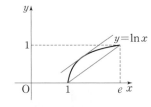

그리고 $x=c$인 점에서 곡선 $y=\ln x$의 접선은 두 점 $(1, 0)$, $(e, 1)$을 지나는 직선에 평행하다.

개념 Check

◆ 정답 및 풀이 **67**쪽

3 구간 $[0, 1]$에서 함수 $f(x)=\sqrt{x}$가 평균값 정리를 만족시키는 상수 c의 값을 구하시오.

8-3 로피탈 정리 (교육과정 외)

$f(x)$, $g(x)$가 미분가능하고 $f'(x)$, $g'(x)$는 연속이며, $f(a)=0$, $g(a)=0$일 때,

$$\lim_{x \to a} \frac{f(x)}{g(x)} = \lim_{x \to a} \frac{f'(x)}{g'(x)} = \frac{f'(a)}{g'(a)} \ (g'(a) \neq 0)$$

보통 고등학교 과정에서는 로피탈 정리를 쓰지 않고 구할 수 있는 극한만 다룬다.

그러나 함수의 그래프를 그리거나 함수의 성질을 파악하는 데 도움이 되므로 소개한다.

로피탈 정리 (1) $f(x)$, $g(x)$가 미분가능하고 $f'(x)$, $g'(x)$가 연속이라 하자.

구간 (a, a_1)에서 평균값 정리를 생각하면

$$\frac{f(a_1)-f(a)}{a_1-a} = f'(c_1), \ \frac{g(a_1)-g(a)}{a_1-a} = g'(c_2)$$

인 c_1, c_2가 구간 (a, a_1)에 존재한다.

그런데 $x \to a+$일 때 $c_1 \to a$, $c_2 \to a$이고 $f'(x)$, $g'(x)$가 연속이므로

$$\lim_{x \to a+} f'(c_1) = f'(a), \ \lim_{x \to a+} g'(c_2) = g'(a)$$

$$\lim_{x \to a+} \frac{f(x)-f(a)}{g(x)-g(a)} = \frac{f'(a)}{g'(a)}$$

구간 (a_2, a)에서 생각하면 $x \to a-$일 때에도 $\lim\limits_{x \to a-} \dfrac{f(x)-f(a)}{g(x)-g(a)} = \dfrac{f'(a)}{g'(a)}$

$$\therefore \lim_{x \to a} \frac{f(x)-f(a)}{g(x)-g(a)} = \lim_{x \to a} \frac{f'(x)}{g'(x)} = \frac{f'(a)}{g'(a)}$$

특히 $f(a)=0$, $g(a)=0$이고 $g'(a) \neq 0$인 경우 다음이 성립한다.

$$\lim_{x \to a} \frac{f(x)}{g(x)} = \lim_{x \to a} \frac{f'(x)}{g'(x)} = \frac{f'(a)}{g'(a)}$$

예를 들어 $\lim\limits_{x \to 1} \dfrac{\ln x}{x^2-1}$의 극한은 다음과 같이 구할 수 있다.

$f(x) = \ln x$, $g(x) = x^2-1$이라 하면

$f(1) = g(1) = 0$, $f'(x) = \dfrac{1}{x}$, $g'(x) = 2x$이므로

$$\lim_{x \to 1} \frac{\ln x}{x^2-1} = \lim_{x \to 1} \frac{\frac{1}{x}}{2x} = \lim_{x \to 1} \frac{1}{2x^2} = \frac{1}{2}$$

로피탈 정리 (2) 로피탈 정리는 $\lim\limits_{x \to \infty} \dfrac{e^x}{x}$과 같이

$x \to \infty$일 때 $f(x) \to \infty$, $g(x) \to \infty$

인 경우도 성립한다. 이때 극한을 계산하면

$$\lim_{x \to \infty} \frac{e^x}{x} = \lim_{x \to \infty} \frac{e^x}{1} = \infty$$

날선 Q6 평균값 정리

◆ 정답 및 풀이 **67**쪽

$f(x)$는 두 번 미분가능한 함수이고, $f(-1)=-1$, $f(0)=1$, $f(1)=0$이다.
$g(x)=(f \circ f)(x)$일 때, 보기에서 옳은 것만을 있는 대로 고른 것은?

┤ 보기 ├

ㄱ. $f(a)=\dfrac{1}{2}$인 a가 구간 $(-1, 1)$에 두 개 이상 있다.

ㄴ. $f'(b)=-1$인 b가 구간 $(-1, 1)$에 적어도 하나 있다.

ㄷ. $g''(c)=0$인 c가 구간 $(0, 1)$에 적어도 하나 있다.

① ㄱ   ② ㄴ   ③ ㄱ, ㄴ   ④ ㄴ, ㄷ   ⑤ ㄱ, ㄴ, ㄷ

날선 Guide $f(x)$는 두 번 미분가능하므로 $f(x)$와 $f'(x)$는 모두 연속이다.

ㄱ. 사잇값 정리에서 $f(p)>\dfrac{1}{2}$, $f(q)<\dfrac{1}{2}$이면

구간 (p, q)에 $f(a)=\dfrac{1}{2}$인 a가 적어도 하나 존재한다.

그림을 생각하면 구간을 생각할 수 있다.

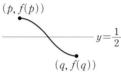

ㄴ. 그림에서 기울기가 -1인 접선을 생각할 수 있으므로
$f'(b)=-1$인 b가 존재한다는 것을 추측할 수 있다.
증명은 평균값 정리를 이용한다.

ㄷ. $g'(0)$, $g'(1)$의 값부터 구하고,
롤의 정리, 평균값 정리 등을 이용할 수 있는지 확인한다.

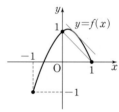

답 ⑤

날선 Point 어떤 구간에서

• $f(x)=k$의 해의 존재 ➡ 사잇값 정리를 이용하여 구한다.

• $f'(x)=k$의 해의 존재 ➡ 롤의 정리, 평균값 정리를 이용하여 구한다.

6-1 함수 $f(x)=x+\sin x$에 대하여 함수 $g(x)$를 $g(x)=(f \circ f)(x)$라 할 때, 다음 명제의 참,
거짓을 판별하시오.

(1) $g(x)$는 구간 $(0, \pi)$에서 증가한다.

(2) $g'(c)=1$인 c가 구간 $(0, \pi)$에 적어도 하나 있다.

8 접선의 방정식

01 다음 곡선 위의 주어진 점에서 접선의 방정식을 구하시오.

(1) $y = x\sqrt{x}$ $(4, 8)$

(2) $y = x^2 \ln x$ (e, e^2)

02 곡선 $y = ax - \sin x$ 위의 점 $\left(\dfrac{\pi}{2}, b\right)$에서 접선의 방정식이 $y = x - 1$일 때, $a + b$의 값은?

① $-\pi$ ② $-\dfrac{\pi}{2}$ ③ 1 ④ $\dfrac{\pi}{2}$ ⑤ π

03 곡선 $y = x \sin x$ 위의 점 $\left(\dfrac{\pi}{2}, \dfrac{\pi}{2}\right)$를 지나고 이 점에서의 접선에 수직인 직선이 점 $\left(\dfrac{\pi}{6}, a\right)$를 지날 때, a의 값은?

① $\dfrac{\pi}{6}$ ② $\dfrac{\pi}{3}$ ③ $\dfrac{\pi}{2}$ ④ $\dfrac{2}{3}\pi$ ⑤ $\dfrac{5}{6}\pi$

04 곡선 $y = 2x + \ln x$ 위의 두 점 $A(1, 2)$, $B(e, 2e+1)$을 잇는 선분과 평행한 직선이 곡선에 접할 때, 접점의 x좌표를 구하시오.

05 곡선 $y=\cos 2x \left(-\dfrac{\pi}{2}<x<\dfrac{\pi}{2}\right)$에 접하고 x축의 양의 방향과 이루는 각의 크기 가 $\dfrac{\pi}{3}$인 직선의 방정식을 모두 구하시오.

06 곡선 $y=3e^{x-1}$ 위의 점 A에서의 접선이 원점 O를 지날 때, 선분 OA의 길이는?

① $\sqrt{6}$ ② $\sqrt{7}$ ③ $2\sqrt{2}$ ④ 3   ⑤ $\sqrt{10}$

07 매개변수 θ로 나타낸 곡선 $x=\dfrac{3}{\sin\theta}$, $y=2\tan\theta \,(0<\theta<\pi)$ 위의 한 점 $(2\sqrt{3},\ -2\sqrt{3})$에서 접하는 직선의 기울기를 구하시오.

08 곡선 $f(x)=\dfrac{2x}{x+1}$ 위의 두 점 $(0,\,0)$, $(1,\,1)$에서 접선을 각각 l, m이라 하자. l, m이 이루는 예각의 크기를 θ라 할 때, $\tan\theta$의 값을 구하시오.

09 점 $(1, 0)$에서 곡선 $y=e^{x+k}$에 그은 접선이 점 $(3, 2)$를 지날 때, k의 값은?

① -2 ② -1 ③ 0 ④ 1 ⑤ 2

10 점 $(2, 0)$에서 곡선 $y=\dfrac{e^x}{x}$에 그은 두 접선의 기울기를 m_1, m_2라 할 때, $m_1 m_2$의 값을 구하시오.

11 두 함수 $f(x)=\cos^2 x+a$, $g(x)=\sin x$라 하자. 두 곡선 $y=f(x)$, $y=g(x)$가 $x=t\left(-\dfrac{\pi}{2}<t<\dfrac{\pi}{2}\right)$인 점에서 접할 때, a의 값을 구하시오.

🏅 교육청 기출

12 그림과 같이 두 함수 $y=\ln x+4$, $y=e^{x-4}$의 그래프의 두 교점의 x좌표를 각각 a, b라 하자.
일차함수 $y=-x+k$의 그래프가 $a \le x \le b$에서 두 함수의 그래프와 만나는 두 점 사이의 거리가 최대가 될 때, k의 값은?

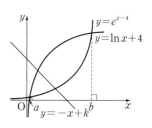

① $\dfrac{7}{2}$ ② 4 ③ $\dfrac{9}{2}$ ④ 5 ⑤ $\dfrac{11}{2}$

🔍 **평가원 기출**

13 미분가능한 함수 $f(x)$와 함수 $g(x)=\sin x$에 대하여 합성함수 $y=(g\circ f)(x)$의 그래프 위의 점 $(1,\ (g\circ f)(1))$에서 접선이 원점을 지난다.

$$\lim_{x\to 1}\frac{f(x)-\dfrac{\pi}{6}}{x-1}=k$$ 일 때, $30k^2$의 값을 구하시오.

🔍 **평가원 기출**

14 실수 전체의 집합에서 증가하고 미분가능한 함수 $f(x)$가 있다. 곡선 $y=f(x)$ 위의 점 $(2,\ 1)$에서 접선의 기울기는 1이다. 함수 $f(2x)$의 역함수를 $g(x)$라 할 때, 곡선 $y=g(x)$ 위의 점 $(1,\ a)$에서 접선의 기울기는 b이다. $10(a+b)$의 값을 구하시오.

15 그림은 직선 $y=x$와 미분가능한 함수 $y=f(x)$의 그래프이다. 모든 실수 x에 대하여 $f'(x)\ge 0$이고

$f(0)=\dfrac{1}{5}$, $f(1)=1$일 때, 다음 물음에 답하시오.

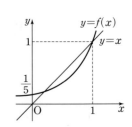

(1) $f'(c)=\dfrac{4}{5}$인 c가 구간 $(0,\ 1)$에 존재함을 보이시오.

(2) $g(x)=(f\circ f)(x)$라 할 때, $g'(c)=1$인 c가 구간 $(0,\ 1)$에 존재함을 보이시오.

수학 Ⅱ에서 함수의 증가와 감소, 극대와 극소, 다항함수의 그래프를 그리는 방법에 대하여 공부하였다.

이 단원에서는 지수함수, 로그함수, 삼각함수의 오목, 볼록과 변곡점을 알고, 다양한 함수의 그래프의 개형을 그려 보자. 또 함수의 그래프를 이용하여 최대와 최소를 구하는 방법을 알아보자.

그래프

9-1 극대, 극소와 미분

1 증가와 감소, 극대와 극소

(1) 함수 $f(x)$가 어떤 구간에서

$x_1 < x_2$일 때 $f(x_1) < f(x_2)$이면 **증가**한다고 하고,

$x_1 < x_2$일 때 $f(x_1) > f(x_2)$이면 **감소**한다고 한다.

(2) 함수 $f(x)$가 $x=a$를 포함하는 적당한 열린구간에서

$f(x) \leq f(a)$이면 $x=a$에서 **극대**라 하고 $f(a)$를 **극댓값**이라 한다.

또 $x=b$를 포함하는 적당한 열린구간에서

$f(x) \geq f(b)$이면 $x=b$에서 **극소**라 하고 $f(b)$를 **극솟값**이라 한다.

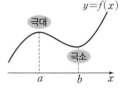

2 극대, 극소와 미분

(1) 함수 $f(x)$가 어떤 구간에서 미분가능할 때, 이 구간에서

$f'(x) > 0$이면 $f(x)$는 증가하고,

$f'(x) < 0$이면 $f(x)$는 감소한다.

(2) 함수 $f(x)$가 미분가능할 때,

$x=a$에서 극대이면 $f'(a)=0$이고,

$f'(x)$의 부호가 $x=a$의 좌우에서 $+$에서 $-$로 바뀐다.

또 $x=b$에서 극소이면 $f'(b)=0$이고,

$f'(x)$의 부호가 $x=b$의 좌우에서 $-$에서 $+$로 바뀐다.

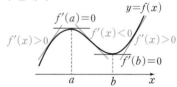

극대, 극소와 미분

수학Ⅱ에서 공부한 극대, 극소와 미분을 정리하면 위와 같다.

예를 들어 함수 $f(x) = x^3 - 3x$라 하면

$$f'(x) = 3x^2 - 3 = 3(x+1)(x-1)$$

이므로 $f'(x) = 0$의 해는 $x = \pm 1$이다.

$x < -1$일 때, $f'(x) > 0$이므로 $f(x)$는 증가하고

$-1 < x < 1$일 때, $f'(x) < 0$이므로 $f(x)$는 감소하고

$x > 1$일 때, $f'(x) > 0$이므로 $f(x)$는 증가한다.

따라서 $y = f(x)$의 그래프는 그림과 같고, $x = -1$에서 극대, $x = 1$에서 극소이다.

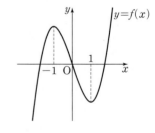

수학Ⅱ에서는 $f(x)$가 다항함수일 때 도함수 $f'(x)$를 구하고, $f'(x)$의 부호 변화를 조사한 다음 $f(x)$의 증감과 극댓값, 극솟값을 구하였다.

$f(x)$가 유리함수, 무리함수, 지수함수, 로그함수 또는 삼각함수일 때에도 미분가능한 함수이므로 위와 같이 $f'(x)$의 부호 변화를 조사하여 $f(x)$의 증감이나 극값을 구할 수 있다.

1 오목, 볼록

어떤 구간에서 곡선 $y=f(x)$ 위의
임의의 두 점 P, Q에 대하여

아래로 볼록   위로 볼록

(1) 선분 PQ보다 곡선이 아래쪽에

있으면 곡선은 이 구간에서 아래로 볼록(위로 오목)하다고 한다.

(2) 선분 PQ보다 곡선이 위쪽에 있으면 곡선은 이 구간에서 위로 볼록(아래로 오목)

하다고 한다.

2 $f''(x)$의 부호와 오목, 볼록

함수 $f(x)$가 어떤 구간에서 두 번 미분가능할 때,

(1) $f''(x)>0$이면 곡선 $y=f(x)$는 아래로 볼록하다.

(2) $f''(x)<0$이면 곡선 $y=f(x)$는 위로 볼록하다.

(3) $f''(a)=0$이고 $x=a$의 좌우에서 $f''(x)$의 부호가 바뀌면 점 $(a, f(a))$는 곡선

$y=f(x)$의 변곡점이다.

3 $f''(x)$의 부호와 극대, 극소

(1) $f'(a)=0$이고 $f''(a)>0$이면 $f(x)$는 $x=a$에서 극소이다.

(2) $f'(a)=0$이고 $f''(a)<0$이면 $f(x)$는 $x=a$에서 극대이다.

함수 $f(x)=x^3-3x$라 하자.

$f(x)=0$에서 $x=0$ 또는 $x=\pm\sqrt{3}$

$f'(x)=3x^2-3=0$에서 $x=\pm1$

따라서 $y=f(x)$의 그래프는 그림과 같다.

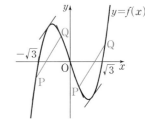

아래로 볼록 ● $x>0$에서 곡선 $y=f(x)$ 위의 두 점 P, Q를 잡으면 그림과

같이 곡선은 선분 PQ의 아래쪽에 있다. 이런 경우 곡선은 구간 $(0, \infty)$에서 아래로 볼록하다

또는 위로 오목하다고 한다.

또 접선의 기울기가 점점 커진다는 것도 알 수 있다.

위로 볼록 ● $x<0$에서 곡선 $y=f(x)$ 위의 두 점 P, Q를 잡으면 그림과 같이 곡선은 선분 PQ의 위쪽에

있다. 이런 경우 곡선은 구간 $(-\infty, 0)$에서 위로 볼록하다 또는 아래로 오목하다고 한다.

또 접선의 기울기가 점점 작아진다는 것도 알 수 있다.

변곡점 ● 원점 $(0, 0)$의 좌우에서 곡선의 모양이 위로 볼록에서 아래로 볼록으로 바뀐다. 이와 같이 곡

선의 모양이 위로 볼록에서 아래로 볼록으로 바뀌거나 아래로 볼록에서 위로 볼록으로 바뀌

는 점을 곡선의 변곡점이라 한다.

함수 $f(x)$가 두 번 미분가능하다고 하자.

$f''(x) > 0$ ● 곡선 $y = f(x)$가 아래로 볼록하면 접선의 기울기가 커지고,

$f''(x) > 0$임은 앞에서 확인하였다.

역으로 그림과 같이 두 점 P, Q 사이에서 접선의 기울기가 커지면

곡선은 선분 PQ의 아래쪽에 있고 아래로 볼록하다. 곧,

$$f''(x) > 0 \Rightarrow \text{접선의 기울기}(f'(x))\text{가 증가} \Rightarrow \text{곡선은 아래로 볼록}$$

$f''(x) < 0$ ● 곡선 $y = f(x)$가 위로 볼록하면 접선의 기울기가 작아지고,

$f''(x) < 0$임은 앞에서 확인하였다.

역으로 그림과 같이 두 점 P, Q 사이에서 접선의 기울기가 작아지면

곡선은 선분 PQ의 위쪽에 있고 위로 볼록하다. 곧,

$$f''(x) < 0 \Rightarrow \text{접선의 기울기}(f'(x))\text{가 감소} \Rightarrow \text{곡선은 위로 볼록}$$

$f''(a) = 0$ ● $f''(a) = 0$이고 $x = a$의 좌우에서 $f''(x)$의 부호가 바뀌면 곡선의 모양이 바뀐다.

따라서 점 $(a, f(a))$는 곡선 $y = f(x)$의 변곡점이다.

예를 들어 $f(x) = x^3 - 3x$일 때, $f''(x) = 6x$이므로

$f''(0) = 0$이고 $x = 0$의 좌우에서 $f''(x)$의 부호가 바뀐다.

따라서 곡선 위의 점 $(0, 0)$은 곡선의 변곡점이다.

> **참고** $f''(a) = 0$이라고 해서 점 $(a, f(a))$가 항상 변곡점인 것은 아니다.
> 예를 들어 $f(x) = x^4$에서 $f''(0) = 0$이지만 $x = 0$의 좌우에서 $f''(x)$의 부호가 바뀌지 않으므로
> 점 $(0, 0)$은 곡선 $y = f(x)$의 변곡점이 아니다.

$f''(x)$의 부호와 극대, 극소 ● $f'(a) = 0$일 때, $x = a$ 주변에서 $f''(x) > 0$이면 곡선 $y = f(x)$는 아래로 볼록하므로 극소이다.

또 $x = a$ 주변에서 $f''(x) < 0$이면 곡선 $y = f(x)$는 위로 볼록하므로 극대이다.

아래로 볼록

위로 볼록

이와 같이 $f'(a) = 0$일 때, $f''(a)$의 부호만 조사해도 극대 또는 극소를 판정할 수 있다.

예를 들어 $f(x) = x^3 - 3x$일 때, $f'(x) = 3x^2 - 3$, $f''(x) = 6x$에서

$f'(-1) = 0$, $f''(-1) < 0$이므로 $x = -1$에서 극대이고,

$f'(1) = 0$, $f''(1) > 0$이므로 $x = 1$에서 극소이다.

▶ **개념 Check**

◆ 정답 및 풀이 **72쪽**

1 다음 곡선의 변곡점의 좌표를 구하시오.

(1) $y = x^3 + 2x^2$

(2) $y = x^4 - 3x^2$

다음 함수의 극값을 구하시오.

(1) $f(x) = x - \sqrt{x}$ 　　　　　　(2) $g(x) = \dfrac{2x}{x^2+1}$

(3) $h(x) = e^x(\sin x + \cos x)\ (0 < x < 2\pi)$

날선 Guide (1) $f'(x) = 1 - \dfrac{1}{2\sqrt{x}} = 0$에서

$$2\sqrt{x} = 1 \qquad \therefore\ x = \frac{1}{4}$$

따라서 오른쪽과 같이 증감표를
만들어 $f(x)$의 증감을 조사하고
극대, 극소를 확인한다.

또는 $f''(x)$를 구하고 $f''\!\left(\dfrac{1}{4}\right)$이

x	0	$\cdots$	$\dfrac{1}{4}$	$\cdots$
$f'(x)$		$-$	0	$+$
$f(x)$	0	$\searrow$	$-\dfrac{1}{4}$	$\nearrow$

양수이면 극소, 음수이면 극대라 해도 된다.

(2) $g'(x) = \dfrac{2(x^2+1) - 2x \times 2x}{(x^2+1)^2} = \dfrac{-2(x+1)(x-1)}{(x^2+1)^2}$이므로

$g'(x) = 0$의 해는 $x = \pm 1$

따라서 $g'(x)$의 부호 변화를 조사하거나 $g''(1)$, $g''(-1)$의 부호를 조사한다.

(3) 역시 $h'(x) = 0$의 해를 구하고

$h'(x)$의 부호 변화를 조사하거나 $h'(a) = 0$일 때 $h''(a)$의 부호를 조사한다.

탑 (1) 극솟값 : $-\dfrac{1}{4}$　(2) 극댓값 : 1, 극솟값 : -1　(3) 극댓값 : $e^{\frac{\pi}{2}}$, 극솟값 : $-e^{\frac{3}{2}\pi}$

Point 극대, 극소를 구할 때에는 $f'(x) = 0$의 해를 구하고

❶ $f'(x)$의 부호와 $f(x)$의 증감을 조사한다.

❷ 다음 이계도함수의 성질을 이용한다.

➡ $f'(a) = 0$이고 $f''(a) > 0$이면 $f(x)$는 $x = a$에서 극소이다.

　$f'(a) = 0$이고 $f''(a) < 0$이면 $f(x)$는 $x = a$에서 극대이다.

1-1 다음 함수의 극값을 구하시오.

(1) $f(x) = xe^{-x+2}$ 　　　　　　(2) $g(x) = x^2 \ln x$

(3) $h(x) = x - 2\sin x\ (0 < x < 2\pi)$

대표 Q2 극값과 미정계수

다음 물음에 답하시오.

(1) 함수 $f(x)=(x^2+x+k)e^{-x}$이 극값을 갖지 않을 때, 실수 k값의 범위를 구하시오.

(2) 함수 $g(x)=ax+b+\ln x$가 $x=1$에서 극솟값 -2를 가질 때, a, b의 값을 구하시오.

(3) 함수 $h(x)=\dfrac{x+b}{x^2+a}$가 $x=-3$과 $x=1$에서 극값을 가질 때, 극값을 구하시오.

낱선 Guide (1) 함수 $f(x)$가 극값을 갖지 않으면 그림과 같이 구간 $(-\infty, \infty)$에서 $f(x)$는 증가하거나 감소한다. 따라서
$$f'(x)\geq 0 \text{ 또는 } f'(x)\leq 0$$
이다.
또 $e^{-x}>0$임에 주의한다.

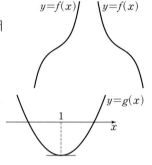

(2) $x=1$에서 극소이므로 $g'(1)=0$이고 $x=1$의 좌우에서 $g'(x)$의 부호가 음에서 양으로 바뀐다.
또 극솟값이 -2이므로 $g(1)=-2$이다.

(3) $x=-3$과 $x=1$에서 극값을 가지므로 $h'(-3)=0$, $h'(1)=0$이고, $x=-3$과 $x=1$의 좌우에서 $h'(x)$의 부호가 바뀐다. 조건만으로는 극대인지 극소인지 알 수 없다는 것에 주의한다.

답 (1) $k\geq\dfrac{5}{4}$ (2) $a=-1$, $b=-1$ (3) 극댓값 : $\dfrac{1}{2}$, 극솟값 : $-\dfrac{1}{6}$

낱선 Point
• 어떤 구간에서 미분가능하고 상수함수가 아닌 함수 $f(x)$가 극값을 갖지 않는다.
  ➡ 증가하거나 감소한다.
  ➡ $f'(x)\geq 0$ 또는 $f'(x)\leq 0$
• 함수 $f(x)$가 $x=p$에서 극값 q를 갖는다. ➡ $f'(p)=0$, $f(p)=q$

2-1 함수 $f(x)=kx-3\cos x$가 극값을 갖지 않을 때, 실수 k값의 범위를 구하시오.

2-2 다음 물음에 답하시오.

(1) 함수 $f(x)=ax+be^{x-2}$이 $x=2$에서 극댓값 1을 가질 때, a, b의 값을 구하시오.

(2) 함수 $g(x)=ax^2-bx+\ln x$가 $x=\dfrac{1}{4}$과 $x=1$에서 극값을 가질 때, 극값을 구하시오.

다음 곡선의 오목과 볼록을 조사하고, 변곡점의 좌표를 구하시오.

(1) $y=x^4-6x^2+1$

(2) $y=\dfrac{1}{x^2+1}$

(3) $y=x\ln x$

(4) $y=x+2\cos x \ (0<x<2\pi)$

날선 Guide (1) $f(x)=x^4-6x^2+1$이라 하면

$$f'(x)=4x^3-12x$$
$$f''(x)=12x^2-12=12(x+1)(x-1)$$

$f''(x)=0$에서 $x=-1$ 또는 $x=1$

따라서 증감을 조사할 때와 같이 다음과 같은 표를 만들 수 있다.

x	$\cdots$	-1	$\cdots$	1	$\cdots$
$f''(x)$	$+$	0	$-$	0	$+$
$f(x)$	$\cup$		$\cap$		$\cup$

$f''(x)>0$이면 아래로 볼록하고,

$f''(x)<0$이면 위로 볼록하다.

또 $x=-1$과 $x=1$의 좌우에서 $f''(x)$의 부호가 바뀌므로

두 점 $(-1,\ f(-1)),\ (1,\ f(1))$은 변곡점이다.

(2), (3), (4)도 주어진 함수를 $f(x)$라 하고 $f''(x)$를 구한 다음,

$f''(x)=0$의 해와 해의 좌우에서 $f''(x)$의 부호 변화를 조사한다.

이때 위와 같이 표를 만들면 편하다.

답 (1) 풀이 참조, 변곡점의 좌표 : $(-1,\ -4),\ (1,\ -4)$

(2) 풀이 참조, 변곡점의 좌표 : $\left(-\dfrac{\sqrt{3}}{3},\ \dfrac{3}{4}\right),\ \left(\dfrac{\sqrt{3}}{3},\ \dfrac{3}{4}\right)$

(3) 풀이 참조, 변곡점은 없다.

(4) 풀이 참조, 변곡점의 좌표 : $\left(\dfrac{\pi}{2},\ \dfrac{\pi}{2}\right),\ \left(\dfrac{3}{2}\pi,\ \dfrac{3}{2}\pi\right)$

날선 Point 오목과 볼록을 조사하거나 변곡점을 구할 때,

❶ $f''(x)=0$의 해를 구한다.

❷ 해의 좌우에서 $f''(x)$의 부호 변화를 조사한다.

3-1 다음 곡선의 오목과 볼록을 조사하고, 변곡점의 좌표를 구하시오.

(1) $y=x^4+4x^3+15$

(2) $y=\dfrac{x}{x^2+1}$

(3) $y=xe^x$

(4) $y=\ln(x^2+1)$

다음 물음에 답하시오.

(1) 곡선 $y=a\sin x+b\cos 2x$의 변곡점의 좌표가 $\left(\dfrac{\pi}{2},\ 2\right)$일 때, $a,\ b$의 값을 구하시오.

(2) 곡선 $y=(x^2+k)e^x$의 변곡점이 없을 때, 실수 k값의 범위를 구하시오.

(3) 곡선 $y=x^3+ax^2+b$의 변곡점에서의 접선이 $y=-3x+1$일 때, $a,\ b$의 값을 구하시오. (단, $a>0$)

날선 **Guide** (1) $f(x)=a\sin x+b\cos 2x$라 하면 변곡점의 좌표가 $\left(\dfrac{\pi}{2},\ 2\right)$이므로

$$f''\left(\dfrac{\pi}{2}\right)=0,\ f\left(\dfrac{\pi}{2}\right)=2$$

이다. $f''(x)$부터 구하고 두 식을 연립하여 푼다.

(2) 곡선 $y=f(x)$의 변곡점이 없으면

$f''(x)=0$의 해가 없거나

$f''(p)=0$이어도 $x=p$의 좌우에서 $f''(x)$의 부호 변화가 없다.

(3) 변곡점에 대한 문제이므로 먼저 방정식 $f''(x)=0$의 해를 구한다.

그리고 변곡점에서 접선의 기울기가 -3이므로 변곡점의 x좌표를 p라 하면 $f'(p)=-3$이다.

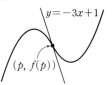

답 (1) $a=\dfrac{8}{3},\ b=\dfrac{2}{3}$ (2) $k\geq 2$ (3) $a=3,\ b=2$

 날선 **Point** 곡선 $y=f(x)$의 변곡점의 좌표가 $(p,\ q)$이다.

➡ $f''(p)=0,\ f(p)=q$

➡ $x=p$의 좌우에서 $f''(x)$의 부호가 바뀐다.

4-1 곡선 $y=\dfrac{x^2+ax+b}{x^2-1}$의 변곡점의 좌표가 $(2,\ 9)$일 때, $a,\ b$의 값을 구하시오.

4-2 곡선 $y=(\ln ax)^2$의 변곡점에서 접선의 기울기가 4일 때, a의 값을 구하시오.

Q5 $f(x)$, $f'(x)$, $f''(x)$의 그래프

◆ 정답 및 풀이 **76**쪽

$f(x)$는 n차 다항식이고, $f(-x)=-f(x)$를 만족시킨다. $n\geq3$일 때, 다음 명제의 참, 거짓을 말하시오.

(1) $f'(-x)=f'(x)$

(2) $f'(x)$가 $x=a$ $(a>0)$에서 극대이면 $f'(x)$는 $x=0$에서 극소이다.

(3) 원점은 곡선 $y=f(x)$의 변곡점이다.

날선 Guide (1) $f(-x)=-f(x)$이면 곡선 $y=f(x)$는 원점에 대칭이다. 이와 같은 함수를 기함수라 한다.

또 $f(-x)=f(x)$이면 곡선 $y=f(x)$는 y축에 대칭이다. 이와 같은 함수를 우함수라 한다.

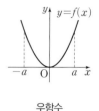

기함수   우함수

$f(-x)=-f(x)$의 양변을 미분하면

$$-f'(-x)=-f'(x),\ \ 곧\ f'(-x)=f'(x)$$

따라서 기함수를 미분하면 우함수이다.

(2) $f'(x)$가 우함수이므로 그래프가 y축에 대칭이 가능한 꼴을 생각한다.

(3) $f'(-x)=f'(x)$의 양변을 미분하면 $f''(x)$의 관계식을 구할 수 있다.

그리고 $y=f''(x)$의 그래프와 $f''(0)$의 값을 생각한다.

답 (1) 참 (2) 거짓 (3) 참

날선 Point • **그래프 보는 법**

(1) $f(x)$의 증감 ➡ $f'(x)$의 부호

$f(x)$의 오목, 볼록 ➡ $f''(x)$의 부호

(2) $f'(x)$의 부호 ➡ $f(x)$의 증감

$f'(x)$의 증감 ➡ $f''(x)$의 부호

• 기함수를 미분하면 우함수, 우함수를 미분하면 기함수이다.

5-1 다항함수 $y=f(x)$의 도함수 $y=f'(x)$의 그래프가 그림과 같을 때, 다음을 구하시오.

(1) 변곡점의 개수

(2) 극값의 개수

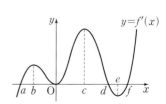

9-3 $f'(x)$, $f''(x)$와 그래프

함수 $f(x)$가 두 번 미분가능할 때, $y=f(x)$의 그래프를 그리는 방법

(1) $f'(x)=0$의 해와 해의 좌우에서 $f'(x)$의 부호 변화(곧, $f(x)$의 증감)를 조사하고 극대와 극소인 점을 표시한다.

(2) $f''(x)=0$의 해와 해의 좌우에서 $f''(x)$의 부호 변화(곧, $f(x)$의 오목과 볼록)를 조사하고 변곡점을 표시한다.

도함수와
이계도함수를
이용하여
그래프 그리기

도함수와 이계도함수를 이용하여 $y=\sin x\,(0\leq x\leq 2\pi)$의 그래프를 그려 보자.

$f(x)=\sin x$라 하면

$$f'(x)=\cos x,\ f''(x)=-\sin x$$

$f'(x)=0$에서 $\cos x=0$ $\quad\therefore x=\dfrac{\pi}{2}$ 또는 $x=\dfrac{3}{2}\pi$

$f''(x)=0$에서 $-\sin x=0$ $\quad\therefore x=0$ 또는 $x=\pi$ 또는 $x=2\pi$

다음과 같이 $f(x)$의 증감표를 만들고 $f'(x)$, $f''(x)$의 부호를 조사하면

x	0	$\cdots$	$\dfrac{\pi}{2}$	$\cdots$	π	$\cdots$	$\dfrac{3}{2}\pi$	$\cdots$	2π
$f'(x)$		$+$	0	$-$	$-$	$-$	0	$+$	
$f''(x)$	0	$-$	$-$	$-$	0	$+$	$+$	$+$	0
$f(x)$	0	$\curvearrowright$	1 (극대)	$\curvearrowright$	0 (변곡점)	$\searrow$	-1 (극소)	$\nearrow$	0

$0<x<\dfrac{\pi}{2}$일 때, $f'(x)>0$, $f''(x)<0$이므로

$f(x)$는 증가하고 곡선은 위로 볼록하다. 따라서 곡선은 $\curvearrowright$ 꼴이다.

$\dfrac{\pi}{2}<x<\pi$일 때, $f'(x)<0$, $f''(x)<0$이므로

$f(x)$는 감소하고 곡선은 위로 볼록하다. 따라서 곡선은 $\curvearrowright$ 꼴이다.

$\pi<x<\dfrac{3}{2}\pi$일 때, $f'(x)<0$, $f''(x)>0$이므로

$f(x)$는 감소하고 곡선은 아래로 볼록하다. 따라서 곡선은 $\searrow$ 꼴이다.

$\dfrac{3}{2}\pi<x<2\pi$일 때, $f'(x)>0$, $f''(x)>0$이므로

$f(x)$는 증가하고 곡선은 아래로 볼록하다. 따라서 곡선은 $\nearrow$ 꼴이다.

이를 이용하여 그래프를 그리면 그림과 같다.

또 점 $(\pi,\ 0)$은 변곡점이고, 점 $\left(\dfrac{\pi}{2},\ 1\right)$은 극대인 점,

점 $\left(\dfrac{3}{2}\pi,\ -1\right)$은 극소인 점이다.

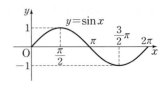

다음 함수의 극댓값, 극솟값과 그래프의 변곡점의 좌표를 구하고, 그래프를 그리시오.

(1) $y = 3x^4 - 4x^3 - 1$　　　　　　(2) $y = x + \dfrac{1}{x}$

날선 Guide (1) $f(x) = 3x^4 - 4x^3 - 1$이라 하면

$$f'(x) = 12x^3 - 12x^2$$
$$f''(x) = 36x^2 - 24x$$

$f'(x) = 0$에서 $x = 0$ 또는 $x = 1$

$f''(x) = 0$에서 $x = 0$ 또는 $x = \dfrac{2}{3}$

x	$\cdots$	0	$\cdots$	$\dfrac{2}{3}$	$\cdots$	1	$\cdots$
$f'(x)$	$-$	0	$-$	$-$	$-$	0	$+$
$f''(x)$	$+$	0	$-$	0	$+$	$+$	$+$
$f(x)$	$\searrow$		$\searrow$		$\searrow$		$\nearrow$

따라서 $f(x)$의 증감표를 만들면 $x = 1$에서 극소이고, $x = 0$ 또는 $x = \dfrac{2}{3}$일 때 변곡점임을 알 수 있다.

(2) $g(x) = x + \dfrac{1}{x}$이라 한 후 $g'(x)$, $g''(x)$를 구하고, (1)과 같이 증감표를 만든다.

$g(x)$는 $x = 0$에서 정의되지 않으므로 $\displaystyle\lim_{x \to 0+} g(x)$와 $\displaystyle\lim_{x \to 0-} g(x)$를 따로 구한다.

그리고 $\displaystyle\lim_{x \to \infty} \dfrac{1}{x} = 0$, $\displaystyle\lim_{x \to -\infty} \dfrac{1}{x} = 0$이므로

$x \to \infty$ 또는 $x \to -\infty$일 때, $y = g(x)$의 그래프는 직선 $y = x$에 가까워진다는 것도 알 수 있다. 이때 직선 $y = x$는 유리함수 $y = g(x)$의 점근선이다.

답 (1) 극댓값 : 없다, 극솟값 : -2, 변곡점의 좌표 : $(0, -1)$, $\left(\dfrac{2}{3}, -\dfrac{43}{27}\right)$, 그래프는 풀이 참조

(2) 극댓값 : -2, 극솟값 : 2, 변곡점은 없다., 그래프는 풀이 참조

날선 Point

• **$y = f(x)$의 그래프 그리는 방법**

❶ $f'(x) = 0$, $f''(x) = 0$의 해를 모두 찾아 $f(x)$의 증감표를 만든다.

❷ $f'(x)$와 $f''(x)$의 부호 변화를 조사해서 $f(x)$의 증감과 오목, 볼록을 찾는다.

• **유리함수의 그래프를 그릴 때는**

❶ 분모가 0이 되는 점의 좌극한과 우극한을 구한다.

❷ $x \to \infty$, $x \to -\infty$일 때 극한을 조사하여 점근선이 있는지 확인한다.

6-1 다음 함수의 극댓값, 극솟값과 그래프의 변곡점의 좌표를 구하고, 그래프를 그리시오.

(1) $y = x^3 - 3x + 4$　　　　　　(2) $y = x - \sqrt{x - 2}$

(3) $y = \dfrac{3}{x^2 + 3}$

다음 함수의 극댓값, 극솟값과 그래프의 변곡점의 좌표를 구하고, 그래프를 그리시오.

(1) $y = \dfrac{\ln x}{x}$

(2) $y = \sin x + \cos x \ (0 \le x \le 2\pi)$

낱선 Guide (1) $f(x) = \dfrac{\ln x}{x}$라 하면 정의역은 $\{x \,|\, x > 0\}$이므로 $x > 0$에서

$$f'(x) = 0, \ f''(x) = 0$$

의 해를 찾고, 증감표를 만든다.

그리고 $x \to 0+$일 때와 $x \to \infty$일 때 $f(x)$의 극한도 같이 생각하면 그래프를 그리기 편하다.

참고 로피탈 정리(121쪽)를 이용하면

$$\lim_{x \to \infty} \frac{\ln x}{x} = \lim_{x \to \infty} \frac{\dfrac{1}{x}}{1} = 0$$

이다. 이와 같이 로피탈 정리를 이용하면 지수함수, 로그함수의 그래프를 보다 쉽게 그릴 수 있다.

(2) 삼각함수를 포함한 경우이다.

이 문제에서는 정의역이 $\{x \,|\, 0 \le x \le 2\pi\}$로 주어져 있다.

정의역이 실수 전체의 집합일 때, 삼각함수의 극값이나 변곡점은

$$\sin x \text{와} \cos x \text{의 주기는 } 2\pi, \ \tan x \text{의 주기는 } \pi$$

임을 이용하면 편하다.

답 (1) 극댓값 : $\dfrac{1}{e}$, 극솟값 : 없다., 변곡점의 좌표 : $\left(e\sqrt{e}, \dfrac{3}{2e\sqrt{e}} \right)$, 그래프는 풀이 참조

(2) 극댓값 : $\sqrt{2}$, 극솟값 : $-\sqrt{2}$, 변곡점의 좌표 : $\left(\dfrac{3}{4}\pi, 0 \right), \left(\dfrac{7}{4}\pi, 0 \right)$, 그래프는 풀이 참조

Point • $\ln x$를 포함한 함수 $f(x)$의 그래프를 그릴 때에는 $x \to 0+$일 때와 $x \to \infty$일 때 극한도 같이 생각한다.

❶ $f'(x) = 0$, $f''(x) = 0$의 해를 모두 찾아 $f(x)$의 증감표를 만든다.

❷ $f'(x)$와 $f''(x)$의 부호 변화를 조사해서 $f(x)$의 증감과 오목, 볼록을 찾는다.

• 삼각함수의 그래프를 그릴 때에는 주기함수의 성질을 이용한다.

7-1 다음 함수의 극댓값, 극솟값과 그래프의 변곡점의 좌표를 구하고, 그래프를 그리시오.

(1) $y = xe^{-x}$

(2) $y = \ln(x^2 + 1)^2$

(3) $y = x + 2\sin x \ (0 \le x \le 2\pi)$

1 증감표를 만들거나 그래프를 그린다.

2 구간 양 끝에서의 함숫값, 극댓값, 극솟값을 비교한다.

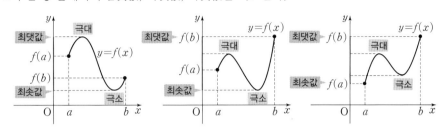

3 구간에서 극값이 하나뿐일 때,

극댓값 ➡ 최댓값,   극솟값 ➡ 최솟값

최대와 최소 ●

함수 $f(x)=xe^{-x}$에 대하여

$$f'(x)=e^{-x}-xe^{-x}=(1-x)e^{-x}$$

$f'(x)=0$에서 $x=1$이고 $f(1)=\dfrac{1}{e}$이므로 그래프는 그림과 같다.

따라서 구간 $(-\infty, \infty)$에서 $f(x)$의 최댓값은 $f(1)=\dfrac{1}{e}$이고,

최솟값은 없다.

그러나 구간 $[-1, 2]$에서 $f(-1)=-e$, $f(2)=\dfrac{2}{e^2}$이므로

　　　최댓값은 $f(1)=\dfrac{1}{e}$ (극댓값),

　　　최솟값은 $f(-1)=-e$ (구간 양 끝에서의 함숫값 중 작은 값)

이와 같이 최댓값과 최솟값은 함수의 그래프를 그려 구할 수 있다. 이때 최댓값과 최솟값은 경계에서 함숫값과 극값을 구해야 하고, 오목과 볼록은 조사하지 않아도 된다.

그리고 함수의 그래프 대신 증감표만 생각해도 된다.

●

그림과 같이 구간에서 극값이 하나뿐일 때,

　　　극대이면 극댓값이 최댓값,

　　　극소이면 극솟값이 최솟값

임을 이용하면 그래프를 그리거나 증감표
를 만들지 않아도 된다.

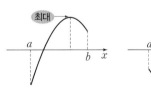
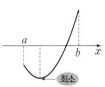

◆ 정답 및 풀이 **80**쪽

개념 Check

2 $y=x\ln x$의 최솟값을 구하시오.

다음 물음에 답하시오.

(1) $y = x + \sqrt{1-x^2}$ 의 최댓값과 최솟값을 구하시오.

(2) $y = \dfrac{2^{x+1}}{4^x + 4}$ 의 최댓값을 구하시오.

(3) $y = (2 - \sin x) \sin x$ 의 최댓값과 최솟값을 구하시오.

날선 Guide (1) $1 - x^2 \geq 0$ 이므로 정의역은 $\{x \mid -1 \leq x \leq 1\}$

이 범위에서 증감표를 만들거나 함수의 그래프를 그린다.

최대, 최소를 구할 때에는 극값만 구하면 충분하므로 오목, 볼록은 조사하지 않는다.

(2) $2^x = t$ 라 하면 $t > 0$ 이고 $y = \dfrac{2t}{t^2 + 4}$ 이다.

따라서 $g(t) = \dfrac{2t}{t^2 + 4}$ 라 하고 $g'(t)$ 를 구한 다음,

$t > 0$ 에서 $g(t)$ 의 증감표를 만들거나 $y = g(t)$ 의 그래프를 그린다.

또는 $y' = \dfrac{2^{x+1} \times \ln 2 \times (4^x + 4) - 2^{x+1} \times 4^x \times \ln 4}{(4^x + 4)^2}$ 에서

$y' = 0$ 의 해를 구하고 풀어도 된다.

(3) $\sin x$ 의 주기가 2π 이므로 $y = (2 - \sin x) \sin x$ 의 주기도 2π 이다.

따라서 구간 $[0, 2\pi]$ 에서 최댓값과 최솟값을 구한다.

답 (1) 최댓값 : $\sqrt{2}$, 최솟값 : -1 (2) $\dfrac{1}{2}$ (3) 최댓값 : 1, 최솟값 : -3

날선 Point **최댓값, 최솟값에 대한 문제**

➡ 증감표를 만들거나 함수의 그래프를 그리고
구간 양 끝에서의 함숫값, 극댓값, 극솟값을 비교한다.

8-1 다음 물음에 답하시오.

(1) $y = x\sqrt{4 - x^2}$ 의 최댓값과 최솟값을 구하시오.

(2) $y = \dfrac{\ln x}{x^2}$ 의 최댓값을 구하시오.

 8-2 구간 $[-1, 3]$ 에서 $f(x) = kx^2 e^{-x}$ 의 최댓값이 2일 때, 양수 k 의 값과 최솟값을 구하시오.

직사각형 모양의 철판 3장을 구입하여 2장은 원 모양으로 잘라 그림과 같이 부피가 $64\,m^3$인 원기둥 모양의 통을 만들려고 한다. 철판의 비용은 $1\,m^2$당 1만 원이고 철판의 크기는 임의로 구할 수 있을 때, 철판을 구입하는 데 필요한 최소 비용을 구하시오.

낱선 Guide 필요한 철판 넓이의 최솟값을 구하면 최소 비용을 구할 수 있다.

밑면인 원의 반지름의 길이를 $r\,m$, 높이를 $h\,m$라 하면

밑면, 윗면에 필요한 철판은 한 변의 길이가 $2r\,m$인 정사각형 모양의 철판 2장이고,

옆면에 필요한 철판은 가로, 세로의 길이가 각각 $2\pi r\,m$, $h\,m$인 직사각형 모양의 철판 한 장이다.

따라서 필요한 철판의 넓이는 $2\times(2r)^2+2\pi rh\,(m^2)$이다.

원기둥 모양 통의 부피가 $64\,m^3$임을 이용하여 r와 h 중 한 문자를 소거하고 넓이의 최솟값을 구한다.

답 96만 원

피드백 **9**

낱선 Point

• **최댓값, 최솟값의 활용 문제**

　➡ 적당한 문자를 대입하고 함수로 나타낸다.

• 구간에서 극값이 하나뿐일 때,

　　극댓값 ➡ 최댓값,　　극솟값 ➡ 최솟값

9-1 그림과 같이 두 곡선 $y=e^x$, $y=e^{-x}$ 위의 두 점을 꼭짓점으로 하고 한 변이 x축 위에 있는 직사각형의 넓이의 최댓값을 구하시오.

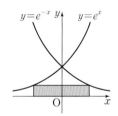

9-2 그림과 같이 반지름의 길이가 1인 구에 내접하는 원기둥의 부피가 최대가 되도록 하는 원기둥의 밑면의 반지름의 길이를 구하시오.

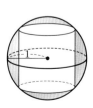

그림과 같이 두 변의 길이가 1, 두 각의 크기가 θ인 이
등변삼각형과 두 변의 길이가 2, 두 각의 크기가 $\dfrac{\theta}{2}$인

이등변삼각형이 있다. 두 삼각형의 넓이의 합이 최대일 때, $\cos\theta$의 값을 구하시오.

날선 Guide 두 변의 길이가 1인 이등변삼각형의 꼭지각
의 크기는 $\pi-2\theta$이고,
두 변의 길이가 2인 이등변삼각형의 꼭지각
의 크기는 $\pi-\theta$이다.

따라서 두 삼각형의 넓이의 합을 $S(\theta)$라 하면

$0<\theta<\dfrac{\pi}{2}$이고

$$S(\theta)=\frac{1}{2}\times 1^2\times \sin(\pi-2\theta)+\frac{1}{2}\times 2^2\times \sin(\pi-\theta)$$

$$=\frac{1}{2}\sin 2\theta+2\sin\theta$$

$$S'(\theta)=\cos 2\theta+2\cos\theta=2\cos^2\theta+2\cos\theta-1 \longrightarrow \text{배각 공식 } \cos 2\theta=2\cos^2\theta-1$$

이때 $S'(\theta)=0$에서 $\cos\theta$의 값을 구할 수 있다. 그리고 $S''(\theta)$를 이용하여 극대인지 극
소인지 확인한다.

답 $\dfrac{-1+\sqrt{3}}{2}$

날선 Point • **최댓값, 최솟값의 활용 문제**

➡ 적당한 문자를 대입하고 함수로 나타낸다.

이때 삼각함수인 경우는 배각 공식, 삼각함수 사이의 관계 등을 이용하여 식을 변형한다.

• 구간에서 극값이 하나뿐일 때,

극댓값 ➡ 최댓값, 극솟값 ➡ 최솟값

10-1 그림과 같은 사각기둥의 물통에서 등변사다리꼴 ABCD
에 대하여 $\overline{AB}=\overline{BC}=\overline{CD}=1$, $\overline{AE}=8$이고 꼭짓점
B, C에서 선분 AD에 내린 수선의 발을 각각 M, N이라
할 때, $\angle ABM=\angle DCN=\theta$이다. 물통의 부피의 최
댓값을 구하시오.

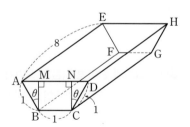

9 그래프

01 다음 함수의 극값을 구하시오.

(1) $f(x) = \dfrac{x-1}{x^2-x+1}$ (2) $g(x) = x + x \ln x$

(3) $h(x) = \sin^2 x \ (0 < x < \pi)$

02 함수 $f(x) = 2\ln x + \dfrac{a}{x} - x$의 그래프가 $x > 0$에서 감소할 때, a값의 범위를 구하시오.

03 함수 $f(x) = x^2 e^x + a$의 극솟값이 2일 때, 극댓값은?

① $\dfrac{1}{e} + 2$ ② $\dfrac{1}{e} + 4$ ③ $\dfrac{4}{e^2} + 2$ ④ $\dfrac{4}{e^2} + 4$ ⑤ $\dfrac{9}{e^3}$

04 곡선 $y = e^x \cos x \ (0 < x < 2\pi)$가 아래로 볼록한 구간은?

① $(0, \pi)$ ② $\left(0, \dfrac{3}{2}\pi\right)$ ③ $\left(\dfrac{\pi}{4}, \dfrac{5}{4}\pi\right)$ ④ $\left(\dfrac{\pi}{2}, \pi\right)$ ⑤ $(\pi, 2\pi)$

05 다음 곡선의 변곡점의 좌표를 구하시오.

(1) $y = x^4 - 2x^3 + 2x - 1$ (2) $y = (x^2 - x)e^x$

(3) $y = x^2 - 2x \ln x$

06 곡선 $y=ax^3+bx^2+1$의 변곡점의 좌표가 $(1, -1)$일 때, a, b의 값을 구하시오.

07 다음 함수의 최댓값과 최솟값을 구하시오.

(1) $f(x)=\sqrt{x}+\sqrt{8-x}$　　　　　　(2) $f(x)=\dfrac{\sin x}{\cos x+2}$ $(0\le x\le 2\pi)$

08 함수 $f(x)=\sin^3 x+2\cos^2 x-4\sin x+2$의 최댓값과 최솟값을 구하시오.

09 그림과 같이 $y=4\sin x$ $(0\le x\le \pi)$와 x축으로 둘러싸인 부분에 내접하는 직사각형 ABCD의 둘레의 길이가 최대일 때, 선분 AB의 길이는?

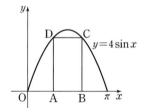

① $\dfrac{\pi}{4}$ 　　　　② $\dfrac{\pi}{3}$ 　　　　③ $\dfrac{\pi}{2}$

④ $\dfrac{2}{3}\pi$ 　　　　⑤ $\dfrac{3}{4}\pi$

교육청 기출

10 구간 $(0, 2\pi)$에서 정의된 함수 $f(x)=\dfrac{\sin x}{e^{2x}}$가 $x=a$에서 극솟값을 가질 때, $\cos a$의 값은?

① $-\dfrac{2\sqrt{5}}{5}$ 　　② $-\dfrac{\sqrt{5}}{5}$ 　　③ 0 　　④ $\dfrac{\sqrt{5}}{5}$ 　　⑤ $\dfrac{2\sqrt{5}}{5}$

11 곡선 $y=\left(\ln\dfrac{1}{ax}\right)^2$ 의 변곡점이 직선 $y=2x$ 위에 있을 때, 양수 a의 값을 구하시오.

12 좌표평면에서 곡선 $y=\cos^n x\left(0<x<\dfrac{\pi}{2},\ n=2,\ 3,\ 4,\ \cdots\right)$의 변곡점의 y좌표를 a_n이라 할 때, $\displaystyle\lim_{n\to\infty}a_n$의 값을 구하시오.

13 함수 $f(x)=e^{-2x^2}$에 대하여 **보기**에서 옳은 것만을 있는 대로 고른 것은?

| 보기 |

ㄱ. $y=f(x)$의 그래프는 y축에 대칭이다.

ㄴ. 치역은 $\{y\,|\,y\geq 1\}$이다.

ㄷ. $y=f(x)$의 그래프의 변곡점은 2개이다.

① ㄱ   ② ㄱ, ㄴ   ③ ㄱ, ㄷ   ④ ㄴ, ㄷ   ⑤ ㄱ, ㄴ, ㄷ

14 3 이상의 자연수 n에 대하여 함수 $f(x)$가 $f(x)=x^n e^{-x}$일 때, **보기**에서 옳은 것만을 있는 대로 고른 것은?

| 보기 |

ㄱ. $f\left(\dfrac{n}{2}\right)=f'\left(\dfrac{n}{2}\right)$

ㄴ. 함수 $f(x)$는 $x=n$에서 극댓값을 가진다.

ㄷ. 점 $(0,\ 0)$은 곡선 $y=f(x)$의 변곡점이다.

① ㄴ   ② ㄷ   ③ ㄱ, ㄴ   ④ ㄱ, ㄷ   ⑤ ㄱ, ㄴ, ㄷ

15 두 함수 $f(x)$, $g(x)$가
$$f(x)=-x^3+3x-1,\ g(x)=\sin x+\cos x$$
일 때, $f(g(x))$의 최댓값과 최솟값을 구하시오.

⇔ 수능 기출

16 구간 $[-a, a]$에서 함수 $f(x) = \dfrac{x-5}{(x-5)^2+36}$의 최댓값을 M, 최솟값을 m이라 할 때, $M+m=0$이 되도록 하는 양수 a의 최솟값을 구하시오.

⇔ 수능 기출

17 곡선 $y=2e^{-x}$ 위의 점 $\mathrm{P}(t, 2e^{-t})$ $(t>0)$에서 y축에 내린 수선의 발을 A라 하고, P에서의 접선이 y축과 만나는 점을 B라 하자. 삼각형 APB의 넓이가 최대가 되도록 하는 t의 값을 구하시오.

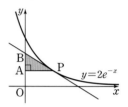

🔍 평가원 기출

18 그림과 같이 좌표평면에 점 $\mathrm{A}(1, 0)$을 중심으로 하고 반지름의 길이가 1인 원이 있다. 원 위의 점 Q에 대하여 $\angle \mathrm{AOQ}=\theta \left(0<\theta<\dfrac{\pi}{3}\right)$라 할 때, 선분 OQ 위에 $\overline{\mathrm{PQ}}=1$인 점 P를 정한다. P의 y좌표가 최대가 될 때 $\cos\theta = \dfrac{a+\sqrt{b}}{8}$이다. 자연수 a, b에 대하여 $a+b$의 값을 구하시오. (단, O는 원점이다.)

초H 교육청 기출

19 함수 $f(x)=\ln(2x^2+1)$에 대하여 **보기**에서 옳은 것만을 있는 대로 고른 것은?

ㄱ. 모든 실수 x에 대하여 $f'(-x)=-f'(x)$이다.
ㄴ. $f'(x)$의 최댓값은 $\sqrt{2}$이다.
ㄷ. $x_1<x_2$일 때, $|f(x_2)-f(x_1)| \leq \sqrt{2}(x_2-x_1)$이다.

① ㄱ ② ㄷ ③ ㄱ, ㄴ ④ ㄴ, ㄷ ⑤ ㄱ, ㄴ, ㄷ

정답 개수: /19 오답 번호 Check:

수학Ⅱ에서 다항함수의 도함수와 함수의 그래프를 이용하여 방정식과 부등식에 대한 문제, 위치와 속도 그리고 가속도의 관계를 활용한 문제를 해결해보았다.

이 단원에서는 지수함수, 로그함수, 삼각함수의 도함수와 함수의 그래프를 이용하여 방정식과 부등식에 대한 문제를 해결해 보자. 또 수직선과 평면 위를 움직이는 물체의 속도와 가속도에 대한 문제를 해결해 보자.

도함수의 활용

방정식과 그래프

개념

1 방정식 $f(x)=0$의 실근의 개수

$\Longleftrightarrow y=f(x)$의 그래프가 x축과 만나는 점의 개수

2 방정식 $f(x)=0$이 중근을 가진다.

$\Longleftrightarrow$ 그래프가 x축과 접한다.

$\Longleftrightarrow f(x)$가 미분가능하면 $f(a)=0$, $f'(a)=0$인 a가 있다.

3 방정식 $f(x)=g(x)$의 실근의 개수

$\Longleftrightarrow y=f(x)$와 $y=g(x)$의 그래프가 만나는 점의 개수

또는 $y=f(x)-g(x)$의 그래프가 x축과 만나는 점

의 개수

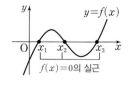

$f(x)=0$의
실근의 개수

방정식 $x-\ln x-2=0$의 해를 구하는 것은 쉽지 않지만 실근의 개수는 그래프를 그리면 알

수 있다.

$f(x)=x-\ln x-2$라 할 때, $f'(x)=1-\dfrac{1}{x}$

$f'(x)=0$에서 $x=1$

$x>0$에서 함수 $f(x)$의 증감표는 다음과 같다.

x	(0)	$\cdots$	1	$\cdots$
$f'(x)$		$-$	0	$+$
$f(x)$		$\searrow$	-1	$\nearrow$

또 $\lim\limits_{x\to 0+} f(x)=\infty$, $\lim\limits_{x\to\infty} f(x)=\infty$이므로 $y=f(x)$의 그래프는

그림과 같다.

$y=f(x)$의 그래프와 x축의 교점을 보면 방정식 $f(x)=0$은

$0<x<1$에서 실근 한 개, $x>1$에서 실근 한 개

를 가진다는 것을 알 수 있다.

이와 같이 방정식 $f(x)=0$의 실근의 개수는

함수 $y=f(x)$의 그래프를 그리고 x축과 만나는 점의 개수를 조사한다.

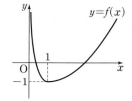

$f(x)=g(x)$의
실근의 개수

방정식 $f(x)=g(x)$의 실근은

$y=f(x)$와 $y=g(x)$의 그래프가 만나는 점의 x좌표이므로

실근의 개수는 $y=f(x)$와 $y=g(x)$의 그래프가 만나는 점의 개수와 같다.

또 방정식 $f(x)=g(x)$의 실근은 방정식 $f(x)-g(x)=0$의 실근이므로

실근의 개수는 $y=f(x)-g(x)$의 그래프가 x축과 만나는 점의 개수와 같다.

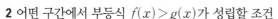

1 어떤 구간에서 부등식 $f(x)>0$이 성립할 조건

(1) 곡선 $y=f(x)$가 x축의 위쪽에 있을 조건을 찾는다.

(2) $f(x)$의 최솟값이 0보다 클 조건을 찾는다.

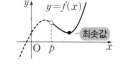

2 어떤 구간에서 부등식 $f(x)>g(x)$가 성립할 조건

(1) 곡선 $y=f(x)-g(x)$가 x축의 위쪽에 있을 조건을 찾는다.

(2) 곡선 $y=f(x)$가 곡선 $y=g(x)$보다 위쪽에 있을 조건을 찾는다.

$f(x)>0$이 •
성립할 조건(1)

구간 $(0, \infty)$에서 부등식 $e^x-2x-a>0$이 성립할 조건을 찾아보자.

$f(x)=e^x-2x-a$라 할 때,

$$f'(x)=e^x-2$$

$f'(x)=0$에서 $x=\ln 2$이고,

$f(0)=1-a$, $f(\ln 2)=2-2\ln 2-a$이므로

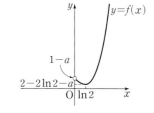

$y=f(x)$의 그래프는 그림과 같다.

따라서 구간 $(0, \infty)$에서 $f(x)>0$이려면

$$f(0)=1-a>0$$이고 $f(\ln 2)=2-2\ln 2-a>0 \qquad \therefore a<2-2\ln 2$

이와 같이 그래프를 이용하면 어떤 구간에서 부등식이 성립할 조건을 찾을 수 있다.

$f(x)>0$이 •
성립할 조건(2)

$f(x)$의 최솟값이 0보다 클 조건을 찾는다고 생각해도 된다.

곧, $f(x)$의 최솟값이 $f(\ln 2)=2-2\ln 2-a$이므로 $2-2\ln 2-a>0 \qquad \therefore a<2-2\ln 2$

이와 같이 부등식이 성립할 조건은 최솟값 또는 최댓값에 대한 조건이므로

극값, 경계에서의 함숫값

을 먼저 구해야 한다.

$f(x)>g(x)$ •
가 성립할 조건

어떤 구간에서 부등식 $f(x)>g(x)$가 성립할 조건을 찾을 때에는

곡선 $y=f(x)$가 곡선 $y=g(x)$보다 위쪽에 있을 조건을 찾는다.

두 곡선을 동시에 그려 비교하는 것이 쉽지 않으면

$f(x)-g(x)>0$에서 곡선 $y=f(x)-g(x)$가 x축의 위쪽에 있을 조건을 찾는다.

필요하면 $f(x)>g(x)$에서 몇 항을 적당히 이동한 다음 두 곡선을 비교할 수도 있다.

▶ **개념 Check**

◆ 정답 및 풀이 **89**쪽

1 $x>0$일 때, 부등식 $x>\ln (1+x)$가 성립함을 보이시오.

대표 Q1 방정식의 실근의 개수

◆ 정답 및 풀이 **89**쪽

다음 물음에 답하시오.

(1) 방정식 $\sin x - x + 1 = 0$의 실근의 개수를 구하시오.

(2) 방정식 $x^2 e^{-x} = k$의 실근이 세 개일 때, 실수 k값의 범위를 구하시오.

날선 Guide (1) $f(x) = \sin x - x + 1$이라 할 때,

방정식 $f(x) = 0$의 실근은 곡선 $y = f(x)$와 x축이 만나는 점의 x좌표이다.

따라서 실근의 개수를 구할 때에는 $y = f(x)$의 그래프를 그리고 x축과 만나는 점의 개수를 구한다.

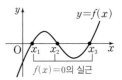

(2) $f(x) = x^2 e^{-x}$이라 할 때, 방정식 $f(x) = k$의 실근은 곡선 $y = f(x)$와 직선 $y = k$가 만나는 점의 x좌표이다.

따라서 $y = f(x)$의 그래프를 그리고, 직선 $y = k$가 $y = f(x)$의 그래프와 세 점에서 만날 조건을 찾는다.

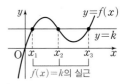

참고 $f(x) = x^2 e^{-x} - k$라 하고 $y = f(x)$의 그래프가 x축과 세 점에서 만날 조건을 찾아도 된다.

답 (1) 1 (2) $0 < k < \dfrac{4}{e^2}$

날선 Point
- 방정식 $f(x) = 0$의 실근의 개수
  $\iff y = f(x)$의 그래프가 x축과 만나는 점의 개수
- 방정식 $f(x) = g(x)$의 실근의 개수
  $\iff y = f(x)$와 $y = g(x)$의 그래프가 만나는 점의 개수

1-1 다음 방정식의 실근의 개수를 구하시오.

(1) $e^x - 5x = 0$ (2) $x - \cos x = \dfrac{1}{2}$

1-2 방정식 $\ln x - x + k = 0$의 실근이 두 개일 때, 실수 k값의 범위를 구하시오.

대표

Q2 접선과 방정식

방정식 $\dfrac{\ln x}{x}=ax$에 대하여 다음 물음에 답하시오.

(1) 실근이 한 개일 때, 실수 a값의 범위를 구하시오.

(2) 서로 다른 실근이 두 개일 때, 실수 a값의 범위를 구하시오.

날선 Guide $x>0$이므로 $\dfrac{\ln x}{x}=ax$, $\dfrac{\ln x}{x^2}=a$의 두 가지 방법으로 해결할 수 있다.

방법 1 직선 $y=ax$는 원점을 지나므로 곡선 $y=\dfrac{\ln x}{x}$와

원점을 지나는 직선의 교점의 개수를 생각한다.

$f(x)=\dfrac{\ln x}{x}$라 하면 $f'(x)=\dfrac{1-\ln x}{x^2}$

$f'(x)=0$의 해는 $x=e$이므로 $y=f(x)$의 그래프
는 그림과 같다.

따라서 원점을 지나는 접선의 기울기를 구하면 교점이 한 개일 때와 두 개일 때,
a의 값을 구할 수 있다.

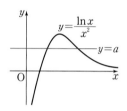

방법 2 $x\neq0$이므로 양변을 x로 나누면 $\dfrac{\ln x}{x^2}=a$

따라서 $y=\dfrac{\ln x}{x^2}$의 그래프를 그린 다음, 직선 $y=a$
와 교점의 개수를 조사한다.

이때에도 곡선의 극값과 증감만 조사하면 된다.

답 (1) $a=\dfrac{1}{2e}$ 또는 $a\leq0$　(2) $0<a<\dfrac{1}{2e}$

날선 Point 방정식의 실근의 개수를 구할 때,

- $f(x)=a$ 꼴로 정리하고 곡선 $y=f(x)$와 직선 $y=a$의 교점의 개수를 조사한다.
- 곡선과 직선의 교점의 개수를 구할 때는 접선부터 확인한다.

2-1 방정식 $e^x=k(x+1)$의 실근이 두 개일 때, k값의 범위를 구하시오.

2-2 점 $(0, 2)$를 지나고 기울기가 m인 직선이 곡선 $y=x^3-3x^2+1$과 세 점에서 만날 때, m값의
범위를 구하시오.

다음 물음에 답하시오.

(1) $x > 1$에서 $x - k > \ln(x - 1)$일 때, 실수 k값의 범위를 구하시오.

(2) $0 < x < \pi$에서 $\cos x > k - \dfrac{x^2}{2}$일 때, 실수 k값의 범위를 구하시오.

날선 Guide (1) $x - \ln(x - 1) > k$이므로 $f(x) = x - \ln(x - 1)$이라 하고
$y = f(x)$의 그래프를 그린 다음,
직선 $y = k$가 곡선 $y = f(x)$의 아래쪽에 있을 조건을 찾는다.

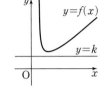

참고 $f(x) = x - \ln(x - 1) - k$라 할 때, $y = f(x)$의 그래프가 x축
의 위쪽에 있을 조건 또는 $f(x)$의 최솟값이 0보다 클 조건을
찾아도 된다.

(2) $\cos x + \dfrac{x^2}{2} > k$이므로 $f(x) = \cos x + \dfrac{x^2}{2}$이라 하고
직선 $y = k$가 곡선 $y = f(x)$의 아래쪽에 있을 조건을 찾는다.
이 문제에서는 $f'(x) = -\sin x + x$이므로 $f'(x)$의 부호를 알기 어렵다.
이때에는 $f''(x) = -\cos x + 1$의 부호를 따져 $y = f'(x)$의 그래프가 어떤 꼴인지 생
각한다.

답 (1) $k < 2$ (2) $k \leq 1$

날선 Point **부등식이 성립할 조건**
• $f(x) > k$ 꼴로 정리하고 곡선 $y = f(x)$가 직선 $y = k$의 위쪽에 있을 조건을 찾는다.
• $f(x) > 0$ 꼴로 정리하고 곡선 $y = f(x)$가 x축의 위쪽에 있을 조건을 찾는다.

3-1 $x > 0$에서 $x \ln x + x \geq k$일 때, 실수 k값의 범위를 구하시오.

3-2 $x > 0$에서 부등식 $(x - 2)e^x + x + 2 > 0$이 성립함을 보이시오.

10-3 수직선 위를 움직이는 물체의 속도와 가속도

점 P가 수직선 위를 움직이고, 시각 t에서 P의 위치 x가 t에 대한 미분가능한 함수 $f(t)$로 나타낼 수 있을 때, P의 속도 v와 가속도 a는

$$v(t)=\frac{dx}{dt}=f'(t), \qquad a(t)=\frac{dv}{dt}=v'(t)$$

속도, 평균속도 ● 점 P가 수직선 위를 움직일 때, 시각 t에서 P의 위치를 $x=f(t)$라 하자.

시각 t에서 $t+\varDelta t$까지 P의 위치 변화량을 $\varDelta x$라 하면

$$\frac{\varDelta x}{\varDelta t}=\frac{f(t+\varDelta t)-f(t)}{\varDelta t} \qquad \cdots \text{㉠}$$

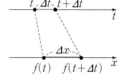

따라서 $f(t)$가 미분가능한 함수이면

$$\lim_{\varDelta t \to 0}\frac{\varDelta x}{\varDelta t}=f'(t)$$

이다. 이때 $f'(t)$를 시각 t에서 P의 속도라 하고 v 또는 $v(t)$로 나타낸다.

또 ㉠을 시각 t에서 $t+\varDelta t$까지 P의 평균속도라 한다.

예를 들어 수직선 위를 움직이는 P의 시각 t에서 위치가 $f(t)=\sin t$일 때, 속도 v는

$$v=f'(t)=\cos t$$

가속도 ● 이때 v도 t의 함수이므로 t에 대한 변화율

$$v'(t)=-\sin t$$

를 생각할 수 있다. 이 값을 시각 t에서 P의 가속도라 하고 a 또는 $a(t)$로 나타낸다.

곧, 점 P가 수직선 위를 움직일 때, 시각 t에서 속도가 $v(t)$이면 가속도는

$$a=\lim_{\varDelta t \to 0}\frac{\varDelta v}{\varDelta t}=\frac{dv}{dt}=v'(t)$$

또 $a(t)$는 $f(t)$의 이계도함수이므로

$$a(t)=f''(t) \text{ 또는 } a(t)=\frac{d^2}{dt^2}f(t)$$

와 같이 나타낼 수도 있다.

▸ 도형수의 함용

10

개념 Check

◆ 정답 및 풀이 93쪽

2 수직선 위를 움직이는 점 P가 있다. 시각 t에서 P의 위치가 $x=e^t+t$일 때, 시각 t에서 P의 속도와 가속도를 구하시오.

좌표평면 위를 움직이는 물체의 속도와 가속도

점 P가 좌표평면 위를 움직이고 시각 t에서 P의 위치 (x, y)가

$$x=f(t), \qquad y=g(t)$$

일 때, P의 속도와 가속도는 다음과 같다.

1 속도 : $(v_x, v_y)=(f'(t), g'(t))$

2 가속도 : $(a_x, a_y)=(v_x{}'(t), v_y{}'(t))=(f''(t), g''(t))$

또 $\sqrt{v_x{}^2+v_y{}^2}$ 을 속력, $\sqrt{a_x{}^2+a_y{}^2}$ 을 가속도의 크기라 한다.

평면 위를 움직이는 점

좌표평면 위를 움직이는 점 P의 시각 t에서 위치 (x, y)가

$x=t^2, y=2t+1$일 때,

$t=\sqrt{x}$이므로 $y=2\sqrt{x}+1$

따라서 P는 그림과 같은 곡선 위를 움직인다.

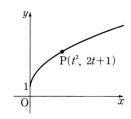

속도

P의 속도는 x축 방향의 속도 v_x, y축 방향의 속도 v_y를 이용하여 (v_x, v_y)로 나타낼 수 있다. 이때

$$v_x=\frac{dx}{dt}=(t^2)'=2t, \qquad v_y=\frac{dy}{dt}=(2t+1)'=2$$

와 같이 v_x, v_y는 각각 P의 x, y의 도함수이다.

예를 들어 $t=2$일 때, P의 위치는 $(4, 5)$, 속도는 $(4, 2)$이다.

이때 속도가 $(4, 2)$라는 것은 $(4, 5)$에 있는 점 P가 x축 방향으로는 속도가 4인 운동을 하고, y축 방향으로는 속도가 2인 운동을 한다는 뜻이다.

또 속도 $(4, 2)$에 대하여

$$\sqrt{v_x{}^2+v_y{}^2}=\sqrt{4^2+2^2}=2\sqrt{5}$$

는 속도의 크기이다. 이 값을 속력이라 한다.

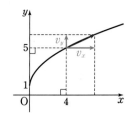

가속도

P의 가속도는 x축 방향의 가속도 a_x, y축 방향의 가속도 a_y를 이용하여 (a_x, a_y)로 나타낼 수 있다. 이때

$$a_x=\frac{d}{dt}v_x=2, \qquad a_y=\frac{d}{dt}v_y=0$$

과 같이 a_x, a_y는 각각 P의 v_x, v_y의 도함수이다.

예를 들어 $t=2$일 때, P의 위치는 $(4, 5)$, 가속도는 $(2, 0)$이다.

이때 가속도가 $(2, 0)$이라는 것은 $(4, 5)$에 있는 점 P가 x축 방향으로는 가속도가 2인 운동을 하고, y축 방향으로는 가속도가 0인 운동을 한다는 것을 뜻한다.

또 가속도 $(2, 0)$에 대하여
$$\sqrt{a_x{}^2 + a_y{}^2} = \sqrt{2^2 + 0^2} = 2$$
는 가속도의 크기이다.

속도·
가속도 이와 같이 점 P가 좌표평면 위를 움직일 때, 시각 t에서 P의 위치, 속도, 가속도는 x좌표와
y좌표를 이용하여 나타낸다.

점 P가 좌표평면 위를 움직이고 시각 t에서 P의 위치 (x, y)가
$$x = f(t), \qquad y = g(t)$$
라 하자. $f(t)$, $g(t)$가 두 번 미분가능한 함수이면

(ⅰ) 속도는 x축 방향의 속도와 y축 방향의 속도를 이용하여
$$(v_x, v_y) = \left(\frac{dx}{dt}, \frac{dy}{dt} \right) = (f'(t), g'(t))$$
로 나타낸다. (v_x, v_y)는 간단히 v로도 쓴다.

(ⅱ) 가속도는 x축 방향의 가속도와 y축 방향의 가속도를 이용하여
$$(a_x, a_y) = \left(\frac{d}{dt} v_x, \frac{d}{dt} v_y \right) = (v_x{}'(t), v_y{}'(t))$$
로 나타낸다. (a_x, a_y)는 간단히 a로도 쓴다.

또 이계도함수를 이용하여 $(a_x, a_y) = (f''(t), g''(t))$라 해도 된다.

(ⅲ) 속도의 크기 : $\sqrt{v_x{}^2 + v_y{}^2} = \sqrt{\{f'(t)\}^2 + \{g'(t)\}^2}$

가속도의 크기 : $\sqrt{a_x{}^2 + a_y{}^2} = \sqrt{\{f''(t)\}^2 + \{g''(t)\}^2}$

이다. 그리고 속도의 크기는 속력이라 한다.

도함수의 활용

10

개념 Check ◆ 정답 및 풀이 93쪽

3 점 P가 좌표평면 위를 움직이고 시각 t에서 P의 위치 (x, y)가
$$x = t^2, \qquad y = e^t$$
일 때, 다음 물음에 답하시오.

(1) 시각 t에서 P의 속도를 구하시오.

(2) 시각 $t = 1$에서 P의 속력을 구하시오.

(3) 시각 t에서 P의 가속도를 구하시오.

◆ 정답 및 풀이 **94**쪽

점 P는 수직선 위를 움직이고 시각 t에서 위치가 $x(t)=e^t\cos t$일 때, 다음 물음에 답하시오.

(1) P가 출발하고 처음으로 원점을 지날 때, P의 속도와 가속도를 구하시오.

(2) $0<t<2\pi$에서 P가 운동 방향을 바꾸는 시각을 모두 구하시오.

(3) $0<t<2\pi$에서 P의 가속도가 0일 때, P의 위치를 구하시오.

날선 Guide 시각 t에서 P의 속도 $v(t)$와 가속도 $a(t)$는 각각
$$v(t)=x'(t)=e^t(\cos t-\sin t)$$
$$a(t)=v'(t)=e^t(\cos t-\sin t)+e^t(-\sin t-\cos t)$$
$$=-2e^t\sin t$$

(1) 원점을 지날 때 $x(t)=0$이다.

따라서 방정식 $e^t\cos t=0$의 해부터 구한다.

(2) 운동 방향을 바꾸면 속도의 부호가 바뀐다.

따라서 $v(t)=0$인 t의 값부터 구하고 t의 좌우에서 $v(t)$의 부호가 바뀌는지 확인한다.

(3) $v(t)$의 도함수가 $a(t)$이다.

따라서 $a(t)=0$인 t의 값을 찾고, P의 위치를 구한다.

답 (1) 속도 : $-e^{\frac{\pi}{2}}$, 가속도 : $-2e^{\frac{\pi}{2}}$ (2) $t=\dfrac{\pi}{4}$ 또는 $t=\dfrac{5}{4}\pi$ (3) $-e^{\pi}$

 날선 Point 점 P가 수직선 위를 움직이고, 시각 t에서 P의 위치가 $x=f(t)$이면

• 속도 : $v(t)=\dfrac{dx}{dt}=f'(t)$

• 가속도 : $a(t)=\dfrac{dv}{dt}=v'(t)$

4-1 점 P는 수직선 위를 움직이고 시각 t에서 위치가 $x(t)=t^2+4\ln t$일 때, 다음 물음에 답하시오.

(1) $t=4$에서 P의 속도와 가속도를 구하시오.

(2) P의 가속도가 0일 때, P의 위치를 구하시오.

4-2 점 P는 수직선 위를 움직이고 시각 t에서 위치가 $x(t)=at^2+e^{-t}$이다. $t=2$에서 P의 속도가 $4-e^{-2}$일 때, $t=1$에서 P의 위치를 구하시오.

점 P는 좌표평면 위를 움직이고 시각 t에서 위치 (x, y)가

$$x = t + \cos t, \qquad y = 1 + \sin t$$

이다. 다음 물음에 답하시오.

(1) 시각 t에서 P의 속도와 가속도를 구하시오.

(2) P가 x축과 두 번째 만날 때, P의 속도와 가속도를 구하시오.

(3) $0 \le t \le 2\pi$에서 속력이 최대일 때, P의 위치와 가속도를 구하시오.

날선 Guide (1) 속도는 위치 (x, y)에서 x와 y를 각각 미분한 것이고,

가속도는 속도 (v_x, v_y)에서 v_x와 v_y를 각각 미분한 것이다. 곧,

$$(v_x, v_y) = (x', y'), \qquad (a_x, a_y) = (v_x', v_y')$$

(2) x축과 만나면 $y = 0$이다.

따라서 방정식 $1 + \sin t = 0$ $(t > 0)$의 해 중 두 번째로 작은 값을 찾는다.

(3) 속력은 $\sqrt{v_x{}^2 + v_y{}^2}$이다. 이 값이 최대인 t의 값을 찾아도 되고,

$v_x{}^2 + v_y{}^2$이 최대인 t의 값을 찾아도 된다.

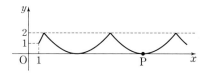

답 (1) 속도 : $(1 - \sin t, \cos t)$, 가속도 : $(-\cos t, -\sin t)$　(2) 속도 : $(2, 0)$, 가속도 : $(0, 1)$

(3) 위치 : $\left(\dfrac{3}{2}\pi, 0 \right)$, 가속도 : $(0, 1)$

 날선 Point

점 P가 좌표평면 위를 움직이고, 시각 t에서 P의 위치 (x, y)가 $x = f(t)$, $y = g(t)$일 때,

- 속도 : $(v_x, v_y) = (f'(t), g'(t))$
- 가속도 : $(a_x, a_y) = (v_x'(t), v_y'(t)) = (f''(t), g''(t))$
- 속력 : $\sqrt{v_x{}^2 + v_y{}^2}$

5-1 점 P는 좌표평면 위를 움직이고 시각 t에서 위치 (x, y)가 $x = -2t^2 + 4t$, $y = 5t$이다.

다음 물음에 답하시오.

(1) 시각 t에서 P의 속도와 가속도를 구하시오.

(2) 속력이 최소일 때, P의 위치와 속도를 구하시오.

5-2 점 P는 좌표평면 위를 움직이고 시각 t에서 위치 (x, y)가 $x = e^t \cos t$, $y = e^t \sin t$이다.

P의 속력이 $\sqrt{2} e^4$일 때, P의 가속도의 크기를 구하시오.

10 도함수의 활용

01 다음 방정식의 실근의 개수를 구하시오.

(1) $e^x - 2x = 0$ (2) $x \ln x - 1 = 0$

02 방정식 $e^x + e^{-x} = k$의 실근이 한 개일 때, 상수 k의 값은?

① 1   ② 2   ③ 3   ④ 4   ⑤ 5

03 $0 < x < \dfrac{\pi}{4}$에서 곡선 $y = \tan 2x$가 직선 $y = ax$보다 위쪽에 있을 때, a의 최댓값은?

① $\dfrac{1}{2}$ ② 1   ③ $\dfrac{3}{2}$ ④ 2   ⑤ $\dfrac{5}{2}$

04 점 P는 수직선 위를 움직이고, 시각 t에서 P의 위치가

$$x(t) = t + \frac{20}{\pi^2} \cos(2\pi t)$$

이다. 시각 $t = \dfrac{1}{3}$에서 P의 가속도를 구하시오.

05 지면과 $60°$의 각을 이루는 방향으로 초속 $10\,\mathrm{m}$의 속도로 찬 공의 t초 후의 위치를 (x, y)라 하면

$$x = 10t \cos 60°, \qquad y = 10t \sin 60° - 5t^2$$

이다. 공이 지면에 떨어질 때 속력을 구하시오.

06 구간 $[0, 2\pi]$에서 x에 대한 방정식 $\sin x - x\cos x - k = 0$의 서로 다른 실근의 개수가 2일 때, 정수 k값의 합은?

① -6 　　② -3 　　③ 0 　　④ 3 　　⑤ 6

07 방정식 $x^4 + 3 = ax$의 실근이 없을 때, 정수 a의 개수를 구하시오.

08 모든 실수 x에 대하여 부등식 $x + ke^{-x} \geq 0$이 성립할 때, 실수 k값의 범위를 구하시오.

09 함수 $f(x) = (\ln x)^2 + ax$가 다음을 만족시킬 때, 실수 a의 최댓값을 구하시오.

$$0 < x_1 < x_2 \text{이면 } f(x_2) - f(x_1) \leq 2(x_2 - x_1)$$

10 함수 $f(x) = e^{-x}(\ln x - 2)$가 $x = a$에서 극값을 가질 때, 다음 중 a가 속하는 구간은?

① $(1, e)$ 　② (e, e^2) 　③ (e^2, e^3) 　④ (e^3, e^4) 　⑤ (e^4, e^5)

11 그림과 같이 좌표평면에서 원점을 출발하여 움직이는 점 A, B가 있다. A는 x축의 양의 방향으로 매초 2의 속력으로, B는 y축의 양의 방향으로 매초 3의 속력으로 움직일 때, 선분 AB를 2 : 1로 내분하는 점 P의 속력을 구하시오.

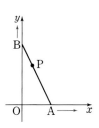

12 점 P는 수직선 위를 움직이고, 시각 t에서 위치가 $x(t)=pt^2-e+q\ln(t+1)$ 이다. $t=2$에서 P가 운동 방향을 바꾸고 $t=1$에서 P의 가속도가 5일 때, p, q 의 값을 구하시오.

13 점 P는 좌표평면 위를 움직이고, 시각 $t\left(0\le t\le\dfrac{\pi}{2}\right)$에서 위치 (x,y)가
$$x=2\cos^3 t, \qquad y=2\sin^3 t$$
이다. P의 속력이 최대일 때, P의 속도를 구하시오.

교육청 기출

14 원점 O를 중심으로 하고 두 점 A$(1,0)$, B$(0,1)$을 지 나는 사분원이 있다. 그림과 같이 점 P는 점 A에서 출발 하여 호 AB를 따라 점 B를 향하여 매초 1의 일정한 속 력으로 움직인다. 선분 OP와 선분 AB가 만나는 점을 Q 라 하자. P의 x좌표가 $\dfrac{4}{5}$인 순간 Q의 속도는 (a,b)이다. $b-a$의 값을 구하시오.

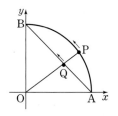

교육청 기출

15 두 다항함수 $f(x)$, $g(x)$가 모든 실수 x에 대하여 $f(-x)=-f(x)$, $g(-x)=g(x)$를 만족시키고 $h(x)=f(x)+xg(x)$로 정의할 때, **보기**에서 옳 은 것만을 있는 대로 고른 것은?

┌─ **보기** ├─
ㄱ. $h(0)=0$
ㄴ. $h'(-x)=h'(x)$
ㄷ. $h(x)$의 이계도함수 $h''(x)$가 $x=1$에서 극댓값 1을 가질 때, 방정식
$h''(x)-x=0$의 실근은 적어도 3개이다.
└────

① ㄱ　　② ㄷ　　③ ㄱ, ㄴ　　④ ㄴ, ㄷ　　⑤ ㄱ, ㄴ, ㄷ

수학 II에서 부정적분은 도함수를 구하는 과정의 역이라는 것과 다항함수의 부정적분과 정적분을 구하는 방법에 대하여 공부하였다. 하지만 실생활에서는 다항함수보다는 유리함수, 무리함수, 지수함수, 로그함수, 삼각함수의 적분이 필요한 경우가 더 많다.

이 단원에서는 유리함수, 무리함수, 지수함수, 로그함수, 삼각함수의 부정적분과 정적분을 구하는 방법을 알아보자.

부정적분과 정적분

11

1 부정적분의 정의

(1) 함수 $F(x)$의 도함수가 $f(x)$일 때, $F(x)$를 $f(x)$의 부정적분이라 한다.

(2) 함수 $f(x)$의 한 부정적분을 $F(x)$라 하면 $f(x)$의 부정적분은

$$F(x)+C \ (C는 \ 상수)$$

꼴로 나타낼 수 있다. 이것을 기호로

$$\int f(x)\,dx = F(x)+C$$

$$f(x) \xrightarrow[\text{미분}]{\text{적분}} F(x)+C$$

와 같이 나타내고, C를 적분상수라 한다. 또 좌변은 integral $f(x)\,dx$로 읽는다.

(3) 함수 $f(x)$의 부정적분을 구하는 것을 함수 $f(x)$를 적분한다 하고, 그 계산법을 적분법이라 한다.

2 미분과 부정적분

$f(x)$가 미분가능한 함수일 때,

$$\frac{d}{dx}\int f(x)\,dx = f(x), \qquad \int\left\{\frac{d}{dx}f(x)\right\}dx = f(x)+C$$

부정적분의 정의

다항함수의 부정적분을 구하는 것은 수학 II 에서 공부하였다.

유리함수, 무리함수, 지수함수나 로그함수, 삼각함수의 부정적분도 다항함수의 부정적분과 같이 약속한다.

예를 들어 $(\sin x)' = \cos x$이므로 $\cos x$의 부정적분은 $\sin x + C$이다. 그리고

$$\int \cos x\,dx = \sin x + C$$

와 같이 나타낸다.

미분과 부정적분

$f(x)$가 미분가능한 함수일 때,

$$\frac{d}{dx}\int f(x)\,dx = f(x), \qquad \int\left\{\frac{d}{dx}f(x)\right\}dx = f(x)+C$$

임도 공부하였다.

예를 들어 $\cos x$는 미분가능한 함수이므로

$$\frac{d}{dx}\int \cos x\,dx = \cos x, \qquad \int\left(\frac{d}{dx}\cos x\right)dx = \cos x + C$$

→ 이때 미분을 먼저 하고 적분을 하는 경우 적분 상수 C에 주의한다.

개념 Check

◆ 정답 및 풀이 **99**쪽

1 다음을 구하시오.

(1) $\dfrac{d}{dx}\displaystyle\int e^x\,dx$

(2) $\displaystyle\int\left(\dfrac{d}{dx}e^x\right)dx$

x^n (n은 실수)의 부정적분

1 부정적분의 성질

(1) $\displaystyle\int kf(x)\,dx=k\int f(x)\,dx$ (k는 0이 아닌 상수)

(2) $\displaystyle\int \{f(x)\pm g(x)\}\,dx=\int f(x)\,dx\pm\int g(x)\,dx$

2 x^n (n은 실수)의 부정적분

(1) $\displaystyle\int x^n\,dx=\frac{1}{n+1}x^{n+1}+C$ ($n\neq -1$)

(2) $\displaystyle\int \frac{1}{x}\,dx=\ln|x|+C$

부정적분의 성질 ● 함수 $f(x)$, $g(x)$의 부정적분을 각각 $F(x)$, $G(x)$라 하면 미분법의 성질에서

$$\{kF(x)\}'=kF'(x)=kf(x)\ (k는\ 상수)$$

$$\{F(x)\pm G(x)\}'=F'(x)\pm G'(x)=f(x)\pm g(x)$$

미분의 역이 적분이므로 다음이 성립함을 알 수 있다.

$$\int kf(x)\,dx=k\int f(x)\,dx\ (k는\ 0이\ 아닌\ 상수)$$

$$\int \{f(x)\pm g(x)\}\,dx=\int f(x)\,dx\pm\int g(x)\,dx$$

$\displaystyle\int x^n\,dx$ ● $f(x)$의 부정적분을 구할 때에는 미분하여 $f(x)$가 되는 함수 $F(x)$를 생각한다.

$n\neq -1$일 때, $\left(\dfrac{1}{n+1}x^{n+1}\right)'=x^n$이므로

$$\int x^n\,dx=\frac{1}{n+1}x^{n+1}+C$$

예를 들어 $\displaystyle\int \frac{1}{x^2}\,dx=\int x^{-2}\,dx=\frac{1}{-2+1}x^{-2+1}+C=-\frac{1}{x}+C$

$$\int \sqrt{x}\,dx=\int x^{\frac{1}{2}}\,dx=\frac{1}{\frac{1}{2}+1}x^{\frac{1}{2}+1}+C=\frac{2}{3}x^{\frac{3}{2}}+C$$

$\displaystyle\int\frac{1}{x}\,dx$ ● $n=-1$일 때, $x^{-1}=\dfrac{1}{x}$이고 $(\ln|x|)'=\dfrac{1}{x}$이므로

$$\int \frac{1}{x}\,dx=\ln|x|+C \ \ 또는\ \ \int x^{-1}\,dx=\ln|x|+C$$

→ 이때 $\dfrac{1}{x}$의 부정적분은 $\ln x$가 아니라 $\ln|x|$임에 주의한다.

개념 Check

● 정답 및 풀이 **99**쪽

2 다음 부정적분을 구하시오.

(1) $\displaystyle\int x^{-3}\,dx$

(2) $\displaystyle\int x\sqrt{x}\,dx$

(3) $\displaystyle\int \frac{1}{2x}\,dx$

11-3 지수함수, 삼각함수의 부정적분

1 지수함수의 부정적분

(1) $\displaystyle\int e^x\,dx=e^x+C$ (2) $\displaystyle\int a^x\,dx=\dfrac{a^x}{\ln a}+C\ (a>0,\ a\neq1)$

2 삼각함수의 부정적분

(1) $\displaystyle\int \sin x\,dx=-\cos x+C$ (2) $\displaystyle\int \cos x\,dx=\sin x+C$

(3) $\displaystyle\int \sec^2 x\,dx=\tan x+C$ (4) $\displaystyle\int \csc^2 x\,dx=-\cot x+C$

지수함수의 적분

지수함수의 미분에서

$(e^x)'=e^x$이므로 $\displaystyle\int e^x\,dx=e^x+C$

$a>0,\ a\neq1$일 때, $(a^x)'=a^x\ln a$이므로 $\displaystyle\int a^x\,dx=\dfrac{a^x}{\ln a}+C$

예를 들어 $\displaystyle\int e^{x+1}\,dx=\int(e^x\times e)\,dx=e\int e^x\,dx=e\times e^x+C=e^{x+1}+C$

$\displaystyle\int 2^x\,dx=\dfrac{2^x}{\ln 2}+C$

삼각함수의 적분

삼각함수의 미분에서

$(\cos x)'=-\sin x$이므로 $\displaystyle\int \sin x\,dx=-\cos x+C$

$(\sin x)'=\cos x$이므로 $\displaystyle\int \cos x\,dx=\sin x+C$

$(\tan x)'=\sec^2 x$이므로 $\displaystyle\int \sec^2 x\,dx=\tan x+C$

$(\cot x)'=-\csc^2 x$이므로 $\displaystyle\int \csc^2 x\,dx=-\cot x+C$

예를 들어 $\displaystyle\int(\sin x+\cos x)\,dx=\int \sin x\,dx+\int \cos x\,dx=-\cos x+\sin x+C$

> **개념 Check**   ◆ 정답 및 풀이 **99**쪽

3 다음 부정적분을 구하시오.

(1) $\displaystyle\int(-e^x)\,dx$ (2) $\displaystyle\int 3^x\,dx$

4 다음 부정적분을 구하시오.

(1) $\displaystyle\int(-\sin x)\,dx$ (2) $\displaystyle\int(\sec^2 x+\csc^2 x)\,dx$

$y=x^n$의 부정적분

◆ 정답 및 풀이 99쪽

다음 부정적분을 구하시오.

(1) $\displaystyle\int x^3\sqrt{x}\,dx$　　　(2) $\displaystyle\int\left(x-\frac{1}{x}\right)^2 dx$　　　(3) $\displaystyle\int\frac{(\sqrt{x}-1)^2}{x}\,dx$

낱선 Guide (1) $x^3\sqrt{x}=x^{\frac{4}{3}}$이므로

$$\int x^n\,dx=\frac{1}{n+1}x^{n+1}+C$$

를 이용하여 부정적분을 구한다.

$(x^{n+1})'=(n+1)x^n$임을 생각하면 공식을 쉽게 기억할 수 있다.

(2) $\left(x-\dfrac{1}{x}\right)^2=x^2-2+\dfrac{1}{x^2}=x^2-2+x^{-2}$

과 같이 각 항을 x^n (n은 실수) 꼴로 고친다.

(3) $\dfrac{(\sqrt{x}-1)^2}{x}=\dfrac{x-2\sqrt{x}+1}{x}=1-2x^{-\frac{1}{2}}+\dfrac{1}{x}$

과 같이 정리하고 $\dfrac{1}{x}$의 부정적분은 다음을 이용한다.

$$\int\frac{1}{x}\,dx=\ln|x|+C$$

답 (1) $\dfrac{3}{7}x^2\sqrt[3]{x}+C$　(2) $\dfrac{1}{3}x^3-2x-\dfrac{1}{x}+C$　(3) $x-4\sqrt{x}+\ln|x|+C$

낱선 Point

• $\displaystyle\int x^n\,dx=\frac{1}{n+1}x^{n+1}+C$ $(n\neq-1)$

• $\displaystyle\int\frac{1}{x}\,dx=\ln|x|+C$

1-1 다음 부정적분을 구하시오.

(1) $\displaystyle\int\frac{\sqrt[3]{x}+1}{x}\,dx$　　　(2) $\displaystyle\int\frac{1}{x^4}(2-x)\,dx$　　　(3) $\displaystyle\int\frac{(x-1)(x-3)}{x^2}\,dx$

1-2 미분가능한 함수 $f(x)$에 대하여 $f'(x)=\dfrac{x-1}{\sqrt{x}-1}$이고 $f(9)=3$일 때, $f(x)$를 구하시오.

대표 Q2 지수함수의 부정적분

다음 부정적분을 구하시오.

(1) $\displaystyle\int (3^x+1)^2\,dx$ (2) $\displaystyle\int \frac{e^{2x}-1}{e^x+1}\,dx$ (3) $\displaystyle\int \frac{e^{2x}+1}{e^x}\,dx$

낼선 Guide (1) $(3^x+1)^2=3^{2x}+2\times 3^x+1=9^x+2\times 3^x+1$

에서 9^x과 3^x은 밑이 9와 3이므로 다음을 이용하여 적분한다.

$$\int a^x\,dx=\frac{a^x}{\ln a}+C\ (a>0,\ a\neq 1)$$

$(a^x)'=a^x\ln a$임을 생각하면 공식을 쉽게 기억할 수 있다.

(2) $\dfrac{e^{2x}-1}{e^x+1}=\dfrac{(e^x+1)(e^x-1)}{e^x+1}=e^x-1$

이다. 밑이 e인 경우이므로 다음을 이용하여 적분한다.

$$\int e^x\,dx=e^x+C$$

(3) $\dfrac{e^{2x}+1}{e^x}=e^x+e^{-x}$에서 e^{-x}은 미분을 생각하면 부정적분을 구할 수 있다.

$$(e^{-x})'=-e^{-x}\ \Rightarrow\ \int e^{-x}\,dx=-e^{-x}+C$$

답 (1) $\dfrac{9^x}{\ln 9}+\dfrac{2\times 3^x}{\ln 3}+x+C$ (2) e^x-x+C (3) $e^x-\dfrac{1}{e^x}+C$

낼선 Point

• $\displaystyle\int e^x\,dx=e^x+C$

• $\displaystyle\int a^x\,dx=\frac{a^x}{\ln a}+C\ (a>0,\,a\neq 1)$

2-1 다음 부정적분을 구하시오.

(1) $\displaystyle\int (2^x-1)^2\,dx$ (2) $\displaystyle\int \frac{x^2-e^{2x}}{x-e^x}\,dx$ (3) $\displaystyle\int \frac{27^x}{9^x}\,dx$

2-2 곡선 $y=f(x)$ 위의 임의의 점 $(x,\,y)$에서 접선의 기울기가 $2e^x(e^x-1)$이고 $f(0)=2$일 때, $f(2)$의 값을 구하시오.

다음 부정적분을 구하시오.

(1) $\displaystyle\int \frac{\cos^2 x}{1+\sin x}\,dx$ (2) $\displaystyle\int (1-\tan^2 x)\,dx$ (3) $\displaystyle\int \sin^2 \frac{\theta}{2}\,d\theta$

날선 Guide (1) $\dfrac{\cos^2 x}{1+\sin x}=\dfrac{1-\sin^2 x}{1+\sin x}=\dfrac{(1+\sin x)(1-\sin x)}{1+\sin x}=1-\sin x$

이므로 다음을 이용하여 적분한다.

$$\int \sin x\,dx=-\cos x+C, \qquad \int \cos x\,dx=\sin x+C$$

(2) $\tan^2 x=\sec^2 x-1$이고

$$\int \sec^2 x\,dx=\tan x+C$$

를 이용한다.

$\tan^2 x$의 적분 ➡ $\tan^2 x=\sec^2 x-1$로!

$\cot^2 x$의 적분 ➡ $\cot^2 x=\csc^2 x-1$로!

(3) $\cos 2\theta=2\cos^2 \theta-1=1-2\sin^2 \theta$에서

$$\cos^2 \frac{\theta}{2}=\frac{1+\cos\theta}{2}, \qquad \sin^2 \frac{\theta}{2}=\frac{1-\cos\theta}{2}$$

를 이용한다.

참고 (2)와 (3)은 삼각함수의 제곱 꼴을 적분하는 기본이다. 공식처럼 기억하고 이용한다.

답 (1) $x+\cos x+C$ (2) $2x-\tan x+C$ (3) $\dfrac{\theta}{2}-\dfrac{\sin\theta}{2}+C$

날선 Point

• $\displaystyle\int \sin x\,dx=-\cos x+C, \qquad \int \cos x\,dx=\sin x+C$

• $\displaystyle\int \sec^2 x\,dx=\tan x+C, \qquad \int \csc^2 x\,dx=-\cot x+C$

3-1 다음 부정적분을 구하시오.

(1) $\displaystyle\int \frac{\sin^2 x}{1-\cos x}\,dx$ (2) $\displaystyle\int \cot^2 x\,dx$ (3) $\displaystyle\int \cos^2 \frac{x}{2}\,dx$

3-2 $f(x)$는 두 번 미분가능한 함수이고, $f''(x)=\sin x$이다. $f'(0)=1$, $f(0)=0$일 때, $f(x)$를 구하시오.

11-4 정적분

1 정적분의 정의

실수 a, b를 포함하는 구간에서 연속인 함수 $f(x)$의 한 부정적분을 $F(x)$라 하면 $F(b)-F(a)$를 $f(x)$의 a에서 b까지의 정적분이라 하고, 다음과 같이 나타낸다.

$$\int_a^b f(x)\,dx=\Big[F(x)\Big]_a^b=F(b)-F(a)$$

또 $f(x)\geq 0$일 때, 그림에서 색칠한 부분의 넓이를 S라 하면

$$\int_a^b f(x)\,dx=S$$

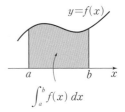

이다. $f(x)\leq 0$일 때에는 넓이에 음의 부호를 붙인 값이다.

2 정적분의 성질

(1) $\displaystyle\int_a^a f(x)\,dx=0,\ \int_b^a f(x)\,dx=-\int_a^b f(x)\,dx$

$\displaystyle\int_a^c f(x)\,dx+\int_c^b f(x)\,dx=\int_a^b f(x)\,dx$

(2) $\displaystyle\int_a^b kf(x)\,dx=k\int_a^b f(x)\,dx$ (k는 상수)

$\displaystyle\int_a^b \{f(x)\pm g(x)\}\,dx=\int_a^b f(x)\,dx\pm\int_a^b g(x)\,dx$

3 정적분으로 정의된 함수

$f(x)$가 연속함수이면 $\dfrac{d}{dx}\displaystyle\int_a^x f(t)\,dt=f(x)$

정적분의 정의

유리함수, 무리함수, 지수함수나 로그함수, 삼각함수의 정적분도 다항함수의 정적분과 같이 정의할 수 있다. 그리고 정적분의 값은 부정적분을 이용하여 계산한다.

예를 들어 정적분 $\displaystyle\int_0^\pi \sin x\,dx$의 값은

$$\int_0^\pi \sin x\,dx=\Big[-\cos x\Big]_0^\pi=-(\cos\pi-\cos 0)=2$$

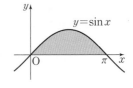

이 값은 그림에서 색칠한 부분의 넓이이다.

정적분의 성질

정적분의 성질은 다항함수에서 공부한 것과 같다. 따라서 다항함수가 아닌 경우도 부정적분을 구한 다음, 수학Ⅱ에서 공부한 것과 같은 방법으로 정적분의 값을 계산한다.

▶ 개념 Check

◆ 정답 및 풀이 **101**쪽

5 다음 정적분의 값을 구하시오.

(1) $\displaystyle\int_0^4 \sqrt{x}\,dx$　　(2) $\displaystyle\int_0^e \frac{1}{x}\,dx$　　(3) $\displaystyle\int_0^1 e^x\,dx$　　(4) $\displaystyle\int_0^\pi \cos x\,dx$

대표 Q4 정적분의 계산

◆ 정답 및 풀이 101쪽

다음 정적분의 값을 구하시오.

(1) $\displaystyle\int_1^3 \frac{x^2-3x-1}{x^2}\,dx$

(2) $\displaystyle\int_0^2 (x-\sqrt{x})^2\,dx$

(3) $\displaystyle\int_0^1 \frac{e^x}{1-e^x}\,dx - \int_0^1 \frac{e^{2y}}{1-e^y}\,dy$

(4) $\displaystyle\int_{-\pi}^{\pi} \left(\sin\frac{\theta}{2}+\cos\frac{\theta}{2}\right)^2 d\theta$

날선 Guide

(1) $\dfrac{x^2-3x-1}{x^2}=1-\dfrac{3}{x}-x^{-2}$의 부정적분 $F(x)$를 구한 다음

$$\int_1^3 \frac{x^2-3x-1}{x^2}\,dx=\Big[F(x)\Big]_1^3=F(3)-F(1)$$

을 계산한다.

(2) $(x-\sqrt{x})^2=x^2-2x\sqrt{x}+x$의 부정적분부터 구한다.

(3) 아래끝과 위끝이 각각 같으므로

$$\int_0^1 \frac{e^x}{1-e^x}\,dx - \int_0^1 \frac{e^{2x}}{1-e^x}\,dx = \int_0^1 \frac{e^x-e^{2x}}{1-e^x}\,dx$$

와 같이 적분변수를 x로 통일하고 식을 간단히 할 수 있다.

이 식에서 $\dfrac{e^x-e^{2x}}{1-e^x}$의 부정적분부터 구한다.

(4) $\left(\sin\dfrac{\theta}{2}+\cos\dfrac{\theta}{2}\right)^2=\sin^2\dfrac{\theta}{2}+2\sin\dfrac{\theta}{2}\cos\dfrac{\theta}{2}+\cos^2\dfrac{\theta}{2}$

$$=1+\sin\theta \qquad \longrightarrow \sin 2\theta = 2\sin\theta\cos\theta$$

와 같이 정리하면 부정적분을 구할 수 있다.

답 (1) $\dfrac{4}{3}-3\ln 3$ (2) $\dfrac{14}{3}-\dfrac{16}{5}\sqrt{2}$ (3) $e-1$ (4) 2π

날선 Point

정적분 $\displaystyle\int_a^b f(x)\,dx$의 계산

❶ 적분상수가 없는 $f(x)$의 부정적분 $F(x)$를 구한다.

❷ $\displaystyle\int_a^b f(x)\,dx=\Big[F(x)\Big]_a^b=F(b)-F(a)$를 계산한다.

4-1 다음 정적분의 값을 구하시오.

(1) $\displaystyle\int_1^e \frac{3x^3-2x^2+3}{x}\,dx$

(2) $\displaystyle\int_0^1 (e^x+e^{-x})^2\,dx$

(3) $\displaystyle\int_1^2 (\sqrt{x}+2x)\,dx + 2\int_1^2 (\sqrt{x}-x)\,dx$

(4) $\displaystyle\int_0^{\pi} e^x(\sin x+\cos x)^2\,dx + \int_0^{\pi} e^y(\sin y-\cos y)^2\,dy$

다음 물음에 답하시오.

(1) $f(x)=\begin{cases} \cos x-1 & (x\leq 0) \\ \sin x & (x\geq 0) \end{cases}$ 일 때, $\displaystyle\int_{-\pi}^{\pi} f(x)\,dx$의 값을 구하시오.

(2) $\displaystyle\int_{0}^{1} |e^{x}-2|\,dx$의 값을 구하시오.

날선 Guide (1) $x\leq 0$일 때와 $x\geq 0$일 때 $f(x)$가 다른 꼴이므로

$$\int_{-\pi}^{0} f(x)\,dx+\int_{0}^{\pi} f(x)\,dx$$

와 같이 정적분을 나누어 구한다.

이때 그림에서 $\displaystyle\int_{-\pi}^{0} f(x)\,dx$의 값은 초록색 부분

의 넓이에 $-$를 붙인 값이고,

$\displaystyle\int_{0}^{\pi} f(x)\,dx$의 값은 빨간색 부분의 넓이이다.

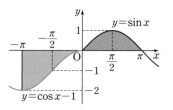

(2) $e^{x}=2$에서 $x=\ln 2$이므로

$x\leq \ln 2$일 때, $|e^{x}-2|=-(e^{x}-2)$

$x\geq \ln 2$일 때, $|e^{x}-2|=e^{x}-2$

따라서 다음과 같이 정적분을 나누어 구한다.

$$\int_{0}^{\ln 2}\{-(e^{x}-2)\}\,dx+\int_{\ln 2}^{1}(e^{x}-2)\,dx$$

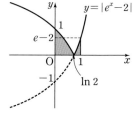

답 (1) $-\pi+2$ (2) $4\ln 2+e-5$

날선 Point
- 구간에 따라 다르게 정의된 함수의 정적분
  ➡ 적분 구간을 나누어 구한다.
- 절댓값 기호를 포함한 정적분
  ➡ 함수가 음인 구간과 양인 구간으로 나누어 구한다.

5-1 $f(x)=\begin{cases} e^{x-1} & (x\leq 1) \\ \dfrac{1}{x^{2}} & (x\geq 1) \end{cases}$ 일 때, $\displaystyle\int_{-1}^{e} f(x)\,dx$의 값을 구하시오.

5-2 $\displaystyle\int_{0}^{\pi} |\cos x|\,dx$의 값을 구하시오.

다음 정적분의 값을 구하시오.

(1) $\displaystyle\int_{-\frac{3}{4}\pi}^{\frac{3}{4}\pi} (x+1)\cos x \, dx$

(2) $\displaystyle\int_{a}^{a+\pi} |\sin x| \, dx$

날선 Guide (1) $f(-x)=f(x)$이면 그래프가 y축에 대칭이므로 그림에서 색칠한 두 부분의 넓이가 같다.

$$\therefore \int_{-a}^{a} f(x)\,dx = 2\int_{0}^{a} f(x)\,dx$$

$f(-x)=-f(x)$이면 그래프가 원점에 대칭이므로 그림에서 색칠한 두 부분의 넓이가 같고 정적분의 부호는 다르다.

$$\therefore \int_{-a}^{a} f(x)\,dx = 0$$

위끝과 아래끝의 절댓값이 같고 부호가 다른 정적분이므로 이 성질을 이용한다.

(2) $f(x)=|\sin x|$는 주기가 π인 함수이므로 그림에서 빨간색으로 칠한 두 부분의 넓이가 같다. 따라서 다음이 성립한다.

$$\int_{a}^{a+\pi} f(x)\,dx = \int_{0}^{\pi} f(x)\,dx$$

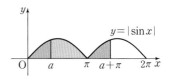

답 (1) $\sqrt{2}$ (2) 2

날선 Point

- $f(-x)=f(x)$이면 $\displaystyle\int_{-a}^{a} f(x)\,dx = 2\int_{0}^{a} f(x)\,dx$

  $f(-x)=-f(x)$이면 $\displaystyle\int_{-a}^{a} f(x)\,dx = 0$

- $f(x+p)=f(x)$이면 $\displaystyle\int_{a}^{a+p} f(x)\,dx = \int_{0}^{p} f(x)\,dx$

6-1 $\displaystyle\int_{-1}^{1} (e^{x}+e^{-x})\,dx$의 값을 구하시오.

6-2 연속함수 $f(x)$가 모든 실수 x에 대하여 $f(x+2)=f(x)$이고 $0 \le x \le 2$에서 $f(x)=e^{x}-1$일 때, $\displaystyle\int_{0}^{10} f(x)\,dx$의 값을 구하시오.

대표 Q7 정적분으로 정의된 함수

다음을 만족시키는 연속함수 $f(x)$를 구하시오.

(1) $f(x) = \sqrt{x} + \displaystyle\int_0^4 f(t)\,dt$

(2) $\displaystyle\int_1^x f(t)\,dt = xe^x + ax$ (a는 상수)

(3) $\displaystyle\int_0^x (x-t)f(t)\,dt = \sin x \cos x$

날선 Guide (1) $\displaystyle\int_0^4 f(t)\,dt$는 상수이므로 $\displaystyle\int_0^4 f(t)\,dt = a$ (a는 상수) ⋯ ㉠

로 놓으면 $f(x) = \sqrt{x} + a$이다. 이 식을 ㉠에 대입하면 a의 값을 구할 수 있다.

(2) $f(x)$가 연속이면

$$\frac{d}{dx}\int_1^x f(t)\,dt = f(x)$$

또 양변에 $x=1$을 대입하면 $\displaystyle\int_1^1 f(t)\,dt = 0$이므로 a의 값을 구할 수 있다.

(3) $(x-t)f(t)$에서 x는 적분변수 t에 대한 상수이고, 미분에 대한 변수이므로

$$\int_0^x (x-t)f(t)\,dt = x\int_0^x f(t)\,dt - \int_0^x tf(t)\,dt$$

로 정리하고 미분한다.

이때 $x\displaystyle\int_0^x f(t)\,dt$의 미분은 두 함수 x와 $\displaystyle\int_0^x f(t)\,dt$의 곱의 미분법을 이용한다.

답 (1) $f(x) = \sqrt{x} - \dfrac{16}{9}$ (2) $f(x) = (x+1)e^x - e$ (3) $f(x) = -4\sin x \cos x$

날선 Point
- $\dfrac{d}{dx}\displaystyle\int_a^x f(t)\,dt = f(x)$
- 적분변수와 무관한 문자는 적분 기호 밖으로!

7-1 다음을 만족시키는 연속함수 $f(x)$를 구하시오.

(1) $f(x) = \sin x + \displaystyle\int_0^\pi f(t)\,dt$

(2) $\displaystyle\int_1^x f(t)\,dt = xf(x) + x^2 + 5x$

(3) $\displaystyle\int_0^x (x-t)f(t)\,dt = e^x - \sin x - x$

7-2 $f(x)$가 연속함수이고 $\displaystyle\int_1^{2x} f(t)\,dt = \ln x + ax^2 + a$일 때, $f(e)$의 값을 구하시오.
(단, a는 상수)

다음 물음에 답하시오.

(1) $\displaystyle\lim_{x\to1}\frac{1}{x-1}\int_1^x t\ln t\,dt$의 극한값을 구하시오.

(2) $x>0$에서 함수 $f(x)=\displaystyle\int_0^x \sqrt{t}(1-t)\,dt$의 극값을 구하시오.

날선 Guide (1) $x\to1$일 때, $\displaystyle\int_1^x t\ln t\,dt\to0$이므로 $\dfrac{0}{0}$ 꼴의 극한이다.

$f(t)=t\ln t$로 놓고 $f(t)$의 한 부정적분을 $F(t)$라 하면

$$\lim_{x\to1}\frac{1}{x-1}\int_1^x t\ln t\,dt=\lim_{x\to1}\frac{F(x)-F(1)}{x-1}$$

이 식의 우변이 미분계수 $F'(1)$임을 이용한다.

(2) $f'(x)$를 구한 다음 부호의 변화를 조사한다. 이때

$$f'(x)=\frac{d}{dx}\int_0^x \sqrt{t}(1-t)\,dt=\sqrt{x}(1-x)$$

임을 이용한다.

참고 $\displaystyle\int_0^x \sqrt{t}(1-t)\,dt$를 계산하면 $f(x)$를 구할 수 있다.

답 (1) 0 (2) $\dfrac{4}{15}$

날선 Point
- $\displaystyle\lim_{x\to a}\frac{1}{x-a}\int_a^x f(t)\,dt=f(a)$
- $\displaystyle\frac{d}{dx}\int_a^x f(t)\,dt=f(x)$

8-1 다음 극한값을 구하시오.

(1) $\displaystyle\lim_{x\to-1}\frac{1}{x+1}\int_{-1}^x \cos\left(\frac{\pi}{2}t\right)dt$ (2) $\displaystyle\lim_{h\to0}\frac{1}{h}\int_2^{2+h} t(e^t+\ln t)\,dt$

8-2 함수 $f(x)=\displaystyle\int_1^x (2-e^t)\,dt$의 극값을 구하시오.

01 다음 부정적분을 구하시오.

(1) $\displaystyle\int \dfrac{x^3-1}{x^2-x}\,dx$ (2) $\displaystyle\int \dfrac{x-1}{\sqrt{x}}\,dx$

(3) $\displaystyle\int \dfrac{8^x-2^x}{2^x+1}\,dx$ (4) $\displaystyle\int (\tan x+\cot x)^2\,dx$

02 $f(x)$는 미분가능한 함수이고 $f(1)=e$이다.

$$\lim_{h\to 0}\dfrac{f(x+h)-f(x)}{h}=e^x-\dfrac{1}{x}$$

일 때, $f(e)$의 값은?

① $e-1$ ② $2e-1$ ③ e^2-1 ④ e^e-1 ⑤ $e^{2e}-1$

03 함수 $f(x)=\sqrt[3]{x}-\dfrac{2}{x}$의 한 부정적분을 $F(x)$라 할 때, $F(8)-F(1)$의 값은?

① $\dfrac{11}{2}-4\ln 2$ ② $5-3\ln 2$ ③ $\dfrac{45}{4}-6\ln 2$

④ $\dfrac{43}{4}-5\ln 2$ ⑤ $\dfrac{43}{4}-4\ln 2$

04 다음 정적분의 값을 구하시오.

(1) $\displaystyle\int_1^2 \dfrac{3x+2}{x^2}\,dx$ (2) $\displaystyle\int_0^4 (5x-3)\sqrt{x}\,dx$

(3) $\displaystyle\int_{\ln 2}^{\ln 8} (\sqrt{e^x}-2)(\sqrt{e^x}+2)\,dx$

05 다음 정적분의 값을 구하시오.

(1) $\displaystyle\int_{-1}^2 (e^x+e^{-x})\,dx+\int_2^1 (e^x+e^{-x})\,dx$

(2) $\displaystyle\int_1^2 \dfrac{2x^3-3}{x+3}\,dx-\int_2^1 \dfrac{6x^2-x}{x+3}\,dx$

06 $f(x)=e^{-x}-\displaystyle\int_0^1 e^t f(t)\,dt$일 때, $f(1)$의 값을 구하시오.

07 $\displaystyle\lim_{x\to e}\frac{1}{x-e}\int_e^x (t\ln t+at)\,dt=e^2$일 때, a의 값은?

① $e-1$ ② e ③ $e+1$ ④ $2e$ ⑤ e^2

08 $f'(x)=x^2-2x-3$이고 $f(x)$의 극댓값이 2일 때, $f(x)$의 극솟값을 구하시오.

09 곡선 $y=f(x)$ 위의 점 $(x,\,f(x))$에서 접선의 기울기가

$4\sin\dfrac{x}{2}\cos\dfrac{x}{2}-\sin^2\dfrac{x}{2}$이다. 이 곡선이 점 $(0,\,2)$를 지날 때, $f(\pi)$의 값은?

① $\dfrac{\pi}{2}$ ② $4-\dfrac{\pi}{2}$ ③ $4+\dfrac{\pi}{2}$ ④ $6-\dfrac{\pi}{2}$ ⑤ $6+\dfrac{\pi}{2}$

10 다음 정적분의 값을 구하시오.

(1) $\displaystyle\int_0^4 |\sqrt{x}-1|\,dx$ (2) $\displaystyle\int_0^{\frac{\pi}{2}} |\cos x-\sin x|\,dx$

11 다음 정적분의 값을 구하시오.

(1) $\displaystyle\int_{-2}^2 x^2(e^x-e^{-x})\,dx$ (2) $\displaystyle\int_{-\frac{\pi}{2}}^{\frac{\pi}{2}} (x\sin^2 x+\cos x+\sin x)\,dx$

12 **교육청 기출**

연속함수 $f(x)$의 도함수 $f'(x)$가 $f'(x)=\begin{cases} \dfrac{1}{x^2} & (x<-1) \\ 3x^2+1 & (x>-1) \end{cases}$ 이고

$f(-2)=\dfrac{1}{2}$일 때, $f(0)$의 값은?

① 1　　　　② 2　　　　③ 3　　　　④ 4　　　　⑤ 5

13 $0<x<\pi$일 때, 함수 $f(x)=\displaystyle\int_0^x (1-2\sin t)\,dt$의 극댓값을 구하시오.

14 $f(x)$가 연속함수이고 $\displaystyle\int_1^x (x-t)f(t)\,dt=e^{x-1}+ax^2-3x+1$일 때, $f(a)$의 값을 구하시오.

15 **교육청 기출**

미분가능한 두 함수 $f(x)$, $g(x)$에 대하여 $g(x)$는 $f(x)$의 역함수이다.
$f(1)=3$, $g(1)=3$일 때,
$$\int_1^3 \left\{ \frac{f(x)}{f'(g(x))} + \frac{g(x)}{g'(f(x))} \right\} dx$$
의 값은?

① -8　　　② -4　　　③ 0　　　　④ 4　　　　⑤ 8

16 **교육청 기출**

모든 실수 x에 대하여 연속인 함수 $f(x)$는 다음 조건을 만족시킨다.

> ⑺ 모든 실수 x에 대하여 $f(x+2)=f(x)$이다.
> ⑻ $0\le x\le 1$일 때, $f(x)=\sin \pi x+1$이다.
> ⑼ $1<x<2$일 때, $f'(x)\ge 0$이다.

$\displaystyle\int_0^6 f(x)\,dx=p+\dfrac{q}{\pi}$일 때, $p+q$의 값을 구하시오. (단, p, q는 정수)

11단원에서 다양한 형태의 함수에 대하여 간단한 형태의 부정적분과 정적분을 구하는 방법에 대하여 공부하였다.

이 단원에서는 치환적분법과 부분적분법을 이해하고, 이를 이용하여 복잡한 형태의 부정적분과 정적분을 구하는 방법을 알아보자.

치환적분법과 부분적분법

12

1 $F'(x)=f(x)$일 때, $\displaystyle\int f(g(x))g'(x)\,dx=F(g(x))+C$

2 미분가능한 함수 $g(t)$에 대하여 $x=g(t)$로 나타낼 수 있으면

$$\int f(x)\,dx=\int f(g(t))g'(t)\,dt$$

합성함수의 미분과 부정적분

$y=(x^2+1)^4$을 미분하면

$$y'=4\times(x^2+1)^{4-1}\times(x^2+1)'=8x(x^2+1)^3 \quad \longrightarrow \text{합성함수의 미분법}$$

이므로

$$\int(x^2+1)^3\times\underset{\underset{x^2+1\text{을 미분한 식}}{\uparrow}}{2x}\,dx=\frac{1}{4}(x^2+1)^4+C$$

$\displaystyle\int(x^2+1)^3\,dx\neq\frac{1}{4}(x^2+1)^4+C$임에 주의한다.

치환적분법

$F'(x)=f(x)$일 때 $\dfrac{d}{dx}F(g(x))=f(g(x))g'(x)$

이므로 $f(g(x))g'(x)$의 부정적분은 다음과 같다.

$$\boldsymbol{\int f(g(x))g'(x)\,dx=F(g(x))+C} \quad \cdots \text{㉠}$$

또 위의 식에서 $g(x)=t$라 하면

$$\int\left\{f(t)\frac{dt}{dx}\right\}dx=F(t)+C=\int f(t)\,dt$$

이와 같이 $g(x)=t$로 놓고 t에 대한 적분을 하는 것을 치환적분법이라 한다.

위의 공식에서 dx를 식으로 생각하고 약분하는 꼴이라고 기억해도 된다.

예를 들어 $\displaystyle\int x(x^2+1)^3\,dx$를 치환적분법을 이용하여 계산해 보자.

$x^2+1=t$라 하면 $\dfrac{dt}{dx}=2x$

$\dfrac{dt}{dx}$를 유리식으로 생각하면 $dx=\dfrac{1}{2x}\times dt$

이 식을 부정적분의 dx에 대입하면

$$\int x\times t^3\times\frac{1}{2x}\times dt=\int\frac{t^3}{2}\,dt=\frac{1}{8}t^4+C=\frac{1}{8}(x^2+1)^4+C$$

따라서 적당한 부분을 찾아 t로 치환하면 ㉠과 같은 꼴로 정리하지 않아도 부정적분을 구할 수 있다. 이때에는 $\dfrac{dt}{dx}=g'(x)$에서 dt, dx를 분자, 분모처럼 생각하고 $dx=\dfrac{dt}{g'(x)}$를 대입한다고 생각한다.

치환적분법 예시

• 치환적분법을 이용하는 대표적 유형 몇 가지는 결과를 기억하는 것이 좋다.

(1) $\int f(ax+b)\,dx = \dfrac{1}{a}F(ax+b)+C$ $(F'(x)=f(x))$

$ax+b=t$라 하면 $\dfrac{dt}{dx}=a$이므로 $dx=\dfrac{1}{a}\,dt$

$\therefore \int f(ax+b)\,dx = \int f(t)\times\dfrac{1}{a}\,dt = \dfrac{1}{a}\int f(t)\,dt$

$\qquad\qquad\qquad\quad = \dfrac{1}{a}F(t)+C$

$\qquad\qquad\qquad\quad = \dfrac{1}{a}F(ax+b)+C$

예를 들어 $\int e^{-2x}\,dx = \dfrac{1}{-2}e^{-2x}+C = -\dfrac{1}{2}e^{-2x}+C$

$\qquad\qquad\int \cos(2x+1)\,dx = \dfrac{1}{2}\sin(2x+1)+C$

(2) $\int \dfrac{f'(x)}{f(x)}\,dx = \ln|f(x)|+C$

$f(x)=t$라 하면 $\dfrac{dt}{dx}=f'(x)$이므로 $dx=\dfrac{1}{f'(x)}\,dt$

$\therefore \int \dfrac{f'(x)}{f(x)}\,dx = \int \dfrac{f'(x)}{t}\times\dfrac{1}{f'(x)}\,dt = \int \dfrac{1}{t}\,dt$

$\qquad\qquad\qquad\quad = \ln|t|+C$

$\qquad\qquad\qquad\quad = \ln|f(x)|+C$

예를 들어 $\int \dfrac{2x}{x^2+1}\,dx = \ln|x^2+1|+C = \ln(x^2+1)+C$

$\qquad\qquad\int \dfrac{1}{ax+b}\,dx = \dfrac{1}{a}\int \dfrac{(ax+b)'}{ax+b}\,dx = \dfrac{1}{a}\ln|ax+b|+C$

(1), (2) 모두 우변을 미분하면 적분 기호 안의 식이 된다는 것으로 이해해도 된다. 여기에서는 치환적분법을 사용하는 방법을 소개하기 위해 위와 같이 설명하였다.

◤ **개념 Check**
◆ 정답 및 풀이 **109**쪽

1 다음 부정적분을 구하시오.

(1) $\int (2x-1)^2\,dx$

(2) $\int e^{-x+1}\,dx$

(3) $\int \sin(3x+2)\,dx$

(4) $\int \dfrac{1}{2x-3}\,dx$

함수 $f(x)$가 구간 $[a, b]$에서 연속이고 미분가능한 함수 $g(x)$에 대하여 $t=g(x)$이고, $g(a)=\alpha$, $g(b)=\beta$일 때,

$$\int_a^b f(g(x))g'(x)\,dx = \int_\alpha^\beta f(t)\,dt$$

치환적분법과 정적분

$f(x)$의 한 부정적분이 $F(x)$일 때,

$$\int f(g(x))g'(x)\,dx = F(g(x))+C$$

이므로 a에서 b까지의 정적분은

$$\int_a^b f(g(x))g'(x)dx = \Big[F(g(x))\Big]_a^b = F(g(b))-F(g(a))$$

$g(b)=\beta$, $g(a)=\alpha$라 하면 $F(g(b))-F(g(a))=F(\beta)-F(\alpha)$이므로

$$\int_a^b f(g(x))g'(x)\,dx = F(\beta)-F(\alpha)$$

이때 우변은 $\int_\alpha^\beta f(t)\,dt$이므로

$$\int_a^b f(g(x))g'(x)\,dx = \int_\alpha^\beta f(t)\,dt$$

예를 들어 $\int_0^1 xe^{x^2+1}dx$의 값은 다음 두 가지 방법으로 구할 수 있다.

방법 1 $x^2+1=t$라 하면 $\dfrac{dt}{dx}=2x$, $dx=\dfrac{1}{2x}dt$이므로

$$\int xe^{x^2+1}dx = \int \frac{1}{2}e^t\,dt = \frac{1}{2}e^t+C = \frac{1}{2}e^{x^2+1}+C$$

$$\therefore \int_0^1 xe^{x^2+1}dx = \left[\frac{1}{2}e^{x^2+1}\right]_0^1 = \frac{1}{2}(e^2-e)$$

방법 2 $x^2+1=t$라 하면 $x=0$일 때 $t=1$, $x=1$일 때 $t=2$이므로

$$\int_0^1 xe^{x^2+1}dx = \int_1^2 \frac{1}{2}e^t\,dt = \left[\frac{1}{2}e^t\right]_1^2 = \frac{1}{2}(e^2-e)$$

개념 Check ◆ 정답 및 풀이 **110**쪽

2 다음 정적분의 값을 구하시오.

(1) $\displaystyle\int_1^2 (2x-1)^3\,dx$　　　　　　(2) $\displaystyle\int_0^1 2xe^{x^2}\,dx$

다음 부정적분을 구하시오.

(1) $\displaystyle\int (3x+1)^4\,dx$

(2) $\displaystyle\int \sqrt{2x+5}\,dx$

(3) $\displaystyle\int e^{1-\frac{1}{2}x}\,dx$

(4) $\displaystyle\int \frac{1}{3-2x}\,dx$

(날선 **Guide**) (1) $3x+1=t$라 하면 $\dfrac{dt}{dx}=3$, $dx=\dfrac{1}{3}dt$이므로 다음을 계산한다.

$$\int (3x+1)^4\,dx = \int t^4 \times \frac{1}{3}\,dt$$

참고 $f(x)=x^4$이라 할 때, $\displaystyle\int f(3x+1)\,dx$ 꼴이므로 다음을 이용할 수 있다.

$$\int f(ax+b)\,dx = \frac{1}{a}F(ax+b)+C \quad (F'(x)=f(x)) \qquad \cdots \, \bigcirc$$

(2) $2x+5=t$라 하면 $\dfrac{dt}{dx}=2$, $dx=\dfrac{1}{2}dt$이므로 다음을 계산한다.

$$\int \sqrt{2x+5}\,dx = \int \sqrt{t} \times \frac{1}{2}\,dt$$

참고 $f(x)=\sqrt{x}$라 하고 $\bigcirc$을 이용한다.

(3) $1-\dfrac{1}{2}x=t$로 치환하거나 $f(x)=e^x$이라 하고 $\bigcirc$을 이용한다.

(4) $3-2x=t$로 치환하거나 $f(x)=\dfrac{1}{x}$이라 하고 $\bigcirc$을 이용한다.

답 (1) $\dfrac{1}{15}(3x+1)^5+C$ (2) $\dfrac{1}{3}(2x+5)\sqrt{2x+5}+C$

(3) $-2e^{1-\frac{1}{2}x}+C$ (4) $-\dfrac{1}{2}\ln|3-2x|+C$

날선 Point $\displaystyle\int f(ax+b)\,dx$의 계산

❶ $ax+b=t$로 치환하고, $dx=\dfrac{1}{a}dt$를 대입한다.

❷ $\displaystyle\int f(ax+b)\,dx = \dfrac{1}{a}F(ax+b)+C$ $(F'(x)=f(x))$

1-1 다음 부정적분을 구하시오.

(1) $\displaystyle\int \frac{1}{(2x-1)^3}\,dx$

(2) $\displaystyle\int \sqrt[3]{4x-1}\,dx$

(3) $\displaystyle\int e^{3x-1}\,dx$

(4) $\displaystyle\int \sec^2(3x+1)\,dx$

다음 부정적분을 구하시오.

(1) $\displaystyle\int (2x+3)(x^2+3x)^3\,dx$

(2) $\displaystyle\int xe^{x^2+1}\,dx$

(3) $\displaystyle\int \frac{x}{\sqrt{1-x^2}}\,dx$

(4) $\displaystyle\int \sin x\cos x\,dx$

날선 Guide (1) $x^2+3x=t$라 하면 $\dfrac{dt}{dx}=2x+3$, $(2x+3)\,dx=dt$이므로

$$\int (2x+3)(x^2+3x)^3\,dx=\int t^3\,dt$$

이와 같이 $g(x)=t$로 치환하는 경우 $g'(x)$ 꼴이 곱해져 있어야 한다.

참고 $f(x)=x^3$, $g(x)=x^2+3x$라 하고 다음 공식을 이용할 수도 있다.

$$\int f(g(x))g'(x)\,dx=F(g(x))+C \quad (F'(x)=f(x))$$

(2) $x^2+1=t$라 하면 $\dfrac{dt}{dx}=2x$, $x\,dx=\dfrac{1}{2}\,dt$이므로

$$\int xe^{x^2+1}\,dx=\int e^t\times\frac{1}{2}\,dt$$

이 문제에서도 $g(x)=t$로 치환하는 경우 상수배를 무시할 때, $g'(x)$가 곱해져 있는 꼴이다.

(3) $1-x^2=t$라 하면 $\dfrac{dt}{dx}=-2x$, $x\,dx=-\dfrac{1}{2}\,dt$이므로

$$\int \frac{x}{\sqrt{1-x^2}}\,dx=\int \frac{1}{\sqrt{t}}\times\left(-\frac{1}{2}\right)dt$$

(4) $(\sin x)'=\cos x$이므로 $\sin x=t$로 치환한다.

$(\cos x)'=-\sin x$이므로 $\cos x=t$로 치환해도 된다.

답 (1) $\dfrac{1}{4}(x^2+3x)^4+C$ (2) $\dfrac{1}{2}e^{x^2+1}+C$ (3) $-\sqrt{1-x^2}+C$ (4) $\dfrac{1}{2}\sin^2 x+C$

날선 Point $g(x)=t$로 치환하는 경우

• $\dfrac{dt}{dx}=g'(x)$에서 $g'(x)\,dx=dt$를 대입한다.

• 상수배를 무시할 때, $g'(x)$가 곱해져 있어야 한다.

2-1 다음 부정적분을 구하시오.

(1) $\displaystyle\int x(1-x^2)^3\,dx$

(2) $\displaystyle\int 2x\sqrt{1-x^2}\,dx$

(3) $\displaystyle\int \frac{\ln(x+1)}{x+1}\,dx$

(4) $\displaystyle\int x\cos(x^2-1)\,dx$

2-2 $f(x)=\displaystyle\int (3x^2+1)(x^3+x)^2\,dx$에 대하여 $f(1)=3$일 때, $f(-1)$의 값을 구하시오.

대표 Q3 $\int \dfrac{f'(x)}{f(x)}\,dx$ 꼴의 부정적분

다음 부정적분을 구하시오.

(1) $\displaystyle\int \dfrac{x^2}{x^3+1}\,dx$

(2) $\displaystyle\int \dfrac{1}{1-e^{-x}}\,dx$

(3) $\displaystyle\int \dfrac{1}{x\ln x}\,dx$

(4) $\displaystyle\int \tan x\,dx$

날선 Guide (1) $x^3+1=t$로 치환하고 $\dfrac{dt}{dx}=3x^2$, $x^2\,dx=\dfrac{1}{3}\,dt$이므로 다음을 계산한다.

$$\int \dfrac{x^2}{x^3+1}\,dx=\int \dfrac{1}{t}\times\dfrac{1}{3}\,dt$$

참고 $\displaystyle\int \dfrac{x^2}{x^3+1}\,dx=\dfrac{1}{3}\int \dfrac{3x^2}{x^3+1}\,dx$에서 $(x^3+1)'=3x^2$이므로

$$\int \dfrac{f'(x)}{f(x)}\,dx=\ln|f(x)|+C$$

를 이용한다.

(2) 분모, 분자에 각각 e^x을 곱하면

$$\int \dfrac{1}{1-e^{-x}}\,dx=\int \dfrac{e^x}{e^x-1}\,dx$$

따라서 $e^x-1=t$로 치환하거나 $(e^x-1)'=e^x$임을 이용한다.

(3) $(\ln x)'=\dfrac{1}{x}$이므로 $\ln x=t$로 치환한다.

(4) $\tan x=\dfrac{\sin x}{\cos x}$이므로

$\cos x=t$로 치환하거나 $(\cos x)'=-\sin x$임을 이용한다.

탑 (1) $\dfrac{1}{3}\ln|x^3+1|+C$ (2) $\ln|e^x-1|+C$ (3) $\ln|\ln x|+C$ (4) $-\ln|\cos x|+C$

날선 Point

• $\displaystyle\int \dfrac{f'(x)}{f(x)}\,dx=\ln|f(x)|+C$

• 상수배를 제외한 $g'(x)$ 꼴이 있으면 $g(x)=t$로 치환한다.

3-1 다음 부정적분을 구하시오.

(1) $\displaystyle\int \dfrac{x-1}{x^2-2x+1}\,dx$

(2) $\displaystyle\int \dfrac{e^x}{e^x+1}\,dx$

(3) $\displaystyle\int \dfrac{e^x}{e^x+e^{-x}}\,dx$

(4) $\displaystyle\int \dfrac{\cos x}{1+3\sin x}\,dx$

대표 Q4 유리함수의 부정적분

다음 부정적분을 구하시오.

(1) $\displaystyle\int \frac{2x-1}{x+2}\,dx$　　　(2) $\displaystyle\int \frac{x}{(x^2+1)^3}\,dx$　　　(3) $\displaystyle\int \frac{1}{x^2-1}\,dx$

날선 Guide (1) $\displaystyle\int \frac{2x-1}{x+2}\,dx = \int \left(2-\frac{5}{x+2}\right)dx$로 정리한 다음

$\dfrac{1}{x+2}$ 은 $x+2=t$로 치환하거나 다음을 이용한다.

$$\int \frac{1}{ax+b}\,dx = \frac{1}{a}\ln|ax+b|+C$$

(2) $(x^2+1)'=2x$이므로 $x^2+1=t$로 치환하여 푼다.

(3) $x^2-1=t$로 치환하여 적분할 수 없다.

$$\frac{1}{x^2-1}=\frac{1}{(x-1)(x+1)}$$
$$=\frac{1}{2}\left(\frac{1}{x-1}-\frac{1}{x+1}\right) \quad\longrightarrow\quad \frac{1}{AB}=\frac{1}{B-A}\left(\frac{1}{A}-\frac{1}{B}\right)$$

과 같이 정리한 다음 $\dfrac{1}{x-1}$ 과 $\dfrac{1}{x+1}$ 을 각각 적분한다.

답 (1) $2x-5\ln|x+2|+C$　(2) $-\dfrac{1}{4(x^2+1)^2}+C$　(3) $\dfrac{1}{2}\ln\left|\dfrac{x-1}{x+1}\right|+C$

날선 Point

- $\displaystyle\int \frac{cx+d}{ax+b}\,dx$ 꼴 ➡ $ax+b=t$로 치환한다.
- 상수배를 무시하고 $g'(x)$ 꼴이 곱해져 있으면 $g(x)=t$로 치환한다.
- 분모가 두 식의 곱이면 아래와 같이 분리하고 적분할 수 있는지 확인한다.

$$\frac{1}{AB}=\frac{1}{B-A}\left(\frac{1}{A}-\frac{1}{B}\right)\,(A\neq B)$$

4-1 다음 부정적분을 구하시오.

(1) $\displaystyle\int \frac{9x}{3x+1}\,dx$　　　　　　(2) $\displaystyle\int \frac{1}{x^2+3x+2}\,dx$

4-2 $f(x)=\displaystyle\int \frac{x+3}{x^2+2x}\,dx - \int \frac{x+1}{x^2+2x}\,dx$에 대하여 $f(1)=0$일 때, $f(-1)$의 값을 구하시오.

다음 부정적분을 구하시오.

(1) $\displaystyle\int (2x+1)\sqrt{1-x}\,dx$

(2) $\displaystyle\int \frac{1}{e^x+1}\,dx$

(3) $\displaystyle\int \sin^3 x\,dx$

(4) $\displaystyle\int \cos 2x \cos x\,dx$

날선 Guide (1) $1-x=t$라 하면 $\dfrac{dt}{dx}=-1$, $dx=-dt$

또 $x=1-t$에서 $2x+1=3-2t$이므로 다음을 계산한다.

$$\int (2x+1)\sqrt{1-x}\,dx = \int (3-2t)\sqrt{t}\times(-1)\,dt$$

참고 $\sqrt{1-x}=t$로 놓고 $\dfrac{dt}{dx}=-\dfrac{1}{2\sqrt{1-x}}=-\dfrac{1}{2t}$, $dx=-2t\,dt$를 이용할 수도 있다.

(2) $e^x+1=t$라 하면 $\dfrac{dt}{dx}=e^x=t-1$, $dx=\dfrac{1}{t-1}\,dt$이므로

$$\int \frac{1}{e^x+1}\,dx = \int \frac{1}{t(t-1)}\,dt$$

이 식은 앞에서 공부한 유리함수의 적분법을 이용하여 적분한다.

(3) $\sin x=t$로 치환하면 계산할 수 없다. 그러나

$$\sin^3 x=\sin^2 x \sin x=(1-\cos^2 x)\sin x$$

와 같이 정리하면 $\cos x=t$로 치환하여 계산할 수 있다.

(4) $\cos 2x \cos x=(1-2\sin^2 x)\cos x$

임을 이용하면 $\sin x=t$로 치환할 수 있다.

답 (1) $-2(1-x)\sqrt{1-x}+\dfrac{4}{5}(1-x)^2\sqrt{1-x}+C$ (2) $\ln\left(\dfrac{e^x}{e^x+1}\right)+C$

(3) $\dfrac{1}{3}\cos^3 x-\cos x+C$ (4) $-\dfrac{2}{3}\sin^3 x+\sin x+C$

날선 Point

- $\sqrt{f(x)}$를 포함한 꼴 ➡ $f(x)=t$ 또는 $\sqrt{f(x)}=t$로 놓고 식을 정리한다.

- e^x을 포함한 꼴 ➡ $e^x=t$로 놓고 $\dfrac{dt}{dx}=e^x=t$를 이용한다.

- $\sin x$만 포함한 꼴 ➡ $\cos x$가 곱해진 꼴로 변형하고 $\cos x=t$로 치환한다.

- $\cos x$만 포함한 꼴 ➡ $\sin x$가 곱해진 꼴로 변형하고 $\sin x=t$로 치환한다.

5-1 다음 부정적분을 구하시오.

(1) $\displaystyle\int x\sqrt{x+2}\,dx$

(2) $\displaystyle\int \frac{x-1}{\sqrt{x+1}}\,dx$

(3) $\displaystyle\int \tan x \sec^2 x\,dx$

(4) $\displaystyle\int \frac{\cos^3 x}{1+\sin x}\,dx$

다음 정적분의 값을 구하시오.

(1) $\displaystyle\int_1^3 \frac{1}{(2x+1)^2}\,dx$

(2) $\displaystyle\int_0^1 x\sqrt{1-x}\,dx$

(3) $\displaystyle\int_1^e \frac{(\ln x+1)^2}{x}\,dx$

(4) $\displaystyle\int_0^\pi \frac{\sin x}{2+\cos x}\,dx$

날선 Guide (1) $2x+1=t$라 하면 $\dfrac{dt}{dx}=2$, $dx=\dfrac{1}{2}\,dt$이다.

또 $x=1$일 때 $t=3$, $x=3$일 때 $t=7$이므로 적분 구간도 바꾼다. 곧,

$$\int_1^3 \frac{1}{(2x+1)^2}\,dx=\int_3^7 \frac{1}{t^2}\times\frac{1}{2}\,dt$$

참고 부정적분이 간단한 경우 치환하지 않고 다음과 같이 바로 계산해도 된다.

$$\int_1^3 \frac{1}{(2x+1)^2}\,dx=\left[-\frac{1}{2}(2x+1)^{-1}\right]_1^3$$

(2) $1-x=t$로 치환하거나 $\sqrt{1-x}=t$로 치환한다.

이때에도 적분 구간을 같이 바꾼다.

(3) $\dfrac{1}{x}$이 곱해져 있으므로 $\ln x+1=t$로 치환한다.

(4) $\sin x$가 곱해져 있으므로 $2+\cos x=t$로 치환한다.

답 (1) $\dfrac{2}{21}$ (2) $\dfrac{4}{15}$ (3) $\dfrac{7}{3}$ (4) $\ln 3$

날선 Point

• **치환적분법과 정적분**

함수 $f(x)$가 연속이고 $t=g(x)$, $g(a)=\alpha$, $g(b)=\beta$일 때

$$\int_a^b f(g(x))g'(x)\,dx=\int_\alpha^\beta f(t)\,dt$$

• 부정적분이 간단하면 부정적분을 바로 구하고 정적분을 계산한다.

6-1 다음 정적분의 값을 구하시오.

(1) $\displaystyle\int_0^1 \frac{x}{(x^2+1)^2}\,dx$

(2) $\displaystyle\int_0^1 3x^2\sqrt{x^3+1}\,dx$

(3) $\displaystyle\int_0^{\ln 2} \frac{e^{2x}}{e^{2x}+1}\,dx$

(4) $\displaystyle\int_0^{\frac{\pi}{2}} \sin 2x \cos x\,dx$

다음 정적분의 값을 구하시오.

(1) $\int_0^r \sqrt{r^2-x^2}\,dx$ $\left(\text{단, } x=r\sin\theta\left(-\dfrac{\pi}{2}\le\theta\le\dfrac{\pi}{2}\right)\text{로 치환한다.}\right)$

(2) $\int_{-1}^1 \dfrac{1}{1+x^2}\,dx$ $\left(\text{단, } x=\tan\theta\left(-\dfrac{\pi}{2}<\theta<\dfrac{\pi}{2}\right)\text{로 치환한다.}\right)$

(날선 **Guide**) (1) $x=r\sin\theta\left(-\dfrac{\pi}{2}\le\theta\le\dfrac{\pi}{2}\right)$에서 $\dfrac{dx}{d\theta}=r\cos\theta$, $dx=r\cos\theta\,d\theta$이고,

$x=0$일 때 $\theta=0$, $x=r$일 때 $\theta=\dfrac{\pi}{2}$이다. 이 범위에서

$$\sqrt{r^2-x^2}=\sqrt{r^2(1-\sin^2\theta)}=r\cos\theta$$

따라서 $\int_0^r \sqrt{r^2-x^2}\,dx=\int_0^{\frac{\pi}{2}} r\cos\theta\times r\cos\theta\,d\theta$를 계산한다.

(참고) $y=\sqrt{r^2-x^2}$이라 하면 $x^2+y^2=r^2$이므로 구하는 정적분
의 값은 그림에서 색칠한 부분의 넓이이다.

이 문제에서 $r^2-x^2=t$로 치환하면 $\dfrac{dt}{dx}=-2x$

그런데 이 문제의 함수에서는 x가 곱해져 있지 않으므
로 계산할 수 없다.

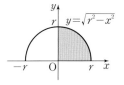

(2) $x=\tan\theta\left(-\dfrac{\pi}{2}<\theta<\dfrac{\pi}{2}\right)$에서 $\dfrac{dx}{d\theta}=\sec^2\theta$, $dx=\sec^2\theta\,d\theta$이고,

$x=-1$일 때 $\theta=-\dfrac{\pi}{4}$, $x=1$일 때 $\theta=\dfrac{\pi}{4}$이다.

따라서 $\int_{-1}^1 \dfrac{1}{1+x^2}\,dx=\int_{-\frac{\pi}{4}}^{\frac{\pi}{4}} \dfrac{\sec^2\theta}{1+\tan^2\theta}\,d\theta$를 계산한다.

(답) (1) $\dfrac{\pi}{4}r^2$ (2) $\dfrac{\pi}{2}$

• $\sqrt{a^2-x^2}$을 포함한 꼴 ➡ $x=a\sin\theta\left(-\dfrac{\pi}{2}\le\theta\le\dfrac{\pi}{2}\right)$로 치환한다.

• $\dfrac{1}{a^2+x^2}$을 포함한 꼴 ➡ $x=a\tan\theta\left(-\dfrac{\pi}{2}<\theta<\dfrac{\pi}{2}\right)$로 치환한다.

7-1 다음 정적분의 값을 구하시오.

(1) $\int_0^2 \sqrt{4-x^2}\,dx$

(2) $\int_0^{2\sqrt{3}} \dfrac{1}{4+x^2}\,dx$

함수 $f(x)$, $g(x)$가 미분가능하고 $f'(x)$, $g'(x)$가 연속일 때,

$$\int f(x)g'(x)\,dx = f(x)g(x) - \int f'(x)g(x)\,dx$$

부분적분법 ● 함수 $f(x)$, $g(x)$가 미분가능할 때,

$$\{f(x)g(x)\}' = f'(x)g(x) + f(x)g'(x)$$

$f'(x)$, $g'(x)$가 연속이므로 양변을 적분하면

$$\int \{f(x)g(x)\}'\,dx = \int \{f'(x)g(x) + f(x)g'(x)\}\,dx$$

$$f(x)g(x) = \int f'(x)g(x)\,dx + \int f(x)g'(x)\,dx$$

$$\therefore \int f(x)g'(x)\,dx = f(x)g(x) - \int f'(x)g(x)\,dx$$

따라서 $f'(x)$가 간단하고 $f'(x)g(x)$의 부정적분을 구할 수 있는 경우 이 식을 이용하여 적분한다. 이 방법을 부분적분법이라 한다.

$\int \ln x\,dx$ ● $\int \ln x\,dx$는 부분적분법을 이용하여 계산할 수 있다.

$f(x) = \ln x$, $g'(x) = 1$이라 하면 $f'(x) = \dfrac{1}{x}$, $g(x) = x$이므로

$$\int \ln x\,dx = (\ln x) \times x - \int \frac{1}{x} \times x\,dx$$

$$= x \ln x - \int 1\,dx$$

$$= x \ln x - x + C$$

$\ln x$의 부정적분은 자주 이용하므로 공식처럼 기억하고 이용해도 된다.

$$\int \ln x\,dx = x \ln x - x + C$$

개념 Check

◆ 정답 및 풀이 **116**쪽

3 부분적분법을 이용하여 $\int xe^x\,dx$를 구하려고 한다. 다음 물음에 답하시오.

(1) $f(x) = x$, $g'(x) = e^x$이라 할 때, $f'(x)$와 $g(x)$를 구하시오.

(2) $\int xe^x\,dx$를 구하시오.

함수 $f(x)$, $g(x)$가 미분가능하고 $f'(x)$, $g'(x)$가 연속일 때,

$$\int_a^b f(x)g'(x)\,dx=\left[f(x)g(x)\right]_a^b-\int_a^b f'(x)g(x)\,dx$$

부분적분법과
정적분

• 함수 $f(x)$, $g(x)$가 미분가능하므로

$$\{f(x)g(x)\}'=f'(x)g(x)+f(x)g'(x)$$

$f'(x)$, $g'(x)$가 연속이므로 양변의 정적분을 계산하면

$$\int_a^b \{f(x)g(x)\}'\,dx=\int_a^b \{f'(x)g(x)+f(x)g'(x)\}\,dx$$

$$\left[f(x)g(x)\right]_a^b=\int_a^b f'(x)g(x)\,dx+\int_a^b f(x)g'(x)\,dx$$

$$\therefore \int_a^b \boldsymbol{f(x)g'(x)}\,dx=\left[\boldsymbol{f(x)g(x)}\right]_a^b-\int_a^b \boldsymbol{f'(x)g(x)}\,dx$$

• 예를 들어 $\int_0^1 xe^x\,dx$의 값은 다음 두 가지 방법으로 구할 수 있다.

방법 1 $f(x)=x$, $g'(x)=e^x$이라 하면 $f'(x)=1$, $g(x)=e^x$이므로

$$\int_0^1 xe^x\,dx=\left[xe^x\right]_0^1-\int_0^1 1\times e^x\,dx$$

$$=e-\left[e^x\right]_0^1=e-(e-1)=1$$

방법 2 $\int xe^x\,dx$의 부정적분을 바로 구하고 대입해도 된다. 곧,

$$\int xe^x\,dx=xe^x-\int e^x\,dx=xe^x-e^x+C$$이므로

$$\int_0^1 xe^x\,dx=\left[xe^x-e^x\right]_0^1=1$$

개념 Check

◆ 정답 및 풀이 **117**쪽

4 부분적분법을 이용하여 $\int_0^1 (2x-1)e^x\,dx$의 값을 구하려고 한다. 다음 물음에 답하시오.

(1) $f(x)=2x-1$, $g'(x)=e^x$이라 할 때, $f'(x)$와 $g(x)$를 구하시오.

(2) $\int_0^1 (2x-1)e^x\,dx$의 값을 구하시오.

다음 부정적분을 구하시오.

(1) $\displaystyle\int (x+1)e^x\,dx$ (2) $\displaystyle\int \ln(x+1)\,dx$ (3) $\displaystyle\int x^2\cos x\,dx$

날선 Guide 다음 부분적분법을 이용하는 꼴이다.

$$\int f(x)g'(x)\,dx = f(x)g(x) - \int f'(x)g(x)\,dx$$

$f'(x)g(x)$를 간단히 적분할 수 있는 꼴이 되도록 $f(x)$, $g(x)$를 정한다.

(1) $f(x)=x+1$, $g'(x)=e^x$이라 하면

     $f'(x)=1$, $g(x)=e^x$

     이때 $f'(x)g(x)=e^x$을 적분한다.

$$\underset{f(x)}{x+1} \qquad \underset{g'(x)}{e^x}$$

(2) $f(x)=\ln(x+1)$, $g'(x)=1$이라 하면

     $f'(x)=\dfrac{1}{x+1}$, $g(x)=x$

$$\underset{f(x)}{\ln(x+1)} \qquad \underset{g'(x)}{1}$$

(3) $f(x)=x^2$, $g'(x)=\cos x$라 하면

     $f'(x)=2x$, $g(x)=\sin x$

     이므로 $\displaystyle\int f'(x)g(x)\,dx = \int 2x\sin x\,dx$이다.

$$\underset{f(x)}{x^2} \qquad \underset{g'(x)}{\cos x}$$

이 꼴은 $u(x)=x$, $v'(x)=\sin x$로 놓고 부분적분법을 한 번 더 이용한다.

답 (1) $xe^x + C$ (2) $(x+1)\ln(x+1) - x + C$

(3) $x^2\sin x + 2x\cos x - 2\sin x + C$

날선 Point

• xe^x, $\ln x$ 또는 $x\ln x$, $x\sin x$ 또는 $x\cos x$, $e^x\sin x$ 또는 $e^x\cos x$ 꼴은 다음 부분적분법을 이용한다.

$$\int f(x)g'(x)\,dx = f(x)g(x) - \int f'(x)g(x)\,dx$$

• $ax+b$와 지수함수, 삼각함수의 곱은 $ax+b$를 $f(x)$로, $\ln x$ 꼴이 있으면 $\ln x$ 꼴을 $f(x)$로 놓는다.

8-1 다음 부정적분을 구하시오.

(1) $\displaystyle\int x\ln x\,dx$ (2) $\displaystyle\int x\sin 2x\,dx$

8-2 다음 부정적분을 구하시오.

(1) $\displaystyle\int x^2 e^x\,dx$ (2) $\displaystyle\int (\ln x)^2\,dx$

다음 정적분의 값을 구하시오.

(1) $\displaystyle\int_1^e \ln x \, dx$ (2) $\displaystyle\int_0^1 x e^{2x-1} \, dx$ (3) $\displaystyle\int_0^\pi e^x \sin x \, dx$

날선 Guide (1) $f(x)=\ln x$, $g'(x)=1$이라 하면

$f'(x)=\dfrac{1}{x}$, $g(x)=x$이므로

$$\int_1^e \ln x \, dx = \Big[x\ln x\Big]_1^e - \int_1^e 1 \, dx$$

(2) $f(x)=x$, $g'(x)=e^{2x-1}$이라 하면

$f'(x)=1$, $g(x)=\dfrac{1}{2}e^{2x-1}$이므로

$$\int_0^1 x e^{2x-1} \, dx = \Big[\frac{1}{2}x e^{2x-1}\Big]_0^1 - \int_0^1 \frac{1}{2}e^{2x-1} \, dx$$

(3) $e^x \sin x$에서는 e^x을 $f(x)$라 해도 되고 $\sin x$를 $f(x)$라 해도 된다.

$f(x)=e^x$, $g'(x)=\sin x$라 하면

$f'(x)=e^x$, $g(x)=-\cos x$이므로

$$\int_0^\pi e^x \sin x \, dx = \Big[e^x(-\cos x)\Big]_0^\pi - \int_0^\pi e^x(-\cos x) \, dx$$

$$= e^\pi + 1 + \int_0^\pi e^x \cos x \, dx$$

그리고 $\displaystyle\int_0^\pi e^x \cos x \, dx$를 부분적분법으로 다시 한 번 계산하면 반복되는 꼴이 나온다.

답 (1) 1 (2) $\dfrac{1}{4}\left(e+\dfrac{1}{e}\right)$ (3) $\dfrac{e^\pi+1}{2}$

부분적분법과 정적분

$$\int_a^b f(x)g'(x) \, dx = \Big[f(x)g(x)\Big]_a^b - \int_a^b f'(x)g(x) \, dx$$

9-1 다음 정적분의 값을 구하시오.

(1) $\displaystyle\int_0^\pi x(\sin x + \cos x) \, dx$ (2) $\displaystyle\int_1^e \frac{\ln x}{x^2} \, dx$

9-2 정적분 $\displaystyle\int_0^\pi e^x \cos x \, dx$의 값을 구하시오.

정적분 함수와 치환, 부분적분

◆ 정답 및 풀이 119쪽

함수 $f(x)=\ln(x+1)$에 대하여
$$F(x)=\int_0^x tf(x-t)\,dt \ (x>0)$$
라 할 때, $F'(e-1)$의 값을 구하시오.

 날선 Guide $F(x)$를 x에 대하여 미분하기 위해서는 $f(x-t)$에서 x를 분리해야 한다.
이때 치환을 이용하면 된다.

$x-t=y$라 하면 $\dfrac{dy}{dt}=-1$, $dt=-dy$, $t=x-y$

또 $t=0$일 때 $y=x$, $t=x$일 때 $y=0$이므로

$$\int_0^x tf(x-t)\,dt=\int_x^0 (x-y)f(y)\times(-1)\,dy$$
$$=\int_0^x (x-y)f(y)\,dy$$
$$=x\int_0^x f(y)\,dy-\int_0^x yf(y)\,dy$$

따라서 이 식은 x에 대하여 미분할 수 있으므로 $F'(x)$를 구할 수 있다.

참고 보통은 $g(x)=t$로 놓고 변수를 dx에서 dt로 바꾸지만,
이 문제는 $x-t=y$로 놓고 변수를 dt에서 dy로 바꾸는 과정임에 주의한다.

답 1

> **날선 Point**
> • 적분에서 $f(a-x)$ 꼴의 함수는 $a-x=t$로 치환한다.
> • $\int_a^x f(t)\,dt$ 꼴로 주어진 함수는 $\dfrac{d}{dx}\int_a^x f(t)\,dt=f(x)$를 이용한다.

10-1 미분가능한 함수 $f(x)$가 $\int_0^1 (x-1)f'(x+1)\,dx=-4$를 만족시키고 $f(1)=2$일 때,
$\int_1^2 f(x)\,dx$의 값을 구하시오. (단, $f'(x)$는 연속함수이다.)

10-2 함수 $f(x)=\int_0^x \dfrac{1}{1+t^6}\,dt$이고 $f(a)=\dfrac{1}{2}$이다. 다음을 구하시오.

(1) $f'(x)$

(2) $\int_0^a \dfrac{e^{f(x)}}{1+x^6}\,dx$

12 치환적분법과 부분적분법

01 다음 부정적분을 구하시오.

(1) $\displaystyle\int (3x^2-4)(x^3-4x+2)^3\,dx$ (2) $\displaystyle\int \left(\frac{1}{2}x+2\right)^3\,dx$

(3) $\displaystyle\int \frac{1}{(1-2x)^4}\,dx$

02 다음 부정적분을 구하시오.

(1) $\displaystyle\int \frac{1}{x^2+5x+6}\,dx$ (2) $\displaystyle\int \frac{x^2+1}{x+1}\,dx$ (3) $\displaystyle\int \frac{3x^2-3}{x^3-3x+5}\,dx$

03 다음 부정적분을 구하시오.

(1) $\displaystyle\int x\sqrt{x^2-1}\,dx$ (2) $\displaystyle\int \frac{x^2}{\sqrt{x^3+1}}\,dx$ (3) $\displaystyle\int x^3\sqrt{x^2-1}\,dx$

04 다음 부정적분을 구하시오.

(1) $\displaystyle\int e^{2x}(e^{2x}-1)^4\,dx$ (2) $\displaystyle\int \frac{e^x-e^{-x}}{e^x+e^{-x}}\,dx$

(3) $\displaystyle\int \frac{3(\ln x)^2}{x}\,dx$ (4) $\displaystyle\int \frac{\cos(\ln x)}{x}\,dx$

05 다음 부정적분을 구하시오.

(1) $\displaystyle\int \cos 5x\,dx$ (2) $\displaystyle\int \frac{\cos x-\sin x}{\sin x+\cos x}\,dx$

(3) $\displaystyle\int e^{\sin x}\cos x\,dx$ (4) $\displaystyle\int \sec x\tan x\,dx$

06 다음 정적분의 값을 구하시오.

(1) $\displaystyle\int_{-1}^{3} \frac{1}{\sqrt{2x+3}} \, dx$　　(2) $\displaystyle\int_{e}^{e^2} \frac{1}{x(\ln x)^2} \, dx$　　(3) $\displaystyle\int_{\frac{\pi}{6}}^{\frac{\pi}{2}} \sin^2 x \cos x \, dx$

07 다음 부정적분을 구하시오.

(1) $\displaystyle\int 2x \ln x \, dx$　　　　　　　(2) $\displaystyle\int x^2 \sin x \, dx$

08 다음 정적분의 값을 구하시오.

(1) $\displaystyle\int_{0}^{\pi} x \cos(\pi - x) \, dx$　　　　　(2) $\displaystyle\int_{1}^{e} \frac{\ln x}{x^2} \, dx$

09 실수 전체의 집합에서 연속인 함수 $f(x)$에 대하여
$$\int_{1}^{e^2} \frac{f(1+2\ln x)}{x} \, dx = 5$$
일 때, $\displaystyle\int_{1}^{5} f(x) \, dx$의 값은?

① 6　　　　② 7　　　　③ 8　　　　④ 9　　　　⑤ 10

 Step ② 실전

10 다음 부정적분을 구하시오.

(1) $\displaystyle\int \frac{\cos^3 x}{1 - \sin x} \, dx$　　(2) $\displaystyle\int \frac{1}{\cos x} \, dx$　　(3) $\displaystyle\int \tan^3 x \, dx$

11 다음 부정적분을 구하시오.

(1) $\displaystyle\int (x^2-2x+4)e^x\,dx$ (2) $\displaystyle\int x(\ln x)^2\,dx$

12 다음 정적분의 값을 구하시오.

(1) $\displaystyle\int_0^{\frac{\sqrt{2}}{2}} \frac{1}{\sqrt{1-x^2}}\,dx$ (2) $\displaystyle\int_{-\frac{1}{2}}^{\frac{1}{2}} \frac{1}{4x^2+1}\,dx$

13 다음 물음에 답하시오.

(1) $\dfrac{x+5}{x^2+4x+3}=\dfrac{a}{x+1}+\dfrac{b}{x+3}$ 일 때, 상수 a, b의 값을 구하시오.

(2) $\displaystyle\int \frac{x+5}{x^2+4x+3}\,dx$를 구하시오.

14 $f(x)$는 미분가능한 함수이고 $f(0)=e$이다. 모든 실수 x에 대하여 $f(x)>0$이 고 $f'(x)=-f(x)$일 때, $f(1)$의 값은?

① 1   ② 2   ③ 3   ④ e ⑤ $2e$

15 $\displaystyle\int_{e^2}^{e^3} \frac{a+\ln x}{x}\,dx = \int_0^{\frac{\pi}{2}} (1+\sin x)\sin 2x\,dx$가 성립할 때, 상수 a의 값을 구하 시오.

수능 기출

16 $x>0$에서 정의된 연속함수 $f(x)$가 모든 양수 x에 대하여

$$2f(x)+\frac{1}{x^2}f\left(\frac{1}{x}\right)=\frac{1}{x}+\frac{1}{x^2}$$

을 만족시킬 때, $\int_{\frac{1}{2}}^{2} f(x)\,dx$의 값은?

① $\dfrac{\ln 2}{3}+\dfrac{1}{2}$ ② $\dfrac{2\ln 2}{3}+\dfrac{1}{2}$ ③ $\dfrac{\ln 2}{3}+1$

④ $\dfrac{2\ln 2}{3}+1$ ⑤ $\dfrac{2\ln 2}{3}+\dfrac{3}{2}$

17 함수 $f(x)=\int_{1}^{x} e^{t^3}\,dt$에 대하여 $\int_{0}^{1} xf(x)\,dx$의 값을 구하시오.

18 $f(x)$는 실수 전체의 집합에서 미분가능한 함수이다.

$xf(x)=x^2 e^{-x}+\int_{1}^{x} f(t)\,dt$일 때, $f(2)$의 값을 구하시오.

수능 기출

19 함수 $f(x)$가

$$f(x)=\int_{0}^{x} \frac{1}{1+e^{-t}}\,dt$$

일 때, $(f \circ f)(a)=\ln 5$를 만족시키는 실수 a의 값은?

① $\ln 11$ ② $\ln 13$ ③ $\ln 15$ ④ $\ln 17$ ⑤ $\ln 19$

교육청 기출

20 연속함수 $f(x)$가

$$\int_{-1}^{1} f(x)\,dx=12, \quad \int_{0}^{1} xf(x)\,dx=\int_{0}^{-1} xf(x)\,dx$$

를 만족시킨다. $\int_{-1}^{x} f(t)\,dt=F(x)$라 할 때, $\int_{-1}^{1} F(x)\,dx$의 값을 구하시오.

수학Ⅱ에서 정적분의 정의를 이용하여 직선 또는 곡선으로 둘러싸인 부분의 넓이를 구하는 방법에 대하여 공부하였다.

이 단원에서는 정적분과 급수의 합 사이의 관계를 이해하고, 이를 활용하여 여러 가지 문제를 해결해 보자. 또 지수함수, 로그함수, 삼각함수 등의 다양한 함수로 나타난 곡선과 x축, 곡선과 곡선, 곡선과 y축으로 둘러싸인 부분의 넓이를 구하는 방법을 알아보자.

넓이

13

함수 $f(x)$가 구간 $[a, b]$에서 연속일 때,

$$\lim_{n\to\infty}\sum_{k=1}^{n}f(x_k)\varDelta x=\int_a^b f(x)\,dx \left(\varDelta x=\frac{b-a}{n},\ x_k=a+k\varDelta x\right)$$

넓이와 급수 •

함수 $f(x)$가 구간 $[a, b]$에서 연속이고 $f(x)\geq 0$일 때, 그림에서 색칠한 부분의 넓이는

❶ 직사각형의 넓이의 합을 이용하여 근사한 다음,

❷ 극한을 이용하여 구할 수도 있다.

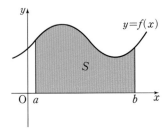

❶ 그림과 같이 밑변의 길이가 같은 직사각형을 n개 만들자.

이때 밑변의 길이는 $\dfrac{b-a}{n}$이다. 이 값을 $\varDelta x$라 하면

$$x_1=a+\varDelta x,\ x_2=a+2\varDelta x,\ \cdots,$$
$$x_n=a+n\varDelta x=b$$

직사각형의 높이는 차례로 $f(x_1),\ f(x_2),\ \cdots,\ f(x_n)$

따라서 직사각형의 넓이의 합은

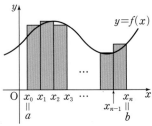

$$f(x_1)\varDelta x+f(x_2)\varDelta x+\cdots+f(x_n)\varDelta x=\sum_{k=1}^{n}f(x_k)\varDelta x$$

❷ $f(x)$가 연속이므로 n의 값이 한없이 커지면 직사각형의 넓이의 합은 구간 $[a, b]$에서 곡선과 x축 사이의 넓이이다. 따라서 $\displaystyle\lim_{n\to\infty}\sum_{k=1}^{n}f(x_k)\varDelta x$ 또는 $\displaystyle\sum_{k=1}^{\infty}f(x_k)\varDelta x$가 구하는 넓이이다.

급수와 정적분 •

위의 넓이가 정적분 $\displaystyle\int_a^b f(x)\,dx$임은 앞에서 공부하였다. 따라서 다음이 성립한다.

$$\lim_{n\to\infty}\sum_{k=1}^{n}f(x_k)\varDelta x=\int_a^b f(x)\,dx$$

여기에서는 $\displaystyle\sum_{k=1}^{\infty}f(x_k)\varDelta x$ 꼴의 급수에서 부분합을 구하기 어려운 경우 $f(x)$의 정적분을 이용하여 극한값을 구하는 방법을 공부한다.

참고 1. $f(x)\leq 0$이면 $f(x_k)\varDelta x<0$이므로 급수의 합은 넓이에 $-$를 붙인 값이다. 따라서 $f(x)$의 부호와 관계없이 성립한다.

2. 그림과 같은 직사각형 넓이의 합을 생각하면

$$\lim_{n\to\infty}\sum_{k=0}^{n-1}f(x_k)\varDelta x=\int_a^b f(x)\,dx$$

가 성립한다는 것도 알 수 있다.

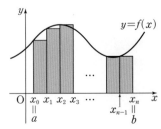

예를 들어 정적분을 이용하여 다음 극한값을 구해 보자.

$$\lim_{n\to\infty}\left\{\frac{1}{n}\left(1+\frac{1}{n}\right)^3+\frac{1}{n}\left(1+\frac{2}{n}\right)^3+\cdots+\frac{1}{n}\left(1+\frac{n}{n}\right)^3\right\}$$

$x_1=1+\dfrac{1}{n}$, $x_2=1+\dfrac{2}{n}$, $\cdots$, $x_n=1+\dfrac{n}{n}=2$라 하고 $f(x)=x^3$

이라 하면 $\sum\limits_{k=1}^{n}\dfrac{1}{n}f(x_k)$는 그림에서 직사각형의 넓이의 합이다.

따라서 급수의 합은

$$\int_1^2 f(x)\,dx=\int_1^2 x^3\,dx=\left[\frac{1}{4}x^4\right]_1^2=\frac{15}{4}$$

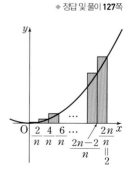

위의 문제는 $\lim\limits_{n\to\infty}\sum\limits_{k=1}^{n}\dfrac{1}{n}\left(1+\dfrac{k}{n}\right)^3$의 값을 구하는 문제이다.

따라서 $b-a=1$, $x_k=1+\dfrac{k}{n}$인 경우이므로

$$\lim_{n\to\infty}\sum_{k=1}^{n}f(x_k)\Delta x=\int_a^b f(x)\,dx\left(\Delta x=\frac{b-a}{n},\ x_k=a+k\Delta x\right)$$

$a=1$, $b=2$, $f(x)=x^3$인 경우라고 찾아도 된다.

보통은 $\lim\limits_{n\to\infty}\sum\limits_{k=1}^{n}\dfrac{1}{n}\left(1+\dfrac{k}{n}\right)^3$에서

$$\lim_{n\to\infty}\sum_{k=1}^{n}\ \Rightarrow\ \int_0^1,\qquad\frac{1}{n}\ \Rightarrow\ dx,\qquad\frac{k}{n}\ \Rightarrow\ x$$

로 바꾼다고 생각하고 계산하면 편하다. 이를 이용하면

$$\lim_{n\to\infty}\sum_{k=1}^{n}\frac{1}{n}\left(1+\frac{k}{n}\right)^3=\int_0^1(1+x)^3\,dx$$

$\displaystyle\int_0^1(1+x)^3\,dx$에서 $1+x=t$로 치환하면 $\displaystyle\int_1^2 t^3\,dt$이므로 같은 결과임을 알 수 있다.

◆ 정답 및 풀이 **127**쪽

개념 Check

1 다음 급수의 합을 구하시오.

$$\lim_{n\to\infty}\left\{\frac{1}{n}\left(\frac{2}{n}\right)^4+\frac{1}{n}\left(\frac{4}{n}\right)^4+\cdots+\frac{1}{n}\left(\frac{2n}{n}\right)^4\right\}$$

다음 급수의 합을 구하시오.

(1) $\lim\limits_{n\to\infty}\sum\limits_{k=1}^{n}\dfrac{(n+k)^3}{n^4}$

(2) $\lim\limits_{n\to\infty}\dfrac{1}{n}\sum\limits_{k=1}^{n}\left(1-\sqrt{\dfrac{2k}{n}}\right)$

(3) $\lim\limits_{n\to\infty}\left(\dfrac{1}{n+1}+\dfrac{1}{n+2}+\dfrac{1}{n+3}+\cdots+\dfrac{1}{n+n}\right)$

낱선 Guide 급수를 정적분으로 고칠 때에는 다음과 비교하여 $f(x)$와 a, b의 값을 찾는다.

$$\lim_{n\to\infty}\sum_{k=1}^{n}f\left(a+\dfrac{(b-a)k}{n}\right)\dfrac{b-a}{n}=\int_{a}^{b}f(x)\,dx$$

(1) $\lim\limits_{n\to\infty}\sum\limits_{k=1}^{n}\dfrac{(n+k)^3}{n^4}=\lim\limits_{n\to\infty}\sum\limits_{k=1}^{n}\dfrac{1}{n}\left(1+\dfrac{k}{n}\right)^3$ 에서

$f(x)=x^3$ 이고 $a=1$, $b=2$ 이다.

(2) $\lim\limits_{n\to\infty}\dfrac{1}{n}\sum\limits_{k=1}^{n}\left(1-\sqrt{\dfrac{2k}{n}}\right)=\dfrac{1}{2}\lim\limits_{n\to\infty}\sum\limits_{k=1}^{n}\dfrac{2}{n}\left(1-\sqrt{\dfrac{2k}{n}}\right)$ 에서

$f(x)=1-\sqrt{x}$ 이고 $a=0$, $b=2$ 이다.

(3) $\lim\limits_{n\to\infty}\sum\limits_{k=1}^{n}\dfrac{1}{n+k}=\lim\limits_{n\to\infty}\sum\limits_{k=1}^{n}\dfrac{1}{1+\dfrac{k}{n}}\times\dfrac{1}{n}$ 에서

$f(x)=\dfrac{1}{x}$ 이고 $a=1$, $b=2$ 이다.

참고 (1), (2), (3) 모두 $\dfrac{k}{n}$ 는 x로, $\dfrac{1}{n}$ 은 dx로 고치고 적분 구간을 $[0,\ 1]$로 해도 된다.

답 (1) $\dfrac{15}{4}$ (2) $1-\dfrac{2\sqrt{2}}{3}$ (3) $\ln 2$

낱선 Point 급수를 정적분으로 고치는 방법

• $\lim\limits_{n\to\infty}\sum\limits_{k=1}^{n}f\left(a+\dfrac{(b-a)k}{n}\right)\dfrac{b-a}{n}=\int_{a}^{b}f(x)\,dx$

• $\dfrac{k}{n}$ 는 x로, $\dfrac{1}{n}$ 은 dx로 고치고 적분 구간은 $[0,\ 1]$로!

1-1 다음 급수의 합을 구하시오.

(1) $\lim\limits_{n\to\infty}\sum\limits_{k=1}^{n}\dfrac{6}{n}\left(1+\dfrac{2k}{n}\right)^2$

(2) $\lim\limits_{n\to\infty}\dfrac{1^4+2^4+\cdots+n^4}{n^5}$

(3) $\lim\limits_{n\to\infty}\dfrac{1}{2n}\left\{\ln\left(1+\dfrac{2}{n}\right)+\ln\left(1+\dfrac{4}{n}\right)+\ln\left(1+\dfrac{6}{n}\right)+\cdots+\ln\left(1+\dfrac{2n}{n}\right)\right\}$

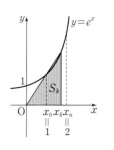
구간 $[1, 2]$를 n등분한 점과 양 끝 점을

$$1=x_0, x_1, x_2, \cdots, x_n=2$$

라 하자. 함수 $f(x)=e^x$에 대하여 세 점 $(0, 0)$, $(x_k, 0)$,

$(x_k, f(x_k))$가 꼭짓점인 삼각형의 넓이를 S_k라 할 때,

$\lim\limits_{n \to \infty} \dfrac{1}{n} \sum\limits_{k=1}^{n} S_k$의 값을 구하시오.

(날선 **Guide**) 그림에서 삼각형의 넓이 S_k는

$$S_k = \frac{1}{2} x_k f(x_k)$$

$x_k = 1 + \dfrac{k}{n}$이므로 $S_k = \dfrac{1}{2}\left(1+\dfrac{k}{n}\right)e^{1+\frac{k}{n}}$

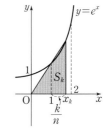

따라서 $\lim\limits_{n \to \infty} \sum\limits_{k=1}^{n} f\left(a+\dfrac{(b-a)k}{n}\right)\dfrac{b-a}{n} = \displaystyle\int_a^b f(x)\,dx$와

비교하여 정적분으로 나타내고 급수의 합을 구한다.

(참고) $\dfrac{k}{n}$는 x로, $\dfrac{1}{n}$은 dx로 고치고 적분 구간을 $[0, 1]$로 해도 된다.

(답) $\dfrac{1}{2}e^2$

13

(날선 **Point**) **급수를 정적분으로 고치는 방법**

• $\lim\limits_{n \to \infty} \sum\limits_{k=1}^{n} f\left(a+\dfrac{(b-a)k}{n}\right)\dfrac{b-a}{n} = \displaystyle\int_a^b f(x)\,dx$

• $\dfrac{k}{n}$는 x로, $\dfrac{1}{n}$은 dx로 고치고 적분 구간은 $[0, 1]$로!

2-1 구간 $[1, e]$를 n등분한 점과 양 끝 점을

$$1=x_0, x_1, x_2, \cdots, x_n=e$$

라 하자. 함수 $f(x)=\ln x$에 대하여 두 점 $(x_k, 0)$, $(x_k, f(x_k))$를

이은 선분을 한 변으로 하는 정사각형의 넓이를 S_k라 할 때,

$\lim\limits_{n \to \infty} \dfrac{e-1}{n} \sum\limits_{k=1}^{n} S_k$의 값을 구하시오.

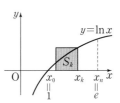

> **1** 곡선 $y=f(x)$와 x축 및 두 직선 $x=a$, $x=b$ $(a<b)$로 둘러싸인 부분의 넓이는
>
> $$\int_a^b |f(x)|\, dx$$
>
> **2** 두 곡선 $y=f(x)$, $y=g(x)$와 두 직선 $x=a$, $x=b$ $(a<b)$로 둘러싸인 부분의 넓이는
>
> $$\int_a^b |f(x)-g(x)|\, dx$$

곡선과 x축 사이의 넓이

함수 $f(x)$가 구간 $[a, b]$에서 연속이라 하자.

(ⅰ) $f(x) \geq 0$이면 색칠한 부분의 넓이는 정적분

$$\int_a^b f(x)\, dx$$이고,

(ⅱ) $f(x) < 0$이면 색칠한 부분의 넓이는 정적분

$$-\int_a^b f(x)\, dx$$임은 공부하였다.

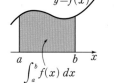

따라서 곡선 $y=f(x)$와 x축으로 둘러싸인 부분의 넓이는

$$\int_a^b |f(x)|\, dx$$

두 곡선으로 둘러싸인 부분의 넓이

두 곡선 $y=f(x)$, $y=g(x)$와 두 직선 $x=a$, $x=b$ $(a<b)$로 둘러싸인 부분의 넓이는

[그림 1]의 경우 초록색 부분과 빨간색 부분의 넓이의 합이므로

$$\int_a^b f(x)\, dx - \int_a^b g(x)\, dx = \int_a^b \{f(x)-g(x)\}\, dx$$

[그림 2]의 경우 초록색 부분과 빗금친 부분의 넓이의 차이므로

$$\int_a^b f(x)\, dx - \int_a^b g(x)\, dx = \int_a^b \{f(x)-g(x)\}\, dx$$

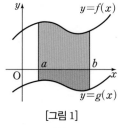

[그림 1]

따라서 $f(x) > g(x)$일 때 두 곡선으로 둘러싸인 부분의 넓이는

$$\int_a^b \{f(x)-g(x)\}\, dx$$

이다. 그리고 $f(x)$와 $g(x)$의 대소를 모르는 경우

$$\int_a^b |f(x)-g(x)|\, dx$$

와 같이 절댓값 기호를 사용하여 나타내면 된다.

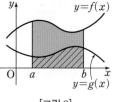

[그림 2]

개념 Check

◆ 정답 및 풀이 **128**쪽

2 곡선 $y=e^x$과 x축 및 두 직선 $x=0$, $x=2$로 둘러싸인 부분의 넓이를 구하시오.

13-3 곡선과 y축으로 둘러싸인 부분의 넓이

곡선 $y=f(x)$와 y축 및 두 직선 $y=c$, $y=d$ $(c<d)$로 둘러싸인 부분의 넓이는 $x=g(y)$ 꼴로 나타내고 $\displaystyle\int_c^d |g(y)|\,dy$를 계산한다.

곡선과 y축 • 사이의 넓이

$f(x)=x^2$ $(x\geq0)$일 때 곡선 $y=f(x)$와 y축 및 두 직선 $y=1$, $y=4$로 둘러싸인 부분의 넓이는 그림에서 색칠한 부분의 넓이이다.

$y=x^2$이라 하면 $x\geq0$에서 $x=\sqrt{y}$이므로

$$\int_1^4 \sqrt{y}\,dy=\left[\frac{2}{3}y\sqrt{y}\right]_1^4=\frac{14}{3}$$

와 같이 y에 대한 적분을 계산하면 간단하다.

이때에는 다음 성질을 이용하였다.

> 곡선 $x=g(y)$와 y축 및 두 직선 $y=c$, $y=d$ $(c<d)$로
> 둘러싸인 부분의 넓이는 $\displaystyle\int_c^d |g(y)|\,dy$이다.

$\displaystyle\int_c^d g(y)\,dy$ •

$g(y)\geq0$일 때, 곡선 $x=g(y)$와 y축 및 두 직선 $y=c$, $y=d$ $(c<d)$로 둘러싸인 부분의 넓이는 다음과 같이 급수를 이용하여 생각할 수 있다.

구간 $[c, d]$를 n등분한 점과 양 끝 점을

$$c=y_0,\ y_1,\ y_2,\ \cdots,\ y_n=d$$

라 하고, $\Delta y=\dfrac{d-c}{n}$라 하자.

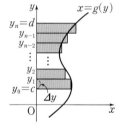

그림과 같이 높이가 Δy인 직사각형 n개를 생각하면 가로의 길이는 차례로 $g(y_1)$, $g(y_2)$, $\cdots$, $g(y_n)$이므로

직사각형의 넓이의 합은 $\displaystyle\sum_{k=1}^{n} g(y_k)\Delta y$이다.

따라서 $x=g(y)$가 연속이면 다음이 성립한다.

$$\lim_{n\to\infty}\sum_{k=1}^{n} g(y_k)\Delta y=\int_c^d |g(y)|\,dy$$

13

개념 Check

◆ 정답 및 풀이 **128**쪽

3 $f(x)=\sqrt{x-1}$일 때, 다음 물음에 답하시오.

(1) $y=f(x)$를 $x=g(y)$ 꼴로 나타내시오.

(2) 곡선 $y=f(x)$와 y축 및 두 직선 $y=1$, $y=2$로 둘러싸인 부분의 넓이를 구하시오.

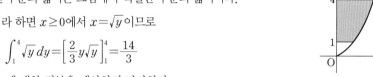

다음 곡선과 직선으로 둘러싸인 부분의 넓이를 구하시오.

(1) $y=\sin x\ (0\le x\le 2\pi)$, x축   (2) $y=\dfrac{2-x}{1+x}$, x축, y축, $x=4$

(3) $y=\dfrac{\ln x}{x}$, x축, $x=\dfrac{1}{e}$, $x=e$

날선 Guide (1) 그림에서 색칠한 부분의 넓이이다.

$0<x<\pi$일 때 $\sin x>0$,

$\pi<x<2\pi$일 때 $\sin x<0$이므로

$$\int_0^\pi \sin x\,dx+\int_\pi^{2\pi}(-\sin x)\,dx$$

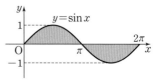

(2) $y=\dfrac{2-x}{1+x}=-1+\dfrac{3}{x+1}$

$y=0$일 때 $x=2$이고,

$x<2$일 때 $y>0$, $x>2$일 때 $y<0$이므로

$$\int_0^2\left(-1+\dfrac{3}{x+1}\right)dx+\int_2^4\left(1-\dfrac{3}{x+1}\right)dx$$

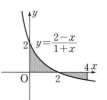

(3) $y=0$일 때 $x=1$이고,

$0<x<1$일 때 $y<0$, $x>1$일 때 $y>0$이므로

$$\int_{\frac{1}{e}}^1\left(-\dfrac{\ln x}{x}\right)dx+\int_1^e \dfrac{\ln x}{x}\,dx$$

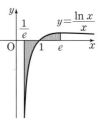

참고 함수의 그래프를 그리는 것이 기본이지만 곡선이 x축과 만나는 점과 y의 부호만 알아도 넓이를 구할 수 있다.

답 (1) 4   (2) $3\ln\dfrac{9}{5}$ (3) 1

날선 Point   곡선 $y=f(x)\ (a\le x\le b)$와 x축으로 둘러싸인 부분의 넓이

❶ 구간 $[a,\,b]$에서 x축과 만나는 점을 찾는다.

❷ 그래프를 그리거나 $f(x)$의 부호를 조사한다.

❸ $\displaystyle\int_a^b |f(x)|\,dx$를 계산한다.

3-1 다음 곡선과 직선으로 둘러싸인 부분의 넓이를 구하시오.

(1) $y=\sqrt{x}-1$, x축, $x=0$, $x=2$ (2) $y=e^x-1$, x축, $x=-1$, $x=1$

(3) $y=\ln(x+e)$, x축, y축

대표 Q4 두 곡선으로 둘러싸인 부분의 넓이

다음 곡선과 직선 또는 곡선과 곡선으로 둘러싸인 부분의 넓이를 구하시오.

(1) $y=2\sqrt{x-1}$, $y=x$, x축

(2) $y=e^x$, $y=e^{-x}$, $x=-1$, $x=1$

(3) $y=\sin x$, $y=\cos x$, $x=0$, $x=\pi$

날선 Guide (1) $2\sqrt{x-1}=x$에서 $4(x-1)=x^2$ $\therefore x=2$

따라서 그림에서 색칠한 부분의 넓이이므로

$$\int_0^2 x\,dx - \int_1^2 2\sqrt{x-1}\,dx$$

참고 $\displaystyle\int_0^2 x\,dx$는 삼각형의 넓이를 구해도 된다.

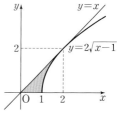

(2) 그림에서 색칠한 부분의 넓이이므로

$$\int_{-1}^0 (e^{-x}-e^x)\,dx + \int_0^1 (e^x - e^{-x})\,dx$$

참고 색칠한 두 부분의 넓이가 같다는 것을 이용할 수도 있다.

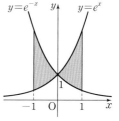

(3) $0 \le x \le \pi$에서 $\sin x = \cos x$의 해 $x=\alpha$를 찾고

$$\int_0^\alpha (\cos x - \sin x)\,dx + \int_\alpha^\pi (\sin x - \cos x)\,dx$$

를 계산한다.

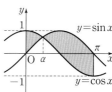

답 (1) $\dfrac{2}{3}$ (2) $2\left(e+\dfrac{1}{e}-2\right)$ (3) $2\sqrt{2}$

날선 Point

두 곡선 $y=f(x)$, $y=g(x)$와 두 직선 $x=a$, $x=b$ $(a<b)$로 둘러싸인 부분의 넓이

❶ 구간 $[a, b]$에서 $f(x)=g(x)$의 실근을 찾는다.

❷ 그래프를 그리거나 $f(x)$, $g(x)$의 대소를 조사한다.

❸ $\displaystyle\int_a^b |f(x)-g(x)|\,dx$를 계산한다.

4-1 다음 곡선과 직선 또는 곡선과 곡선으로 둘러싸인 부분의 넓이를 구하시오.

(1) $y=\dfrac{1}{x}$, $y=\sqrt{x}$, $x=\dfrac{1}{4}$, $x=4$

(2) $y=\cos x$, $y=\sin 2x$, $x=0$, $x=\dfrac{\pi}{2}$

 4-2 원점을 지나고 곡선 $y=\ln x$에 접하는 직선과 곡선 $y=\ln x$ 및 x축으로 둘러싸인 부분의 넓이를 구하시오.

13

다음 곡선과 직선으로 둘러싸인 부분의 넓이를 구하시오.

(1) $y = \ln x$, y축, $y = -1$, $y = 1$

(2) $y = x^2 + 1$, $y = x$, $y = 2$, $y = 5$

(날선 **Guide**) (1) 그림에서 색칠한 부분의 넓이이다.

$y = \ln x$를 $x = g(y)$ 꼴로 나타낸 다음

$$\int_{-1}^{1} g(y)\, dy$$

를 계산하면 편하다.

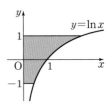

참고 직사각형 ABCD의 넓이에서 색칠한 부분의 넓이를 빼도 된다.

$-1 = \ln x$에서 $x = \dfrac{1}{e}$, $1 = \ln x$에서 $x = e$이므로

색칠한 부분의 넓이는 $\displaystyle\int_{\frac{1}{e}}^{e} \{\ln x - (-1)\}\, dx$이다.

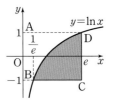

(2) 그림에서 색칠한 부분의 넓이이다.

$y = x^2 + 1$에서 $x > 0$이면 $x = \sqrt{y-1}$이고,

$2 \le y \le 5$일 때 $y \ge \sqrt{y-1}$이므로

$$\int_{2}^{5} \{y - \sqrt{y-1}\}\, dy$$

를 계산하면 된다.

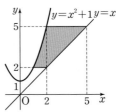

답 (1) $e - \dfrac{1}{e}$ (2) $\dfrac{35}{6}$

날선 **Point** 곡선 $y = f(x)$와 y축 및 두 직선 $y = c$, $y = d$ $(c < d)$로 둘러싸인 부분의 넓이

➡ $x = g(y)$ 꼴로 나타낸 다음 $\displaystyle\int_{c}^{d} |g(y)|\, dy$를 계산한다.

5-1 다음 곡선과 직선으로 둘러싸인 부분의 넓이를 구하시오.

(1) $y = \dfrac{1}{x}$, y축, $y = 1$, $y = e$

(2) $y = \sqrt{x+1} - 2$, y축, $y = -2$, $y = 1$

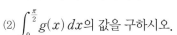

넓이가 같은 부분을 생각하는 문제

◆ 정답 및 풀이 131쪽

함수 $f(x)=x\sin x\left(0\leq x\leq\dfrac{\pi}{2}\right)$의 역함수를 $g(x)$라 할 때, 다음 물음에 답하시오.

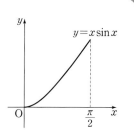

(1) 곡선 $y=f(x)$와 직선 $x=k\left(0\leq k\leq\dfrac{\pi}{2}\right)$, $y=\dfrac{\pi}{2}$, x축으로 둘러싸인 두 부분의 넓이가 같을 때, k의 값을 구하시오.

(2) $\displaystyle\int_0^{\frac{\pi}{2}}g(x)\,dx$의 값을 구하시오.

날선 Guide (1) 그림에서 ㈎, ㈐ 두 부분의 넓이가 같다. 그리고
㈎와 ㈐의 넓이의 합은 정적분 $\displaystyle\int_0^{\frac{\pi}{2}}f(x)\,dx$이고,
㈐와 ㈑의 넓이의 합은 직사각형의 넓이이다.
이를 이용하여 k의 값을 구한다.

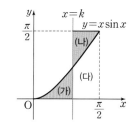

(2) $\displaystyle\int_0^{\frac{\pi}{2}}g(x)\,dx$의 값은 [그림 1]에서 색칠한 부분의 넓이이고, 곡선 $y=f(x)$와 $y=g(x)$가 직선 $y=x$에 대칭이므로 [그림 2]에서 색칠한 부분의 넓이와 같다. 이를 이용하면 $g(x)$를 구하지 않아도 정적분의 값을 구할 수 있다.

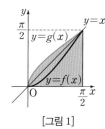 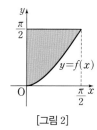

[그림 1]   [그림 2]

답 (1) $\dfrac{\pi}{2}-\dfrac{2}{\pi}$ (2) $\dfrac{\pi^2}{4}-1$

 날선 Point
• 넓이가 같은 부분이 주어지면
  ➡ 정적분이나 간단한 도형의 넓이의 합으로 바꾼다.
• 역함수의 정적분
  ➡ 직선 $y=x$에 대칭이므로 원래 함수에서 넓이를 생각한다.

6-1 곡선 $y=e^{2x}$과 y축 및 두 직선 $y=-2x+a$, $x=1$로 둘러싸인 두 부분의 넓이가 같을 때, a의 값을 구하시오. (단, $1<a<e^2$)

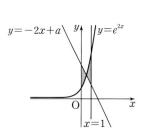

6-2 함수 $f(x)=\ln x$의 역함수를 $g(x)$라 할 때, $\displaystyle\int_1^e f(x)\,dx+\int_0^1 g(x)\,dx$의 값을 구하시오.

$f(x)$는 두 번 미분가능한 함수이고, $f(0)=1$, $f(1)=2$이다.

$0<x<1$에서 $f'(x)>0$, $f''(x)>0$일 때, 다음 명제의 참, 거짓을 판별하시오.

(1) 구간 $(0,\ 1)$에서 곡선 $y=\{f(x)\}^2$은 아래로 볼록하다.

(2) $\displaystyle\int_0^1 \{f(x)+f(1-x)\}\,dx<3$

(3) $\displaystyle\frac{1}{n}\sum_{k=1}^n\left\{f\left(\frac{k-1}{n}\right)+f\left(\frac{k}{n}\right)\right\}<2\int_0^1 f(x)\,dx$

날선 Guide (1) $y=\{f(x)\}^2$에서

$$y'=2f(x)f'(x), \qquad y''=2f'(x)f'(x)+2f(x)f''(x)$$

주어진 조건을 이용하여 y''의 부호를 조사한다.

(2) 곡선 $y=f(x)$는 그림과 같이 아래로 볼록하다.

또 $\displaystyle\int_0^1 f(x)\,dx$의 값은 그림에서 색칠한 부분의 넓이이다.

$\displaystyle\int_0^1 f(1-x)\,dx$에서 $1-x=t$로 치환하여 정적분이 나타내는 넓이를 생각한다.

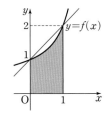

(3) $\dfrac{1}{2n}\left\{f\left(\dfrac{k-1}{n}\right)+f\left(\dfrac{k}{n}\right)\right\}$는 그림에서 사다리꼴의 넓이이다. 따라서 정적분의 값과 사다리꼴의 넓이의 합을 비교한다.

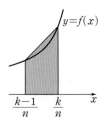

답 (1) 참 (2) 참 (3) 거짓

날선 Point
- $f''(x)$의 부호를 아는 경우
  ➡ 그래프를 그리고, 위로 볼록하거나 아래로 볼록하다는 것을 이용한다.
- 정적분을 포함한 부등식
  ➡ 그래프를 그리고 넓이를 비교한다.

 7-1 함수 $f(x)=\sin\dfrac{x^2}{2}$에 대하여 다음 명제의 참, 거짓을 판별하시오.

(1) $0<x<1$일 때, $x^2\sin\dfrac{x^2}{2}<f(x)<\cos\dfrac{x^2}{2}$

(2) 구간 $(0,\ 1)$에서 곡선 $y=f(x)$는 위로 볼록하다.

(3) $\displaystyle\int_0^1 f(x)\,dx\le\dfrac{1}{2}\sin\dfrac{1}{2}$

13 넓이

01 다음 급수의 합을 구하시오.

(1) $\lim_{n\to\infty}\dfrac{1}{n}(e^{\frac{2}{n}}+e^{\frac{4}{n}}+e^{\frac{6}{n}}+\cdots+e^{\frac{2n}{n}})$

(2) $\lim_{n\to\infty}\dfrac{1}{n}\left(\sqrt{2+\dfrac{1}{n}}+\sqrt{2+\dfrac{2}{n}}+\sqrt{2+\dfrac{3}{n}}+\cdots+\sqrt{2+\dfrac{n}{n}}\right)$

(3) $\lim_{n\to\infty}\dfrac{1}{n}\left(\sin\dfrac{\pi}{n}+\sin\dfrac{2\pi}{n}+\sin\dfrac{3\pi}{n}+\cdots+\sin\dfrac{n\pi}{n}\right)$

02 다음 곡선과 직선으로 둘러싸인 부분의 넓이를 구하시오.

(1) $y=\sqrt{x}-3$, x축, y축

(2) $y=\sin^2 x\cos x\left(0\le x\le\dfrac{\pi}{2}\right)$, x축

03 다음 곡선과 직선 또는 곡선과 곡선으로 둘러싸인 부분의 넓이를 구하시오.

(1) $y=e^x+1$, $y=x$, $x=2$, $x=4$

(2) $y=\dfrac{8}{x}$, $y=\sqrt{x}$, $x=2$, $x=8$

04 곡선 $y=\ln(x+2)$와 y축 및 두 직선 $y=0$, $y=2\ln 2$로 둘러싸인 부분의 넓이는?

① $\dfrac{1}{e}$　　　② 1　　　③ $e-1$　　　④ $\dfrac{1}{e}+1$　　　⑤ e

05 함수 $y=f(x)$의 그래프가 그림과 같이 원점과 두 점 $(3, 0)$, $(4, 0)$에서 만난다. 함수의 그래프와 x축으로 둘러싸인 두 부분 A, B의 넓이가 각각 6, 2일 때, $\displaystyle\int_0^2 f(2x)\,dx$의 값을 구하시오.

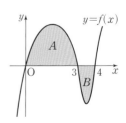

06 함수 $f(x)=xe^x$ $(0\le x\le 1)$의 그래프는 그림과 같다. $f(x)$의 역함수를 $g(x)$라 할 때, $\int_0^e g(x)\,dx$의 값은?

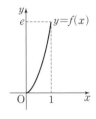

① $e-1$ ② $e-2$ ③ $\dfrac{3}{2}e-1$

④ $2e-1$ ⑤ $2e-2$

07 함수 $g(x)=e^x$에 대하여 $\displaystyle\lim_{n\to\infty}\sum_{k=1}^{n}\dfrac{k}{n^2}g\left(1+\dfrac{k}{n}\right)$의 값은?

① $\dfrac{1}{e}$ ② 0 ③ e ④ e^2-e ⑤ e^2+e

08 곡선 $y=|\sin 2x|+1$과 x축 및 두 직선 $x=\dfrac{\pi}{4}$, $x=\dfrac{5}{4}\pi$로 둘러싸인 부분의 넓이는?

① $\pi+1$ ② $\pi+\dfrac{3}{2}$ ③ $\pi+2$ ④ $\pi+\dfrac{5}{2}$ ⑤ $\pi+3$

09 두 곡선 $y=\sin x$, $y=\cos 2x$와 두 직선 $x=0$, $x=\dfrac{\pi}{2}$로 둘러싸인 부분의 넓이를 구하시오.

10 두 곡선 $y=\ln x$, $y=-\ln x$와 직선 $y=1$로 둘러싸인 부분의 넓이를 구하시오.

11 점 $(1, 0)$에서 곡선 $y=e^x$에 그은 접선을 l이라 하자. 곡선 $y=e^x$과 y축 및 직선 l로 둘러싸인 부분의 넓이는?

① $\dfrac{1}{2}e^2-2$　② $\dfrac{1}{2}e^2-1$　③ e^2-3　④ e^2-2　⑤ e^2-1

12 그림과 같이 곡선 $y=\sin\dfrac{\pi}{2}x\ (0\le x\le 2)$와 직선 $y=k\ (0<k<1)$가 있다. $S_2=2S_1$일 때, k의 값을 구하시오.

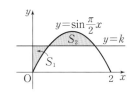

13 중심각의 크기가 $\dfrac{\pi}{2}$이고, 반지름의 길이가 8인 부채꼴 OAB가 있다. 호 AB를 n등분한 각 분점을 점 A에서 가까운 것부터 차례로 $P_1,\ P_2,\ \cdots,\ P_k,\ \cdots,\ P_{n-1}$이라 하고, 점 B에서 선분 OP_k에 내린 수선의 발을 Q_k, 삼각형 OQ_kB의 넓이를 S_k라 하자. $\displaystyle\lim_{n\to\infty}\dfrac{1}{n}\sum_{k=1}^{n-1}S_k=\dfrac{\alpha}{\pi}$일 때, α의 값을 구하시오.

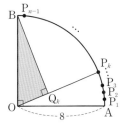

14 연속함수 $f(x)$와 그 역함수 $g(x)$가 다음 조건을 만족시킨다.

> (가) $f(1)=1$, $f(3)=3$, $f(7)=7$
> (나) $x\ne 3$인 모든 실수 x에 대하여 $f''(x)<0$이다.
> (다) $\displaystyle\int_1^7 f(x)\,dx=27$, $\displaystyle\int_1^3 g(x)\,dx=3$

$\displaystyle\int_3^7 |f(x)-x|\,dx$의 값을 구하시오.

211

정답 개수 : 　／14　　오답 번호 Check :　　　　　　　　월　　　일

Where there is a will,
there is a way.

평면도형의 넓이가 선(선의 길이)을 적분하여 구하는 것이라면 입체도형의 부피는 면(단면의 넓이)을 적분하여 구하는 것이라고 생각할 수 있다.

이 단원에서는 단면의 넓이가 $S(x)$인 입체도형의 부피를 구하는 방법을 알아보자. 또 수직선과 평면 위를 움직이는 점의 속도와 거리에 대한 문제를 해결해 보자.

부피와 길이

x축 위의 구간 $[a, b]$의 점 x에서 x축에 수직인 평면으로 자른 단면의 넓이가 $S(x)$인 입체도형의 부피 V는

$$V = \int_a^b S(x)\,dx \;(S(x)$는 구간 $[a, b]$에서 연속)$$

부피와 정적분 • 그림과 같이 어떤 입체도형에서 한 직선을 x축으로 정하고 x축에 수직인 평면으로 입체도형을 자를 때, 단면의 넓이를 $S(x)$라 하자. $S(x)$가 연속함수이면 넓이에서와 같이 급수의 합을 이용하여 부피를 정적분으로 나타낼 수 있다.

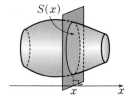

❶ x축 위의 구간 $[a, b]$를 n등분한 점과 양 끝 점을 차례로
  $x_0(=a), x_1, x_2, \cdots, x_k, \cdots, x_n(=b)$이라 하자.

❷ 각 구간 $[x_{k-1}, x_k]$에서 그림과 같이 밑면의 넓이가 $S(x_k)$이고, 높이가 $\varDelta x = \dfrac{b-a}{n}$인 원기둥을 생각하면 부피는

$S(x_k)\varDelta x$이다. $(k=1, 2, \cdots, n)$

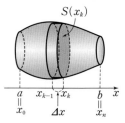

❸ 이렇게 구한 원기둥의 부피의 합은 $\sum\limits_{k=1}^{n} S(x_k)\varDelta x$이고, 급수의 성질에서

$$\lim_{n \to \infty} \sum_{k=1}^{n} S(x_k)\varDelta x = \int_a^b S(x)\,dx$$

그런데 좌변은 입체도형의 부피이므로 구간 $[a, b]$에서 입체도형의 부피는 $\displaystyle\int_a^b S(x)\,dx$이다.

원뿔의 부피 • 밑면의 반지름의 길이가 r이고 높이가 h인 원뿔의 부피는 다음과 같이 구할 수 있다.

그림과 같이 밑면의 중심 C와 원뿔의 꼭짓점 A를 지나는 직선을 x축으로 잡고, A와 C의 x좌표를 각각 0과 h라 하자.

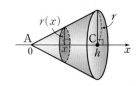

x축 위의 좌표가 x인 점에서 x축에 수직인 평면이 원뿔과 만나 생기는 원의 반지름의 길이를 $r(x)$, 넓이를 $S(x)$라 하면

$$r(x) : r = x : h \qquad \therefore r(x) = \frac{r}{h}x$$

$$\therefore S(x) = \pi\{r(x)\}^2 = \frac{\pi r^2}{h^2}x^2$$

따라서 구하는 부피는

$$\int_0^h \left(\frac{\pi r^2}{h^2}x^2\right) dx = \left[\frac{\pi r^2}{3h^2}x^3\right]_0^h = \frac{1}{3}\pi r^2 h$$

구의 부피 • 정적분을 이용하면 구의 부피도 구할 수 있다.

반지름의 길이가 r인 구는 그림과 같이 반지름의 길이가 r인 원의
한 지름을 축으로 한 바퀴 회전시킬 때 생기는 입체도형이라 생각
할 수 있다. 이때 회전의 축이 되는 지름을 포함하는 직선을 x축,
원의 방정식을 $x^2+y^2=r^2$이라 하자.

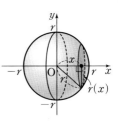

x축 위의 좌표가 x인 점에서 x축에 수직인 평면이 구와 만나 생기는 원의 반지름의 길이를
$r(x)$, 넓이를 $S(x)$라 하면

$$x^2+\{r(x)\}^2=r^2 \qquad \therefore \{r(x)\}^2=r^2-x^2$$

$$\therefore S(x)=\pi\{r(x)\}^2=\pi(r^2-x^2)$$

따라서 구하는 부피는

$$\int_{-r}^{r} \pi(r^2-x^2)\,dx=\pi\left[r^2x-\frac{1}{3}x^3\right]_{-r}^{r}=\frac{4}{3}\pi r^3$$

회전체의 부피 • 그림과 같이 곡선 $y=f(x)$와 x축 및 두 직선 $x=a$, $x=b$로
둘러싸인 부분을 x축 둘레로 한 바퀴 회전시킬 때 생기는 입체
도형의 부피도 정적분으로 나타낼 수 있다.

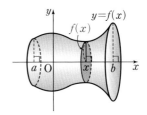

x축 위의 좌표가 x인 점에서 x축에 수직인 평면이 입체도형과
만나 생기는 원의 반지름의 길이는 $f(x)$, 넓이는 $\pi\{f(x)\}^2$이
므로 부피는

$$\int_{a}^{b} \pi\{f(x)\}^2\,dx$$

예를 들어 직선 $y=\dfrac{r}{h}x$와 x축 및 직선 $x=h$로 둘러싸인 부분을
x축 둘레로 한 바퀴 회전시킬 때 생기는 입체도형의 부피는

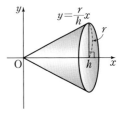

$$\int_{0}^{h} \pi\left(\frac{r}{h}x\right)^2 dx=\left[\frac{\pi r^2}{3h^2}x^3\right]_{0}^{h}=\frac{1}{3}\pi r^2 h$$

이 입체도형은 밑면의 반지름의 길이가 r이고 높이가 h인 원뿔이다.

▶ 개념 Check

◆ 정답 및 풀이 **137**쪽

1 구간 $[0, 4]$의 점 x에서 x축에 수직인 평면이 입체도형과 만
나 생기는 단면이 반지름의 길이가 $\sqrt{2x}$인 원일 때, 입체도형
의 부피를 구하시오.

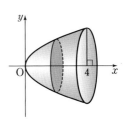

어떤 용기에 깊이가 $x\,\text{cm}$가 되도록 물을 넣으면 수면은 한 변의 길이가 $\sqrt{x+4}\,\text{cm}$인 정사각형이다. 다음 물음에 답하시오.

(1) 물의 깊이가 $6\,\text{cm}$일 때, 용기에 들어 있는 물의 양을 구하시오.

(2) 용기에 $24\,\text{cm}^3$의 물을 넣을 때, 수면의 넓이를 구하시오.

날선 Guide (1) 물의 깊이가 $x\,\text{cm}$일 때, 수면의 넓이 $S(x)$는
$$S(x)=x+4\,(\text{cm}^2)$$
이므로 깊이가 $6\,\text{cm}$일 때 물의 양은
$$\int_0^6 S(x)\,dx=\int_0^6 (x+4)\,dx\,(\text{cm}^3)$$
(2) 용기에 $24\,\text{cm}^3$의 물을 넣을 때, 물의 깊이를 $h\,\text{cm}$라 하면
$$24=\int_0^h S(x)\,dx=\int_0^h (x+4)\,dx$$
이를 이용하여 h의 값을 구한 다음 수면의 넓이를 구한다.

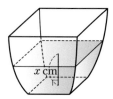

답 (1) $42\,\text{cm}^3$　(2) $8\,\text{cm}^2$

날선 Point

밑면과 평행한 단면이 주어진 입체도형의 부피

❶ 높이가 x일 때, 단면의 넓이 $S(x)$를 구한다.

❷ 높이가 h일 때 부피는 $V=\displaystyle\int_0^h S(x)\,dx$

1-1 어떤 그릇에 깊이가 $x\,\text{cm}$가 되도록 물을 넣으면 수면의 넓이가 $\ln(x+1)\,\text{cm}^2$이다. 물의 깊이가 $8\,\text{cm}$일 때, 그릇에 담긴 물의 양을 구하시오.

1-2 높이가 $8\,\text{cm}$인 입체도형을 높이가 $x\,\text{cm}$인 지점에서 밑면에 평행하게 자를 때 생기는 단면은 한 변의 길이가 $\sqrt{e^{\frac{x}{4}}+4}\,\text{cm}$인 정삼각형이다. 이 입체도형의 부피를 구하시오.

그림과 같이 반지름의 길이가 2인 원의 한 지름을 $\overline{\mathrm{AB}}$라 하자. 지름 AB에 수직인 현이 한 변이고 지름 AB에 수직인 정삼각형이 점 A에서 점 B까지 움직일 때 생기는 입체도형의 부피를 구하시오.

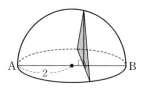

(날선 Guide) 그림과 같이 지름 AB를 포함하는 직선을 x축, 원의 중심을 O라 하자. 원의 반지름의 길이가 2이므로 $A(-2, 0)$, $B(2, 0)$이다.

지름 AB 위의 점 $P(x, 0)$을 지나고, 지름 AB에 수직인 현 QR를 그으면

$$\overline{\mathrm{QR}} = 2\overline{\mathrm{PQ}} = 2\sqrt{2^2 - x^2}$$

이를 이용하여 정삼각형의 넓이 $S(x)$와 입체도형의 부피를 구한다.

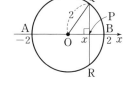

(답) $\dfrac{32\sqrt{3}}{3}$

날선 Point 밑면과 수직인 단면이 주어진 입체도형의 부피

❶ x축을 잡는다.

❷ x축 위의 점 $(x, 0)$에 수직인 단면의 넓이 $S(x)$를 구한다.

❸ 정적분 $V = \displaystyle\int_a^b S(x)\,dx$를 계산한다.

2-1 그림과 같이 두 점 $P(x, 0)$, $Q(x, \sqrt{\sin x})$를 이은 선분을 한 변으로 하는 정사각형을 x축에 수직인 평면 위에 그린다. x축 위의 점 P가 원점 O에서 점 $(\pi, 0)$까지 움직일 때 생기는 입체도형의 부피를 구하시오.

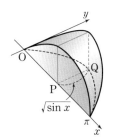

2-2 그림과 같이 구간 $[0, 1]$에서 곡선 $y = \dfrac{1}{x+1}$ 위의 점 $P\left(x, \dfrac{1}{x+1}\right)$에서 x축에 내린 수선의 발을 H라 하자. 선분 PH를 밑변으로 하고 $\angle P = 90°$인 직각이등변삼각형이 $x=0$에서 $x=1$까지 움직일 때 생기는 입체도형의 부피를 구하시오.

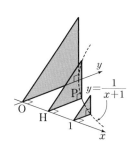

점 P가 수직선 위를 움직일 때, 시각 t에서 P의 속도를 $v(t)$라 하자.

1 시각 $t=t_0$에서 P의 위치가 x_0일 때, 시각 t에서 P의 위치 $x(t)$는

$$x(t)=x_0+\int_{t_0}^{t} v(t)\,dt$$

2 $t=a$에서 $t=b$까지 위치의 변화량 ➡ $\displaystyle\int_{a}^{b} v(t)\,dt$

움직인 거리 ➡ $\displaystyle\int_{a}^{b} |v(t)|\,dt$

수직선 위에서 ● 점의 위치와 움직인 거리

점 P가 수직선 위를 움직이고 시각 t에서 위치가 $x(t)$이면 속도는 $v(t)=x'(t)$이다.
따라서 P의 속도 $v(t)$가 주어진 경우 P의 위치, 위치의 변화량, 움직인 거리는 위와 같이 적분을 이용하여 나타낼 수 있다는 것은 수학Ⅱ에서 공부하였다.

예를 들어 점 P가 수직선 위를 움직이고

시각 t에서 속도가 $v(t)=\sin t$, 시각 $t=0$에서 위치가 1일 때

(ⅰ) 시각 t에서 위치는

$$x(t)=1+\int_{0}^{t}\sin t\,dt=1+\Big[-\cos t\Big]_{0}^{t}=-\cos t+2$$

(ⅱ) $t=0$에서 $t=\dfrac{3}{2}\pi$까지 P의 위치 변화량은

$$x\Big(\frac{3}{2}\pi\Big)-x(0)=\int_{0}^{\frac{3}{2}\pi}\sin t\,dt=\Big[-\cos t\Big]_{0}^{\frac{3}{2}\pi}=1$$

(ⅲ) $t=0$에서 $t=\dfrac{3}{2}\pi$까지 P가 움직인 거리는

$$\int_{0}^{\frac{3}{2}\pi}|\sin t|\,dt=\int_{0}^{\pi}\sin t\,dt+\int_{\pi}^{\frac{3}{2}\pi}(-\sin t)\,dt$$
$$=\Big[-\cos t\Big]_{0}^{\pi}+\Big[\cos t\Big]_{\pi}^{\frac{3}{2}\pi}=3$$

이때 $v<0$이면 P는 음의 방향으로 움직이므로 그림에서
위치의 변화량은 S_1의 넓이에서 S_2의 넓이를 뺀 값이고,
움직인 거리는 S_1의 넓이와 S_2의 넓이를 더한 값이다.

◆ 개념 Check

◆ 정답 및 풀이 **138**쪽

2 점 P가 수직선 위를 움직이고 시각 t에서 속도가 $v(t)=e^{t}$, 시각 $t=0$에서 위치가 2일 때, 시각 t에서 P의 위치를 구하시오.

점 P는 좌표평면 위를 움직이고 시각 t에서 위치 (x, y)가 $(f(t),\ g(t))$일 때

1 시각 $t=a$에서 $t=b$까지 P가 움직인 거리 s는

$$s=\int_a^b \sqrt{\{f'(t)\}^2+\{g'(t)\}^2}\,dt$$

2 $x=a$에서 $x=b$까지 곡선 $y=f(x)$의 길이 l은

$$l=\int_a^b \sqrt{1+\{f'(x)\}^2}\,dx$$

평면 위에서 점이 움직인 거리의 변화율

점 P는 좌표평면 위를 움직이고 시각 t에서 위치 (x, y)가

$$x=f(t),\ y=g(t)$$

와 같이 t에 대하여 미분가능한 함수로 주어졌다고 하자.

시각 t에서 속도는 x축 방향의 속도 v_x와 y축 방향의 속도 v_y를 이용하여

$$(v_x,\ v_y)=(f'(t),\ g'(t))$$

로 나타낸다는 것은 앞에서 공부하였다.

이제 P가 움직인 거리 s의 변화율을 알아보자.

시각 t에서 P의 좌표가 $A(x, y)$이고, Δt 동안 x와 y의 변화량을 각각 Δx와 Δy라 하면 시각 $t+\Delta t$일 때 P의 좌표는 $B(x+\Delta x,\ y+\Delta y)$이다. 이때 선분 AB의 길이는

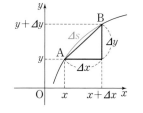

$$\overline{AB}=\sqrt{(\Delta x)^2+(\Delta y)^2}$$

이고 Δt가 충분히 작으면 Δt 동안 P가 움직인 거리 Δs는 $\overline{AB}$의 길이와 같다고 할 수 있다.

따라서 거리 s의 순간변화율은

$$\frac{ds}{dt}=\lim_{\Delta t\to 0}\frac{\Delta s}{\Delta t}=\lim_{\Delta t\to 0}\frac{\overline{AB}}{\Delta t}$$

$$=\lim_{\Delta t\to 0}\sqrt{\left(\frac{\Delta x}{\Delta t}\right)^2+\left(\frac{\Delta y}{\Delta t}\right)^2}=\sqrt{\left(\frac{dx}{dt}\right)^2+\left(\frac{dy}{dt}\right)^2}$$

곧, P가 움직인 거리의 순간변화율은 P의 속력이다.

평면 위에서 점이 움직인 거리

$[a, t]$에서 P가 움직인 거리 $s(t)$는 $t=a$일 때 0이므로

$$s(t)=\int_a^t \frac{ds}{dt}\,dt=\int_a^t |v|\,dt$$

와 같이 정적분으로 나타낼 수 있다.

또 $a\le t\le b$ 동안 P가 움직인 거리는

$$s(t)=\int_a^b \sqrt{\left(\frac{dx}{dt}\right)^2+\left(\frac{dy}{dt}\right)^2}\,dt$$

$x=f(t)$, $y=g(t)$이므로

$$s(t)=\int_a^b \sqrt{\{f'(t)\}^2+\{g'(t)\}^2}\,dt$$

이때 적분 기호 안의 식은 P의 속력이다.

예를 들어 점 P의 시각 t에서 위치 $(x,\ y)$가 $x=3t^2$, $y=4t^2$일 때,

$t=0$에서 $t=2$까지 P가 움직인 거리는

$$\int_0^2 \sqrt{\left(\frac{dx}{dt}\right)^2+\left(\frac{dy}{dt}\right)^2}\,dt=\int_0^2 \sqrt{(6t)^2+(8t)^2}\,dt=\int_0^2 10t\,dt=\Big[5t^2\Big]_0^2=20$$

참고 $x=3t^2$, $y=4t^2$에서 t를 소거하면 $y=\dfrac{4}{3}x$

또 $t=0$일 때 $x=0$, $t=2$일 때 $x=12$이므로
그림에서 초록색 선분의 길이를 구하는 것과 같다.

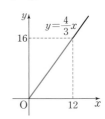

곡선의 길이 ● 좌표평면 위를 움직이는 점 P의 시각 t에서 위치 $(x,\ y)$가

$$x=t, \qquad y=f(t)$$

일 때, P가 그리는 곡선은 $y=f(x)$이다.

따라서 $x=a$에서 $x=b$까지 곡선의 길이는

시각 $t=a$에서 $t=b$까지 P가 움직인 거리이므로

$$\int_a^b \sqrt{\left(\frac{dx}{dt}\right)^2+\left(\frac{dy}{dt}\right)^2}\,dt=\int_a^b \sqrt{1+\{f'(t)\}^2}\,dt$$

t 대신 x를 대입하면 곡선의 길이 l은

$$l=\int_a^b \sqrt{1+\{f'(x)\}^2}\,dx$$

예를 들어 $x=0$에서 $x=3$까지 곡선 $y=\dfrac{2}{3}x^{\frac{3}{2}}$의 길이는 $f'(x)=x^{\frac{1}{2}}$이므로

$$\int_0^3 \sqrt{1+x}\,dx=\int_0^3 (1+x)^{\frac{1}{2}}\,dx=\left[\frac{2}{3}(1+x)^{\frac{3}{2}}\right]_0^3=\frac{14}{3}$$

◢ 개념 Check

◆ 정답 및 풀이 **138**쪽

3 좌표평면 위를 움직이는 점 P의 시각 t에서 위치 $(x,\ y)$가 $x=-3t$, $y=4t-1$일 때, $t=0$에서 $t=3$까지 P가 움직인 거리를 구하시오.

점 P는 원점을 출발하여 수직선 위를 움직인다. 시각 t에서 P의 속도가 $v(t)=(t-2)e^t$일 때, 다음을 구하시오.

(1) 시각 $t=1$에서 $t=3$까지 P의 위치 변화량

(2) 시각 $t=1$에서 $t=3$까지 P가 움직인 거리

(3) 가속도가 0인 순간 P의 위치

(4) $0 \le t \le 3$에서 P가 원점에서 가장 멀어지는 순간 P의 위치

날선 Guide (1) 위치의 변화량은

$$\int_1^3 v(t)\,dt = \int_1^3 (t-2)e^t\,dt$$

이때 정적분은 부분적분법을 이용해도 되고, 부정적분을 구한 다음, 위끝과 아래끝을 대입해도 된다.

(2) $t<2$일 때 $v(t)<0$, $t>2$일 때 $v(t)>0$이므로 움직인 거리는

$$\int_1^3 |v(t)|\,dt = \int_1^2 \{-v(t)\}\,dt + \int_2^3 v(t)\,dt$$

(3) 가속도가 0이므로 $a(t)=v'(t)=0$인 t의 값부터 찾는다.

(4) $0 \le t \le 3$에서 $v(t)$의 부호를 조사하면 위치 $x(t)$의 그래프를 그릴 수 있다. 이를 이용하여 $|x(t)|$의 최댓값을 찾는다.

답 (1) $2e$ (2) $2e^2-2e$ (3) $3-2e$ (4) $3-e^2$

날선 Point 점 P가 수직선 위를 움직일 때

• P의 위치 $x(t)$는 $x(t)=x_0+\int_{t_0}^t v(t)\,dt\ (x(t_0)=x_0)$

• 위치의 변화량 ➡ $\int_a^b v(t)\,dt$, 이동한 거리 ➡ $\int_a^b |v(t)|\,dt$

3-1 점 P는 원점을 출발하여 수직선 위를 움직인다. 시각 t에서 P의 속도가

$$v(t)=\sin t(2\cos t-1)$$

일 때, 다음을 구하시오.

(1) 시각 $t=0$에서 $t=\dfrac{\pi}{2}$까지 P의 위치 변화량

(2) 시각 $t=0$에서 $t=\dfrac{\pi}{2}$까지 P가 움직인 거리

(3) $0 \le t \le \pi$에서 P가 원점에서 가장 멀어지는 순간 P의 위치

대표 **Q4** 평면 위에서 점이 움직인 거리

점 P는 좌표평면 위를 움직이고 시각 t $(0 \le t \le 2\pi)$에서 위치 (x, y)가

$$x = t - \sin t, \quad y = 1 - \cos t$$

이다. 다음을 구하시오.

(1) 시각 $t=0$에서 $t=2\pi$까지 P가 움직인 거리

(2) 시각 $t=0$에서 P의 속력이 최대가 될 때까지 P가 움직인 거리

 닐선 Guide (1) $\dfrac{dx}{dt} = 1 - \cos t$, $\dfrac{dy}{dt} = \sin t$이므로 움직인 거리는

$$\int_0^{2\pi} \sqrt{(1 - \cos t)^2 + (\sin t)^2}\, dt$$

(2) 속력은 $\sqrt{(1 - \cos t)^2 + (\sin t)^2}$이므로

$(1 - \cos t)^2 + \sin^2 t$가 최대가 되는 t의 값부터 구한다.

참고 좌표평면에서 원 $x^2 + (y-1)^2 = 1$이 x축의 양의 방향으로 매초 1의 속도로 굴러갈 때, 원 위의 점 P$(0, 0)$의 위치는 다음과 같이 구할 수 있다.

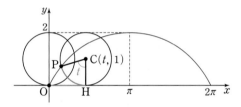

시각 t에서 원의 중심은 C$(t, 1)$이고, $\angle$PCH$=t$이므로 P(x, y)라 하면

$$x = t - \sin t, \quad y = 1 - \cos t$$

이다. 그리고 P가 그리는 곡선은 빨간색 곡선과 같다.

답 (1) 8 (2) 4

닐선 Point 점 P가 좌표평면 위를 움직이고 시각 t에서 위치 (x, y)가 $(f(t), g(t))$일 때, 시각 $t=a$에서 $t=b$까지 P가 움직인 거리 s는

$$s = \int_a^b \sqrt{\{f'(t)\}^2 + \{g'(t)\}^2}\, dt$$

4-1 점 P는 좌표평면 위를 움직이고 시각 t $(0 \le t \le 2\pi)$에서 위치 (x, y)가

$$x = 2\cos^3 t, \quad y = 2\sin^3 t$$

이다. 다음을 구하시오.

(1) 시각 $t=0$에서 $t = \dfrac{\pi}{2}$까지 P가 움직인 거리

(2) 시각 $t=0$에서 P의 속력이 최대가 될 때까지 P가 움직인 거리

다음 곡선의 길이를 구하시오.

(1) $y=\dfrac{e^x+e^{-x}}{2}$ $(-1\le x\le 1)$ (2) $x^{\frac{2}{3}}+y^{\frac{2}{3}}=1$ $(x\ge 0,\ y\ge 0)$

날선 Guide (1) $\dfrac{dy}{dx}=\dfrac{e^x-e^{-x}}{2}$ 이므로 곡선의 길이는

$$\int_{-1}^{1}\sqrt{1+\left(\dfrac{e^x-e^{-x}}{2}\right)^2}\,dx$$

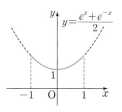

(2) 음함수로 표현된 곡선이다. 음함수의 미분법에서

$$\dfrac{2}{3}x^{-\frac{1}{3}}+\dfrac{2}{3}y^{-\frac{1}{3}}\dfrac{dy}{dx}=0$$

이를 이용하여 $\sqrt{1+\left(\dfrac{dy}{dx}\right)^2}$ 을 정리한다.

참고 $x^{\frac{2}{3}}+y^{\frac{2}{3}}=1$ 에서

$$x=\cos^3 t,\qquad y=\sin^3 t$$

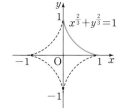

라 할 수 있다. 따라서 $t=0$에서 $t=\dfrac{\pi}{2}$ 까지 매개변수로 나타낸 곡선의 길이를 구한다

고 생각해도 된다.

답 (1) $e-\dfrac{1}{e}$ (2) $\dfrac{3}{2}$

날선 Point $x=a$에서 $x=b$까지 곡선 $y=f(x)$의 길이 l은

$$l=\int_a^b\sqrt{1+\{f'(x)\}^2}\,dx$$

5-1 다음 곡선의 길이를 구하시오.

(1) $y=\dfrac{1}{4}x^2-\ln\sqrt{x}$ $(1\le x\le 3)$ (2) $y=\dfrac{1}{3}(x^2-2)^{\frac{3}{2}}$ $(2\le x\le 3)$

 5-2 다음 곡선의 길이를 구하시오.

$$3y^2=x(x-1)^2\ (0\le x\le 1,\ y\ge 0)$$

14 부피와 길이

Step 1 연습

01 어떤 그릇에 깊이가 $x\,\mathrm{cm}$가 되도록 물을 넣으면 수면의 넓이가 $\left(e^{\frac{1}{2}x}-x\right)\mathrm{cm}^2$ 이다. 그릇에 담긴 물의 양이 $(2e-4)\,\mathrm{cm}^3$일 때, 물의 깊이는?

① $1\,\mathrm{cm}$　　② $2\,\mathrm{cm}$　　③ $3\,\mathrm{cm}$　　④ $4\,\mathrm{cm}$　　⑤ $5\,\mathrm{cm}$

02 그림과 같이 양수 k에 대하여 곡선

$y=\sqrt{\dfrac{e^x}{e^x+1}}$ 과 x축, y축 및 직선 $x=k$로

둘러싸인 부분을 밑면으로 하고 x축에 수직 인 평면으로 자른 단면이 모두 정사각형인 입체도형의 부피가 $\ln 7$일 때, k의 값은?

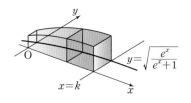

① $\ln 11$　　② $\ln 13$　　③ $\ln 15$　　④ $\ln 17$　　⑤ $\ln 19$

03 두 점 P, Q는 원점을 출발하여 수직선 위를 움직인다. 시각 t에서 P, Q의 속도 가 각각 $v_1(t)=\cos t$, $v_2(t)=2\cos 2t$일 때, 다음 물음에 답하시오.

⑴ P가 출발한 후 두 번째로 운동 방향을 바꿀 때까지 움직인 거리를 구하시오.

⑵ $0<t\le 2\pi$에서 P, Q가 만난 횟수를 구하시오.

04 점 P는 좌표평면 위를 움직이고 시각 t에서 위치 $(x,\,y)$가

$$x=2a\ln t, \qquad y=a\left(t+\frac{1}{t}\right)\,(a>0)$$

이다. 시각 $t=1$에서 $t=2$까지 P가 움직인 거리가 3일 때, a의 값을 구하시오.

05 곡선 $y=\dfrac{1}{8}e^{2x}+\dfrac{1}{2}e^{-2x}$ $(0\le x\le \ln 2)$의 길이를 구하시오.

06 그림과 같이 반지름의 길이가 6 cm인 반구 모양의 그릇에 물을 가득 채운 후 30°만큼 기울여 물을 흘려보낼 때, 남아 있는 물의 양은 몇 cm³인지 구하시오.

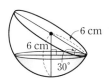

07 그림과 같이 밑면의 반지름의 길이가 2이고 높이가 4인 원기둥이 있다. 원기둥을 밑면의 중심을 지나고 밑면과 60°의 각을 이루는 평면으로 자를 때 생기는 두 입체도형 중 작은 쪽의 부피는?

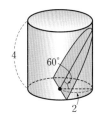

① $\dfrac{2\sqrt{3}}{3}$ ② $\sqrt{3}$ ③ $\dfrac{8\sqrt{3}}{3}$

④ $4\sqrt{3}$ ⑤ $\dfrac{16\sqrt{3}}{3}$

08 점 $P(x, y)$는 좌표평면 위를 움직이고, 시각 t에서 위치 (x, y)가
$$x = e^{-t}\cos\pi t, \qquad y = e^{-t}\sin\pi t$$
이다. P가 시각 $t = 0$에서 $t = a$까지 움직인 거리를 $S(a)$라 할 때, $\displaystyle\lim_{a\to\infty} S(a)$의 값을 구하시오.

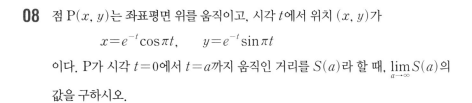

09 $f(x)$는 실수 전체의 집합에서 두 번 미분가능하고 $f(0) = 0$, $f(1) = \sqrt{3}$이다.
$$\int_0^1 \sqrt{1 + \{f'(x)\}^2}\,dx$$의 최솟값은?

① $\sqrt{2}$ ② 2 ③ $1+\sqrt{2}$ ④ $\sqrt{5}$ ⑤ $1+\sqrt{3}$

미적분 공식 정리

① 여러 가지 함수의 미분

1-1 $y=x^n$ (n은 실수)의 미분

n이 실수일 때, $y=x^n$이면 $y'=nx^{n-1}$

1-2 지수함수와 로그함수의 미분

① $y=a^x$이면 $y'=a^x\ln a$ ($a>0$, $a\neq1$)

② $y=e^x$이면 $y'=e^x$

③ $y=\log_a x$이면

$$y'=\frac{1}{x\ln a}\ (a>0,\ a\neq1)$$

④ $y=\ln x$이면 $y'=\dfrac{1}{x}$

⑤ $y=\log_a f(x)$이면

$$y'=\frac{f'(x)}{f(x)\ln a}\ (a>0,\ a\neq1)$$

⑥ $y=\ln f(x)$이면 $y'=\dfrac{f'(x)}{f(x)}$

1-3 삼각함수의 미분

① $y=\sin x$이면 $y'=\cos x$

② $y=\cos x$이면 $y'=-\sin x$

③ $y=\tan x$이면 $y'=\sec^2 x$

④ $y=\sec x$이면 $y'=\sec x\tan x$

⑤ $y=\csc x$이면 $y'=-\csc x\cot x$

⑥ $y=\cot x$이면 $y'=-\csc^2 x$

② 여러 가지 미분법

2-1 함수의 몫의 미분법

두 함수 $f(x)$, $g(x)$ ($g(x)\neq0$)가 미분가능할 때,

① $\left\{\dfrac{f(x)}{g(x)}\right\}'=\dfrac{f'(x)g(x)-f(x)g'(x)}{\{g(x)\}^2}$

② $\left\{\dfrac{1}{g(x)}\right\}'=-\dfrac{g'(x)}{\{g(x)\}^2}$

2-2 합성함수의 미분법

두 함수 $y=f(u)$, $u=g(x)$가 미분가능할 때,

합성함수 $y=f(g(x))$의 도함수는

$$\{f(g(x))\}'=f'(g(x))g'(x)$$

$$또는 \frac{dy}{dx}=\frac{dy}{du}\times\frac{du}{dx}$$

③ 여러 가지 함수의 부정적분

3-1 $y=x^n$ (n은 실수)의 부정적분

① $n\neq-1$일 때, $\displaystyle\int x^n\,dx=\frac{1}{n+1}x^{n+1}+C$

② $n=-1$일 때, $\displaystyle\int\frac{1}{x}\,dx=\ln|x|+C$

3-2 지수함수의 부정적분

① $\displaystyle\int e^x\,dx=e^x+C$

② $\displaystyle\int a^x\,dx=\frac{a^x}{\ln a}+C$ ($a>0$, $a\neq1$)

3-3 삼각함수의 부정적분

① $\displaystyle\int \sin x\,dx=-\cos x+C$

② $\displaystyle\int \cos x\,dx=\sin x+C$

③ $\displaystyle\int \sec^2 x\,dx=\tan x+C$

④ $\displaystyle\int \csc^2 x\,dx=-\cot x+C$

⑤ $\displaystyle\int \sec x\tan x\,dx=\sec x+C$

⑥ $\displaystyle\int \csc x\cot x\,dx=-\csc x+C$

④ 여러 가지 적분법

4-1 치환적분법

① 미분가능한 함수 $g(t)$에 대하여 $x=g(t)$로 놓으면

$$\int f(x)\,dx=\int f(g(t))g'(t)\,dt$$

② $\displaystyle\int\frac{f'(x)}{f(x)}\,dx=\ln|f(x)|+C$

4-2 부분적분법

두 함수 $f(x)$, $g(x)$가 미분가능할 때,

$$\int f(x)g'(x)\,dx$$

$$=f(x)g(x)-\int f'(x)g(x)\,dx$$

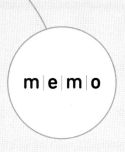

memo

날카롭게 선별한 고등 수학
날선 시리즈

날선유형 스타트

연산으로 개념을 다지는 유형입문서

- 개념부터 기본문제까지!
- 초단기 수학 학습서
- 유형별 반복 연산 학습 가능

고등 수학(상), 고등 수학(하),
수학Ⅰ, 수학Ⅱ

날선개념

필수개념으로 꽉 채운 개념기본서

- 풀이법 암기는 NO
- 생각하는 수학 개념서
- 학습Note에 계획부터 풀이까지!

고등 수학(상), 고등 수학(하),
수학Ⅰ, 수학Ⅱ, 확률과 통계, 미적분

날선유형

필요한 유형으로 꽉 채운 핵심유형서

- 날카롭게 선별한 유형
- 시험에 꼭 나오는 서술형
- 단계별로 자세한 해설

고등 수학(상), 고등 수학(하),
수학Ⅰ, 수학Ⅱ, 확률과 통계, 미적분

내일의 꿈을 만들어 가는
교육문화 1등 기업 동아출판

대한민국 교육브랜드 대상
20회 수상

한국출판문화상
1회 수상

학부모가 뽑은 교육브랜드 대상
46회 수상

올해의 브랜드 대상
5회 수상

낯선개념   미적분

전통과 신뢰 —————————————
동아출판은 1945년 설립 이래 70여 년간 교육 도서를 발간해 온 교육문화
1등 기업으로, 교육 그 이상의 가치 실현을 위해 오늘도 노력합니다.

나눔과 배려 —————————————
동아출판은 다양한 사회공헌 활동을 통하여 내일의 꿈을 만들어 갑니다.

· 동아출판 장학생 선정 지원   · 사회단체 도서·참고서 기부
· 지역 아동센터 후원   · 지역사회 나눔 봉사 활동

고객과 함께 —————————————
동아출판은 고객이 만족하는 제품과 서비스를 만들기 위하여 항상 고객의
입장에서 생각하고 행동합니다.

————————————————————————

· 정답 및 풀이는 동아출판 홈페이지 내 학습자료실에서 내려받을 수 있습니다.

· 교재에서 발견된 오류는 동아출판 홈페이지 내 정오표에서 확인 가능하며,
잘못 만들어진 책은 구입처에서 교환해 드립니다.

· 학습 상담, 제안 사항, 오류 신고 등 어떠한 이야기라도 들려주세요.

    📞 **Telephone** 1644-0600
    🏠 **Homepage** www.bookdonga.com
    ✉ **Address** 서울시 영등포구 은행로 30 (우 07242)

낯선개념
학습 Note

미적분

동아출판

This planner belongs to

Name 이름 _____

School & Grade 학교, 학년 _____

Birthday 생년월일 _____

Mobile 전화번호 _____

Address 주소 _____

E-mail _____

SNS _____

날선개념 학습 Note

학습 Note

미적분

날선개념 학습 Note

날선개념 학습 Note는 다음 세 부분으로 구성되어 있습니다.

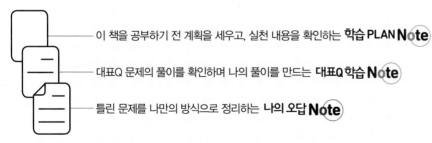

이 책을 공부하기 전 계획을 세우고, 실천 내용을 확인하는 **학습 PLAN Note**

대표Q 문제의 풀이를 확인하며 나의 풀이를 만드는 **대표Q 학습 Note**

틀린 문제를 나만의 방식으로 정리하는 **나의 오답 Note**

날선개념 학습 Note 한 권이면

학습 계획부터 대표Q 문제와 나의 풀이, 오답노트까지

수학 공부에 필요한 모든 내용을 담을 수 있습니다.

"

공부를 시작하는 순간부터 시험 직전까지
날선개념 학습 Note와 함께하세요.

"

+👤 이 책을 시작하는 나에게

+👤 공부 계획/목표

☑

☑

☑

☑

+👤 My Wish List

☑

☑

☑

☑

이 책을 공부하는 나의 꿈과 계획, 구체적인 실천 결과를 기록하고 시험 전에 살펴보세요.
부족한 점이 무엇인지, 기억할 것이 무엇인지 확인할 수 있을 거예요.

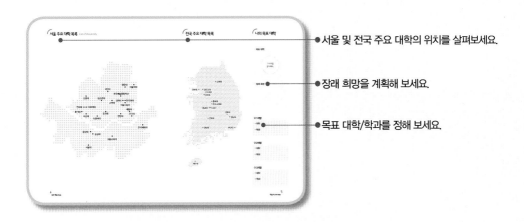

● 서울 및 전국 주요 대학의 위치를 살펴보세요.

● 장래 희망을 계획해 보세요.

● 목표 대학/학과를 정해 보세요.

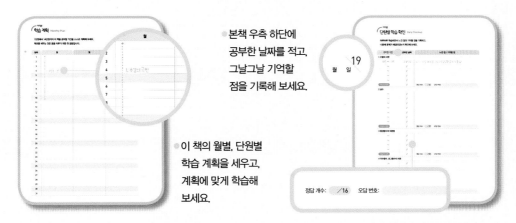

● 본책 우측 하단에
공부한 날짜를 적고,
그날그날 기억할
점을 기록해 보세요.

● 이 책의 월별, 단원별
학습 계획을 세우고,
계획에 맞게 학습해
보세요.

● 본책 '연습과 실전'에서 정답
개수와 오답 번호를 Check하고,
틀린 문제는 나의 오답 Note를
활용해 정리해 보세요.

● 시험 D-21의 계획을 세우고
목표대로 학습하면 반드시 좋은
결과가 있을 거예요.

학습 PLAN Note 한글파일은 동아출판 홈페이지
(http://www.bookdonga.com)에서 다운로드 받을 수 있습니다.

학습자료

서울 주요 대학 목록 List of University

광운대
서울여대
국민대
한국예술종합학교
상명대
성균관대
경희대 ● ● 한국외대
고려대
서울시립대
연세대 ● ● 이화여대
세종대
홍익대
건국대
서강대
동국대
한양대
숙명여대
한국체육대
중앙대
숭실대
서울교육대
서울대

전국 주요 대학 목록

- 강원대
- 인하대 ● ● 경인교대
- ● 단국대
- ● 아주대
- ● 충북대
- ● 한국교원대
- 충남대 ●● KAIST
- 경북대
- ● 영남대
- 전북대
- 전남대 ● 부산대
- ● 제주대

나의 목표 대학

● 목표 대학

스티커를
붙이세요.

● 장래 희망

📍**1지망**
- ● 대학
- ● 학과

📍**2지망**
- ● 대학
- ● 학과

📍**3지망**
- ● 대학
- ● 학과

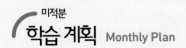

학습 계획 Monthly Plan

1단원에서 14단원까지 이 책을 공부할 기간을 스스로 계획해 보세요.
목표를 세우는 것은 꿈을 이루기 위한 첫 걸음입니다.

날짜	월	월	월
1			
2			
3			
4	1. 수열의 극한		
5			
6			
7			
8			
9			
10			
11			
12			
13			
14			
15			
16			
17			
18			
19			
20			
21			
22			
23			
24			
25			
26			
27			
28			
29			
30			
31			

단원별 학습 확인 Daily Checkup

하루하루 학습하면서 느낀 점과 기억할 점을 기록하고,
나중에 문제가 해결되었는지 확인해 보세요.

공부한 내용	공부한 날짜	느낀 점 / 기억할 점

1 수열의 극한

공부한 내용	공부한 날짜	느낀 점 / 기억할 점
8쪽 ~ 11쪽	3 / 10	$n \to \infty$일 때 수열 $\{a_n\}$이 일정한 값 α에 한없이
~	/	
~	/	
~	/	
~	/	
연습과 실전	/	정답 개수: /16 오답 번호:

2 급수

공부한 내용	공부한 날짜	느낀 점 / 기억할 점
~	/	
~	/	
~	/	
~	/	
~	/	
~	/	
~	/	
연습과 실전	/	정답 개수: /17 오답 번호:

3 합성함수의 미분법

공부한 내용	공부한 날짜	느낀 점 / 기억할 점
~	/	
~	/	
~	/	
연습과 실전	/	정답 개수: /05 오답 번호:

4 지수함수, 로그함수의 미분

공부한 내용	공부한 날짜	느낀 점 / 기억할 점
~	/	
~	/	
~	/	
~	/	
~	/	
~	/	
연습과 실전	/	정답 개수: /15 오답 번호:

공부한 내용	공부한 날짜	느낀 점 / 기억할 점
5 삼각함수의 덧셈정리		
~	/	
~	/	
~	/	
~	/	
연습과 실전	/	정답 개수: /11 오답 번호:
6 삼각함수의 미분		
~	/	
~	/	
~	/	
~	/	
연습과 실전	/	정답 개수: /18 오답 번호:
7 여러 가지 미분법		
~	/	
~	/	
~	/	
~	/	
연습과 실전	/	정답 개수: /15 오답 번호:
8 접선의 방정식		
~	/	
~	/	
~	/	
~	/	
연습과 실전	/	정답 개수: /15 오답 번호:
9 그래프		
~	/	
~	/	
~	/	
~	/	
~	/	
~	/	
연습과 실전	/	정답 개수: /19 오답 번호:

공부한 내용	공부한 날짜	느낀 점 / 기억할 점
10 도함수의 활용		
~	/	
~	/	
~	/	
~	/	
연습과 실전	/	정답 개수: /15 오답 번호:
11 부정적분과 정적분		
~	/	
~	/	
~	/	
~	/	
~	/	
연습과 실전	/	정답 개수: /16 오답 번호:
12 치환적분법과 부분적분법		
~	/	
~	/	
~	/	
~	/	
~	/	
연습과 실전	/	정답 개수: /20 오답 번호:
13 넓이		
~	/	
~	/	
~	/	
~	/	
연습과 실전	/	정답 개수: /14 오답 번호:
14 부피와 길이		
~	/	
~	/	
~	/	
~	/	
연습과 실전	/	정답 개수: /09 오답 번호:

D-21 시험 계획 Test Plan

시험명

D-21 월 일	D-20 월 일	D-19 월 일	D-18 월 일	D-17 월 일	D-16 월 일	D-15 월 일

D-14 월 일	D-13 월 일	D-12 월 일	D-11 월 일	D-10 월 일	D-9 월 일	D-8 월 일

D-7 월 일	D-6 월 일	D-5 월 일	D-4 월 일	D-3 월 일	D-2 월 일	D-1 월 일

D-day 월 일

📍시험 범위

📍목표 점수

대표Q 학습 Note 사용 설명서 How to use the note

대표Q 문제의 (날선 **Guide**)에는 문제의 출제 의도와 해결 원리, 떠올려야 할 핵심 개념과 Keyword가 수록되어 있습니다. (날선 **Guide**)를 모티브로 하여 대표Q 문제를 해결할 수 있도록 노력해 보세요.

❝ 배운 개념이 어떻게 활용되는지 스스로 생각하고 학습할 수 있는 힘이 길러집니다. ❞

단순히 유형별로 분류된 문제의 풀이 방법을 외우는 것으로는 개념을 온전히 내 것으로 만들 수 없어요.
만약 (날선 **Guide**)만으로 대표Q 문제가 해결되지 않으면 **대표Q 학습 Note**를 활용해 보세요.
대표Q 학습 Note에는 본책의 대표Q 문제의 (날선 **Guide**)에 따른 자세한 해설이 수록되어 있습니다.
아래 방법을 참고하여 **대표Q 학습 Note**를 활용해 보세요.

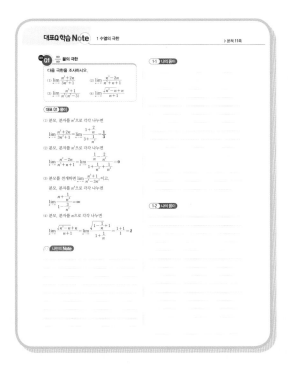

Step1

대표Q 문제를 해결하고 유제를 풀 때
대표Q 학습 Note의 자세한 풀이를 참고해
보세요. **대표Q 문제**를 해결한 개념과 원리
를 이용하면 유제를 어렵지 않게 해결 할
수 있을 거예요.

Step2

대표Q 문제를 해결할 때의 핵심 공식과
기억할 것, 주의할 점, 선생님 강의 내용,
나의 풀이 등을 **나만의** Note에 필기해
두세요. 따로 노트를 준비할 필요 없이
대표Q 학습 Note 한 권으로 충분합니다.

Step3

대표Q 학습 Note에는 대표Q 문제 & 풀이, 나만의 Note, 나의 풀이
까지 알아야 할 모든 내용이 담겨 있습니다. **대표Q 학습 Note**가
나만의 수학 노하우가 담긴 훌륭한 친구가 될 거예요. 평소 수학을
공부할 때, 시험 기간에 빠르게 내용을 훑어보고 싶을 때, 모의고사
보기 직전 등 다양하게 활용해 보세요.

Q1 $\dfrac{\infty}{\infty}$ 꼴의 극한

다음 극한을 조사하시오.

(1) $\displaystyle\lim_{n\to\infty}\dfrac{n^2+2n}{3n^2+1}$ (2) $\displaystyle\lim_{n\to\infty}\dfrac{n^2-2n}{n^3+n+1}$

(3) $\displaystyle\lim_{n\to\infty}\dfrac{n^5+1}{n^2(n^2-3)}$ (4) $\displaystyle\lim_{n\to\infty}\dfrac{\sqrt{n^2-n}+n}{n+1}$

대표 Q1 풀이

(1) 분모, 분자를 n^2으로 각각 나누면

$$\lim_{n\to\infty}\frac{n^2+2n}{3n^2+1}=\lim_{n\to\infty}\frac{1+\dfrac{2}{n}}{3+\dfrac{1}{n^2}}=\boldsymbol{\frac{1}{3}}$$

(2) 분모, 분자를 n^3으로 각각 나누면

$$\lim_{n\to\infty}\frac{n^2-2n}{n^3+n+1}=\lim_{n\to\infty}\frac{\dfrac{1}{n}-\dfrac{2}{n^2}}{1+\dfrac{1}{n^2}+\dfrac{1}{n^3}}=\boldsymbol{0}$$

(3) 분모를 전개하면 $\displaystyle\lim_{n\to\infty}\dfrac{n^5+1}{n^4-3n^2}$이고,

분모, 분자를 n^4으로 각각 나누면

$$\lim_{n\to\infty}\frac{n+\dfrac{1}{n^4}}{1-\dfrac{3}{n^2}}=\boldsymbol{\infty}$$

(4) 분모, 분자를 n으로 각각 나누면

$$\lim_{n\to\infty}\frac{\sqrt{n^2-n}+n}{n+1}=\lim_{n\to\infty}\frac{\sqrt{1-\dfrac{1}{n}}+1}{1+\dfrac{1}{n}}=\frac{1+1}{1}=\boldsymbol{2}$$

😊 **나만의 Note**

1-1 나의 풀이

1-2 나의 풀이

Q2 ∞ − ∞ 꼴의 극한

다음 극한을 조사하시오.

(1) $\lim\limits_{n \to \infty} (n^3 - 2n + 3)$　(2) $\lim\limits_{n \to \infty} (\sqrt{n+2} - \sqrt{n})$

(3) $\lim\limits_{n \to \infty} \dfrac{3}{\sqrt{n^2+n} - \sqrt{n^2-n}}$

대표 Q2 풀이

(1) $\lim\limits_{n \to \infty} (n^3 - 2n + 3) = \lim\limits_{n \to \infty} n^3 \left(1 - \dfrac{2}{n^2} + \dfrac{3}{n^3}\right)$

$\lim\limits_{n \to \infty} n^3 = \infty$, $\lim\limits_{n \to \infty}\left(1 - \dfrac{2}{n^2} + \dfrac{3}{n^3}\right) = 1$이므로

$\lim\limits_{n \to \infty} (n^3 - 2n + 3) = \infty$

(2) $\sqrt{n+2} - \sqrt{n} = \dfrac{(\sqrt{n+2} - \sqrt{n})(\sqrt{n+2} + \sqrt{n})}{\sqrt{n+2} + \sqrt{n}}$

$= \dfrac{2}{\sqrt{n+2} + \sqrt{n}}$

$\therefore \lim\limits_{n \to \infty} (\sqrt{n+2} - \sqrt{n}) = \lim\limits_{n \to \infty} \dfrac{2}{\sqrt{n+2} + \sqrt{n}} = \mathbf{0}$

(3) 분모, 분자에 각각 $\sqrt{n^2+n} + \sqrt{n^2-n}$을 곱하면

$\dfrac{3}{\sqrt{n^2+n} - \sqrt{n^2-n}}$

$= \dfrac{3(\sqrt{n^2+n} + \sqrt{n^2-n})}{(\sqrt{n^2+n} - \sqrt{n^2-n})(\sqrt{n^2+n} + \sqrt{n^2-n})}$

$= \dfrac{3(\sqrt{n^2+n} + \sqrt{n^2-n})}{(n^2+n) - (n^2-n)}$

$= \dfrac{3(\sqrt{n^2+n} + \sqrt{n^2-n})}{2n}$

$\therefore \lim\limits_{n \to \infty} \dfrac{3(\sqrt{n^2+n} + \sqrt{n^2-n})}{2n}$

$= \lim\limits_{n \to \infty} \dfrac{3\left(\sqrt{1 + \dfrac{1}{n}} + \sqrt{1 - \dfrac{1}{n}}\right)}{2} = \dfrac{3 \times 2}{2} = \mathbf{3}$

나만의 Note

2-1 나의 풀이

2-2 나의 풀이

대표 Q3 극한과 미정계수

다음 물음에 답하시오.

(1) $\lim\limits_{n \to \infty} \dfrac{bn+3}{an^2+2n-2} = -\dfrac{3}{2}$일 때, 상수 a, b의 값을 구하시오.

(2) $\lim\limits_{n \to \infty}(\sqrt{n^2+an}-n)=2$일 때, 상수 a의 값을 구하시오.

대표 Q3 풀이

(1) 극한값이 0이 아니고 분자가 일차식이므로 분모도 일차식이다.

$\therefore a=0$

이때

$$\lim_{n \to \infty} \frac{bn+3}{an^2+2n-2} = \lim_{n \to \infty} \frac{bn+3}{2n-2}$$
$$= \lim_{n \to \infty} \frac{b+\dfrac{3}{n}}{2-\dfrac{2}{n}} = \frac{b}{2}$$

곧, $\dfrac{b}{2}=-\dfrac{3}{2}$이므로 $b=-3$

(2) 분모, 분자에 각각 $\sqrt{n^2+an}+n$을 곱하면

$$\sqrt{n^2+an}-n = \frac{(\sqrt{n^2+an}-n)(\sqrt{n^2+an}+n)}{\sqrt{n^2+an}+n}$$
$$= \frac{(n^2+an)-n^2}{\sqrt{n^2+an}+n} = \frac{an}{\sqrt{n^2+an}+n}$$

$$\therefore \lim_{n \to \infty}(\sqrt{n^2+an}-n) = \lim_{n \to \infty} \frac{an}{\sqrt{n^2+an}+n}$$
$$= \lim_{n \to \infty} \frac{a}{\sqrt{1+\dfrac{a}{n}}+1} = \frac{a}{2}$$

곧, $\dfrac{a}{2}=2$이므로 $a=4$

나만의 Note

3-1 나의 풀이

3-2 나의 풀이

대표 Q4 수열의 극한에 대한 기본 성질

수열 $\{a_n\}$에 대하여 다음 물음에 답하시오.

(1) $\lim\limits_{n\to\infty}\dfrac{2a_n+1}{a_n-3}=-1$일 때, $\lim\limits_{n\to\infty}a_n$의 값을 구하시오.

(2) 모든 자연수 n에 대하여
$$n^2-n<(n^2+1)a_n<n^2+2n$$
일 때, $\lim\limits_{n\to\infty}a_n$의 값을 구하시오.

대표 Q4 풀이

(1) $\dfrac{2a_n+1}{a_n-3}=b_n$으로 놓으면 $2a_n+1=b_n(a_n-3)$

$2a_n+1=a_nb_n-3b_n,\ (b_n-2)a_n=3b_n+1$

$\therefore a_n=\dfrac{3b_n+1}{b_n-2}$

$\lim\limits_{n\to\infty}b_n=-1$이므로

$\lim\limits_{n\to\infty}a_n=\lim\limits_{n\to\infty}\dfrac{3b_n+1}{b_n-2}=\dfrac{3\times(-1)+1}{-1-2}=\dfrac{2}{3}$

(2) $n^2-n<(n^2+1)a_n<n^2+2n$에서 각 변을 n^2+1로 나누면

$\dfrac{n^2-n}{n^2+1}<a_n<\dfrac{n^2+2n}{n^2+1}$

이때

$\lim\limits_{n\to\infty}\dfrac{n^2-n}{n^2+1}=\lim\limits_{n\to\infty}\dfrac{1-\dfrac{1}{n}}{1+\dfrac{1}{n^2}}=1,$

$\lim\limits_{n\to\infty}\dfrac{n^2+2n}{n^2+1}=\lim\limits_{n\to\infty}\dfrac{1+\dfrac{2}{n}}{1+\dfrac{1}{n^2}}=1$

이므로 $\lim\limits_{n\to\infty}a_n=1$

나만의 Note

4-1 나의 풀이

4-2 나의 풀이

Q5 등비수열의 극한

다음 극한을 조사하시오.

(1) $\lim\limits_{n \to \infty} \dfrac{3^{n+1}+2^{n+1}}{3^n}$ (2) $\lim\limits_{n \to \infty} \dfrac{3^n+2^{2n+1}}{2^{2n}+2^n}$

(3) $\lim\limits_{n \to \infty} \dfrac{\sqrt{5^n}}{2^n+5}$ (4) $\lim\limits_{n \to \infty} (2^n-3^n)$

대표 Q5 풀이

(1) $\lim\limits_{n \to \infty} \dfrac{3^{n+1}+2^{n+1}}{3^n} = \lim\limits_{n \to \infty} \left\{ 3+2 \times \left(\dfrac{2}{3} \right)^n \right\}$

$\qquad\qquad\qquad\qquad = 3+2 \times 0 = \mathbf{3}$

(2) $2^{2n}=4^n$, $2^{2n+1}=2 \times 2^{2n}=2 \times 4^n$이므로

분모, 분자를 각각 4^n으로 나누면

$\lim\limits_{n \to \infty} \dfrac{3^n+2^{2n+1}}{2^{2n}+2^n} = \lim\limits_{n \to \infty} \dfrac{\left(\dfrac{3}{4} \right)^n+2}{1+\left(\dfrac{1}{2} \right)^n} = \mathbf{2}$

(3) $\sqrt{5^n}=(\sqrt{5})^n$이므로 분모, 분자를 각각 2^n으로 나누면

$\lim\limits_{n \to \infty} \dfrac{\sqrt{5^n}}{2^n+5} = \lim\limits_{n \to \infty} \dfrac{\left(\dfrac{\sqrt{5}}{2} \right)^n}{1+\dfrac{5}{2^n}} = \infty$

(4) $\lim\limits_{n \to \infty} (2^n-3^n) = \lim\limits_{n \to \infty} 3^n \left(\dfrac{2^n}{3^n}-1 \right)$

$\qquad\qquad\qquad = \lim\limits_{n \to \infty} 3^n \left\{ \left(\dfrac{2}{3} \right)^n -1 \right\} = -\infty$

나만의 Note

5-1 나의 풀이

5-2 나의 풀이

대표 Q6 등비수열이 수렴할 조건

다음 물음에 답하시오.

(1) $r \neq -1$일 때, $\lim\limits_{n \to \infty} \dfrac{r^n}{1+r^n}$의 값을 구하시오.

(2) 등비수열 $\{x(x^2-x)^{n-1}\}$이 수렴할 때, x값의 범위를 구하시오.

대표 Q6 풀이

(1) (i) $|r| < 1$일 때, $\lim\limits_{n \to \infty} r^n = 0$이므로

$$\lim_{n \to \infty} \frac{r^n}{1+r^n} = \frac{0}{1+0} = 0 \text{ (수렴)}$$

(ii) $|r| > 1$일 때, $\lim\limits_{n \to \infty} |r|^n = \infty$이므로 분모, 분자를 각각 r^n으로 나누면

$$\lim_{n \to \infty} \frac{r^n}{1+r^n} = \lim_{n \to \infty} \frac{1}{\dfrac{1}{r^n}+1} = \frac{1}{0+1} = 1 \text{ (수렴)}$$

(iii) $r=1$일 때, $r^n=1$이므로

$$\lim_{n \to \infty} \frac{r^n}{1+r^n} = \frac{1}{1+1} = \frac{1}{2} \text{ (수렴)}$$

(2) 등비수열 $\{x(x^2-x)^{n-1}\}$은 첫째항이 x, 공비가 x^2-x이다.

따라서 $x=0$ 또는 $-1 < x^2-x \leq 1$일 때 수렴한다.

(i) $-1 < x^2-x$에서 $x^2-x+1 > 0$

그런데 $\left(x-\dfrac{1}{2}\right)^2 + \dfrac{3}{4} > 0$이므로 항상 성립한다.

(ii) $x^2-x \leq 1$에서 $x^2-x-1 \leq 0$

$$\therefore \frac{1-\sqrt{5}}{2} \leq x \leq \frac{1+\sqrt{5}}{2} \quad \cdots \text{㉠}$$

$x=0$은 ㉠에 포함되므로 (i), (ii)에서

$$\frac{1-\sqrt{5}}{2} \leq x \leq \frac{1+\sqrt{5}}{2}$$

나만의 Note

6-1 나의 풀이

6-2 나의 풀이

6-3 나의 풀이

대표 Q1 급수의 계산

다음 급수의 수렴, 발산을 조사하고, 수렴하면 그 합을 구하시오.

(1) $\dfrac{1}{2^2-1}+\dfrac{1}{3^2-1}+\dfrac{1}{4^2-1}+\dfrac{1}{5^2-1}+\cdots$

(2) $\displaystyle\sum_{n=1}^{\infty}\dfrac{2}{\sqrt{n+1}+\sqrt{n}}$

대표 Q1 풀이

(1) $a_k=\dfrac{1}{(k+1)^2-1}=\dfrac{1}{k(k+2)}=\dfrac{1}{2}\left(\dfrac{1}{k}-\dfrac{1}{k+2}\right)$

이므로

$\displaystyle\sum_{k=1}^{n} a_k=\sum_{k=1}^{n}\dfrac{1}{2}\left(\dfrac{1}{k}-\dfrac{1}{k+2}\right)$

$\quad=\dfrac{1}{2}\left\{\left(\dfrac{1}{1}-\dfrac{1}{\cancel{3}}\right)+\left(\dfrac{1}{2}-\dfrac{1}{\cancel{4}}\right)+\left(\dfrac{1}{\cancel{3}}-\dfrac{1}{\cancel{5}}\right)\right.$

$\quad\left.+\cdots+\left(\dfrac{1}{\cancel{n-1}}-\dfrac{1}{n+1}\right)+\left(\dfrac{1}{\cancel{n}}-\dfrac{1}{n+2}\right)\right\}$

$\quad=\dfrac{1}{2}\left(1+\dfrac{1}{2}-\dfrac{1}{n+1}-\dfrac{1}{n+2}\right)$

$\therefore \displaystyle\sum_{n=1}^{\infty} a_n=\lim_{n\to\infty}\sum_{k=1}^{n} a_k$

$\quad=\displaystyle\lim_{n\to\infty}\dfrac{1}{2}\left(1+\dfrac{1}{2}-\dfrac{1}{n+1}-\dfrac{1}{n+2}\right)$

$\quad=\dfrac{1}{2}\left(1+\dfrac{1}{2}\right)=\dfrac{3}{4}$

(2) $a_k=\dfrac{2}{\sqrt{k+1}+\sqrt{k}}=\dfrac{2(\sqrt{k+1}-\sqrt{k})}{(k+1)-k}$

$\quad=2(\sqrt{k+1}-\sqrt{k})$ 이므로

$\displaystyle\sum_{k=1}^{n} a_k=\sum_{k=1}^{n} 2(\sqrt{k+1}-\sqrt{k})$

$\quad=2\left\{(\sqrt{2}-\sqrt{1})+(\sqrt{3}-\sqrt{2})+(\sqrt{4}-\sqrt{3})\right.$

$\quad\left.+\cdots+(\sqrt{n}-\sqrt{n-1})+(\sqrt{n+1}-\sqrt{n})\right\}$

$\quad=2(\sqrt{n+1}-1)$

$\therefore \displaystyle\sum_{n=1}^{\infty} a_n=\lim_{n\to\infty}\sum_{k=1}^{n} a_k=\lim_{n\to\infty} 2(\sqrt{n+1}-1)=\infty$

나만의 Note

1-1 나의 풀이

1-2 나의 풀이

Q2 합의 성질

다음 급수의 수렴, 발산을 조사하고, 수렴하면 그 합을 구하시오.

(1) $\left(\dfrac{1}{2}-\dfrac{2}{3}\right)+\left(\dfrac{2}{3}-\dfrac{3}{4}\right)+\left(\dfrac{3}{4}-\dfrac{4}{5}\right)$
$$+\left(\dfrac{4}{5}-\dfrac{5}{6}\right)+\cdots$$

(2) $\dfrac{1}{2}-\dfrac{2}{3}+\dfrac{2}{3}-\dfrac{3}{4}+\dfrac{3}{4}-\dfrac{4}{5}+\dfrac{4}{5}-\cdots$

대표 Q2 풀이

(1) $S_n=\left(\dfrac{1}{2}-\dfrac{2}{3}\right)+\left(\dfrac{2}{3}-\dfrac{3}{4}\right)+\left(\dfrac{3}{4}-\dfrac{4}{5}\right)+\left(\dfrac{4}{5}-\dfrac{6}{5}\right)$

$\qquad +\cdots+\left(\dfrac{n}{n+1}-\dfrac{n+1}{n+2}\right)=\dfrac{1}{2}-\dfrac{n+1}{n+2}$

$\therefore \displaystyle\lim_{n\to\infty}S_n=\lim_{n\to\infty}\left(\dfrac{1}{2}-\dfrac{n+1}{n+2}\right)=\dfrac{1}{2}-1=-\dfrac{\mathbf{1}}{\mathbf{2}}$

(2) $a_{2n-1}=\dfrac{n}{n+1}$, $a_{2n}=-\dfrac{n+1}{n+2}$ 이므로

$S_{2n-1}=\dfrac{1}{2}+\left(-\dfrac{2}{3}+\dfrac{2}{3}\right)+\left(-\dfrac{3}{4}+\dfrac{3}{4}\right)+\left(-\dfrac{4}{5}+\dfrac{4}{5}\right)$

$\qquad +\cdots+\left(-\dfrac{n}{n+1}+\dfrac{n}{n+1}\right)=\dfrac{1}{2}$

$S_{2n}=\dfrac{1}{2}+\left(-\dfrac{2}{3}+\dfrac{2}{3}\right)+\left(-\dfrac{3}{4}+\dfrac{3}{4}\right)+\left(-\dfrac{4}{5}+\dfrac{4}{5}\right)$

$\qquad +\cdots+\left(-\dfrac{n}{n+1}+\dfrac{n}{n+1}\right)-\dfrac{n+1}{n+2}$

$\qquad =\dfrac{1}{2}-\dfrac{n+1}{n+2}$

이때 $\displaystyle\lim_{n\to\infty}S_{2n-1}=\dfrac{1}{2}$, $\displaystyle\lim_{n\to\infty}S_{2n}=-\dfrac{1}{2}$ 이므로 $\displaystyle\lim_{n\to\infty}S_n$ 의 값이 존재하지 않는다.

따라서 **발산**한다.

😊 나만의 Note

2-1 나의 풀이

대표 **Q3** 급수의 성질

다음 물음에 답하시오.

(1) 두 수열 $\{a_n\}$, $\{b_n\}$에 대하여 $\sum\limits_{n=1}^{\infty}(a_n+b_n)=3$, $\sum\limits_{n=1}^{\infty}(a_n-2b_n)=9$일 때, 급수 $\sum\limits_{n=1}^{\infty}(a_n-b_n)$의 합을 구하시오.

(2) 수열 $\{a_n\}$에 대하여 급수 $(a_1+1)+\left(\dfrac{a_2}{2}+1\right)$ $+\left(\dfrac{a_3}{3}+1\right)+\left(\dfrac{a_4}{4}+1\right)+\cdots$이 수렴할 때, $\lim\limits_{n\to\infty}\dfrac{a_n-3n}{2a_n+n}$의 값을 구하시오.

대표 **Q3** 풀이

(1) $a_n+b_n=p_n$, $a_n-2b_n=q_n$이라 하면

$$a_n=\frac{2p_n+q_n}{3},\ b_n=\frac{p_n-q_n}{3}$$

$\sum\limits_{n=1}^{\infty}p_n=3$, $\sum\limits_{n=1}^{\infty}q_n=9$이므로

$$\sum_{n=1}^{\infty}a_n=\frac{1}{3}\left(2\sum_{n=1}^{\infty}p_n+\sum_{n=1}^{\infty}q_n\right)=\frac{1}{3}\times(2\times3+9)=5$$

$$\sum_{n=1}^{\infty}b_n=\frac{1}{3}\left(\sum_{n=1}^{\infty}p_n-\sum_{n=1}^{\infty}q_n\right)=\frac{1}{3}\times(3-9)=-2$$

$$\therefore \sum_{n=1}^{\infty}(a_n-b_n)=5-(-2)=\mathbf{7}$$

(2) 급수 $\sum\limits_{n=1}^{\infty}\left(\dfrac{a_n}{n}+1\right)$이 수렴하므로

$$\lim_{n\to\infty}\left(\frac{a_n}{n}+1\right)=0 \qquad \therefore \lim_{n\to\infty}\frac{a_n}{n}=-1$$

$$\therefore \lim_{n\to\infty}\frac{a_n-3n}{2a_n+n}=\lim_{n\to\infty}\frac{\dfrac{a_n}{n}-3}{\dfrac{2a_n}{n}+1}=\frac{-1-3}{-2+1}=\mathbf{4}$$

😊 **나만의 Note**

3-1 나의 풀이

3-2 나의 풀이

대표 Q4 등비급수의 합

다음 급수의 합을 구하시오.

(1) $2 - \dfrac{4}{3} + \dfrac{8}{9} - \dfrac{16}{27} + \cdots$

(2) $1 + \dfrac{1}{\sqrt{2}} + \dfrac{1}{2} + \dfrac{1}{2\sqrt{2}} + \dfrac{1}{4} + \cdots$

(3) $\displaystyle\sum_{n=1}^{\infty} 2^{1-2n}$　　　(4) $\displaystyle\sum_{n=1}^{\infty} \dfrac{1-2^{n-1}}{3^n}$

대표 Q4 풀이

(1) 첫째항이 2, 공비가 $-\dfrac{2}{3}$인 등비급수이므로

$$\dfrac{2}{1-\left(-\dfrac{2}{3}\right)} = \dfrac{6}{5}$$

(2) 첫째항이 1, 공비가 $\dfrac{1}{\sqrt{2}}$인 등비급수이므로

$$\dfrac{1}{1-\dfrac{1}{\sqrt{2}}} = \dfrac{1}{\dfrac{\sqrt{2}-1}{\sqrt{2}}} = \dfrac{\sqrt{2}}{\sqrt{2}-1}$$
$$= \sqrt{2}\,(\sqrt{2}+1)$$
$$= 2+\sqrt{2}$$

(3) $a_n = 2^{1-2n} = 2 \times 2^{-2n} = 2 \times \left(\dfrac{1}{4}\right)^n$이므로

첫째항이 $2 \times \dfrac{1}{4} = \dfrac{1}{2}$, 공비가 $\dfrac{1}{4}$인 등비급수이다.

$$\therefore \sum_{n=1}^{\infty} 2^{1-2n} = \dfrac{\dfrac{1}{2}}{1-\dfrac{1}{4}} = \dfrac{\dfrac{1}{2}}{\dfrac{3}{4}} = \dfrac{2}{3}$$

(4) $a_n = \dfrac{1-2^{n-1}}{3^n} = \dfrac{1}{3^n} - \dfrac{2^{n-1}}{3 \times 3^{n-1}} = \dfrac{1}{3^n} - \dfrac{1}{3} \times \left(\dfrac{2}{3}\right)^{n-1}$

이므로 수열 $\{a_n\}$은 공비가 $\dfrac{1}{3}$, $\dfrac{2}{3}$인 두 등비수열의 차이다.

$$\therefore \sum_{n=1}^{\infty} \dfrac{1-2^{n-1}}{3^n} = \sum_{n=1}^{\infty} \dfrac{1}{3^n} - \sum_{n=1}^{\infty} \dfrac{1}{3} \times \left(\dfrac{2}{3}\right)^{n-1}$$
$$= \dfrac{\dfrac{1}{3}}{1-\dfrac{1}{3}} - \dfrac{\dfrac{1}{3}}{1-\dfrac{2}{3}}$$
$$= \dfrac{1}{2} - 1$$
$$= -\dfrac{1}{2}$$

4-1 나의 풀이

4-2 나의 풀이

대표 **Q5** 나열하는 등비급수

다음 물음에 답하시오.

(1) 급수 $\sum\limits_{n=1}^{\infty}\left(\dfrac{1}{2}\right)^{n}\sin\dfrac{n\pi}{2}$의 합을 구하시오.

(2) 9^{n}을 10으로 나눈 나머지를 a_n이라 할 때, 급수 $\sum\limits_{n=1}^{\infty}\dfrac{a_n}{10^{n}}$의 합을 구하시오.

대표 Q5 풀이

(1) $\sum\limits_{n=1}^{\infty}\left(\dfrac{1}{2}\right)^{n}\sin\dfrac{n\pi}{2}$

$=\dfrac{1}{2}\sin\dfrac{\pi}{2}+\left(\dfrac{1}{2}\right)^{2}\sin\pi+\left(\dfrac{1}{2}\right)^{3}\sin\dfrac{3}{2}\pi$

$\quad+\left(\dfrac{1}{2}\right)^{4}\sin2\pi+\left(\dfrac{1}{2}\right)^{5}\sin\dfrac{5}{2}\pi+\cdots$

$=\dfrac{1}{2}-\left(\dfrac{1}{2}\right)^{3}+\left(\dfrac{1}{2}\right)^{5}+\cdots$

이므로 첫째항이 $\dfrac{1}{2}$, 공비가 $-\left(\dfrac{1}{2}\right)^{2}=-\dfrac{1}{4}$인 등비급수의 합이다.

$\therefore \sum\limits_{n=1}^{\infty}\left(\dfrac{1}{2}\right)^{n}\sin\dfrac{n\pi}{2}=\dfrac{\dfrac{1}{2}}{1-\left(-\dfrac{1}{4}\right)}=\mathbf{\dfrac{2}{5}}$

(2) $\sum\limits_{n=1}^{\infty}\dfrac{a_n}{10^{n}}=\dfrac{9}{10}+\dfrac{1}{10^{2}}+\dfrac{9}{10^{3}}+\dfrac{1}{10^{4}}+\dfrac{9}{10^{5}}+\dfrac{1}{10^{6}}+\cdots$

$=\left(\dfrac{9}{10}+\dfrac{9}{10^{3}}+\dfrac{9}{10^{5}}+\cdots\right)$

$\quad+\left(\dfrac{1}{10^{2}}+\dfrac{1}{10^{4}}+\dfrac{1}{10^{6}}+\cdots\right)$

이므로 홀수 번째 항은 첫째항이 $\dfrac{9}{10}$, 공비가 $\dfrac{1}{10^{2}}$인 등비수열이고, 짝수 번째 항은 첫째항이 $\dfrac{1}{10^{2}}$, 공비가 $\dfrac{1}{10^{2}}$인 등비수열이다.

$b_n=\dfrac{a_n}{10^{n}}$ 으로 놓으면

$\sum\limits_{n=1}^{\infty}b_{2n-1}=\dfrac{\dfrac{9}{10}}{1-\dfrac{1}{10^{2}}}=\dfrac{10}{11}$, $\sum\limits_{n=1}^{\infty}b_{2n}=\dfrac{\dfrac{1}{10^{2}}}{1-\dfrac{1}{10^{2}}}=\dfrac{1}{99}$

$\therefore \sum\limits_{n=1}^{\infty}b_n=\sum\limits_{n=1}^{\infty}b_{2n-1}+\sum\limits_{n=1}^{\infty}b_{2n}=\dfrac{10}{11}+\dfrac{1}{99}=\mathbf{\dfrac{91}{99}}$

5-1 나의 풀이

5-2 나의 풀이

Q6 등비급수의 합이 주어진 문제

다음 물음에 답하시오.

(1) 수열 $\{a_n\}$은 등비수열이다. $a_1=3$이고 $\sum\limits_{n=1}^{\infty} a_n=2$일 때, 급수 $\sum\limits_{n=1}^{\infty} a_n^2$의 합을 구하시오.

(2) 수열 $\{a_n\}$은 등비수열이다. $\sum\limits_{n=1}^{\infty} a_{2n-1}=2$이고 $\sum\limits_{n=1}^{\infty} a_{2n}=\dfrac{4}{3}$일 때, 급수 $\sum\limits_{n=1}^{\infty}(-1)^{n-1}a_n$의 합을 구하시오.

대표 Q6 풀이

(1) 수열 $\{a_n\}$의 공비를 r라 하면 $a_1=3$, $\sum\limits_{n=1}^{\infty} a_n=2$이므로

$$\frac{3}{1-r}=2 \qquad \therefore r=-\frac{1}{2}$$

수열 $\{a_n^2\}$은 첫째항이 $a_1^2=9$이고 공비가 $r^2=\dfrac{1}{4}$인 등비수열이므로

$$\sum\limits_{n=1}^{\infty} a_n^2=\frac{9}{1-\frac{1}{4}}=\mathbf{12}$$

(2) 수열 $\{a_n\}$의 첫째항을 a, 공비를 r라 하면 $a_n=ar^{n-1}$이므로

$$a_{2n-1}=ar^{2n-2}=ar^{2(n-1)},\ a_{2n}=ar^{2n-1}=ar\times r^{2(n-1)}$$

따라서 수열 $\{a_{2n-1}\}$은 첫째항이 a, 공비가 r^2인 등비수열이고, 수열 $\{a_{2n}\}$은 첫째항이 ar, 공비가 r^2인 등비수열이다.

$\sum\limits_{n=1}^{\infty} a_{2n-1}=2$이므로 $\dfrac{a}{1-r^2}=2 \qquad \cdots \text{㉠}$

$\sum\limits_{n=1}^{\infty} a_{2n}=\dfrac{4}{3}$이므로 $\dfrac{ar}{1-r^2}=\dfrac{4}{3} \qquad \cdots \text{㉡}$

㉡÷㉠을 하면 $r=\dfrac{2}{3}$

㉠에 대입하면 $\dfrac{a}{1-\frac{4}{9}}=2 \qquad \therefore a=\dfrac{10}{9}$

따라서 $a_n=\dfrac{10}{9}\left(\dfrac{2}{3}\right)^{n-1}$이므로 수열 $\{(-1)^{n-1}a_n\}$은 첫째항이 $\dfrac{10}{9}$, 공비가 $-\dfrac{2}{3}$인 등비수열이다.

$$\therefore \sum\limits_{n=1}^{\infty}(-1)^{n-1}a_n=\frac{\frac{10}{9}}{1-\left(-\frac{2}{3}\right)}=\frac{2}{3}$$

6-1 나의 풀이

6-2 나의 풀이

대표 Q7 등비급수가 수렴할 조건

수열 $\{a_n\}$의 일반항이 $a_n=(x+3)\left(\dfrac{x}{2}\right)^n$일 때, 다음 물음에 답하시오.

(1) 수열 $\{a_n\}$이 수렴할 때, x값의 범위를 구하시오.

(2) $\displaystyle\sum_{n=1}^{\infty} a_n$이 수렴할 때, x값의 범위를 구하시오.

(3) $\displaystyle\sum_{n=1}^{\infty} a_n=4$일 때, x의 값을 구하시오.

대표 Q7 풀이

수열 $\{a_n\}$은 첫째항이 $a=(x+3)\times\dfrac{x}{2}$, 공비가 $r=\dfrac{x}{2}$인 등비수열이다.

(1) 수열 $\{a_n\}$이 수렴할 조건은 $a=0$ 또는 $-1<r\leq1$이므로

　(ⅰ) $a=0$일 때,

　　$(x+3)\times\dfrac{x}{2}=0$　　$\therefore x=-3$ 또는 $x=0$

　(ⅱ) $-1<r\leq1$일 때,

　　$-1<\dfrac{x}{2}\leq1$　　$\therefore -2<x\leq2$

　(ⅰ), (ⅱ)에서 $\boldsymbol{x=-3}$ 또는 $\boldsymbol{-2<x\leq2}$

(2) 등비급수 $\displaystyle\sum_{n=1}^{\infty} a_n$이 수렴할 조건은

　$a=0$ 또는 $-1<r<1$이므로

　(ⅰ) $a=0$일 때,

　　$(x+3)\times\dfrac{x}{2}=0$　　$\therefore x=-3$ 또는 $x=0$

　(ⅱ) $-1<r<1$일 때,

　　$-1<\dfrac{x}{2}<1$　　$\therefore -2<x<2$

　(ⅰ), (ⅱ)에서 $\boldsymbol{x=-3}$ 또는 $\boldsymbol{-2<x<2}$　　⋯ ㉠

(3) $\displaystyle\sum_{n=1}^{\infty} a_n=4$이므로 $\dfrac{(x+3)\times\dfrac{x}{2}}{1-\dfrac{x}{2}}=4$

　$x(x+3)=4(2-x)$, $(x-1)(x+8)=0$

　등비급수가 수렴하므로 ㉠의 범위에서 해를 구하면

　$\boldsymbol{x=1}$

7-1 나의 풀이

7-2 나의 풀이

Q8 좌표의 극한

그림과 같이 좌표평면 위의 점 P_n이

$\overline{OP_1}=1$, $\overline{P_1P_2}=\dfrac{1}{2}$, $\overline{P_2P_3}=\dfrac{1}{2^2}$, $\overline{P_3P_4}=\dfrac{1}{2^3}$, $\cdots$

$\angle AOP_1=30°$, $\angle OP_1P_2=60°$, $\angle P_1P_2P_3=60°$, $\cdots$

를 만족시킬 때, P_n이 한없이 가까워지는 점의 좌표를 구하시오. (단, O는 원점이다.)

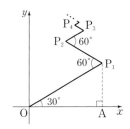

대표 Q8 풀이

점 $P_n(x_n, y_n)$이라 하자.

(i) $x_1=\overline{OP_1}\times\cos 30°=\dfrac{\sqrt{3}}{2}$

$x_2=x_1-\overline{P_1P_2}\times\cos 30°=\dfrac{\sqrt{3}}{2}-\dfrac{1}{2}\times\dfrac{\sqrt{3}}{2}$

$x_3=x_2+\overline{P_2P_3}\times\cos 30°=\dfrac{\sqrt{3}}{2}-\dfrac{1}{2}\times\dfrac{\sqrt{3}}{2}+\left(\dfrac{1}{2}\right)^2\times\dfrac{\sqrt{3}}{2}$

$\vdots$

이므로 x_n은 첫째항이 $\dfrac{\sqrt{3}}{2}$이고 공비가 $-\dfrac{1}{2}$인 등비수열의 합이다.

$\therefore \lim_{n\to\infty} x_n=\dfrac{\dfrac{\sqrt{3}}{2}}{1-\left(-\dfrac{1}{2}\right)}=\dfrac{\sqrt{3}}{3}$

(ii) $y_1=\overline{OP_1}\times\sin 30°=\dfrac{1}{2}$

$y_2=y_1+\overline{P_1P_2}\times\sin 30°=\dfrac{1}{2}+\dfrac{1}{2}\times\dfrac{1}{2}$

$y_3=y_2+\overline{P_2P_3}\times\sin 30°=\dfrac{1}{2}+\dfrac{1}{2}\times\dfrac{1}{2}+\left(\dfrac{1}{2}\right)^2\times\dfrac{1}{2}$

$\vdots$

이므로 y_n은 첫째항이 $\dfrac{1}{2}$이고 공비가 $\dfrac{1}{2}$인 등비수열의 합이다.

$\therefore \lim_{n\to\infty} y_n=\dfrac{\dfrac{1}{2}}{1-\dfrac{1}{2}}=1$

(i), (ii)에서 P_n이 한없이 가까워지는 점의 좌표는

$\left(\dfrac{\sqrt{3}}{3}, 1\right)$

8-1 나의 풀이

Q9 길이와 넓이

그림과 같이 반지름의 길이가 1인 원 C_1에 내접하는 정사각형을 M_1이라 하자. M_1에 내접하는 원을 C_2, C_2에 내접하는 정사각형을 M_2라 하자. 이와 같이 원과 정사각형을 그리는 과정을 한없이 반복할 때, 다음 물음에 답하시오.

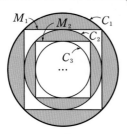

(1) C_n의 둘레의 길이를 l_n이라 할 때, $\sum_{n=1}^{\infty} l_n$의 값을 구하시오.

(2) C_n과 M_n으로 둘러싸인 부분의 넓이를 S_n이라 할 때, $\sum_{n=1}^{\infty} S_n$의 값을 구하시오.

대표 Q9 풀이

(1) 원 C_n의 반지름의 길이를 r_n이라 하자.

정사각형 M_n의 한 변의 길이는 $2r_{n+1}$이고, M_n의 대각선이 C_n의 지름이므로

$$\sqrt{2} \times 2r_{n+1} = 2r_n \qquad \therefore r_{n+1} = \frac{1}{\sqrt{2}} \times r_n$$

$l_n = 2\pi r_n$이므로 수열 $\{l_n\}$은 첫째항이

$l_1 = 2\pi r_1 = 2\pi$, 공비가 $\frac{1}{\sqrt{2}}$인 등비수열이다.

$$\therefore \sum_{n=1}^{\infty} l_n = \frac{2\pi}{1 - \dfrac{1}{\sqrt{2}}} = \frac{2\sqrt{2}\pi}{\sqrt{2}-1} = 2(2+\sqrt{2})\pi$$

(2) $S_n = \pi r_n^2 - (2r_{n+1})^2 = \pi r_n^2 - (\sqrt{2}r_n)^2 = (\pi-2)r_n^2$

수열 $\{S_n\}$은 첫째항이 $\pi-2$, 공비가 $\left(\dfrac{1}{\sqrt{2}}\right)^2 = \dfrac{1}{2}$인

등비수열이므로

$$\sum_{n=1}^{\infty} S_n = \frac{\pi-2}{1-\dfrac{1}{2}} = 2(\pi-2)$$

😊 **나만의 Note**

9-1 나의 풀이

Q10 개수가 등비수열인 도형

반지름의 길이가 1인 원에 중심각의 크기가 $60°$인 부채꼴 4개를 서로 겹치지 않게 그린 후 원의 내부와 부채꼴의 외부에 속하는 영역을 색칠한 그림을 [그림 1]이라 하자. [그림 1]에서 색칠하지 않은 각 부채꼴에 두 반지름과 호에 접하는 원을 그린다. 그린 각 원에서 [그림 1]과 같은 방법으로 부채꼴을 각각 4개 그린 후 색칠한 그림을 [그림 2]라 하자. 이와 같은 과정을 계속하여 n번째 그린 그림에서 색칠한 부분의 넓이를 S_n이라 할 때, $\lim_{n \to \infty} S_n$의 값을 구하시오.

  ...

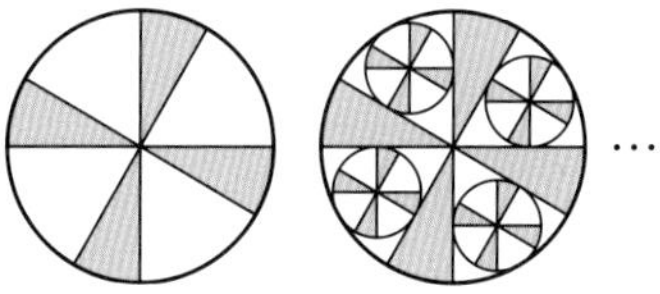

[그림 1]   [그림 2]

대표 Q10 풀이

[그림 n]에서 새로 색칠하는 부분의 넓이를 s_n이라 하자.

[그림 1]에서 색칠한 부채꼴 4개의 중심각의 크기의 합이 $360° - 4 \times 60° = 120°$이므로

$$s_1 = \pi \times 1^2 \times \frac{120°}{360°} = \frac{\pi}{3}$$

[그림 n]에서 새로 그리는 원의 반지름의 길이를 r_n이라 하자.

그림에서
$\overline{O_1 A_1} = 1$, $\overline{O_1 O_2} = 2r_2$이므로

$2r_2 + r_2 = 1$ $\therefore r_2 = \frac{1}{3}$

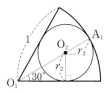

그리고 각 단계에서 원의 개수는 4배씩 늘어난다.

따라서 수열 $\{s_n\}$은 공비가 $4 \times \left(\frac{1}{3}\right)^2 = \frac{4}{9}$인 등비수열이다.

$$\therefore \lim_{n \to \infty} S_n = \lim_{n \to \infty} \sum_{k=1}^{n} s_k = \frac{\dfrac{\pi}{3}}{1 - \dfrac{4}{9}} = \frac{3}{5}\pi$$

10-1 나의 풀이

대표 **Q1** 합성함수의 극한과 연속

함수 $y=f(x)$와 $y=g(x)$의 그래프가 그림과 같다. 다음 물음에 답하시오.

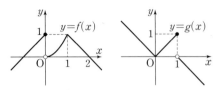

(1) $\lim\limits_{x \to 0} f(g(x))$의 극한을 조사하시오.

(2) $\lim\limits_{x \to 1} f(g(x))$의 극한을 조사하시오.

(3) 함수 $f(g(x))$가 불연속인 x의 값을 구하시오.

대표 **Q1** 풀이

$g(x)=t$라 하자.

(1) $\lim\limits_{x \to 0+} f(g(x))=\lim\limits_{t \to 0+} f(t)=0$

　　$\lim\limits_{x \to 0-} f(g(x))=\lim\limits_{t \to 0+} f(t)=0$

　　$\therefore \lim\limits_{x \to 0} f(g(x))=\mathbf{0}$

(2) $\lim\limits_{x \to 1+} f(g(x))=\lim\limits_{t \to 0-} f(t)=1$

　　$\lim\limits_{x \to 1-} f(g(x))=\lim\limits_{t \to 1-} f(t)=1$

　　$\therefore \lim\limits_{x \to 1} f(g(x))=\mathbf{1}$

(3) $g(x)$는 $x=1$에서 연속이 아니다.

　　그런데 $\lim\limits_{x \to 1} f(g(x))=1$이고 $f(g(1))=f(1)=1$

　　이므로 $f(g(x))$는 $x=1$에서 연속이다.

　　$f(x)$는 $x=0$에서 연속이 아니고 $g(0)=0$이다.

　　그런데 $\lim\limits_{x \to 0} f(g(x))=0$이고 $f(g(0))=f(0)=1$

　　이므로 $f(g(x))$는 $x=0$에서 연속이 아니다.

　　따라서 $f(g(x))$는 $x=\mathbf{0}$에서만 연속이 아니다.

나만의 **Note**

1-1 나의 풀이

Q2 $y=\{f(x)\}^n$, $y=\sqrt{f(x)}$ 꼴의 미분

다음 함수의 도함수를 구하시오.

(1) $y=(x^2+x)^{-3}$

(2) $y=(x^2+2)^3(2x-5)^5$

(3) $y=\sqrt{2x-1}$ (4) $y=\sqrt[3]{x^2}$ $(x>0)$

대표 Q2 **풀이**

(1) $y'=-3(x^2+x)^{-4}(x^2+x)'$

$$=-\frac{3(2x+1)}{(x^2+x)^4}$$

(또는 $y'=-3(2x+1)(x^2+x)^{-4}$)

(2) $f(x)=(x^2+2)^3$, $g(x)=(2x-5)^5$이라 하면

$$f'(x)=3(x^2+2)^2\times2x=6x(x^2+2)^2$$

$$g'(x)=5(2x-5)^4\times2=10(2x-5)^4$$

이므로

$$y'=6x(x^2+2)^2(2x-5)^5+(x^2+2)^3\times10(2x-5)^4$$

$$=2(x^2+2)^2(2x-5)^4\{3x(2x-5)+5(x^2+2)\}$$

$$=2(x^2+2)^2(2x-5)^4(11x^2-15x+10)$$

(3) $y'=\dfrac{(2x-1)'}{2\sqrt{2x-1}}=\dfrac{1}{\sqrt{2x-1}}$

(4) $y=x^{\frac{2}{3}}$이므로

$$y'=\frac{2}{3}x^{-\frac{1}{3}}=\frac{2}{3\sqrt[3]{x}}$$

😊 **나만의 Note**

2-1 **나의 풀이**

2-2 **나의 풀이**

Q3 $y=\dfrac{f(x)}{g(x)}$ 꼴의 미분

다음 함수의 도함수를 구하시오.

(1) $y=\dfrac{2x-3}{x^2-1}$ (2) $y=\dfrac{x^2-3x+1}{x^5}$

(3) $y=\left(\dfrac{x}{1-x^2}\right)^3$ (4) $y=\dfrac{x}{\sqrt{x+1}}$

대표 Q3 풀이

(1) $y'=\dfrac{(2x-3)'(x^2-1)-(2x-3)(x^2-1)'}{(x^2-1)^2}$

$\quad=\dfrac{2(x^2-1)-2x(2x-3)}{(x^2-1)^2}$

$\quad=\dfrac{-2x^2+6x-2}{(x^2-1)^2}$

(2) $y'=\dfrac{(x^2-3x+1)'x^5-(x^2-3x+1)(x^5)'}{(x^5)^2}$

$\quad=\dfrac{(2x-3)x^5-5x^4(x^2-3x+1)}{x^{10}}$

$\quad=\dfrac{-3x^2+12x-5}{x^6}$

(3) $f(x)=\dfrac{x}{1-x^2}$ 라 하면

$\quad f'(x)=\dfrac{(x)'(1-x^2)-x(1-x^2)'}{(1-x^2)^2}$

$\qquad=\dfrac{1-x^2-x(-2x)}{(1-x^2)^2}=\dfrac{1+x^2}{(1-x^2)^2}$

$\therefore y'=3\{f(x)\}^2 f'(x)=3\left(\dfrac{x}{1-x^2}\right)^2\dfrac{1+x^2}{(1-x^2)^2}$

$\qquad=\dfrac{3x^2(1+x^2)}{(1-x^2)^4}$

(4) $y'=\dfrac{(x)'\sqrt{x+1}-x(\sqrt{x+1})'}{(\sqrt{x+1})^2}$

$\quad=\dfrac{\sqrt{x+1}-x\times\dfrac{(x+1)'}{2\sqrt{x+1}}}{x+1}$

$\quad=\dfrac{\dfrac{2(x+1)-x}{2\sqrt{x+1}}}{x+1}=\dfrac{x+2}{2(x+1)\sqrt{x+1}}$

나만의 Note

3-1 나의 풀이

3-2 나의 풀이

Q4 합성함수 미분의 응용

함수 $f(x)$는 미분가능하고 $\lim_{x \to 0} \dfrac{x}{f(x)} = 2$,

$\lim_{x \to 1} \dfrac{x-1}{f(x)} = 4$이다. 다음 물음에 답하시오.

(1) $\lim_{x \to 1} \dfrac{f(f(x))}{3x^2 - x - 2}$의 값을 구하시오.

(2) $h(x) = f(f(x))$라 할 때, $h'(0)$의 값을 구하시오.

날선 Q4 풀이

$\lim_{x \to 0} \dfrac{x}{f(x)} = 2$에서 0이 아닌 극한값이 존재하고 $x \to 0$

일 때, (분자) $\to 0$이므로 (분모) $\to 0$이다.

$\therefore f(0) = 0$

$\therefore \lim_{x \to 0} \dfrac{f(x)}{x} = \lim_{x \to 0} \dfrac{f(x) - f(0)}{x - 0} = f'(0) = \dfrac{1}{2}$

같은 이유로

$\lim_{x \to 1} \dfrac{x-1}{f(x)} = 4$에서 $f(1) = 0$이고, $f'(1) = \dfrac{1}{4}$이다.

(1) $\dfrac{f(f(x))}{3x^2 - x - 2} = \dfrac{f(f(x))}{f(x)} \times \dfrac{f(x)}{(x-1)(3x+2)}$

$f(x) = t$라 하면 $x \to 1$일 때 $t \to 0$이므로

$\lim_{x \to 1} \dfrac{f(f(x))}{f(x)} = \lim_{t \to 0} \dfrac{f(t)}{t} = f'(0) = \dfrac{1}{2}$

$\lim_{x \to 1} \dfrac{f(x)}{(x-1)(3x+2)} = \lim_{x \to 1} \left\{ \dfrac{f(x)}{x-1} \times \dfrac{1}{3x+2} \right\}$

$= f'(1) \times \dfrac{1}{5}$

$= \dfrac{1}{4} \times \dfrac{1}{5} = \dfrac{1}{20}$

$\therefore \lim_{x \to 1} \dfrac{f(f(x))}{3x^2 - x - 2} = \dfrac{1}{2} \times \dfrac{1}{20} = \mathbf{\dfrac{1}{40}}$

(2) $h'(x) = f'(f(x)) f'(x)$이므로

$h'(1) = f'(f(1)) f'(1) = f'(0) f'(1)$

$= \dfrac{1}{2} \times \dfrac{1}{4} = \mathbf{\dfrac{1}{8}}$

나만의 Note

4-1 나의 풀이

대표 Q1 지수함수, 로그함수의 극한

다음 극한을 조사하시오.

(1) $\displaystyle\lim_{x \to \infty} \dfrac{2^{2x}-3^x}{3^x+2^{x+1}}$ (2) $\displaystyle\lim_{x \to \infty} (3^x-2^x)^{\frac{1}{x}}$

(3) $\displaystyle\lim_{x \to \infty} \{\log(2x+1)-\log(3x-1)\}$

(4) $\displaystyle\lim_{x \to 3+} \{\log(x-3)-\log(x^2-2x-3)\}$

대표 Q1 풀이

(1) $2^{2x}=4^x$이므로 분모, 분자를 각각 3^x으로 나누면

$$\lim_{x \to \infty} \frac{2^{2x}-3^x}{3^x+2^{x+1}}=\lim_{x \to \infty} \frac{\left(\dfrac{4}{3}\right)^x-1}{1+2\times\left(\dfrac{2}{3}\right)^x}=\infty$$

(2) $(3^x-2^x)^{\frac{1}{x}}=\left[3^x\left\{1-\left(\dfrac{2}{3}\right)^x\right\}\right]^{\frac{1}{x}}$ 이므로

$$\lim_{x \to \infty} (3^x-2^x)^{\frac{1}{x}}=\lim_{x \to \infty} \left[3^x\left\{1-\left(\frac{2}{3}\right)^x\right\}\right]^{\frac{1}{x}}$$

$$=\lim_{x \to \infty} (3^x)^{\frac{1}{x}}\times\lim_{x \to \infty} \left\{1-\left(\frac{2}{3}\right)^x\right\}^{\frac{1}{x}}$$

$$=3\times1=\mathbf{3}$$

(3) $\displaystyle\lim_{x \to \infty} \{\log(2x+1)-\log(3x-1)\}$

$$=\lim_{x \to \infty} \log\frac{2x+1}{3x-1}=\log\left(\lim_{x \to \infty} \frac{2x+1}{3x-1}\right)$$

$$=\log\left(\lim_{x \to \infty} \frac{2+\dfrac{1}{x}}{3-\dfrac{1}{x}}\right)=\mathbf{\log\frac{2}{3}}$$

(4) $\displaystyle\lim_{x \to 3+} \{\log(x-3)-\log(x^2-2x-3)\}$

$$=\lim_{x \to 3+} \log\frac{x-3}{x^2-2x-3}=\lim_{x \to 3+} \log\frac{1}{x+1}$$

$$=\log\left(\lim_{x \to 3+} \frac{1}{x+1}\right)=\log\frac{1}{4}=\mathbf{-2\log 2}$$

나만의 Note

1-1 나의 풀이

1-2 나의 풀이

Q2 1^{∞} 꼴의 극한

다음 극한값을 구하시오.

(1) $\displaystyle\lim_{x \to 0} (1+2x)^{\frac{4}{x}}$

(2) $\displaystyle\lim_{x \to 0} \left(1+\frac{x}{2}\right)^{-\frac{1}{x}}$

(3) $\displaystyle\lim_{x \to \infty} \left(1+\frac{3}{x}\right)^{2x}$

(4) $\displaystyle\lim_{x \to -\infty} \left(1-\frac{1}{x}\right)^{3x}$

대표 Q2 풀이

(1) $\displaystyle\lim_{x \to 0} (1+2x)^{\frac{4}{x}} = \lim_{x \to 0} \left\{(1+2x)^{\frac{1}{2x}}\right\}^{8} = \boldsymbol{e^8}$

(2) $\displaystyle\lim_{x \to 0} \left(1+\frac{x}{2}\right)^{-\frac{1}{x}} = \lim_{x \to 0} \left\{\left(1+\frac{x}{2}\right)^{\frac{2}{x}}\right\}^{-\frac{1}{2}} = e^{-\frac{1}{2}} = \boldsymbol{\dfrac{1}{\sqrt{e}}}$

(3) $\displaystyle\lim_{x \to \infty} \left(1+\frac{3}{x}\right)^{2x} = \lim_{x \to \infty} \left\{\left(1+\frac{3}{x}\right)^{\frac{x}{3}}\right\}^{6} = \boldsymbol{e^6}$

(4) $-x=t$로 놓으면 $x=-t$이고,

$x \to -\infty$일 때 $t \to \infty$이므로

$\displaystyle\lim_{x \to -\infty} \left(1-\frac{1}{x}\right)^{3x} = \lim_{t \to \infty} \left(1+\frac{1}{t}\right)^{-3t}$

$\displaystyle\qquad\qquad\qquad = \lim_{t \to \infty} \left\{\left(1+\frac{1}{t}\right)^{t}\right\}^{-3}$

$\displaystyle\qquad\qquad\qquad = e^{-3} = \boldsymbol{\dfrac{1}{e^3}}$

나만의 Note

2-1 나의 풀이

대표 Q3 $\dfrac{0}{0}$ 꼴인 로그함수의 극한

다음 극한값을 구하시오.

(1) $\displaystyle\lim_{x\to 0}\dfrac{\log_a(1+x)}{x}$ (2) $\displaystyle\lim_{x\to 0}\dfrac{\ln(1-2x)}{3x}$

(3) $\displaystyle\lim_{x\to 0}\dfrac{2x}{\log(1+x)}$

대표 Q3 풀이

(1) $\displaystyle\lim_{x\to 0}\dfrac{\log_a(1+x)}{x}=\lim_{x\to 0}\left\{\dfrac{1}{x}\times\log_a(1+x)\right\}$

$\qquad\qquad\qquad\quad=\displaystyle\lim_{x\to 0}\log_a(1+x)^{\frac{1}{x}}$

$\qquad\qquad\qquad\quad=\log_a e=\dfrac{1}{\ln a}$

(2) $\displaystyle\lim_{x\to 0}\dfrac{\ln(1-2x)}{3x}$

$\quad=\displaystyle\lim_{x\to 0}\left\{\dfrac{1}{3x}\times\ln(1-2x)\right\}$

$\quad=\displaystyle\lim_{x\to 0}\ln(1-2x)^{\frac{1}{3x}}=\lim_{x\to 0}\ln\left\{(1-2x)^{-\frac{1}{2x}}\right\}^{-\frac{2}{3}}$

$\quad=\ln e^{-\frac{2}{3}}=-\dfrac{2}{3}\ln e=-\dfrac{2}{3}$

(3) $\displaystyle\lim_{x\to 0}\dfrac{\log(1+x)}{2x}=\lim_{x\to 0}\left\{\dfrac{1}{2x}\times\log(1+x)\right\}$

$\qquad\qquad\qquad\quad=\displaystyle\lim_{x\to 0}\log(1+x)^{\frac{1}{2x}}$

$\qquad\qquad\qquad\quad=\displaystyle\lim_{x\to 0}\log\left\{(1+x)^{\frac{1}{x}}\right\}^{\frac{1}{2}}$

$\qquad\qquad\qquad\quad=\log e^{\frac{1}{2}}=\dfrac{1}{2}\log e$

이므로

$\displaystyle\lim_{x\to 0}\dfrac{2x}{\log(1+x)}=\dfrac{2}{\log e}=2\ln 10$

😊 나만의 **Note**

3-1 나의 풀이

3-2 나의 풀이

Q4 치환하는 극한

다음 극한값을 구하시오.

(1) $\lim\limits_{x \to 0} \dfrac{e^x - 1}{x}$ (2) $\lim\limits_{x \to 0} \dfrac{e^{3x} - 1}{x}$

(3) $\lim\limits_{x \to 0} \dfrac{a^x - 1}{x}$ (4) $\lim\limits_{x \to 1} x^{\frac{1}{1-x}}$

대표 Q4 풀이

(1) $e^x - 1 = t$라 하면

$e^x = 1 + t$ $\therefore x = \ln(1+t)$

$x \to 0$일 때 $t \to 0$이므로

$\lim\limits_{x \to 0} \dfrac{e^x - 1}{x} = \lim\limits_{t \to 0} \dfrac{t}{\ln(1+t)} = \lim\limits_{t \to 0} \dfrac{1}{\dfrac{\ln(1+t)}{t}} = \mathbf{1}$

(2) $e^{3x} - 1 = t$라 하면

$e^{3x} = 1 + t$ $\therefore 3x = \ln(1+t)$

$x \to 0$일 때 $t \to 0$이므로

$\lim\limits_{x \to 0} \dfrac{e^{3x} - 1}{x} = \lim\limits_{x \to 0} \left(\dfrac{e^{3x} - 1}{3x} \times 3 \right)$

$= \lim\limits_{t \to 0} \left\{ \dfrac{t}{\ln(1+t)} \times 3 \right\}$

$= 3 \lim\limits_{t \to 0} \dfrac{1}{\dfrac{\ln(1+t)}{t}}$

$= 3 \times 1 = \mathbf{3}$

(3) $a^x - 1 = t$라 하면

$a^x = 1 + t$ $\therefore x = \log_a(1+t)$

$x \to 0$일 때 $t \to 0$이므로

$\lim\limits_{x \to 0} \dfrac{a^x - 1}{x} = \lim\limits_{t \to 0} \dfrac{t}{\log_a(1+t)}$

$= \lim\limits_{t \to 0} \dfrac{1}{\dfrac{\log_a(1+t)}{t}} = \mathbf{\ln a}$

(4) $1 - x = t$라 하면 $x = 1 - t$이고

$x \to 1$일 때 $t \to 0$이므로

$\lim\limits_{x \to 1} x^{\frac{1}{1-x}} = \lim\limits_{t \to 0} (1-t)^{\frac{1}{t}} = \lim\limits_{t \to 0} \left\{ (1-t)^{-\frac{1}{t}} \right\}^{-1}$

$= e^{-1} = \dfrac{\mathbf{1}}{\mathbf{e}}$

4-1 나의 풀이

Q5 극한과 미정계수

다음 물음에 답하시오.

(1) $\lim\limits_{x \to 0} \dfrac{a^x - 1}{\ln(x+b)} = \ln 2$일 때, a, b의 값을 구하시오.

(2) 함수 $f(x) = \begin{cases} \dfrac{e^{2x} - a}{x} & (x \neq 0) \\ b & (x = 0) \end{cases}$ 가 $x = 0$에서 연속일 때, a, b의 값을 구하시오.

대표 Q5 풀이

(1) $x \to 0$일 때, 0이 아닌 극한값이 존재하고 (분자) $\to$ 0이므로 (분모) $\to$ 0이다.
곧, $\ln b = 0$이므로 $\boldsymbol{b = 1}$
$b = 1$을 좌변에 대입하면
$$\lim_{x \to 0} \frac{a^x - 1}{\ln(x+1)} = \lim_{x \to 0} \left\{ \frac{a^x - 1}{x} \times \frac{x}{\ln(x+1)} \right\}$$
$$= \ln a \times 1 = \ln a$$
$\ln a = \ln 2$이므로 $\boldsymbol{a = 2}$

(2) $x = 0$에서 $f(x)$가 연속이므로 $\lim\limits_{x \to 0} f(x) = f(0)$
$$\therefore \lim_{x \to 0} \frac{e^{2x} - a}{x} = b$$
$x \to 0$일 때, 극한값이 존재하고 (분모) $\to$ 0이므로 (분자) $\to$ 0이다.
곧, $e^0 - a = 0$이므로 $\boldsymbol{a = 1}$
이때 $\lim\limits_{x \to 0} \dfrac{e^{2x} - 1}{x} = \lim\limits_{x \to 0} \dfrac{e^{2x} - 1}{2x} \times 2 = 2$
$$\therefore \boldsymbol{b = 2}$$

😊 **나만의 Note**

5-1 나의 풀이

5-2 나의 풀이

Q6 지수함수의 미분

다음 함수를 미분하시오.

(1) $y = e^{2x+1} + 3e^x - 4$　　(2) $y = (x+1)e^{x^2}$

(3) $y = (2e^x - 3)^4$　　(4) $y = \dfrac{e^x - 1}{e^x + 1}$

(5) $y = 2^{x^2 - 3x + 1}$

대표 Q6 풀이

(1) $y' = e^{2x+1} \times (2x+1)' + 3e^x = 2e^{2x+1} + 3e^x$

(2) $y' = (x+1)'e^{x^2} + (x+1)(e^{x^2})'$
$= e^{x^2} + (x+1)e^{x^2} \times 2x$
$= (2x^2 + 2x + 1)e^{x^2}$

(3) $y' = 4(2e^x - 3)^3(2e^x - 3)' = 8e^x(2e^x - 3)^3$

(4) $y' = \dfrac{(e^x - 1)'(e^x + 1) - (e^x - 1)(e^x + 1)'}{(e^x + 1)^2}$
$= \dfrac{e^x(e^x + 1) - (e^x - 1)e^x}{(e^x + 1)^2} = \dfrac{2e^x}{(e^x + 1)^2}$

(5) $y' = 2^{x^2 - 3x + 1} \times (x^2 - 3x + 1)' \times \ln 2$
$= 2^{x^2 - 3x + 1}(2x - 3)\ln 2$

나만의 Note

6-1 나의 풀이

대표 Q7 로그함수의 미분

다음 함수를 미분하시오.

(1) $y=\ln(e^x+1)$ (2) $y=x^2\ln(2x+1)$

(3) $y=\dfrac{\ln x}{x}$ (4) $y=(\ln x)^2+\ln x^2$

(5) $y=\log(x^2+x+1)$

대표 Q7 풀이

(1) $y'=\dfrac{(e^x+1)'}{e^x+1}=\dfrac{e^x}{e^x+1}$

(2) $y'=(x^2)'\ln(2x+1)+x^2\{\ln(2x+1)\}'$

$\quad=2x\ln(2x+1)+x^2\times\dfrac{(2x+1)'}{2x+1}$

$\quad=2x\ln(2x+1)+\dfrac{2x^2}{2x+1}$

(3) $y'=\dfrac{(\ln x)'\times x-\ln x\times(x)'}{x^2}$

$\quad=\dfrac{\dfrac{1}{x}\times x-\ln x}{x^2}=\dfrac{1-\ln x}{x^2}$

(4) $y'=2\ln x(\ln x)'+\dfrac{(x^2)'}{x^2}$

$\quad=\dfrac{2\ln x}{x}+\dfrac{2}{x}=\dfrac{2(\ln x+1)}{x}$

(5) $y'=\dfrac{(x^2+x+1)'}{(x^2+x+1)\ln 10}=\dfrac{2x+1}{(x^2+x+1)\ln 10}$

나만의 Note

7-1 나의 풀이

Q8 로그미분법

다음 함수를 미분하시오.

(1) $y=x^{\ln x}$ $(x>0)$ (2) $y=\dfrac{x^2(x+3)^3}{(x-2)^4}$

대표 Q8 풀이

(1) 양변에 자연로그를 잡으면

$$\ln y=\ln x^{\ln x}=\ln x\times\ln x=(\ln x)^2$$

양변을 x에 대하여 미분하면

$$\frac{y'}{y}=2\times\ln x\times(\ln x)'=\frac{2\ln x}{x}$$

$$\therefore y'=\frac{2\ln x}{x}\times y=\frac{2\ln x}{x}\times x^{\ln x}=2x^{\ln x-1}\ln x$$

(2) 양변의 절댓값에 자연로그를 잡으면

$$\ln|y|=2\ln|x|+3\ln|x+3|-4\ln|x-2|$$

양변을 x에 대하여 미분하면

$$\frac{y'}{y}=\frac{2}{x}+\frac{3}{x+3}-\frac{4}{x-2}$$

$$\therefore y'=\frac{x^2-16x-12}{x(x+3)(x-2)}\times y$$

$$=\frac{x^2-16x-12}{x(x+3)(x-2)}\times\frac{x^2(x+3)^3}{(x-2)^4}$$

$$=\frac{x(x+3)^2(x^2-16x-12)}{(x-2)^5}$$

😊 **나만의 Note**

8-1 나의 풀이

Q9 지수함수, 로그함수 미분의 응용

다음 물음에 답하시오.

(1) $\lim\limits_{x \to 2} \dfrac{e^{x-2}-x^2+3}{x-2}$의 값을 구하시오.

(2) 함수 $f(x)=\begin{cases} ax^2+b & (x<2) \\ \ln x & (x \geq 2) \end{cases}$가

구간 $(-\infty, \infty)$에서 미분가능한 함수일 때, a, b의 값을 구하시오.

대표 Q9 풀이

(1) $f(x)=e^{x-2}-x^2$이라 하면 $f(2)=-3$이므로

$$\lim_{x \to 2} \frac{e^{x-2}-x^2+3}{x-2}=\lim_{x \to 2}\frac{f(x)-f(2)}{x-2}=f'(2)$$

따라서 $f'(x)=e^{x-2}-2x$이므로

$$f'(2)=1-4=\boldsymbol{-3}$$

(2) $f_1(x)=ax^2+b$, $f_2(x)=\ln x$라 하면

$x<2$에서 $f_1(x)$는 미분가능하고

$x>2$에서 $f_2(x)$는 미분가능하다.

따라서 $f(x)$가 $x=2$에서 미분가능하면 된다.

(i) $f_1(2)=f_2(2)$이므로

$$4a+b=\ln 2 \quad \cdots \ ㉠$$

(ii) $f_1'(x)=2ax$, $f_2'(x)=\dfrac{1}{x}$이고,

$f_1'(2)=f_2'(2)$이므로 $4a=\dfrac{1}{2}$ $\quad \therefore \boldsymbol{a=\dfrac{1}{8}}$

$a=\dfrac{1}{8}$을 ㉠에 대입하면 $\dfrac{1}{2}+b=\ln 2$

$$\therefore \boldsymbol{b=\ln 2 - \dfrac{1}{2}}$$

😀 **나만의 Note**

9-1 나의 풀이

9-2 나의 풀이

대표 Q1 삼각함수

다음 물음에 답하시오.

(1) $\pi < \theta < 2\pi$이고 $\sec\theta = -\dfrac{3}{2}$일 때,

   $\csc\theta$, $\cot\theta$의 값을 구하시오.

(2) $\dfrac{1+\cos\theta}{\sec\theta-\tan\theta} - \dfrac{1-\cos\theta}{\sec\theta+\tan\theta} = 3$일 때,

   $\tan\theta$의 값을 구하시오.

대표 Q1 풀이

(1) $\cos\theta = \dfrac{1}{\sec\theta} = -\dfrac{2}{3}$이고 $\pi < \theta < 2\pi$이므로

$\pi < \theta < \dfrac{3}{2}\pi$

$\sin^2\theta + \cos^2\theta = 1$에 대입하면

$\sin^2\theta + \dfrac{4}{9} = 1$, $\sin^2\theta = \dfrac{5}{9}$

$\sin\theta < 0$이므로 $\sin\theta = -\dfrac{\sqrt{5}}{3}$

또 $\tan\theta = \dfrac{\sin\theta}{\cos\theta} = \dfrac{\sqrt{5}}{2}$

$\therefore$ $\boldsymbol{\csc\theta} = -\dfrac{3}{\sqrt{5}} = \boldsymbol{-\dfrac{3\sqrt{5}}{5}}$, $\boldsymbol{\cot\theta} = \dfrac{2}{\sqrt{5}} = \boldsymbol{\dfrac{2\sqrt{5}}{5}}$

(2) (좌변) $= \dfrac{(1+\cos\theta)(\sec\theta+\tan\theta)}{(\sec\theta-\tan\theta)(\sec\theta+\tan\theta)}$

$\qquad - \dfrac{(1-\cos\theta)(\sec\theta-\tan\theta)}{(\sec\theta+\tan\theta)(\sec\theta-\tan\theta)}$

$\quad = \dfrac{2\cos\theta\sec\theta + 2\tan\theta}{\sec^2\theta-\tan^2\theta} = 2+2\tan\theta$

이므로 $2+2\tan\theta = 3$ $\quad \therefore$ $\boldsymbol{\tan\theta = \dfrac{1}{2}}$

나만의 Note

1-1 나의 풀이

1-2 나의 풀이

대표 **Q2** 삼각함수의 덧셈정리

$\pi < \alpha < \dfrac{3}{2}\pi$, $\dfrac{3}{2}\pi < \beta < 2\pi$이고 $\sin\alpha = -\dfrac{4}{5}$,

$\cos\beta = \dfrac{5}{13}$일 때, 다음 값을 구하시오.

(1) $\sin(\alpha+\beta)$ (2) $\sin(\alpha-\beta)$

(3) $\cos(\alpha+\beta)$ (4) $\cos(\alpha-\beta)$

(5) $\tan(\alpha+\beta)$ (6) $\tan(\alpha-\beta)$

대표 **Q2** 풀이

$\pi < \alpha < \dfrac{3}{2}\pi$, $\dfrac{3}{2}\pi < \beta < 2\pi$이므로 $\cos\alpha < 0$, $\sin\beta < 0$

$\cos\alpha = -\sqrt{1-\sin^2\alpha} = -\sqrt{1-\left(-\dfrac{4}{5}\right)^2} = -\dfrac{3}{5}$

또 $\tan\alpha = \dfrac{\sin\alpha}{\cos\alpha} = \dfrac{-\dfrac{4}{5}}{-\dfrac{3}{5}} = \dfrac{4}{3}$

$\sin\beta = -\sqrt{1-\cos^2\beta} = -\sqrt{1-\left(\dfrac{5}{13}\right)^2} = -\dfrac{12}{13}$

또 $\tan\beta = \dfrac{\sin\beta}{\cos\beta} = \dfrac{-\dfrac{12}{13}}{\dfrac{5}{13}} = -\dfrac{12}{5}$

(1) $\sin(\alpha+\beta) = \sin\alpha\cos\beta + \cos\alpha\sin\beta$

$\quad = -\dfrac{4}{5}\times\dfrac{5}{13}+\left(-\dfrac{3}{5}\right)\times\left(-\dfrac{12}{13}\right) = \dfrac{16}{65}$

(2) $\sin(\alpha-\beta) = \sin\alpha\cos\beta - \cos\alpha\sin\beta$

$\quad = -\dfrac{4}{5}\times\dfrac{5}{13}-\left(-\dfrac{3}{5}\right)\times\left(-\dfrac{12}{13}\right) = -\dfrac{56}{65}$

(3) $\cos(\alpha+\beta) = \cos\alpha\cos\beta - \sin\alpha\sin\beta$

$\quad = -\dfrac{3}{5}\times\dfrac{5}{13}-\left(-\dfrac{4}{5}\right)\times\left(-\dfrac{12}{13}\right) = -\dfrac{63}{65}$

(4) $\cos(\alpha-\beta) = \cos\alpha\cos\beta + \sin\alpha\sin\beta$

$\quad = -\dfrac{3}{5}\times\dfrac{5}{13}+\left(-\dfrac{4}{5}\right)\times\left(-\dfrac{12}{13}\right) = \dfrac{33}{65}$

(5) $\tan(\alpha+\beta) = \dfrac{\tan\alpha+\tan\beta}{1-\tan\alpha\tan\beta}$

$\quad = \dfrac{\dfrac{4}{3}+\left(-\dfrac{12}{5}\right)}{1-\dfrac{4}{3}\times\left(-\dfrac{12}{5}\right)} = -\dfrac{16}{63}$

(6) $\tan(\alpha-\beta) = \dfrac{\tan\alpha-\tan\beta}{1+\tan\alpha\tan\beta}$

$\quad = \dfrac{\dfrac{4}{3}-\left(-\dfrac{12}{5}\right)}{1+\dfrac{4}{3}\times\left(-\dfrac{12}{5}\right)} = -\dfrac{56}{33}$

2-1 나의 풀이

2-2 나의 풀이

Q3 두 직선이 이루는 각

다음 물음에 답하시오.

(1) 그림과 같은 직각 삼각형 ABC에서 점 D가 변 AC의 중점이고 ∠ABD=θ라 할 때, $\tan\theta$의 값을 구하시오.

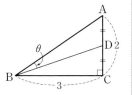

(2) 두 직선 $y=3x-1$, $y=\dfrac{1}{2}x+1$이 이루는 예각의 크기를 구하시오.

대표 Q3 풀이

(1) ∠ABC=α, ∠DBC=β라 하면

$\theta=\alpha-\beta$이고

$\tan\alpha=\dfrac{2}{3}$, $\tan\beta=\dfrac{1}{3}$

이므로

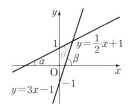

$$\tan\theta=\tan(\alpha-\beta)=\frac{\tan\alpha-\tan\beta}{1+\tan\alpha\tan\beta}$$

$$=\frac{\dfrac{2}{3}-\dfrac{1}{3}}{1+\dfrac{2}{3}\times\dfrac{1}{3}}=\frac{3}{11}$$

(2) 두 직선 $y=\dfrac{1}{2}x+1$,

$y=3x-1$이 x축의 양의 방향과 이루는 각의 크기를 각각 α, β라 하면

$\tan\alpha=\dfrac{1}{2}$, $\tan\beta=3$

두 직선이 이루는 예각의 크기를 θ라 하면

$\theta=\beta-\alpha$이므로

$$\tan\theta=\tan(\beta-\alpha)=\frac{\tan\beta-\tan\alpha}{1+\tan\beta\tan\alpha}$$

$$=\frac{3-\dfrac{1}{2}}{1+3\times\dfrac{1}{2}}=1$$

$0<\theta<\dfrac{\pi}{2}$이므로 $\theta=\dfrac{\pi}{4}$

3-1 나의 풀이

3-2 나의 풀이

Q4 배각의 공식, 반각의 공식

$\dfrac{\pi}{2}<\theta<\pi$이고 $\sin\theta=\dfrac{3}{5}$일 때, 다음 값을 구하시오.

(1) $\sin 2\theta$

(2) $\cos 2\theta$

(3) $\sin\dfrac{\theta}{2}$

(4) $\cos\dfrac{\theta}{2}$

대표 Q4 풀이

$\dfrac{\pi}{2}<\theta<\pi$이므로 $\cos\theta<0$

$\cos\theta=-\sqrt{1-\sin^2\theta}=-\sqrt{1-\left(\dfrac{3}{5}\right)^2}=-\dfrac{4}{5}$

(1) $\sin 2\theta=2\sin\theta\cos\theta=2\times\dfrac{3}{5}\times\left(-\dfrac{4}{5}\right)=-\dfrac{24}{25}$

(2) $\cos 2\theta=1-2\sin^2\theta=1-2\times\left(\dfrac{3}{5}\right)^2=\dfrac{7}{25}$

(3) $\sin^2\dfrac{\theta}{2}=\dfrac{1-\cos\theta}{2}=\dfrac{1+\dfrac{4}{5}}{2}=\dfrac{9}{10}$

$\sin\dfrac{\theta}{2}>0$이므로 $\sin\dfrac{\theta}{2}=\dfrac{3\sqrt{10}}{10}$

(4) $\cos^2\dfrac{\theta}{2}=\dfrac{1+\cos\theta}{2}=\dfrac{1-\dfrac{4}{5}}{2}=\dfrac{1}{10}$

$\cos\dfrac{\theta}{2}>0$이므로 $\cos\dfrac{\theta}{2}=\dfrac{\sqrt{10}}{10}$

😊 나만의 Note

4-1 나의 풀이

4-2 나의 풀이

Q5 $f(\theta)=a\sin\theta+b\cos\theta$

$f(\theta)=2\sqrt{3}\sin\theta+3\cos\left(\theta+\dfrac{2}{3}\pi\right)$에 대하여 다음 물음에 답하시오.

(1) $f(\theta)=a\sin\theta+b\cos\theta$일 때, a, b의 값을 구하시오.

(2) $f(\theta)=r\sin(\theta+\alpha)\,(r>0,\ -\pi<\alpha\leq\pi)$ 꼴로 나타내시오.

(3) $f(\theta)$의 최댓값, 최솟값과 주기를 구하시오.

(4) $0\leq\theta\leq2\pi$일 때, 방정식 $f(\theta)=\dfrac{3}{2}$의 해를 구하시오.

대표 Q5 풀이

(1) $\cos\left(\theta+\dfrac{2}{3}\pi\right)=\cos\theta\cos\dfrac{2}{3}\pi-\sin\theta\sin\dfrac{2}{3}\pi$

$\qquad\qquad\qquad =-\dfrac{1}{2}\cos\theta-\dfrac{\sqrt{3}}{2}\sin\theta$이므로

$\quad f(\theta)=2\sqrt{3}\sin\theta-\dfrac{3}{2}\cos\theta-\dfrac{3\sqrt{3}}{2}\sin\theta$

$\qquad\quad =\dfrac{\sqrt{3}}{2}\sin\theta-\dfrac{3}{2}\cos\theta$

$\quad \therefore\ a=\dfrac{\sqrt{3}}{2},\ b=-\dfrac{3}{2}$

(2) $\sqrt{a^2+b^2}=\sqrt{\dfrac{3}{4}+\dfrac{9}{4}}=\sqrt{3}$ 이므로

$\quad f(\theta)=\sqrt{3}\left(\dfrac{1}{2}\sin\theta-\dfrac{\sqrt{3}}{2}\cos\theta\right)$

$\quad \cos\alpha=\dfrac{1}{2},\ \sin\alpha=-\dfrac{\sqrt{3}}{2}$이고,

$\quad -\pi<\alpha\leq\pi$이므로 $\alpha=-\dfrac{\pi}{3}$

$\quad \therefore\ f(\theta)=\sqrt{3}\sin\left(\theta-\dfrac{\pi}{3}\right)$

(3) 최댓값은 $\sqrt{3}$, 최솟값은 $-\sqrt{3}$, 주기는 2π

(4) $\sqrt{3}\sin\left(\theta-\dfrac{\pi}{3}\right)=\dfrac{3}{2}$에서 $\sin\left(\theta-\dfrac{\pi}{3}\right)=\dfrac{\sqrt{3}}{2}$

$\quad -\dfrac{\pi}{3}\leq\theta-\dfrac{\pi}{3}\leq\dfrac{5}{3}\pi$이므로

$\quad \theta-\dfrac{\pi}{3}=\dfrac{\pi}{3}$ 또는 $\theta-\dfrac{\pi}{3}=\dfrac{2}{3}\pi$

$\quad \therefore\ \theta=\dfrac{2}{3}\pi$ 또는 $\theta=\pi$

5-1 나의 풀이

5-2 나의 풀이

Q1 $\dfrac{0}{0}$ 꼴의 극한(1) $- \sin x$, $\tan x$

다음 극한값을 구하시오.

(1) $\displaystyle\lim_{x \to 0} \dfrac{\sin 3x}{\sin 2x}$ (2) $\displaystyle\lim_{x \to 0} \dfrac{\sin(\sin x)}{x}$

(3) $\displaystyle\lim_{x \to 0} \dfrac{\tan 2x}{\tan 5x}$ (4) $\displaystyle\lim_{x \to 0} \dfrac{\tan 4x}{\sin 3x}$

대표 Q1 풀이

(1) $\displaystyle\lim_{x \to 0} \dfrac{\sin 3x}{\sin 2x} = \lim_{x \to 0}\left(\dfrac{\sin 3x}{3x} \times \dfrac{2x}{\sin 2x} \times \dfrac{3}{2} \right)$

$\qquad\qquad = 1 \times 1 \times \dfrac{3}{2} = \dfrac{\mathbf{3}}{\mathbf{2}}$

(2) $x \to 0$일 때 $\sin x \to 0$이므로

$\quad \displaystyle\lim_{x \to 0} \dfrac{\sin(\sin x)}{x} = \lim_{x \to 0}\left\{ \dfrac{\sin(\sin x)}{\sin x} \times \dfrac{\sin x}{x} \right\}$

$\qquad\qquad = 1 \times 1 = \mathbf{1}$

(3) $\displaystyle\lim_{x \to 0} \dfrac{\tan 2x}{\tan 5x} = \lim_{x \to 0}\left(\dfrac{\tan 2x}{2x} \times \dfrac{5x}{\tan 5x} \times \dfrac{2}{5} \right)$

$\qquad\qquad = 1 \times 1 \times \dfrac{2}{5} = \dfrac{\mathbf{2}}{\mathbf{5}}$

(4) $\displaystyle\lim_{x \to 0} \dfrac{\tan 4x}{\sin 3x} = \lim_{x \to 0}\left(\dfrac{\tan 4x}{4x} \times \dfrac{3x}{\sin 3x} \times \dfrac{4}{3} \right)$

$\qquad\qquad = 1 \times 1 \times \dfrac{4}{3} = \dfrac{\mathbf{4}}{\mathbf{3}}$

😊 **나만의 Note**

1-1 나의 풀이

1-2 나의 풀이

Q2 $\dfrac{0}{0}$ 꼴의 극한(2) $-\cos x$, 치환

다음 극한값을 구하시오.

(1) $\displaystyle\lim_{x\to 0}\dfrac{1-\cos x}{x^2}$ (2) $\displaystyle\lim_{x\to 0}\dfrac{\cos 2x-1}{x\sin x}$

(3) $\displaystyle\lim_{x\to \frac{\pi}{2}}\dfrac{\cos x}{x-\dfrac{\pi}{2}}$ (4) $\displaystyle\lim_{x\to \infty}x\sin\dfrac{1}{x}$

2-1 나의 풀이

대표 Q2 풀이

(1) $\displaystyle\lim_{x\to 0}\dfrac{1-\cos x}{x^2}=\lim_{x\to 0}\dfrac{(1-\cos x)(1+\cos x)}{x^2(1+\cos x)}$

$\qquad =\displaystyle\lim_{x\to 0}\dfrac{\sin^2 x}{x^2(1+\cos x)}$

$\qquad =\displaystyle\lim_{x\to 0}\left\{\left(\dfrac{\sin x}{x}\right)^2\times\dfrac{1}{1+\cos x}\right\}$

$\qquad =1^2\times\dfrac{1}{2}=\boldsymbol{\dfrac{1}{2}}$

(2) $\displaystyle\lim_{x\to 0}\dfrac{\cos 2x-1}{x\sin x}$

$\quad =\displaystyle\lim_{x\to 0}\dfrac{(\cos 2x-1)(\cos 2x+1)}{x\sin x(\cos 2x+1)}$

$\quad =\displaystyle\lim_{x\to 0}\dfrac{-\sin^2 2x}{x\sin x(\cos 2x+1)}$

$\quad =-\displaystyle\lim_{x\to 0}\left\{\left(\dfrac{\sin 2x}{2x}\right)^2\times\dfrac{x}{\sin x}\times\dfrac{1}{\cos 2x+1}\times 4\right\}$

$\quad =-\left(1^2\times 1\times\dfrac{1}{2}\times 4\right)=\boldsymbol{-2}$

(3) $x-\dfrac{\pi}{2}=t$라 하면 $x=\dfrac{\pi}{2}+t$이고,

$\quad x\to\dfrac{\pi}{2}$일 때 $t\to 0$이므로

$\quad\displaystyle\lim_{x\to \frac{\pi}{2}}\dfrac{\cos x}{x-\dfrac{\pi}{2}}=\lim_{t\to 0}\dfrac{\cos\left(\dfrac{\pi}{2}+t\right)}{t}$

$\qquad\qquad =\displaystyle\lim_{t\to 0}\dfrac{-\sin t}{t}=\boldsymbol{-1}$

(4) $\dfrac{1}{x}=t$라 하면 $x=\dfrac{1}{t}$이고,

$\quad x\to\infty$일 때 $t\to 0$이므로

$\quad\displaystyle\lim_{x\to \infty}x\sin\dfrac{1}{x}=\lim_{t\to 0}\dfrac{1}{t}\sin t$

$\qquad\qquad =\displaystyle\lim_{t\to 0}\dfrac{\sin t}{t}=\boldsymbol{1}$

대표 Q3 삼각함수의 극한과 미정계수

다음 물음에 답하시오.

(1) $\lim\limits_{x \to \pi} \dfrac{a\cos x + b}{(x-\pi)^2} = 3$일 때, a, b의 값을 구하시오.

(2) 함수 $f(x) = \begin{cases} \dfrac{e^x + a}{\sin \pi x} & (x \neq 0) \\ b & (x = 0) \end{cases}$ 가 $x=0$에서 연

연속일 때, a, b의 값을 구하시오.

대표 Q3 풀이

(1) $\lim\limits_{x \to \pi} \dfrac{a\cos x + b}{(x-\pi)^2} = 3 \quad \cdots \ \textcircled{$\bigcirc$}$

$x \to \pi$일 때, 극한값이 존재하고 (분모) $\to$ 0이므로
(분자) $\to$ 0이다.

$\lim\limits_{x \to \pi} (a\cos x + b) = 0$이므로

$a\cos\pi + b = 0 \qquad \therefore b = a$

$b = a$를 $\textcircled{$\bigcirc$}$의 좌변에 대입하면

$\lim\limits_{x \to \pi} \dfrac{a\cos x + a}{(x-\pi)^2} = a\lim\limits_{x \to \pi} \dfrac{\cos x + 1}{(x-\pi)^2}$

$x - \pi = t$라 하면 $x = \pi + t$이고,

$x \to \pi$일 때 $t \to 0$이다.

또 $\cos x = \cos(\pi + t) = -\cos t$이므로

$a\lim\limits_{x \to \pi} \dfrac{\cos x + 1}{(x-\pi)^2} = a\lim\limits_{t \to 0} \dfrac{1 - \cos t}{t^2}$

$\qquad\qquad = a\lim\limits_{t \to 0} \dfrac{(1-\cos t)(1+\cos t)}{t^2(1+\cos t)}$

$\qquad\qquad = a\lim\limits_{t \to 0} \left(\dfrac{\sin^2 t}{t^2} \times \dfrac{1}{1+\cos t} \right)$

$\qquad\qquad = a \times 1 \times \dfrac{1}{2} = \dfrac{a}{2}$

$\textcircled{$\bigcirc$}$의 우변과 비교하면 $\boldsymbol{a=6}$, $\boldsymbol{b=6}$

(2) $x=0$에서 연속이면 $\lim\limits_{x \to 0} f(x) = f(0)$이므로

$\lim\limits_{x \to 0} \dfrac{e^x + a}{\sin \pi x} = b \quad \cdots \ \textcircled{$\bigcirc$}$

$x \to 0$일 때, 극한값이 존재하고 (분모) $\to$ 0이므로
(분자) $\to$ 0이다.

$\lim\limits_{x \to 0} (e^x + a) = 0$이므로 $1 + a = 0 \qquad \therefore \boldsymbol{a = -1}$

$a = -1$을 $\textcircled{$\bigcirc$}$의 좌변에 대입하면

$\lim\limits_{x \to 0} \dfrac{e^x - 1}{\sin \pi x} = \lim\limits_{x \to 0} \left(\dfrac{e^x - 1}{x} \times \dfrac{\pi x}{\sin \pi x} \times \dfrac{1}{\pi} \right)$

$\qquad\qquad = 1 \times 1 \times \dfrac{1}{\pi} = \dfrac{1}{\pi} \qquad \therefore \boldsymbol{b = \dfrac{1}{\pi}}$

3-1 나의 풀이

3-2 나의 풀이

삼각함수의 극한과 도형

그림과 같이 반지름의 길이가 2이고 중심이 O 인 반원이 있다. 호 AB 위에 ∠PAB=θ인 점 P와 지름 AB 위에 ∠APQ=3θ인 점 Q를 잡자.

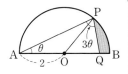

$0<\theta<\dfrac{\pi}{6}$일 때, 다음 물음에 답하시오.

(1) $\displaystyle\lim_{\theta\to0+}\dfrac{1-\overline{\mathrm{OQ}}}{\theta^2}$의 값을 구하시오.

(2) 그림에서 색칠한 부분의 넓이를 $S(\theta)$라 할 때, $\displaystyle\lim_{\theta\to0+}\dfrac{S(\theta)}{\theta}$의 값을 구하시오.

대표 Q4 풀이

(1) 중심각의 크기는 원주각의 크기의 2배이므로

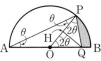

$\angle\mathrm{POQ}=2\angle\mathrm{PAB}=2\theta$

$\overline{\mathrm{OA}}=\overline{\mathrm{OP}}=2$이므로 $\angle\mathrm{OPA}=\angle\mathrm{OAP}=\theta$

$\therefore\ \angle\mathrm{OPQ}=3\theta-\theta=2\theta$

따라서 △POQ는 이등변삼각형이다.

점 Q에서 변 OP에 내린 수선의 발을 H라 하면

$\overline{\mathrm{OH}}=1$이므로 △HOQ에서

$\cos2\theta=\dfrac{\overline{\mathrm{OH}}}{\overline{\mathrm{OQ}}}$, $\overline{\mathrm{OQ}}=\dfrac{1}{\cos2\theta}$

$\therefore\ \displaystyle\lim_{\theta\to0+}\dfrac{1-\overline{\mathrm{OQ}}}{\theta^2}$

$=\displaystyle\lim_{\theta\to0+}\dfrac{1-\dfrac{1}{\cos2\theta}}{\theta^2}=\lim_{\theta\to0+}\dfrac{\cos2\theta-1}{\theta^2\cos2\theta}$

$=\displaystyle\lim_{\theta\to0+}\dfrac{(\cos2\theta-1)(\cos2\theta+1)}{\theta^2\cos2\theta(\cos2\theta+1)}$

$=\displaystyle\lim_{\theta\to0+}\dfrac{-\sin^2 2\theta}{\theta^2\cos2\theta(\cos2\theta+1)}$

$=-\displaystyle\lim_{\theta\to0+}\left\{\dfrac{\sin^2 2\theta}{(2\theta)^2}\times\dfrac{4}{\cos2\theta(\cos2\theta+1)}\right\}$

$=-1\times\dfrac{4}{2}=\mathbf{-2}$

(2) $\tan2\theta=\dfrac{\overline{\mathrm{QH}}}{\overline{\mathrm{OH}}}$에서 $\overline{\mathrm{QH}}=\tan2\theta$이므로

$\triangle\mathrm{POQ}=\dfrac{1}{2}\times2\times\tan2\theta=\tan2\theta$

$\therefore S(\theta)=(\text{부채꼴 POB의 넓이})-\triangle\mathrm{POQ}$

$\qquad=\dfrac{1}{2}\times2^2\times2\theta-\tan2\theta=4\theta-\tan2\theta$

$\therefore\ \displaystyle\lim_{\theta\to0+}\dfrac{S(\theta)}{\theta}=\lim_{\theta\to0+}\dfrac{4\theta-\tan2\theta}{\theta}$

$\qquad=\displaystyle\lim_{\theta\to0+}\left(4-\dfrac{\tan2\theta}{2\theta}\times2\right)$

$\qquad=4-1\times2=\mathbf{2}$

4-1 나의 풀이

대표 Q5 삼각함수의 미분(1)

다음 함수를 미분하시오.

(1) $y = \sin x \cos x$

(2) $y = (1 + \tan x)^3$

(3) $y = \dfrac{\cos x}{1 + \sin x}$

(4) $y = \sin \sqrt{1 + x^2}$

5-1 나의 풀이

대표 Q5 풀이

(1) $y' = (\sin x)' \cos x + \sin x (\cos x)'$

$\quad = \cos x \cos x + \sin x (-\sin x)$

$\quad = \cos^2 x - \sin^2 x$

(2) $f(x) = x^3$ 이라 하면 $y = f(1 + \tan x)$

$\quad f'(x) = 3x^2$ 이므로

$\quad y' = f'(1 + \tan x) \times (1 + \tan x)'$

$\quad = 3(1 + \tan x)^2 \sec^2 x$

(3) $y' = \dfrac{(\cos x)'(1 + \sin x) - \cos x (1 + \sin x)'}{(1 + \sin x)^2}$

$\quad = \dfrac{-\sin x (1 + \sin x) - \cos x \cos x}{(1 + \sin x)^2}$

$\quad = \dfrac{-\sin x - \sin^2 x - \cos^2 x}{(1 + \sin x)^2}$

$\quad = -\dfrac{1}{1 + \sin x}$

(4) $f(x) = \sqrt{1 + x^2}$ 이라 하면 $y = \sin f(x)$ 이고

$\quad f'(x) = \dfrac{x}{\sqrt{1 + x^2}}$ 이므로

$\quad y' = \cos f(x) \times f'(x)$

$\quad = \cos \sqrt{1 + x^2} \times \dfrac{x}{\sqrt{1 + x^2}} = \dfrac{x \cos \sqrt{1 + x^2}}{\sqrt{1 + x^2}}$

😊 나만의 Note

Q6 삼각함수의 미분(2)

다음 함수를 미분하시오.

(1) $y = \cos(\cot x)$ (2) $y = e^x \sin x$

(3) $y = e^{\tan x}$ (4) $y = \ln|\sec x|$

대표 Q6 풀이

(1) $f(x) = \cot x$라 하면 $y = \cos f(x)$이므로

$y' = -\sin f(x) \times f'(x)$

$\quad = -\sin(\cot x) \times (\cot x)'$

$\quad = -\sin(\cot x) \times (-\csc^2 x)$

$\quad = \boldsymbol{\csc^2 x \sin(\cot x)}$

(2) $y' = (e^x)' \sin x + e^x (\sin x)'$

$\quad = e^x \sin x + e^x \cos x$

$\quad = \boldsymbol{e^x(\sin x + \cos x)}$

(3) $f(x) = e^x$이라 하면 $y = f(\tan x)$이고

$f'(x) = e^x$이므로

$y' = f'(\tan x) \times (\tan x)' = \boldsymbol{e^{\tan x} \sec^2 x}$

(4) $y' = \dfrac{(\sec x)'}{\sec x} = \dfrac{\sec x \tan x}{\sec x} = \boldsymbol{\tan x}$

나만의 Note

6-1 나의 풀이

6-2 나의 풀이

대표 Q7 미분가능성

다음 물음에 답하시오.

(1) 함수 $f(x)=\begin{cases} x^2\sin\dfrac{1}{x} & (x\neq 0) \\ 0 & (x=0) \end{cases}$ 이 $x=0$에서

미분가능한지 조사하시오.

(2) 함수 $f(x)=\begin{cases} \dfrac{x\sin 2x}{e^x-1} & (x\neq 0) \\ 0 & (x=0) \end{cases}$ 일 때, $f'(0)$

의 값을 구하시오.

대표 Q7 풀이

(1) $\displaystyle\lim_{h\to 0}\frac{f(0+h)-f(0)}{h}=\lim_{h\to 0}\frac{h^2\sin\dfrac{1}{h}}{h}$

$\qquad\qquad\qquad\qquad\quad=\displaystyle\lim_{h\to 0}h\sin\dfrac{1}{h}$

$-1\leq\sin\dfrac{1}{h}\leq 1$이므로 $-h\leq h\sin\dfrac{1}{h}\leq h$이고

$\displaystyle\lim_{h\to 0}h=\lim_{h\to 0}(-h)=0$이므로

$\displaystyle\lim_{h\to 0}\frac{f(0+h)-f(0)}{h}=0$

따라서 $x=0$에서 **미분가능하다.**

(2) $f'(0)=\displaystyle\lim_{h\to 0}\frac{f(0+h)-f(0)}{h}=\lim_{h\to 0}\frac{\dfrac{h\sin 2h}{e^h-1}}{h}$

$\qquad\quad=\displaystyle\lim_{h\to 0}\frac{\sin 2h}{e^h-1}=\lim_{h\to 0}\left(\frac{\sin 2h}{2h}\times\frac{h}{e^h-1}\times 2\right)$

$\qquad\quad=1\times 1\times 2=\mathbf{2}$

나만의 Note

7-1 나의 풀이

7-2 나의 풀이

대표 Q1 음함수의 미분법

다음 방정식에서 $\dfrac{dy}{dx}$ 를 구하시오.

(1) $2x^2+3y^2=1$　　　(2) $xy^2=1$

(3) $\dfrac{x}{y}-\dfrac{y}{x}=1$　　　(4) $\cos x+\sin y=1$

대표 Q1 풀이

(1) 양변을 x에 대하여 미분하면

$$4x+\left(\dfrac{d}{dy}3y^2\right)\dfrac{dy}{dx}=0$$

$$4x+6y\dfrac{dy}{dx}=0$$

따라서 $y\neq0$일 때, $\dfrac{dy}{dx}=-\dfrac{2x}{3y}$

(2) 양변을 x에 대하여 미분하면

$$\left(\dfrac{d}{dx}x\right)y^2+x\left(\dfrac{d}{dx}y^2\right)=0$$

$$1\times y^2+x\times 2y\dfrac{dy}{dx}=0$$

따라서 $xy\neq0$일 때, $\dfrac{dy}{dx}=-\dfrac{y}{2x}$

(3) 양변에 xy를 곱하면

$x^2-y^2=xy$

$x^2-y^2-xy=0$

양변을 x에 대하여 미분하면

$$2x-2y\dfrac{dy}{dx}-\left(y+x\dfrac{dy}{dx}\right)=0$$

$$(x+2y)\dfrac{dy}{dx}=2x-y$$

따라서 $x+2y\neq0$일 때,

$$\dfrac{dy}{dx}=\dfrac{2x-y}{x+2y}$$

(4) 양변을 x에 대하여 미분하면

$$-\sin x+\left(\dfrac{d}{dy}\sin y\right)\dfrac{dy}{dx}=0$$

$$-\sin x+\cos y\dfrac{dy}{dx}=0$$

따라서 $\cos y\neq0$일 때, $\dfrac{dy}{dx}=\dfrac{\sin x}{\cos y}$

1-1 나의 풀이

Q2 역함수의 미분법

함수 $f(x)=x^3+3x+1$에 대하여 다음 물음에 답하시오.

(1) $f(x)$의 역함수를 $g(x)$라 할 때, $g'(1)$의 값을 구하시오.

(2) $y=f(x)$라 할 때, $\dfrac{dx}{dy}$를 구하시오.

대표 Q2 풀이

(1) $g(1)=a$라 하면 $f(a)=1$이므로

$a^3+3a+1=1$, $a(a^2+3)=0$

a는 실수이므로 $a=0$

$f'(x)=3x^2+3$에서 $f'(0)=3$이므로

$g'(1)=\dfrac{1}{f'(0)}=\dfrac{1}{3}$

(2) $y=x^3+3x+1$에서 $\dfrac{dy}{dx}=3x^2+3$이므로

$$\dfrac{dx}{dy}=\dfrac{1}{\dfrac{dy}{dx}}=\dfrac{1}{3x^2+3}$$

나만의 Note

2-1 나의 풀이

2-2 나의 풀이

Q3 매개변수로 나타낸 함수의 미분법

다음 매개변수 t로 나타낸 함수에서 $\dfrac{dy}{dx}$ 를 구하시오.

(1) $x=t+\dfrac{1}{t}$, $y=t-\dfrac{1}{t}$

(2) $x=\cos^3 t$, $y=\sin^3 t$

대표 Q3 풀이

(1) $\dfrac{dx}{dt}=1-\dfrac{1}{t^2}$,

$\dfrac{dy}{dt}=1+\dfrac{1}{t^2}$이므로

$\dfrac{dy}{dx}=\dfrac{\dfrac{dy}{dt}}{\dfrac{dx}{dt}}=\dfrac{1+\dfrac{1}{t^2}}{1-\dfrac{1}{t^2}}=\dfrac{t^2+1}{t^2-1}$

(2) $\dfrac{dx}{dt}=-3\cos^2 t\sin t$,

$\dfrac{dy}{dt}=3\sin^2 t\cos t$이므로

$\dfrac{dy}{dx}=\dfrac{\dfrac{dy}{dt}}{\dfrac{dx}{dt}}=\dfrac{3\sin^2 t\cos t}{-3\cos^2 t\sin t}=-\dfrac{\sin t}{\cos t}=-\tan t$

나만의 Note

3-1 나의 풀이

3-2 나의 풀이

대표 Q4 이계도함수

함수 $f(x)=xe^{ax}$에 대하여 $f''(0)=2$일 때, 다음 물음에 답하시오.

(1) a의 값을 구하시오.

(2) $f(x)+pf'(x)+qf''(x)=0$일 때, p, q의 값을 구하시오.

대표 Q4 풀이

(1) $f'(x)=e^{ax}+xe^{ax}\times a=(1+ax)e^{ax}$

$f''(x)=ae^{ax}+(1+ax)e^{ax}\times a=(2a+a^2x)e^{ax}$

$f''(0)=2$이므로 $2a=2$

$\therefore a=1$

(2) $f(x)=xe^x$, $f'(x)=(x+1)e^x$, $f''(x)=(x+2)e^x$

를 $f(x)+pf'(x)+qf''(x)=0$에 대입하면

$xe^x+p(x+1)e^x+q(x+2)e^x=0$

$\{(1+p+q)x+p+2q\}e^x=0$

x에 대한 항등식이므로

$1+p+q=0$, $p+2q=0$

$\therefore p=-2$, $q=1$

나만의 Note

4-1 나의 풀이

4-2 나의 풀이

Q1 접점이 주어진 접선의 방정식

다음 물음에 답하시오.

(1) 곡선 $y=\dfrac{x^2+2}{x}$ 위의 $x=-1$인 점에서 접선의 방정식을 구하시오.

(2) 곡선 $y=xe^x$ 위의 $x=1$인 점에서 접선의 방정식을 구하시오.

(3) 곡선 $y=\sin^2 x$ 위의 $x=\dfrac{\pi}{4}$인 점에서 접선의 방정식을 구하시오.

대표 **Q1** 풀이

(1) $f(x)=\dfrac{x^2+2}{x}=x+\dfrac{2}{x}$라 하면

$f'(x)=1-\dfrac{2}{x^2}$

$f(-1)=-3,\ f'(-1)=-1$

따라서 접선의 방정식은

$y+3=-(x+1)$ $\therefore \boldsymbol{y=-x-4}$

(2) $f(x)=xe^x$이라 하면

$f'(x)=(x+1)e^x$

$f(1)=e,\ f'(1)=2e$

따라서 접선의 방정식은

$y-e=2e(x-1)$ $\therefore \boldsymbol{y=2ex-e}$

(3) $f(x)=\sin^2 x$라 하면

$f'(x)=2\sin x\cos x$

$f\left(\dfrac{\pi}{4}\right)=\dfrac{1}{2},\ f'\left(\dfrac{\pi}{4}\right)=1$

따라서 접선의 방정식은

$y-\dfrac{1}{2}=x-\dfrac{\pi}{4}$ $\therefore \boldsymbol{y=x-\dfrac{\pi}{4}+\dfrac{1}{2}}$

나만의 **Note**

1-1 나의 풀이

1-2 나의 풀이

Q2 기울기가 주어진 접선의 방정식

다음 물음에 답하시오.

(1) 곡선 $y=\sqrt{x^2+3}$에 접하고 기울기가 $\dfrac{1}{2}$인 접선의 방정식을 구하시오.

(2) 곡선 $y=x\ln x$에 접하고 직선 $3x-2y-1=0$에 평행한 직선의 방정식을 구하시오.

(3) 곡선 $y=2\sin 2x\,(0\leq x\leq\pi)$에 접하고 직선 $x-2y=0$에 수직인 직선의 방정식을 모두 구하시오.

대표 Q2 풀이

접점의 x좌표를 a라 하자.

(1) $f(x)=\sqrt{x^2+3}$이라 하면

$$f'(x)=\dfrac{2x}{2\sqrt{x^2+3}}=\dfrac{x}{\sqrt{x^2+3}}$$

접선의 기울기가 $\dfrac{1}{2}$이므로 $f'(a)=\dfrac{1}{2}$

$$\dfrac{a}{\sqrt{a^2+3}}=\dfrac{1}{2},\ 4a^2=a^2+3 \quad \therefore a=1\ (\because a>0)$$

$f(1)=\sqrt{1+3}=2$이므로 접선의 방정식은

$$y-2=\dfrac{1}{2}(x-1) \quad \therefore \boldsymbol{y=\dfrac{1}{2}x+\dfrac{3}{2}}$$

(2) $f(x)=x\ln x$라 하면 $f'(x)=\ln x+1$

직선 $y=\dfrac{3}{2}x-\dfrac{1}{2}$에 평행하므로 $f'(a)=\dfrac{3}{2}$

$$\ln a+1=\dfrac{3}{2},\ \ln a=\dfrac{1}{2} \quad \therefore a=e^{\frac{1}{2}}=\sqrt{e}$$

$f(\sqrt{e})=\sqrt{e}\times\ln\sqrt{e}=\dfrac{1}{2}\sqrt{e}$이므로 접선의 방정식은

$$y-\dfrac{1}{2}\sqrt{e}=\dfrac{3}{2}(x-\sqrt{e}) \quad \therefore \boldsymbol{y=\dfrac{3}{2}x-\sqrt{e}}$$

(3) $f(x)=2\sin 2x$라 하면 $f'(x)=4\cos 2x$

직선 $y=\dfrac{1}{2}x$에 수직이므로 $f'(a)=-2$

$$4\cos 2a=-2 \quad \therefore \cos 2a=-\dfrac{1}{2}$$

$0\leq 2a\leq 2\pi$이므로 $2a=\dfrac{2}{3}\pi$ 또는 $2a=\dfrac{4}{3}\pi$

$$\therefore a=\dfrac{\pi}{3} \text{ 또는 } a=\dfrac{2}{3}\pi$$

(i) $a=\dfrac{\pi}{3}$일 때, $f\left(\dfrac{\pi}{3}\right)=\sqrt{3}$이므로 접선의 방정식은

$$y-\sqrt{3}=-2\left(x-\dfrac{\pi}{3}\right)$$

$$\therefore y=-2x+\dfrac{2}{3}\pi+\sqrt{3}$$

(ii) $a=\dfrac{2}{3}\pi$일 때, $f\left(\dfrac{2}{3}\pi\right)=-\sqrt{3}$이므로 접선의 방정식은

$$y+\sqrt{3}=-2\left(x-\dfrac{2}{3}\pi\right)$$

$$\therefore \boldsymbol{y=-2x+\dfrac{4}{3}\pi-\sqrt{3}}$$

2-1 나의 풀이

대표 Q3 곡선 밖의 한 점을 지나는 접선의 방정식

다음 물음에 답하시오.

(1) 원점에서 곡선 $y=\ln x$에 그은 접선의 방정식을 구하시오.

(2) 점 $(k, 0)$에서 곡선 $y=xe^{-x}$에 접선을 한 개만 그을 수 있을 때, k의 값을 모두 구하시오.

대표 Q3 풀이

(1) $f(x)=\ln x$라 하고, 접점을 $(a, \ln a)$라 하자.

$f'(x)=\dfrac{1}{x}$, $f'(a)=\dfrac{1}{a}$

이므로 접선의 방정식은 $y-\ln a=\dfrac{1}{a}(x-a)$

원점을 지나므로 $-\ln a=-1$ $\quad \therefore a=e$

따라서 접선의 방정식은

$y-1=\dfrac{1}{e}(x-e)$ $\quad \therefore \boldsymbol{y=\dfrac{1}{e}x}$

(2) $f(x)=xe^{-x}$이라 하고, 접점을 (a, ae^{-a})이라 하자.

$f'(x)=(1-x)e^{-x}$, $f'(a)=(1-a)e^{-a}$

이므로 접선의 방정식은

$y-ae^{-a}=(1-a)e^{-a}(x-a)$

점 $(k, 0)$을 지나므로

$-ae^{-a}=(1-a)e^{-a}(k-a)$

$e^{-a}>0$이므로 $-a=(1-a)(k-a)$

$a^2-ka+k=0$ $\quad \cdots \ \bigcirc$

접선이 한 개이면 a의 값이 1개이므로 $\bigcirc$이 중근을 가진다.

$D=k^2-4k=0$ $\quad \therefore k=\boldsymbol{0}$ 또는 $k=\boldsymbol{4}$

나만의 Note

3-1 나의 풀이

3-2 나의 풀이

Q4 음함수, 매개변수로 나타낸 곡선의 접선

다음 물음에 답하시오.

(1) 곡선 $4x^2+9y^2=25$ 위의 $x=\dfrac{3}{2}$ 인 점의 좌표를 모두 구하고, 이 점에서 접선의 방정식을 구하시오.

(2) 매개변수 t로 나타낸 곡선 $x=\cos^3 t$, $y=\sin^3 t$ 에 대하여 $t=\dfrac{\pi}{3}$ 에 대응하는 점에서 접선의 방정식을 구하시오.

대표 04 풀이

(1) $4x^2+9y^2=25$ $\quad\cdots$ ㉠

㉠에 $x=\dfrac{3}{2}$ 을 대입하면

$9+9y^2=25$ $\quad\therefore y=\pm\dfrac{4}{3}$

또 ㉠의 양변을 x에 대하여 미분하면

$8x+18y\dfrac{dy}{dx}=0$ $\quad\therefore \dfrac{dy}{dx}=-\dfrac{4x}{9y}$

(i) 접점이 $\left(\dfrac{3}{2},\ \dfrac{4}{3}\right)$ 일 때,

기울기는 $\dfrac{dy}{dx}=-\dfrac{4\times\dfrac{3}{2}}{9\times\dfrac{4}{3}}=-\dfrac{1}{2}$

이므로 접선의 방정식은

$y-\dfrac{4}{3}=-\dfrac{1}{2}\left(x-\dfrac{3}{2}\right)$ $\quad\therefore y=-\dfrac{1}{2}x+\dfrac{25}{12}$

(ii) 접점이 $\left(\dfrac{3}{2},\ -\dfrac{4}{3}\right)$ 일 때,

기울기는 $\dfrac{dy}{dx}=-\dfrac{4\times\dfrac{3}{2}}{9\times\left(-\dfrac{4}{3}\right)}=\dfrac{1}{2}$

이므로 접선의 방정식은

$y+\dfrac{4}{3}=\dfrac{1}{2}\left(x-\dfrac{3}{2}\right)$ $\quad\therefore y=\dfrac{1}{2}x-\dfrac{25}{12}$

(2) $x=\cos^3 t$, $y=\sin^3 t$에 $t=\dfrac{\pi}{3}$ 를 대입하면

접점은 $\left(\dfrac{1}{8},\ \dfrac{3\sqrt{3}}{8}\right)$

$\dfrac{dx}{dt}=-3\cos^2 t\sin t$, $\dfrac{dy}{dt}=3\sin^2 t\cos t$이므로

$\dfrac{dy}{dx}=\dfrac{\dfrac{dy}{dt}}{\dfrac{dx}{dt}}=\dfrac{3\sin^2 t\cos t}{-3\cos^2 t\sin t}=-\dfrac{\sin t}{\cos t}$

$t=\dfrac{\pi}{3}$ 를 대입하면 접선의 기울기는 $-\sqrt{3}$이므로 접선의 방정식은

$y-\dfrac{3\sqrt{3}}{8}=-\sqrt{3}\left(x-\dfrac{1}{8}\right)$

$\therefore y=-\sqrt{3}x+\dfrac{\sqrt{3}}{2}$

4-1 나의 풀이

4-2 나의 풀이

Q5 두 곡선의 접선, 접하는 두 곡선

두 함수 $f(x)=kx^3+1$, $g(x)=\ln x$에 대하여 다음 물음에 답하시오.

(1) 기울기가 1인 직선이 두 곡선 $y=f(x)$, $y=g(x)$에 동시에 접할 때, k의 값을 구하시오.

(2) 두 곡선 $y=f(x)$, $y=g(x)$가 접할 때, 접점의 좌표와 k의 값을 구하시오.

날선 Q5 풀이

(1) 기울기가 1인 직선이 두 곡선 $y=f(x)$, $y=g(x)$와 접하는 점을 각각 $A(a, ka^3+1)$, $B(b, \ln b)$라 하자.

$g'(x)=\dfrac{1}{x}$이고 점 B에서 접선의 기울기가 1이므로

$g'(b)=1$에서 $\dfrac{1}{b}=1$ $\therefore b=1$

이때 $B(1, 0)$이므로 접선의 방정식은 $y=x-1$

$f'(x)=3kx^2$이고 $f'(a)=1$이므로

$3ka^2=1$ $\cdots$ ㉠

A가 직선 $y=x-1$ 위의 점이므로

$ka^3+1=a-1$ $\cdots$ ㉡

㉠에서 $ka^2=\dfrac{1}{3}$을 ㉡에 대입하면

$\dfrac{a}{3}+1=a-1$ $\therefore a=3$

$a=3$을 ㉠에 대입하면

$27k=1$

$\therefore k=\dfrac{1}{27}$

(2) 두 곡선 $y=f(x)$, $y=g(x)$가 $x=p$인 점에서 접한다고 하자.

$f(p)=g(p)$이므로 $kp^3+1=\ln p$ $\cdots$ ㉠

$f'(p)=g'(p)$이므로 $3kp^2=\dfrac{1}{p}$ $\cdots$ ㉡

㉡에서 $kp^3=\dfrac{1}{3}$ $\cdots$ ㉢

㉢을 ㉠에 대입하면

$\dfrac{4}{3}=\ln p$ $\therefore p=e^{\frac{4}{3}}$

$g(p)=\dfrac{4}{3}$이므로 **접점의 좌표는** $\left(e^{\frac{4}{3}}, \dfrac{4}{3}\right)$

$p^3=e^4$이므로 ㉢에서 $\boldsymbol{k=\dfrac{1}{3e^4}}$

5-1 나의 풀이

5-2 나의 풀이

Q6 평균값 정리

$f(x)$는 두 번 미분가능한 함수이고,
$f(-1)=-1$, $f(0)=1$, $f(1)=0$이다.
$g(x)=(f \circ f)(x)$일 때, 보기에서 옳은 것만을 있는 대로 고른 것은?

┌─ 보기 ┐

ㄱ. $f(a)=\dfrac{1}{2}$인 a가 구간 $(-1, 1)$에 두 개 이상 있다.

ㄴ. $f'(b)=-1$인 b가 구간 $(-1, 1)$에 적어도 하나 있다.

ㄷ. $g''(c)=0$인 c가 구간 $(0, 1)$에 적어도 하나 있다.

① ㄱ   ② ㄴ   ③ ㄱ, ㄴ
④ ㄴ, ㄷ   ⑤ ㄱ, ㄴ, ㄷ

날선 Q6 풀이

ㄱ. $f(x)$는 미분가능하므로 연속이다.

$f(-1)<\dfrac{1}{2}$, $f(0)>\dfrac{1}{2}$이므로 $f(a)=\dfrac{1}{2}$인 a가 구간 $(-1, 0)$에 적어도 하나 있다.

또 $f(0)>\dfrac{1}{2}$, $f(1)<\dfrac{1}{2}$이므로 $f(a)=\dfrac{1}{2}$인 a가 구간 $(0, 1)$에 적어도 하나 있다.

따라서 $f(a)=\dfrac{1}{2}$인 a가 구간 $(-1, 1)$에 두 개 이상 있다. (참)

ㄴ. $\dfrac{f(1)-f(0)}{1-0}=-1$이므로 평균값 정리에서
$f'(b)=-1$인 b가 구간 $(0, 1)$에 적어도 하나 있다.
(참)

ㄷ. $g'(x)=f'(f(x))f'(x)$에서
$g'(0)=f'(f(0))f'(0)=f'(1)f'(0)$
$g'(1)=f'(f(1))f'(1)=f'(0)f'(1)$
따라서 $g'(0)=g'(1)$이므로 롤의 정리에서
$g''(c)=0$인 c가 구간 $(0, 1)$에 적어도 하나 있다.
(참)

따라서 옳은 것은 ⑤ ㄱ, ㄴ, ㄷ이다.

6-1 나의 풀이

대표 Q1 극댓값, 극솟값

다음 함수의 극값을 구하시오.

(1) $f(x)=x-\sqrt{x}$　　(2) $g(x)=\dfrac{2x}{x^2+1}$

(3) $h(x)=e^x(\sin x+\cos x)\ (0<x<2\pi)$

대표 Q1 풀이

(1) $f'(x)=1-\dfrac{1}{2\sqrt{x}}=\dfrac{2\sqrt{x}-1}{2\sqrt{x}}$

　$f'(x)=0$에서 $2\sqrt{x}=1$　　∴ $x=\dfrac{1}{4}$

$x\geq0$에서 함수 $f(x)$의 증감표는 다음과 같다.

x	0	$\cdots$	$\dfrac{1}{4}$	$\cdots$
$f'(x)$		$-$	0	$+$
$f(x)$	0	↘	$-\dfrac{1}{4}$	↗

따라서 **극솟값**은 $f\left(\dfrac{1}{4}\right)=-\dfrac{1}{4}$

(2) $g'(x)=\dfrac{2(x^2+1)-2x\times2x}{(x^2+1)^2}=\dfrac{-2(x+1)(x-1)}{(x^2+1)^2}$

　$g'(x)=0$에서 $x=\pm1$

함수 $g(x)$의 증감표는 다음과 같다.

x	$\cdots$	-1	$\cdots$	1	$\cdots$
$g'(x)$	$-$	0	$+$	0	$-$
$g(x)$	↘	-1	↗	1	↘

따라서 **극댓값**은 $g(1)=1$, **극솟값**은 $g(-1)=-1$

(3) $h'(x)=e^x(\sin x+\cos x)+e^x(\cos x-\sin x)$

　　　$=2e^x\cos x$

$h'(x)=0$에서 $\cos x=0$

∴ $x=\dfrac{\pi}{2}$ 또는 $x=\dfrac{3}{2}\pi$

$0<x<2\pi$에서 함수 $h(x)$의 증감표는 다음과 같다.

x	(0)	$\cdots$	$\dfrac{\pi}{2}$	$\cdots$	$\dfrac{3}{2}\pi$	$\cdots$	(2π)
$h'(x)$		$+$	0	$-$	0	$+$	
$h(x)$		↗	$e^{\frac{\pi}{2}}$	↘	$-e^{\frac{3}{2}\pi}$	↗	

따라서 **극댓값**은 $h\left(\dfrac{\pi}{2}\right)=e^{\frac{\pi}{2}}$,

극솟값은 $h\left(\dfrac{3}{2}\pi\right)=-e^{\frac{3}{2}\pi}$

1-1 나의 풀이

Q2 **극값과 미정계수**

다음 물음에 답하시오.

(1) 함수 $f(x)=(x^2+x+k)e^{-x}$이 극값을 갖지 않을 때, 실수 k값의 범위를 구하시오.

(2) 함수 $g(x)=ax+b+\ln x$가 $x=1$에서 극솟값 -2를 가질 때, a, b의 값을 구하시오.

(3) 함수 $h(x)=\dfrac{x+b}{x^2+a}$가 $x=-3$과 $x=1$에서 극값을 가질 때, 극값을 구하시오.

대표 Q2 풀이

(1) $f'(x)=(2x+1)e^{-x}-(x^2+x+k)e^{-x}$
$\qquad =-(x^2-x+k-1)e^{-x}$

함수 $f(x)$가 극값을 갖지 않으려면 모든 실수 x에 대하여

$f'(x)\geq 0$ 또는 $f'(x)\leq 0$

$e^{-x}>0$이므로 이차방정식 $x^2-x+k-1=0$이 실근을 갖지 않거나 중근을 가진다.

곧, $D=1-4(k-1)\leq 0$ $\qquad\therefore \boldsymbol{k\geq\dfrac{5}{4}}$

(2) $g'(x)=a+\dfrac{1}{x}$

$x=1$에서 극값을 가지므로

$g'(1)=0$에서 $a+1=0$ $\qquad\therefore \boldsymbol{a=-1}$

또 $g(x)=-x+b+\ln x$이고, 극솟값이 -2이므로

$g(1)=-2$에서 $-1+b+\ln 1=-2$

$\therefore \boldsymbol{b=-1}$

(3) $h'(x)=\dfrac{(x^2+a)-(x+b)\times 2x}{(x^2+a)^2}=\dfrac{-x^2-2bx+a}{(x^2+a)^2}$

$x=-3$과 $x=1$에서 극값을 가지므로

$h'(-3)=0$에서 $-9+6b+a=0$ $\qquad\cdots$ ㉠

$h'(1)=0$에서 $-1-2b+a=0$ $\qquad\cdots$ ㉡

㉠, ㉡을 연립하여 풀면

$a=3$, $b=1$

이때 $h'(x)=-\dfrac{(x+3)(x-1)}{(x^2+3)^2}$이므로 증감을 조사하면 $x=-3$에서 극소이고 $x=1$에서 극대이다.

따라서 $h(x)=\dfrac{x+1}{x^2+3}$이므로

극댓값은 $h(1)=\dfrac{1}{2}$, **극솟값은** $h(-3)=-\dfrac{1}{6}$

2-1 **나의 풀이**

2-2 **나의 풀이**

오목, 볼록과 변곡점

다음 곡선의 오목과 볼록을 조사하고, 변곡점의 좌표를 구하시오.

(1) $y=x^4-6x^2+1$　　(2) $y=\dfrac{1}{x^2+1}$

(3) $y=x\ln x$

(4) $y=x+2\cos x\ (0<x<2\pi)$

대표 Q3 풀이

(1) $f(x)=x^4-6x^2+1$이라 하면

$$f'(x)=4x^3-12x$$
$$f''(x)=12x^2-12=12(x+1)(x-1)$$

$f''(x)=0$에서 $x=-1$ 또는 $x=1$

x	$\cdots$	-1	$\cdots$	1	$\cdots$
$f''(x)$	$+$	0	$-$	0	$+$
$f(x)$	$\smile$		$\frown$		$\smile$

구간 $(-\infty, -1)$ 또는 $(1, \infty)$에서 아래로 볼록하고, 구간 $(-1, 1)$에서 위로 볼록하다.
또 $f(-1)=-4$, $f(1)=-4$이므로 **변곡점의 좌표는 $(-1, -4)$, $(1, -4)$이다.**

(2) $f(x)=\dfrac{1}{x^2+1}$이라 하면

$$f'(x)=-\dfrac{2x}{(x^2+1)^2}$$
$$f''(x)=-\dfrac{2(x^2+1)^2-2x\times 2(x^2+1)\times 2x}{(x^2+1)^4}$$
$$=\dfrac{2(3x^2-1)}{(x^2+1)^3}$$

$f''(x)=0$에서 $x=\pm\dfrac{\sqrt{3}}{3}$

x	$\cdots$	$-\dfrac{\sqrt{3}}{3}$	$\cdots$	$\dfrac{\sqrt{3}}{3}$	$\cdots$
$f''(x)$	$+$	0	$-$	0	$+$
$f(x)$	$\smile$		$\frown$		$\smile$

구간 $\left(-\infty, -\dfrac{\sqrt{3}}{3}\right)$ 또는 $\left(\dfrac{\sqrt{3}}{3}, \infty\right)$에서 아래로 볼록하고, 구간 $\left(-\dfrac{\sqrt{3}}{3}, \dfrac{\sqrt{3}}{3}\right)$에서 위로 볼록하다.
또 $f\left(-\dfrac{\sqrt{3}}{3}\right)=\dfrac{3}{4}$, $f\left(\dfrac{\sqrt{3}}{3}\right)=\dfrac{3}{4}$이므로 **변곡점의 좌**

표는 $\left(-\dfrac{\sqrt{3}}{3}, \dfrac{3}{4}\right)$, $\left(\dfrac{\sqrt{3}}{3}, \dfrac{3}{4}\right)$이다.

(3) $f(x)=x\ln x$라 하면

$$f'(x)=\ln x+1, \ f''(x)=\dfrac{1}{x}$$

$x>0$인 모든 실수 x에 대하여 $f''(x)>0$
따라서 **구간 $(0, \infty)$에서 아래로 볼록하고, 변곡점은 없다.**

(4) $f(x)=x+2\cos x$라 하면

$$f'(x)=1-2\sin x$$
$$f''(x)=-2\cos x$$

$f''(x)=0$에서 $x=\dfrac{\pi}{2}$ 또는 $x=\dfrac{3}{2}\pi$

x	(0)	$\cdots$	$\dfrac{\pi}{2}$	$\cdots$	$\dfrac{3}{2}\pi$	$\cdots$	(2π)
$f''(x)$		$-$	0	$+$	0	$-$	
$f(x)$		$\frown$		$\smile$		$\frown$	

구간 $\left(0, \dfrac{\pi}{2}\right)$ 또는 $\left(\dfrac{3}{2}\pi, 2\pi\right)$에서 위로 볼록하고, 구간 $\left(\dfrac{\pi}{2}, \dfrac{3}{2}\pi\right)$에서 아래로 볼록하다.
또 $f\left(\dfrac{\pi}{2}\right)=\dfrac{\pi}{2}$, $f\left(\dfrac{3}{2}\pi\right)=\dfrac{3}{2}\pi$이므로 **변곡점의 좌표는 $\left(\dfrac{\pi}{2}, \dfrac{\pi}{2}\right)$, $\left(\dfrac{3}{2}\pi, \dfrac{3}{2}\pi\right)$이다.**

3-1 나의 풀이

Q4 변곡점과 미정계수

다음 물음에 답하시오.

(1) 곡선 $y=a\sin x+b\cos 2x$의 변곡점의 좌표가 $\left(\dfrac{\pi}{2}, 2\right)$일 때, a, b의 값을 구하시오.

(2) 곡선 $y=(x^2+k)e^x$의 변곡점이 없을 때, 실수 k값의 범위를 구하시오.

(3) 곡선 $y=x^3+ax^2+b$의 변곡점에서의 접선이 $y=-3x+1$일 때, a, b의 값을 구하시오. (단, $a>0$)

대표 Q4 풀이

(1) $f(x)=a\sin x+b\cos 2x$라 하면

$f'(x)=a\cos x-2b\sin 2x$

$f''(x)=-a\sin x-4b\cos 2x$

변곡점의 좌표가 $\left(\dfrac{\pi}{2}, 2\right)$이므로

$f\left(\dfrac{\pi}{2}\right)=2$에서 $a-b=2$ ⋯ ㉠

$f''\left(\dfrac{\pi}{2}\right)=0$에서 $-a+4b=0$ ⋯ ㉡

㉠, ㉡을 연립하여 풀면 $\boldsymbol{a=\dfrac{8}{3}}$, $\boldsymbol{b=\dfrac{2}{3}}$

(2) $f(x)=(x^2+k)e^x$이라 하면

$f'(x)=2xe^x+(x^2+k)e^x=(x^2+2x+k)e^x$

$f''(x)=(2x+2)e^x+(x^2+2x+k)e^x$
$\qquad =(x^2+4x+2+k)e^x$

변곡점이 없고, 모든 실수 x에 대하여 $e^x>0$이므로 이차방정식 $x^2+4x+2+k=0$이 실근을 갖지 않거나 중근을 가진다.

곧, $\dfrac{D}{4}=4-(2+k)\leq 0$ $\qquad \therefore \boldsymbol{k\geq 2}$

(3) $f(x)=x^3+ax^2+b$라 하면

$f'(x)=3x^2+2ax$, $f''(x)=6x+2a$

$f''(x)=0$에서 $x=-\dfrac{a}{3}$이므로

변곡점의 x좌표는 $-\dfrac{a}{3}$이다.

변곡점에서 접선의 기울기가 -3이므로

$f'\left(-\dfrac{a}{3}\right)=-3$에서 $\dfrac{a^2}{3}-\dfrac{2}{3}a^2=-3$, $a^2=9$

$a>0$이므로 $\boldsymbol{a=3}$

$\therefore f(x)=x^3+3x^2+b$

변곡점의 좌표는 $(-1, b+2)$이고,

이 점이 직선 $y=-3x+1$ 위의 점이므로

$b+2=3+1$ $\qquad \therefore \boldsymbol{b=2}$

4-1 나의 풀이

4-2 나의 풀이

Q5 $f(x)$, $f'(x)$, $f''(x)$의 그래프

> $f(x)$는 n차 다항식이고, $f(-x)=-f(x)$를 만족시킨다. $n \geq 3$일 때, 다음 명제의 참, 거짓을 말하시오.
>
> (1) $f'(-x)=f'(x)$
>
> (2) $f'(x)$가 $x=a$ $(a>0)$에서 극대이면 $f'(x)$는 $x=0$에서 극소이다.
>
> (3) 원점은 곡선 $y=f(x)$의 변곡점이다.

날선 05 풀이

(1) $f(-x)=-f(x)$의 양변을 미분하면

$\quad -f'(-x)=-f'(x)$ $\quad \therefore f'(-x)=f'(x)$ (**참**)

(2) (1)에서 $y=f'(x)$의 그래프는 y축에 대칭이다.

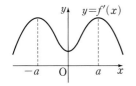 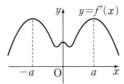

따라서 그림과 같이 $f'(x)$는 $x=0$에서 극소일 수도 있고, 극대일 수도 있다. (**거짓**)

(3) $f'(-x)=f'(x)$의 양변을 미분하면

$\quad -f''(-x)=f''(x)$

$x=0$을 대입하면 $f''(0)=0$

$f''(x)$가 상수가 아닌 다항식이므로 $x=0$의 좌우에서 부호가 바뀐다.

또 $f(-x)=-f(x)$에서 $f(0)=0$이므로 원점은 곡선 $y=f(x)$의 변곡점이다. (**참**)

나만의 Note

5-1 나의 풀이

Q6 다항함수, 유리함수의 그래프

다음 함수의 극댓값, 극솟값과 그래프의 변곡점의 좌표를 구하고, 그래프를 그리시오.

(1) $y=3x^4-4x^3-1$　　(2) $y=x+\dfrac{1}{x}$

대표 Q6 풀이

(1) $f(x)=3x^4-4x^3-1$이라 하면

$f'(x)=12x^3-12x^2=12x^2(x-1)$

$f''(x)=36x^2-24x=12x(3x-2)$

$f'(x)=0$에서 $x=0$ 또는 $x=1$

$f''(x)=0$에서 $x=0$ 또는 $x=\dfrac{2}{3}$

함수 $f(x)$의 증감표는 다음과 같다.

x	$\cdots$	0	$\cdots$	$\dfrac{2}{3}$	$\cdots$	1	$\cdots$
$f'(x)$	$-$	0	$-$	$-$	$-$	0	$+$
$f''(x)$	$+$	0	$-$	0	$+$	$+$	$+$
$f(x)$	$\searrow$	(변곡점)	$\searrow$	(변곡점)	$\searrow$	(극소)	$\nearrow$

따라서 극댓값은 없고, 극솟값은 $f(1)=-2$,

변곡점의 좌표는 $(0,\ -1)$, $\left(\dfrac{2}{3},\ -\dfrac{43}{27}\right)$이므로 그래프는 그림과 같다.

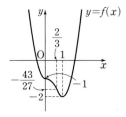

(2) $g(x)=x+\dfrac{1}{x}=\dfrac{x^2+1}{x}$이라 하면

$g'(x)=\dfrac{x^2-1}{x^2}=\dfrac{(x+1)(x-1)}{x^2}$

$g''(x)=\dfrac{2}{x^3}$

$g'(x)=0$에서 $x=\pm1$

함수 $g(x)$의 증감표는 다음과 같다.

x	$\cdots$	-1	$\cdots$	(0)	$\cdots$	1	$\cdots$
$g'(x)$	$+$	0	$-$		$-$	0	$+$
$g''(x)$	$-$	$-$	$-$		$+$	$+$	$+$
$g(x)$	$\nearrow$	(극대)	$\searrow$		$\searrow$	(극소)	$\nearrow$

따라서 극댓값은 $g(-1)=-2$, 극솟값은 $g(1)=2$, 변곡점은 없다.

$\displaystyle\lim_{x\to0+}g(x)=\infty,\ \lim_{x\to0-}g(x)=-\infty$이고,

$x\to\infty$ 또는 $x\to-\infty$일 때, $y=g(x)$의 그래프는 직선 $y=x$에 한없이 가까워지므로 그래프는 그림과 같다.

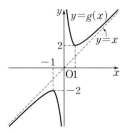

6-1 나의 풀이

Q7 지수함수, 로그함수, 삼각함수의 그래프

다음 함수의 극댓값, 극솟값과 그래프의 변곡점의 좌표를 구하고, 그래프를 그리시오.

(1) $y=\dfrac{\ln x}{x}$

(2) $y=\sin x+\cos x\ (0\le x\le 2\pi)$

대표 Q7 풀이

(1) $f(x)=\dfrac{\ln x}{x}$라 하면 $x>0$

$f'(x)=\dfrac{1-\ln x}{x^2},\ f''(x)=\dfrac{2\ln x-3}{x^3}$

$f'(x)=0$에서 $x=e$

$f''(x)=0$에서 $x=e\sqrt{e}$

$x>0$에서 함수 $f(x)$의 증감표는 다음과 같다.

x	(0)	$\cdots$	e	$\cdots$	$e\sqrt{e}$	$\cdots$
$f'(x)$		$+$	0	$-$	$-$	$-$
$f''(x)$		$-$	$-$	$-$	0	$+$
$f(x)$		↗	(극대)	↘	(변곡점)	↘

따라서 극댓값은 $f(e)=\dfrac{1}{e}$, 극솟값은 없고, 변곡점의 좌표는 $\left(e\sqrt{e},\ \dfrac{3}{2e\sqrt{e}}\right)$이다.

$\displaystyle\lim_{x\to 0+}f(x)=-\infty$, $\displaystyle\lim_{x\to\infty}f(x)=0$이므로 그래프는 그림과 같다.

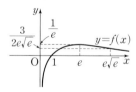

(2) $f(x)=\sin x+\cos x$라 하면

$f'(x)=\cos x-\sin x$

$f''(x)=-\sin x-\cos x$

$f'(x)=0$에서 $\sin x=\cos x$

$\therefore x=\dfrac{\pi}{4}$ 또는 $x=\dfrac{5}{4}\pi\ (\because 0\le x\le 2\pi)$

$f''(x)=0$에서 $\sin x=-\cos x$

$\therefore x=\dfrac{3}{4}\pi$ 또는 $x=\dfrac{7}{4}\pi\ (\because 0\le x\le 2\pi)$

$0\le x\le 2\pi$에서 함수 $f(x)$의 증감표는 다음과 같다.

x	0	$\cdots$	$\dfrac{\pi}{4}$	$\cdots$	$\dfrac{3}{4}\pi$	$\cdots$	$\dfrac{5}{4}\pi$	$\cdots$	$\dfrac{7}{4}\pi$	$\cdots$	2π
$f'(x)$	$+$	$+$	0	$-$	$-$	$-$	0	$+$	$+$	$+$	$+$
$f''(x)$	$-$	$-$	$-$	$-$	0	$+$	$+$	$+$	0	$-$	$-$
$f(x)$	1	↗	(극대)	↘	(변곡점)	↘	(극소)	↗	(변곡점)	↗	1

따라서 극댓값은 $f\left(\dfrac{\pi}{4}\right)=\sqrt{2}$, 극솟값은 $f\left(\dfrac{5}{4}\pi\right)=-\sqrt{2}$, 변곡점의 좌표는 $\left(\dfrac{3}{4}\pi,\ 0\right),\left(\dfrac{7}{4}\pi,\ 0\right)$이므로 그래프는 그림과 같다.

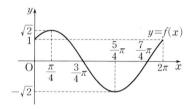

7-1 나의 풀이

대표 Q8 최대와 최소

다음 물음에 답하시오.

(1) $y=x+\sqrt{1-x^2}$ 의 최댓값과 최솟값을 구하시오.

(2) $y=\dfrac{2^{x+1}}{4^x+4}$ 의 최댓값을 구하시오.

(3) $y=(2-\sin x)\sin x$ 의 최댓값과 최솟값을 구하시오.

대표 Q8 풀이

(1) $1-x^2 \geq 0$ 이므로 $x^2 \leq 1$　∴ $-1 \leq x \leq 1$

$f(x)=x+\sqrt{1-x^2}$ 이라 하면

$f'(x)=1+\dfrac{-2x}{2\sqrt{1-x^2}}=1-\dfrac{x}{\sqrt{1-x^2}}$

$f'(x)=0$ 에서 $\sqrt{1-x^2}=x$　　⋯ ㉠

양변을 제곱하면

$1-x^2=x^2,\ x^2=\dfrac{1}{2}$　∴ $x=\pm\dfrac{1}{\sqrt{2}}$

그런데 $x=-\dfrac{1}{\sqrt{2}}$ 은 ㉠을 만족시키지 않으므로

$x=\dfrac{1}{\sqrt{2}}$

함수 $f(x)$ 의 증감표는 다음과 같다.

x	-1	$\cdots$	$\dfrac{1}{\sqrt{2}}$	$\cdots$	1
$f'(x)$		$+$	0	$-$	
$f(x)$	-1	↗	$\sqrt{2}$	↘	1

따라서 **최댓값**은 $f\left(\dfrac{1}{\sqrt{2}}\right)=\sqrt{2}$,

최솟값은 $f(-1)=-1$

(2) $2^x=t$ 라 하면 $t>0$ 이고 $y=\dfrac{2t}{t^2+4}$

$g(t)=\dfrac{2t}{t^2+4}$ 라 하면

$g'(t)=\dfrac{2(t^2+4)-2t\times2t}{(t^2+4)^2}=-\dfrac{2(t+2)(t-2)}{(t^2+4)^2}$

$g'(t)=0$ 에서 $t=2\ (\because\ t>0)$

$t>0$ 에서 함수 $g(t)$ 의 증감표는 다음과 같다.

t	(0)	$\cdots$	2	$\cdots$
$g'(t)$		$+$	0	$-$
$g(t)$		↗	$\dfrac{1}{2}$	↘

따라서 최댓값은 $g(2)=\dfrac{1}{2}$

(3) $h(x)=(2-\sin x)\sin x$ 라 하자.

$\sin x$ 의 주기가 2π 이므로 $h(x)$ 의 주기도 2π 이다. 곧, 구간 $[0,\ 2\pi]$ 에서 최댓값과 최솟값을 구해도 충분하다.

$h'(x)=-\cos x\sin x+(2-\sin x)\cos x$
　　　$=-2\cos x(\sin x-1)$

$h'(x)=0$ 에서 $\cos x=0$ 또는 $\sin x=1$

∴ $x=\dfrac{\pi}{2}$ 또는 $x=\dfrac{3}{2}\pi\ (\because\ 0\leq x\leq2\pi)$

$0\leq x\leq2\pi$ 에서 함수 $h(x)$ 의 증감표는 다음과 같다.

x	0	$\cdots$	$\dfrac{\pi}{2}$	$\cdots$	$\dfrac{3}{2}\pi$	$\cdots$	2π
$h'(x)$		$+$	0	$-$	0	$+$	
$h(x)$	0	↗	1	↘	-3	↗	0

따라서 **최댓값**은 $h\left(\dfrac{\pi}{2}\right)=1$, **최솟값**은 $h\left(\dfrac{3}{2}\pi\right)=-3$

8-1 나의 풀이

8-2 나의 풀이

Q9 도형과 최대, 최소

직사각형 모양의 철판 3장을 구입하여 2장은 원 모양으로 잘라 그림과 같이 부피가 $64\,\text{m}^3$인 원기둥 모양의 통을 만들려고 한다. 철판의 비용은 $1\,\text{m}^2$당 1만 원이고 철판의 크기는 임의로 구할 수 있을 때, 철판을 구입하는 데 필요한 최소 비용을 구하시오.

대표 Q9 풀이

밑면인 원의 반지름의 길이를 $r\,\text{m}$, 높이를 $h\,\text{m}$라 하자. 밑면, 윗면에 필요한 철판은 한 변의 길이가 $2r\,\text{m}$인 정사각형 모양의 철판 2장이고, 옆면에 필요한 철판은

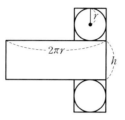

가로, 세로의 길이가 각각 $2\pi r\,\text{m}$, $h\,\text{m}$인 직사각형 모양의 철판 한 장이다.

따라서 구입하려는 철판의 넓이를 $S\,\text{m}^2$라 하면

$$S=2\times(2r)^2+2\pi rh \qquad \cdots \;\text{㉠}$$

원기둥 모양 통의 부피가 $64\,\text{m}^3$이므로 $\pi r^2 h=64$

$rh=\dfrac{64}{\pi r}$를 ㉠에 대입하면 $S(r)=8r^2+\dfrac{128}{r} \qquad \cdots \;\text{㉡}$

$$S'(r)=16r-\frac{128}{r^2}=\frac{16(r^3-8)}{r^2}$$
$$=\frac{16(r-2)(r^2+2r+4)}{r^2}$$

$S'(r)=0$에서 $r=2$

따라서 $S(r)$는 $r=2$일 때 극소이면서 최소이다.

$r=2$를 ㉡에 대입하면 넓이의 최솟값이

$$8\times 2^2+\frac{128}{2}=96\,(\text{m}^2)$$

이므로 필요한 최소 비용은 **96만 원**이다.

😊 나만의 Note

9-1 나의 풀이

9-2 나의 풀이

Q10 삼각함수와 최대, 최소

10-1 나의 풀이

그림과 같이 두 변의 길이가 1, 두 각의 크기가 θ인 이등변삼각형과 두 변의 길이가 2, 두 각의 크기가 $\dfrac{\theta}{2}$인 이등변삼각형이 있다. 두 삼각형의 넓이의 합이 최대일 때, $\cos\theta$의 값을 구하시오.

날선 Q10 풀이

두 변의 길이가 1인 이등변삼각형의 꼭지각의 크기는 $\pi-2\theta$이고, 두 변의 길이가 2인 이등변삼각형의 꼭지각의 크기는 $\pi-\theta$이다.

따라서 두 삼각형의 넓이의 합을 $S(\theta)$라 하면

$$S(\theta)=\frac{1}{2}\times 1^2\times\sin(\pi-2\theta)+\frac{1}{2}\times 2^2\times\sin(\pi-\theta)$$
$$=\frac{1}{2}\sin 2\theta+2\sin\theta$$

$$S'(\theta)=\cos 2\theta+2\cos\theta=2\cos^2\theta+2\cos\theta-1$$

$S'(\theta)=0$에서 $2\cos^2\theta+2\cos\theta-1=0$

$0<\theta<\dfrac{\pi}{2}$에서 $\cos\theta=\dfrac{-1+\sqrt{3}}{2}$

$$S''(\theta)=-4\cos\theta\sin\theta-2\sin\theta$$
$$=-2\sin\theta(2\cos\theta+1)$$

이므로 $0<\theta<\dfrac{\pi}{2}$이고 $\cos\theta=\dfrac{-1+\sqrt{3}}{2}$일 때,

$\sin\theta>0$, $2\cos\theta+1>0$ $\quad\therefore S''(\theta)<0$

따라서 $S(\theta)$는 $\cos\theta=\dfrac{-1+\sqrt{3}}{2}$일 때 극대이면서 최대이다.

😊 **나만의 Note**

대표 Q1 방정식의 실근의 개수

다음 물음에 답하시오.

(1) 방정식 $\sin x - x + 1 = 0$의 실근의 개수를 구하시오.

(2) 방정식 $x^2 e^{-x} = k$의 실근이 세 개일 때, 실수 k 값의 범위를 구하시오.

대표 Q1 풀이

(1) $f(x) = \sin x - x + 1$이라 하면

$f'(x) = \cos x - 1$, $f''(x) = -\sin x$

$f'(x) = 0$에서 $\cos x - 1 = 0$

$\therefore x = \cdots, -2\pi, 0, 2\pi, 4\pi, \cdots$

$f''(x) = 0$에서 $-\sin x = 0$

$\therefore x = \cdots, -2\pi, -\pi, 0, \pi, 2\pi, \cdots$

함수 $f(x)$의 증감표는 다음과 같다.

x	$\cdots$	-2π	$\cdots$	$-\pi$	$\cdots$	0	$\cdots$	π	$\cdots$	2π	$\cdots$
$f'(x)$	$-$	0	$-$		$-$	0	$-$		$-$	0	$-$
$f''(x)$	$+$	0	$-$	0	$+$	0	$-$	0	$+$	0	$-$
$f(x)$	$\searrow$	$2\pi+1$	$\searrow$	$\pi+1$	$\searrow$	1	$\searrow$	$1-\pi$	$\searrow$	$1-2\pi$	$\searrow$

또 $\lim\limits_{x \to -\infty} f(x) = \infty$,

$\lim\limits_{x \to \infty} f(x) = -\infty$이므로

$y = f(x)$의 그래프는 그림과 같이 x축과 한 점에서 만난다.

따라서 방정식

$\sin x - x + 1 = 0$의 실근은 **한** 개이다.

(2) $f(x) = x^2 e^{-x}$이라 하면

$f'(x) = 2x e^{-x} - x^2 e^{-x} = -x(x-2)e^{-x}$

$f'(x) = 0$에서 $-x(x-2)e^{-x} = 0$

$\therefore x = 0$ 또는 $x = 2$

함수 $f(x)$의 증감표는 다음과 같다.

x	$\cdots$	0	$\cdots$	2	$\cdots$
$f'(x)$	$-$	0	$+$	0	$-$
$f(x)$	$\searrow$	0	$\nearrow$	$\dfrac{4}{e^2}$	$\searrow$

또 $\lim\limits_{x \to \infty} \dfrac{x^2}{e^x} = 0$이므로 $y = f(x)$의 그래프는 그림과 같다.

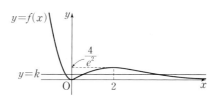

곡선 $y = f(x)$와 직선 $y = k$가 세 점에서 만나면 근이 세 개이므로

$$0 < k < \frac{4}{e^2}$$

1-1 나의 풀이

1-2 나의 풀이

대표 Q2 접선과 방정식

방정식 $\dfrac{\ln x}{x} = ax$에 대하여 다음 물음에 답하시오.

(1) 실근이 한 개일 때, 실수 a값의 범위를 구하시오.

(2) 서로 다른 실근이 두 개일 때, 실수 a값의 범위를 구하시오.

대표 Q2 풀이

직선 $y = ax$는 원점을 지나므로 곡선 $y = \dfrac{\ln x}{x}$와 원점을 지나는 직선의 교점의 개수를 생각한다.

$f(x) = \dfrac{\ln x}{x}$라 하면

$f'(x) = \dfrac{1 - \ln x}{x^2}$

$f'(x) = 0$에서 $1 - \ln x = 0$ $\quad \therefore x = e$

$x > 0$에서 함수 $f(x)$의 증감표는 다음과 같다.

x	(0)	$\cdots$	e	$\cdots$
$f'(x)$		$+$	0	$-$
$f(x)$		$\nearrow$	$\dfrac{1}{e}$	$\searrow$

또 $\displaystyle\lim_{x \to 0+} f(x) = -\infty$,

$\displaystyle\lim_{x \to \infty} f(x) = 0$이므로 $y = f(x)$

의 그래프는 그림과 같다.

곡선 위의 점 $(p, f(p))$에서 접선의 방정식은

$y - \dfrac{\ln p}{p} = \dfrac{1 - \ln p}{p^2}(x - p)$

이 직선이 원점을 지나므로

$-\dfrac{\ln p}{p} = \dfrac{1 - \ln p}{p^2}(-p)$

$2\ln p = 1$ $\quad \therefore p = \sqrt{e}$

이때 접선의 기울기는 $f'(\sqrt{e}) = \dfrac{1}{2e}$

(1) 원점을 지나는 직선이 곡선 $y = f(x)$와 한 점에서 만나면 근이 한 개이므로

$a = \dfrac{1}{2e}$ 또는 $a \leq 0$

(2) 원점을 지나는 직선이 곡선 $y = f(x)$와 두 점에서 만나면 근이 두 개이므로

$0 < a < \dfrac{1}{2e}$

2-1 나의 풀이

2-2 나의 풀이

대표 Q3 부등식과 그래프

다음 물음에 답하시오.

(1) $x>1$에서 $x-k>\ln(x-1)$일 때, 실수 k값의 범위를 구하시오.

(2) $0<x<\pi$에서 $\cos x>k-\dfrac{x^2}{2}$일 때, 실수 k값의 범위를 구하시오.

대표 Q3 풀이

(1) $x-k>\ln(x-1)$에서 $x-\ln(x-1)>k$이므로

$f(x)=x-\ln(x-1)$이라 하면

$$f'(x)=1-\frac{1}{x-1}=\frac{x-2}{x-1}$$

$f'(x)=0$에서 $x=2$

$x>1$에서 함수 $f(x)$의 증감표는 다음과 같다.

x	(1)	$\cdots$	2	$\cdots$
$f'(x)$		$-$	0	$+$
$f(x)$		$\searrow$	2	$\nearrow$

또 $\displaystyle\lim_{x\to1+}f(x)=\infty$,
$\displaystyle\lim_{x\to\infty}f(x)=\infty$이므로 $y=f(x)$
의 그래프는 그림과 같다.
직선 $y=k$가 곡선 $y=f(x)$의
아래쪽에 있어야 하므로 $k<2$

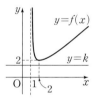

(2) $\cos x>k-\dfrac{x^2}{2}$에서 $\cos x+\dfrac{x^2}{2}>k$이므로

$f(x)=\cos x+\dfrac{x^2}{2}$이라 하면

$f'(x)=-\sin x+x$, $f''(x)=-\cos x+1$

$0<x<\pi$에서 $f''(x)>0$이므로 $f'(x)$는 증가한다.
또 $f'(0)=0$이므로 $0<x<\pi$에서 $f'(x)>0$이고
$f(x)$는 증가한다.

$0<x<\pi$에서 $y=f'(x)$, $y=f(x)$의 그래프는 그림과 같다.

 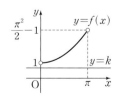

$f(x)>k$이어야 하므로 $k\le1$

3-1 나의 풀이

3-2 나의 풀이

Q4 **수직선 위를 움직이는 점의 속도와 가속도**

점 P는 수직선 위를 움직이고 시각 t에서 위치가 $x(t)=e^t\cos t$일 때, 다음 물음에 답하시오.

(1) P가 출발하고 처음으로 원점을 지날 때, P의 속도와 가속도를 구하시오.

(2) $0<t<2\pi$에서 P가 운동 방향을 바꾸는 시각을 모두 구하시오.

(3) $0<t<2\pi$에서 P의 가속도가 0일 때, P의 위치를 구하시오.

대표 Q4 **풀이**

시각 t에서 P의 속도 $v(t)$와 가속도 $a(t)$는
$$v(t)=x'(t)=e^t(\cos t-\sin t)$$
$$a(t)=v'(t)$$
$$=e^t(\cos t-\sin t)+e^t(-\sin t-\cos t)$$
$$=-2e^t\sin t$$

(1) 원점을 지나면 $x(t)=0$이므로 $e^t\cos t=0$

$e^t>0$이므로 $\cos t=0$

따라서 $t=\dfrac{\pi}{2}$일 때, 처음으로 원점을 지난다.

곧, 시각 $t=\dfrac{\pi}{2}$에서 P의

속도는 $v\left(\dfrac{\pi}{2}\right)=e^{\frac{\pi}{2}}(0-1)=-e^{\frac{\pi}{2}}$

가속도는 $a\left(\dfrac{\pi}{2}\right)=-2e^{\frac{\pi}{2}}$

(2) 시각 t에서 운동 방향을 바꾸면 $v(t)=0$이고, t의 좌우에서 $v(t)$의 부호가 바뀐다.

$v(t)=0$에서 $e^t(\cos t-\sin t)=0$

$e^t>0$이므로 $\cos t=\sin t$, $\tan t=1$

$\therefore t=\dfrac{\pi}{4}$ 또는 $t=\dfrac{5}{4}\pi$

두 시각 모두 t의 좌우에서 $v(t)$의 부호가 바뀌므로 P의 운동 방향도 바뀐다.

(3) $a(t)=0$에서 $-2e^t\sin t=0$

$e^t>0$이므로 $\sin t=0$　　$\therefore t=\pi$

이때 P의 위치는 $x(\pi)=-e^{\pi}$

4-1 **나의 풀이**

4-2 **나의 풀이**

Q5 좌표평면 위를 움직이는 점의 속도와 가속도

점 P는 좌표평면 위를 움직이고 시각 t에서 위치 (x, y)가 $x=t+\cos t$, $y=1+\sin t$이다. 다음 물음에 답하시오.

(1) 시각 t에서 P의 속도와 가속도를 구하시오.

(2) P가 x축과 두 번째 만날 때, P의 속도와 가속도를 구하시오.

(3) $0 \le t \le 2\pi$에서 속력이 최대일 때, P의 위치와 가속도를 구하시오.

대표 Q5 풀이

(1) 시각 t에서 P의

속도는 $(v_x, v_y)=(x', y')=(1-\sin t, \cos t)$

가속도는 $(a_x, a_y)=(v_x', v_y')=(-\cos t, -\sin t)$

(2) x축과 만나면 $y=0$이므로 $1+\sin t=0$

$t>0$이므로 $t=\dfrac{3}{2}\pi, \dfrac{3}{2}\pi+2\pi, \dfrac{3}{2}\pi+4\pi, \cdots$

따라서 두 번째 만나면 $t=\dfrac{3}{2}\pi+2\pi=\dfrac{7}{2}\pi$

이때 P의

속도는 $\left(1-\sin\dfrac{7}{2}\pi, \cos\dfrac{7}{2}\pi\right)=(2, 0)$,

가속도는 $\left(-\cos\dfrac{7}{2}\pi, -\sin\dfrac{7}{2}\pi\right)=(0, 1)$

(3) 속력은 $\sqrt{v_x^2+v_y^2}$이므로

$v_x^2+v_y^2=(1-\sin t)^2+\cos^2 t=2-2\sin t$

$-1 \le \sin t \le 1$이므로 $\sin t=-1$일 때 속력이 최대이다.

$0 \le t \le 2\pi$이므로 $t=\dfrac{3}{2}\pi$

이때 P의

위치는 $\left(\dfrac{3}{2}\pi+\cos\dfrac{3}{2}\pi, 1+\sin\dfrac{3}{2}\pi\right)=\left(\dfrac{3}{2}\pi, 0\right)$,

가속도는 $\left(-\cos\dfrac{3}{2}\pi, -\sin\dfrac{3}{2}\pi\right)=(0, 1)$

나만의 Note

5-1 나의 풀이

5-2 나의 풀이

대표 Q1 $y=x^n$의 부정적분

다음 부정적분을 구하시오.

(1) $\displaystyle\int x^3\sqrt[3]{x}\,dx$

(2) $\displaystyle\int \left(x-\frac{1}{x}\right)^2 dx$

(3) $\displaystyle\int \frac{(\sqrt{x}-1)^2}{x}\,dx$

대표 Q1 풀이

(1) $\displaystyle\int x^3\sqrt[3]{x}\,dx=\int x^{\frac{4}{3}}\,dx=\frac{3}{7}x^{\frac{7}{3}}+C$

$$=\frac{3}{7}x^2\sqrt[3]{x}+C$$

(2) $\displaystyle\int \left(x-\frac{1}{x}\right)^2 dx=\int \left(x^2-2+\frac{1}{x^2}\right)dx$

$$=\int (x^2-2+x^{-2})\,dx$$

$$=\frac{1}{3}x^3-2x-x^{-1}+C$$

$$=\frac{1}{3}x^3-2x-\frac{1}{x}+C$$

(3) $\displaystyle\int \frac{(\sqrt{x}-1)^2}{x}\,dx=\int \frac{x-2\sqrt{x}+1}{x}\,dx$

$$=\int \left(1-2x^{-\frac{1}{2}}+\frac{1}{x}\right)dx$$

$$=x-4x^{\frac{1}{2}}+\ln|x|+C$$

$$=x-4\sqrt{x}+\ln|x|+C$$

나만의 Note

1-1 나의 풀이

1-2 나의 풀이

Q2 지수함수의 부정적분

다음 부정적분을 구하시오.

(1) $\displaystyle\int (3^x+1)^2\,dx$ (2) $\displaystyle\int \frac{e^{2x}-1}{e^x+1}\,dx$

(3) $\displaystyle\int \frac{e^{2x}+1}{e^x}\,dx$

대표 Q2 풀이

(1) $\displaystyle\int (3^x+1)^2\,dx = \int (9^x + 2\times 3^x + 1)\,dx$

$\qquad\qquad = \dfrac{9^x}{\ln 9} + \dfrac{2\times 3^x}{\ln 3} + x + C$

(2) $\dfrac{e^{2x}-1}{e^x+1} = \dfrac{(e^x+1)(e^x-1)}{e^x+1} = e^x - 1$이므로

$\qquad \displaystyle\int \frac{e^{2x}-1}{e^x+1}\,dx = \int (e^x-1)\,dx = e^x - x + C$

(3) $(e^{-x})' = -e^{-x}$이므로

$\qquad \displaystyle\int \frac{e^{2x}+1}{e^x}\,dx = \int (e^x + e^{-x})\,dx = e^x - e^{-x} + C$

$\qquad\qquad = e^x - \dfrac{1}{e^x} + C$

나만의 Note

2-1 나의 풀이

2-2 나의 풀이

대표 Q3 삼각함수의 부정적분

다음 부정적분을 구하시오.

(1) $\displaystyle\int \frac{\cos^2 x}{1+\sin x}\,dx$ (2) $\displaystyle\int (1-\tan^2 x)\,dx$

(3) $\displaystyle\int \sin^2 \frac{\theta}{2}\,d\theta$

대표 Q3 풀이

(1) $\displaystyle\int \frac{\cos^2 x}{1+\sin x}\,dx = \int \frac{1-\sin^2 x}{1+\sin x}\,dx$

$\displaystyle\qquad = \int \frac{(1+\sin x)(1-\sin x)}{1+\sin x}\,dx$

$\displaystyle\qquad = \int (1-\sin x)\,dx$

$\qquad = x + \cos x + C$

(2) $\displaystyle\int (1-\tan^2 x)\,dx = \int (1-\sec^2 x + 1)\,dx$

$\qquad\qquad\qquad = 2x - \tan x + C$

(3) $\displaystyle\int \sin^2 \frac{\theta}{2}\,d\theta = \int \frac{1-\cos\theta}{2}\,d\theta = \frac{\theta}{2} - \frac{\sin\theta}{2} + C$

나만의 Note

3-1 나의 풀이

3-2 나의 풀이

Q4 정적분의 계산

다음 정적분의 값을 구하시오.

(1) $\displaystyle\int_1^3 \frac{x^2-3x-1}{x^2}\,dx$

(2) $\displaystyle\int_0^2 (x-\sqrt{x}\,)^2\,dx$

(3) $\displaystyle\int_0^1 \frac{e^x}{1-e^x}\,dx-\int_0^1 \frac{e^{2y}}{1-e^y}\,dy$

(4) $\displaystyle\int_{-\pi}^{\pi}\left(\sin\frac{\theta}{2}+\cos\frac{\theta}{2}\right)^2 d\theta$

대표 Q4 풀이

(1) $\displaystyle\int_1^3 \frac{x^2-3x-1}{x^2}\,dx=\int_1^3\left(1-\frac{3}{x}-x^{-2}\right)dx$

$\qquad =\left[x-3\ln|x|+x^{-1}\right]_1^3$

$\qquad =\left(3-3\ln 3+\frac{1}{3}\right)-(1-0+1)$

$\qquad =\boldsymbol{\dfrac{4}{3}-3\ln 3}$

(2) $\displaystyle\int_0^2 (x-\sqrt{x}\,)^2\,dx=\int_0^2 (x^2-2x\sqrt{x}+x)\,dx$

$\qquad =\int_0^2\left(x^2-2x^{\frac{3}{2}}+x\right)dx$

$\qquad =\left[\frac{1}{3}x^3-\frac{4}{5}x^{\frac{5}{2}}+\frac{1}{2}x^2\right]_0^2$

$\qquad =\boldsymbol{\dfrac{14}{3}-\dfrac{16}{5}\sqrt{2}}$

(3) $\displaystyle\int_0^1 \frac{e^x}{1-e^x}\,dx-\int_0^1 \frac{e^{2y}}{1-e^y}\,dy$

$\quad =\displaystyle\int_0^1 \frac{e^x}{1-e^x}\,dx-\int_0^1 \frac{e^{2x}}{1-e^x}\,dx$

$\quad =\displaystyle\int_0^1 \frac{e^x-e^{2x}}{1-e^x}\,dx=\int_0^1 \frac{e^x(1-e^x)}{1-e^x}\,dx$

$\quad =\displaystyle\int_0^1 e^x\,dx=\left[e^x\right]_0^1=\boldsymbol{e-1}$

(4) $\displaystyle\left(\sin\frac{\theta}{2}+\cos\frac{\theta}{2}\right)^2$

$\quad =\sin^2\frac{\theta}{2}+2\sin\frac{\theta}{2}\cos\frac{\theta}{2}+\cos^2\frac{\theta}{2}$

$\quad =1+\sin\theta$이므로

$\displaystyle\int_{-\pi}^{\pi}\left(\sin\frac{\theta}{2}+\cos\frac{\theta}{2}\right)^2 d\theta=\int_{-\pi}^{\pi}(1+\sin\theta)\,d\theta$

$\qquad\qquad =\left[\theta-\cos\theta\right]_{-\pi}^{\pi}$

$\qquad\qquad =(\pi+1)-(-\pi+1)$

$\qquad\qquad =\boldsymbol{2\pi}$

4-1 나의 풀이

Q5 구간을 나누는 정적분

다음 물음에 답하시오.

(1) $f(x) = \begin{cases} \cos x - 1 & (x \leq 0) \\ \sin x & (x \geq 0) \end{cases}$ 일 때, $\displaystyle\int_{-\pi}^{\pi} f(x)\,dx$

의 값을 구하시오.

(2) $\displaystyle\int_{0}^{1} |e^x - 2|\,dx$의 값을 구하시오.

5-1 나의 풀이

대표 Q5 풀이

(1) $\displaystyle\int_{-\pi}^{\pi} f(x)\,dx = \int_{-\pi}^{0} (\cos x - 1)\,dx + \int_{0}^{\pi} \sin x\,dx$

$\qquad = \Big[\sin x - x\Big]_{-\pi}^{0} + \Big[-\cos x\Big]_{0}^{\pi}$

$\qquad = -\pi + 2$

(2) $e^x = 2$에서 $x = \ln 2$이므로

$x \leq \ln 2$일 때, $|e^x - 2| = -(e^x - 2)$

$x \geq \ln 2$일 때, $|e^x - 2| = e^x - 2$

$\therefore \displaystyle\int_{0}^{1} |e^x - 2|\,dx$

$\quad = \displaystyle\int_{0}^{\ln 2} \{-(e^x - 2)\}\,dx + \int_{\ln 2}^{1} (e^x - 2)\,dx$

$\quad = \Big[-e^x + 2x\Big]_{0}^{\ln 2} + \Big[e^x - 2x\Big]_{\ln 2}^{1}$

$\quad = (-1 + 2\ln 2) + (e - 4 + 2\ln 2)$

$\quad = \mathbf{4\ln 2 + e - 5}$

5-2 나의 풀이

😊 나만의 **Note**

Q6 정적분의 기하적 성질

다음 정적분의 값을 구하시오.

(1) $\displaystyle\int_{-\frac{3}{4}\pi}^{\frac{3}{4}\pi} (x+1)\cos x\,dx$

(2) $\displaystyle\int_{a}^{a+\pi} |\sin x|\,dx$

대표 Q6 풀이

(1) $f(x)=\cos x$, $g(x)=x\cos x$라 하면

$f(-x)=\cos(-x)=\cos x=f(x)$,

$g(-x)=-x\cos(-x)=-x\cos x=-g(x)$

이므로 $y=\cos x$의 그래프는 y축에 대칭이고,

$y=x\cos x$의 그래프는 원점에 대칭이다.

$\therefore \displaystyle\int_{-\frac{3}{4}\pi}^{\frac{3}{4}\pi}(x+1)\cos x\,dx$

$=\displaystyle\int_{-\frac{3}{4}\pi}^{\frac{3}{4}\pi}x\cos x\,dx+\int_{-\frac{3}{4}\pi}^{\frac{3}{4}\pi}\cos x\,dx$

$=0+2\displaystyle\int_{0}^{\frac{3}{4}\pi}\cos x\,dx$

$=2\Big[\sin x\Big]_{0}^{\frac{3}{4}\pi}=\sqrt{2}$

(2) $f(x)=|\sin x|$라 하면

$f(x)$는 주기가 π인 주기함수이므로

$\displaystyle\int_{a}^{a+\pi}f(x)\,dx=\int_{0}^{\pi}f(x)\,dx$

$\therefore \displaystyle\int_{a}^{a+\pi}|\sin x|\,dx=\int_{0}^{\pi}|\sin x|\,dx$

$=\displaystyle\int_{0}^{\pi}\sin x\,dx=\Big[-\cos x\Big]_{0}^{\pi}=2$

나만의 Note

6-1 나의 풀이

6-2 나의 풀이

대표 Q7 정적분으로 정의된 함수

다음을 만족시키는 연속함수 $f(x)$를 구하시오.

(1) $f(x) = \sqrt{x} + \int_0^4 f(t)\,dt$

(2) $\int_1^x f(t)\,dt = xe^x + ax$ (a는 상수)

(3) $\int_0^x (x-t)f(t)\,dt = \sin x \cos x$

대표 Q7 풀이

(1) $\int_0^4 f(t)\,dt = a$ (a는 상수)라 하면

$f(x) = \sqrt{x} + a$이므로 $\int_0^4 (\sqrt{x} + a)\,dx = a$

(좌변) $= \left[\dfrac{2}{3}x\sqrt{x} + ax\right]_0^4 = \dfrac{16}{3} + 4a$

$\dfrac{16}{3} + 4a = a$, $a = -\dfrac{16}{9}$ $\therefore f(x) = \sqrt{x} - \dfrac{16}{9}$

(2) $\int_1^x f(t)\,dt = xe^x + ax$ $\cdots$ ㉠

양변을 x에 대하여 미분하면

$f(x) = (x+1)e^x + a$

㉠의 양변에 $x=1$을 대입하면 $0 = e + a$, $a = -e$

$\therefore f(x) = (x+1)e^x - e$

(3) $\int_0^x (x-t)f(t)\,dt = \sin x \cos x$에서

$x\int_0^x f(t)\,dt - \int_0^x tf(t)\,dt = \sin x \cos x$

양변을 x에 대하여 미분하면

$\int_0^x f(t)\,dt + xf(x) - xf(x) = \cos^2 x - \sin^2 x$

$\int_0^x f(t)\,dt = \cos^2 x - \sin^2 x$

양변을 다시 x에 대하여 미분하면

$f(x) = 2\cos x(-\sin x) - 2\sin x \cos x$

$\qquad = -4\sin x \cos x$

나만의 Note

7-1 나의 풀이

7-2 나의 풀이

Q8 정적분으로 정의된 함수의 극한, 극값

다음 물음에 답하시오.

(1) $\displaystyle \lim_{x \to 1} \frac{1}{x-1} \int_1^x t \ln t \, dt$의 극한값을 구하시오.

(2) $x > 0$에서 함수 $f(x) = \displaystyle \int_0^x \sqrt{t}(1-t) \, dt$의 극값을 구하시오.

대표 Q8 풀이

(1) $f(t) = t \ln t$로 놓고 $f(t)$의 한 부정적분을 $F(t)$라 하면

$$\lim_{x \to 1} \frac{1}{x-1} \int_1^x t \ln t \, dt = \lim_{x \to 1} \frac{F(x) - F(1)}{x-1}$$
$$= F'(1) = f(1) = \mathbf{0}$$

(2) $f'(x) = \dfrac{d}{dx} \displaystyle \int_0^x \sqrt{t}(1-t) \, dt = \sqrt{x}(1-x)$

$f'(x) = 0$에서 $x = 1$ $(\because x > 0)$

$x > 0$에서 $f(x)$의 증감표는 다음과 같다.

x	(0)	$\cdots$	1	$\cdots$
$f'(x)$		$+$	0	$-$
$f(x)$		↗	극대	↘

따라서 $x = 1$에서 극대이고, 극댓값은

$$f(1) = \int_0^1 \sqrt{t}(1-t) \, dt = \int_0^1 (\sqrt{t} - t\sqrt{t}) \, dt$$
$$= \left[\frac{2}{3} t\sqrt{t} - \frac{2}{5} t^2 \sqrt{t} \right]_0^1 = \frac{\mathbf{4}}{\mathbf{15}}$$

😊 **나만의 Note**

8-1 나의 풀이

8-2 나의 풀이

대표 Q1 $\displaystyle\int f(ax+b)\,dx$ 꼴의 부정적분

다음 부정적분을 구하시오.

(1) $\displaystyle\int (3x+1)^4\,dx$　　(2) $\displaystyle\int \sqrt{2x+5}\,dx$

(3) $\displaystyle\int e^{1-\frac{1}{2}x}\,dx$　　(4) $\displaystyle\int \frac{1}{3-2x}\,dx$

대표 Q1 풀이

(1) $3x+1=t$라 하면 $\dfrac{dt}{dx}=3$, $dx=\dfrac{1}{3}\,dt$이므로

$$\int (3x+1)^4\,dx=\int t^4\times\frac{1}{3}\,dt$$
$$=\frac{1}{15}t^5+C=\mathbf{\frac{1}{15}(3x+1)^5+C}$$

(2) $2x+5=t$라 하면 $\dfrac{dt}{dx}=2$, $dx=\dfrac{1}{2}\,dt$이므로

$$\int \sqrt{2x+5}\,dx=\int \sqrt{t}\times\frac{1}{2}\,dt=\frac{1}{3}t\sqrt{t}+C$$
$$=\mathbf{\frac{1}{3}(2x+5)\sqrt{2x+5}+C}$$

(3) $1-\dfrac{1}{2}x=t$라 하면 $\dfrac{dt}{dx}=-\dfrac{1}{2}$, $dx=-2\,dt$이므로

$$\int e^{1-\frac{1}{2}x}\,dx=\int e^t\times(-2)\,dt=-2e^t+C$$
$$=\mathbf{-2e^{1-\frac{1}{2}x}+C}$$

(4) $3-2x=t$라 하면 $\dfrac{dt}{dx}=-2$, $dx=-\dfrac{1}{2}\,dt$이므로

$$\int \frac{1}{3-2x}\,dx=\int \frac{1}{t}\times\left(-\frac{1}{2}\right)dt$$
$$=-\frac{1}{2}\ln|t|+C$$
$$=\mathbf{-\frac{1}{2}\ln|3-2x|+C}$$

나만의 Note

1-1 나의 풀이

대표 Q2 $\int f(g(x))g'(x)\,dx$ 꼴의 부정적분

다음 부정적분을 구하시오.

(1) $\int (2x+3)(x^2+3x)^3\,dx$

(2) $\int xe^{x^2+1}\,dx$

(3) $\int \dfrac{x}{\sqrt{1-x^2}}\,dx$

(4) $\int \sin x \cos x\,dx$

대표 Q2 풀이

(1) $x^2+3x=t$라 하면 $\dfrac{dt}{dx}=2x+3$, $(2x+3)\,dx=dt$

이므로

$$\int (2x+3)(x^2+3x)^3\,dx=\int t^3\,dt=\frac{1}{4}t^4+C$$
$$=\frac{1}{4}(x^2+3x)^4+C$$

(2) $x^2+1=t$라 하면 $\dfrac{dt}{dx}=2x$, $x\,dx=\dfrac{1}{2}\,dt$이므로

$$\int xe^{x^2+1}\,dx=\int e^t \times \frac{1}{2}\,dt=\frac{1}{2}e^t+C$$
$$=\frac{1}{2}e^{x^2+1}+C$$

(3) $1-x^2=t$라 하면 $\dfrac{dt}{dx}=-2x$, $x\,dx=-\dfrac{1}{2}\,dt$이므로

$$\int \frac{x}{\sqrt{1-x^2}}\,dx=\int \frac{1}{\sqrt{t}} \times \left(-\frac{1}{2}\right)dt$$
$$=-\sqrt{t}+C$$
$$=-\sqrt{1-x^2}+C$$

(4) $\sin x=t$라 하면 $\dfrac{dt}{dx}=\cos x$, $\cos x\,dx=dt$이므로

$$\int \sin x \cos x\,dx=\int t\,dt=\frac{1}{2}t^2+C$$
$$=\frac{1}{2}\sin^2 x+C$$

😊 나만의 Note

2-1 나의 풀이

2-2 나의 풀이

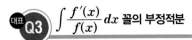

Q3 $\displaystyle\int \frac{f'(x)}{f(x)}\,dx$ 꼴의 부정적분

다음 부정적분을 구하시오.

(1) $\displaystyle\int \frac{x^2}{x^3+1}\,dx$ (2) $\displaystyle\int \frac{1}{1-e^{-x}}\,dx$

(3) $\displaystyle\int \frac{1}{x\ln x}\,dx$ (4) $\displaystyle\int \tan x\,dx$

3-1 나의 풀이

대표 Q3 풀이

(1) $x^3+1=t$라 하면 $\dfrac{dt}{dx}=3x^2$, $x^2\,dx=\dfrac{1}{3}\,dt$이므로

$$\int \frac{x^2}{x^3+1}\,dx=\int \frac{1}{t}\times\frac{1}{3}\,dt=\frac{1}{3}\ln|t|+C$$
$$=\boldsymbol{\frac{1}{3}\ln|x^3+1|+C}$$

(2) 분모, 분자에 각각 e^x을 곱하면

$$\int \frac{1}{1-e^{-x}}\,dx=\int \frac{e^x}{e^x-1}\,dx$$

$e^x-1=t$라 하면 $\dfrac{dt}{dx}=e^x$, $e^x\,dx=dt$이므로

$$\int \frac{e^x}{e^x-1}\,dx=\int \frac{1}{t}\,dt=\ln|t|+C$$
$$=\boldsymbol{\ln|e^x-1|+C}$$

(3) $\ln x=t$라 하면 $\dfrac{dt}{dx}=\dfrac{1}{x}$, $\dfrac{1}{x}\,dx=dt$이므로

$$\int \frac{1}{x\ln x}\,dx=\int \frac{1}{t}\,dt=\ln|t|+C$$
$$=\boldsymbol{\ln|\ln x|+C}$$

(4) $\displaystyle\int \tan x\,dx=\int \frac{\sin x}{\cos x}\,dx$에서

$\cos x=t$라 하면 $\dfrac{dt}{dx}=-\sin x$, $\sin x\,dx=-dt$이므로

$$\int \frac{\sin x}{\cos x}\,dx=\int \frac{-1}{t}\,dt=-\ln|t|+C$$
$$=\boldsymbol{-\ln|\cos x|+C}$$

😊 나만의 **Note**

Q4 유리함수의 부정적분

다음 부정적분을 구하시오.

(1) $\displaystyle\int \frac{2x-1}{x+2}\,dx$　　(2) $\displaystyle\int \frac{x}{(x^2+1)^3}\,dx$

(3) $\displaystyle\int \frac{1}{x^2-1}\,dx$

대표 Q4 풀이

(1) $\displaystyle\int \frac{2x-1}{x+2}\,dx = \int\left(2-\frac{5}{x+2}\right)dx$

$\qquad\qquad = 2x-5\ln|x+2|+C$

(2) $x^2+1=t$라 하면 $\dfrac{dt}{dx}=2x$, $x\,dx=\dfrac{1}{2}\,dt$이므로

$\displaystyle\int \frac{x}{(x^2+1)^3}\,dx = \int \frac{1}{t^3}\times\frac{1}{2}\,dt = \frac{1}{2}\times\left(-\frac{1}{2t^2}\right)+C$

$\qquad\qquad = -\frac{1}{4(x^2+1)^2}+C$

(3) $\dfrac{1}{x^2-1}=\dfrac{1}{(x-1)(x+1)}=\dfrac{1}{2}\left(\dfrac{1}{x-1}-\dfrac{1}{x+1}\right)$
이므로

$\displaystyle\int \frac{1}{x^2-1}\,dx = \frac{1}{2}\int\left(\frac{1}{x-1}-\frac{1}{x+1}\right)dx$

$\qquad\qquad = \frac{1}{2}(\ln|x-1|-\ln|x+1|)+C$

$\qquad\qquad = \frac{1}{2}\ln\left|\frac{x-1}{x+1}\right|+C$

나만의 Note

4-1 나의 풀이

4-2 나의 풀이

대표 Q5 식을 정리하는 문제

다음 부정적분을 구하시오.

(1) $\int (2x+1)\sqrt{1-x}\,dx$

(2) $\int \dfrac{1}{e^x+1}\,dx$

(3) $\int \sin^3 x\,dx$

(4) $\int \cos 2x \cos x\,dx$

대표 Q5 풀이

(1) $1-x=t$라 하면 $\dfrac{dt}{dx}=-1$, $dx=-dt$

또 $x=1-t$에서 $2x+1=3-2t$이므로

$\int (2x+1)\sqrt{1-x}\,dx$

$=\int (3-2t)\sqrt{t}\times(-1)\,dt$

$=\int (-3\sqrt{t}+2t\sqrt{t})\,dt = -2t^{\frac{3}{2}}+\dfrac{4}{5}t^{\frac{5}{2}}+C$

$=\boldsymbol{-2(1-x)\sqrt{1-x}+\dfrac{4}{5}(1-x)^2\sqrt{1-x}+C}$

(2) $e^x+1=t$라 하면 $\dfrac{dt}{dx}=e^x=t-1$, $dx=\dfrac{1}{t-1}\,dt$이

므로

$\int \dfrac{1}{e^x+1}\,dx=\int \dfrac{1}{t(t-1)}\,dt=\int \left(\dfrac{1}{t-1}-\dfrac{1}{t}\right)dt$

$=\ln|t-1|-\ln|t|+C$

$=\ln\left|\dfrac{t-1}{t}\right|+C$

$=\boldsymbol{\ln\left(\dfrac{e^x}{e^x+1}\right)+C}$

(3) $\sin^3 x=\sin^2 x \sin x=(1-\cos^2 x)\sin x$이므로

$\cos x=t$라 하면 $\dfrac{dt}{dx}=-\sin x$, $\sin x\,dx=-dt$

$\therefore \int \sin^3 x\,dx=\int (1-\cos^2 x)\sin x\,dx$

$=\int (1-t^2)\times(-1)\,dt$

$=\int (t^2-1)\,dt=\dfrac{1}{3}t^3-t+C$

$=\boldsymbol{\dfrac{1}{3}\cos^3 x-\cos x+C}$

(4) $\cos 2x \cos x=(1-2\sin^2 x)\cos x$이므로

$\sin x=t$라 하면 $\dfrac{dt}{dx}=\cos x$, $\cos x\,dx=dt$

$\therefore \int \cos 2x \cos x\,dx=\int (1-2\sin^2 x)\cos x\,dx$

$=\int (1-2t^2)\,dt$

$=-\dfrac{2}{3}t^3+t+C$

$=\boldsymbol{-\dfrac{2}{3}\sin^3 x+\sin x+C}$

5-1 나의 풀이

Q6 치환적분법과 정적분

다음 정적분의 값을 구하시오.

(1) $\displaystyle\int_1^3 \frac{1}{(2x+1)^2}\,dx$ (2) $\displaystyle\int_0^1 x\sqrt{1-x}\,dx$

(3) $\displaystyle\int_1^e \frac{(\ln x+1)^2}{x}\,dx$ (4) $\displaystyle\int_0^\pi \frac{\sin x}{2+\cos x}\,dx$

대표 Q6 풀이

(1) $2x+1=t$라 하면 $\dfrac{dt}{dx}=2$, $dx=\dfrac{1}{2}\,dt$이고

  $x=1$일 때 $t=3$, $x=3$일 때 $t=7$이므로

$$\int_1^3 \frac{1}{(2x+1)^2}\,dx = \int_3^7 \frac{1}{t^2}\times\frac{1}{2}\,dt$$
$$= \left[-\frac{1}{2t}\right]_3^7 = \frac{2}{21}$$

(2) $1-x=t$라 하면 $\dfrac{dt}{dx}=-1$, $dx=-dt$, $x=1-t$이

  고, $x=0$일 때 $t=1$, $x=1$일 때 $t=0$이므로

$$\int_0^1 x\sqrt{1-x}\,dx = \int_1^0 (1-t)\sqrt{t}\times(-1)\,dt$$
$$= \int_1^0 (t\sqrt{t}-\sqrt{t})\,dt$$
$$= \left[\frac{2}{5}t^2\sqrt{t}-\frac{2}{3}t\sqrt{t}\right]_1^0 = \frac{4}{15}$$

(3) $\ln x+1=t$라 하면 $\dfrac{dt}{dx}=\dfrac{1}{x}$, $\dfrac{1}{x}\,dx=dt$이고

  $x=1$일 때 $t=1$, $x=e$일 때 $t=2$이므로

$$\int_1^e \frac{(\ln x+1)^2}{x}\,dx = \int_1^2 t^2\,dt = \left[\frac{1}{3}t^3\right]_1^2 = \frac{7}{3}$$

(4) $2+\cos x=t$라 하면 $\dfrac{dt}{dx}=-\sin x$,

  $\sin x\,dx=-dt$이고,

  $x=0$일 때 $t=3$, $x=\pi$일 때 $t=1$이므로

$$\int_0^\pi \frac{\sin x}{2+\cos x}\,dx = \int_3^1 \frac{1}{t}\times(-1)\,dt$$
$$= \left[-\ln|t|\right]_3^1 = \ln 3$$

😊 **나만의 Note**

6-1 나의 풀이

^{대표}**Q7** 삼각함수로 치환하는 정적분

다음 정적분의 값을 구하시오.

(1) $\int_0^r \sqrt{r^2-x^2}\,dx$

$\left(\text{단, } x=r\sin\theta \left(-\dfrac{\pi}{2} \leq \theta \leq \dfrac{\pi}{2}\right)\text{로 치환한다.}\right)$

(2) $\int_{-1}^1 \dfrac{1}{1+x^2}\,dx$

$\left(\text{단, } x=\tan\theta \left(-\dfrac{\pi}{2} < \theta < \dfrac{\pi}{2}\right)\text{로 치환한다.}\right)$

대표 Q7 풀이

(1) $x=r\sin\theta \left(-\dfrac{\pi}{2} \leq \theta \leq \dfrac{\pi}{2}\right)$라 하면

$\dfrac{dx}{d\theta}=r\cos\theta,\ dx=r\cos\theta\,d\theta$이고,

$x=0$일 때 $\theta=0$, $x=r$일 때 $\theta=\dfrac{\pi}{2}$이다. 이 범위에서

$\sqrt{r^2-x^2}=\sqrt{r^2(1-\sin^2\theta)}=r\cos\theta$

$\therefore \int_0^r \sqrt{r^2-x^2}\,dx=\int_0^{\frac{\pi}{2}} r\cos\theta \times r\cos\theta\,d\theta$

$\qquad\qquad\qquad\quad =\int_0^{\frac{\pi}{2}} r^2\cos^2\theta\,d\theta$

$\qquad\qquad\qquad\quad =r^2\int_0^{\frac{\pi}{2}} \dfrac{1+\cos 2\theta}{2}\,d\theta$

$\qquad\qquad\qquad\quad =\dfrac{r^2}{2}\left[\theta+\dfrac{1}{2}\sin 2\theta\right]_0^{\frac{\pi}{2}}=\dfrac{\pi}{4}r^2$

(2) $x=\tan\theta \left(-\dfrac{\pi}{2} < \theta < \dfrac{\pi}{2}\right)$라 하면

$\dfrac{dx}{d\theta}=\sec^2\theta,\ dx=\sec^2\theta\,d\theta$이고,

$x=-1$일 때 $\theta=-\dfrac{\pi}{4}$, $x=1$일 때 $\theta=\dfrac{\pi}{4}$이므로

$\int_{-1}^1 \dfrac{1}{1+x^2}\,dx=\int_{-\frac{\pi}{4}}^{\frac{\pi}{4}} \dfrac{\sec^2\theta}{1+\tan^2\theta}\,d\theta=\int_{-\frac{\pi}{4}}^{\frac{\pi}{4}} 1\,d\theta$

$\qquad\qquad\qquad\quad =\left[\theta\right]_{-\frac{\pi}{4}}^{\frac{\pi}{4}}=\dfrac{\pi}{2}$

😊 **나만의 Note**

7-1 나의 풀이

Q8 부분적분법

다음 부정적분을 구하시오.

(1) $\int (x+1)e^x\,dx$　　(2) $\int \ln(x+1)\,dx$

(3) $\int x^2 \cos x\,dx$

대표 Q8 풀이

(1) $f(x)=x+1$, $g'(x)=e^x$이라 하면

　$f'(x)=1$, $g(x)=e^x$이므로

　$\int (x+1)e^x\,dx=(x+1)e^x-\int e^x\,dx=\boldsymbol{xe^x+C}$

(2) $f(x)=\ln(x+1)$, $g'(x)=1$이라 하면

　$f'(x)=\dfrac{1}{x+1}$, $g(x)=x$이므로

　$\displaystyle\int \ln(x+1)\,dx=x\ln(x+1)-\int \frac{x}{x+1}\,dx$

　$\displaystyle\qquad=x\ln(x+1)-\int\left(1-\frac{1}{x+1}\right)dx$

　$\displaystyle\qquad=x\ln(x+1)-x+\ln|x+1|+C$

　$\displaystyle\qquad=\boldsymbol{(x+1)\ln(x+1)-x+C}$

(3) $f(x)=x^2$, $g'(x)=\cos x$라 하면

　$f'(x)=2x$, $g(x)=\sin x$이므로

　$\displaystyle\int x^2\cos x\,dx=x^2\sin x-\int 2x\sin x\,dx$

　$\displaystyle\qquad=x^2\sin x-2\int x\sin x\,dx \quad\cdots\ \bigcirc$

　$\displaystyle\int x\sin x\,dx$에서 $u(x)=x$, $v'(x)=\sin x$라 하면

　$u'(x)=1$, $v(x)=-\cos x$이므로

　$\displaystyle\int x\sin x\,dx=-x\cos x-\int(-\cos x)\,dx$

　$\qquad=-x\cos x+\sin x+C$

$\bigcirc$에 대입하고 정리하면

　$\displaystyle\int x^2\cos x\,dx=x^2\sin x-2(-x\cos x+\sin x+C)$

　$\qquad=\boldsymbol{x^2\sin x+2x\cos x-2\sin x+C}$

나만의 Note

8-1 나의 풀이

8-2 나의 풀이

Q9 부분적분법과 정적분

다음 정적분의 값을 구하시오.

(1) $\displaystyle\int_1^e \ln x \, dx$ (2) $\displaystyle\int_0^1 x e^{2x-1} \, dx$

(3) $\displaystyle\int_0^\pi e^x \sin x \, dx$

대표 Q9 풀이

(1) $f(x) = \ln x$, $g'(x) = 1$이라 하면

$f'(x) = \dfrac{1}{x}$, $g(x) = x$이므로

$\displaystyle\int_1^e \ln x \, dx = \Big[x \ln x \Big]_1^e - \int_1^e 1 \, dx = e - \Big[x \Big]_1^e$

$\qquad\qquad = e - (e-1) = \mathbf{1}$

(2) $f(x) = x$, $g'(x) = e^{2x-1}$이라 하면

$f'(x) = 1$, $g(x) = \dfrac{1}{2} e^{2x-1}$이므로

$\displaystyle\int_0^1 x e^{2x-1} \, dx = \Big[\dfrac{1}{2} x e^{2x-1} \Big]_0^1 - \int_0^1 \dfrac{1}{2} e^{2x-1} \, dx$

$\qquad\qquad = \dfrac{1}{2} e - \Big[\dfrac{1}{4} e^{2x-1} \Big]_0^1$

$\qquad\qquad = \dfrac{1}{2} e - \Big(\dfrac{1}{4} e - \dfrac{1}{4} e^{-1} \Big) = \dfrac{\mathbf{1}}{\mathbf{4}} \Big(\mathbf{e} + \dfrac{\mathbf{1}}{\mathbf{e}} \Big)$

(3) $f(x) = e^x$, $g'(x) = \sin x$라 하면

$f'(x) = e^x$, $g(x) = -\cos x$이므로

$\displaystyle\int_0^\pi e^x \sin x \, dx$

$= \Big[e^x (-\cos x) \Big]_0^\pi - \int_0^\pi e^x (-\cos x) \, dx$

$= e^\pi + 1 + \displaystyle\int_0^\pi e^x \cos x \, dx \qquad \cdots \, \text{㉠}$

$\displaystyle\int_0^\pi e^x \cos x \, dx$에서

$u(x) = e^x$, $v'(x) = \cos x$라 하면

$u'(x) = e^x$, $v(x) = \sin x$이므로

$\displaystyle\int_0^\pi e^x \cos x \, dx = \Big[e^x \sin x \Big]_0^\pi - \int_0^\pi e^x \sin x \, dx$

$\qquad\qquad = 0 - \displaystyle\int_0^\pi e^x \sin x \, dx$

㉠에 대입하면

$\displaystyle\int_0^\pi e^x \sin x \, dx = e^\pi + 1 - \int_0^\pi e^x \sin x \, dx$

$\therefore \displaystyle\int_0^\pi e^x \sin x \, dx = \dfrac{\mathbf{e^\pi + 1}}{\mathbf{2}}$

9-1 나의 풀이

9-2 나의 풀이

Q10 정적분 함수와 치환, 부분적분

함수 $f(x)=\ln(x+1)$에 대하여

$$F(x)=\int_0^x t\,f(x-t)\,dt \ (x>0)$$

라 할 때, $F'(e-1)$의 값을 구하시오.

날선 Q10 풀이

$F(x)=\int_0^x t\,f(x-t)\,dt$에서 $x-t=y$라 하면

$\dfrac{dy}{dt}=-1,\ dt=-dy,\ t=x-y$이고

$t=0$일 때 $y=x$, $t=x$일 때 $y=0$이므로

$F(x)=\int_0^x t\,f(x-t)\,dt=\int_x^0 (x-y)f(y)\times(-1)\,dy$

$\quad=\int_0^x (x-y)f(y)\,dy$

$\quad=x\int_0^x f(y)\,dy-\int_0^x y\,f(y)\,dy$

$\therefore\ F'(x)=\int_0^x f(y)\,dy+xf(x)-xf(x)$

$\quad=\int_0^x f(y)\,dy$

$\quad=\int_0^x \ln(y+1)\,dy$

$u(y)=\ln(y+1),\ v'(y)=1$이라 하면

$u'(y)=\dfrac{1}{y+1},\ v(y)=y$이므로

$\int_0^x \ln(y+1)\,dy=\Big[y\ln(y+1)\Big]_0^x-\int_0^x \dfrac{y}{y+1}\,dy$

$\quad=x\ln(x+1)-\int_0^x\Big(1-\dfrac{1}{y+1}\Big)dy$

$\quad=x\ln(x+1)-\Big[y-\ln|y+1|\Big]_0^x$

$\quad=x\ln(x+1)-x+\ln|x+1|$

$\quad=(x+1)\ln(x+1)-x$

$\therefore\ F'(e-1)=e-(e-1)=\mathbf{1}$

나만의 Note

10-1 나의 풀이

10-2 나의 풀이

❯ 본책 200쪽

대표 Q1 급수와 정적분

다음 급수의 합을 구하시오.

(1) $\displaystyle\lim_{n\to\infty}\sum_{k=1}^{n}\frac{(n+k)^3}{n^4}$

(2) $\displaystyle\lim_{n\to\infty}\frac{1}{n}\sum_{k=1}^{n}\left(1-\sqrt{\frac{2k}{n}}\right)$

(3) $\displaystyle\lim_{n\to\infty}\left(\frac{1}{n+1}+\frac{1}{n+2}+\frac{1}{n+3}+\cdots+\frac{1}{n+n}\right)$

대표 Q1 풀이

(1) $\displaystyle\lim_{n\to\infty}\sum_{k=1}^{n}\frac{(n+k)^3}{n^4}=\lim_{n\to\infty}\sum_{k=1}^{n}\frac{1}{n}\left(1+\frac{k}{n}\right)^3$

에서 $f(x)=x^3$이고 $a=1$, $b=2$이므로

$\displaystyle\int_{1}^{2}x^3\,dx=\left[\frac{1}{4}x^4\right]_{1}^{2}=\boldsymbol{\frac{15}{4}}$

(2) $\displaystyle\lim_{n\to\infty}\frac{1}{n}\sum_{k=1}^{n}\left(1-\sqrt{\frac{2k}{n}}\right)=\frac{1}{2}\lim_{n\to\infty}\sum_{k=1}^{n}\frac{2}{n}\left(1-\sqrt{\frac{2k}{n}}\right)$

에서 $f(x)=1-\sqrt{x}$이고 $a=0$, $b=2$이므로

$\displaystyle\frac{1}{2}\int_{0}^{2}(1-\sqrt{x})\,dx=\frac{1}{2}\left[x-\frac{2}{3}x\sqrt{x}\right]_{0}^{2}$

$\displaystyle\qquad\qquad=\boldsymbol{1-\frac{2\sqrt{2}}{3}}$

(3) $\displaystyle\lim_{n\to\infty}\left(\frac{1}{n+1}+\frac{1}{n+2}+\cdots+\frac{1}{n+n}\right)$

$\displaystyle=\lim_{n\to\infty}\sum_{k=1}^{n}\frac{1}{n+k}=\lim_{n\to\infty}\sum_{k=1}^{n}\frac{1}{1+\frac{k}{n}}\times\frac{1}{n}$

에서 $f(x)=\dfrac{1}{x}$이고 $a=1$, $b=2$이므로

$\displaystyle\int_{1}^{2}\frac{1}{x}\,dx=\Big[\ln x\Big]_{1}^{2}=\boldsymbol{\ln 2}$

😊 **나만의 Note**

1-1 나의 풀이

Q2 도형에서 급수와 정적분의 활용

구간 $[1, 2]$를 n등분한 점과 양 끝 점을

$$1=x_0, x_1, x_2, \cdots, x_n=2$$

라 하자. 함수 $f(x)=e^x$에 대하여 세 점 $(0, 0)$, $(x_k, 0)$, $(x_k, f(x_k))$가 꼭짓점인 삼각형의 넓이를 S_k 라 할 때, $\displaystyle\lim_{n\to\infty}\frac{1}{n}\sum_{k=1}^{n}S_k$의 값을 구하시오.

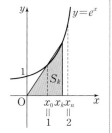

대표 Q2 풀이

$x_k=1+\dfrac{k}{n}$이므로 $S_k=\dfrac{1}{2}x_k f(x_k)=\dfrac{1}{2}\left(1+\dfrac{k}{n}\right)e^{1+\frac{k}{n}}$

$\therefore \displaystyle\lim_{n\to\infty}\frac{1}{n}\sum_{k=1}^{n}S_k=\frac{1}{2}\lim_{n\to\infty}\sum_{k=1}^{n}\left(1+\frac{k}{n}\right)e^{1+\frac{k}{n}}\frac{1}{n}$

$f(x)=xe^x$이고 $a=1$, $b=2$이므로

$$\lim_{n\to\infty}\frac{1}{n}\sum_{k=1}^{n}S_k=\frac{1}{2}\int_{1}^{2}xe^x\,dx$$

$$=\frac{1}{2}\left(\left[xe^x\right]_1^2-\int_1^2 e^x\,dx\right)$$

$$=\frac{1}{2}\{(2e^2-e)-(e^2-e)\}=\frac{1}{2}e^2$$

🙂 나만의 Note

2-1 나의 풀이

Q3 곡선과 x축으로 둘러싸인 부분의 넓이

다음 곡선과 직선으로 둘러싸인 부분의 넓이를 구하시오.

(1) $y=\sin x\ (0\le x\le 2\pi)$, x축

(2) $y=\dfrac{2-x}{1+x}$, x축, y축, $x=4$

(3) $y=\dfrac{\ln x}{x}$, x축, $x=\dfrac{1}{e}$, $x=e$

대표 Q3 풀이

(1)

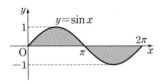

$0<x<\pi$일 때 $\sin x>0$,

$\pi<x<2\pi$일 때 $\sin x<0$

따라서 둘러싸인 부분의 넓이는

$$\int_0^{2\pi}|\sin x|\,dx=\int_0^{\pi}\sin x\,dx+\int_{\pi}^{2\pi}(-\sin x)\,dx$$
$$=\Big[-\cos x\Big]_0^{\pi}+\Big[\cos x\Big]_{\pi}^{2\pi}=2+2=\mathbf{4}$$

(2) $y=\dfrac{2-x}{1+x}=-1+\dfrac{3}{x+1}$

$y=0$일 때 $x=2$이고,

$x<2$일 때 $y>0$,

$x>2$일 때 $y<0$

따라서 둘러싸인 부분의 넓이는

$$\int_0^4\left|\frac{2-x}{1+x}\right|dx$$
$$=\int_0^2\left(-1+\frac{3}{x+1}\right)dx+\int_2^4\left(1-\frac{3}{x+1}\right)dx$$
$$=\Big[-x+3\ln|x+1|\Big]_0^2+\Big[x-3\ln|x+1|\Big]_2^4$$
$$=(-2+3\ln 3)+(2-3\ln 5+3\ln 3)=\mathbf{3\ln\frac{9}{5}}$$

(3) $y=0$일 때 $x=1$이고,

$0<x<1$일 때 $y<0$,

$x>1$일 때 $y>0$

따라서 둘러싸인 부분의 넓이는

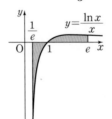

$$\int_{\frac{1}{e}}^{e}\left|\frac{\ln x}{x}\right|dx$$
$$=\int_{\frac{1}{e}}^{1}\left(-\frac{\ln x}{x}\right)dx+\int_1^e\frac{\ln x}{x}dx$$

$\ln x=t$라 하면 $\dfrac{dt}{dx}=\dfrac{1}{x}$이고

$x=\dfrac{1}{e}$일 때 $t=-1$, $x=1$일 때 $t=0$,

$x=e$일 때 $t=1$이므로

$$\int_{-1}^{0}(-t)\,dt+\int_0^1 t\,dt$$
$$=\Big[-\frac{1}{2}t^2\Big]_{-1}^{0}+\Big[\frac{1}{2}t^2\Big]_0^1=\frac{1}{2}+\frac{1}{2}=\mathbf{1}$$

3-1 나의 풀이

Q4 두 곡선으로 둘러싸인 부분의 넓이

다음 곡선과 직선 또는 곡선과 곡선으로 둘러싸인
부분의 넓이를 구하시오.

(1) $y=2\sqrt{x-1}$, $y=x$, x축

(2) $y=e^x$, $y=e^{-x}$, $x=-1$, $x=1$

(3) $y=\sin x$, $y=\cos x$, $x=0$, $x=\pi$

대표 Q4 풀이

(1) $2\sqrt{x-1}=x$에서

$4(x-1)=x^2$

$\therefore x=2$

따라서 둘러싸인 부분의
넓이는

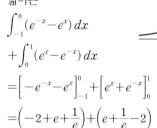

$\displaystyle\int_0^2 x\,dx - \int_1^2 2\sqrt{x-1}\,dx$

$=\left[\dfrac{1}{2}x^2\right]_0^2 - \left[\dfrac{4}{3}(x-1)\sqrt{x-1}\right]_1^2 = 2 - \dfrac{4}{3} = \boldsymbol{\dfrac{2}{3}}$

(2) $-1\le x<0$일 때 $e^{-x}>e^x$,

$0<x\le 1$일 때 $e^x>e^{-x}$

따라서 둘러싸인 부분의
넓이는

$\displaystyle\int_{-1}^0 (e^{-x}-e^x)\,dx$

$+\displaystyle\int_0^1 (e^x-e^{-x})\,dx$

$=\left[-e^{-x}-e^x\right]_{-1}^0 + \left[e^x+e^{-x}\right]_0^1$

$=\left(-2+e+\dfrac{1}{e}\right)+\left(e+\dfrac{1}{e}-2\right)$

$=\boldsymbol{2\left(e+\dfrac{1}{e}-2\right)}$

(3) $\sin x=\cos x$에서

$0\le x\le\pi$이므로 $x=\dfrac{\pi}{4}$

따라서 둘러싸인 부분의
넓이는

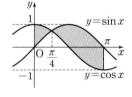

$\displaystyle\int_0^{\frac{\pi}{4}} (\cos x-\sin x)\,dx$

$+\displaystyle\int_{\frac{\pi}{4}}^{\pi} (\sin x-\cos x)\,dx$

$=\left[\sin x+\cos x\right]_0^{\frac{\pi}{4}} + \left[-\cos x-\sin x\right]_{\frac{\pi}{4}}^{\pi}$

$=(\sqrt{2}-1)+(1+\sqrt{2})=\boldsymbol{2\sqrt{2}}$

4-1 나의 풀이

4-2 나의 풀이

Q5 곡선과 y축으로 둘러싸인 부분의 넓이

다음 곡선과 직선으로 둘러싸인 부분의 넓이를 구하시오.

(1) $y=\ln x$, y축, $y=-1$, $y=1$

(2) $y=x^2+1$, $y=x$, $y=2$, $y=5$

대표 Q5 풀이

(1) $y=\ln x$에서 $x=e^y$이므로
둘러싸인 부분의 넓이는

$$\int_{-1}^{1} e^y\,dy=\left[e^y\right]_{-1}^{1}=e-\dfrac{1}{e}$$

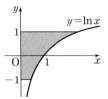

(2) $y=x^2+1$에서
$x=\sqrt{y-1}$ $(\because x\ge0)$
$2\le y\le5$일 때 $y\ge\sqrt{y-1}$이
므로 둘러싸인 부분의 넓이는

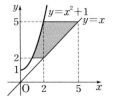

$$\int_{2}^{5}\{y-\sqrt{y-1}\}\,dy$$

$$=\left[\dfrac{1}{2}y^2-\dfrac{2}{3}(y-1)\sqrt{y-1}\right]_{2}^{5}$$

$$=\dfrac{35}{6}$$

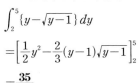 **나만의 Note**

5-1 나의 풀이

❯ 본책 207쪽

대표 Q6 넓이가 같은 부분을 생각하는 문제

함수 $f(x)=x\sin x\left(0\leq x\leq\dfrac{\pi}{2}\right)$의 역함수를 $g(x)$라 할 때, 다음 물음에 답하시오.

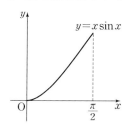

(1) 곡선 $y=f(x)$와 직선 $x=k\left(0\leq k\leq\dfrac{\pi}{2}\right)$, $y=\dfrac{\pi}{2}$, x축으로 둘러싸인 두 부분의 넓이가 같을 때, k의 값을 구하시오.

(2) $\displaystyle\int_0^{\frac{\pi}{2}}g(x)\,dx$의 값을 구하시오.

대표 Q6 풀이

(1) 그림에서 ㈎, ㈏ 두 부분의 넓이가 같다.

㈎와 ㈐의 넓이의 합은

$$\int_0^{\frac{\pi}{2}}x\sin x\,dx$$
$$=\Big[-x\cos x\Big]_0^{\frac{\pi}{2}}$$
$$+\int_0^{\frac{\pi}{2}}\cos x\,dx=\Big[\sin x\Big]_0^{\frac{\pi}{2}}=1$$

㈏와 ㈐의 넓이의 합은 직사각형의 넓이이므로

$$\frac{\pi}{2}\left(\frac{\pi}{2}-k\right)$$

㈎와 ㈐의 넓이의 합과 ㈏와 ㈐의 넓이의 합이 같으므로

$$1=\frac{\pi}{2}\left(\frac{\pi}{2}-k\right)\qquad\therefore k=\frac{\pi}{2}-\frac{2}{\pi}$$

(2)

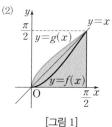
[그림 1]

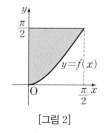
[그림 2]

$\displaystyle\int_0^{\frac{\pi}{2}}g(x)\,dx$의 값은 [그림 1]에서 색칠한 부분의 넓이이고, 곡선 $y=f(x)$와 $y=g(x)$가 직선 $y=x$에 대칭이므로 [그림 2]에서 색칠한 부분의 넓이와 같다.

$$\therefore \int_0^{\frac{\pi}{2}}g(x)\,dx=\frac{\pi^2}{4}-\int_0^{\frac{\pi}{2}}x\sin x\,dx$$
$$=\frac{\pi^2}{4}-1$$

6-1 나의 풀이

6-2 나의 풀이

Q7 오목, 볼록과 넓이

$f(x)$는 두 번 미분가능한 함수이고, $f(0)=1$, $f(1)=2$이다. $0<x<1$에서 $f'(x)>0$, $f''(x)>0$일 때, 다음 명제의 참, 거짓을 판별하시오.

(1) 구간 $(0,\ 1)$에서 곡선 $y=\{f(x)\}^2$은 아래로 볼록하다.

(2) $\displaystyle\int_0^1 \{f(x)+f(1-x)\}\,dx<3$

(3) $\dfrac{1}{n}\displaystyle\sum_{k=1}^{n}\left\{f\!\left(\dfrac{k-1}{n}\right)+f\!\left(\dfrac{k}{n}\right)\right\}<2\displaystyle\int_0^1 f(x)\,dx$

날선 Q7 풀이

(1) $y=\{f(x)\}^2$에서

$y'=2f(x)f'(x)$,

$y''=2f'(x)f'(x)+2f(x)f''(x)$

$f'(x)>0$이므로 $f'(x)f'(x)=\{f'(x)\}^2>0$

또 $f'(x)>0$에서 $f(x)$는 증가하고 $f(0)=1$이므로 $f(x)>1$이다.

따라서 $f(x)f''(x)>0$이므로 $y''>0$이다.

곧, 구간 $(0,\ 1)$에서 곡선 $y=\{f(x)\}^2$은 아래로 볼록하다. (**참**)

(2) $\displaystyle\int_0^1 f(1-x)\,dx$에서 $1-x=t$라 하면 $\dfrac{dt}{dx}=-1$

$\displaystyle\int_0^1 f(1-x)\,dx=\int_1^0 f(t)(-dt)=\int_0^1 f(t)\,dt$이므로

$\displaystyle\int_0^1 \{f(x)+f(1-x)\}\,dx=2\int_0^1 f(x)\,dx$

$y=f(x)$의 그래프는 그림과 같고 $\displaystyle\int_0^1 f(x)\,dx$는 색칠한 부분의 넓이이다.

또 사다리꼴 OABC의 넓이는 $\dfrac{3}{2}$이므로

$\displaystyle\int_0^1 f(x)\,dx<\dfrac{3}{2}$ $\quad\therefore 2\int_0^1 f(x)\,dx<3$ (**참**)

(3) 구간 $[0,\ 1]$을 n등분한 점과 양 끝 점을

$0=x_0,\ x_1,\ \cdots,\ x_n=1$이라 하자.

$x_k=\dfrac{k}{n}$이므로 그림에서 사다

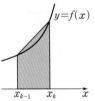

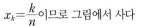

리꼴의 넓이는

$\dfrac{f(x_{k-1})+f(x_k)}{2}\times\dfrac{1}{n}$

사다리꼴의 넓이의 합은 정적분의 값보다 크므로

$\displaystyle\sum_{k=1}^{n}\left\{\dfrac{f(x_{k-1})+f(x_k)}{2}\times\dfrac{1}{n}\right\}>\int_0^1 f(x)\,dx$

$\therefore \dfrac{1}{n}\displaystyle\sum_{k=1}^{n}\left\{f\!\left(\dfrac{k-1}{n}\right)+f\!\left(\dfrac{k}{n}\right)\right\}>2\int_0^1 f(x)\,dx$ (**거짓**)

7-1 나의 풀이

Q1 밑면과 평행한 단면이 주어진 입체도형의 부피

어떤 용기에 깊이가 x cm가 되도록 물을 넣으면 수면은 한 변의 길이가 $\sqrt{x+4}$ cm인 정사각형이다. 다음 물음에 답하시오.

(1) 물의 깊이가 6 cm일 때, 용기에 들어 있는 물의 양을 구하시오.

(2) 용기에 24 cm³의 물을 넣을 때, 수면의 넓이를 구하시오.

대표 Q1 풀이

(1) 물의 깊이가 x cm일 때, 수면의 넓이 $S(x)$는
$$S(x)=x+4\,(\mathrm{cm}^2)$$
이므로 깊이가 6 cm일 때 물의 양은
$$\int_0^6 S(x)\,dx=\int_0^6 (x+4)\,dx=\left[\frac{1}{2}x^2+4x\right]_0^6$$
$$=42\,(\mathrm{cm}^3)$$

(2) 용기에 24 cm³의 물을 넣을 때, 물의 깊이를 h cm라 하면
$$24=\int_0^h (x+4)\,dx=\left[\frac{1}{2}x^2+4x\right]_0^h=\frac{1}{2}h^2+4h$$
$$h^2+8h-48=0,\ (h-4)(h+12)=0$$
$h>0$이므로 $h=4$
따라서 수면의 넓이는 $(\sqrt{4+4})^2=8\,(\mathrm{cm}^2)$

나만의 Note

1-1 나의 풀이

1-2 나의 풀이

대표 Q2 밑면과 수직인 단면이 주어진 입체도형의 부피

그림과 같이 반지름의 길이가 2인 원의 한 지름을 $\overline{AB}$라 하자. 지름 AB에 수직인 현이 한 변이고 지름 AB에 수직인 정삼각형이 점 A에서 점 B까지 움직일 때 생기는 입체도형의 부피를 구하시오.

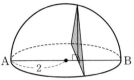

대표 Q2 풀이

그림과 같이 지름 AB를 포함하는 직선을 x축, 원의 중심을 O라 하면 원의 반지름의 길이가 2이므로 $A(-2, 0)$, $B(2, 0)$이다.

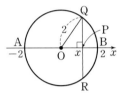

지름 AB 위의 점 $P(x, 0)$을 지나고, 지름 AB에 수직인 현 QR를 그으면

$$\overline{QR} = 2\overline{PQ} = 2\sqrt{2^2 - x^2}$$

따라서 정삼각형의 넓이 $S(x)$는

$$S(x) = \frac{\sqrt{3}}{4}\overline{QR}^2 = \sqrt{3}(4 - x^2)$$

따라서 입체도형의 부피는

$$\int_{-2}^{2} S(x)\,dx = \int_{-2}^{2} \sqrt{3}(4 - x^2)\,dx$$
$$= 2\sqrt{3}\int_{0}^{2}(4 - x^2)\,dx$$
$$= 2\sqrt{3}\left[4x - \frac{1}{3}x^3\right]_{0}^{2} = \frac{32\sqrt{3}}{3}$$

😊 **나만의 Note**

2-1 나의 풀이

2-2 나의 풀이

대표 Q3 수직선 위에서 점의 위치와 움직인 거리

점 P는 원점을 출발하여 수직선 위를 움직인다. 시각 t에서 P의 속도가 $v(t)=(t-2)e^t$일 때, 다음을 구하시오.

(1) 시각 $t=1$에서 $t=3$까지 P의 위치 변화량

(2) 시각 $t=1$에서 $t=3$까지 P가 움직인 거리

(3) 가속도가 0인 순간 P의 위치

(4) $0 \le t \le 3$에서 P가 원점에서 가장 멀어지는 순간 P의 위치

대표 Q3 풀이

(1) $\displaystyle \int (t-2)e^t\,dt = (t-2)e^t - \int e^t\,dt = (t-3)e^t + C$

이므로

$$\int_1^3 v(t)\,dt = \Big[(t-3)e^t\Big]_1^3$$
$$=2e$$

(2) $t<2$일 때 $v(t)<0$이고, $t>2$일 때 $v(t)>0$이므로

$\displaystyle \int_1^3 |v(t)|\,dt$

$= \displaystyle \int_1^2 \{-(t-2)e^t\}\,dt + \int_2^3 (t-2)e^t\,dt$

$= \Big[-(t-3)e^t\Big]_1^2 + \Big[(t-3)e^t\Big]_2^3$

$= (e^2-2e) + e^2$

$= 2e^2 - 2e$

(3) $a(t) = v'(t) = e^t + (t-2)e^t = (t-1)e^t$

이고 $e^t>0$이므로 $a(t)=0$이면 $t=1$

따라서 P의 위치는

$$\int_0^1 v(t)\,dt = \int_0^1 (t-2)e^t\,dt$$
$$= \Big[(t-3)e^t\Big]_0^1$$
$$= 3-2e$$

(4) P의 시각 t에서 위치를 $x(t)$라 하면

$$x(t) = 0 + \int_0^t v(t)\,dt$$
$$= \Big[(t-3)e^t\Big]_0^t$$
$$= (t-3)e^t + 3$$

$t<2$일 때 $v(t)<0$이고, $t>2$일 때 $v(t)>0$이므로 $x(t)$와 $|x(t)|$의 그래프는 그림과 같다.

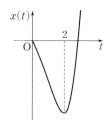
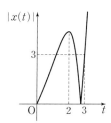

따라서 $t=2$일 때 원점에서 가장 멀어지고 그때의 P의 위치는

$$\int_0^2 v(t)\,dt = \Big[(t-3)e^t\Big]_0^2 = 3-e^2$$

3-1 나의 풀이

대표 Q4 평면 위에서 점이 움직인 거리

점 P는 좌표평면 위를 움직이고 시각 t $(0 \leq t \leq 2\pi)$ 에서 위치 (x, y)가

$$x = t - \sin t, \qquad y = 1 - \cos t$$

이다. 다음을 구하시오.

(1) 시각 $t=0$에서 $t=2\pi$까지 P가 움직인 거리

(2) 시각 $t=0$에서 P의 속력이 최대가 될 때까지 P가 움직인 거리

대표 Q4 풀이

(1) $\dfrac{dx}{dt} = 1 - \cos t$, $\dfrac{dy}{dt} = \sin t$이므로 움직인 거리는

$$\int_0^{2\pi} \sqrt{(1-\cos t)^2 + (\sin t)^2}\, dt$$

$$= \int_0^{2\pi} \sqrt{2(1-\cos t)}\, dt$$

$1 - \cos t = 1 - \left(1 - 2\sin^2 \dfrac{t}{2}\right) = 2\sin^2 \dfrac{t}{2}$이고

$0 \leq t \leq 2\pi$일 때 $\sin \dfrac{t}{2} \geq 0$이므로

$$\int_0^{2\pi} \sqrt{2(1-\cos t)}\, dt = \int_0^{2\pi} \sqrt{4\sin^2 \dfrac{t}{2}}\, dt$$

$$= \int_0^{2\pi} 2\sin \dfrac{t}{2}\, dt$$

$$= \left[-4\cos \dfrac{t}{2}\right]_0^{2\pi}$$

$$= 8$$

(2) 속력은 $\sqrt{(1-\cos t)^2 + (\sin t)^2} = \sqrt{2(1-\cos t)}$

이므로 $t = \pi$일 때 속력이 최대이다.

$0 \leq t \leq \pi$일 때 $\sin \dfrac{t}{2} \geq 0$이므로

$t=0$에서 $t=\pi$까지 움직인 거리는

$$\int_0^{\pi} \sqrt{(1-\cos t)^2 + (\sin t)^2}\, dt$$

$$= \int_0^{\pi} \sqrt{2(1-\cos t)}\, dt$$

$$= \int_0^{\pi} \sqrt{4\sin^2 \dfrac{t}{2}}\, dt$$

$$= \int_0^{\pi} 2\sin \dfrac{t}{2}\, dt$$

$$= \left[-4\cos \dfrac{t}{2}\right]_0^{\pi}$$

$$= 4$$

4-1 나의 풀이

 **Q5** 곡선의 길이

다음 곡선의 길이를 구하시오.

(1) $y=\dfrac{e^x+e^{-x}}{2}\ (-1\le x\le 1)$

(2) $x^{\frac{2}{3}}+y^{\frac{2}{3}}=1\ (x\ge 0,\ y\ge 0)$

대표 Q5 풀이

(1) $\dfrac{dy}{dx}=\dfrac{e^x-e^{-x}}{2}$ 에서

$$1+\left(\dfrac{dy}{dx}\right)^2=1+\left(\dfrac{e^x-e^{-x}}{2}\right)^2$$
$$=\dfrac{e^{2x}+2+e^{-2x}}{4}$$
$$=\left(\dfrac{e^x+e^{-x}}{2}\right)^2$$

$\dfrac{e^x+e^{-x}}{2}>0$ 이므로

$$\sqrt{1+\left(\dfrac{dy}{dx}\right)^2}=\dfrac{e^x+e^{-x}}{2}$$

따라서 곡선의 길이는

$$\int_{-1}^{1}\dfrac{e^x+e^{-x}}{2}\,dx=\left[\dfrac{e^x-e^{-x}}{2}\right]_{-1}^{1}=\boldsymbol{e-\dfrac{1}{e}}$$

(2) $x\ge 0,\ y\ge 0$ 이므로 $0\le x\le 1$

$x^{\frac{2}{3}}+y^{\frac{2}{3}}=1$ 을 x에 대하여 미분하면

$$\dfrac{2}{3}x^{-\frac{1}{3}}+\dfrac{2}{3}y^{-\frac{1}{3}}\dfrac{dy}{dx}=0$$

$$\dfrac{dy}{dx}=-\dfrac{x^{-\frac{1}{3}}}{y^{-\frac{1}{3}}}=-\dfrac{y^{\frac{1}{3}}}{x^{\frac{1}{3}}}\ (x\ne 0)$$

$$\therefore\ 1+\left(\dfrac{dy}{dx}\right)^2=1+\dfrac{y^{\frac{2}{3}}}{x^{\frac{2}{3}}}=\dfrac{x^{\frac{2}{3}}+y^{\frac{2}{3}}}{x^{\frac{2}{3}}}=x^{-\frac{2}{3}}$$

따라서 곡선의 길이는

$$\int_{0}^{1}\sqrt{x^{-\frac{2}{3}}}\,dx=\int_{0}^{1}x^{-\frac{1}{3}}\,dx$$
$$=\left[\dfrac{3}{2}x^{\frac{2}{3}}\right]_{0}^{1}=\boldsymbol{\dfrac{3}{2}}$$

나만의 Note

5-1 나의 풀이

5-2 나의 풀이

문제를 푸는 건 내가 무엇을 알고 무엇을 모르는지 확인하는 단계입니다.

문제를 다 풀고 정답만 채점한 후에 책을 덮어버리면 성적이 절대 오르지 않아요.

확실히 맞은 문제, 잘 못 이해해서 틀린 문제, 풀이 과정을 몰라서 틀린 문제를 구분하여 표시해 두고,

틀린 문제는 나의 오답 Note 를 이용하여 틀린 이유와 내가 몰랐던 개념을 정리해 두세요.

"나의 오답 Note 는 이렇게 작성하세요."

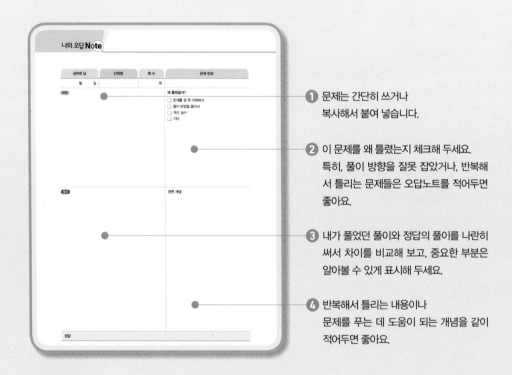

1 문제는 간단히 쓰거나 복사해서 붙여 넣습니다.

2 이 문제를 왜 틀렸는지 체크해 두세요. 특히, 풀이 방향을 잘못 잡았거나, 반복해서 틀리는 문제들은 오답노트를 적어두면 좋아요.

3 내가 풀었던 풀이와 정답의 풀이를 나란히 써서 차이를 비교해 보고, 중요한 부분은 알아볼 수 있게 표시해 두세요.

4 반복해서 틀리는 내용이나 문제를 푸는 데 도움이 되는 개념을 같이 적어두면 좋아요.

마지막으로!

오답노트를 만들기만 하고 다시 보지 않으면 아무 의미가 없어요!

다시 문제를 정확히 맞을 때까지 반복해서 풀어 보세요.

나의 오답 Note 한글파일은 동아출판 홈페이지 (http://www.bookdonga.com)에서 다운로드 받을 수 있습니다.

학습자료

공부한 날	단원명	쪽 수	문제 번호
월 일		쪽	

문제

왜 틀렸을까?

☐ 문제를 잘 못 이해해서
☐ 풀이 방법을 몰라서
☐ 계산 실수
☐ 기타

풀이

관련 개념

정답

공부한 날	단원명	쪽 수	문제 번호
월 일		쪽	

문제

왜 틀렸을까?

- ☐ 문제를 잘 못 이해해서
- ☐ 풀이 방법을 몰라서
- ☐ 계산 실수
- ☐ 기타

풀이

관련 개념

정답

공부한 날	단원명	쪽 수	문제 번호
월 일		쪽	

문제

왜 틀렸을까?

☐ 문제를 잘 못 이해해서
☐ 풀이 방법을 몰라서
☐ 계산 실수
☐ 기타

풀이

관련 개념

정답

공부한 날	단원명	쪽 수	문제 번호
월 일		쪽	

문제

왜 틀렸을까?

☐ 문제를 잘 못 이해해서
☐ 풀이 방법을 몰라서
☐ 계산 실수
☐ 기타

풀이

관련 개념

정답

1 수열의 극한

개념 Check

1

(1) n의 값이 커지면 $(-1)^{n-1} \times \dfrac{1}{n}$의 값은 양수와 음수가 반복되지만 절댓값이 한없이 작아지므로 0에 수렴한다.

(2) n의 값이 커지면 n^2의 값은 한없이 커진다.
따라서 ∞로 발산한다.

🔲 (1) 0 (수렴)　(2) ∞로 발산

2

(1) $n \longrightarrow \infty$이면 $\dfrac{1}{n^2} \longrightarrow 0$

(2) $n \longrightarrow \infty$이면 $\dfrac{2}{n+1} \longrightarrow 0$이므로

$n \longrightarrow \infty$이면 $1 - \dfrac{2}{n+1} \longrightarrow 1$

(3) $\dfrac{2n+3}{n} = 2 + \dfrac{3}{n}$이고 $n \longrightarrow \infty$이면 $\dfrac{3}{n} \longrightarrow 0$이므로

$n \longrightarrow \infty$이면 $2 + \dfrac{3}{n} \longrightarrow 2$

(4) $n \longrightarrow \infty$이면 $\dfrac{1}{2^n} \longrightarrow 0$

🔲 (1) 0　(2) 1　(3) 2　(4) 0

3

(1) $\displaystyle\lim_{n \to \infty} (4a_n + 5) = 4 \lim_{n \to \infty} a_n + \lim_{n \to \infty} 5$
$= 4 \times (-2) + 5 = -3$

(2) $\displaystyle\lim_{n \to \infty} (a_n - 2b_n) = \lim_{n \to \infty} a_n - 2 \lim_{n \to \infty} b_n$
$= (-2) - 2 \times 4 = -10$

(3) $\displaystyle\lim_{n \to \infty} a_n b_n = \lim_{n \to \infty} a_n \times \lim_{n \to \infty} b_n$
$= (-2) \times 4 = -8$

(4) $\displaystyle\lim_{n \to \infty} \dfrac{a_n^2}{b_n} = \dfrac{\displaystyle\lim_{n \to \infty} a_n \times \lim_{n \to \infty} a_n}{\displaystyle\lim_{n \to \infty} b_n}$
$= \dfrac{(-2) \times (-2)}{4} = 1$

🔲 (1) -3　(2) -10　(3) -8　(4) 1

대표Q

대표 01

(1) 분모, 분자를 n^2으로 각각 나누면

$$\lim_{n \to \infty} \dfrac{n^2 + 2n}{3n^2 + 1} = \lim_{n \to \infty} \dfrac{1 + \dfrac{2}{n}}{3 + \dfrac{1}{n^2}} = \dfrac{1}{3}$$

(2) 분모, 분자를 n^3으로 각각 나누면

$$\lim_{n \to \infty} \dfrac{n^2 - 2n}{n^3 + n + 1} = \lim_{n \to \infty} \dfrac{\dfrac{1}{n} - \dfrac{2}{n^2}}{1 + \dfrac{1}{n^2} + \dfrac{1}{n^3}} = 0$$

(3) 분모를 전개하면 $\displaystyle\lim_{n \to \infty} \dfrac{n^5 + 1}{n^4 - 3n^2}$이고,

분모, 분자를 n^4으로 각각 나누면

$$\lim_{n \to \infty} \dfrac{n + \dfrac{1}{n^4}}{1 - \dfrac{3}{n^2}} = \infty$$

(4) 분모, 분자를 n으로 각각 나누면

$$\lim_{n \to \infty} \dfrac{\sqrt{n^2 - n} + n}{n + 1} = \lim_{n \to \infty} \dfrac{\sqrt{1 - \dfrac{1}{n}} + 1}{1 + \dfrac{1}{n}} = \dfrac{1 + 1}{1} = 2$$

🔲 (1) $\dfrac{1}{3}$　(2) 0　(3) ∞로 발산　(4) 2

1-1

(1) $\displaystyle\lim_{n \to \infty} \dfrac{(n-1)(2n+3)}{(n+1)^2} = \lim_{n \to \infty} \dfrac{2n^2 + n - 3}{n^2 + 2n + 1}$

분모, 분자를 n^2으로 각각 나누면

$$\lim_{n \to \infty} \dfrac{2 + \dfrac{1}{n} - \dfrac{3}{n^2}}{1 + \dfrac{2}{n} + \dfrac{1}{n^2}} = 2$$

(2) $\displaystyle\lim_{n \to \infty} \dfrac{2n^2 + 2}{(n-1)(n^2 + n + 1)} = \lim_{n \to \infty} \dfrac{2n^2 + 2}{n^3 - 1}$

분모, 분자를 n^3으로 각각 나누면

$$\lim_{n \to \infty} \dfrac{\dfrac{2}{n} + \dfrac{2}{n^3}}{1 - \dfrac{1}{n^3}} = 0$$

(3) 분모, 분자를 n^2으로 각각 나누면

$$\lim_{n \to \infty} \dfrac{n^4 - 4n^2 + 1}{n^2 + 2n + 2} = \lim_{n \to \infty} \dfrac{n^2 - 4 + \dfrac{1}{n^2}}{1 + \dfrac{2}{n} + \dfrac{2}{n^2}} = \infty$$

(4) 분모, 분자를 n으로 각각 나누면

$$\lim_{n \to \infty} \frac{3n-2}{n+\sqrt{n+1}} = \lim_{n \to \infty} \frac{3-\dfrac{2}{n}}{1+\sqrt{\dfrac{1}{n}+\dfrac{1}{n^2}}} = 3$$

🅐 (1) 2 (2) 0 (3) ∞로 발산 (4) 3

1-2

$$1+2+3+\cdots+n = \sum_{k=1}^{n} k$$
$$= \frac{n(n+1)}{2} = \frac{n^2+n}{2}$$

이므로

$$\lim_{n \to \infty} \frac{1+2+3+\cdots+n}{n^2} = \lim_{n \to \infty} \frac{n^2+n}{2n^2}$$
$$= \lim_{n \to \infty} \frac{1+\dfrac{1}{n}}{2} = \frac{1}{2}$$

🅐 $\dfrac{1}{2}$

대표 02

(1) $\displaystyle \lim_{n \to \infty} (n^3-2n+3) = \lim_{n \to \infty} n^3\left(1-\frac{2}{n^2}+\frac{3}{n^3}\right)$

$\displaystyle \lim_{n \to \infty} n^3 = \infty$, $\displaystyle \lim_{n \to \infty}\left(1-\frac{2}{n^2}+\frac{3}{n^3}\right) = 1$이므로

$\displaystyle \lim_{n \to \infty} (n^3-2n+3) = \infty$

(2) $\sqrt{n+2}-\sqrt{n} = \dfrac{(\sqrt{n+2}-\sqrt{n})(\sqrt{n+2}+\sqrt{n})}{\sqrt{n+2}+\sqrt{n}}$

$$= \frac{2}{\sqrt{n+2}+\sqrt{n}}$$

$\therefore \displaystyle \lim_{n \to \infty} (\sqrt{n+2}-\sqrt{n}) = \lim_{n \to \infty} \frac{2}{\sqrt{n+2}+\sqrt{n}} = 0$

(3) 분모, 분자에 각각 $\sqrt{n^2+n}+\sqrt{n^2-n}$을 곱하면

$$\frac{3}{\sqrt{n^2+n}-\sqrt{n^2-n}}$$
$$= \frac{3(\sqrt{n^2+n}+\sqrt{n^2-n})}{(\sqrt{n^2+n}-\sqrt{n^2-n})(\sqrt{n^2+n}+\sqrt{n^2-n})}$$
$$= \frac{3(\sqrt{n^2+n}+\sqrt{n^2-n})}{(n^2+n)-(n^2-n)}$$
$$= \frac{3(\sqrt{n^2+n}+\sqrt{n^2-n})}{2n}$$

$\therefore \displaystyle \lim_{n \to \infty} \frac{3(\sqrt{n^2+n}+\sqrt{n^2-n})}{2n}$

$$= \lim_{n \to \infty} \frac{3\left(\sqrt{1+\dfrac{1}{n}}+\sqrt{1-\dfrac{1}{n}}\right)}{2} = \frac{3 \times 2}{2} = 3$$

🅐 (1) ∞로 발산 (2) 0 (3) 3

2-1

(1) $\displaystyle \lim_{n \to \infty} (-3n^3+2n+1) = \lim_{n \to \infty} n^3\left(-3+\frac{2}{n^2}+\frac{1}{n^3}\right)$

$\displaystyle \lim_{n \to \infty} n^3 = \infty$, $\displaystyle \lim_{n \to \infty}\left(-3+\frac{2}{n^2}+\frac{1}{n^3}\right) = -3$

이므로 $\displaystyle \lim_{n \to \infty} (-3n^3+2n+1) = -\infty$

(2) 분모, 분자에 각각 $\sqrt{2n+1}+\sqrt{n+2}$를 곱하면

$$\frac{\sqrt{2n+1}-\sqrt{n+2}}{\sqrt{n}}$$
$$= \frac{(\sqrt{2n+1}-\sqrt{n+2})(\sqrt{2n+1}+\sqrt{n+2})}{\sqrt{n}(\sqrt{2n+1}+\sqrt{n+2})}$$
$$= \frac{(2n+1)-(n+2)}{\sqrt{n}(\sqrt{2n+1}+\sqrt{n+2})}$$
$$= \frac{n-1}{\sqrt{2n^2+n}+\sqrt{n^2+2n}}$$

$\therefore \displaystyle \lim_{n \to \infty} \frac{n-1}{\sqrt{2n^2+n}+\sqrt{n^2+2n}}$

$$= \lim_{n \to \infty} \frac{1-\dfrac{1}{n}}{\sqrt{2+\dfrac{1}{n}}+\sqrt{1+\dfrac{2}{n}}}$$
$$= \frac{1}{\sqrt{2}+1} = \sqrt{2}-1$$

🅐 (1) $-\infty$로 발산 (2) $\sqrt{2}-1$

2-2

$$2+4+6+\cdots+2n = \sum_{k=1}^{n} 2k = 2 \times \frac{n(n+1)}{2} = n^2+n$$

$$1+3+5+\cdots+(2n-1) = \sum_{k=1}^{n}(2k-1)$$
$$= 2 \times \frac{n(n+1)}{2}-n = n^2$$

이므로
$$\sqrt{2+4+6+\cdots+2n}-\sqrt{1+3+5+\cdots+(2n-1)}$$
$$= \sqrt{n^2+n}-n = \frac{(\sqrt{n^2+n}-n)(\sqrt{n^2+n}+n)}{\sqrt{n^2+n}+n}$$
$$= \frac{(n^2+n)-n^2}{\sqrt{n^2+n}+n} = \frac{n}{\sqrt{n^2+n}+n}$$

$$\therefore \lim_{n \to \infty} \frac{n}{\sqrt{n^2+n}+n} = \lim_{n \to \infty} \frac{1}{\sqrt{1+\frac{1}{n}}+1} = \frac{1}{2}$$

目 $\frac{1}{2}$

대표 03

(1) 극한값이 0이 아니고 분자가 일차식이므로 분모도 일차식이다.

$\therefore a=0$

이때

$$\lim_{n \to \infty} \frac{bn+3}{an^2+2n-2} = \lim_{n \to \infty} \frac{bn+3}{2n-2}$$

$$= \lim_{n \to \infty} \frac{b+\frac{3}{n}}{2-\frac{2}{n}} = \frac{b}{2}$$

곧, $\frac{b}{2}=-\frac{3}{2}$이므로 $b=-3$

(2) 분모, 분자에 각각 $\sqrt{n^2+an}+n$을 곱하면

$$\sqrt{n^2+an}-n = \frac{(\sqrt{n^2+an}-n)(\sqrt{n^2+an}+n)}{\sqrt{n^2+an}+n}$$

$$= \frac{(n^2+an)-n^2}{\sqrt{n^2+an}+n} = \frac{an}{\sqrt{n^2+an}+n}$$

$$\therefore \lim_{n \to \infty}(\sqrt{n^2+an}-n) = \lim_{n \to \infty} \frac{an}{\sqrt{n^2+an}+n}$$

$$= \lim_{n \to \infty} \frac{a}{\sqrt{1+\frac{a}{n}}+1} = \frac{a}{2}$$

곧, $\frac{a}{2}=2$이므로 $a=4$

目 (1) $a=0$, $b=-3$ (2) 4

3-1

(1) 극한값이 있으므로 분자는 일차식 또는 상수이다.

$\therefore a=0$

이때

$$\lim_{n \to \infty} \frac{an^2+3n-b}{-n+1} = \lim_{n \to \infty} \frac{3n-b}{-n+1}$$

$$= \lim_{n \to \infty} \frac{3-\frac{b}{n}}{-1+\frac{1}{n}} = -3$$

$\therefore b=-3$

(2) 극한값이 0이 아니고 분자가 일차식이므로 분모도 일차식이다.

$\therefore b=0$

이때

$$\lim_{n \to \infty} \frac{an+4}{bn^2+2n+1} = \lim_{n \to \infty} \frac{an+4}{2n+1}$$

$$= \lim_{n \to \infty} \frac{a+\frac{4}{n}}{2+\frac{1}{n}} = \frac{a}{2}$$

곧, $\frac{a}{2}=-4$이므로 $a=-8$

目 (1) $a=0$, $b=-3$ (2) $a=-8$, $b=0$

3-2

분모, 분자에 각각 $\sqrt{4n^2+an+2}+bn$을 곱하면

$$\sqrt{4n^2+an+2}-bn$$

$$= \frac{(\sqrt{4n^2+an+2}-bn)(\sqrt{4n^2+an+2}+bn)}{\sqrt{4n^2+an+2}+bn}$$

$$= \frac{(4n^2+an+2)-b^2n^2}{\sqrt{4n^2+an+2}+bn} = \frac{(4-b^2)n^2+an+2}{\sqrt{4n^2+an+2}+bn}$$

극한값이 0이 아니고 분모가 일차식이므로 분자도 일차식이다.

곧, $4-b^2=0$이므로 $b=2$ ($\because b>0$)

$$\therefore \lim_{n \to \infty}(\sqrt{4n^2+an+2}-bn)$$

$$= \lim_{n \to \infty} \frac{an+2}{\sqrt{4n^2+an+2}+2n}$$

$$= \lim_{n \to \infty} \frac{a+\frac{2}{n}}{\sqrt{4+\frac{a}{n}+\frac{2}{n^2}}+2} = \frac{a}{4}$$

곧, $\frac{a}{4}=2$이므로 $a=8$

目 $a=8$, $b=2$

대표 04

(1) $\frac{2a_n+1}{a_n-3}=b_n$으로 놓으면 $2a_n+1=b_n(a_n-3)$

$2a_n+1=a_nb_n-3b_n$, $(b_n-2)a_n=3b_n+1$

$\therefore a_n = \frac{3b_n+1}{b_n-2}$

$\lim_{n \to \infty} b_n=-1$이므로

$$\lim_{n \to \infty} a_n = \lim_{n \to \infty} \frac{3b_n+1}{b_n-2} = \frac{3 \times (-1)+1}{-1-2} = \frac{2}{3}$$

(2) $n^2-n<(n^2+1)a_n<n^2+2n$에서 각 변을 n^2+1로 나누면

$$\frac{n^2-n}{n^2+1} < a_n < \frac{n^2+2n}{n^2+1}$$

이때

$$\lim_{n \to \infty} \frac{n^2 - n}{n^2 + 1} = \lim_{n \to \infty} \frac{1 - \frac{1}{n}}{1 + \frac{1}{n^2}} = 1,$$

$$\lim_{n \to \infty} \frac{n^2 + 2n}{n^2 + 1} = \lim_{n \to \infty} \frac{1 + \frac{2}{n}}{1 + \frac{1}{n^2}} = 1$$

이므로 $\lim_{n \to \infty} a_n = 1$

답 (1) $\frac{2}{3}$ (2) 1

4-1

$\frac{a_n - 1}{2a_n} = b_n$으로 놓으면 $a_n - 1 = 2a_n b_n$

$a_n(2b_n - 1) = -1$ $\therefore a_n = -\frac{1}{2b_n - 1}$

$\lim_{n \to \infty} b_n = 3$이므로

$$\lim_{n \to \infty} a_n = \lim_{n \to \infty} \left(-\frac{1}{2b_n - 1} \right) = -\frac{1}{2 \times 3 - 1} = -\frac{1}{5}$$

답 $-\frac{1}{5}$

4-2

$n^2 - n - 3 < na_n < n^2 - n + 5$에서

$-n - 3 < na_n - n^2 < -n + 5$

$n > 0$이므로 각 변을 n으로 나누면

$-1 - \frac{3}{n} < a_n - n < -1 + \frac{5}{n}$

이때

$\lim_{n \to \infty} \left(-1 - \frac{3}{n} \right) = -1,\ \lim_{n \to \infty} \left(-1 + \frac{5}{n} \right) = -1$이므로

$\lim_{n \to \infty} (a_n - n) = -1$

답 -1

개념 Check 15쪽

4

(1) $2^{-n} = \left(\frac{1}{2} \right)^n$이므로 수열 $\left\{ \left(\frac{1}{2} \right)^n \right\}$은

공비가 $\frac{1}{2}$이고 $-1 < \frac{1}{2} < 1$이므로 0에 수렴한다.

(2) 수열 $\left\{ \left(-\frac{1}{3} \right)^n \right\}$은 공비가 $-\frac{1}{3}$이고

$-1 < -\frac{1}{3} < 1$이므로 0에 수렴한다.

(3) 수열 $\{(-4)^n\}$은 공비가 -4이고 $-4 < -1$이므로 발산한다.

답 (1) 0 (2) 0 (3) 발산

5

등비수열 $\{(x + 1)^n\}$이 수렴하면

$-1 < x + 1 \leq 1$ $\therefore -2 < x \leq 0$

답 $-2 < x \leq 0$

대표Q 16쪽 ~ 17쪽

대표 05

(1) $\lim_{n \to \infty} \frac{3^{n+1} + 2^{n+1}}{3^n} = \lim_{n \to \infty} \left\{ 3 + 2 \times \left(\frac{2}{3} \right)^n \right\}$

$= 3 + 2 \times 0 = 3$

(2) $2^{2n} = 4^n$, $2^{2n+1} = 2 \times 2^{2n} = 2 \times 4^n$이므로

분모, 분자를 각각 4^n으로 나누면

$\lim_{n \to \infty} \frac{3^n + 2^{2n+1}}{2^{2n} + 2^n} = \lim_{n \to \infty} \frac{\left(\frac{3}{4} \right)^n + 2}{1 + \left(\frac{1}{2} \right)^n} = 2$

(3) $\sqrt{5^n} = (\sqrt{5})^n$이므로 분모, 분자를 각각 2^n으로 나누면

$\lim_{n \to \infty} \frac{\sqrt{5^n}}{2^n + 5} = \lim_{n \to \infty} \frac{\left(\frac{\sqrt{5}}{2} \right)^n}{1 + \frac{5}{2^n}} = \infty$

(4) $\lim_{n \to \infty} (2^n - 3^n) = \lim_{n \to \infty} 3^n \left(\frac{2^n}{3^n} - 1 \right)$

$= \lim_{n \to \infty} 3^n \left\{ \left(\frac{2}{3} \right)^n - 1 \right\} = -\infty$

답 (1) 3 (2) 2 (3) ∞로 발산 (4) $-\infty$로 발산

5-1

(1) 분모, 분자를 각각 3^n으로 나누면

$\lim_{n \to \infty} \frac{3^{n-1} + 2^{n+1}}{3^{n+1} + 2^{n-1}} = \lim_{n \to \infty} \frac{\frac{1}{3} \times 3^n + 2 \times 2^n}{3 \times 3^n + \frac{1}{2} \times 2^n}$

$= \lim_{n \to \infty} \frac{\frac{1}{3} + 2 \times \left(\frac{2}{3} \right)^n}{3 + \frac{1}{2} \times \left(\frac{2}{3} \right)^n}$

$= \frac{\frac{1}{3} + 0}{3 + 0} = \frac{1}{9}$

(2) $2^{2n}=4^n$이므로 분모, 분자를 각각 4^n으로 나누면

$$\lim_{n\to\infty}\frac{4^n+3^{n+1}}{2^{2n-2}-3^n}=\lim_{n\to\infty}\frac{1+3\times\left(\dfrac{3}{4}\right)^n}{\dfrac{1}{4}-\left(\dfrac{3}{4}\right)^n}=\frac{1+0}{\dfrac{1}{4}-0}=4$$

(3) 분모, 분자를 각각 등비수열의 합으로 생각하면

$$\lim_{n\to\infty}\frac{1+2+2^2+2^3+\cdots+2^{n-1}}{1+2+2^2+2^3+\cdots+2^n}$$

$$=\lim_{n\to\infty}\frac{\dfrac{2^n-1}{2-1}}{\dfrac{2^{n+1}-1}{2-1}}=\lim_{n\to\infty}\frac{2^n-1}{2^{n+1}-1}$$

분모, 분자를 각각 2^n으로 나누면

$$\lim_{n\to\infty}\frac{1-\left(\dfrac{1}{2}\right)^n}{2-\left(\dfrac{1}{2}\right)^n}=\frac{1}{2}$$

🅰 (1) $\dfrac{1}{9}$ (2) 4 (3) $\dfrac{1}{2}$

5-2

$$\lim_{n\to\infty}\{5^n-(-3)^n\}=\lim_{n\to\infty}5^n\left\{1-\frac{(-3)^n}{5^n}\right\}$$

$$=\lim_{n\to\infty}5^n\left\{1-\left(-\frac{3}{5}\right)^n\right\}=\infty$$

🅰 ∞로 발산

대표 06

(1) (i) $|r|<1$일 때, $\lim\limits_{n\to\infty}r^n=0$이므로

$$\lim_{n\to\infty}\frac{r^n}{1+r^n}=\frac{0}{1+0}=0\ (\text{수렴})$$

(ii) $|r|>1$일 때, $\lim\limits_{n\to\infty}|r|^n=\infty$이므로 분모, 분자를 각각 r^n으로 나누면

$$\lim_{n\to\infty}\frac{r^n}{1+r^n}=\lim_{n\to\infty}\frac{1}{\dfrac{1}{r^n}+1}=\frac{1}{0+1}=1\ (\text{수렴})$$

(iii) $r=1$일 때, $r^n=1$이므로

$$\lim_{n\to\infty}\frac{r^n}{1+r^n}=\frac{1}{1+1}=\frac{1}{2}\ (\text{수렴})$$

(2) 등비수열 $\{x(x^2-x)^{n-1}\}$은 첫째항이 x, 공비가 x^2-x이다.

따라서 $x=0$ 또는 $-1<x^2-x\le1$일 때 수렴한다.

(i) $-1<x^2-x$에서 $x^2-x+1>0$

그런데 $\left(x-\dfrac{1}{2}\right)^2+\dfrac{3}{4}>0$이므로 항상 성립한다.

(ii) $x^2-x\le1$에서 $x^2-x-1\le0$

$$\therefore \frac{1-\sqrt{5}}{2}\le x\le\frac{1+\sqrt{5}}{2}\qquad\cdots\ \text{㉠}$$

$x=0$은 ㉠에 포함되므로 (i), (ii)에서

$$\frac{1-\sqrt{5}}{2}\le x\le\frac{1+\sqrt{5}}{2}$$

🅰 (1) $|r|<1$일 때 0, $|r|>1$일 때 1, $r=1$일 때 $\dfrac{1}{2}$

(2) $\dfrac{1-\sqrt{5}}{2}\le x\le\dfrac{1+\sqrt{5}}{2}$

6-1

(i) $|r|<1$일 때, $\lim\limits_{n\to\infty}r^n=\lim\limits_{n\to\infty}r^{2n}=0$이므로

$$\lim_{n\to\infty}\frac{1-r^n}{1+r^{2n}}=1\ (\text{수렴})$$

(ii) $|r|>1$일 때, $\lim\limits_{n\to\infty}|r|^n=\lim\limits_{n\to\infty}|r|^{2n}=\infty$이므로 분모, 분자를 각각 r^{2n}으로 나누면

$$\lim_{n\to\infty}\frac{1-r^n}{1+r^{2n}}=\lim_{n\to\infty}\frac{\dfrac{1}{r^{2n}}-\dfrac{1}{r^n}}{\dfrac{1}{r^{2n}}+1}=\frac{0}{0+1}=0\ (\text{수렴})$$

(iii) $r=1$일 때, $r^n=r^{2n}=1$이므로

$$\lim_{n\to\infty}\frac{1-r^n}{1+r^{2n}}=\frac{1-1}{1+1}=0\ (\text{수렴})$$

(iv) $r=-1$일 때, $r^{2n}=1$이므로

$$\frac{1-r^n}{1+r^{2n}}=\frac{1-(-1)^n}{2}$$

곧, $\lim\limits_{n\to\infty}\dfrac{1-r^n}{1+r^{2n}}$의 값은 1, 0, 1, 0, $\cdots$이다.

따라서 발산(진동)한다.

🅰 $|r|<1$일 때 1, $|r|>1$일 때 0,

$r=1$일 때 0, $r=-1$일 때 발산

6-2

(i) $|r|<4$일 때, $\lim\limits_{n\to\infty}\left(\dfrac{r}{4}\right)^n=0$이므로 분모, 분자를 각각 4^n으로 나누면

$$\lim_{n\to\infty}\frac{r^n+4^n}{r^n-4^n}=\lim_{n\to\infty}\frac{\left(\dfrac{r}{4}\right)^n+1}{\left(\dfrac{r}{4}\right)^n-1}=\frac{0+1}{0-1}=-1$$

(ii) $|r|>4$일 때, $\lim\limits_{n\to\infty}\left(\dfrac{4}{r}\right)^n=0$이므로 분모, 분자를 각각 r^n으로 나누면

5

$$\lim_{n \to \infty} \frac{r^n + 4^n}{r^n - 4^n} = \lim_{n \to \infty} \frac{1 + \left(\frac{4}{r}\right)^n}{1 - \left(\frac{4}{r}\right)^n} = \frac{1+0}{1-0} = 1$$

(iii) $|r| = 4$일 때, 극한이 존재하지 않는다.

(i), (ii), (iii)에서 r값의 범위는 $-4 < r < 4$

📶 $-4 < r < 4$

6-3

(1) 등비수열 $\{x(2x+3)^{n-1}\}$은 첫째항이 x, 공비가 $2x+3$이다.

따라서 $x = 0$ 또는 $-1 < 2x+3 \le 1$일 때 수렴한다.

$\therefore x = 0$ 또는 $-2 < x \le -1$

(2) 등비수열 $\left\{\left(\frac{x(x-1)}{2}\right)^n\right\}$은 첫째항이 $\frac{x(x-1)}{2}$, 공비가 $\frac{x(x-1)}{2}$이다.

따라서 $-1 < \frac{x(x-1)}{2} \le 1$일 때 수렴한다.

(i) $-1 < \frac{x(x-1)}{2}$에서 $x^2 - x + 2 > 0$

그런데 $\left(x - \frac{1}{2}\right)^2 + \frac{7}{4} > 0$이므로 항상 성립한다.

(ii) $\frac{x(x-1)}{2} \le 1$에서 $x^2 - x - 2 \le 0$

$(x+1)(x-2) \le 0$ $\therefore -1 \le x \le 2$

(i), (ii)의 공통부분은 $-1 \le x \le 2$

📶 (1) $x = 0$ 또는 $-2 < x \le -1$ (2) $-1 \le x \le 2$

참고 (2) $\frac{x(x-1)}{2} = 0$은 $-1 < \frac{x(x-1)}{2} \le 1$에 포함된다.

연습과 실전 1 수열의 극한

18쪽~20쪽

01 ③, ④	02 (1) $\frac{7}{3}$ (2) 1	03 $\frac{1}{6}$	04 5
05 ②	06 4	07 (1) 1 (2) $\frac{1}{2}$	
08 (1) $\frac{1}{2}$ (2) 14	09 1	10 12	11 1
12 0	13 $a = -1, b = 0$	14 ④	15 16
16 ⑤			

01

① $-1, -3, -5, \cdots$이므로 $-\infty$로 발산한다.

② $-1, 5, -7, 17, \cdots$로 진동하므로 발산한다.

③ 분모 $\sqrt{3n-1}+1$이 ∞로 발산하므로 수열 $\left\{\frac{1}{\sqrt{3n-1}+1}\right\}$은 0에 수렴한다.

④ 수열 $\left\{\left(\frac{5}{9}\right)^n\right\}$이 0에 수렴하므로 수열 $\left\{6 + \left(\frac{5}{9}\right)^n\right\}$은 6에 수렴한다.

⑤ $1, 0, -1, 0, \cdots$으로 진동하므로 발산한다.

따라서 수렴하는 것은 ③, ④이다.

📶 ③, ④

02

(1) $\lim_{n \to \infty} \frac{(n+3)(n+4) - n^2}{(n+1)(n+2) - n^2}$

$= \lim_{n \to \infty} \frac{7n+12}{3n+2} = \lim_{n \to \infty} \frac{7 + \frac{12}{n}}{3 + \frac{2}{n}} = \frac{7}{3}$

(2) 분모, 분자를 각각 n으로 나누면

$\lim_{n \to \infty} \frac{3n}{\sqrt{n^2+n} + \sqrt{4n^2-n}}$

$= \lim_{n \to \infty} \frac{3}{\sqrt{1 + \frac{1}{n}} + \sqrt{4 - \frac{1}{n}}} = \frac{3}{1 + \sqrt{4}} = 1$

📶 (1) $\frac{7}{3}$ (2) 1

03

분모, 분자를 각각 n으로 나누면

$\lim_{n \to \infty} \frac{n}{n + a_n} = \lim_{n \to \infty} \frac{1}{1 + \frac{a_n}{n}} = \frac{1}{1+5} = \frac{1}{6}$

📶 $\frac{1}{6}$

04

$\frac{10}{2n^2+3n} < a_n < \frac{10}{2n^2+n}$에서 각 변에 n^2을 곱하면

$\frac{10n^2}{2n^2+3n} < n^2 a_n < \frac{10n^2}{2n^2+n}$

이때

$\lim_{n \to \infty} \frac{10n^2}{2n^2+3n} = \lim_{n \to \infty} \frac{10}{2 + \frac{3}{n}} = 5$,

$\lim_{n \to \infty} \frac{10n^2}{2n^2+n} = \lim_{n \to \infty} \frac{10}{2 + \frac{1}{n}} = 5$

이므로 $\lim_{n \to \infty} n^2 a_n = 5$

📶 5

05

(i) $0<r<1$일 때,

$$\lim_{n\to\infty} r^{n+1}=0,\ \lim_{n\to\infty} r^n=0$$이므로

$$\lim_{n\to\infty}\frac{r^{n+1}+2r+1}{r^n+1}=2r+1$$

곧, $2r+1=\dfrac{5}{3}$ $\therefore r=\dfrac{1}{3}$

(ii) $r=1$일 때,

$$\lim_{n\to\infty}\frac{r^{n+1}+2r+1}{r^n+1}=\frac{1+2+1}{1+1}=2$$

에서 $2\neq\dfrac{5}{3}$이므로 만족시키지 않는다.

(iii) $r>1$일 때,

분모, 분자를 각각 r^n으로 나누면

$$\lim_{n\to\infty}\frac{r^{n+1}+2r+1}{r^n+1}=\lim_{n\to\infty}\frac{r+\dfrac{2r}{r^n}+\dfrac{1}{r^n}}{1+\dfrac{1}{r^n}}=r$$

곧, $r=\dfrac{5}{3}$

(i), (ii), (iii)에서 r값의 합은 $\dfrac{1}{3}+\dfrac{5}{3}=2$

답 ②

06

수열 $\{a_n\}$은 첫째항이 1, 공비가 $r\ (r>1)$이므로

$$a_n=r^{n-1},\ S_n=\frac{r^n-1}{r-1}$$

$$\therefore \lim_{n\to\infty}\frac{a_n}{S_n}=\lim_{n\to\infty}\frac{r^{n-1}}{\dfrac{r^n-1}{r-1}}=\lim_{n\to\infty}\frac{r^{n-1}(r-1)}{r^n-1}$$

$$=\lim_{n\to\infty}\frac{1-\dfrac{1}{r}}{1-\dfrac{1}{r^n}}=1-\dfrac{1}{r}$$

곧, $1-\dfrac{1}{r}=\dfrac{3}{4}$ $\therefore r=4$

답 4

07 전략 합 또는 곱으로 된 부분을 간단히 정리하여 n에 대한 식으로 나타낸다.

(1) $1+3+5+\cdots+(2n-1)=\displaystyle\sum_{k=1}^{n}(2k-1)$

$$=2\times\frac{n(n+1)}{2}-n=n^2$$

$2+4+6+\cdots+2n=\displaystyle\sum_{k=1}^{n}2k$

$$=2\times\frac{n(n+1)}{2}=n^2+n$$

이므로

$$\lim_{n\to\infty}\frac{n^2}{n^2+n}=\lim_{n\to\infty}\frac{1}{1+\dfrac{1}{n}}=1$$

(2) $\left(1-\dfrac{1}{2^2}\right)\left(1-\dfrac{1}{3^2}\right)\left(1-\dfrac{1}{4^2}\right)\times\cdots\times\left(1-\dfrac{1}{n^2}\right)$

$$=\frac{2^2-1}{2^2}\times\frac{3^2-1}{3^2}\times\frac{4^2-1}{4^2}\times\cdots\times\frac{n^2-1}{n^2}$$

$$=\frac{(2-1)(2+1)}{2^2}\times\frac{(3-1)(3+1)}{3^2}$$

$$\times\frac{(4-1)(4+1)}{4^2}\times\cdots\times\frac{(n-1)(n+1)}{n^2}$$

$$=\frac{n+1}{2n}$$

이므로

$$\lim_{n\to\infty}\frac{n+1}{2n}=\lim_{n\to\infty}\frac{1+\dfrac{1}{n}}{2}=\frac{1}{2}$$

답 (1) 1   (2) $\dfrac{1}{2}$

08 전략 분모나 분자가 $\sqrt{a_n}-\sqrt{b_n}$ 꼴이면 분모, 분자에 각각 $\sqrt{a_n}+\sqrt{b_n}$을 곱한다.

(1) 분모, 분자에 각각 $\sqrt{n+2}+\sqrt{n}$을 곱하면

$$\frac{(\sqrt{n+1}-\sqrt{n})(\sqrt{n+2}+\sqrt{n})}{(\sqrt{n+2}-\sqrt{n})(\sqrt{n+2}+\sqrt{n})}$$

$$=\frac{(\sqrt{n+1}-\sqrt{n})(\sqrt{n+2}+\sqrt{n})}{2}$$

다시 분모, 분자에 각각 $\sqrt{n+1}+\sqrt{n}$을 곱하면

$$\frac{(\sqrt{n+1}-\sqrt{n})(\sqrt{n+1}+\sqrt{n})(\sqrt{n+2}+\sqrt{n})}{2(\sqrt{n+1}+\sqrt{n})}$$

$$=\frac{\sqrt{n+2}+\sqrt{n}}{2(\sqrt{n+1}+\sqrt{n})}$$

$$\therefore \lim_{n\to\infty}\frac{\sqrt{n+2}+\sqrt{n}}{2(\sqrt{n+1}+\sqrt{n})}=\lim_{n\to\infty}\frac{\sqrt{1+\dfrac{2}{n}}+1}{2\left(\sqrt{1+\dfrac{1}{n}}+1\right)}$$

$$=\frac{1+1}{2(1+1)}=\frac{1}{2}$$

(2) 분모, 분자에 각각 $\sqrt{n^2+15n+13}+\sqrt{n^2-13n}$을 곱하면

1 수열의 극한

$$\frac{(\sqrt{n^2+15n+13}-\sqrt{n^2-13n})(\sqrt{n^2+15n+13}+\sqrt{n^2-13n})}{\sqrt{n^2+15n+13}+\sqrt{n^2-13n}}$$

$$=\frac{(n^2+15n+13)-(n^2-13n)}{\sqrt{n^2+15n+13}+\sqrt{n^2-13n}}$$

$$=\frac{28n+13}{\sqrt{n^2+15n+13}+\sqrt{n^2-13n}}$$

$$\therefore \lim_{n\to\infty}\frac{28n+13}{\sqrt{n^2+15n+13}+\sqrt{n^2-13n}}$$

$$=\lim_{n\to\infty}\frac{28+\dfrac{13}{n}}{\sqrt{1+\dfrac{15}{n}+\dfrac{13}{n^2}}+\sqrt{1-\dfrac{13}{n}}}$$

$$=\frac{28}{1+1}=14$$

답 (1) $\dfrac{1}{2}$ (2) 14

09 전략 등차수열 $\{a_n\}$의 일반항을 이용하여
$\displaystyle\sum_{k=1}^{n} a_{k+1}$, $\displaystyle\sum_{k=1}^{n} a_k$를 구한다.

등차수열 $\{a_n\}$의 첫째항을 a, 공차를 d라 하면

$a_3=a+2d=5$

$a_6=a+5d=11$

두 식을 연립하여 풀면 $a=1$, $d=2$

$\therefore a_n=2n-1$

$\displaystyle\sum_{k=1}^{n} a_{k+1}=\sum_{k=1}^{n}(2k+1)=2\times\frac{n(n+1)}{2}+n=n^2+2n$,

$\displaystyle\sum_{k=1}^{n} a_k=\sum_{k=1}^{n}(2k-1)=2\times\frac{n(n+1)}{2}-n=n^2$

이므로

$$\lim_{n\to\infty}\left(\sqrt{\sum_{k=1}^{n} a_{k+1}}-\sqrt{\sum_{k=1}^{n} a_k}\right)$$

$$=\lim_{n\to\infty}(\sqrt{n^2+2n}-n)$$

$$=\lim_{n\to\infty}\frac{(\sqrt{n^2+2n}-n)(\sqrt{n^2+2n}+n)}{\sqrt{n^2+2n}+n}$$

$$=\lim_{n\to\infty}\frac{2n}{\sqrt{n^2+2n}+n}$$

$$=\lim_{n\to\infty}\frac{2}{\sqrt{1+\dfrac{2}{n}}+1}=\frac{2}{1+1}=1$$

답 1

10 전략 $\dfrac{1}{\alpha_n}+\dfrac{1}{\beta_n}=\dfrac{\alpha_n+\beta_n}{\alpha_n\beta_n}$이므로 이차방정식의 근과 계수의 관계를 이용한다.

$x^2-3x+2n-\sqrt{4n^2-n}=0$에서

근과 계수의 관계에 의해

$\alpha_n+\beta_n=3$, $\alpha_n\beta_n=2n-\sqrt{4n^2-n}$

이고

$$\frac{1}{\alpha_n}+\frac{1}{\beta_n}=\frac{\alpha_n+\beta_n}{\alpha_n\beta_n}=\frac{3}{2n-\sqrt{4n^2-n}}$$

$$=\frac{3(2n+\sqrt{4n^2-n})}{(2n-\sqrt{4n^2-n})(2n+\sqrt{4n^2-n})}$$

$$=\frac{6n+3\sqrt{4n^2-n}}{n}$$

$$=6+3\sqrt{4-\frac{1}{n}}$$

$$\therefore \lim_{n\to\infty}\left(\frac{1}{\alpha_n}+\frac{1}{\beta_n}\right)=\lim_{n\to\infty}\left(6+3\sqrt{4-\frac{1}{n}}\right)$$

$$=6+6=12$$

답 12

11 전략 수열의 극한에 대한 기본 성질을 이용할 수 있도록 $a_n+b_n=c_n$, $2a_n-b_n=d_n$이라 하고 주어진 식을 c_n, d_n에 대한 식으로 변형한다.

$a_n+b_n=c_n$ ··· ㉠

$2a_n-b_n=d_n$ ··· ㉡

이라 하면 $\displaystyle\lim_{n\to\infty} c_n=1$, $\displaystyle\lim_{n\to\infty} d_n=8$

㉠+㉡에서 $3a_n=c_n+d_n$

$2\times$㉠$-$㉡에서 $3b_n=2c_n-d_n$ $\therefore b_n=\dfrac{2c_n-d_n}{3}$

$3a_n+b_n=c_n+d_n+\dfrac{2c_n-d_n}{3}=\dfrac{5c_n+2d_n}{3}$

㉡$-$㉠에서 $a_n-2b_n=d_n-c_n$

$$\therefore \lim_{n\to\infty}\frac{3a_n+b_n}{a_n-2b_n}=\lim_{n\to\infty}\frac{5c_n+2d_n}{3(d_n-c_n)}$$

$$=\frac{5\times1+2\times8}{3\times(8-1)}=1$$

답 1

12 전략 $-1\le\sin\dfrac{n\pi}{3}\le1$이므로 수열의 극한의 대소 관계를 이용한다.

$-1\le\sin\dfrac{n\pi}{3}\le1$이므로 $-\dfrac{1}{n}\le\dfrac{1}{n}\sin\dfrac{n\pi}{3}\le\dfrac{1}{n}$

이때 $\displaystyle\lim_{n\to\infty}\left(-\dfrac{1}{n}\right)=0$, $\displaystyle\lim_{n\to\infty}\dfrac{1}{n}=0$이므로

$$\lim_{n\to\infty}\frac{1}{n}\sin\frac{n\pi}{3}=0$$

답 0

13 **전략** 분모, 분자를 각각 2^n으로 나눈 다음. 극한이 수렴할 조건을 이용한다.

분모, 분자를 각각 2^n으로 나누면

$$\lim_{n \to \infty} \frac{a \times 2^{n+1} + b \times 3^n - 3}{2^n + 1}$$

$$= \lim_{n \to \infty} \frac{2a + b \times \left(\frac{3}{2}\right)^n - \frac{3}{2^n}}{1 + \left(\frac{1}{2}\right)^n}$$

$\lim\limits_{n \to \infty} \dfrac{3}{2^n} = 0$, $\lim\limits_{n \to \infty} \left(\dfrac{1}{2}\right)^n = 0$이고, 주어진 식이 -2에 수렴하므로 $b = 0$

$$\lim_{n \to \infty} \frac{2a - \frac{3}{2^n}}{1 + \left(\frac{1}{2}\right)^n} = 2a$$

곧, $2a = -2$ ∴ $a = -1$

답 $a = -1,\ b = 0$

14 **전략** $|x| > 1$일 때 극한을 이용해 $f(-2)$의 값을 구하고, $|x| < 1$일 때 극한을 이용해 $f\left(\dfrac{1}{2}\right)$의 값을 구한다.

(ⅰ) $|x| > 1$일 때, $\lim\limits_{n \to \infty} x^{2n} = \infty$, $\lim\limits_{n \to \infty} \dfrac{1}{x^{2n}} = 0$이므로

$$f(x) = \lim_{n \to \infty} \frac{\frac{1}{x} + 1}{1 + \frac{2}{x^{2n}}} = \frac{1}{x} + 1$$

∴ $f(-2) = \dfrac{1}{-2} + 1 = \dfrac{1}{2}$

(ⅱ) $|x| < 1$일 때, $\lim\limits_{n \to \infty} x^{2n} = 0$이므로

$$f(x) = \lim_{n \to \infty} \frac{x^{2n-1} + x^{2n}}{x^{2n} + 2} = \frac{0+0}{0+2} = 0$$

∴ $f\left(\dfrac{1}{2}\right) = 0$

(ⅰ), (ⅱ)에서 $f(-2) + f\left(\dfrac{1}{2}\right) = \dfrac{1}{2}$

다른 풀이

$$f(-2) = \lim_{n \to \infty} \frac{(-2)^{2n-1} + (-2)^{2n}}{(-2)^{2n} + 2}$$

$$= \lim_{n \to \infty} \frac{-\frac{1}{2} + 1}{1 + \frac{2}{(-2)^{2n}}} = \frac{1}{2}$$

$$f\left(\frac{1}{2}\right) = \lim_{n \to \infty} \frac{\left(\frac{1}{2}\right)^{2n-1} + \left(\frac{1}{2}\right)^{2n}}{\left(\frac{1}{2}\right)^{2n} + 2} = \frac{0+0}{0+2} = 0$$

∴ $f(-2) + f\left(\dfrac{1}{2}\right) = \dfrac{1}{2}$

답 ④

15 **전략** 직선 $x = 4^n$과 곡선 $y = \sqrt{x}$의 교점은 $P_n\left(4^n,\ \sqrt{4^n}\right)$임을 이용한다.

두 직선 $x = 4^n$, $x = 4^{n+1}$과 곡선 $y = \sqrt{x}$가 만나는 점은 각각

$\sqrt{4^n} = \sqrt{2^{2n}} = 2^n$

에서 $P_n(4^n,\ 2^n)$,

$\sqrt{4^{n+1}} = \sqrt{2^{2(n+1)}}$

$\qquad = 2^{n+1}$

에서

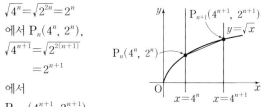

$P_{n+1}(4^{n+1},\ 2^{n+1})$

∴ $L_n = \sqrt{(4^{n+1} - 4^n)^2 + (2^{n+1} - 2^n)^2}$

$\qquad = \sqrt{\{4^n(4-1)\}^2 + \{2^n(2-1)\}^2}$

$\qquad = \sqrt{9 \times 16^n + 4^n}$

$L_{n+1} = \sqrt{9 \times 16^{n+1} + 4^{n+1}}$

∴ $\lim\limits_{n \to \infty} \left(\dfrac{L_{n+1}}{L_n}\right)^2 = \lim\limits_{n \to \infty} \dfrac{9 \times 16^{n+1} + 4^{n+1}}{9 \times 16^n + 4^n}$

$$= \lim_{n \to \infty} \frac{9 \times 16 + 4 \times \left(\frac{4}{16}\right)^n}{9 + \left(\frac{4}{16}\right)^n}$$

$$= \frac{9 \times 16}{9} = 16$$

답 16

16 **전략** 주어진 식에서 어떤 수열이 수렴하는지 살펴보고, 수열이 수렴할 때 수열의 극한에 대한 기본 성질을 이용한다.

ㄱ. 두 수열 $\{a_n\}$, $\{b_n\}$이 수렴하므로

$\quad \lim\limits_{n \to \infty} a_n b_n = \alpha \times 0 = 0$ (참)

ㄴ. 두 수열 $\{a_n\}$, $\{a_n - b_n\}$이 수렴하므로

$\quad \lim\limits_{n \to \infty} b_n = \lim\limits_{n \to \infty} \{a_n - (a_n - b_n)\} = \alpha - 0 = \alpha$ (참)

ㄷ. 수열 $\{a_n\}$은 ∞로 발산하고, 수열 $\{a_n - b_n\}$은 α로 수렴하므로

$$\lim_{n \to \infty} \frac{a_n - b_n}{a_n} = 0$$

곧, $\lim\limits_{n \to \infty} \dfrac{a_n - b_n}{a_n} = \lim\limits_{n \to \infty} \left(1 - \dfrac{b_n}{a_n}\right) = 0$이므로

$$\lim_{n \to \infty} \frac{b_n}{a_n} = 1 \text{ (참)}$$

따라서 옳은 것은 ㄱ, ㄴ, ㄷ이다.

답 ⑤

급수

개념 Check 23쪽~24쪽

1

(1) $\displaystyle\sum_{n=1}^{\infty} a_n = \lim_{n\to\infty} S_n = \lim_{n\to\infty} \frac{2n}{n+1} = \lim_{n\to\infty} \frac{2}{1+\frac{1}{n}} = 2$

(2) $\displaystyle\sum_{n=1}^{\infty} a_n = \lim_{n\to\infty} S_n = \lim_{n\to\infty}(2^n - 1) = \infty$

답 (1) 2   (2) ∞로 발산

2

급수 $\displaystyle\sum_{n=1}^{\infty}(a_n - 2)$가 수렴하므로

$\displaystyle\lim_{n\to\infty}(a_n - 2) = 0$ ∴ $\displaystyle\lim_{n\to\infty} a_n = 2$

답 2

3

(1) $\displaystyle\sum_{n=1}^{\infty}(-2a_n) = -2\sum_{n=1}^{\infty} a_n = -2\times(-1) = 2$

(2) $\displaystyle\sum_{n=1}^{\infty}(2a_n + 3b_n) = 2\sum_{n=1}^{\infty} a_n + 3\sum_{n=1}^{\infty} b_n$

$\qquad\qquad = 2\times(-1) + 3\times 3 = 7$

답 (1) 2   (2) 7

대표Q 25쪽~27쪽

대표 01

(1) $a_k = \dfrac{1}{(k+1)^2 - 1} = \dfrac{1}{k(k+2)} = \dfrac{1}{2}\left(\dfrac{1}{k} - \dfrac{1}{k+2}\right)$
이므로

$\displaystyle\sum_{k=1}^{n} a_k = \sum_{k=1}^{n} \frac{1}{2}\left(\frac{1}{k} - \frac{1}{k+2}\right)$

$\quad = \frac{1}{2}\left\{\left(\frac{1}{1} - \frac{1}{3}\right) + \left(\frac{1}{2} - \frac{1}{4}\right) + \left(\frac{1}{3} - \frac{1}{5}\right)\right.$

$\qquad \left. + \cdots + \left(\frac{1}{n-1} - \frac{1}{n+1}\right) + \left(\frac{1}{n} - \frac{1}{n+2}\right)\right\}$

$\quad = \frac{1}{2}\left(1 + \frac{1}{2} - \frac{1}{n+1} - \frac{1}{n+2}\right)$

∴ $\displaystyle\sum_{n=1}^{\infty} a_n = \lim_{n\to\infty}\sum_{k=1}^{n} a_k$

$\qquad = \lim_{n\to\infty} \frac{1}{2}\left(1 + \frac{1}{2} - \frac{1}{n+1} - \frac{1}{n+2}\right)$

$\quad = \frac{1}{2}\left(1 + \frac{1}{2}\right) = \frac{3}{4}$

(2) $a_k = \dfrac{2}{\sqrt{k+1} + \sqrt{k}} = \dfrac{2(\sqrt{k+1} - \sqrt{k})}{(k+1) - k}$

$\qquad = 2(\sqrt{k+1} - \sqrt{k})$이므로

$\displaystyle\sum_{k=1}^{n} a_k = \sum_{k=1}^{n} 2(\sqrt{k+1} - \sqrt{k})$

$\quad = 2\{(\sqrt{2} - \sqrt{1}) + (\sqrt{3} - \sqrt{2}) + (\sqrt{4} - \sqrt{3})$

$\qquad + \cdots + (\sqrt{n} - \sqrt{n-1}) + (\sqrt{n+1} - \sqrt{n})\}$

$\quad = 2(\sqrt{n+1} - 1)$

∴ $\displaystyle\sum_{n=1}^{\infty} a_n = \lim_{n\to\infty}\sum_{k=1}^{n} a_k = \lim_{n\to\infty} 2(\sqrt{n+1} - 1) = \infty$

답 (1) 수렴, $\dfrac{3}{4}$ (2) ∞로 발산

1-1

(1) $a_k = \dfrac{1}{k^2 + 3k + 2} = \dfrac{1}{(k+1)(k+2)}$

$\qquad = \dfrac{1}{k+1} - \dfrac{1}{k+2}$이므로

$\displaystyle\sum_{k=1}^{n} a_k = \sum_{k=1}^{n}\left(\frac{1}{k+1} - \frac{1}{k+2}\right)$

$\quad = \left(\frac{1}{2} - \frac{1}{3}\right) + \left(\frac{1}{3} - \frac{1}{4}\right) + \left(\frac{1}{4} - \frac{1}{5}\right)$

$\qquad + \cdots + \left(\frac{1}{n} - \frac{1}{n+1}\right) + \left(\frac{1}{n+1} - \frac{1}{n+2}\right)$

$\quad = \frac{1}{2} - \frac{1}{n+2}$

∴ $\displaystyle\sum_{n=1}^{\infty} a_n = \lim_{n\to\infty}\sum_{k=1}^{n} a_k = \lim_{n\to\infty}\left(\frac{1}{2} - \frac{1}{n+2}\right) = \frac{1}{2}$

(2) $1 + 2 + 3 + \cdots + k = \dfrac{k(k+1)}{2}$이므로

$a_k = \dfrac{2}{k(k+1)} = 2\left(\dfrac{1}{k} - \dfrac{1}{k+1}\right)$

∴ $\displaystyle\sum_{k=1}^{n} a_k = \sum_{k=1}^{n} 2\left(\frac{1}{k} - \frac{1}{k+1}\right)$

$\quad = 2\left\{\left(\frac{1}{1} - \frac{1}{2}\right) + \left(\frac{1}{2} - \frac{1}{3}\right) + \left(\frac{1}{3} - \frac{1}{4}\right)\right.$

$\qquad \left. + \cdots + \left(\frac{1}{n-1} - \frac{1}{n}\right) + \left(\frac{1}{n} - \frac{1}{n+1}\right)\right\}$

$\quad = 2\left(1 - \frac{1}{n+1}\right)$

∴ $\displaystyle\sum_{n=1}^{\infty} a_n = \lim_{n\to\infty}\sum_{k=1}^{n} a_k = \lim_{n\to\infty} 2\left(1 - \frac{1}{n+1}\right) = 2$

답 (1) 수렴, $\dfrac{1}{2}$ (2) 수렴, 2

1-2

(1) $\sum\limits_{k=1}^{n} a_k = (\sqrt{3}-1)+(\sqrt{4}-\sqrt{2})+(\sqrt{5}-\sqrt{3})$

$\qquad +\cdots+(\sqrt{n+1}-\sqrt{n-1})+(\sqrt{n+2}-\sqrt{n})$

$\qquad =\sqrt{n+2}+\sqrt{n+1}-\sqrt{2}-1$

$\therefore \sum\limits_{n=1}^{\infty} a_n = \lim\limits_{n\to\infty}\sum\limits_{k=1}^{n} a_k$

$\qquad\qquad = \lim\limits_{n\to\infty}(\sqrt{n+2}+\sqrt{n+1}-\sqrt{2}-1)$

$\qquad\qquad = \infty$

(2) $a_k = \dfrac{2}{\sqrt{2k+1}+\sqrt{2k-1}} = \dfrac{2(\sqrt{2k+1}-\sqrt{2k-1})}{(2k+1)-(2k-1)}$

$\qquad = \sqrt{2k+1}-\sqrt{2k-1}$이므로

$\sum\limits_{k=1}^{n} a_k = \sum\limits_{k=1}^{n}(\sqrt{2k+1}-\sqrt{2k-1})$

$\qquad = (\sqrt{3}-1)+(\sqrt{5}-\sqrt{3})+(\sqrt{7}-\sqrt{5})+\cdots$

$\qquad\quad +(\sqrt{2n-1}-\sqrt{2n-3})+(\sqrt{2n+1}-\sqrt{2n-1})$

$\qquad = \sqrt{2n+1}-1$

$\therefore \sum\limits_{n=1}^{\infty} a_n = \lim\limits_{n\to\infty}\sum\limits_{k=1}^{n} a_k = \lim\limits_{n\to\infty}(\sqrt{2n+1}-1)=\infty$

답 (1) ∞로 발산 (2) ∞로 발산

대표 02

(1) $S_n = \left(\dfrac{1}{2}-\dfrac{2}{3}\right)+\left(\dfrac{2}{3}-\dfrac{3}{4}\right)+\left(\dfrac{3}{4}-\dfrac{4}{5}\right)+\left(\dfrac{4}{5}-\dfrac{6}{5}\right)$

$\qquad +\cdots+\left(\dfrac{n}{n+1}-\dfrac{n+1}{n+2}\right)=\dfrac{1}{2}-\dfrac{n+1}{n+2}$

$\therefore \lim\limits_{n\to\infty} S_n = \lim\limits_{n\to\infty}\left(\dfrac{1}{2}-\dfrac{n+1}{n+2}\right)=\dfrac{1}{2}-1=-\dfrac{1}{2}$

(2) $a_{2n-1}=\dfrac{n}{n+1}$, $a_{2n}=-\dfrac{n+1}{n+2}$이므로

$S_{2n-1}=\dfrac{1}{2}+\left(-\dfrac{2}{3}+\dfrac{2}{3}\right)+\left(-\dfrac{3}{4}+\dfrac{3}{4}\right)+\left(-\dfrac{4}{5}+\dfrac{4}{5}\right)$

$\qquad +\cdots+\left(-\dfrac{n}{n+1}+\dfrac{n}{n+1}\right)=\dfrac{1}{2}$

$S_{2n}=\dfrac{1}{2}+\left(-\dfrac{2}{3}+\dfrac{2}{3}\right)+\left(-\dfrac{3}{4}+\dfrac{3}{4}\right)+\left(-\dfrac{4}{5}+\dfrac{4}{5}\right)$

$\qquad +\cdots+\left(-\dfrac{n}{n+1}+\dfrac{n}{n+1}\right)-\dfrac{n+1}{n+2}$

$\qquad =\dfrac{1}{2}-\dfrac{n+1}{n+2}$

이때 $\lim\limits_{n\to\infty} S_{2n-1}=\dfrac{1}{2}$, $\lim\limits_{n\to\infty} S_{2n}=-\dfrac{1}{2}$이므로 $\lim\limits_{n\to\infty} S_n$

의 값이 존재하지 않는다.

따라서 발산한다.

답 (1) 수렴, $-\dfrac{1}{2}$ (2) 발산

2-1

(1) $S_n = \left(1-\dfrac{1}{2}\right)+\left(\dfrac{1}{2}-\dfrac{1}{3}\right)+\left(\dfrac{1}{3}-\dfrac{1}{4}\right)+\left(\dfrac{1}{4}-\dfrac{1}{5}\right)$

$\qquad +\cdots+\left(\dfrac{1}{n}-\dfrac{1}{n+1}\right)=1-\dfrac{1}{n+1}$

$\therefore \lim\limits_{n\to\infty} S_n = \lim\limits_{n\to\infty}\left(1-\dfrac{1}{n+1}\right)=1$

(2) $S_{2n-1}=1+\left(-\dfrac{1}{2}+\dfrac{1}{2}\right)+\left(-\dfrac{1}{3}+\dfrac{1}{3}\right)+\left(-\dfrac{1}{4}+\dfrac{1}{4}\right)$

$\qquad +\cdots+\left(-\dfrac{1}{n}+\dfrac{1}{n}\right)=1$

$S_{2n}=1+\left(-\dfrac{1}{2}+\dfrac{1}{2}\right)+\left(-\dfrac{1}{3}+\dfrac{1}{3}\right)+\left(-\dfrac{1}{4}+\dfrac{1}{4}\right)$

$\qquad +\cdots+\left(-\dfrac{1}{n}+\dfrac{1}{n}\right)-\dfrac{1}{n+1}=1-\dfrac{1}{n+1}$

이때 $\lim\limits_{n\to\infty} S_{2n-1}=1$, $\lim\limits_{n\to\infty} S_{2n}=\lim\limits_{n\to\infty}\left(1-\dfrac{1}{n+1}\right)=1$

이므로 $\lim\limits_{n\to\infty} S_n=1$

답 (1) 수렴, 1 (2) 수렴, 1

대표 03

(1) $a_n+b_n=p_n$, $a_n-2b_n=q_n$이라 하면

$a_n=\dfrac{2p_n+q_n}{3}$, $b_n=\dfrac{p_n-q_n}{3}$

$\sum\limits_{n=1}^{\infty} p_n=3$, $\sum\limits_{n=1}^{\infty} q_n=9$이므로

$\sum\limits_{n=1}^{\infty} a_n = \dfrac{1}{3}\left(2\sum\limits_{n=1}^{\infty} p_n+\sum\limits_{n=1}^{\infty} q_n\right)=\dfrac{1}{3}\times(2\times3+9)=5$

$\sum\limits_{n=1}^{\infty} b_n = \dfrac{1}{3}\left(\sum\limits_{n=1}^{\infty} p_n-\sum\limits_{n=1}^{\infty} q_n\right)=\dfrac{1}{3}\times(3-9)=-2$

$\therefore \sum\limits_{n=1}^{\infty}(a_n-b_n)=5-(-2)=7$

(2) 급수 $\sum\limits_{n=1}^{\infty}\left(\dfrac{a_n}{n}+1\right)$이 수렴하므로

$\lim\limits_{n\to\infty}\left(\dfrac{a_n}{n}+1\right)=0$ $\therefore \lim\limits_{n\to\infty}\dfrac{a_n}{n}=-1$

$\therefore \lim\limits_{n\to\infty}\dfrac{a_n-3n}{2a_n+n}=\lim\limits_{n\to\infty}\dfrac{\dfrac{a_n}{n}-3}{2\dfrac{a_n}{n}+1}=\dfrac{-1-3}{-2+1}=4$

답 (1) 7 (2) 4

3-1

$a_n+2b_n=p_n$, $2a_n+b_n=q_n$이라 하면

$$a_n=\frac{-p_n+2q_n}{3},\ b_n=\frac{2p_n-q_n}{3}$$

$\sum\limits_{n=1}^{\infty} p_n=6$, $\sum\limits_{n=1}^{\infty} q_n=60$이므로

$$\sum_{n=1}^{\infty} a_n=\frac{1}{3}\left(-\sum_{n=1}^{\infty} p_n+2\sum_{n=1}^{\infty} q_n\right)=\frac{1}{3}\times(-6+2\times60)=38$$

$$\sum_{n=1}^{\infty} b_n=\frac{1}{3}\left(2\sum_{n=1}^{\infty} p_n-\sum_{n=1}^{\infty} q_n\right)=\frac{1}{3}\times(2\times6-60)=-16$$

$$\therefore \sum_{n=1}^{\infty}(a_n+b_n)=38+(-16)=22$$

다른 풀이

$\sum\limits_{n=1}^{\infty} a_n$, $\sum\limits_{n=1}^{\infty} b_n$이 수렴하므로

$$\sum_{n=1}^{\infty} a_n+2\sum_{n=1}^{\infty} b_n=6,\ 2\sum_{n=1}^{\infty} a_n+\sum_{n=1}^{\infty} b_n=60$$

두 식을 연립하여 풀면

$$\sum_{n=1}^{\infty} a_n=38,\ \sum_{n=1}^{\infty} b_n=-16$$

$$\therefore \sum_{n=1}^{\infty}(a_n+b_n)=38+(-16)=22$$

답 22

3-2

급수 $\sum\limits_{n=1}^{\infty}\left(\dfrac{a_n}{2n^2-1}-\dfrac{1}{4}\right)$이 수렴하므로

$$\lim_{n\to\infty}\left(\frac{a_n}{2n^2-1}-\frac{1}{4}\right)=0\qquad \therefore \lim_{n\to\infty}\frac{a_n}{2n^2}=\frac{1}{4}$$

$$\therefore \lim_{n\to\infty}\frac{a_n}{n^2}=\lim_{n\to\infty}\left(2\times\frac{a_n}{2n^2}\right)=2\times\frac{1}{4}=\frac{1}{2}$$

답 $\dfrac{1}{2}$

개념 Check
28쪽

4

(1) 첫째항이 $\dfrac{1}{3}$, 공비가 $\dfrac{1}{3}$인 등비급수이므로

$$\sum_{n=1}^{\infty}\frac{1}{3^n}=\frac{\frac{1}{3}}{1-\frac{1}{3}}=\frac{1}{2}$$

(2) $a_n=\dfrac{2^{2n}}{3^n}=\dfrac{4^n}{3^n}=\left(\dfrac{4}{3}\right)^n$이므로 공비가 $\dfrac{4}{3}$이다.

$$\therefore \sum_{n=1}^{\infty}\frac{2^{2n}}{3^n}=\infty$$

답 (1) 수렴, $\dfrac{1}{2}$ (2) ∞로 발산

대표 04

(1) 첫째항이 2, 공비가 $-\dfrac{2}{3}$인 등비급수이므로

$$\frac{2}{1-\left(-\frac{2}{3}\right)}=\frac{6}{5}$$

(2) 첫째항이 1, 공비가 $\dfrac{1}{\sqrt{2}}$인 등비급수이므로

$$\frac{1}{1-\frac{1}{\sqrt{2}}}=\frac{1}{\frac{\sqrt{2}-1}{\sqrt{2}}}=\frac{\sqrt{2}}{\sqrt{2}-1}$$
$$=\sqrt{2}(\sqrt{2}+1)=2+\sqrt{2}$$

(3) $a_n=2^{1-2n}=2\times2^{-2n}=2\times\left(\dfrac{1}{4}\right)^n$이므로

첫째항이 $2\times\dfrac{1}{4}=\dfrac{1}{2}$, 공비가 $\dfrac{1}{4}$인 등비급수이다.

$$\therefore \sum_{n=1}^{\infty} 2^{1-2n}=\frac{\frac{1}{2}}{1-\frac{1}{4}}=\frac{\frac{1}{2}}{\frac{3}{4}}=\frac{2}{3}$$

(4) $a_n=\dfrac{1-2^{n-1}}{3^n}=\dfrac{1}{3^n}-\dfrac{2^{n-1}}{3\times3^{n-1}}=\dfrac{1}{3^n}-\dfrac{1}{3}\times\left(\dfrac{2}{3}\right)^{n-1}$

이므로 수열 $\{a_n\}$은 공비가 $\dfrac{1}{3}$, $\dfrac{2}{3}$인 두 등비수열의 차이다.

$$\therefore \sum_{n=1}^{\infty}\frac{1-2^{n-1}}{3^n}=\sum_{n=1}^{\infty}\frac{1}{3^n}-\sum_{n=1}^{\infty}\frac{1}{3}\times\left(\frac{2}{3}\right)^{n-1}$$
$$=\frac{\frac{1}{3}}{1-\frac{1}{3}}-\frac{\frac{1}{3}}{1-\frac{2}{3}}$$
$$=\frac{1}{2}-1=-\frac{1}{2}$$

답 (1) $\dfrac{6}{5}$ (2) $2+\sqrt{2}$ (3) $\dfrac{2}{3}$ (4) $-\dfrac{1}{2}$

4-1

(1) 첫째항이 1, 공비가 $-\dfrac{1}{4}$인 등비급수이므로

$$\frac{1}{1-\left(-\frac{1}{4}\right)}=\frac{4}{5}$$

(2) 첫째항이 $\sqrt{3}$, 공비가 $-\dfrac{\sqrt{3}}{2}$인 등비급수이므로

$$\frac{\sqrt{3}}{1-\left(-\frac{\sqrt{3}}{2}\right)}=\frac{2\sqrt{3}}{2+\sqrt{3}}=2\sqrt{3}(2-\sqrt{3})=4\sqrt{3}-6$$

답 (1) $\dfrac{4}{5}$ (2) $4\sqrt{3}-6$

4-2

(1) $a_n = \dfrac{3^n}{(-4)^{n-1}} = \dfrac{3 \times 3^{n-1}}{(-4)^{n-1}} = 3 \times \left(-\dfrac{3}{4}\right)^{n-1}$

이므로 첫째항이 3, 공비가 $-\dfrac{3}{4}$인 등비급수이다.

$\therefore \displaystyle\sum_{n=1}^{\infty} \dfrac{3^n}{(-4)^{n-1}} = \dfrac{3}{1-\left(-\dfrac{3}{4}\right)} = \dfrac{12}{7}$

(2) $a_n = 4^n \left(\dfrac{1}{5}\right)^{n-1} = 4 \times 4^{n-1} \times \left(\dfrac{1}{5}\right)^{n-1} = 4 \times \left(\dfrac{4}{5}\right)^{n-1}$

이므로 첫째항이 4, 공비가 $\dfrac{4}{5}$인 등비급수이다.

$\therefore \displaystyle\sum_{n=1}^{\infty} 4^n \left(\dfrac{1}{5}\right)^{n-1} = \dfrac{4}{1-\dfrac{4}{5}} = 20$

(3) $a_n = \dfrac{2^{n+1}}{6^n} - \dfrac{3^{n-1}}{6 \times 6^{n-1}} = 2 \times \left(\dfrac{1}{3}\right)^n - \dfrac{1}{6} \times \left(\dfrac{1}{2}\right)^{n-1}$

이므로 수열 $\{a_n\}$은 공비가 $\dfrac{1}{3}$, $\dfrac{1}{2}$인 두 등비수열의 차이다.

두 등비급수 $\displaystyle\sum_{n=1}^{\infty} 2 \times \left(\dfrac{1}{3}\right)^n$, $\displaystyle\sum_{n=1}^{\infty} \dfrac{1}{6} \times \left(\dfrac{1}{2}\right)^{n-1}$은 수렴하므로

$\displaystyle\sum_{n=1}^{\infty} \dfrac{2^{n+1}-3^{n-1}}{6^n} = \displaystyle\sum_{n=1}^{\infty} 2 \times \left(\dfrac{1}{3}\right)^n - \displaystyle\sum_{n=1}^{\infty} \dfrac{1}{6} \times \left(\dfrac{1}{2}\right)^{n-1}$

$= 2 \times \dfrac{\dfrac{1}{3}}{1-\dfrac{1}{3}} - \dfrac{1}{6} \times \dfrac{1}{1-\dfrac{1}{2}}$

$= 1 - \dfrac{1}{3} = \dfrac{2}{3}$

🔲 (1) $\dfrac{12}{7}$　(2) 20　(3) $\dfrac{2}{3}$

대표 05

(1) $\displaystyle\sum_{n=1}^{\infty} \left(\dfrac{1}{2}\right)^n \sin\dfrac{n\pi}{2}$

$= \dfrac{1}{2}\sin\dfrac{\pi}{2} + \left(\dfrac{1}{2}\right)^2 \sin\pi + \left(\dfrac{1}{2}\right)^3 \sin\dfrac{3}{2}\pi$

$\quad + \left(\dfrac{1}{2}\right)^4 \sin 2\pi + \left(\dfrac{1}{2}\right)^5 \sin\dfrac{5}{2}\pi + \cdots$

$= \dfrac{1}{2} - \left(\dfrac{1}{2}\right)^3 + \left(\dfrac{1}{2}\right)^5 + \cdots$

이므로 첫째항이 $\dfrac{1}{2}$, 공비가 $-\left(\dfrac{1}{2}\right)^2 = -\dfrac{1}{4}$인 등비급수의 합이다.

$\therefore \displaystyle\sum_{n=1}^{\infty} \left(\dfrac{1}{2}\right)^n \sin\dfrac{n\pi}{2} = \dfrac{\dfrac{1}{2}}{1-\left(-\dfrac{1}{4}\right)} = \dfrac{2}{5}$

(2) $\displaystyle\sum_{n=1}^{\infty} \dfrac{a_n}{10^n} = \dfrac{9}{10} + \dfrac{1}{10^2} + \dfrac{9}{10^3} + \dfrac{1}{10^4} + \dfrac{9}{10^5} + \dfrac{1}{10^6} + \cdots$

$= \left(\dfrac{9}{10} + \dfrac{9}{10^3} + \dfrac{9}{10^5} + \cdots\right)$

$\quad + \left(\dfrac{1}{10^2} + \dfrac{1}{10^4} + \dfrac{1}{10^6} + \cdots\right)$

이므로 홀수 번째 항은 첫째항이 $\dfrac{9}{10}$, 공비가 $\dfrac{1}{10^2}$인 등비수열이고, 짝수 번째 항은 첫째항이 $\dfrac{1}{10^2}$, 공비가 $\dfrac{1}{10^2}$인 등비수열이다.

$b_n = \dfrac{a_n}{10^n}$으로 놓으면

$\displaystyle\sum_{n=1}^{\infty} b_{2n-1} = \dfrac{\dfrac{9}{10}}{1-\dfrac{1}{10^2}} = \dfrac{10}{11}$, $\displaystyle\sum_{n=1}^{\infty} b_{2n} = \dfrac{\dfrac{1}{10^2}}{1-\dfrac{1}{10^2}} = \dfrac{1}{99}$

$\therefore \displaystyle\sum_{n=1}^{\infty} b_n = \displaystyle\sum_{n=1}^{\infty} b_{2n-1} + \displaystyle\sum_{n=1}^{\infty} b_{2n} = \dfrac{10}{11} + \dfrac{1}{99} = \dfrac{91}{99}$

🔲 (1) $\dfrac{2}{5}$　(2) $\dfrac{91}{99}$

참고 (2) $\displaystyle\sum_{n=1}^{\infty} \dfrac{a_n}{10^n} = \dfrac{9}{10} + \dfrac{1}{10^2} + \dfrac{9}{10^3} + \dfrac{1}{10^4} + \dfrac{9}{10^5}$

$\quad + \dfrac{1}{10^6} + \cdots$

$= 0.9 + 0.01 + 0.009 + 0.0001 + 0.00009$

$\quad + 0.000001 + \cdots$

$= 0.\dot{9}\dot{1} = \dfrac{91}{99}$

과 같이 순환소수로 생각할 수도 있다.

5-1

(1) $\displaystyle\sum_{n=1}^{\infty} \left(\dfrac{1}{2}\right)^n \cos\dfrac{n\pi}{2}$

$= \dfrac{1}{2}\cos\dfrac{\pi}{2} + \left(\dfrac{1}{2}\right)^2 \cos\pi + \left(\dfrac{1}{2}\right)^3 \cos\dfrac{3}{2}\pi$

$\quad + \left(\dfrac{1}{2}\right)^4 \cos 2\pi + \left(\dfrac{1}{2}\right)^5 \cos\dfrac{5}{2}\pi + \cdots$

$= 0 - \left(\dfrac{1}{2}\right)^2 + 0 + \left(\dfrac{1}{2}\right)^4 + 0 + \cdots$

이므로 첫째항이 $-\left(\dfrac{1}{2}\right)^2 = -\dfrac{1}{4}$,

공비가 $-\left(\dfrac{1}{2}\right)^2 = -\dfrac{1}{4}$인 등비급수의 합이다.

$\therefore \displaystyle\sum_{n=1}^{\infty} \left(\dfrac{1}{2}\right)^n \cos\dfrac{n\pi}{2} = \dfrac{-\dfrac{1}{4}}{1-\left(-\dfrac{1}{4}\right)} = -\dfrac{1}{5}$

(2) $\sum\limits_{n=1}^{\infty} \dfrac{1}{2^n}\left(\sin\dfrac{n\pi}{2}-\cos\dfrac{n\pi}{2}\right)$

$=\dfrac{1}{2}(1-0)+\dfrac{1}{2^2}\{0-(-1)\}+\dfrac{1}{2^3}(-1-0)$

$\quad+\dfrac{1}{2^4}(0-1)+\dfrac{1}{2^5}(1-0)+\dfrac{1}{2^6}\{0-(-1)\}+\cdots$

$=\dfrac{1}{2}+\dfrac{1}{2^2}-\dfrac{1}{2^3}-\dfrac{1}{2^4}+\dfrac{1}{2^5}+\dfrac{1}{2^6}+\cdots$

$=\left(\dfrac{1}{2}-\dfrac{1}{2^3}+\dfrac{1}{2^5}+\cdots\right)+\left(\dfrac{1}{2^2}-\dfrac{1}{2^4}+\dfrac{1}{2^6}+\cdots\right)$

이므로 홀수 번째 항은 첫째항이 $\dfrac{1}{2}$, 공비가 $-\dfrac{1}{2^2}$인

등비수열이고, 짝수 번째 항은 첫째항이 $\dfrac{1}{2^2}$, 공비가

$-\dfrac{1}{2^2}$인 등비수열이다.

$a_n=\dfrac{1}{2^n}\left(\sin\dfrac{n\pi}{2}-\cos\dfrac{n\pi}{2}\right)$로 놓으면

$\sum\limits_{n=1}^{\infty} a_{2n-1}=\dfrac{\dfrac{1}{2}}{1-\left(-\dfrac{1}{4}\right)}=\dfrac{2}{5}$,

$\sum\limits_{n=1}^{\infty} a_{2n}=\dfrac{\dfrac{1}{4}}{1-\left(-\dfrac{1}{4}\right)}=\dfrac{1}{5}$

$\therefore \sum\limits_{n=1}^{\infty} a_n=\sum\limits_{n=1}^{\infty} a_{2n-1}+\sum\limits_{n=1}^{\infty} a_{2n}=\dfrac{2}{5}+\dfrac{1}{5}=\dfrac{3}{5}$

답 (1) $-\dfrac{1}{5}$ (2) $\dfrac{3}{5}$

참고 (2) 앞에서 구한

$\sum\limits_{n=1}^{\infty}\left(\dfrac{1}{2}\right)^n\sin\dfrac{n\pi}{2}=\dfrac{2}{5}$, $\sum\limits_{n=1}^{\infty}\left(\dfrac{1}{2}\right)^n\cos\dfrac{n\pi}{2}=-\dfrac{1}{5}$

을 이용하면

$\sum\limits_{n=1}^{\infty}\dfrac{1}{2^n}\left(\sin\dfrac{n\pi}{2}-\cos\dfrac{n\pi}{2}\right)$

$=\sum\limits_{n=1}^{\infty}\left(\dfrac{1}{2}\right)^n\sin\dfrac{n\pi}{2}-\sum\limits_{n=1}^{\infty}\left(\dfrac{1}{2}\right)^n\cos\dfrac{n\pi}{2}$

$=\dfrac{2}{5}-\left(-\dfrac{1}{5}\right)=\dfrac{3}{5}$

5-2

$\sum\limits_{n=1}^{\infty}\dfrac{a_n}{3^n}=\dfrac{1}{3}+\dfrac{2}{3^2}+0+\dfrac{1}{3^4}+\dfrac{2}{3^5}+0+\cdots$

$\qquad=\left(\dfrac{1}{3}+\dfrac{1}{3^4}+\cdots\right)+\left(\dfrac{2}{3^2}+\dfrac{2}{3^5}+\cdots\right)$

이므로 홀수 번째 항은 첫째항이 $\dfrac{1}{3}$, 공비가 $\dfrac{1}{3^3}$인 등비

수열이고, 짝수 번째 항은 첫째항이 $\dfrac{2}{3^2}$, 공비가 $\dfrac{1}{3^3}$인 등

비수열이다.

$b_n=\dfrac{a_n}{3^n}$으로 놓으면

$\sum\limits_{n=1}^{\infty} b_{2n-1}=\dfrac{\dfrac{1}{3}}{1-\dfrac{1}{3^3}}=\dfrac{9}{26}$, $\sum\limits_{n=1}^{\infty} b_{2n}=\dfrac{\dfrac{2}{3^2}}{1-\dfrac{1}{3^3}}=\dfrac{3}{13}$

$\therefore \sum\limits_{n=1}^{\infty} b_n=\sum\limits_{n=1}^{\infty} b_{2n-1}+\sum\limits_{n=1}^{\infty} b_{2n}=\dfrac{9}{26}+\dfrac{3}{13}=\dfrac{15}{26}$

답 $\dfrac{15}{26}$

대표 06

(1) 수열 $\{a_n\}$의 공비를 r라 하면 $a_1=3$, $\sum\limits_{n=1}^{\infty} a_n=2$이므로

$\dfrac{3}{1-r}=2$ $\therefore r=-\dfrac{1}{2}$

수열 $\{a_n{}^2\}$은 첫째항이 $a_1{}^2=9$이고 공비가 $r^2=\dfrac{1}{4}$인

등비수열이므로

$\sum\limits_{n=1}^{\infty} a_n{}^2=\dfrac{9}{1-\dfrac{1}{4}}=12$

(2) 수열 $\{a_n\}$의 첫째항을 a, 공비를 r라 하면 $a_n=ar^{n-1}$

이므로

$a_{2n-1}=ar^{2n-2}=ar^{2(n-1)}$, $a_{2n}=ar^{2n-1}=ar\times r^{2(n-1)}$

따라서 수열 $\{a_{2n-1}\}$은 첫째항이 a, 공비가 r^2인 등비

수열이고, 수열 $\{a_{2n}\}$은 첫째항이 ar, 공비가 r^2인 등

비수열이다.

$\sum\limits_{n=1}^{\infty} a_{2n-1}=2$이므로 $\dfrac{a}{1-r^2}=2$ $\cdots$ ㉠

$\sum\limits_{n=1}^{\infty} a_{2n}=\dfrac{4}{3}$이므로 $\dfrac{ar}{1-r^2}=\dfrac{4}{3}$ $\cdots$ ㉡

㉡÷㉠을 하면 $r=\dfrac{2}{3}$

㉠에 대입하면 $\dfrac{a}{1-\dfrac{4}{9}}=2$ $\therefore a=\dfrac{10}{9}$

따라서 $a_n=\dfrac{10}{9}\left(\dfrac{2}{3}\right)^{n-1}$이므로 수열 $\{(-1)^{n-1}a_n\}$은

첫째항이 $\dfrac{10}{9}$, 공비가 $-\dfrac{2}{3}$인 등비수열이다.

$\therefore \sum\limits_{n=1}^{\infty}(-1)^{n-1}a_n=\dfrac{\dfrac{10}{9}}{1-\left(-\dfrac{2}{3}\right)}=\dfrac{2}{3}$

답 (1) 12 (2) $\dfrac{2}{3}$

6-1

수열 $\{a_n\}$의 공비를 r라 하면 수열 $\{(-1)^n a_n\}$의 첫째
항은 -4, 공비는 $-r$이다.

$\sum_{n=1}^{\infty}(-1)^n a_n=-5$이므로

$$\frac{-4}{1-(-r)}=-5,\ 1+r=\frac{4}{5}\qquad \therefore r=-\frac{1}{5}$$

수열 $\{a_n^2\}$은 첫째항이 16이고 공비가 $r^2=\dfrac{1}{25}$인 등비
수열이므로

$$\sum_{n=1}^{\infty}a_n^2=\frac{16}{1-\dfrac{1}{25}}=\frac{50}{3}$$

답 $\dfrac{50}{3}$

6-2

수열 $\{a_n\}$의 첫째항을 a, 공비를 r라 하면
수열 $\{a_{2n-1}\}$의 첫째항은 a, 공비는 r^2이다.

$\sum_{n=1}^{\infty}a_n=\dfrac{2}{3}$이므로 $\dfrac{a}{1-r}=\dfrac{2}{3}$ $\qquad\cdots$ ㉠

$\sum_{n=1}^{\infty}a_{2n-1}=\dfrac{4}{3}$이므로

$$\frac{a}{1-r^2}=\frac{4}{3},\ \frac{a}{(1-r)(1+r)}=\frac{4}{3}\qquad\cdots ㉡$$

㉠을 ㉡에 대입하면 $\dfrac{2}{3(1+r)}=\dfrac{4}{3}$

$1+r=\dfrac{1}{2}\qquad \therefore r=-\dfrac{1}{2}$

㉠에 대입하면 $\dfrac{a}{1-\left(-\dfrac{1}{2}\right)}=\dfrac{2}{3}\qquad \therefore a=1$

$$\therefore a_n=\left(-\frac{1}{2}\right)^{n-1}$$

답 $a_n=\left(-\dfrac{1}{2}\right)^{n-1}$

대표 07

수열 $\{a_n\}$은 첫째항이 $a=(x+3)\times\dfrac{x}{2}$, 공비가 $r=\dfrac{x}{2}$인
등비수열이다.

(1) 수열 $\{a_n\}$이 수렴할 조건은 $a=0$ 또는 $-1<r\le 1$이
므로
 (ⅰ) $a=0$일 때,

  $(x+3)\times\dfrac{x}{2}=0\qquad \therefore x=-3$ 또는 $x=0$

 (ⅱ) $-1<r\le 1$일 때,

  $-1<\dfrac{x}{2}\le 1\qquad \therefore -2<x\le 2$

(ⅰ), (ⅱ)에서 $x=-3$ 또는 $-2<x\le 2$

(2) 등비급수 $\sum_{n=1}^{\infty}a_n$이 수렴할 조건은

 $a=0$ 또는 $-1<r<1$이므로

 (ⅰ) $a=0$일 때,

  $(x+3)\times\dfrac{x}{2}=0\qquad \therefore x=-3$ 또는 $x=0$

 (ⅱ) $-1<r<1$일 때,

  $-1<\dfrac{x}{2}<1\qquad \therefore -2<x<2$

 (ⅰ), (ⅱ)에서 $x=-3$ 또는 $-2<x<2\qquad\cdots$ ㉠

(3) $\sum_{n=1}^{\infty}a_n=4$이므로 $\dfrac{(x+3)\times\dfrac{x}{2}}{1-\dfrac{x}{2}}=4$

 $x(x+3)=4(2-x),\ (x-1)(x+8)=0$
 등비급수가 수렴하므로 ㉠의 범위에서 해를 구하면
 $x=1$

답 (1) $x=-3$ 또는 $-2<x\le 2$
(2) $x=-3$ 또는 $-2<x<2$
(3) $x=1$

7-1

(1) 첫째항이 $a=x$, 공비가 $r=2x-1$이므로
 (ⅰ) $a=0$일 때, $x=0$
 (ⅱ) $-1<r<1$일 때, $-1<2x-1<1$
  $\therefore 0<x<1$
 (ⅰ), (ⅱ)에서 $0\le x<1$

(2) 첫째항이 $a=\dfrac{x}{2}$, 공비가 $r=\dfrac{x(x-2)}{2}$이므로
 (ⅰ) $a=0$일 때, $x=0$
 (ⅱ) $-1<r<1$일 때, $-1<\dfrac{x(x-2)}{2}<1$

  $-1<\dfrac{x(x-2)}{2}$에서 $x^2-2x+2>0$
  이 부등식은 항상 성립한다.

  $\dfrac{x(x-2)}{2}<1$에서 $x^2-2x-2<0$
  $\therefore 1-\sqrt{3}<x<1+\sqrt{3}$
 (ⅰ), (ⅱ)에서 $1-\sqrt{3}<x<1+\sqrt{3}$

답 (1) $0\le x<1$ (2) $1-\sqrt{3}<x<1+\sqrt{3}$

7-2

등비급수 $\sum_{n=1}^{\infty}r^n$이 수렴할 조건은 $-1<r<1$

① $\displaystyle\sum_{n=1}^{\infty} r^{2n}$은 공비가 r^2인 등비급수이다.

이때 $0 \leq r^2 < 1$이므로 수렴한다.

② $\displaystyle\sum_{n=1}^{\infty} (-r)^n$은 공비가 $-r$인 등비급수이다.

이때 $-1 < -r < 1$이므로 수렴한다.

③ $\displaystyle\sum_{n=1}^{\infty} r^n$, $\displaystyle\sum_{n=1}^{\infty} (-r)^n$이 수렴하므로 $\displaystyle\sum_{n=1}^{\infty} 2\{r^n + (-r)^n\}$

도 수렴한다.

④ $\displaystyle\sum_{n=1}^{\infty} \left(\frac{r-1}{2}\right)^n$은 공비가 $\frac{r-1}{2}$인 등비급수이다.

이때 $-1 < \frac{r-1}{2} < 0$이므로 수렴한다.

⑤ $\displaystyle\sum_{n=1}^{\infty} \left(\frac{r}{2}-1\right)^n$은 공비가 $\frac{r}{2}-1$인 등비급수이다.

$-\frac{3}{2} < \frac{r}{2}-1 < -\frac{1}{2}$이므로 $-\frac{3}{2} < \frac{r}{2}-1 \leq -1$일 때

에는 발산한다.

따라서 반드시 수렴한다고 할 수 없는 것은 ⑤이다.

답 ⑤

대표 08

점 $P_n(x_n, y_n)$이라 하자.

(ⅰ) $x_1 = \overline{OP_1} \times \cos 30° = \frac{\sqrt{3}}{2}$

$x_2 = x_1 - \overline{P_1 P_2} \times \cos 30° = \frac{\sqrt{3}}{2} - \frac{1}{2} \times \frac{\sqrt{3}}{2}$

$x_3 = x_2 + \overline{P_2 P_3} \times \cos 30° = \frac{\sqrt{3}}{2} - \frac{1}{2} \times \frac{\sqrt{3}}{2} + \left(\frac{1}{2}\right)^2 \times \frac{\sqrt{3}}{2}$

$\vdots$

이므로 x_n은 첫째항이 $\frac{\sqrt{3}}{2}$이고 공비가 $-\frac{1}{2}$인 등비

수열의 합이다.

$\therefore \displaystyle\lim_{n \to \infty} x_n = \frac{\frac{\sqrt{3}}{2}}{1 - \left(-\frac{1}{2}\right)} = \frac{\sqrt{3}}{3}$

(ⅱ) $y_1 = \overline{OP_1} \times \sin 30° = \frac{1}{2}$

$y_2 = y_1 + \overline{P_1 P_2} \times \sin 30° = \frac{1}{2} + \frac{1}{2} \times \frac{1}{2}$

$y_3 = y_2 + \overline{P_2 P_3} \times \sin 30° = \frac{1}{2} + \frac{1}{2} \times \frac{1}{2} + \left(\frac{1}{2}\right)^2 \times \frac{1}{2}$

$\vdots$

이므로 y_n은 첫째항이 $\frac{1}{2}$이고 공비가 $\frac{1}{2}$인 등비수열

의 합이다.

$\therefore \displaystyle\lim_{n \to \infty} y_n = \frac{\frac{1}{2}}{1 - \frac{1}{2}} = 1$

(ⅰ), (ⅱ)에서 P_n이 한없이 가까워지는 점의 좌표는

$\left(\frac{\sqrt{3}}{3}, 1\right)$

답 $\left(\dfrac{\sqrt{3}}{3}, 1\right)$

참고 $x_1 = \cos 30°$

$x_2 = x_1 + \left(-\frac{1}{2}\right) \times \cos 30°$

$x_3 = x_2 + \left(-\frac{1}{2}\right)^2 \times \cos 30°$

$\vdots$

$x_n = x_{n-1} + \left(-\frac{1}{2}\right)^{n-1} \times \cos 30°$

에서 각 변을 모두 더하면

$x_1 + \cdots + x_n = x_1 + \cdots + x_{n-1} + \cos 30°$

$+ \left(-\frac{1}{2}\right) \times \cos 30° + \cdots + \left(-\frac{1}{2}\right)^{n-1} \times \cos 30°$

$\therefore x_n = \cos 30° + \left(-\frac{1}{2}\right) \times \cos 30°$

$+ \cdots + \left(-\frac{1}{2}\right)^{n-1} \times \cos 30°$

8-1

점 $A_n(x_n, y_n)$이라 하자.

$\overline{OA_1} = 1$, $\overline{A_1 A_2} = \frac{1}{2}$,

$\overline{A_2 A_3} = \left(\frac{1}{2}\right)^2$,

$\overline{A_3 A_4} = \left(\frac{1}{2}\right)^3$, $\cdots$

(ⅰ) $x_1 = 1$, $x_2 = x_1$, $x_3 = x_2 + \left(\frac{1}{2}\right)^2$, $x_4 = x_3$,

$x_5 = x_4 + \left(\frac{1}{2}\right)^4$, $\cdots$

이므로

$x_n = 1 + \left(\frac{1}{2}\right)^2 + \left(\frac{1}{2}\right)^4 + \cdots$

$\therefore \displaystyle\lim_{n \to \infty} x_n = \frac{1}{1 - \left(\frac{1}{2}\right)^2} = \frac{4}{3}$

(ⅱ) $y_1 = 0$, $y_2 = \frac{1}{2}$, $y_3 = y_2$, $y_4 = y_3 + \left(\frac{1}{2}\right)^3$, $y_5 = y_4$, $\cdots$

이므로

$$y_n = 0 + \frac{1}{2} + \left(\frac{1}{2}\right)^3 + \cdots$$

$$\therefore \lim_{n \to \infty} y_n = \frac{\dfrac{1}{2}}{1 - \left(\dfrac{1}{2}\right)^2} = \frac{2}{3}$$

(i), (ii)에서 A_n이 한없이 가까워지는 점의 좌표는

$\left(\dfrac{4}{3}, \dfrac{2}{3}\right)$

$$\text{🅐 } \left(\frac{4}{3}, \frac{2}{3}\right)$$

대표 09

(1) 원 C_n의 반지름의 길이를 r_n이라 하자.

정사각형 M_n의 한 변의 길이는 $2r_{n+1}$이고, M_n의 대각선이 C_n의 지름이므로

$$\sqrt{2} \times 2r_{n+1} = 2r_n \qquad \therefore r_{n+1} = \frac{1}{\sqrt{2}} \times r_n$$

$l_n = 2\pi r_n$이므로 수열 $\{l_n\}$은 첫째항이

$l_1 = 2\pi r_1 = 2\pi$, 공비가 $\dfrac{1}{\sqrt{2}}$인 등비수열이다.

$$\therefore \sum_{n=1}^{\infty} l_n = \frac{2\pi}{1 - \dfrac{1}{\sqrt{2}}} = \frac{2\sqrt{2}\pi}{\sqrt{2}-1} = 2(2+\sqrt{2})\pi$$

(2) $S_n = \pi r_n^2 - (2r_{n+1})^2 = \pi r_n^2 - (\sqrt{2}r_n)^2 = (\pi-2)r_n^2$

수열 $\{S_n\}$은 첫째항이 $\pi-2$, 공비가 $\left(\dfrac{1}{\sqrt{2}}\right)^2 = \dfrac{1}{2}$인

등비수열이므로

$$\sum_{n=1}^{\infty} S_n = \frac{\pi-2}{1-\dfrac{1}{2}} = 2(\pi-2)$$

$$\text{🅐 (1) } 2(2+\sqrt{2})\pi \quad \text{(2) } 2(\pi-2)$$

9-1

(1) n번째 얻은 정사각형의 한 변의 길이를 a_n이라 하자.

삼각형 ABC에서 $\overline{\text{BC}} = \dfrac{1}{\tan 30°} = \sqrt{3}$

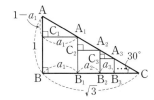

$\triangle\text{ABC} \backsim \triangle\text{AC}_1\text{A}_1$이므로

$$\sqrt{3} : 1 = a_1 : (1 - a_1) \qquad \therefore a_1 = \frac{3-\sqrt{3}}{2}$$

$l_n = 4a_n$이므로 $l_1 = 4a_1 = 2(3-\sqrt{3})$

또 $\triangle\text{ABC} \backsim \triangle\text{A}_1\text{C}_2\text{A}_2$이므로

$$\sqrt{3} : 1 = a_2 : (a_1 - a_2)$$

$$\therefore a_2 = \frac{3-\sqrt{3}}{2}a_1 = \left(\frac{3-\sqrt{3}}{2}\right)^2$$

$$\therefore l_2 = 4a_2 = (3-\sqrt{3})^2$$

$\triangle\text{ABC} \backsim \triangle\text{A}_2\text{C}_3\text{A}_3$이므로

$$\sqrt{3} : 1 = a_3 : (a_2 - a_3)$$

$$\therefore a_3 = \frac{3-\sqrt{3}}{2}a_2 = \left(\frac{3-\sqrt{3}}{2}\right)^3$$

$$\therefore l_3 = 4a_3 = \frac{(3-\sqrt{3})^3}{2}$$

곧, 수열 $\{l_n\}$은 첫째항이 $2(3-\sqrt{3})$, 공비가 $\dfrac{3-\sqrt{3}}{2}$

인 등비수열이므로

$$\sum_{n=1}^{\infty} l_n = \frac{2(3-\sqrt{3})}{1-\dfrac{3-\sqrt{3}}{2}} = 4\sqrt{3}$$

(2) $a_1 = \dfrac{3-\sqrt{3}}{2}$, $a_2 = \left(\dfrac{3-\sqrt{3}}{2}\right)^2$, $\cdots$, $a_n = \left(\dfrac{3-\sqrt{3}}{2}\right)^n$

이므로

$$S_1 = a_1^2 = \left(\frac{3-\sqrt{3}}{2}\right)^2, \quad S_2 = a_2^2 = \left(\frac{3-\sqrt{3}}{2}\right)^4, \cdots,$$

$$S_n = a_n^2 = \left(\frac{3-\sqrt{3}}{2}\right)^{2n}$$

곧, 수열 $\{S_n\}$은 첫째항이 $\left(\dfrac{3-\sqrt{3}}{2}\right)^2 = \dfrac{6-3\sqrt{3}}{2}$,

공비가 $\left(\dfrac{3-\sqrt{3}}{2}\right)^2 = \dfrac{6-3\sqrt{3}}{2}$인 등비수열이므로

$$\sum_{n=1}^{\infty} S_n = \frac{\dfrac{6-3\sqrt{3}}{2}}{1-\dfrac{6-3\sqrt{3}}{2}} = \frac{6\sqrt{3}-3}{11}$$

$$\text{🅐 (1) } 4\sqrt{3} \quad \text{(2) } \frac{6\sqrt{3}-3}{11}$$

대표 10

[그림 n]에서 새로 색칠하는 부분의 넓이를 s_n이라 하자.

[그림 1]에서 색칠한 부채꼴 4개의 중심각의 크기의 합이

$360° - 4 \times 60° = 120°$이므로

$$s_1 = \pi \times 1^2 \times \frac{120°}{360°} = \frac{\pi}{3}$$

[그림 n]에서 새로 그리는 원의 반지름의 길이를 r_n이라 하자.

그림에서

$\overline{O_1A_1}=1$, $\overline{O_1O_2}=2r_2$이므로

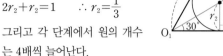

$2r_2+r_2=1$ $\qquad \therefore r_2=\dfrac{1}{3}$

그리고 각 단계에서 원의 개수는 4배씩 늘어난다.

따라서 수열 $\{s_n\}$은 공비가 $4\times\left(\dfrac{1}{3}\right)^2=\dfrac{4}{9}$인 등비수열이다.

$\therefore \displaystyle\lim_{n\to\infty}S_n=\lim_{n\to\infty}\sum_{k=1}^{n}s_k=\dfrac{\dfrac{\pi}{3}}{1-\dfrac{4}{9}}=\dfrac{3}{5}\pi$

답 $\dfrac{3}{5}\pi$

10-1

[그림 n]에서 새로 색칠하는 부분의 넓이를 s_n이라 하자.

그림에서 $\overline{A_1C_1}=\sqrt{2}$이므로

$3x=\sqrt{2}$ $\quad \therefore x=\dfrac{\sqrt{2}}{3}$

따라서 $s_1=x^2=\dfrac{2}{9}$

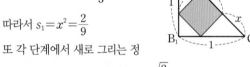

또 각 단계에서 새로 그리는 정

사각형의 한 변의 길이는 공비가 $\dfrac{\sqrt{2}}{3}$인 등비수열을 이루고, 정사각형의 개수는 2배씩 늘어난다.

따라서 수열 $\{s_n\}$은 공비가 $2\times\left(\dfrac{\sqrt{2}}{3}\right)^2=\dfrac{4}{9}$인 등비수열이다.

$\therefore \displaystyle\lim_{n\to\infty}S_n=\lim_{n\to\infty}\sum_{k=1}^{n}s_k=\dfrac{\dfrac{2}{9}}{1-\dfrac{4}{9}}=\dfrac{2}{5}$

답 $\dfrac{2}{5}$

---

 2 급수 36쪽~39쪽

01 (1) $S_n=\dfrac{n+3}{2}$, ∞로 발산 (2) $S_n=\dfrac{n+3}{2n}$, $\dfrac{1}{2}$

02 1 **03** (1) $\dfrac{\sqrt{3}}{2}$ (2) $\dfrac{7}{3}$ **04** ② **05** ⑤

06 $1+\sqrt{2}$

07 (1) 수렴, $\dfrac{3}{4}$ (2) 수렴, $-\log 2$

08 (1) 수렴, 1 (2) 수렴, 1 **09** ①

10 (1) $\dfrac{16}{15}$ (2) $\dfrac{7}{24}$ **11** $\dfrac{108}{13}$ **12** ⑤ **13** $\dfrac{12}{7}$

14 ④ **15** $\dfrac{12\sqrt{3}-4\pi}{9}$ **16** ④ **17** ②

01

(1) $a_k=\dfrac{k+1}{n}$,

$S_n=\displaystyle\sum_{k=1}^{n}\dfrac{k+1}{n}=\dfrac{1}{n}\left\{\dfrac{n(n+1)}{2}+n\right\}=\dfrac{n+3}{2}$

이므로

$\displaystyle\sum_{n=1}^{\infty}a_n=\lim_{n\to\infty}S_n=\lim_{n\to\infty}\dfrac{n+3}{2}=\infty$

(2) $a_k=\dfrac{k+1}{n^2}$,

$S_n=\displaystyle\sum_{k=1}^{n}\dfrac{k+1}{n^2}=\dfrac{1}{n^2}\left\{\dfrac{n(n+1)}{2}+n\right\}=\dfrac{n+3}{2n}$

이므로

$\displaystyle\sum_{n=1}^{\infty}a_n=\lim_{n\to\infty}S_n=\lim_{n\to\infty}\dfrac{n+3}{2n}=\dfrac{1}{2}$

답 (1) $S_n=\dfrac{n+3}{2}$, ∞로 발산

(2) $S_n=\dfrac{n+3}{2n}$, $\dfrac{1}{2}$

02

$a_n=2+(n-1)\times2=2n$이므로

$S_n=\displaystyle\sum_{k=1}^{n}2k=n(n+1)$

$\therefore \displaystyle\sum_{k=1}^{n}\dfrac{1}{S_k}=\sum_{k=1}^{n}\dfrac{1}{k(k+1)}=\sum_{k=1}^{n}\left(\dfrac{1}{k}-\dfrac{1}{k+1}\right)$

$=\left(1-\dfrac{1}{2}\right)+\left(\dfrac{1}{2}-\dfrac{1}{3}\right)+\left(\dfrac{1}{3}-\dfrac{1}{4}\right)$

$+\cdots+\left(\dfrac{1}{n}-\dfrac{1}{n+1}\right)$

$$=1-\frac{1}{n+1}$$

$$\therefore \lim_{n\to\infty}\sum_{k=1}^{n}\frac{1}{S_k}=\lim_{n\to\infty}\left(1-\frac{1}{n+1}\right)=1$$

目 1

03

(1) $a_n=\left(\frac{1}{\sqrt{3}}\right)^{3n-1}(\sqrt{3})^n=\left(\frac{1}{\sqrt{3}}\right)^{3n-1}\left(\frac{1}{\sqrt{3}}\right)^{-n}$

$$=\left(\frac{1}{\sqrt{3}}\right)^{2n-1}$$

이므로 수열 $\{a_n\}$은 첫째항이 $\frac{1}{\sqrt{3}}$, 공비가 $\frac{1}{3}$인 등비수열이다.

$$\therefore \sum_{n=1}^{\infty}\left(\frac{1}{\sqrt{3}}\right)^{3n-1}(\sqrt{3})^n=\frac{\frac{1}{\sqrt{3}}}{1-\frac{1}{3}}=\frac{\sqrt{3}}{2}$$

(2) $a_n=(2^{n+1}+1)\left(\frac{1}{4}\right)^n=2^{n+1}\left(\frac{1}{4}\right)^n+\left(\frac{1}{4}\right)^n$

$$=2\times\left(\frac{1}{2}\right)^n+\left(\frac{1}{4}\right)^n$$

이므로 수열 $\{a_n\}$은 공비가 $\frac{1}{2}$, $\frac{1}{4}$인 두 등비수열의 합이다.

$$\therefore \sum_{n=1}^{\infty}(2^{n+1}+1)\left(\frac{1}{4}\right)^n=\sum_{n=1}^{\infty}2\times\left(\frac{1}{2}\right)^n+\sum_{n=1}^{\infty}\left(\frac{1}{4}\right)^n$$

$$=\frac{1}{1-\frac{1}{2}}+\frac{\frac{1}{4}}{1-\frac{1}{4}}$$

$$=2+\frac{1}{3}=\frac{7}{3}$$

目 (1) $\frac{\sqrt{3}}{2}$ (2) $\frac{7}{3}$

04

첫째항을 a, 공비를 r라 하면 $a_n=ar^{n-1}$이므로

$a_{2n}=ar^{2n-1}$, $a_{2n-1}=ar^{2n-2}$

따라서 수열 $\{a_{2n}\}$은 첫째항이 ar, 공비가 r^2인 등비수열이고, 수열 $\{a_{2n-1}\}$은 첫째항이 a, 공비가 r^2인 등비수열이다.

$\sum_{n=1}^{\infty}a_{2n}=\frac{3}{2}$이므로 $\frac{ar}{1-r^2}=\frac{3}{2}$ ··· ㉠

$\sum_{n=1}^{\infty}a_{2n-1}=\frac{9}{2}$이므로 $\frac{a}{1-r^2}=\frac{9}{2}$ ··· ㉡

㉡을 ㉠에 대입하면 $\frac{9}{2}r=\frac{3}{2}$ $\therefore r=\frac{1}{3}$

目 ②

05

$\sum_{n=1}^{\infty}\left(\frac{x}{5}\right)^n$은 첫째항이 $\frac{x}{5}$, 공비가 $\frac{x}{5}$인 등비급수이다.

(i) 첫째항 $\frac{x}{5}=0$인 경우 수렴한다. $\therefore x=0$

(ii) 공비 $\frac{x}{5}$가 $-1<\frac{x}{5}<1$인 경우 수렴하므로

$-5<x<5$

이때 정수 x는 0을 포함하여 9개이다.

(i), (ii)에서 정수 x는 모두 9개이다.

目 ⑤

06

$\angle OP_1P_2=45°$이므로 $\overline{P_1P_2}=\overline{OP_1}\cos45°=\frac{\sqrt{2}}{2}$

$\overline{OP_2}=\overline{P_1P_2}=\frac{\sqrt{2}}{2}$이므로

$\overline{P_2P_3}=\overline{OP_2}\cos45°=\frac{\sqrt{2}}{2}\times\frac{\sqrt{2}}{2}=\left(\frac{\sqrt{2}}{2}\right)^2$

$\overline{OP_3}=\overline{P_2P_3}=\left(\frac{\sqrt{2}}{2}\right)^2$이므로

$\overline{P_3P_4}=\overline{OP_3}\cos45°=\left(\frac{\sqrt{2}}{2}\right)^2\times\frac{\sqrt{2}}{2}=\left(\frac{\sqrt{2}}{2}\right)^3$

$\vdots$

따라서 첫째항이 $\frac{\sqrt{2}}{2}$이고 공비가 $\frac{\sqrt{2}}{2}$인 등비수열의 합이므로

$$\overline{P_1P_2}+\overline{P_2P_3}+\overline{P_3P_4}+\cdots=\frac{\frac{\sqrt{2}}{2}}{1-\frac{\sqrt{2}}{2}}=\frac{\sqrt{2}}{2-\sqrt{2}}=1+\sqrt{2}$$

目 $1+\sqrt{2}$

07 전략 (2) $\sum_{k=1}^{n}\log a_k=\log a_1+\log a_2+\cdots+\log a_n$

$$=\log(a_1a_2a_3\cdots a_n)$$

임을 이용한다.

(1) $a_k=\frac{1}{k^2+2k}=\frac{1}{k(k+2)}=\frac{1}{2}\left(\frac{1}{k}-\frac{1}{k+2}\right)$이므로

$$\sum_{k=1}^{n}a_k=\sum_{k=1}^{n}\frac{1}{2}\left(\frac{1}{k}-\frac{1}{k+2}\right)$$

$$=\frac{1}{2}\left\{\left(1-\frac{1}{3}\right)+\left(\frac{1}{2}-\frac{1}{4}\right)+\left(\frac{1}{3}-\frac{1}{5}\right)\right.$$

$$\left.+\cdots+\left(\frac{1}{n-1}-\frac{1}{n+1}\right)+\left(\frac{1}{n}-\frac{1}{n+2}\right)\right\}$$

$$=\frac{1}{2}\left(1+\frac{1}{2}-\frac{1}{n+1}-\frac{1}{n+2}\right)$$

$$\therefore \sum_{n=1}^{\infty}a_n=\lim_{n\to\infty}\sum_{k=1}^{n}a_k$$

$$=\lim_{n\to\infty}\frac{1}{2}\left(1+\frac{1}{2}-\frac{1}{n+1}-\frac{1}{n+2}\right)$$

$$=\frac{1}{2}\left(1+\frac{1}{2}\right)=\frac{3}{4}$$

(2) $\sum_{k=2}^{n}\log\left(1-\frac{1}{k^2}\right)$

$$=\sum_{k=2}^{n}\log\frac{k^2-1}{k^2}=\sum_{k=2}^{n}\log\frac{(k-1)(k+1)}{k^2}$$

$$=\log\left\{\frac{1\times 3}{2\times 2}\times\frac{2\times 4}{3\times 3}\times\frac{3\times 5}{4\times 4}\times\cdots\right.$$
$$\left.\times\frac{(n-1)(n+1)}{n\times n}\right\}$$

$$=\log\frac{n+1}{2n}$$

$$\therefore \lim_{n\to\infty}\sum_{k=2}^{n}\log\left(1-\frac{1}{k^2}\right)=\lim_{n\to\infty}\log\frac{n+1}{2n}$$

$$=\log\frac{1}{2}=-\log 2$$

답 (1) 수렴, $\frac{3}{4}$ (2) 수렴, $-\log 2$

08 전략 (2) S_{2n-1}과 S_{2n}을 따로 구한 다음, 각각의 극한을 구한다.

(1) $S_n=\left(1-\frac{1}{3}\right)+\left(\frac{1}{3}-\frac{1}{5}\right)+\left(\frac{1}{5}-\frac{1}{7}\right)$
$$+\cdots+\left(\frac{1}{2n-1}-\frac{1}{2n+1}\right)$$
$$=1-\frac{1}{2n+1}$$

$$\therefore \lim_{n\to\infty}S_n=\lim_{n\to\infty}\left(1-\frac{1}{2n+1}\right)=1$$

(2) $a_{2n-1}=\frac{1}{2n-1}$, $a_{2n}=-\frac{1}{2n+1}$이므로

$$S_{2n-1}=1+\left(-\frac{1}{3}+\frac{1}{3}\right)+\left(-\frac{1}{5}+\frac{1}{5}\right)$$
$$+\cdots+\left(-\frac{1}{2n-1}+\frac{1}{2n-1}\right)$$
$$=1$$

$$S_{2n}=1+\left(-\frac{1}{3}+\frac{1}{3}\right)+\left(-\frac{1}{5}+\frac{1}{5}\right)$$
$$+\cdots+\left(-\frac{1}{2n-1}+\frac{1}{2n-1}\right)-\frac{1}{2n+1}$$

$$=1-\frac{1}{2n+1}$$

이때 $\lim_{n\to\infty}S_{2n-1}=1$,

$$\lim_{n\to\infty}S_{2n}=\lim_{n\to\infty}\left(1-\frac{1}{2n+1}\right)=1$$

이므로 $\lim_{n\to\infty}S_n=1$

답 (1) 수렴, 1 (2) 수렴, 1

09 전략 급수 $\sum_{n=1}^{\infty}a_n$이 수렴 ⇒ $\lim_{n\to\infty}a_n=0$

$\sum_{n=1}^{\infty}\left(na_n-\frac{n^2+1}{2n+1}\right)$이 수렴하므로

$$\lim_{n\to\infty}\left(na_n-\frac{n^2+1}{2n+1}\right)=0$$

$b_n=na_n-\frac{n^2+1}{2n+1}$이라 하면 $\lim_{n\to\infty}b_n=0$

또 $a_n=\frac{b_n}{n}+\frac{n^2+1}{2n^2+n}$이므로

$$\lim_{n\to\infty}a_n=\lim_{n\to\infty}\left(\frac{b_n}{n}+\frac{n^2+1}{2n^2+n}\right)=0+\frac{1}{2}=\frac{1}{2}$$

$$\therefore \lim_{n\to\infty}(a_n^2+2a_n+2)=\left(\frac{1}{2}\right)^2+2\times\frac{1}{2}+2=\frac{13}{4}$$

답 ①

10 전략 급수를 수렴하는 두 등비급수로 나누어 각각의 합을 구한다.

(1) $\frac{5-3}{8}+\frac{5^2-3^2}{8^2}+\frac{5^3-3^3}{8^3}+\frac{5^4-3^4}{8^4}+\cdots$

$$=\left(\frac{5}{8}+\frac{5^2}{8^2}+\frac{5^3}{8^3}+\cdots\right)-\left(\frac{3}{8}+\frac{3^2}{8^2}+\frac{3^3}{8^3}+\cdots\right)$$

$$=\frac{\frac{5}{8}}{1-\frac{5}{8}}-\frac{\frac{3}{8}}{1-\frac{3}{8}}$$

$$=\frac{5}{3}-\frac{3}{5}=\frac{16}{15}$$

(2) $\frac{1}{5}+\frac{2}{5^2}+\frac{1}{5^3}+\frac{2}{5^4}+\frac{1}{5^5}+\frac{2}{5^6}+\cdots$

$$=\left(\frac{1}{5}+\frac{1}{5^3}+\frac{1}{5^5}+\cdots\right)+\left(\frac{2}{5^2}+\frac{2}{5^4}+\frac{2}{5^6}+\cdots\right)$$

$$=\frac{\frac{1}{5}}{1-\frac{1}{25}}+\frac{\frac{2}{25}}{1-\frac{1}{25}}$$

$$=\frac{5}{24}+\frac{2}{24}=\frac{7}{24}$$

답 (1) $\frac{16}{15}$ (2) $\frac{7}{24}$

11 **전략** 등비급수가 수렴하려면 $-1<$(공비)<1이어야 함을 이용한다.

첫째항을 a, 공비를 r라 하면 $a_n=ar^{n-1}$이므로

$a_n{}^2=a^2r^{2(n-1)}$

따라서 수열 $\{a_n{}^2\}$은 첫째항이 a^2, 공비가 r^2인 등비수열이다.

$\displaystyle\sum_{n=1}^{\infty}a_n=\dfrac{a}{1-r}=3$에서 $a=3(1-r)$ ··· ㉠

$\displaystyle\sum_{n=1}^{\infty}a_n{}^2=\dfrac{a^2}{1-r^2}=\dfrac{9}{2}$에서 $a^2=\dfrac{9}{2}(1-r^2)$ ··· ㉡

㉠을 ㉡에 대입하면

$\{3(1-r)\}^2=\dfrac{9}{2}(1-r^2)$, $2(1-r)^2=1-r^2$

$3r^2-4r+1=0$, $(3r-1)(r-1)=0$

$\displaystyle\sum_{n=1}^{\infty}a_n=3$에서 $-1<r<1$이므로 $r=\dfrac{1}{3}$

$r=\dfrac{1}{3}$을 ㉠에 대입하면 $a=2$

$a_n{}^3=a^3r^{3(n-1)}$에서 수열 $\{a_n{}^3\}$은 첫째항이 $a^3=8$, 공비가 $r^3=\dfrac{1}{27}$인 등비수열이므로

$\displaystyle\sum_{n=1}^{\infty}a_n{}^3=\dfrac{8}{1-\dfrac{1}{27}}=\dfrac{108}{13}$

답 $\dfrac{108}{13}$

12 **전략** 일반항 a_n, b_n을 구한 다음, 등비급수의 공비를 구한다.

두 수열 $\{a_n\}$, $\{b_n\}$의 일반항은

$a_n=\left(\dfrac{1}{3}\right)^{n-1}$, $b_n=\left(\dfrac{1}{2}\right)^{n-1}$

① $\displaystyle\sum_{n=1}^{\infty}a_n$이 수렴하므로 $\displaystyle\sum_{n=1}^{\infty}2a_n$도 수렴한다.

② $\displaystyle\sum_{n=1}^{\infty}a_n$, $\displaystyle\sum_{n=1}^{\infty}b_n$이 수렴하므로 $\displaystyle\sum_{n=1}^{\infty}(a_n-b_n)$도 수렴한다.

③ $(-1)^n b_n=-\left(-\dfrac{1}{2}\right)^{n-1}$이므로 공비가 $-\dfrac{1}{2}$인 등비급수이다. 따라서 수렴한다.

④ $a_nb_n=\left(\dfrac{1}{6}\right)^{n-1}$이므로 공비가 $\dfrac{1}{6}$인 등비급수이다. 따라서 수렴한다.

⑤ $\dfrac{b_n}{a_n}=\left(\dfrac{3}{2}\right)^{n-1}$이므로 공비가 $\dfrac{3}{2}$인 등비급수이다. 따라서 수렴하지 않는다.

답 ⑤

13 **전략** 수열 $\{a_n\}$에서 a_1, a_2, a_3, ···을 차례대로 구하여 등

비급수의 첫째항과 공비를 찾는다.

$\dfrac{124}{999}=0.124124124\cdots$이므로

$a_1=a_4=a_7=\cdots=1$, $a_2=a_5=a_8=\cdots=2$,

$a_3=a_6=a_9=\cdots=4$

$\therefore \displaystyle\sum_{n=1}^{\infty}\dfrac{a_{3n-2}}{2^{3n-2}}=\sum_{n=1}^{\infty}\dfrac{1}{2^{3n-2}}=\dfrac{\dfrac{1}{2}}{1-\dfrac{1}{2^3}}=\dfrac{4}{7}$,

$\displaystyle\sum_{n=1}^{\infty}\dfrac{a_{3n-1}}{2^{3n-1}}=\sum_{n=1}^{\infty}\dfrac{2}{2^{3n-1}}=\dfrac{\dfrac{2}{2^2}}{1-\dfrac{1}{2^3}}=\dfrac{4}{7}$,

$\displaystyle\sum_{n=1}^{\infty}\dfrac{a_{3n}}{2^{3n}}=\sum_{n=1}^{\infty}\dfrac{4}{2^{3n}}=\dfrac{\dfrac{4}{2^3}}{1-\dfrac{1}{2^3}}=\dfrac{4}{7}$

$\therefore \displaystyle\sum_{n=1}^{\infty}\dfrac{a_n}{2^n}=\dfrac{4}{7}+\dfrac{4}{7}+\dfrac{4}{7}=\dfrac{12}{7}$

답 $\dfrac{12}{7}$

14 **전략** ㄷ. $a_n<b_n$이고 $\displaystyle\sum_{n=1}^{\infty}b_n$이 수렴하지만 $\displaystyle\sum_{n=1}^{\infty}a_n$이 수렴하지 않는 경우를 생각한다.

ㄱ. $\displaystyle\sum_{n=1}^{\infty}a_n$이 수렴하므로 $\displaystyle\lim_{n\to\infty}a_n=0$이다.

$\therefore \displaystyle\lim_{n\to\infty}a_nb_n=0\times\beta=0$ (참)

ㄴ. $2a_n+b_n=c_n$, $a_n-2b_n=d_n$으로 놓고

$\displaystyle\sum_{n=1}^{\infty}c_n=\alpha$, $\displaystyle\sum_{n=1}^{\infty}d_n=\beta$라 하자.

$a_n=\dfrac{2c_n+d_n}{5}$이므로

$\displaystyle\sum_{n=1}^{\infty}a_n=\sum_{n=1}^{\infty}\dfrac{2c_n+d_n}{5}=\dfrac{2}{5}\alpha+\dfrac{1}{5}\beta$ (수렴)

$b_n=\dfrac{c_n-2d_n}{5}$이므로

$\displaystyle\sum_{n=1}^{\infty}b_n=\sum_{n=1}^{\infty}\dfrac{c_n-2d_n}{5}=\dfrac{1}{5}\alpha-\dfrac{2}{5}\beta$ (수렴)

따라서 $\displaystyle\sum_{n=1}^{\infty}a_n$, $\displaystyle\sum_{n=1}^{\infty}b_n$은 모두 수렴한다. (참)

ㄷ. [반례] $a_n=-1$, $b_n=0$이면 $a_n<b_n$이고

$\displaystyle\sum_{n=1}^{\infty}b_n=0$으로 수렴하지만 $\displaystyle\sum_{n=1}^{\infty}a_n$은 발산한다.

(거짓)

따라서 옳은 것은 ㄱ, ㄴ이다.

답 ④

15 전략 원의 중심과 접점을 연결한 선분이 원의 접선과 수
직이 됨을 이용한다.

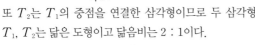

C_1의 반지름의 길이를 r_1이라 하
면 그림에서 $\overline{OA_1}=2r_1$,
$\overline{A_1B_1}=1$이므로

$$1^2+r_1{}^2=(2r_1)^2 \qquad \therefore r_1=\frac{1}{\sqrt{3}}$$

$$\therefore S_1=\frac{\sqrt{3}}{4}\times 2^2-\left(\frac{1}{\sqrt{3}}\right)^2\pi=\sqrt{3}-\frac{\pi}{3}$$

또 T_2는 T_1의 중점을 연결한 삼각형이므로 두 삼각형
T_1, T_2는 닮은 도형이고 닮음비는 2 : 1이다.

따라서 수열 $\{S_n\}$은 공비가 $\frac{1}{4}$인 등비수열이다.

$$\therefore \sum_{n=1}^{\infty} S_n=\frac{\sqrt{3}-\frac{\pi}{3}}{1-\frac{1}{4}}=\frac{12\sqrt{3}-4\pi}{9}$$

답 $\dfrac{12\sqrt{3}-4\pi}{9}$

16 전략 닮음비를 이용하여 등비급수의 합을 구한다.

[그림 n]에서 새로 색칠하는 도형의 넓이를 s_n이라 하면

$S_n=\sum_{k=1}^{n} s_k$이다.

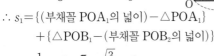

그림에서 $\overline{OP}=\overline{OA_1}$이고
$\angle A_1=\frac{\pi}{3}$이므로 삼각형
POA_1은 정삼각형이고
$\angle POA_1=\frac{\pi}{3}$, $\angle POB_1=\frac{\pi}{6}$이다.

$$\therefore s_1=\{(\text{부채꼴 } POA_1\text{의 넓이})-\triangle POA_1\}$$
$$+\{\triangle POB_1-(\text{부채꼴 } POB_2\text{의 넓이})\}$$
$$=\frac{1}{2}\times 4^2\times\frac{\pi}{3}-\frac{\sqrt{3}}{4}\times 4^2$$
$$+\frac{1}{2}\times 4\sqrt{3}\times 4\times\sin\frac{\pi}{6}-\frac{1}{2}\times 4^2\times\frac{\pi}{6}=\frac{4}{3}\pi$$

또 [그림 2]에서 $\dfrac{\overline{OB_2}}{\overline{OB_1}}=\dfrac{4}{4\sqrt{3}}=\dfrac{1}{\sqrt{3}}$이므로 새로 색칠하는

도형의 닮음비는 $\sqrt{3}$: 1이고, 넓이의 비는 3 : 1이다.

따라서 수열 $\{s_n\}$은 공비가 $\frac{1}{3}$인 등비수열이다.

$$\therefore \lim_{n\to\infty} S_n=\lim_{n\to\infty}\sum_{k=1}^{n} s_k=\frac{\frac{4}{3}\pi}{1-\frac{1}{3}}=2\pi$$

답 ④

17 전략 [그림 1]과 [그림 2]에서 새로 색칠하는 도형이
서로 닮음임을 이용하여 넓이를 구한다. 이때 그
개수는 2배가 됨을 이용하여 수열 $\{S_n\}$의 공비
를 구한다.

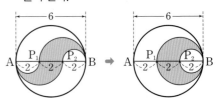

[그림 1]을 바꿔서 생각하면 $S_1=4\pi-\pi=3\pi$

[그림 2]에서 닮은 도형의 닮음비는 3 : 1이므로 넓이의 비
는 9 : 1이다.

따라서 새로 색칠하는 도형의 넓이는 $\frac{1}{9}$배이고 개수가 2배

이므로 넓이의 합은 $\frac{2}{9}S_1$ $\quad\therefore S_2=S_1+\frac{2}{9}S_1$

따라서 수열 $\{S_n\}$은 첫째항이 $S_1=3\pi$, 공비가 $\frac{2}{9}$인 등

비수열의 합이므로 $\lim\limits_{n\to\infty} S_n=\dfrac{3\pi}{1-\dfrac{2}{9}}=\dfrac{27}{7}\pi$

답 ②

개념 Check 40쪽

5

(1) $0.\dot{5}8\dot{6}=0.586+0.000586+0.000000586+\cdots$

$$=\frac{586}{10^3}+\frac{586}{10^6}+\frac{586}{10^9}+\cdots$$

$$=\frac{\dfrac{586}{10^3}}{1-\dfrac{1}{10^3}}=\frac{586}{999}$$

(2) $1.\dot{2}\dot{9}=1+0.29+0.0029+0.000029+\cdots$

$$=1+\frac{29}{10^2}+\frac{29}{10^4}+\frac{29}{10^6}+\cdots$$

$$=1+\frac{\dfrac{29}{10^2}}{1-\dfrac{1}{10^2}}=\frac{128}{99}$$

(3) $3.1\dot{4}=3.1+0.04+0.004+0.0004+\cdots$

$$=\frac{31}{10}+\frac{4}{10^2}+\frac{4}{10^3}+\frac{4}{10^4}+\cdots$$

$$=\frac{31}{10}+\frac{\dfrac{4}{10^2}}{1-\dfrac{1}{10}}=\frac{283}{90}$$

답 (1) $\dfrac{586}{999}$ (2) $\dfrac{128}{99}$ (3) $\dfrac{283}{90}$

3 합성함수의 미분법

대표Q   44쪽

대표 01

$g(x)=t$라 하자.

(1) $\lim\limits_{x \to 0+} f(g(x)) = \lim\limits_{t \to 1-} f(t) = 0$

$\lim\limits_{x \to 0-} f(g(x)) = \lim\limits_{t \to 1+} f(t) = 0$

$\therefore \lim\limits_{x \to 0} f(g(x)) = 0$

(2) $\lim\limits_{x \to 1+} f(g(x)) = \lim\limits_{t \to 0-} f(t) = 1$

$\lim\limits_{x \to 1-} f(g(x)) = \lim\limits_{t \to 1-} f(t) = 1$

$\therefore \lim\limits_{x \to 1} f(g(x)) = 1$

(3) $g(x)$는 $x=1$에서 연속이 아니다.

그런데 $\lim\limits_{x \to 1} f(g(x))=1$이고 $f(g(1))=f(1)=1$

이므로 $f(g(x))$는 $x=1$에서 연속이다.

$f(x)$는 $x=0$에서 연속이 아니고 $g(0)=0$이다.

그런데 $\lim\limits_{x \to 0} f(g(x))=0$이고 $f(g(0))=f(0)=1$

이므로 $f(g(x))$는 $x=0$에서 연속이 아니다.

따라서 $f(g(x))$는 $x=0$에서만 연속이 아니다.

      답 (1) 0   (2) 1   (3) 0

1-1

$f(x)=t$라 하자.

(1) $\lim\limits_{x \to 0+} f(f(x)) = \lim\limits_{t \to 1+} f(t) = 0$

$\lim\limits_{x \to 0-} f(f(x)) = \lim\limits_{t \to 1-} f(t) = 0$

$\therefore \lim\limits_{x \to 0} f(f(x)) = 0$

(2) $\lim\limits_{x \to 1+} f(f(x)) = \lim\limits_{t \to 0-} f(t) = 1$

$\lim\limits_{x \to 1-} f(f(x)) = \lim\limits_{t \to 2-} f(t) = -1$

따라서 $\lim\limits_{x \to 1+} f(f(x)) \neq \lim\limits_{x \to 1-} f(f(x))$이므로 극한이

존재하지 않는다.

(3) $f(x)$는 $x=1$에서 연속이 아니다.

$\lim\limits_{x \to 1} f(f(x))$가 존재하지 않으므로 함수 $f(f(x))$는

$x=1$에서 연속이 아니다.

$\lim\limits_{x \to 0} f(f(x))=0$이고 $f(f(0))=f(1)=0$이므로

함수 $f(f(x))$는 $x=0$에서 연속이다.

따라서 함수 $f(f(x))$는 $x=1$에서만 연속이 아니다.

      답 (1) 0   (2) 극한이 존재하지 않는다.   (3) 1

개념 Check   46쪽~48쪽

1

(1) $y' = -\dfrac{(2x-1)'}{(2x-1)^2} = -\dfrac{2}{(2x-1)^2}$

(2) $y' = \dfrac{(x-1)'(x^2+1)-(x-1)(x^2+1)'}{(x^2+1)^2}$

$= \dfrac{x^2+1-(x-1)\times 2x}{(x^2+1)^2} = \dfrac{-x^2+2x+1}{(x^2+1)^2}$

   답 (1) $y' = -\dfrac{2}{(2x-1)^2}$ (2) $y' = \dfrac{-x^2+2x+1}{(x^2+1)^2}$

2

(1) $y' = 3(2x+5)^2(2x+5)'$

$= 3(2x+5)^2 \times 2 = 6(2x+5)^2$

(2) $y' = 2(x^2+3x)(x^2+3x)'$

$= 2(x^2+3x)(2x+3)$

$= 2x(x+3)(2x+3)$

   답 (1) $y' = 6(2x+5)^2$

        (2) $y' = 2x(x+3)(2x+3)$

3

(1) $y' = -1 \times x^{-1-1} = -x^{-2}$

(2) $y' = -3x^{-3-1} = -3x^{-4}$

   답 (1) $y' = -x^{-2}$ (2) $y' = -3x^{-4}$

4

(1) $y' = \dfrac{1}{3} \times x^{\frac{1}{3}-1} = \dfrac{1}{3}x^{-\frac{2}{3}}$

(2) $y' = -\dfrac{5}{2} \times x^{-\frac{5}{2}-1} = -\dfrac{5}{2}x^{-\frac{7}{2}}$

   답 (1) $y' = \dfrac{1}{3}x^{-\frac{2}{3}}$ (2) $y' = -\dfrac{5}{2}x^{-\frac{7}{2}}$

대표Q   49쪽~51쪽

대표 02

(1) $y' = -3(x^2+x)^{-4}(x^2+x)'$

$= -\dfrac{3(2x+1)}{(x^2+x)^4}$

(또는 $y' = -3(2x+1)(x^2+x)^{-4}$)

(2) $f(x)=(x^2+2)^3$, $g(x)=(2x-5)^5$이라 하면

$f'(x)=3(x^2+2)^2\times 2x=6x(x^2+2)^2$

$g'(x)=5(2x-5)^4\times 2=10(2x-5)^4$

이므로

$y'=6x(x^2+2)^2(2x-5)^5+(x^2+2)^3\times 10(2x-5)^4$

$\quad=2(x^2+2)^2(2x-5)^4\{3x(2x-5)+5(x^2+2)\}$

$\quad=2(x^2+2)^2(2x-5)^4(11x^2-15x+10)$

(3) $y'=\dfrac{(2x-1)'}{2\sqrt{2x-1}}=\dfrac{1}{\sqrt{2x-1}}$

다른 풀이

$y=(2x-1)^{\frac{1}{2}}$이므로

$y'=\dfrac{1}{2}(2x-1)^{-\frac{1}{2}}(2x-1)'$

$\quad=\dfrac{1}{2}\times\dfrac{1}{(2x-1)^{\frac{1}{2}}}\times 2=\dfrac{1}{\sqrt{2x-1}}$

(4) $y=x^{\frac{2}{3}}$이므로

$y'=\dfrac{2}{3}x^{-\frac{1}{3}}=\dfrac{2}{3\sqrt[3]{x}}$

답 (1) $y'=-\dfrac{3(2x+1)}{(x^2+x)^4}$

(2) $y'=2(x^2+2)^2(2x-5)^4(11x^2-15x+10)$

(3) $y'=\dfrac{1}{\sqrt{2x-1}}$ (4) $y'=\dfrac{2}{3\sqrt[3]{x}}$

2-1

(1) $y'=5(3x^2+2x+1)^4(3x^2+2x+1)'$

$\quad=5(3x^2+2x+1)^4(6x+2)$

$\quad=10(3x+1)(3x^2+2x+1)^4$

(2) $f(x)=(x+1)^2$, $g(x)=(x^2-1)^3$이라 하면

$f'(x)=2(x+1)(x+1)'=2(x+1)$

$g'(x)=3(x^2-1)^2(x^2-1)'=6x(x^2-1)^2$

이므로

$y'=2(x+1)(x^2-1)^3+(x+1)^2\times 6x(x^2-1)^2$

$\quad=2(x+1)(x^2-1)^2\{(x^2-1)+(x+1)\times 3x\}$

$\quad=2(x+1)(x^2-1)^2(4x^2+3x-1)$

(3) $f(x)=x$, $g(x)=\sqrt{x^2+1}$이라 하면

$f'(x)=1$

$g'(x)=\dfrac{(x^2+1)'}{2\sqrt{x^2+1}}=\dfrac{x}{\sqrt{x^2+1}}$

이므로

$y'=\sqrt{x^2+1}+\dfrac{x^2}{\sqrt{x^2+1}}=\dfrac{2x^2+1}{\sqrt{x^2+1}}$

(4) $y=(x^2-3x)^{-\frac{1}{3}}$이므로

$y'=-\dfrac{1}{3}(x^2-3x)^{-\frac{4}{3}}\times(x^2-3x)'$

$\quad=-\dfrac{2x-3}{3(x^2-3x)\sqrt[3]{x^2-3x}}$

답 (1) $y'=10(3x+1)(3x^2+2x+1)^4$

(2) $y'=2(x+1)(x^2-1)^2(4x^2+3x-1)$

(3) $y'=\dfrac{2x^2+1}{\sqrt{x^2+1}}$

(4) $y'=-\dfrac{2x-3}{3(x^2-3x)\sqrt[3]{x^2-3x}}$

2-2

$f(x)=(2x+1)^{\frac{1}{3}}$이므로

$f'(x)=\dfrac{1}{3}(2x+1)^{-\frac{2}{3}}(2x+1)'=\dfrac{2}{3\sqrt[3]{(2x+1)^2}}$

$\therefore f'(0)=\dfrac{2}{3}$

답 $\dfrac{2}{3}$

대표 03

(1) $y'=\dfrac{(2x-3)'(x^2-1)-(2x-3)(x^2-1)'}{(x^2-1)^2}$

$\quad=\dfrac{2(x^2-1)-2x(2x-3)}{(x^2-1)^2}$

$\quad=\dfrac{-2x^2+6x-2}{(x^2-1)^2}$

(2) $y'=\dfrac{(x^2-3x+1)'x^5-(x^2-3x+1)(x^5)'}{(x^5)^2}$

$\quad=\dfrac{(2x-3)x^5-5x^4(x^2-3x+1)}{x^{10}}$

$\quad=\dfrac{-3x^2+12x-5}{x^6}$

다른 풀이

$y=x^{-3}-3x^{-4}+x^{-5}$이므로

$y'=-3x^{-4}+12x^{-5}-5x^{-6}$

$\quad=-\dfrac{3}{x^4}+\dfrac{12}{x^5}-\dfrac{5}{x^6}$

(3) $f(x)=\dfrac{x}{1-x^2}$라 하면

$$f'(x) = \frac{(x)'(1-x^2) - x(1-x^2)'}{(1-x^2)^2}$$

$$= \frac{1-x^2-x(-2x)}{(1-x^2)^2} = \frac{1+x^2}{(1-x^2)^2}$$

$$\therefore y' = 3\{f(x)\}^2 f'(x) = 3\left(\frac{x}{1-x^2}\right)^2 \frac{1+x^2}{(1-x^2)^2}$$

$$= \frac{3x^2(1+x^2)}{(1-x^2)^4}$$

(4) $y' = \dfrac{(x)'\sqrt{x+1} - x(\sqrt{x+1})'}{(\sqrt{x+1})^2}$

$$= \frac{\sqrt{x+1} - x \times \dfrac{(x+1)'}{2\sqrt{x+1}}}{x+1}$$

$$= \frac{\dfrac{2(x+1)-x}{2\sqrt{x+1}}}{x+1} = \frac{x+2}{2(x+1)\sqrt{x+1}}$$

다른 풀이

$y = x(x+1)^{-\frac{1}{2}}$이므로

$$y' = (x)'(x+1)^{-\frac{1}{2}} + x \times \left(-\frac{1}{2}\right)(x+1)^{-\frac{3}{2}}(x+1)'$$

$$= (x+1)^{-\frac{1}{2}} - \frac{1}{2}x(x+1)^{-\frac{3}{2}}$$

$$= \frac{1}{2}(x+1)^{-\frac{3}{2}}\{2(x+1)-x\}$$

$$= \frac{1}{2}(x+2)(x+1)^{-\frac{3}{2}}$$

🖪 (1) $y' = \dfrac{-2x^2+6x-2}{(x^2-1)^2}$

(2) $y' = \dfrac{-3x^2+12x-5}{x^6}$

(3) $y' = \dfrac{3x^2(1+x^2)}{(1-x^2)^4}$　(4) $y' = \dfrac{x+2}{2(x+1)\sqrt{x+1}}$

3-1

(1) $y' = \dfrac{\{(2x-5)^2\}'(x+1) - (2x-5)^2(x+1)'}{(x+1)^2}$

$$= \frac{4(2x-5)(x+1) - (2x-5)^2}{(x+1)^2}$$

$$= \frac{(2x-5)\{4(x+1)-(2x-5)\}}{(x+1)^2}$$

$$= \frac{(2x-5)(2x+9)}{(x+1)^2}$$

(2) $y = x^3 - 3x + 4x^{-2} + 2x^{-3}$이므로

$$y' = 3x^2 - 3 - 8x^{-3} - 6x^{-4}$$

$$= 3x^2 - 3 - \frac{8}{x^3} - \frac{6}{x^4}$$

(3) $f(x) = \dfrac{x^2+1}{x-1}$이라 하면

$$f'(x) = \frac{(x^2+1)'(x-1) - (x^2+1)(x-1)'}{(x-1)^2}$$

$$= \frac{2x(x-1) - (x^2+1)}{(x-1)^2} = \frac{x^2-2x-1}{(x-1)^2}$$

$$\therefore y' = 2\{f(x)\}f'(x)$$

$$= 2 \times \frac{x^2+1}{x-1} \times \frac{x^2-2x-1}{(x-1)^2}$$

$$= \frac{2(x^2+1)(x^2-2x-1)}{(x-1)^3}$$

(4) $y' = \dfrac{(\sqrt{x-1})'(x+1) - \sqrt{x-1}(x+1)'}{(x+1)^2}$

$$= \frac{\dfrac{1}{2\sqrt{x-1}} \times (x+1) - \sqrt{x-1}}{(x+1)^2}$$

$$= \frac{x+1-2(x-1)}{2\sqrt{x-1}(x+1)^2}$$

$$= \frac{-x+3}{2\sqrt{x-1}(x+1)^2}$$

🖪 (1) $y' = \dfrac{(2x-5)(2x+9)}{(x+1)^2}$

(2) $y' = 3x^2 - 3 - \dfrac{8}{x^3} - \dfrac{6}{x^4}$

(3) $y' = \dfrac{2(x^2+1)(x^2-2x-1)}{(x-1)^3}$

(4) $y' = \dfrac{-x+3}{2\sqrt{x-1}(x+1)^2}$

3-2

$$f'(x) = \frac{(x-1)'\sqrt{x^2+3} - (x-1)(\sqrt{x^2+3})'}{(\sqrt{x^2+3})^2}$$

$$= \frac{\sqrt{x^2+3} - (x-1) \times \dfrac{2x}{2\sqrt{x^2+3}}}{x^2+3}$$

$$= \frac{(x^2+3) - (x-1) \times x}{(x^2+3)\sqrt{x^2+3}} = \frac{x+3}{(x^2+3)\sqrt{x^2+3}}$$

$$\therefore f'(1) = \frac{4}{8} = \frac{1}{2}$$

🖪 $\dfrac{1}{2}$

날선 04

$\displaystyle\lim_{x \to 0} \dfrac{x}{f(x)} = 2$에서 0이 아닌 극한값이 존재하고 $x \to 0$

일 때, (분자) $\to$ 0이므로 (분모) $\to$ 0이다.

$$\therefore f(0) = 0$$

$$\therefore \lim_{x \to 0} \frac{f(x)}{x} = \lim_{x \to 0} \frac{f(x) - f(0)}{x - 0} = f'(0) = \frac{1}{2}$$

같은 이유로

$$\lim_{x \to 1} \frac{x - 1}{f(x)} = 4 \text{에서 } f(1) = 0 \text{이고}, \ f'(1) = \frac{1}{4} \text{이다.}$$

(1) $\dfrac{f(f(x))}{3x^2 - x - 2} = \dfrac{f(f(x))}{f(x)} \times \dfrac{f(x)}{(x-1)(3x+2)}$

$f(x) = t$라 하면 $x \to 1$일 때 $t \to 0$이므로

$$\lim_{x \to 1} \frac{f(f(x))}{f(x)} = \lim_{t \to 0} \frac{f(t)}{t} = f'(0) = \frac{1}{2}$$

$$\lim_{x \to 1} \frac{f(x)}{(x-1)(3x+2)} = \lim_{x \to 1} \left\{ \frac{f(x)}{x-1} \times \frac{1}{3x+2} \right\}$$

$$= f'(1) \times \frac{1}{5}$$

$$= \frac{1}{4} \times \frac{1}{5} = \frac{1}{20}$$

$$\therefore \lim_{x \to 1} \frac{f(f(x))}{3x^2 - x - 2} = \frac{1}{2} \times \frac{1}{20} = \frac{1}{40}$$

(2) $h'(x) = f'(f(x)) f'(x)$이므로

$$h'(1) = f'(f(1)) f'(1) = f'(0) f'(1)$$

$$= \frac{1}{2} \times \frac{1}{4} = \frac{1}{8}$$

답 (1) $\dfrac{1}{40}$ (2) $\dfrac{1}{8}$

4-1

$$\lim_{x \to 0} \frac{f(x) + 1}{x} = -2 \text{에서 극한값이 존재하고 } x \to 0 \text{일}$$

때 (분모) $\to 0$이므로 (분자) $\to 0$이다.

$f(0) + 1 = 0$이므로 $f(0) = -1$

$$\therefore \lim_{x \to 0} \frac{f(x) - f(0)}{x} = f'(0) = -2$$

같은 이유로

$$\lim_{x \to -1} \frac{g(x)}{x + 1} = \frac{1}{3} \text{에서 } g(-1) = 0, \ g'(-1) = \frac{1}{3}$$

(1) $\dfrac{f(g(x)) + 1}{2x^2 + 5x + 3} = \dfrac{f(g(x)) + 1}{g(x)} \times \dfrac{g(x)}{(x+1)(2x+3)}$

$g(x) = t$라 하면 $x \to -1$일 때 $t \to 0$이므로

$$\lim_{x \to -1} \frac{f(g(x)) + 1}{g(x)} = \lim_{t \to 0} \frac{f(t) + 1}{t} = -2$$

$$\lim_{x \to -1} \frac{g(x)}{(x+1)(2x+3)} = \lim_{x \to -1} \left\{ \frac{g(x)}{x+1} \times \frac{1}{2x+3} \right\}$$

$$= \frac{1}{3} \times 1 = \frac{1}{3}$$

$$\therefore \lim_{x \to -1} \frac{f(g(x)) + 1}{2x^2 + 5x + 3} = (-2) \times \frac{1}{3} = -\frac{2}{3}$$

(2) $h'(x) = f'(g(x)) g'(x)$이므로

$$h'(-1) = f'(g(-1)) g'(-1) = f'(0) g'(-1)$$

$$= (-2) \times \frac{1}{3} = -\frac{2}{3}$$

답 (1) $-\dfrac{2}{3}$ (2) $-\dfrac{2}{3}$

연습과 실전 **3 합성함수의 미분법** 52쪽

01 (1) $y' = (x+2)^3 (7x^3 + 6x^2 - 5x + 10)$

(2) $y' = \dfrac{2}{3\sqrt[3]{(2x+3)^2}}$

(3) $y' = -\dfrac{4x(x+2)(x-2)}{(x^2+5)^4}$

(4) $y' = -\dfrac{1}{(x-1)^2} \sqrt{\dfrac{x-1}{x+1}}$

02 $\dfrac{2}{3}$ **03** (1) 1 (2) -1 **04** $-\dfrac{3}{4}$, 3

05 ④

01

(1) $(x^3 - x + 3)' = 3x^2 - 1$

$\{(x+2)^4\}' = 4(x+2)^3 (x+2)' = 4(x+2)^3$

이므로

$$y' = (3x^2 - 1)(x+2)^4 + (x^3 - x + 3) \times 4(x+2)^3$$

$$= (x+2)^3 \{(3x^2 - 1)(x+2) + 4(x^3 - x + 3)\}$$

$$= (x+2)^3 (7x^3 + 6x^2 - 5x + 10)$$

(2) $y = (2x+3)^{\frac{1}{3}}$이므로

$$y' = \frac{1}{3}(2x+3)^{-\frac{2}{3}}(2x+3)' = \frac{2}{3\sqrt[3]{(2x+3)^2}}$$

(3) $y' = \dfrac{(x^2-1)'(x^2+5)^3 - (x^2-1)\{(x^2+5)^3\}'}{(x^2+5)^6}$

$$= \frac{2x(x^2+5)^3 - (x^2-1) \times 3(x^2+5)^2 \times 2x}{(x^2+5)^6}$$

$$= \frac{2x(x^2+5)^2 \{(x^2+5) - 3(x^2-1)\}}{(x^2+5)^6}$$

$$= -\frac{4x(x^2-4)}{(x^2+5)^4}$$

$$= -\frac{4x(x+2)(x-2)}{(x^2+5)^4}$$

다른 풀이

$$y = \frac{x^2-1}{(x^2+5)^3} = (x^2-1)(x^2+5)^{-3} \text{이므로}$$

$$y'=2x(x^2+5)^{-3}+(x^2-1)\{-3(x^2+5)^{-4}\times 2x\}$$
$$=-2x(x^2+5)^{-4}\{-(x^2+5)+3(x^2-1)\}$$
$$=-2x(x^2+5)^{-4}(2x^2-8)$$
$$=-\frac{4x(x+2)(x-2)}{(x^2+5)^4}$$

(4) $y=\left(\dfrac{x+1}{x-1}\right)^{\frac{1}{2}}$이고

$$\left(\frac{x+1}{x-1}\right)'=\frac{(x-1)-(x+1)}{(x-1)^2}=-\frac{2}{(x-1)^2}$$이므로

$$y'=\frac{1}{2}\left(\frac{x+1}{x-1}\right)^{-\frac{1}{2}}\times\left\{-\frac{2}{(x-1)^2}\right\}$$
$$=-\frac{1}{(x-1)^2}\sqrt{\frac{x-1}{x+1}}$$

📋 (1) $y'=(x+2)^3(7x^3+6x^2-5x+10)$

(2) $y'=\dfrac{2}{3\sqrt[3]{(2x+3)^2}}$

(3) $y'=-\dfrac{4x(x+2)(x-2)}{(x^2+5)^4}$

(4) $y'=-\dfrac{1}{(x-1)^2}\sqrt{\dfrac{x-1}{x+1}}$

02

$$g'(x)=\frac{2\{f(x)+1\}-2xf'(x)}{\{f(x)+1\}^2}$$
$$=\frac{2\{f(x)+1-xf'(x)\}}{\{f(x)+1\}^2}$$

$f(0)=2$이므로

$$g'(0)=\frac{2\{f(0)+1-0\}}{\{f(0)+1\}^2}=\frac{2\times(2+1)}{(2+1)^2}=\frac{2}{3}$$

📋 $\dfrac{2}{3}$

03 전략 그래프를 이용하여 $x=1$에서 $g(f(x))$, $f(g(x))$의 좌극한과 우극한을 조사한다.

(1) $\displaystyle\lim_{x\to 1-}f(x)=-1+$에서 $f(x)=t$라 하면 $x\to 1-$일 때 $t\to -1+$이다.

$$\therefore \lim_{x\to 1-}g(f(x))=\lim_{t\to -1+}g(t)=1$$

$\displaystyle\lim_{x\to 1+}f(x)=1-$에서 $f(x)=t$라 하면 $x\to 1+$일 때 $t\to 1-$이다.

$$\therefore \lim_{x\to 1+}g(f(x))=\lim_{t\to 1-}g(t)=1$$

따라서 $\displaystyle\lim_{x\to 1-}g(f(x))=\lim_{x\to 1+}g(f(x))$이므로 극한값이 존재한다.

$$\therefore \lim_{x\to 1}g(f(x))=1$$

(2) $\displaystyle\lim_{x\to 1-}g(x)=1-$에서 $g(x)=t$라 하면 $x\to 1-$일 때 $t\to 1-$이다.

$$\therefore \lim_{x\to 1-}f(g(x))=\lim_{t\to 1-}f(t)=-1$$

$\displaystyle\lim_{x\to 1+}g(x)=-1+$에서 $g(x)=t$라 하면 $x\to 1+$일 때 $t\to -1+$이다.

$$\therefore \lim_{x\to 1+}f(g(x))=\lim_{t\to -1+}f(t)=-1$$

따라서 $\displaystyle\lim_{x\to 1-}f(g(x))=\lim_{x\to 1+}f(g(x))$이므로 극한값이 존재한다.

$$\therefore \lim_{x\to 1}f(g(x))=-1$$

📋 (1) 1 (2) -1

04 전략 함수 $g(f(x))$가 실수 전체의 집합에서 연속이므로 $\displaystyle\lim_{x\to 1+}g(f(x))$, $\displaystyle\lim_{x\to 1-}g(f(x))$, $g(f(1))$을 구하고, 이 값이 모두 같음을 이용하여 a의 값을 구한다.

함수 $(g\circ f)(x)$가 실수 전체의 집합에서 연속이므로 $x=1$에서 연속이다. 곧,

$$(g\circ f)(1)=\lim_{x\to 1+}(g\circ f)(x)=\lim_{x\to 1-}(g\circ f)(x)$$

이때 $g(f(1))=g(2a)=6a^2+3$이고

$\displaystyle\lim_{x\to 1+}f(x)=1^2-1+2a=2a$이므로 $f(x)=t$라 하면

$$\lim_{x\to 1+}(g\circ f)(x)=\lim_{t\to 2a}g(t)=g(2a)=6a^2+3$$

또 $\displaystyle\lim_{x\to 1-}f(x)=3+a$이므로

$$\lim_{x\to 1-}(g\circ f)(x)=\lim_{t\to 3+a}g(t)=g(3+a)$$
$$=(3+a)^2+a(3+a)+3$$
$$=2a^2+9a+12$$

따라서 $6a^2+3=2a^2+9a+12$이므로

$4a^2-9a-9=0$, $(4a+3)(a-3)=0$

$$\therefore a=-\frac{3}{4}$$ 또는 $a=3$

📋 $-\dfrac{3}{4}$, 3

05 전략 합성함수의 미분법을 이용한다.

$f(2x+1)=(x^2+1)^2$의 양변을 x에 대하여 미분하면

$$f'(2x+1)\times(2x+1)'=2(x^2+1)\times(x^2+1)'$$
$$f'(2x+1)\times 2=2(x^2+1)\times 2x$$
$$\therefore f'(2x+1)=2x(x^2+1)$$

$x=1$을 대입하면

$$f'(3)=4$$

📋 ④

4 지수함수, 로그함수의 미분

개념 Check   54쪽 ~ 55쪽

1

그래프를 생각한다.

(1) $\lim\limits_{x \to \infty} 3^x = \infty$

(2) $\lim\limits_{x \to -\infty} 3^x = 0$

(3) $\lim\limits_{x \to \infty} \left(\frac{1}{2}\right)^{2x} = \lim\limits_{x \to \infty} \left(\frac{1}{4}\right)^x = 0$

(4) $\lim\limits_{x \to \infty} \log x = \infty$

(5) $\lim\limits_{x \to 0+} \log x^2 = -\infty$

(6) $\lim\limits_{x \to 0+} \log_{\frac{1}{3}} x = \infty$

답 (1) ∞로 발산   (2) 0   (3) 0

(4) ∞로 발산   (5) $-\infty$로 발산   (6) ∞로 발산

2

$\ln a = b \iff a = e^b$

(1) $1 = e^x$에서 $x = 0$

(2) $e^2 = e^x$에서 $x = 2$

(3) $\frac{1}{e} = e^{-1}$이므로 $e^{-1} = e^x$ $\therefore x = -1$

(4) $x = e^1 = e$

(5) $x = e^3$

(6) $x = e^{-5} = \frac{1}{e^5}$

답 (1) 0   (2) 2   (3) -1

(4) e (5) e^3 (6) $\frac{1}{e^5}$

대표Q   56쪽 ~ 60쪽

대표 01

(1) $2^{2x} = 4^x$이므로 분모, 분자를 각각 3^x으로 나누면

$$\lim\limits_{x \to \infty} \frac{2^{2x} - 3^x}{3^x + 2^{x+1}} = \lim\limits_{x \to \infty} \frac{\left(\frac{4}{3}\right)^x - 1}{1 + 2 \times \left(\frac{2}{3}\right)^x} = \infty$$

(2) $(3^x - 2^x)^{\frac{1}{x}} = \left[3^x\left\{1 - \left(\frac{2}{3}\right)^x\right\}\right]^{\frac{1}{x}}$이므로

$$\lim\limits_{x \to \infty} (3^x - 2^x)^{\frac{1}{x}} = \lim\limits_{x \to \infty} \left[3^x\left\{1 - \left(\frac{2}{3}\right)^x\right\}\right]^{\frac{1}{x}}$$

$$= \lim\limits_{x \to \infty} (3^x)^{\frac{1}{x}} \times \lim\limits_{x \to \infty} \left\{1 - \left(\frac{2}{3}\right)^x\right\}^{\frac{1}{x}}$$

$$= 3 \times 1 = 3$$

(3) $\lim\limits_{x \to \infty} \{\log(2x+1) - \log(3x-1)\}$

$$= \lim\limits_{x \to \infty} \log\frac{2x+1}{3x-1} = \log\left(\lim\limits_{x \to \infty} \frac{2x+1}{3x-1}\right)$$

$$= \log\left(\lim\limits_{x \to \infty} \frac{2 + \frac{1}{x}}{3 - \frac{1}{x}}\right) = \log\frac{2}{3}$$

(4) $\lim\limits_{x \to 3+} \{\log(x-3) - \log(x^2 - 2x - 3)\}$

$$= \lim\limits_{x \to 3+} \log\frac{x-3}{x^2 - 2x - 3} = \lim\limits_{x \to 3+} \log\frac{1}{x+1}$$

$$= \log\left(\lim\limits_{x \to 3+} \frac{1}{x+1}\right) = \log\frac{1}{4} = -2\log 2$$

답 (1) ∞로 발산   (2) 3   (3) $\log\frac{2}{3}$ (4) $-2\log 2$

1-1

(1) 분모, 분자를 각각 5^x으로 나누면

$$\lim\limits_{x \to \infty} \frac{2^x}{5^x - 1} = \lim\limits_{x \to \infty} \frac{\left(\frac{2}{5}\right)^x}{1 - \left(\frac{1}{5}\right)^x} = 0$$

(2) $3^{2x+1} = 3 \times 9^x$이므로

$$\lim\limits_{x \to \infty} (3^{2x+1} - 4^x) = \lim\limits_{x \to \infty} 9^x\left\{3 - \left(\frac{4}{9}\right)^x\right\} = \infty$$

답 (1) 0   (2) ∞로 발산

1-2

(1) $\lim\limits_{x \to \infty} \left\{\log_{\frac{1}{5}}(5x+1) - \log_{\frac{1}{5}} x\right\}$

$$= \lim\limits_{x \to \infty} \log_{\frac{1}{5}} \frac{5x+1}{x} = \log_{\frac{1}{5}}\left(\lim\limits_{x \to \infty} \frac{5x+1}{x}\right)$$

$$= \log_{\frac{1}{5}} \lim\limits_{x \to \infty}\left(5 + \frac{1}{x}\right) = \log_{\frac{1}{5}} 5 = -1$$

(2) $\lim\limits_{x \to 1+} \{\log_3(x^2 - 1) - \log_3(x - 1)\}$

$$= \lim\limits_{x \to 1+} \log_3 \frac{x^2 - 1}{x - 1} = \lim\limits_{x \to 1+} \log_3(x + 1)$$

$$= \log_3\{\lim\limits_{x \to 1+}(x + 1)\} = \log_3 2$$

답 (1) -1 (2) $\log_3 2$

대표 02

(1) $\displaystyle\lim_{x\to 0}(1+2x)^{\frac{4}{x}}=\lim_{x\to 0}\left\{(1+2x)^{\frac{1}{2x}}\right\}^8=e^8$

(2) $\displaystyle\lim_{x\to 0}\left(1+\frac{x}{2}\right)^{-\frac{1}{x}}=\lim_{x\to 0}\left\{\left(1+\frac{x}{2}\right)^{\frac{2}{x}}\right\}^{-\frac{1}{2}}=e^{-\frac{1}{2}}=\frac{1}{\sqrt{e}}$

(3) $\displaystyle\lim_{x\to 0}\left(1+\frac{3}{x}\right)^{2x}=\lim_{x\to 0}\left\{\left(1+\frac{3}{x}\right)^{\frac{x}{3}}\right\}^6=e^6$

(4) $-x=t$로 놓으면 $x=-t$이고,

$x\to -\infty$일 때 $t\to\infty$이므로

$\displaystyle\lim_{x\to -\infty}\left(1-\frac{1}{x}\right)^{3x}=\lim_{t\to\infty}\left(1+\frac{1}{t}\right)^{-3t}$

$\displaystyle\qquad\qquad=\lim_{t\to\infty}\left\{\left(1+\frac{1}{t}\right)^t\right\}^{-3}$

$\displaystyle\qquad\qquad=e^{-3}=\frac{1}{e^3}$

⊜ (1) e^8 (2) $\dfrac{1}{\sqrt{e}}$ (3) e^6 (4) $\dfrac{1}{e^3}$

2-1

(1) $\displaystyle\lim_{x\to\infty}\left(1+\frac{1}{x}\right)^{-2x}=\lim_{x\to\infty}\left\{\left(1+\frac{1}{x}\right)^x\right\}^{-2}=e^{-2}=\frac{1}{e^2}$

(2) $\displaystyle\lim_{x\to\infty}\left(1+\frac{1}{2x}\right)^{\frac{x}{2}}=\lim_{x\to\infty}\left\{\left(1+\frac{1}{2x}\right)^{2x}\right\}^{\frac{1}{4}}=e^{\frac{1}{4}}=\sqrt[4]{e}$

(3) $-x=t$로 놓으면 $x=-t$이고,

$x\to 0$일 때 $t\to 0$이므로

$\displaystyle\lim_{x\to 0}(1-3x)^{-\frac{2}{x}}=\lim_{t\to 0}(1+3t)^{\frac{2}{t}}$

$\displaystyle\qquad\qquad=\lim_{t\to 0}\left\{(1+3t)^{\frac{1}{3t}}\right\}^6=e^6$

(4) $3^x=t$로 놓으면 $3^{x+1}=3t$이고,

$x\to\infty$일 때 $t\to\infty$이므로

$\displaystyle\lim_{x\to\infty}\left(1+\frac{1}{3^x}\right)^{3^{x+1}}=\lim_{t\to\infty}\left(1+\frac{1}{t}\right)^{3t}$

$\displaystyle\qquad\qquad=\lim_{t\to\infty}\left\{\left(1+\frac{1}{t}\right)^t\right\}^3=e^3$

⊜ (1) $\dfrac{1}{e^2}$ (2) $\sqrt[4]{e}$ (3) e^6 (4) e^3

대표 03

(1) $\displaystyle\lim_{x\to 0}\frac{\log_a(1+x)}{x}=\lim_{x\to 0}\left\{\frac{1}{x}\times\log_a(1+x)\right\}$

$\displaystyle\qquad\qquad=\lim_{x\to 0}\log_a(1+x)^{\frac{1}{x}}$

$\displaystyle\qquad\qquad=\log_a e=\frac{1}{\ln a}$

(2) $\displaystyle\lim_{x\to 0}\frac{\ln(1-2x)}{3x}$

$\displaystyle=\lim_{x\to 0}\left\{\frac{1}{3x}\times\ln(1-2x)\right\}$

$\displaystyle=\lim_{x\to 0}\ln(1-2x)^{\frac{1}{3x}}=\lim_{x\to 0}\ln\left\{(1-2x)^{-\frac{1}{2x}}\right\}^{-\frac{2}{3}}$

$\displaystyle=\ln e^{-\frac{2}{3}}=-\frac{2}{3}\ln e=-\frac{2}{3}$

다른 풀이

$\displaystyle\lim_{x\to 0}\frac{\ln(1-2x)}{3x}=\lim_{x\to 0}\left\{\frac{\ln(1-2x)}{-2x}\times\left(-\frac{2}{3}\right)\right\}$

$\displaystyle\qquad\qquad=1\times\left(-\frac{2}{3}\right)=-\frac{2}{3}$

(3) $\displaystyle\lim_{x\to 0}\frac{\log(1+x)}{2x}=\lim_{x\to 0}\left\{\frac{1}{2x}\times\log(1+x)\right\}$

$\displaystyle\qquad\qquad=\lim_{x\to 0}\log(1+x)^{\frac{1}{2x}}$

$\displaystyle\qquad\qquad=\lim_{x\to 0}\log\left\{(1+x)^{\frac{1}{x}}\right\}^{\frac{1}{2}}$

$\displaystyle\qquad\qquad=\log e^{\frac{1}{2}}=\frac{1}{2}\log e$

이므로

$\displaystyle\lim_{x\to 0}\frac{2x}{\log(1+x)}=\frac{2}{\log e}=2\ln 10$

다른 풀이

$\displaystyle\lim_{x\to 0}\frac{\log(1+x)}{2x}=\lim_{x\to 0}\frac{\log(1+x)}{x}\times\frac{1}{2}=\frac{1}{2\ln 10}$

이므로

$\displaystyle\lim_{x\to 0}\frac{2x}{\log(1+x)}=2\ln 10$

⊜ (1) $\dfrac{1}{\ln a}$ (2) $-\dfrac{2}{3}$ (3) $2\ln 10$

3-1

(1) $\displaystyle\lim_{x\to 0}\frac{\log_2(1+3x)}{x}$

$\displaystyle=\lim_{x\to 0}\left\{\frac{1}{x}\times\log_2(1+3x)\right\}$

$\displaystyle=\lim_{x\to 0}\log_2(1+3x)^{\frac{1}{x}}=\lim_{x\to 0}\log_2\left\{(1+3x)^{\frac{1}{3x}}\right\}^3$

$\displaystyle=\log_2 e^3=3\log_2 e=\frac{3}{\ln 2}$

다른 풀이

$\displaystyle\lim_{x\to 0}\frac{\log_2(1+3x)}{x}=\lim_{x\to 0}\frac{\log_2(1+3x)}{3x}\times 3$

$\displaystyle\qquad\qquad=\frac{3}{\ln 2}$

29

4 지수함수, 로그함수의 미분

(2) $\displaystyle\lim_{x\to 0}\frac{\ln(1-x)}{x}=\lim_{x\to 0}\left\{\frac{1}{x}\times\ln(1-x)\right\}$

$\qquad\qquad\qquad\ =\displaystyle\lim_{x\to 0}\ln(1-x)^{\frac{1}{x}}$

$\qquad\qquad\qquad\ =\displaystyle\lim_{x\to 0}\ln\left\{(1-x)^{-\frac{1}{x}}\right\}^{-1}$

$\qquad\qquad\qquad\ =\ln e^{-1}=-1$

(3) $\displaystyle\lim_{x\to 0}\frac{4x}{\log_3(1+2x)}=\lim_{x\to 0}\frac{4}{\dfrac{1}{x}\log_3(1+2x)}$

$\qquad\qquad\qquad\quad\ =\displaystyle\lim_{x\to 0}\frac{4}{\log_3(1+2x)^{\frac{1}{x}}}$

$\qquad\qquad\qquad\quad\ =\displaystyle\lim_{x\to 0}\frac{4}{\log_3\left\{(1+2x)^{\frac{1}{2x}}\right\}^2}$

$\qquad\qquad\qquad\quad\ =\dfrac{4}{\log_3 e^2}=\dfrac{2}{\log_3 e}=2\ln 3$

$\qquad\qquad$ 🖪 (1) $\dfrac{3}{\ln 2}$ (2) -1 (3) $2\ln 3$

3-2

$\displaystyle\lim_{x\to 0}\frac{\ln(1-3x)}{\ln(1+x)}=\lim_{x\to 0}\frac{\dfrac{\ln(1-3x)}{x}}{\dfrac{\ln(1+x)}{x}}$

$\qquad\qquad\qquad\ =\displaystyle\lim_{x\to 0}\frac{\ln(1-3x)^{\frac{1}{x}}}{\ln(1+x)^{\frac{1}{x}}}$

$\qquad\qquad\qquad\ =\displaystyle\lim_{x\to 0}\frac{\ln\left\{(1-3x)^{\frac{1}{-3x}}\right\}^{-3}}{\ln(1+x)^{\frac{1}{x}}}=-3$

다른 풀이

$\displaystyle\lim_{x\to 0}\frac{\ln(1-3x)}{\ln(1+x)}$

$=\displaystyle\lim_{x\to 0}\left\{\frac{\ln(1-3x)}{-3x}\times\frac{x}{\ln(1+x)}\times(-3)\right\}$

$=1\times 1\times(-3)=-3$

$\qquad\qquad\qquad\qquad\qquad$ 🖪 -3

대표 04

(1) $e^x-1=t$라 하면

$\quad e^x=1+t\qquad\therefore x=\ln(1+t)$

$\quad x\to 0$일 때 $t\to 0$이므로

$\quad\displaystyle\lim_{x\to 0}\frac{e^x-1}{x}=\lim_{t\to 0}\frac{t}{\ln(1+t)}=\lim_{t\to 0}\frac{1}{\dfrac{\ln(1+t)}{t}}=1$

(2) $e^{3x}-1=t$라 하면

$\quad e^{3x}=1+t\qquad\therefore 3x=\ln(1+t)$

$x\to 0$일 때 $t\to 0$이므로

$\displaystyle\lim_{x\to 0}\frac{e^{3x}-1}{x}=\lim_{x\to 0}\left(\frac{e^{3x}-1}{3x}\times 3\right)$

$\qquad\qquad\quad\ =\displaystyle\lim_{t\to 0}\left\{\frac{t}{\ln(1+t)}\times 3\right\}$

$\qquad\qquad\quad\ =3\displaystyle\lim_{t\to 0}\frac{1}{\dfrac{\ln(1+t)}{t}}$

$\qquad\qquad\quad\ =3\times 1=3$

다른 풀이

$\displaystyle\lim_{x\to 0}\frac{e^{3x}-1}{x}=\lim_{x\to 0}\frac{e^{3x}-1}{3x}\times 3=1\times 3=3$

(3) $a^x-1=t$라 하면

$\quad a^x=1+t\qquad\therefore x=\log_a(1+t)$

$\quad x\to 0$일 때 $t\to 0$이므로

$\quad\displaystyle\lim_{x\to 0}\frac{a^x-1}{x}=\lim_{t\to 0}\frac{t}{\log_a(1+t)}$

$\qquad\qquad\qquad\ =\displaystyle\lim_{t\to 0}\frac{1}{\dfrac{\log_a(1+t)}{t}}=\ln a$

(4) $1-x=t$라 하면 $x=1-t$이고

$\quad x\to 1$일 때 $t\to 0$이므로

$\quad\displaystyle\lim_{x\to 1}x^{\frac{1}{1-x}}=\lim_{t\to 0}(1-t)^{\frac{1}{t}}=\lim_{t\to 0}\left\{(1-t)^{-\frac{1}{t}}\right\}^{-1}$

$\qquad\qquad\quad\ =e^{-1}=\dfrac{1}{e}$

$\qquad\qquad$ 🖪 (1) 1 (2) 3 (3) $\ln a$ (4) $\dfrac{1}{e}$

4-1

(1) $\displaystyle\lim_{x\to 0}\frac{3^x-1}{2x}=\lim_{x\to 0}\frac{3^x-1}{x}\times\frac{1}{2}=\frac{\ln 3}{2}$

(2) $\displaystyle\lim_{x\to 0}\frac{x}{e^{3x}-1}=\lim_{x\to 0}\frac{3x}{e^{3x}-1}\times\frac{1}{3}=1\times\frac{1}{3}=\frac{1}{3}$

(3) $x-1=t$라 하면 $x=1+t$이고

$\quad x\to 1$일 때 $t\to 0$이므로

$\quad\displaystyle\lim_{x\to 1}\frac{\ln x}{x-1}=\lim_{t\to 0}\frac{\ln(1+t)}{t}=1$

(4) $x+1=t$라 하면 $x=t-1$이고

$\quad x\to -1$일 때 $t\to 0$이므로

$\quad\displaystyle\lim_{x\to -1}(x+2)^{\frac{2}{x+1}}=\lim_{t\to 0}(1+t)^{\frac{2}{t}}$

$\qquad\qquad\qquad\ =\displaystyle\lim_{t\to 0}\left\{(1+t)^{\frac{1}{t}}\right\}^2=e^2$

$\qquad\qquad$ 🖪 (1) $\dfrac{\ln 3}{2}$ (2) $\dfrac{1}{3}$ (3) 1 (4) e^2

대표 05

(1) $x \to 0$일 때, 0이 아닌 극한값이 존재하고
(분자) $\to$ 0이므로 (분모) $\to$ 0이다.
곧, $\ln b = 0$이므로 $b = 1$
$b = 1$을 좌변에 대입하면
$$\lim_{x \to 0} \frac{a^x - 1}{\ln(x+1)} = \lim_{x \to 0} \left\{ \frac{a^x - 1}{x} \times \frac{x}{\ln(x+1)} \right\}$$
$$= \ln a \times 1 = \ln a$$
$\ln a = \ln 2$이므로 $a = 2$

(2) $x = 0$에서 $f(x)$가 연속이므로 $\lim_{x \to 0} f(x) = f(0)$
$$\therefore \lim_{x \to 0} \frac{e^{2x} - a}{x} = b$$
$x \to 0$일 때, 극한값이 존재하고 (분모) $\to$ 0이므로
(분자) $\to$ 0이다.
곧, $e^0 - a = 0$이므로 $a = 1$
이때 $\lim_{x \to 0} \frac{e^{2x} - 1}{x} = \lim_{x \to 0} \frac{e^{2x} - 1}{2x} \times 2 = 2$ $\quad \cdots \bigcirc$
$$\therefore b = 2$$

답 (1) $a = 2, b = 1$ (2) $a = 1, b = 2$

(참고) (1) $\lim_{x \to 0} \frac{a^x - 1}{x}$은 **대표 04**에서 공부한 결과를 이용하였다.
$a^x - 1 = t$로 치환한 다음 극한을 구해도 된다.

(2) $\bigcirc$에서는 $\lim_{x \to 0} \frac{e^x - 1}{x} = 1$임을 이용하였다.
$e^{2x} - 1 = t$로 치환한 다음 극한을 구해도 된다.

5-1

$x \to 0$일 때, 극한값이 존재하고 (분모) $\to$ 0이므로
(분자) $\to$ 0이다.
곧, $\ln a = 0$이므로 $a = 1$
$a = 1$을 좌변에 대입하면
$$\lim_{x \to 0} \frac{\ln(2x+1)}{e^x - 1} = \lim_{x \to 0} \left\{ \frac{x}{e^x - 1} \times \frac{\ln(2x+1)}{2x} \times 2 \right\}$$
$$= 1 \times 1 \times 2 = 2$$
$$\therefore b = 2$$

답 $a = 1, b = 2$

5-2

$x = 0$에서 연속이므로 $\lim_{x \to 0} f(x) = f(0)$
$$\therefore \lim_{x \to 0} \frac{\ln(1+ax)}{x} = 3$$

$$\lim_{x \to 0} \frac{\ln(1+ax)}{x} = \lim_{x \to 0} \frac{\ln(1+ax)}{ax} \times a$$
$$= a = 3$$
$$\therefore a = 3$$

답 3

3

(1) $y' = 3^x \ln 3$

(2) $y' = \left(\frac{1}{5}\right)^x \ln \frac{1}{5}$ (또는 $y' = -5^{-x} \ln 5$)

(3) $y = 2^{2x} = 4^x$이므로
$y' = 4^x \ln 4 = 2^{2x} \times 2 \ln 2 = 2^{2x+1} \ln 2$

(4) $y = e^{-x} = \left(\frac{1}{e}\right)^x$이므로
$y' = \left(\frac{1}{e}\right)^x \ln \frac{1}{e} = -\left(\frac{1}{e}\right)^x = -e^{-x}$

(5) $y' = 3e^x$

(6) $y' = e^{2x-1} \times (2x-1)' = 2e^{2x-1}$

답 (1) $y' = 3^x \ln 3$ (2) $y' = \left(\frac{1}{5}\right)^x \ln \frac{1}{5}$
(3) $y' = 2^{2x+1} \ln 2$ (4) $y' = -e^{-x}$
(5) $y = 3e^x$ (6) $y' = 2e^{2x-1}$

4

(1) $y' = \dfrac{1}{x \ln 5}$

(2) $y = \ln x^3 = 3 \ln x$이므로 $y' = \dfrac{3}{x}$

(3) $y' = \dfrac{(2x+1)'}{2x+1} = \dfrac{2}{2x+1}$

답 (1) $y' = \dfrac{1}{x \ln 5}$ (2) $y' = \dfrac{3}{x}$ (3) $y' = \dfrac{2}{2x+1}$

5

(1) $y' = \dfrac{(x^2 - 3x)'}{x^2 - 3x} = \dfrac{2x - 3}{x^2 - 3x}$

(2) $y' = ex^{e-1}$

답 (1) $y' = \dfrac{2x-3}{x^2 - 3x}$ (2) $y' = ex^{e-1}$

대표 06

(1) $y'=e^{2x+1}\times(2x+1)'+3e^x=2e^{2x+1}+3e^x$

(2) $y'=(x+1)'e^{x^2}+(x+1)(e^{x^2})'$

$\quad=e^{x^2}+(x+1)e^{x^2}\times 2x$

$\quad=(2x^2+2x+1)e^{x^2}$

(3) $y'=4(2e^x-3)^3(2e^x-3)'=8e^x(2e^x-3)^3$

(4) $y'=\dfrac{(e^x-1)'(e^x+1)-(e^x-1)(e^x+1)'}{(e^x+1)^2}$

$\quad=\dfrac{e^x(e^x+1)-(e^x-1)e^x}{(e^x+1)^2}=\dfrac{2e^x}{(e^x+1)^2}$

(5) $y'=2^{x^2-3x+1}\times(x^2-3x+1)'\times\ln 2$

$\quad=2^{x^2-3x+1}(2x-3)\ln 2$

답 (1) $y'=2e^{2x+1}+3e^x$ (2) $y'=(2x^2+2x+1)e^{x^2}$

     (3) $y'=8e^x(2e^x-3)^3$ (4) $y'=\dfrac{2e^x}{(e^x+1)^2}$

     (5) $y'=2^{x^2-3x+1}(2x-3)\ln 2$

6-1

(1) $y'=(x^3+2x)'e^{3x-1}+(x^3+2x)(e^{3x-1})'$

$\quad=(3x^2+2)e^{3x-1}+(x^3+2x)\times 3e^{3x-1}$

$\quad=(3x^3+3x^2+6x+2)e^{3x-1}$

(2) $y'=\dfrac{e^x(3x-2)-e^x\times 3}{(3x-2)^2}$

$\quad=\dfrac{e^x(3x-5)}{(3x-2)^2}$

(3) $y'=3(e^x+2)^2(e^x+2)'=3e^x(e^x+2)^2$

(4) $y'=5^{x^3-x^2+4}\times(x^3-x^2+4)'\times\ln 5$

$\quad=5^{x^3-x^2+4}\times(3x^2-2x)\times\ln 5$

$\quad=5^{x^3-x^2+4}x(3x-2)\ln 5$

답 (1) $y'=(3x^3+3x^2+6x+2)e^{3x-1}$

     (2) $y'=\dfrac{e^x(3x-5)}{(3x-2)^2}$ (3) $y'=3e^x(e^x+2)^2$

     (4) $y'=5^{x^3-x^2+4}x(3x-2)\ln 5$

대표 07

(1) $y'=\dfrac{(e^x+1)'}{e^x+1}=\dfrac{e^x}{e^x+1}$

(2) $y'=(x^2)'\ln(2x+1)+x^2\{\ln(2x+1)\}'$

$\quad=2x\ln(2x+1)+x^2\times\dfrac{(2x+1)'}{2x+1}$

$\quad=2x\ln(2x+1)+\dfrac{2x^2}{2x+1}$

(3) $y'=\dfrac{(\ln x)'\times x-\ln x\times(x)'}{x^2}$

$\quad=\dfrac{\dfrac{1}{x}\times x-\ln x}{x^2}=\dfrac{1-\ln x}{x^2}$

(4) $y'=2\ln x(\ln x)'+\dfrac{(x^2)'}{x^2}$

$\quad=\dfrac{2\ln x}{x}+\dfrac{2}{x}=\dfrac{2(\ln x+1)}{x}$

(5) $y'=\dfrac{(x^2+x+1)'}{(x^2+x+1)\ln 10}=\dfrac{2x+1}{(x^2+x+1)\ln 10}$

답 (1) $y'=\dfrac{e^x}{e^x+1}$ (2) $y'=2x\ln(2x+1)+\dfrac{2x^2}{2x+1}$

     (3) $y'=\dfrac{1-\ln x}{x^2}$ (4) $y'=\dfrac{2(\ln x+1)}{x}$

     (5) $y'=\dfrac{2x+1}{(x^2+x+1)\ln 10}$

참고 (4) $\ln x^2=2\ln|x|$에서 $(\ln x^2)'=\dfrac{2}{x}$라 해도 된다.

7-1

(1) $y'=(x-1)'\log(x+1)+(x-1)\{\log(x+1)\}'$

$\quad=\log(x+1)+(x-1)\times\dfrac{(x+1)'}{(x+1)\ln 10}$

$\quad=\log(x+1)+\dfrac{x-1}{(x+1)\ln 10}$

(2) $y'=\dfrac{(x)'\ln x-x(\ln x)'}{(\ln x)^2}$

$\quad=\dfrac{\ln x-x\times\dfrac{1}{x}}{(\ln x)^2}=\dfrac{\ln x-1}{(\ln x)^2}$

(3) $y'=(e^x)'\ln x+e^x(\ln x)'$

$\quad=e^x\ln x+\dfrac{e^x}{x}$

(4) $y'=e^{x+\ln x}(x+\ln x)'$

$\quad=e^{x+\ln x}\left(1+\dfrac{1}{x}\right)$

$\quad=\dfrac{(x+1)e^{x+\ln x}}{x}$

답 (1) $y'=\log(x+1)+\dfrac{x-1}{(x+1)\ln 10}$

     (2) $y'=\dfrac{\ln x-1}{(\ln x)^2}$

     (3) $y'=e^x\ln x+\dfrac{e^x}{x}$

     (4) $y'=\dfrac{(x+1)e^{x+\ln x}}{x}$

대표 08

(1) 양변에 자연로그를 잡으면

$\ln y = \ln x^{\ln x} = \ln x \times \ln x = (\ln x)^2$

양변을 x에 대하여 미분하면

$\dfrac{y'}{y} = 2 \times \ln x \times (\ln x)' = \dfrac{2\ln x}{x}$

$\therefore y' = \dfrac{2\ln x}{x} \times y = \dfrac{2\ln x}{x} \times x^{\ln x} = 2x^{\ln x - 1}\ln x$

(2) 양변의 절댓값에 자연로그를 잡으면

$\ln |y| = 2\ln |x| + 3\ln |x+3| - 4\ln |x-2|$

양변을 x에 대하여 미분하면

$\dfrac{y'}{y} = \dfrac{2}{x} + \dfrac{3}{x+3} - \dfrac{4}{x-2}$

$\therefore y' = \dfrac{x^2 - 16x - 12}{x(x+3)(x-2)} \times y$

$= \dfrac{x^2 - 16x - 12}{x(x+3)(x-2)} \times \dfrac{x^2(x+3)^3}{(x-2)^4}$

$= \dfrac{x(x+3)^2(x^2 - 16x - 12)}{(x-2)^5}$

🖎 (1) $y' = 2x^{\ln x - 1}\ln x$

(2) $y' = \dfrac{x(x+3)^2(x^2 - 16x - 12)}{(x-2)^5}$

8-1

(1) 양변에 자연로그를 잡으면

$\ln y = \ln x^x = x\ln x$

양변을 x에 대하여 미분하면

$\dfrac{y'}{y} = (x)'\ln x + x \times (\ln x)' = \ln x + 1$

$\therefore y' = y(\ln x + 1) = x^x(\ln x + 1)$

(2) 양변의 절댓값에 자연로그를 잡으면

$\ln |y| = \ln |x+1| + 2\ln |x+2| - 3\ln |x-1|$

양변을 x에 대하여 미분하면

$\dfrac{y'}{y} = \dfrac{1}{x+1} + \dfrac{2}{x+2} - \dfrac{3}{x-1}$

$= \dfrac{-8x - 10}{(x+1)(x+2)(x-1)}$

$\therefore y' = \dfrac{-8x - 10}{(x+1)(x+2)(x-1)} \times y$

$= \dfrac{-2(4x+5)}{(x+1)(x+2)(x-1)} \times \dfrac{(x+1)(x+2)^2}{(x-1)^3}$

$= -\dfrac{2(x+2)(4x+5)}{(x-1)^4}$

🖎 (1) $y' = x^x(\ln x + 1)$ (2) $y' = -\dfrac{2(x+2)(4x+5)}{(x-1)^4}$

대표 09

(1) $f(x) = e^{x-2} - x^2$이라 하면 $f(2) = -3$이므로

$\lim\limits_{x \to 2} \dfrac{e^{x-2} - x^2 + 3}{x-2} = \lim\limits_{x \to 2} \dfrac{f(x) - f(2)}{x-2} = f'(2)$

따라서 $f'(x) = e^{x-2} - 2x$이므로

$f'(2) = 1 - 4 = -3$

다른 풀이

$\dfrac{e^{x-2} - x^2 + 3}{x-2} = \dfrac{e^{x-2} - 1}{x-2} - \dfrac{x^2 - 4}{x-2}$

$= \dfrac{e^{x-2} - 1}{x-2} - (x+2)$

$x - 2 = t$라 하면

$\lim\limits_{x \to 2} \dfrac{e^{x-2} - 1}{x-2} = \lim\limits_{t \to 0} \dfrac{e^t - 1}{t} = 1$이므로

$\lim\limits_{x \to 2} \dfrac{e^{x-2} - x^2 + 3}{x-2} = 1 - 4 = -3$

(2) $f_1(x) = ax^2 + b$, $f_2(x) = \ln x$라 하면

$x < 2$에서 $f_1(x)$는 미분가능하고

$x > 2$에서 $f_2(x)$는 미분가능하다.

따라서 $f(x)$가 $x = 2$에서 미분가능하면 된다.

(i) $f_1(2) = f_2(2)$이므로

$4a + b = \ln 2$ … ㉠

(ii) $f_1'(x) = 2ax$, $f_2'(x) = \dfrac{1}{x}$이고,

$f_1'(2) = f_2'(2)$이므로 $4a = \dfrac{1}{2}$ $\therefore a = \dfrac{1}{8}$

$a = \dfrac{1}{8}$을 ㉠에 대입하면 $\dfrac{1}{2} + b = \ln 2$

$\therefore b = \ln 2 - \dfrac{1}{2}$

🖎 (1) -3 (2) $a = \dfrac{1}{8}$, $b = \ln 2 - \dfrac{1}{2}$

9-1

$f(x) = e^{x^2} + x^4 - 1$이라 하면 $f(1) = e$이고

$f'(x) = e^{x^2}(x^2)' + 4x^3 = 2xe^{x^2} + 4x^3$이므로

$f'(1) = 2e + 4$

$\therefore \lim\limits_{x \to 1} \dfrac{e^{x^2} + x^4 - 1 - e}{x^2 - 1}$

$= \lim\limits_{x \to 1} \left\{ \dfrac{f(x) - f(1)}{x-1} \times \dfrac{1}{x+1} \right\} = \dfrac{f'(1)}{2}$

$= \dfrac{2e + 4}{2} = e + 2$

🖎 $e + 2$

9-2

(1) $f_1(x)=a\ln x$, $f_2(x)=xe^x+b$라 하면 $f(x)$가 $x=1$에서 미분가능하므로 $x=1$에서 연속이다.

(ⅰ) $f_1(1)=f_2(1)$이므로

$$0=e+b \quad \therefore b=-e$$

(ⅱ) $f_1{}'(x)=\dfrac{a}{x}$, $f_2{}'(x)=e^x+xe^x$이고,

$f_1{}'(1)=f_2{}'(1)$이므로

$$a=2e$$

(2) $\displaystyle\lim_{h\to 0}\frac{f(2+2h)-f(2-h)}{h}$

$=\displaystyle\lim_{h\to 0}\left\{\frac{f(2+2h)-f(2)}{2h}\times 2\right.$

$\left.\qquad -\frac{f(2-h)-f(2)}{-h}\times(-1)\right\}$

$=2f'(2)+f'(2)=3f'(2)$

$x\geq 1$일 때, $f'(x)=\dfrac{2e}{x}$이므로 $3f'(2)=3e$

답 (1) $a=2e$, $b=-e$ (2) $3e$

연습과 실전
4 지수함수, 로그함수의 미분 68쪽 ~ 70쪽

01 (1) 6 (2) 8 **02** ②

03 (1) 5 (2) e (3) $\ln\dfrac{2}{3}$

04 (1) $y'=2(e^{2x}-e^{-2x})$ (2) $y'=\dfrac{1}{\ln 10\times x\log x}$

(3) $y'=\dfrac{3(1-2\ln x)}{x^3}$

05 ④ **06** ②

07 $a=\ln 3$, $b=0$ **08** (1) $e^{\frac{3}{2}}$ (2) e^2 (3) $\dfrac{5}{2}$

09 ① **10** ③ **11** 19 **12** ①

13 $\dfrac{n+1}{2}$

14 $y'=(\ln x)^x\ln(\ln x)+(\ln x)^{x-1}$

15 $k=2$, $f(x)=x^2-4x+4$

01

(1) $\displaystyle\lim_{x\to\infty}\frac{a\times 3^{2x-1}+2^x}{9^{x-1}-2^x}=\lim_{x\to\infty}\frac{\dfrac{a}{3}\times 9^x+2^x}{\dfrac{1}{9}\times 9^x-2^x}$

$=\displaystyle\lim_{x\to\infty}\frac{\dfrac{a}{3}+\left(\dfrac{2}{9}\right)^x}{\dfrac{1}{9}-\left(\dfrac{2}{9}\right)^x}=3a$

조건에서

$$3a=18 \quad \therefore a=6$$

(2) $\displaystyle\lim_{x\to\infty}\{\log_2(ax-2)-\log_2(4x+1)\}$

$=\displaystyle\lim_{x\to\infty}\log_2\frac{ax-2}{4x+1}=\lim_{x\to\infty}\log_2\frac{a-\dfrac{2}{x}}{4+\dfrac{1}{x}}=\log_2\frac{a}{4}$

조건에서

$$\log_2\frac{a}{4}=1,\ \frac{a}{4}=2 \quad \therefore a=8$$

답 (1) 6 (2) 8

02

① $\displaystyle\lim_{x\to 0}\left(\frac{3+x}{3}\right)^{\frac{3}{x}}=\lim_{x\to 0}\left(1+\frac{x}{3}\right)^{\frac{3}{x}}=e$

② $\displaystyle\lim_{x\to\infty}\left(1-\frac{1}{x}\right)^x=\lim_{x\to\infty}\left\{\left(1-\frac{1}{x}\right)^{-x}\right\}^{-1}=e^{-1}=\frac{1}{e}$

③ $-x=t$라 하면 $x\to 0$일 때 $t\to 0$이므로

$\displaystyle\lim_{x\to 0}(1-x)^{-\frac{1}{x}}=\lim_{t\to 0}(1+t)^{\frac{1}{t}}=e$

④ $-x=t$라 하면 $x\to -\infty$일 때 $t\to\infty$이므로

$\displaystyle\lim_{x\to -\infty}\left(1-\frac{1}{x}\right)^{-x}=\lim_{t\to\infty}\left(1+\frac{1}{t}\right)^t=e$

⑤ $-x=t$라 하면 $x\to -\infty$일 때 $t\to\infty$이므로

$\displaystyle\lim_{x\to -\infty}\left(\frac{x}{x-1}\right)^x=\lim_{t\to\infty}\left(\frac{-t}{-t-1}\right)^{-t}$

$=\displaystyle\lim_{t\to\infty}\left(\frac{t+1}{t}\right)^t=\lim_{t\to\infty}\left(1+\frac{1}{t}\right)^t=e$

따라서 극한값이 e가 아닌 것은 ②이다.

답 ②

참고 $\displaystyle\lim_{x\to 0}(1+ax)^{\frac{1}{ax}}=e$, $\displaystyle\lim_{x\to\infty}\left(1+\frac{1}{ax}\right)^{ax}=e$ $(a\neq 0)$

03

(1) $\displaystyle\lim_{x\to 0}\frac{\ln(1+3x)+2x}{x}=\lim_{x\to 0}\left\{\frac{1}{x}\ln(1+3x)+2\right\}$

$=\displaystyle\lim_{x\to 0}\left\{3\ln(1+3x)^{\frac{1}{3x}}+2\right\}$

$=3\times\ln e+2=5$

(2) $\lim\limits_{x\to\infty} x\{\ln(e+x)-\ln x\} = \lim\limits_{x\to\infty} x\ln\dfrac{e+x}{x}$

$\qquad = \lim\limits_{x\to\infty} e\ln\left(\dfrac{e}{x}+1\right)^{\frac{x}{e}}$

$\qquad = e\times\ln e = e$

(3) $\dfrac{2^x-3^x}{x} = \dfrac{(2^x-1)-(3^x-1)}{x}$ 이므로

$\lim\limits_{x\to0}\dfrac{2^x-3^x}{x} = \lim\limits_{x\to0}\left(\dfrac{2^x-1}{x}-\dfrac{3^x-1}{x}\right)$

$\qquad = \ln2-\ln3 = \ln\dfrac{2}{3}$

🔵 (1) 5 (2) e (3) $\ln\dfrac{2}{3}$

04

(1) $y' = 2(e^x-e^{-x})(e^x-e^{-x})'$
$\quad = 2(e^x-e^{-x})(e^x+e^{-x})$
$\quad = 2(e^{2x}-e^{-2x})$

(2) $y' = \dfrac{(\log x)'}{\log x} = \dfrac{\frac{1}{x\ln10}}{\log x} = \dfrac{1}{\ln10\times x\log x}$

(3) $y' = \dfrac{(3\ln x)'x^2-3\ln x(x^2)'}{(x^2)^2}$

$\qquad = \dfrac{\frac{3}{x}\times x^2-3\ln x\times2x}{x^4}$

$\qquad = \dfrac{3(1-2\ln x)}{x^3}$

🔵 (1) $y'=2(e^{2x}-e^{-2x})$ (2) $y'=\dfrac{1}{\ln10\times x\log x}$

(3) $y'=\dfrac{3(1-2\ln x)}{x^3}$

05

$\lim\limits_{h\to0}\dfrac{f(1+2h)-f(1-h)}{h}$

$=\lim\limits_{h\to0}\Big\{\dfrac{f(1+2h)-f(1)}{2h}\times2$

$\qquad\qquad -\dfrac{f(1-h)-f(1)}{-h}\times(-1)\Big\}$

$=2f'(1)+f'(1)=3f'(1)$

$f'(x)=2x+\ln x+1$이므로

$3f'(1)=3\times(2+0+1)=9$

🔵 ④

06

$\lim\limits_{x\to2}\dfrac{f(x)-3}{x-2}=5$에서 $x\to2$일 때, 극한값이 존재하고 (분모) $\to0$이므로 (분자) $\to0$이다.

곧, $f(2)-3=0$이므로 $f(2)=3$

$\lim\limits_{x\to2}\dfrac{f(x)-3}{x-2}=\lim\limits_{x\to2}\dfrac{f(x)-f(2)}{x-2}=f'(2)=5$

$g(x)=\dfrac{f(x)}{e^{x-2}}$에서

$g'(x)=\dfrac{f'(x)e^{x-2}-f(x)e^{x-2}}{e^{2(x-2)}}$

$\therefore g'(2)=\dfrac{f'(2)-f(2)}{1}=5-3=2$

다른 풀이

$\lim\limits_{x\to2}\dfrac{f(x)-3}{x-2}=5$에서 $x\to2$일 때, 극한값이 존재하고 (분모) $\to0$이므로 (분자) $\to0$이다.

곧, $f(2)-3=0$이므로 $f(2)=3$

$\lim\limits_{x\to2}\dfrac{f(x)-3}{x-2}=\lim\limits_{x\to2}\dfrac{f(x)-f(2)}{x-2}=f'(2)=5$

$f(x)=g(x)e^{x-2}$에서

$f(2)=g(2)$이고,

$f'(x)=g'(x)e^{x-2}+g(x)e^{x-2}$

이므로

$f'(2)=g'(2)+g(2)=g'(2)+f(2)$

$\therefore g'(2)=f'(2)-f(2)=5-3=2$

🔵 ②

07 전략 $x\to a$일 때, 극한값이 존재하고 (분모) $\to0$이면 (분자) $\to0$이다.

$x\to0$일 때, 극한값이 존재하고 (분모) $\to0$이므로 (분자) $\to0$이다.

곧, $a\times0+b=0$이므로 $b=0$

좌변에 대입하면

$\lim\limits_{x\to0}\dfrac{ax}{\ln(x+1)}=\lim\limits_{x\to0}\dfrac{a}{\frac{1}{x}\ln(x+1)}$

$\qquad = \lim\limits_{x\to0}\dfrac{a}{\ln(x+1)^{\frac{1}{x}}}$

$\qquad = \dfrac{a}{\ln e}=a$

$\therefore a=\ln3$

🔵 $a=\ln3,\ b=0$

08 **전략** $\lim\limits_{x \to \infty}\left(1+\dfrac{1}{x}\right)^x = e$를 이용한다.

(1) $\lim\limits_{x \to \infty}\left\{\left(1+\dfrac{1}{x}\right)\left(1+\dfrac{1}{2x}\right)\right\}^x$

$= \lim\limits_{x \to \infty}\left(1+\dfrac{1}{x}\right)^x\left(1+\dfrac{1}{2x}\right)^x$

$= \lim\limits_{x \to \infty}\left(1+\dfrac{1}{x}\right)^x\left\{\left(1+\dfrac{1}{2x}\right)^{2x}\right\}^{\frac{1}{2}}$

$= e \times e^{\frac{1}{2}} = e^{\frac{3}{2}}$

(2) $\lim\limits_{x \to \infty}\left(\dfrac{x+1}{x-1}\right)^x = \lim\limits_{x \to \infty}\left(\dfrac{1+\dfrac{1}{x}}{1-\dfrac{1}{x}}\right)^x = \lim\limits_{x \to \infty}\dfrac{\left(1+\dfrac{1}{x}\right)^x}{\left(1-\dfrac{1}{x}\right)^x}$

$= \lim\limits_{x \to \infty}\dfrac{\left(1+\dfrac{1}{x}\right)^x}{\left\{\left(1-\dfrac{1}{x}\right)^{-x}\right\}^{-1}} = \dfrac{e}{e^{-1}} = e^2$

(3) $\dfrac{\ln(1+5x)}{e^{2x}-1} = \dfrac{\ln(1+5x)}{x} \times \dfrac{x}{e^{2x}-1}$이고

$\lim\limits_{x \to 0}\dfrac{\ln(1+5x)}{x} = \lim\limits_{x \to 0}\dfrac{\ln(1+5x)}{5x} \times 5 = 1 \times 5 = 5$

$\lim\limits_{x \to 0}\dfrac{x}{e^{2x}-1} = \lim\limits_{x \to 0}\dfrac{2x}{e^{2x}-1} \times \dfrac{1}{2} = 1 \times \dfrac{1}{2} = \dfrac{1}{2}$

$\therefore \lim\limits_{x \to 0}\dfrac{\ln(1+5x)}{e^{2x}-1} = 5 \times \dfrac{1}{2} = \dfrac{5}{2}$

다른 풀이

$\dfrac{\ln(1+5x)}{e^{2x}-1} = \dfrac{\ln(1+5x)}{x} \times \dfrac{x}{e^{2x}-1}$이고

$\lim\limits_{x \to 0}\dfrac{\ln(1+5x)}{x} = \lim\limits_{x \to 0}\ln(1+5x)^{\frac{1}{x}}$

$= \lim\limits_{x \to 0}\ln\left\{(1+5x)^{\frac{1}{5x}}\right\}^5$

$= \ln e^5 = 5$

$\lim\limits_{x \to 0}\dfrac{x}{e^{2x}-1}$에서 $e^{2x}-1=t$라 하면

$e^{2x}=1+t \qquad \therefore x = \dfrac{1}{2}\ln(1+t)$

$x \to 0$일 때 $t \to 0$이므로

$\lim\limits_{x \to 0}\dfrac{x}{e^{2x}-1} = \lim\limits_{t \to 0}\dfrac{\ln(1+t)}{t} \times \dfrac{1}{2} = \dfrac{1}{2}$

$\therefore \lim\limits_{x \to 0}\dfrac{\ln(1+5x)}{e^{2x}-1} = 5 \times \dfrac{1}{2} = \dfrac{5}{2}$

답 (1) $e^{\frac{3}{2}}$　(2) e^2　(3) $\dfrac{5}{2}$

09 **전략** $\lim\limits_{x \to \infty}\left(1+\dfrac{a}{x}\right)^{bx} = \lim\limits_{x \to \infty}\left\{\left(1+\dfrac{a}{x}\right)^{\frac{x}{a}}\right\}^{ab} = e^{ab}$($a$, b는 0이 아닌 상수)을 이용한다.

$\dfrac{1}{2}\left(1+\dfrac{1}{n}\right)\left(1+\dfrac{1}{n+1}\right)\left(1+\dfrac{1}{n+2}\right)\cdots\left(1+\dfrac{1}{2n}\right)$

$= \dfrac{1}{2} \times \dfrac{n+1}{n} \times \dfrac{n+2}{n+1} \times \dfrac{n+3}{n+2} \times \cdots \times \dfrac{2n+1}{2n}$

$= \dfrac{2n+1}{2n} = 1+\dfrac{1}{2n}$

이므로

(주어진 식) $= \lim\limits_{n \to \infty}\left(1+\dfrac{1}{2n}\right)^n$

$= \lim\limits_{n \to \infty}\left\{\left(1+\dfrac{1}{2n}\right)^{2n}\right\}^{\frac{1}{2}}$

$= e^{\frac{1}{2}} = \sqrt{e}$

답 ①

10 **전략** 함수의 극한의 대소 관계를 이용하여 함수의 극한값을 구한다.

(ⅰ) $x > 0$일 때

$\dfrac{\ln(1+x)}{x} \le \dfrac{f(x)}{x} \le \dfrac{e^{2x}-1}{2x}$이고

$\lim\limits_{x \to 0+}\dfrac{\ln(1+x)}{x} = 1$, $\lim\limits_{x \to 0+}\dfrac{e^{2x}-1}{2x} = 1$이므로

$\lim\limits_{x \to 0+}\dfrac{f(x)}{x} = 1$

(ⅱ) $-1 < x < 0$일 때

$\dfrac{\ln(1+x)}{x} \ge \dfrac{f(x)}{x} \ge \dfrac{e^{2x}-1}{2x}$이고

$\lim\limits_{x \to 0-}\dfrac{\ln(1+x)}{x} = 1$, $\lim\limits_{x \to 0-}\dfrac{e^{2x}-1}{2x} = 1$이므로

$\lim\limits_{x \to 0-}\dfrac{f(x)}{x} = 1$

(ⅰ), (ⅱ)에서 $\lim\limits_{x \to 0}\dfrac{f(x)}{x} = 1$

따라서 $3x=t$라 하면

$\lim\limits_{x \to 0}\dfrac{f(3x)}{x} = \lim\limits_{t \to 0}\dfrac{f(t)}{\dfrac{t}{3}} = \lim\limits_{t \to 0}\dfrac{f(t)}{t} \times 3$

$= 1 \times 3 = 3$

답 ③

11 **전략** 함수의 연속성을 이용하여 극한값을 구한다.

$f(x)$가 실수 전체의 집합에서 연속이므로 $x=1$에서 연속이다.

$$\lim_{x \to 1-} f(x) = \lim_{x \to 1-} (-14x+a) = -14+a$$

$x-1=t$라 하면 $x=1+t$이고

$x \to 1+$일 때 $t \to 0+$이므로

$$\lim_{x \to 1+} f(x) = \lim_{x \to 1+} \frac{5\ln x}{x-1} = \lim_{t \to 0+} \frac{5}{t}\ln(1+t)$$

$$= \lim_{t \to 0+} 5\ln(1+t)^{\frac{1}{t}}$$

$$= 5\ln e = 5$$

$f(1) = \lim_{x \to 1-} f(x) = \lim_{x \to 1+} f(x)$이므로

$-14+a=5$ ∴ $a=19$

             답 19

참고) 함수의 연속

  함수 $f(x)$가 다음 조건을 모두 만족시키면 $f(x)$는

  $x=a$에서 연속이다.

  (i) 함수 $f(x)$는 $x=a$에서 정의되어 있다.

  (ii) 극한값 $\lim_{x \to a} f(x)$가 존재한다.

  (iii) $\lim_{x \to a} f(x) = f(a)$

12 전략 점 P의 x좌표를 k로 놓고, k는 $y=\ln x$와

    $x+y=t$를 연립한 방정식의 해임을 이용한다.

점 P의 x좌표를 k라 하면 $Q(k, e^k)$이므로

$$S(t) = \frac{1}{2}ke^k \quad \cdots \text{㉠}$$

또 점 P는 곡선 $y=\ln x$와 직선 $x+y=t$의 교점이므로

k는 방정식 $\ln x = -x+t$의 해이다.

곧, $\ln k = -k+t$, $k+\ln k = t$, $t = \ln ke^k$

∴ $ke^k = e^t \quad \cdots \text{㉡}$

㉡을 ㉠에 대입하면 $S(t) = \frac{1}{2}e^t$

$$\therefore \lim_{t \to 0+} \frac{2S(t)-1}{t} = \lim_{t \to 0+} \frac{e^t-1}{t} = 1$$

             답 ①

13 전략 주어진 식을 미분계수의 꼴로 정리한다.

$f(x) = \ln(e^x + e^{2x} + e^{3x} + \cdots + e^{nx})$이라 하면

$$\ln \frac{e^x + e^{2x} + e^{3x} + \cdots + e^{nx}}{n}$$

$$= \ln(e^x + e^{2x} + e^{3x} + \cdots + e^{nx}) - \ln n$$

$$= f(x) - \ln n$$

$f(0) = \ln n$이므로

$$\lim_{x \to 0} \frac{1}{x}\ln \frac{e^x + e^{2x} + e^{3x} + \cdots + e^{nx}}{n} = \lim_{x \to 0} \frac{f(x)-f(0)}{x}$$

$$= f'(0)$$

따라서 $f'(x) = \dfrac{e^x + 2e^{2x} + 3e^{3x} + \cdots + ne^{nx}}{e^x + e^{2x} + e^{3x} + \cdots + e^{nx}}$이므로

$$f'(0) = \frac{1+2+3+\cdots+n}{1+1+1+\cdots+1} = \frac{\dfrac{n(n+1)}{2}}{n} = \frac{n+1}{2}$$

             답 $\dfrac{n+1}{2}$

14 전략 밑과 지수에 모두 미지수가 있으면 양변에 자연로

    그를 잡고 생각한다.

양변에 자연로그를 잡으면

$\ln y = \ln(\ln x)^x$, $\ln y = x\ln(\ln x)$

양변을 x에 대하여 미분하면

$$\frac{y'}{y} = (x)'\ln(\ln x) + x\{\ln(\ln x)\}'$$

$$= \ln(\ln x) + x \times \frac{(\ln x)'}{\ln x}$$

$$= \ln(\ln x) + \frac{1}{\ln x}$$

$$\therefore y' = y\left\{\ln(\ln x) + \frac{1}{\ln x}\right\}$$

$$= (\ln x)^x\left\{\ln(\ln x) + \frac{1}{\ln x}\right\}$$

$$= (\ln x)^x \ln(\ln x) + (\ln x)^{x-1}$$

   답 $y' = (\ln x)^x \ln(\ln x) + (\ln x)^{x-1}$

15 전략 $f(x) = \begin{cases} f_1(x) & (x \le a) \\ f_2(x) & (x > a) \end{cases}$가 $x=a$에서 미분가능하

    면 $f_1(a) = f_2(a)$, $f_1'(a) = f_2'(a)$임을 이용한다.

$f_1(x) = f(x)$, $f_2(x) = f(x)e^{-x}$이라 하자.

(i) $x=k$에서 연속이므로 $f_1(k) = f_2(k)$

  ∴ $f(k) = f(k)e^{-k}$

  $e^{-k} > 0$이므로 $f(k) = 0$

  ∴ $k^2 + ak + 4 = 0 \quad \cdots \text{㉠}$

(ii) $g'(k)$가 존재하므로

  $f_1'(k) = f_2'(k)$

  $f_2'(x) = f'(x)e^{-x} - f(x)e^{-x}$에서

  $f'(k) = f'(k)e^{-k} - f(k)e^{-k}$

  $f(k) = 0$, $e^{-k} > 0$이므로

  $f'(k) = 0$ ∴ $2k+a=0 \quad \cdots \text{㉡}$

  ㉠, ㉡을 연립하여 풀면 $a=-4$, $k=2$ ($\because k>0$)

  ∴ $f(x) = x^2 - 4x + 4$

      답 $k=2$, $f(x) = x^2 - 4x + 4$

삼각함수의 덧셈정리

1

(1) $\csc \dfrac{7}{6}\pi = \dfrac{1}{\sin \dfrac{7}{6}\pi} = -2$

(2) $\csc \dfrac{5}{3}\pi = \dfrac{1}{\sin \dfrac{5}{3}\pi} = -\dfrac{2}{\sqrt{3}} = -\dfrac{2\sqrt{3}}{3}$

(3) $\sec \dfrac{\pi}{4} = \dfrac{1}{\cos \dfrac{\pi}{4}} = \dfrac{2}{\sqrt{2}} = \sqrt{2}$

(4) $\sec \dfrac{5}{6}\pi = \dfrac{1}{\cos \dfrac{5}{6}\pi} = -\dfrac{2}{\sqrt{3}} = -\dfrac{2\sqrt{3}}{3}$

(5) $\cot \dfrac{2}{3}\pi = \dfrac{1}{\tan \dfrac{2}{3}\pi} = -\dfrac{1}{\sqrt{3}} = -\dfrac{\sqrt{3}}{3}$

(6) $\cot \dfrac{7}{4}\pi = \dfrac{1}{\tan \dfrac{7}{4}\pi} = -1$

　📘 (1) -2　(2) $-\dfrac{2\sqrt{3}}{3}$　(3) $\sqrt{2}$
　　(4) $-\dfrac{2\sqrt{3}}{3}$　(5) $-\dfrac{\sqrt{3}}{3}$　(6) -1

2

(1) $\sin 75° = \sin(45° + 30°)$
$= \sin 45° \cos 30° + \cos 45° \sin 30°$
$= \dfrac{\sqrt{2}}{2} \times \dfrac{\sqrt{3}}{2} + \dfrac{\sqrt{2}}{2} \times \dfrac{1}{2} = \dfrac{\sqrt{6}+\sqrt{2}}{4}$

(2) $\cos 75° = \cos(45° + 30°)$
$= \cos 45° \cos 30° - \sin 45° \sin 30°$
$= \dfrac{\sqrt{2}}{2} \times \dfrac{\sqrt{3}}{2} - \dfrac{\sqrt{2}}{2} \times \dfrac{1}{2} = \dfrac{\sqrt{6}-\sqrt{2}}{4}$

(3) $\tan 75° = \tan(45° + 30°)$
$= \dfrac{\tan 45° + \tan 30°}{1 - \tan 45° \tan 30°}$
$= \dfrac{1 + \dfrac{\sqrt{3}}{3}}{1 - 1 \times \dfrac{\sqrt{3}}{3}} = \dfrac{3+\sqrt{3}}{3-\sqrt{3}}$
$= \dfrac{(3+\sqrt{3})^2}{9-3} = 2+\sqrt{3}$

다른 풀이

$\tan 75° = \dfrac{\sin 75°}{\cos 75°} = \dfrac{\dfrac{\sqrt{6}+\sqrt{2}}{4}}{\dfrac{\sqrt{6}-\sqrt{2}}{4}}$

$= \dfrac{\sqrt{6}+\sqrt{2}}{\sqrt{6}-\sqrt{2}} = \dfrac{(\sqrt{6}+\sqrt{2})^2}{6-2} = 2+\sqrt{3}$

　📘 (1) $\dfrac{\sqrt{6}+\sqrt{2}}{4}$　(2) $\dfrac{\sqrt{6}-\sqrt{2}}{4}$　(3) $2+\sqrt{3}$

3

(1) $\sin \dfrac{\pi}{12} = \sin\left(\dfrac{\pi}{3} - \dfrac{\pi}{4}\right)$
$= \sin \dfrac{\pi}{3} \cos \dfrac{\pi}{4} - \cos \dfrac{\pi}{3} \sin \dfrac{\pi}{4}$
$= \dfrac{\sqrt{3}}{2} \times \dfrac{\sqrt{2}}{2} - \dfrac{1}{2} \times \dfrac{\sqrt{2}}{2} = \dfrac{\sqrt{6}-\sqrt{2}}{4}$

(2) $\cos \dfrac{\pi}{12} = \cos\left(\dfrac{\pi}{3} - \dfrac{\pi}{4}\right)$
$= \cos \dfrac{\pi}{3} \cos \dfrac{\pi}{4} + \sin \dfrac{\pi}{3} \sin \dfrac{\pi}{4}$
$= \dfrac{1}{2} \times \dfrac{\sqrt{2}}{2} + \dfrac{\sqrt{3}}{2} \times \dfrac{\sqrt{2}}{2} = \dfrac{\sqrt{2}+\sqrt{6}}{4}$

(3) $\tan \dfrac{\pi}{12} = \tan\left(\dfrac{\pi}{3} - \dfrac{\pi}{4}\right) = \dfrac{\tan \dfrac{\pi}{3} - \tan \dfrac{\pi}{4}}{1 + \tan \dfrac{\pi}{3} \tan \dfrac{\pi}{4}}$
$= \dfrac{\sqrt{3}-1}{1+\sqrt{3}\times 1} = \dfrac{(\sqrt{3}-1)^2}{3-1} = 2-\sqrt{3}$

　📘 (1) $\dfrac{\sqrt{6}-\sqrt{2}}{4}$　(2) $\dfrac{\sqrt{2}+\sqrt{6}}{4}$　(3) $2-\sqrt{3}$

대표 01

(1) $\cos \theta = \dfrac{1}{\sec \theta} = -\dfrac{2}{3}$이고 $\pi < \theta < 2\pi$이므로

$\pi < \theta < \dfrac{3}{2}\pi$

$\sin^2 \theta + \cos^2 \theta = 1$에 대입하면

$\sin^2 \theta + \dfrac{4}{9} = 1$, $\sin^2 \theta = \dfrac{5}{9}$

$\sin \theta < 0$이므로 $\sin \theta = -\dfrac{\sqrt{5}}{3}$

또 $\tan\theta = \dfrac{\sin\theta}{\cos\theta} = \dfrac{\sqrt{5}}{2}$

$\therefore \csc\theta = -\dfrac{3}{\sqrt{5}} = -\dfrac{3\sqrt{5}}{5}$, $\cot\theta = \dfrac{2}{\sqrt{5}} = \dfrac{2\sqrt{5}}{5}$

(2) (좌변) $= \dfrac{(1+\cos\theta)(\sec\theta+\tan\theta)}{(\sec\theta-\tan\theta)(\sec\theta+\tan\theta)}$

$\quad - \dfrac{(1-\cos\theta)(\sec\theta-\tan\theta)}{(\sec\theta+\tan\theta)(\sec\theta-\tan\theta)}$

$= \dfrac{2\cos\theta\sec\theta + 2\tan\theta}{\sec^2\theta - \tan^2\theta} = 2+2\tan\theta$

이므로 $2+2\tan\theta = 3$ $\quad \therefore \tan\theta = \dfrac{1}{2}$

📖 (1) $\csc\theta = -\dfrac{3\sqrt{5}}{5}$, $\cot\theta = \dfrac{2\sqrt{5}}{5}$ (2) $\dfrac{1}{2}$

1-1

$\sin\theta = \dfrac{1}{\csc\theta} = \dfrac{1}{4}$이고 $\dfrac{\pi}{2} < \theta < \dfrac{3}{2}\pi$이므로 $\dfrac{\pi}{2} < \theta < \pi$

$\sin^2\theta + \cos^2\theta = 1$에 대입하면

$\dfrac{1}{16} + \cos^2\theta = 1$, $\cos^2\theta = \dfrac{15}{16}$

$\cos\theta < 0$이므로 $\cos\theta = -\dfrac{\sqrt{15}}{4}$

(1) $\sec\theta = \dfrac{1}{\cos\theta} = -\dfrac{4}{\sqrt{15}} = -\dfrac{4\sqrt{15}}{15}$

(2) $\cot\theta = \dfrac{\cos\theta}{\sin\theta} = -\sqrt{15}$

📖 (1) $-\dfrac{4\sqrt{15}}{15}$ (2) $-\sqrt{15}$

1-2

$\dfrac{\sin\theta}{1+\cos\theta} + \dfrac{\sin\theta}{1-\cos\theta}$

$= \dfrac{\sin\theta(1-\cos\theta) + \sin\theta(1+\cos\theta)}{(1+\cos\theta)(1-\cos\theta)}$

$= \dfrac{2\sin\theta}{1-\cos^2\theta} = \dfrac{2\sin\theta}{\sin^2\theta} = \dfrac{2}{\sin\theta} = 2\csc\theta$

📖 풀이 참조

대표 02

$\pi < \alpha < \dfrac{3}{2}\pi$, $\dfrac{3}{2}\pi < \beta < 2\pi$이므로 $\cos\alpha < 0$, $\sin\beta < 0$

$\cos\alpha = -\sqrt{1-\sin^2\alpha} = -\sqrt{1-\left(-\dfrac{4}{5}\right)^2} = -\dfrac{3}{5}$

또 $\tan\alpha = \dfrac{\sin\alpha}{\cos\alpha} = \dfrac{-\dfrac{4}{5}}{-\dfrac{3}{5}} = \dfrac{4}{3}$

$\sin\beta = -\sqrt{1-\cos^2\beta} = -\sqrt{1-\left(\dfrac{5}{13}\right)^2} = -\dfrac{12}{13}$

또 $\tan\beta = \dfrac{\sin\beta}{\cos\beta} = \dfrac{-\dfrac{12}{13}}{\dfrac{5}{13}} = -\dfrac{12}{5}$

(1) $\sin(\alpha+\beta) = \sin\alpha\cos\beta + \cos\alpha\sin\beta$

$= -\dfrac{4}{5} \times \dfrac{5}{13} + \left(-\dfrac{3}{5}\right) \times \left(-\dfrac{12}{13}\right) = \dfrac{16}{65}$

(2) $\sin(\alpha-\beta) = \sin\alpha\cos\beta - \cos\alpha\sin\beta$

$= -\dfrac{4}{5} \times \dfrac{5}{13} - \left(-\dfrac{3}{5}\right) \times \left(-\dfrac{12}{13}\right) = -\dfrac{56}{65}$

(3) $\cos(\alpha+\beta) = \cos\alpha\cos\beta - \sin\alpha\sin\beta$

$= -\dfrac{3}{5} \times \dfrac{5}{13} - \left(-\dfrac{4}{5}\right) \times \left(-\dfrac{12}{13}\right) = -\dfrac{63}{65}$

(4) $\cos(\alpha-\beta) = \cos\alpha\cos\beta + \sin\alpha\sin\beta$

$= -\dfrac{3}{5} \times \dfrac{5}{13} + \left(-\dfrac{4}{5}\right) \times \left(-\dfrac{12}{13}\right) = \dfrac{33}{65}$

(5) $\tan(\alpha+\beta) = \dfrac{\tan\alpha + \tan\beta}{1-\tan\alpha\tan\beta}$

$= \dfrac{\dfrac{4}{3} + \left(-\dfrac{12}{5}\right)}{1 - \dfrac{4}{3} \times \left(-\dfrac{12}{5}\right)} = -\dfrac{16}{63}$

(6) $\tan(\alpha-\beta) = \dfrac{\tan\alpha - \tan\beta}{1+\tan\alpha\tan\beta}$

$= \dfrac{\dfrac{4}{3} - \left(-\dfrac{12}{5}\right)}{1 + \dfrac{4}{3} \times \left(-\dfrac{12}{5}\right)} = -\dfrac{56}{33}$

📖 (1) $\dfrac{16}{65}$ (2) $-\dfrac{56}{65}$ (3) $-\dfrac{63}{65}$

(4) $\dfrac{33}{65}$ (5) $-\dfrac{16}{63}$ (6) $-\dfrac{56}{33}$

2-1

$\dfrac{\pi}{2} < \alpha < \pi$, $\pi < \beta < \dfrac{3}{2}\pi$이므로 $\cos\alpha < 0$, $\cos\beta < 0$

$\cos\alpha = -\sqrt{1-\sin^2\alpha} = -\sqrt{1-\left(\dfrac{1}{\sqrt{3}}\right)^2} = -\dfrac{\sqrt{2}}{\sqrt{3}}$

또 $\tan\alpha = \dfrac{\sin\alpha}{\cos\alpha} = \dfrac{\dfrac{1}{\sqrt{3}}}{-\dfrac{\sqrt{2}}{\sqrt{3}}} = -\dfrac{\sqrt{2}}{2}$

$\cos\beta = -\sqrt{1-\sin^2\beta} = -\sqrt{1-\left(-\dfrac{2\sqrt{2}}{3}\right)^2} = -\dfrac{1}{3}$

또 $\tan\beta = \dfrac{\sin\beta}{\cos\beta} = \dfrac{-\dfrac{2\sqrt{2}}{3}}{-\dfrac{1}{3}} = 2\sqrt{2}$

(1) $\sin(\alpha-\beta)=\sin\alpha\cos\beta-\cos\alpha\sin\beta$

$$=\frac{1}{\sqrt{3}}\times\left(-\frac{1}{3}\right)-\left(-\frac{\sqrt{2}}{\sqrt{3}}\right)\times\left(-\frac{2\sqrt{2}}{3}\right)$$

$$=-\frac{5\sqrt{3}}{9}$$

(2) $\cos(\alpha+\beta)=\cos\alpha\cos\beta-\sin\alpha\sin\beta$

$$=-\frac{\sqrt{2}}{\sqrt{3}}\times\left(-\frac{1}{3}\right)-\frac{1}{\sqrt{3}}\times\left(-\frac{2\sqrt{2}}{3}\right)$$

$$=\frac{\sqrt{6}}{3}$$

(3) $\tan(\alpha-\beta)=\dfrac{\tan\alpha-\tan\beta}{1+\tan\alpha\tan\beta}$

$$=\frac{-\frac{\sqrt{2}}{2}-2\sqrt{2}}{1+\left(-\frac{\sqrt{2}}{2}\right)\times2\sqrt{2}}=\frac{5\sqrt{2}}{2}$$

답 (1) $-\dfrac{5\sqrt{3}}{9}$ (2) $\dfrac{\sqrt{6}}{3}$ (3) $\dfrac{5\sqrt{2}}{2}$

2-2

(1) $\sin65°\cos20°-\cos65°\sin20°$

$$=\sin(65°-20°)=\sin45°=\frac{\sqrt{2}}{2}$$

(2) $\sin100°\sin35°-\cos100°\cos35°$

$$=-(\cos100°\cos35°-\sin100°\sin35°)$$

$$=-\cos(100°+35°)=-\cos135°=\frac{\sqrt{2}}{2}$$

(3) $\dfrac{\tan110°+\tan100°}{1-\tan110°\tan100°}=\tan(110°+100°)$

$$=\tan210°=\frac{1}{\sqrt{3}}=\frac{\sqrt{3}}{3}$$

답 (1) $\dfrac{\sqrt{2}}{2}$ (2) $\dfrac{\sqrt{2}}{2}$ (3) $\dfrac{\sqrt{3}}{3}$

대표 03

(1) $\angle ABC=\alpha$, $\angle DBC=\beta$라 하면

$\theta=\alpha-\beta$이고

$\tan\alpha=\dfrac{2}{3}$, $\tan\beta=\dfrac{1}{3}$

이므로

$\tan\theta=\tan(\alpha-\beta)=\dfrac{\tan\alpha-\tan\beta}{1+\tan\alpha\tan\beta}$

$$=\frac{\frac{2}{3}-\frac{1}{3}}{1+\frac{2}{3}\times\frac{1}{3}}=\frac{3}{11}$$

---

(2) 두 직선 $y=\dfrac{1}{2}x+1$,

$y=3x-1$이 x축의 양

의 방향과 이루는 각의

크기를 각각 α, β라 하면

$\tan\alpha=\dfrac{1}{2}$, $\tan\beta=3$

두 직선이 이루는 예각의 크기를 θ라 하면

$\theta=\beta-\alpha$이므로

$\tan\theta=\tan(\beta-\alpha)=\dfrac{\tan\beta-\tan\alpha}{1+\tan\beta\tan\alpha}$

$$=\frac{3-\frac{1}{2}}{1+3\times\frac{1}{2}}=1$$

$0<\theta<\dfrac{\pi}{2}$이므로 $\theta=\dfrac{\pi}{4}$

답 (1) $\dfrac{3}{11}$ (2) $\dfrac{\pi}{4}$

3-1

$\angle DAB=\alpha$, $\angle CAB=\beta$라 하면

$\theta=\beta-\alpha$이고

$\tan\alpha=\dfrac{3}{5}$, $\tan\beta=\dfrac{8}{5}$이므로

$\tan\theta=\tan(\beta-\alpha)$

$$=\frac{\tan\beta-\tan\alpha}{1+\tan\beta\tan\alpha}$$

$$=\frac{\frac{8}{5}-\frac{3}{5}}{1+\frac{8}{5}\times\frac{3}{5}}=\frac{25}{49}$$

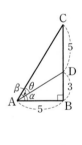

답 $\dfrac{25}{49}$

3-2

두 직선 $y=2x+1$,

$y=\dfrac{1}{3}x-2$가 x축의 양의 방향

과 이루는 각의 크기를 각각

α, β라 하면

$\tan\alpha=2$, $\tan\beta=\dfrac{1}{3}$

두 직선이 이루는 예각의 크기를 θ라 하면

$\theta=\alpha-\beta$이므로

$$\tan\theta=\tan(\alpha-\beta)=\frac{\tan\alpha-\tan\beta}{1+\tan\alpha\tan\beta}$$

$$=\frac{2-\frac{1}{3}}{1+2\times\frac{1}{3}}=1$$

$0<\theta<\frac{\pi}{2}$이므로 $\theta=\frac{\pi}{4}$

🔁 $\frac{\pi}{4}$

개념 Check 79쪽 ~ 80쪽

4

$$\sin^2 15°=\frac{1-\cos 30°}{2}=\frac{1-\frac{\sqrt{3}}{2}}{2}=\frac{2-\sqrt{3}}{4}$$

$$\cos^2 15°=\frac{1+\cos 30°}{2}=\frac{1+\frac{\sqrt{3}}{2}}{2}=\frac{2+\sqrt{3}}{4}$$

🔁 $\sin^2 15°=\frac{2-\sqrt{3}}{4}$, $\cos^2 15°=\frac{2+\sqrt{3}}{4}$

5

(1) $0\le\alpha<2\pi$이므로

$\sin\alpha=\frac{\sqrt{3}}{2}$에서 $\alpha=\frac{\pi}{3}$ 또는 $\alpha=\frac{2}{3}\pi$

$\cos\alpha=\frac{1}{2}$에서 $\alpha=\frac{\pi}{3}$ 또는 $\alpha=\frac{5}{3}\pi$

$\therefore \alpha=\frac{\pi}{3}$

(2) $\sqrt{a^2+b^2}=\sqrt{1+3}=2$이므로

$$f(\theta)=2\left(\frac{1}{2}\sin\theta+\frac{\sqrt{3}}{2}\cos\theta\right)$$

$$=2\left(\cos\frac{\pi}{3}\sin\theta+\sin\frac{\pi}{3}\cos\theta\right)$$

$$=2\sin\left(\theta+\frac{\pi}{3}\right)$$

$\therefore k=2$, $\alpha=\frac{\pi}{3}$

🔁 (1) $\frac{\pi}{3}$ (2) $k=2$, $\alpha=\frac{\pi}{3}$

대표Q 81쪽 ~ 82쪽

대표 04

$\frac{\pi}{2}<\theta<\pi$이므로 $\cos\theta<0$

$$\cos\theta=-\sqrt{1-\sin^2\theta}=-\sqrt{1-\left(\frac{3}{5}\right)^2}=-\frac{4}{5}$$

(1) $\sin 2\theta=2\sin\theta\cos\theta=2\times\frac{3}{5}\times\left(-\frac{4}{5}\right)=-\frac{24}{25}$

(2) $\cos 2\theta=1-2\sin^2\theta=1-2\times\left(\frac{3}{5}\right)^2=\frac{7}{25}$

(3) $\sin^2\frac{\theta}{2}=\frac{1-\cos\theta}{2}=\frac{1+\frac{4}{5}}{2}=\frac{9}{10}$

$\sin\frac{\theta}{2}>0$이므로 $\sin\frac{\theta}{2}=\frac{3\sqrt{10}}{10}$

(4) $\cos^2\frac{\theta}{2}=\frac{1+\cos\theta}{2}=\frac{1-\frac{4}{5}}{2}=\frac{1}{10}$

$\cos\frac{\theta}{2}>0$이므로 $\cos\frac{\theta}{2}=\frac{\sqrt{10}}{10}$

🔁 (1) $-\frac{24}{25}$ (2) $\frac{7}{25}$ (3) $\frac{3\sqrt{10}}{10}$ (4) $\frac{\sqrt{10}}{10}$

4-1

$\frac{\pi}{2}<\theta<\pi$이므로 $\cos\theta<0$

$$\cos\theta=-\sqrt{1-\sin^2\theta}=-\sqrt{1-\left(\frac{2\sqrt{5}}{5}\right)^2}=-\frac{\sqrt{5}}{5}$$

또 $\tan\theta=\frac{\sin\theta}{\cos\theta}=\frac{\frac{2\sqrt{5}}{5}}{-\frac{\sqrt{5}}{5}}=-2$

(1) $\sin 2\theta=2\sin\theta\cos\theta=2\times\frac{2\sqrt{5}}{5}\times\left(-\frac{\sqrt{5}}{5}\right)=-\frac{4}{5}$

(2) $\cos 2\theta=1-2\sin^2\theta=1-2\times\left(\frac{2\sqrt{5}}{5}\right)^2=-\frac{3}{5}$

(3) $\tan 2\theta=\frac{2\tan\theta}{1-\tan^2\theta}=\frac{2\times(-2)}{1-(-2)^2}=\frac{4}{3}$

🔁 (1) $-\frac{4}{5}$ (2) $-\frac{3}{5}$ (3) $\frac{4}{3}$

4-2

(1) $\tan^2\frac{\theta}{2}=\frac{\sin^2\frac{\theta}{2}}{\cos^2\frac{\theta}{2}}=\frac{\frac{1-\cos\theta}{2}}{\frac{1+\cos\theta}{2}}=\frac{1-\cos\theta}{1+\cos\theta}$

(2) $\tan^2\frac{\theta}{2}=\frac{1-\cos\theta}{1+\cos\theta}=\frac{1-\frac{1}{4}}{1+\frac{1}{4}}=\frac{3}{5}$

🔁 (1) 풀이 참조 (2) $\frac{3}{5}$

대표 05

(1) $\cos\left(\theta+\dfrac{2}{3}\pi\right)=\cos\theta\cos\dfrac{2}{3}\pi-\sin\theta\sin\dfrac{2}{3}\pi$

$\qquad\qquad\qquad=-\dfrac{1}{2}\cos\theta-\dfrac{\sqrt{3}}{2}\sin\theta$

이므로

$f(\theta)=2\sqrt{3}\sin\theta-\dfrac{3}{2}\cos\theta-\dfrac{3\sqrt{3}}{2}\sin\theta$

$\qquad=\dfrac{\sqrt{3}}{2}\sin\theta-\dfrac{3}{2}\cos\theta$

$\therefore a=\dfrac{\sqrt{3}}{2},\ b=-\dfrac{3}{2}$

(2) $\sqrt{a^2+b^2}=\sqrt{\dfrac{3}{4}+\dfrac{9}{4}}=\sqrt{3}$

이므로

$f(\theta)=\sqrt{3}\left(\dfrac{1}{2}\sin\theta-\dfrac{\sqrt{3}}{2}\cos\theta\right)$

$\cos\alpha=\dfrac{1}{2},\ \sin\alpha=-\dfrac{\sqrt{3}}{2}$이고,

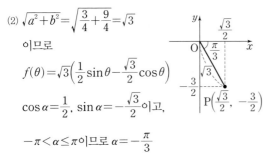

$-\pi<\alpha\leq\pi$이므로 $\alpha=-\dfrac{\pi}{3}$

$\therefore f(\theta)=\sqrt{3}\sin\left(\theta-\dfrac{\pi}{3}\right)$

(3) 최댓값은 $\sqrt{3}$, 최솟값은 $-\sqrt{3}$, 주기는 2π

(4) $\sqrt{3}\sin\left(\theta-\dfrac{\pi}{3}\right)=\dfrac{3}{2}$에서 $\sin\left(\theta-\dfrac{\pi}{3}\right)=\dfrac{\sqrt{3}}{2}$

$-\dfrac{\pi}{3}\leq\theta-\dfrac{\pi}{3}\leq\dfrac{5}{3}\pi$이므로

$\theta-\dfrac{\pi}{3}=\dfrac{\pi}{3}$ 또는 $\theta-\dfrac{\pi}{3}=\dfrac{2}{3}\pi$

$\therefore \theta=\dfrac{2}{3}\pi$ 또는 $\theta=\pi$

답 (1) $a=\dfrac{\sqrt{3}}{2},\ b=-\dfrac{3}{2}$ (2) $f(\theta)=\sqrt{3}\sin\left(\theta-\dfrac{\pi}{3}\right)$

$\qquad$ (3) 최댓값 : $\sqrt{3}$, 최솟값 : $-\sqrt{3}$, 주기 : 2π

$\qquad$ (4) $\theta=\dfrac{2}{3}\pi$ 또는 $\theta=\pi$

5-1

(1) $\sqrt{a^2+b^2}=\sqrt{3+1}=2$

이므로

$f(\theta)=2\left(\dfrac{\sqrt{3}}{2}\sin\theta\right.$

$\qquad\qquad\left.-\dfrac{1}{2}\cos\theta\right)+2$

$\cos\alpha=\dfrac{\sqrt{3}}{2},\ \sin\alpha=-\dfrac{1}{2}$이고,

$0\leq\alpha<2\pi$이므로 $\alpha=\dfrac{11}{6}\pi$

$\therefore f(\theta)=2\sin\left(\theta+\dfrac{11}{6}\pi\right)+2$

$-1\leq\sin\left(\theta+\dfrac{11}{6}\pi\right)\leq1$이므로

$0\leq2\sin\left(\theta+\dfrac{11}{6}\pi\right)+2\leq4$

따라서 최댓값은 4, 최솟값은 0, 주기는 2π

(2) $2\sin\left(\theta+\dfrac{11}{6}\pi\right)+2=2$에서

$\sin\left(\theta+\dfrac{11}{6}\pi\right)=0$

$\dfrac{11}{6}\pi\leq\theta+\dfrac{11}{6}\pi\leq\dfrac{23}{6}\pi$이므로

$\theta+\dfrac{11}{6}\pi=2\pi$ 또는 $\theta+\dfrac{11}{6}\pi=3\pi$

$\therefore \theta=\dfrac{\pi}{6}$ 또는 $\theta=\dfrac{7}{6}\pi$

답 (1) 최댓값 : 4, 최솟값 : 0, 주기 : 2π

$\qquad$ (2) $\theta=\dfrac{\pi}{6}$ 또는 $\theta=\dfrac{7}{6}\pi$

5-2

$\sin\theta+\sqrt{3}\cos\theta=r\cos(\theta+\alpha)$

$\qquad\qquad\qquad=r(\cos\theta\cos\alpha-\sin\theta\sin\alpha)$

에서 $r\cos\alpha=\sqrt{3},\ r\sin\alpha=-1$ $\qquad\cdots\ \bigcirc$

양변을 제곱하여 더하면

$r^2(\cos^2\alpha+\sin^2\alpha)=4,\ r^2=4$

$r>0$이므로 $r=2$

$\bigcirc$에 대입하면 $\cos\alpha=\dfrac{\sqrt{3}}{2},\ \sin\alpha=-\dfrac{1}{2}$

$-\pi<\alpha\leq\pi$이므로 $\alpha=-\dfrac{\pi}{6}$

답 $r=2,\ \alpha=-\dfrac{\pi}{6}$

참고 $a\sin\theta+b\cos\theta$

$\qquad=\sqrt{a^2+b^2}\left(\dfrac{a}{\sqrt{a^2+b^2}}\sin\theta+\dfrac{b}{\sqrt{a^2+b^2}}\cos\theta\right)$

$\qquad=\sqrt{a^2+b^2}\,(\sin\theta\sin\alpha+\cos\theta\cos\alpha)$

$\qquad=\sqrt{a^2+b^2}\cos(\theta-\alpha)$

꼴로 정리할 수 있다.

5 삼각함수의 덧셈정리 83쪽~84쪽

01 26	**02** ⑤	**03** -5	**04** ④

05 (1) $-\dfrac{3}{4}$ (2) $\dfrac{3\sqrt{7}}{7}$

06 (1) $\dfrac{2-\sqrt{2}}{4}$ (2) $\dfrac{2+\sqrt{2}}{4}$

07 (1) 5 (2) $2\sec\theta\csc\theta$ **08** ③ **09** ⑤

10 35 **11** ⑤

01

$\sec^2\theta = 1+\tan^2\theta = 1+5^2 = 26$

🖺 26

참고 $\tan\theta=5$에서 $\dfrac{\sin\theta}{\cos\theta}=5$ ∴ $\sin\theta=5\cos\theta$

이 값을 $\sin^2\theta+\cos^2\theta=1$에 대입하고 정리해서 풀
어도 된다.

02

$$f(x)=\cos 2x\cos x-\sin 2x\sin x$$
$$=\cos(2x+x)=\cos 3x$$

이므로 $f(x)$의 주기는 $\dfrac{2}{3}\pi$

🖺 ⑤

참고 $y=\cos ax$의 주기는 $\dfrac{2\pi}{|a|}$이다.

03

근과 계수의 관계에서

$$\tan\alpha+\tan\beta=-\dfrac{k}{2},\ \tan\alpha\tan\beta=-\dfrac{3}{2}$$

이므로

$$\tan(\alpha+\beta)=\dfrac{\tan\alpha+\tan\beta}{1-\tan\alpha\tan\beta}$$
$$=\dfrac{-\dfrac{k}{2}}{1+\dfrac{3}{2}}=-\dfrac{k}{5}$$

$\tan(\alpha+\beta)=1$이므로

$$-\dfrac{k}{5}=1 \quad ∴ k=-5$$

🖺 -5

04

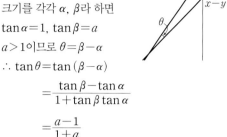

두 직선 $x-y-1=0$,
$ax-y+1=0$이 x축의
양의 방향과 이루는 각의
크기를 각각 α, β라 하면
$\tan\alpha=1$, $\tan\beta=a$
$a>1$이므로 $\theta=\beta-\alpha$
∴ $\tan\theta=\tan(\beta-\alpha)$
$$=\dfrac{\tan\beta-\tan\alpha}{1+\tan\beta\tan\alpha}$$
$$=\dfrac{a-1}{1+a}$$

$\tan\theta=\dfrac{1}{6}$이므로

$$\dfrac{a-1}{1+a}=\dfrac{1}{6},\ 6a-6=1+a \quad ∴ a=\dfrac{7}{5}$$

🖺 ④

05

(1) $\sin\theta+\cos\theta=\dfrac{1}{2}$의 양변을 제곱하면

$$\sin^2\theta+2\sin\theta\cos\theta+\cos^2\theta=\dfrac{1}{4}$$

$$1+\sin 2\theta=\dfrac{1}{4} \quad ∴ \sin 2\theta=-\dfrac{3}{4}$$

(2) 2θ가 제3사분면의 각이므로

$$\cos 2\theta=-\sqrt{1-\sin^2 2\theta}$$
$$=-\sqrt{1-\left(-\dfrac{3}{4}\right)^2}$$
$$=-\dfrac{\sqrt{7}}{4}$$

$$∴ \tan 2\theta=\dfrac{\sin 2\theta}{\cos 2\theta}$$
$$=\dfrac{-\dfrac{3}{4}}{-\dfrac{\sqrt{7}}{4}}=\dfrac{3\sqrt{7}}{7}$$

🖺 (1) $-\dfrac{3}{4}$ (2) $\dfrac{3\sqrt{7}}{7}$

06

(1) $\sin^2\dfrac{\pi}{8}=\dfrac{1-\cos\dfrac{\pi}{4}}{2}=\dfrac{1-\dfrac{\sqrt{2}}{2}}{2}=\dfrac{2-\sqrt{2}}{4}$

(2) $\cos^2\dfrac{\pi}{8}=\dfrac{1+\cos\dfrac{\pi}{4}}{2}=\dfrac{1+\dfrac{\sqrt{2}}{2}}{2}=\dfrac{2+\sqrt{2}}{4}$

🖺 (1) $\dfrac{2-\sqrt{2}}{4}$ (2) $\dfrac{2+\sqrt{2}}{4}$

43

07 전략 삼각함수 사이의 관계를 이용한다.

(1) $(\sin\theta+\csc\theta)^2+(\cos\theta+\sec\theta)^2$

$\quad-(\tan\theta+\cot\theta)^2$

$=(\sin^2\theta+2+\csc^2\theta)+(\cos^2\theta+2+\sec^2\theta)$

$\quad-(\tan^2\theta+2+\cot^2\theta)$

$=(\sin^2\theta+\cos^2\theta)+(\csc^2\theta-\cot^2\theta)$

$\quad+(\sec^2\theta-\tan^2\theta)+2$

$=1+1+1+2=5$

(2) $\dfrac{\sec\theta}{\csc\theta-\cot\theta}+\dfrac{\sec\theta}{\csc\theta+\cot\theta}$

$=\dfrac{\sec\theta(\csc\theta+\cot\theta)+\sec\theta(\csc\theta-\cot\theta)}{(\csc\theta-\cot\theta)(\csc\theta+\cot\theta)}$

$=\dfrac{2\sec\theta\csc\theta}{\csc^2\theta-\cot^2\theta}$

$=2\sec\theta\csc\theta$

답 (1) 5 (2) $2\sec\theta\csc\theta$

08 전략 삼각함수의 덧셈정리를 이용한다.

$\cos(\alpha+\beta)=\cos\alpha\cos\beta-\sin\alpha\sin\beta$

$\qquad\qquad=\dfrac{\sqrt{3}-1}{4}-\dfrac{\sqrt{3}+1}{4}=-\dfrac{1}{2}$

$0<\alpha+\beta<\pi$이므로 $\alpha+\beta=\dfrac{2}{3}\pi$ $\qquad\cdots\ \unicode{12992}$

$\cos(\alpha-\beta)=\cos\alpha\cos\beta+\sin\alpha\sin\beta$

$\qquad\qquad=\dfrac{\sqrt{3}-1}{4}+\dfrac{\sqrt{3}+1}{4}=\dfrac{\sqrt{3}}{2}$

$\alpha<\beta$이므로 $\alpha-\beta<0$ $\quad\therefore\ \alpha-\beta=-\dfrac{\pi}{6}$ $\quad\cdots\ \unicode{12993}$

$\unicode{12992}$, $\unicode{12993}$을 연립하여 풀면 $\alpha=\dfrac{\pi}{4}$

$\therefore\ \cos\alpha=\dfrac{\sqrt{2}}{2}$

답 ③

09 전략 삼각함수의 덧셈정리를 이용한다.

$\overline{\mathrm{DE}}=a$라 하면

$\overline{\mathrm{AE}}:\overline{\mathrm{DE}}=3:1$이므로

$\overline{\mathrm{AE}}=3a$, $\overline{\mathrm{AD}}=4a$

$\triangle\mathrm{ADC}$에서

$\overline{\mathrm{CD}}^2=(2\sqrt{5})^2-(4a)^2$

$\qquad\quad=20-16a^2$ $\qquad\cdots\ \unicode{12992}$

$\triangle\mathrm{EDC}$에서

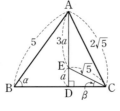

$\overline{\mathrm{CD}}^2=(\sqrt{5})^2-a^2$

$\qquad\quad=5-a^2$ $\qquad\cdots\ \unicode{12993}$

$\unicode{12992}$, $\unicode{12993}$을 연립하여 풀면 $a^2=1$

$a>0$이므로 $a=1$

$\overline{\mathrm{AD}}=4$, $\overline{\mathrm{BD}}=3$이므로 $\cos\alpha=\dfrac{3}{5}$, $\sin\alpha=\dfrac{4}{5}$

$\overline{\mathrm{CD}}=2$이므로 $\cos\beta=\dfrac{2}{\sqrt{5}}$, $\sin\beta=\dfrac{1}{\sqrt{5}}$

$\therefore\ \cos(\alpha-\beta)=\cos\alpha\cos\beta+\sin\alpha\sin\beta$

$\qquad\qquad=\dfrac{3}{5}\times\dfrac{2}{\sqrt{5}}+\dfrac{4}{5}\times\dfrac{1}{\sqrt{5}}$

$\qquad\qquad=\dfrac{2\sqrt{5}}{5}$

답 ⑤

10 전략 $\cos2x=2\cos^2x-1$을 이용하여 $\cos x$에 대한 이차방정식으로 나타낸다.

$\cos2x=2\cos^2x-1$이므로

$3(2\cos^2x-1)+17\cos x=0$

$6\cos^2x+17\cos x-3=0$

$(6\cos x-1)(\cos x+3)=0$

$-1\le\cos x\le1$이므로 $\cos x=\dfrac{1}{6}$

$\therefore\ \tan^2x=\sec^2x-1=6^2-1=35$

답 35

참고 $\tan^2x=\dfrac{\sin^2x}{\cos^2x}=\dfrac{1-\cos^2x}{\cos^2x}=\dfrac{1-\dfrac{1}{36}}{\dfrac{1}{36}}$

$\qquad\qquad=35$

11 전략 삼각함수의 합성을 이용하여 삼각함수의 최댓값을 구한다.

$f(x)=a\sin x+\sqrt{11}\cos x$

$\quad=\sqrt{a^2+11}\left(\dfrac{a}{\sqrt{a^2+11}}\sin x+\dfrac{\sqrt{11}}{\sqrt{a^2+11}}\cos x\right)$

$\quad=\sqrt{a^2+11}\sin(x+\alpha)$

$\left(\text{단, }\cos\alpha=\dfrac{a}{\sqrt{a^2+11}},\ \sin\alpha=\dfrac{\sqrt{11}}{\sqrt{a^2+11}}\right)$

$-1\le\sin(x+\alpha)\le1$이므로 $f(x)$의 최댓값은 $\sqrt{a^2+11}$

조건에서 $\sqrt{a^2+11}=6$, $a^2=25$

$a>0$이므로 $a=5$

답 ⑤

삼각함수의 미분

개념 Check 87쪽

1

(1) $\lim\limits_{x \to \frac{\pi}{4}} \cos x = \cos \frac{\pi}{4} = \frac{\sqrt{2}}{2}$

(2) $\lim\limits_{x \to \frac{\pi}{3}} \sin 2x = \sin \frac{2}{3}\pi = \frac{\sqrt{3}}{2}$

(3) $\lim\limits_{x \to \pi} (\sin^2 x + \cos 3x)$
$= \sin^2 \pi + \cos 3\pi$
$= 0 + (-1) = -1$

(4) $\lim\limits_{x \to 0} \dfrac{\tan x}{\sin x} = \lim\limits_{x \to 0} \left(\dfrac{\sin x}{\cos x} \times \dfrac{1}{\sin x} \right)$
$= \lim\limits_{x \to 0} \dfrac{1}{\cos x} = 1$

답 (1) $\dfrac{\sqrt{2}}{2}$ (2) $\dfrac{\sqrt{3}}{2}$ (3) -1 (4) 1

2

$\lim\limits_{x \to 0} \dfrac{\sin x}{x} = 1$, $\lim\limits_{x \to 0} \dfrac{\tan x}{x} = 1$을 이용한다.

(1) $\lim\limits_{x \to 0} \dfrac{x}{\sin x} = \lim\limits_{x \to 0} \dfrac{1}{\frac{\sin x}{x}} = 1$

(2) $\lim\limits_{x \to 0} \dfrac{\sin 2x}{3x} = \lim\limits_{x \to 0} \left(\dfrac{\sin 2x}{2x} \times \dfrac{2}{3} \right)$
$= 1 \times \dfrac{2}{3} = \dfrac{2}{3}$

(3) $\lim\limits_{x \to 0} \dfrac{\sin 5x^2}{x^2} = \lim\limits_{x \to 0} \left(\dfrac{\sin 5x^2}{5x^2} \times 5 \right)$
$= 1 \times 5 = 5$

(4) $\lim\limits_{x \to 0} \dfrac{x}{\tan x} = \lim\limits_{x \to 0} \dfrac{1}{\frac{\tan x}{x}} = 1$

다른 풀이

$\lim\limits_{x \to 0} \dfrac{x}{\tan x} = \lim\limits_{x \to 0} \left(\dfrac{x}{\sin x} \times \cos x \right)$
$= 1 \times 1 = 1$

답 (1) 1 (2) $\dfrac{2}{3}$ (3) 5 (4) 1

대표Q 88쪽~91쪽

대표 01

(1) $\lim\limits_{x \to 0} \dfrac{\sin 3x}{\sin 2x} = \lim\limits_{x \to 0} \left(\dfrac{\sin 3x}{3x} \times \dfrac{2x}{\sin 2x} \times \dfrac{3}{2} \right)$
$= 1 \times 1 \times \dfrac{3}{2} = \dfrac{3}{2}$

(2) $x \to 0$일 때 $\sin x \to 0$이므로
$\lim\limits_{x \to 0} \dfrac{\sin(\sin x)}{x} = \lim\limits_{x \to 0} \left\{ \dfrac{\sin(\sin x)}{\sin x} \times \dfrac{\sin x}{x} \right\}$
$= 1 \times 1 = 1$

(3) $\lim\limits_{x \to 0} \dfrac{\tan 2x}{\tan 5x} = \lim\limits_{x \to 0} \left(\dfrac{\tan 2x}{2x} \times \dfrac{5x}{\tan 5x} \times \dfrac{2}{5} \right)$
$= 1 \times 1 \times \dfrac{2}{5} = \dfrac{2}{5}$

다른 풀이

$\lim\limits_{x \to 0} \dfrac{\tan 2x}{\tan 5x} = \lim\limits_{x \to 0} \left(\dfrac{\sin 2x}{\cos 2x} \times \dfrac{\cos 5x}{\sin 5x} \right)$
$= \lim\limits_{x \to 0} \left(\dfrac{\sin 2x}{2x} \times \dfrac{5x}{\sin 5x} \times \dfrac{2\cos 5x}{5\cos 2x} \right)$
$= 1 \times 1 \times \dfrac{2}{5} = \dfrac{2}{5}$

(4) $\lim\limits_{x \to 0} \dfrac{\tan 4x}{\sin 3x} = \lim\limits_{x \to 0} \left(\dfrac{\tan 4x}{4x} \times \dfrac{3x}{\sin 3x} \times \dfrac{4}{3} \right)$
$= 1 \times 1 \times \dfrac{4}{3} = \dfrac{4}{3}$

다른 풀이

$\lim\limits_{x \to 0} \dfrac{\tan 4x}{\sin 3x} = \lim\limits_{x \to 0} \left(\dfrac{\sin 4x}{\cos 4x} \times \dfrac{1}{\sin 3x} \right)$
$= \lim\limits_{x \to 0} \left(\dfrac{\sin 4x}{4x} \times \dfrac{3x}{\sin 3x} \times \dfrac{4}{3\cos 4x} \right)$
$= 1 \times 1 \times \dfrac{4}{3} = \dfrac{4}{3}$

답 (1) $\dfrac{3}{2}$ (2) 1 (3) $\dfrac{2}{5}$ (4) $\dfrac{4}{3}$

1-1

(1) $\lim\limits_{x \to 0} \dfrac{\sin^2 2x}{x^2} = \lim\limits_{x \to 0} \left\{ \left(\dfrac{\sin 2x}{2x} \right)^2 \times 4 \right\}$
$= 1^2 \times 4 = 4$

(2) $x \to 0$일 때 $2\sin x \to 0$이므로
$\lim\limits_{x \to 0} \dfrac{\sin(2\sin x)}{x}$
$= \lim\limits_{x \to 0} \left\{ \dfrac{\sin(2\sin x)}{2\sin x} \times \dfrac{\sin x}{x} \times 2 \right\}$
$= 1 \times 1 \times 2 = 2$

(3) $\displaystyle\lim_{x\to 0}\frac{\sin 3x}{\tan 5x}=\lim_{x\to 0}\left(\frac{\sin 3x}{3x}\times\frac{5x}{\tan 5x}\times\frac{3}{5}\right)$

$\qquad\qquad\qquad =1\times 1\times\frac{3}{5}=\frac{3}{5}$

(4) $x\to 0$일 때 $\tan x\to 0$이므로

$\displaystyle\lim_{x\to 0}\frac{\tan(\tan x)}{x}=\lim_{x\to 0}\left\{\frac{\tan(\tan x)}{\tan x}\times\frac{\tan x}{x}\right\}$

$\qquad\qquad\qquad =1\times 1=1$

답 (1) 4 (2) 2 (3) $\frac{3}{5}$ (4) 1

1-2

$x°$를 호도법으로 고치면 $x°=\dfrac{\pi}{180}x$

$\therefore\displaystyle\lim_{x\to 0}\frac{\sin x°}{x}=\lim_{x\to 0}\frac{\sin\dfrac{\pi}{180}x}{x}$

$\qquad\qquad =\displaystyle\lim_{x\to 0}\left(\frac{\sin\dfrac{\pi}{180}x}{\dfrac{\pi}{180}x}\times\frac{\pi}{180}\right)$

$\qquad\qquad =1\times\dfrac{\pi}{180}=\dfrac{\pi}{180}$

답 $\dfrac{\pi}{180}$

대표 02

(1) $\displaystyle\lim_{x\to 0}\frac{1-\cos x}{x^2}=\lim_{x\to 0}\frac{(1-\cos x)(1+\cos x)}{x^2(1+\cos x)}$

$\qquad\qquad\quad =\displaystyle\lim_{x\to 0}\frac{\sin^2 x}{x^2(1+\cos x)}$

$\qquad\qquad\quad =\displaystyle\lim_{x\to 0}\left\{\left(\frac{\sin x}{x}\right)^2\times\frac{1}{1+\cos x}\right\}$

$\qquad\qquad\quad =1^2\times\dfrac{1}{2}=\dfrac{1}{2}$

(2) $\displaystyle\lim_{x\to 0}\frac{\cos 2x-1}{x\sin x}$

$\quad =\displaystyle\lim_{x\to 0}\frac{(\cos 2x-1)(\cos 2x+1)}{x\sin x(\cos 2x+1)}$

$\quad =\displaystyle\lim_{x\to 0}\frac{-\sin^2 2x}{x\sin x(\cos 2x+1)}$

$\quad =-\displaystyle\lim_{x\to 0}\left\{\left(\frac{\sin 2x}{2x}\right)^2\times\frac{x}{\sin x}\times\frac{1}{\cos 2x+1}\times 4\right\}$

$\quad =-\left(1^2\times 1\times\dfrac{1}{2}\times 4\right)=-2$

다른 풀이

배각의 공식에서 $\cos 2x=1-2\sin^2 x$임을 이용하면

$\displaystyle\lim_{x\to 0}\frac{\cos 2x-1}{x\sin x}=\lim_{x\to 0}\frac{-2\sin^2 x}{x\sin x}$

$\qquad\qquad\qquad =\displaystyle\lim_{x\to 0}\frac{-2\sin x}{x}=-2$

(3) $x-\dfrac{\pi}{2}=t$라 하면 $x=\dfrac{\pi}{2}+t$이고,

$\quad x\to\dfrac{\pi}{2}$일 때 $t\to 0$이므로

$\quad\displaystyle\lim_{x\to\frac{\pi}{2}}\frac{\cos x}{x-\dfrac{\pi}{2}}=\lim_{t\to 0}\frac{\cos\left(\dfrac{\pi}{2}+t\right)}{t}$

$\qquad\qquad\quad =\displaystyle\lim_{t\to 0}\frac{-\sin t}{t}=-1$

(4) $\dfrac{1}{x}=t$라 하면 $x=\dfrac{1}{t}$이고,

$\quad x\to\infty$일 때 $t\to 0$이므로

$\quad\displaystyle\lim_{x\to\infty}x\sin\frac{1}{x}=\lim_{t\to 0}\frac{1}{t}\sin t=\lim_{t\to 0}\frac{\sin t}{t}=1$

답 (1) $\dfrac{1}{2}$ (2) -2 (3) -1 (4) 1

2-1

(1) $\displaystyle\lim_{x\to 0}\frac{1-\cos 3x}{x^2}$

$\quad =\displaystyle\lim_{x\to 0}\frac{(1-\cos 3x)(1+\cos 3x)}{x^2(1+\cos 3x)}$

$\quad =\displaystyle\lim_{x\to 0}\frac{\sin^2 3x}{x^2(1+\cos 3x)}$

$\quad =\displaystyle\lim_{x\to 0}\left\{\left(\frac{\sin 3x}{3x}\right)^2\times\frac{1}{1+\cos 3x}\times 9\right\}$

$\quad =1^2\times\dfrac{1}{2}\times 9=\dfrac{9}{2}$

(2) $\displaystyle\lim_{x\to 0}\frac{x\sin x}{1-\cos x}=\lim_{x\to 0}\frac{x\sin x(1+\cos x)}{(1-\cos x)(1+\cos x)}$

$\qquad\qquad\quad =\displaystyle\lim_{x\to 0}\frac{x\sin x(1+\cos x)}{\sin^2 x}$

$\qquad\qquad\quad =\displaystyle\lim_{x\to 0}\left\{\frac{x}{\sin x}\times(1+\cos x)\right\}$

$\qquad\qquad\quad =1\times 2=2$

(3) $x-1=t$라 하면 $x=t+1$이고,

$\quad x\to 1$일 때 $t\to 0$이므로

$$\lim_{x \to 1} \frac{\sin \pi x}{x-1} = \lim_{t \to 0} \frac{\sin \pi(t+1)}{t}$$
$$= \lim_{t \to 0} \frac{-\sin \pi t}{t}$$
$$= \lim_{t \to 0} \left(-\frac{\sin \pi t}{\pi t} \times \pi \right)$$
$$= -1 \times \pi = -\pi$$

(4) $\dfrac{1}{x} = t$라 하면 $x = \dfrac{1}{t}$이고,

$x \to \infty$일 때 $t \to 0$이므로

$$\lim_{x \to \infty} x \tan \frac{1}{x} = \lim_{t \to 0} \frac{1}{t} \tan t = \lim_{t \to 0} \frac{\tan t}{t} = 1$$

目 (1) $\dfrac{9}{2}$ (2) 2 (3) $-\pi$ (4) 1

대표 03

(1) $\displaystyle\lim_{x \to \pi} \frac{a\cos x + b}{(x-\pi)^2} = 3$ ⋯ ㉠

$x \to \pi$일 때, 극한값이 존재하고 (분모) $\to 0$이므로
(분자) $\to 0$이다.

$\displaystyle\lim_{x \to \pi}(a\cos x + b) = 0$이므로

$a\cos\pi + b = 0$ ∴ $b = a$

$b = a$를 ㉠의 좌변에 대입하면

$$\lim_{x \to \pi} \frac{a\cos x + a}{(x-\pi)^2} = a\lim_{x \to \pi} \frac{\cos x + 1}{(x-\pi)^2}$$

$x - \pi = t$라 하면 $x = \pi + t$이고,

$x \to \pi$일 때 $t \to 0$이다.

또 $\cos x = \cos(\pi + t) = -\cos t$이므로

$$a\lim_{x \to \pi} \frac{\cos x + 1}{(x-\pi)^2} = a\lim_{t \to 0} \frac{1-\cos t}{t^2}$$
$$= a\lim_{t \to 0} \frac{(1-\cos t)(1+\cos t)}{t^2(1+\cos t)}$$
$$= a\lim_{t \to 0} \left(\frac{\sin^2 t}{t^2} \times \frac{1}{1+\cos t} \right)$$
$$= a \times 1 \times \frac{1}{2} = \frac{a}{2}$$

㉠의 우변과 비교하면 $a = 6$, $b = 6$

(2) $x = 0$에서 연속이면 $\displaystyle\lim_{x \to 0} f(x) = f(0)$이므로

$$\lim_{x \to 0} \frac{e^x + a}{\sin \pi x} = b$$ ⋯ ㉠

$x \to 0$일 때, 극한값이 존재하고 (분모) $\to 0$이므로
(분자) $\to 0$이다.

$\displaystyle\lim_{x \to 0}(e^x + a) = 0$이므로

$1 + a = 0$ ∴ $a = -1$

$a = -1$을 ㉠의 좌변에 대입하면

$$\lim_{x \to 0} \frac{e^x - 1}{\sin \pi x} = \lim_{x \to 0}\left(\frac{e^x - 1}{x} \times \frac{\pi x}{\sin \pi x} \times \frac{1}{\pi} \right)$$
$$= 1 \times 1 \times \frac{1}{\pi} = \frac{1}{\pi}$$

∴ $b = \dfrac{1}{\pi}$

目 (1) $a=6$, $b=6$ (2) $a=-1$, $b=\dfrac{1}{\pi}$

3-1

$\displaystyle\lim_{x \to 0} \frac{a + b\cos x}{x^2} = 2$ ⋯ ㉠

$x \to 0$일 때, 극한값이 존재하고 (분모) $\to 0$이므로
(분자) $\to 0$이다.

$\displaystyle\lim_{x \to 0}(a + b\cos x) = 0$이므로

$a + b = 0$ ∴ $b = -a$

$b = -a$를 ㉠의 좌변에 대입하면

$$\lim_{x \to 0} \frac{a - a\cos x}{x^2} = a\lim_{x \to 0} \frac{1-\cos x}{x^2}$$
$$= a\lim_{x \to 0} \frac{(1-\cos x)(1+\cos x)}{x^2(1+\cos x)}$$
$$= a\lim_{x \to 0} \frac{\sin^2 x}{x^2(1+\cos x)}$$
$$= a\lim_{x \to 0} \left(\frac{\sin^2 x}{x^2} \times \frac{1}{1+\cos x} \right)$$
$$= a \times 1 \times \frac{1}{2} = \frac{a}{2}$$

㉠의 우변과 비교하면 $a = 4$, $b = -4$

目 $a=4$, $b=-4$

3-2

$x = 2$에서 연속이면 $\displaystyle\lim_{x \to 2} f(x) = f(2)$이므로

$$\lim_{x \to 2} \frac{\sin \pi x}{x-a} = b$$ ⋯ ㉠

$x \to 2$일 때, 0이 아닌 극한값이 존재하고
(분자) $\to 0$이므로 (분모) $\to 0$이다.

$\displaystyle\lim_{x \to 2}(x - a) = 0$이므로

$2 - a = 0$ ∴ $a = 2$

$a = 2$를 ㉠의 좌변에 대입하면

$$\lim_{x \to 2} \frac{\sin \pi x}{x-2} = b$$

$x - 2 = t$라 하면 $x = t + 2$이고, $x \to 2$일 때 $t \to 0$이다.

또 $\sin \pi x = \sin \pi(t+2) = \sin \pi t$ 이므로

$$\lim_{x \to 2} \frac{\sin \pi x}{x-2} = \lim_{t \to 0} \frac{\sin \pi t}{t}$$

$$= \lim_{t \to 0} \left(\frac{\sin \pi t}{\pi t} \times \pi \right) = 1 \times \pi = \pi$$

$\therefore b = \pi$

🄰 $a=2, \ b=\pi$

대표 04

(1) 중심각의 크기는 원주각의 크기의 2배이므로

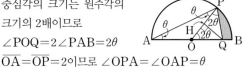

$\angle POQ = 2\angle PAB = 2\theta$

$\overline{OA} = \overline{OP} = 2$ 이므로 $\angle OPA = \angle OAP = \theta$

$\therefore \ \angle OPQ = 3\theta - \theta = 2\theta$

따라서 $\triangle POQ$는 이등변삼각형이다.

점 Q에서 변 OP에 내린 수선의 발을 H라 하면

$\overline{OH} = 1$ 이므로 $\triangle HOQ$에서

$$\cos 2\theta = \frac{\overline{OH}}{\overline{OQ}}, \ \overline{OQ} = \frac{1}{\cos 2\theta}$$

$$\therefore \lim_{\theta \to 0+} \frac{1-\overline{OQ}}{\theta^2}$$

$$= \lim_{\theta \to 0+} \frac{1 - \dfrac{1}{\cos 2\theta}}{\theta^2} = \lim_{\theta \to 0+} \frac{\cos 2\theta - 1}{\theta^2 \cos 2\theta}$$

$$= \lim_{\theta \to 0+} \frac{(\cos 2\theta - 1)(\cos 2\theta + 1)}{\theta^2 \cos 2\theta (\cos 2\theta + 1)}$$

$$= \lim_{\theta \to 0+} \frac{-\sin^2 2\theta}{\theta^2 \cos 2\theta (\cos 2\theta + 1)}$$

$$= -\lim_{\theta \to 0+} \left\{ \frac{\sin^2 2\theta}{(2\theta)^2} \times \frac{4}{\cos 2\theta (\cos 2\theta + 1)} \right\}$$

$$= -1 \times \frac{4}{2} = -2$$

(2) $\tan 2\theta = \dfrac{\overline{QH}}{\overline{OH}}$에서 $\overline{QH} = \tan 2\theta$ 이므로

$$\triangle POQ = \frac{1}{2} \times 2 \times \tan 2\theta = \tan 2\theta$$

$\therefore S(\theta) = ($부채꼴 POB의 넓이$) - \triangle POQ$

$$= \frac{1}{2} \times 2^2 \times 2\theta - \tan 2\theta = 4\theta - \tan 2\theta$$

$$\therefore \lim_{\theta \to 0+} \frac{S(\theta)}{\theta} = \lim_{\theta \to 0+} \frac{4\theta - \tan 2\theta}{\theta}$$

$$= \lim_{\theta \to 0+} \left(4 - \frac{\tan 2\theta}{2\theta} \times 2 \right)$$

$$= 4 - 1 \times 2 = 2$$

🄰 (1) -2 (2) 2

4-1

(1) 내접원의 반지름의 길이를 r라 하면

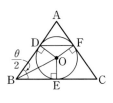

$\overline{OD} = \overline{OE} = \overline{OF} = r$

또 반지름 OD, OE, OF는 각각 변 AB, BC, CA에 수직이다.

$\angle OBE = \dfrac{\theta}{2}$ 이고 $\overline{BE} = 1$ 이므로 $r = \overline{OE} = \tan \dfrac{\theta}{2}$

사각형 ODBE의 내각의 크기의 합에서

$$\angle DOE + \frac{\pi}{2} + \theta + \frac{\pi}{2} = 2\pi$$

$\therefore \ \angle DOE = \pi - \theta$

따라서 부채꼴 DOE의 넓이는

$$f(\theta) = \frac{1}{2} \times \tan^2 \frac{\theta}{2} \times (\pi - \theta) = \frac{\pi - \theta}{2} \times \tan^2 \frac{\theta}{2}$$

$$\therefore \lim_{\theta \to 0+} \frac{f(\theta)}{\theta^2} = \lim_{\theta \to 0+} \left\{ \frac{\pi - \theta}{2} \times \frac{1}{4} \times \frac{\tan^2 \dfrac{\theta}{2}}{\left(\dfrac{\theta}{2} \right)^2} \right\}$$

$$= \frac{\pi}{2} \times \frac{1}{4} \times 1 = \frac{\pi}{8}$$

(2) $\angle DOF = 2\pi - \angle DOE - \angle EOF$

$$= 2\pi - (\pi - \theta) - (\pi - \theta) = 2\theta$$

이므로 삼각형 DOF의 넓이는

$$g(\theta) = \frac{1}{2} \times \tan^2 \frac{\theta}{2} \times \sin 2\theta$$

$$\therefore \lim_{\theta \to 0+} \frac{g(\theta)}{\theta^3}$$

$$= \lim_{\theta \to 0+} \left\{ \frac{1}{4} \times \frac{\tan^2 \dfrac{\theta}{2}}{\left(\dfrac{\theta}{2} \right)^2} \times \frac{\sin 2\theta}{2\theta} \right\}$$

$$= \frac{1}{4} \times 1 \times 1 = \frac{1}{4}$$

🄰 (1) $\dfrac{\pi}{8}$ (2) $\dfrac{1}{4}$

93쪽

3

(1) $y' = (\sin x^2)' \times (x^2)' = 2x \cos x^2$

(2) $y' = (2\cos x)' + (1)' = -2\sin x$

(3) $y'=(\tan 2x)' \times (2x)' = 2\sec^2 2x$

🖪 (1) $y'=2x\cos x^2$　(2) $y'=-2\sin x$

(3) $y'=2\sec^2 2x$

4

(1) $y'=(\csc \pi x)' \times (\pi x)' = -\pi \csc \pi x \cot \pi x$

(2) $y'=(\sec x^2)' \times (x^2)' = 2x \sec x^2 \tan x^2$

🖪 (1) $y'=-\pi \csc \pi x \cot \pi x$

(2) $y'=2x \sec x^2 \tan x^2$

대표Q 94쪽~96쪽

대표 **05**

(1) $y'=(\sin x)'\cos x+\sin x(\cos x)'$

$\qquad =\cos x \cos x+\sin x(-\sin x)$

$\qquad =\cos^2 x-\sin^2 x$

(2) $f(x)=x^3$이라 하면 $y=f(1+\tan x)$

$\quad f'(x)=3x^2$이므로

$\quad y'=f'(1+\tan x) \times (1+\tan x)'$

$\qquad =3(1+\tan x)^2 \sec^2 x$

(3) $y'=\dfrac{(\cos x)'(1+\sin x)-\cos x(1+\sin x)'}{(1+\sin x)^2}$

$\qquad =\dfrac{-\sin x(1+\sin x)-\cos x \cos x}{(1+\sin x)^2}$

$\qquad =\dfrac{-\sin x-\sin^2 x-\cos^2 x}{(1+\sin x)^2}$

$\qquad =-\dfrac{1+\sin x}{(1+\sin x)^2}=-\dfrac{1}{1+\sin x}$

(4) $f(x)=\sqrt{1+x^2}$이라 하면 $y=\sin f(x)$이고

$\quad f'(x)=\dfrac{x}{\sqrt{1+x^2}}$이므로

$\quad y'=\cos f(x) \times f'(x)$

$\qquad =\cos \sqrt{1+x^2} \times \dfrac{x}{\sqrt{1+x^2}}=\dfrac{x\cos\sqrt{1+x^2}}{\sqrt{1+x^2}}$

🖪 (1) $y'=\cos^2 x-\sin^2 x$

(2) $y'=3(1+\tan x)^2 \sec^2 x$

(3) $y'=-\dfrac{1}{1+\sin x}$

(4) $y'=\dfrac{x\cos\sqrt{1+x^2}}{\sqrt{1+x^2}}$

참고 (1) $y'=\cos 2x$라 해도 된다.

5-1

(1) $f(x)=x^2$이라 하면 $y=f(\sin x+\cos x)$

$\quad f'(x)=2x$이므로

$\quad y'=f'(\sin x+\cos x) \times (\sin x+\cos x)'$

$\qquad =2(\sin x+\cos x)(\cos x-\sin x)$

$\qquad =2(\cos^2 x-\sin^2 x)$

(2) $y'=\dfrac{-(1+\tan x)'}{(1+\tan x)^2}=-\dfrac{\sec^2 x}{(1+\tan x)^2}$

(3) $f(x)=\sqrt{x}$라 하면 $y=f(1+\cos x)$이고

$\quad f'(x)=\dfrac{1}{2\sqrt{x}}$이므로

$\quad y'=f'(1+\cos x) \times (1+\cos x)'$

$\qquad =\dfrac{1}{2\sqrt{1+\cos x}} \times (-\sin x)=-\dfrac{\sin x}{2\sqrt{1+\cos x}}$

(4) $\left(\sin \dfrac{1}{x}\right)'=\cos \dfrac{1}{x} \times \left(\dfrac{1}{x}\right)'=-\dfrac{1}{x^2}\cos \dfrac{1}{x}$이므로

$\quad y'=(x)' \times \sin \dfrac{1}{x}+x \times \left(\sin \dfrac{1}{x}\right)'$

$\qquad =\sin \dfrac{1}{x}+x \times \left(-\dfrac{1}{x^2}\cos \dfrac{1}{x}\right)$

$\qquad =\sin \dfrac{1}{x}-\dfrac{1}{x}\cos \dfrac{1}{x}$

🖪 (1) $y'=2(\cos^2 x-\sin^2 x)$

(2) $y'=-\dfrac{\sec^2 x}{(1+\tan x)^2}$

(3) $y'=-\dfrac{\sin x}{2\sqrt{1+\cos x}}$

(4) $y'=\sin \dfrac{1}{x}-\dfrac{1}{x}\cos \dfrac{1}{x}$

참고 (1) $y'=2\cos 2x$라 해도 된다.

대표 **06**

(1) $f(x)=\cot x$라 하면 $y=\cos f(x)$이므로

$\quad y'=-\sin f(x) \times f'(x)$

$\qquad =-\sin(\cot x) \times (\cot x)'$

$\qquad =-\sin(\cot x) \times (-\csc^2 x)$

$\qquad =\csc^2 x \sin(\cot x)$

(2) $y'=(e^x)'\sin x+e^x(\sin x)'$

$\qquad =e^x \sin x+e^x \cos x$

$\qquad =e^x(\sin x+\cos x)$

49

(3) $f(x)=e^x$이라 하면 $y=f(\tan x)$이고

$f'(x)=e^x$이므로

$y'=f'(\tan x)\times(\tan x)'=e^{\tan x}\sec^2 x$

다른 풀이

$g(x)=\tan x$라 하면 $y=e^{g(x)}$이고 $(e^x)'=e^x$이므로

$y'=e^{g(x)}\times g'(x)=e^{\tan x}(\tan x)'=e^{\tan x}\sec^2 x$

(4) $y'=\dfrac{(\sec x)'}{\sec x}=\dfrac{\sec x\tan x}{\sec x}=\tan x$

답 (1) $y'=\csc^2 x\sin(\cot x)$

(2) $y'=e^x(\sin x+\cos x)$

(3) $y'=e^{\tan x}\sec^2 x$

(4) $y'=\tan x$

6-1

(1) $y'=(\tan x)'+(\cot x)'=\sec^2 x-\csc^2 x$

(2) $y'=(\csc x)'-(\sec x)'$

$=-\csc x\cot x-\sec x\tan x$

답 (1) $y'=\sec^2 x-\csc^2 x$

(2) $y'=-\csc x\cot x-\sec x\tan x$

6-2

(1) $y'=(e^x)'\cos x+e^x(\cos x)'$

$=e^x\cos x-e^x\sin x=e^x(\cos x-\sin x)$

(2) $y'=\dfrac{(1+\sec x)'\tan x-(1+\sec x)(\tan x)'}{(\tan x)^2}$

$=\dfrac{\sec x\tan^2 x-(1+\sec x)\sec^2 x}{\tan^2 x}$

$=\sec x-\csc^2 x(1+\sec x)$

(3) $f(x)=\sin x+\cos x$라 하면 $y=e^{f(x)}$이고

$f'(x)=\cos x-\sin x$이므로

$y'=e^{f(x)}\times f'(x)=e^{\sin x+\cos x}(\cos x-\sin x)$

(4) $y=\log_a|\sin x|=\dfrac{\ln|\sin x|}{\ln a}$이므로

$y'=\dfrac{1}{\ln a}\times\dfrac{(\sin x)'}{\sin x}=\dfrac{\cos x}{\ln a\sin x}$

답 (1) $y'=e^x(\cos x-\sin x)$

(2) $y'=\sec x-\csc^2 x(1+\sec x)$

(3) $y'=e^{\sin x+\cos x}(\cos x-\sin x)$

(4) $y'=\dfrac{\cos x}{\ln a\sin x}$

대표 07

(1) $\displaystyle\lim_{h\to 0}\dfrac{f(0+h)-f(0)}{h}=\lim_{h\to 0}\dfrac{h^2\sin\dfrac{1}{h}}{h}$

$=\displaystyle\lim_{h\to 0}h\sin\dfrac{1}{h}$

$-1\leq\sin\dfrac{1}{h}\leq 1$이므로 $-h\leq h\sin\dfrac{1}{h}\leq h$이고

$\displaystyle\lim_{h\to 0}h=\lim_{h\to 0}(-h)=0$이므로

$\displaystyle\lim_{h\to 0}\dfrac{f(0+h)-f(0)}{h}=0$

따라서 $x=0$에서 미분가능하다.

(2) $f'(0)=\displaystyle\lim_{h\to 0}\dfrac{f(0+h)-f(0)}{h}=\lim_{h\to 0}\dfrac{h\sin 2h}{e^h-1}$

$=\displaystyle\lim_{h\to 0}\dfrac{\sin 2h}{e^h-1}=\lim_{h\to 0}\left(\dfrac{\sin 2h}{2h}\times\dfrac{h}{e^h-1}\times 2\right)$

$=1\times 1\times 2=2$

답 (1) 미분가능하다. (2) 2

7-1

(1) $\displaystyle\lim_{h\to 0}f(h)=\lim_{h\to 0}h\sin\dfrac{1}{h}$에서 $-h\leq h\sin\dfrac{1}{h}\leq h$이고

$\displaystyle\lim_{h\to 0}h=\lim_{h\to 0}(-h)=0$이므로

$\displaystyle\lim_{h\to 0}h\sin\dfrac{1}{h}=0$ ∴ $\displaystyle\lim_{h\to 0}f(h)=0$

따라서 $\displaystyle\lim_{h\to 0}f(h)=f(0)$이므로 $x=0$에서 연속이다.

(2) $\displaystyle\lim_{h\to 0}\dfrac{f(0+h)-f(0)}{h}=\lim_{h\to 0}\dfrac{h\sin\dfrac{1}{h}}{h}=\lim_{h\to 0}\sin\dfrac{1}{h}$

극한값이 존재하지 않으므로 $x=0$에서 미분가능하지 않다.

답 (1) 연속이다. (2) 미분가능하지 않다.

7-2

$f'(0)=\displaystyle\lim_{h\to 0}\dfrac{f(0+h)-f(0)}{h}=\lim_{h\to 0}\dfrac{1-\cos h}{\sin h}$

$=\displaystyle\lim_{h\to 0}\dfrac{1-\cos h}{h\sin h}=\lim_{h\to 0}\dfrac{(1-\cos h)(1+\cos h)}{h\sin h(1+\cos h)}$

$=\displaystyle\lim_{h\to 0}\dfrac{\sin^2 h}{h\sin h(1+\cos h)}$

$=\displaystyle\lim_{h\to 0}\left(\dfrac{\sin h}{h}\times\dfrac{1}{1+\cos h}\right)$

$=1\times\dfrac{1}{2}=\dfrac{1}{2}$

답 $\dfrac{1}{2}$

6 삼각함수의 미분 97쪽 ~ 100쪽

01 (1) 2 (2) 0 **02** (1) 0 (2) 0

03 (1) 2 (2) 4 (3) 2 (4) $\dfrac{1}{3}$ **04** ③

05 (1) 2 (2) $\dfrac{1}{4\pi}$ **06** 풀이 참조 **07** ③

08 $\dfrac{19}{2}$ **09** (1) 2 (2) 2 (3) $\dfrac{1}{2}$ (4) 1

10 (1) $\dfrac{1}{e}$ (2) $-\dfrac{\pi}{2}$ **11** ② **12** 14 **13** ①

14 0 **15** $a=\dfrac{\pi}{2}$, $b=-\dfrac{\pi}{2}$ **16** ③ **17** 2

18 20

01

(1) $\displaystyle\lim_{x\to\frac{\pi}{2}}\frac{\cos^2 x}{1-\sin x}=\lim_{x\to\frac{\pi}{2}}\frac{1-\sin^2 x}{1-\sin x}$

$\qquad\qquad =\displaystyle\lim_{x\to\frac{\pi}{2}}\frac{(1-\sin x)(1+\sin x)}{1-\sin x}$

$\qquad\qquad =\displaystyle\lim_{x\to\frac{\pi}{2}}(1+\sin x)$

$\qquad\qquad =1+1=2$

(2) $\sec x-\tan x=\dfrac{1}{\cos x}-\dfrac{\sin x}{\cos x}$

$\qquad\qquad\quad =\dfrac{1-\sin x}{\cos x}$

$\qquad\qquad\quad =\dfrac{(1-\sin x)(1+\sin x)}{\cos x(1+\sin x)}$

$\qquad\qquad\quad =\dfrac{1-\sin^2 x}{\cos x(1+\sin x)}$

$\qquad\qquad\quad =\dfrac{\cos x}{1+\sin x}$

이므로

$\displaystyle\lim_{x\to\frac{\pi}{2}}(\sec x-\tan x)=\lim_{x\to\frac{\pi}{2}}\frac{\cos x}{1+\sin x}=0$

답 (1) 2 (2) 0

02

(1) $-1\le\cos\dfrac{1}{x}\le 1$이므로

$x>0$이면 $-x\le x\cos\dfrac{1}{x}\le x$이고

$\displaystyle\lim_{x\to 0}x=\lim_{x\to 0}(-x)=0$이므로

$\displaystyle\lim_{x\to 0}x\cos\dfrac{1}{x}=0$

(2) $-1\le\sin x\le 1$이므로

$e^{-1}\le e^{\sin x}\le e^1$

$x>0$이면 $\dfrac{e^{-1}}{x}\le\dfrac{e^{\sin x}}{x}\le\dfrac{e}{x}$

$\displaystyle\lim_{x\to\infty}\frac{e^{-1}}{x}=\lim_{x\to\infty}\frac{e}{x}=0$이므로 $\displaystyle\lim_{x\to\infty}\frac{e^{\sin x}}{x}=0$

답 (1) 0 (2) 0

03

(1) $\displaystyle\lim_{x\to 0}\frac{\sin 2x}{x\cos x}=\lim_{x\to 0}\left(\frac{\sin 2x}{2x}\times\frac{2}{\cos x}\right)=1\times 2=2$

(2) $\displaystyle\lim_{x\to 0}\frac{\tan^2 2x}{x\sin x}=\lim_{x\to 0}\left\{\left(\frac{\tan 2x}{2x}\right)^2\times 4\times\frac{x}{\sin x}\right\}$

$\qquad\qquad\qquad =1^2\times 4\times 1=4$

(3) $\displaystyle\lim_{x\to 0}\frac{\sin x+\sin 3x}{\sin 2x}=\lim_{x\to 0}\frac{\dfrac{\sin x}{x}+\dfrac{\sin 3x}{x}}{\dfrac{\sin 2x}{x}}$

$\qquad\qquad\qquad =\displaystyle\lim_{x\to 0}\frac{\dfrac{\sin x}{x}+\dfrac{\sin 3x}{3x}\times 3}{\dfrac{\sin 2x}{2x}\times 2}$

$\qquad\qquad\qquad =\dfrac{1+3}{2}=2$

(4) $\displaystyle\lim_{x\to 0}\frac{\sin x}{x+\tan 2x}=\lim_{x\to 0}\frac{\dfrac{\sin x}{x}}{1+\dfrac{\tan 2x}{x}}$

$\qquad\qquad\qquad =\displaystyle\lim_{x\to 0}\frac{\dfrac{\sin x}{x}}{1+\dfrac{\tan 2x}{2x}\times 2}$

$\qquad\qquad\qquad =\dfrac{1}{1+2}=\dfrac{1}{3}$

답 (1) 2 (2) 4 (3) 2 (4) $\dfrac{1}{3}$

참고 $\displaystyle\lim_{x\to 0}\frac{\sin bx}{ax}=\frac{b}{a}$, $\displaystyle\lim_{x\to 0}\frac{\sin bx}{\sin ax}=\frac{b}{a}$를 이용한다.

04

$\displaystyle\lim_{x\to 0}\frac{1-\cos kx}{\sin^2 x}=\lim_{x\to 0}\frac{(1-\cos kx)(1+\cos kx)}{\sin^2 x(1+\cos kx)}$

$\qquad\qquad\qquad =\displaystyle\lim_{x\to 0}\frac{1-\cos^2 kx}{\sin^2 x(1+\cos kx)}$

$\qquad\qquad\qquad =\displaystyle\lim_{x\to 0}\left(\frac{\sin^2 kx}{\sin^2 x}\times\frac{1}{1+\cos kx}\right)$

$\qquad\qquad\qquad =k^2\times\dfrac{1}{2}=\dfrac{k^2}{2}$

$\dfrac{k^2}{2}=\dfrac{9}{2}$이므로 $k^2=9$ $\quad\therefore k=3\ (\because k>0)$

답 ③

05

(1) $x-\dfrac{\pi}{2}=t$라 하면 $x=\dfrac{\pi}{2}+t$이고,

$x \to \dfrac{\pi}{2}$일 때 $t \to 0$이다.

또 $\pi-2x=-2t$,

$\tan x=\tan\left(\dfrac{\pi}{2}+t\right)=-\dfrac{1}{\tan t}$이므로

$$\lim_{x \to \frac{\pi}{2}}(\pi-2x)\tan x=\lim_{t \to 0}\dfrac{2t}{\tan t}$$
$$=\lim_{t \to 0}\dfrac{t}{\tan t}\times 2=1\times 2=2$$

(2) $x-2\pi=t$라 하면 $x=2\pi+t$이고,

$x \to 2\pi$일 때 $t \to 0$이다.

또 $x^2-4\pi^2=(x-2\pi)(x+2\pi)=t(t+4\pi)$,

$\sin x=\sin(2\pi+t)=\sin t$이므로

$$\lim_{x \to 2\pi}\dfrac{\sin x}{x^2-4\pi^2}=\lim_{t \to 0}\left(\dfrac{\sin t}{t}\times\dfrac{1}{t+4\pi}\right)$$
$$=1\times\dfrac{1}{4\pi}=\dfrac{1}{4\pi}$$

🔲 (1) 2 (2) $\dfrac{1}{4\pi}$

06

(1) $y'=\cos(1+\cos x)\times(1+\cos x)'$
$=-\sin x\cos(1+\cos x)$

(2) $y'=\dfrac{\cos x(1+\cos x)-(1+\sin x)(-\sin x)}{(1+\cos x)^2}$
$=\dfrac{\cos x+\sin x+\cos^2 x+\sin^2 x}{(1+\cos x)^2}$
$=\dfrac{\cos x+\sin x+1}{(1+\cos x)^2}$

(3) $y'=\dfrac{(3+\tan^2 x)'}{2\sqrt{3+\tan^2 x}}$
$=\dfrac{2\tan x\sec^2 x}{2\sqrt{3+\tan^2 x}}$
$=\dfrac{\tan x\sec^2 x}{\sqrt{3+\tan^2 x}}$

(4) $y'=(\sec x\tan x)\tan x+\sec x\sec^2 x$
$=\sec x(\tan^2 x+\sec^2 x)$

🔲 (1) $y'=-\sin x\cos(1+\cos x)$

(2) $y'=\dfrac{\cos x+\sin x+1}{(1+\cos x)^2}$

(3) $y'=\dfrac{\tan x\sec^2 x}{\sqrt{3+\tan^2 x}}$

(4) $y'=\sec x(\tan^2 x+\sec^2 x)$

참고 (4) $y=\dfrac{\sin x}{\cos^2 x}$ 를 미분해도 된다.

07

$x \to \dfrac{\pi}{2}$일 때, 극한값이 존재하고 (분모) $\to 0$이므로

(분자) $\to 0$이다.

곧, $f\left(\dfrac{\pi}{2}\right)-1=0$이므로

$$\lim_{x \to \frac{\pi}{2}}\dfrac{f(x)-1}{x-\dfrac{\pi}{2}}=\lim_{x \to \frac{\pi}{2}}\dfrac{f(x)-f\left(\dfrac{\pi}{2}\right)}{x-\dfrac{\pi}{2}}=f'\left(\dfrac{\pi}{2}\right)$$

$f'\left(\dfrac{\pi}{2}\right)=3$이고, $f'(x)=\cos x-a\sin x$이므로

$\cos\dfrac{\pi}{2}-a\sin\dfrac{\pi}{2}=3$, $-a=3$

$\therefore a=-3$

🔲 ③

08

$f'(x)=2\sec^2 2x+3\cos x$이므로

$$\lim_{h \to 0}\dfrac{f\left(\dfrac{\pi}{3}+2h\right)-f\left(\dfrac{\pi}{3}-h\right)}{3h}$$

$$=\lim_{h \to 0}\left\{\dfrac{2}{3}\times\dfrac{f\left(\dfrac{\pi}{3}+2h\right)-f\left(\dfrac{\pi}{3}\right)}{2h}\right.$$

$$\left.+\dfrac{1}{3}\times\dfrac{f\left(\dfrac{\pi}{3}-h\right)-f\left(\dfrac{\pi}{3}\right)}{-h}\right\}$$

$$=\dfrac{2}{3}f'\left(\dfrac{\pi}{3}\right)+\dfrac{1}{3}f'\left(\dfrac{\pi}{3}\right)=f'\left(\dfrac{\pi}{3}\right)$$

$$=2\sec^2\dfrac{2}{3}\pi+3\cos\dfrac{\pi}{3}$$

$$=2\times(-2)^2+3\times\dfrac{1}{2}=\dfrac{19}{2}$$

🔲 $\dfrac{19}{2}$

09 전략 $\lim\limits_{x \to 0}\dfrac{\sin x}{x}=1$, $\lim\limits_{x \to 0}\dfrac{\tan x}{x}=1$을 이용한다.

(1) $\lim\limits_{x \to 0}\dfrac{\sin(4x^3+2x)}{3x^3+x}$

$=\lim\limits_{x \to 0}\left\{\dfrac{\sin(4x^3+2x)}{4x^3+2x}\times\dfrac{4x^3+2x}{3x^3+x}\right\}$

$=\lim\limits_{x \to 0}\left\{\dfrac{\sin(4x^3+2x)}{4x^3+2x}\times\dfrac{4x^2+2}{3x^2+1}\right\}$

$=1\times\dfrac{2}{1}=2$

(2) $\displaystyle\lim_{x\to 0}\frac{\sin(\sin 4x)}{\tan(\tan 2x)}$

$\displaystyle=\lim_{x\to 0}\Big\{\frac{\sin(\sin 4x)}{\sin 4x}\times\frac{\sin 4x}{4x}\times\frac{\tan 2x}{\tan(\tan 2x)}$

$\displaystyle\qquad\times\frac{2x}{\tan 2x}\times 2\Big\}$

$=1\times 1\times 1\times 1\times 2=2$

(3) $\displaystyle\lim_{x\to 0}\frac{e^x-1}{\sin 2x}=\lim_{x\to 0}\Big(\frac{e^x-1}{x}\times\frac{2x}{\sin 2x}\times\frac12\Big)$

$\displaystyle\qquad\qquad\qquad=1\times 1\times\frac12=\frac12$

(4) $\displaystyle\lim_{x\to 0}\frac{\ln(1+\sin x)}{x}=\lim_{x\to 0}\ln(1+\sin x)^{\frac1x}$

$\displaystyle\qquad=\lim_{x\to 0}\ln\Big\{(1+\sin x)^{\frac{1}{\sin x}}\Big\}^{\frac{\sin x}{x}}$

$=\ln e^1=1$

이므로 $\displaystyle\lim_{x\to 0}\frac{x}{\ln(1+\sin x)}=1$

답 (1) 2 (2) 2 (3) $\dfrac12$ (4) 1

참고 (3) $\displaystyle\lim_{x\to 0}\frac{e^x-1}{x}=1$을 이용한다.

10 **전략** 치환을 이용하여 극한값을 구한다.

(1) $-\cos x=t$라 하면 $x\to\dfrac{\pi}{2}$일 때 $t\to 0$이므로

$\displaystyle\lim_{x\to\frac{\pi}{2}}(1-\cos x)^{\sec x}=\lim_{t\to 0}(1+t)^{-\frac1t}$

$\displaystyle\qquad=\lim_{t\to 0}\Big\{(1+t)^{\frac1t}\Big\}^{-1}=e^{-1}=\frac1e$

다른 풀이

$x-\dfrac{\pi}{2}=t$라 하면 $x=\dfrac{\pi}{2}+t$이고,

$x\to\dfrac{\pi}{2}$일 때 $t\to 0$이다.

또 $\cos x=\cos\Big(\dfrac{\pi}{2}+t\Big)=-\sin t$,

$\sec x=\dfrac{1}{\cos x}=-\dfrac{1}{\sin t}$이므로

$\displaystyle\lim_{x\to\frac{\pi}{2}}(1-\cos x)^{\sec x}=\lim_{t\to 0}\Big\{(1+\sin t)^{\frac{1}{\sin t}}\Big\}^{-1}=e^{-1}$

(2) $x-\dfrac12=t$라 하면 $x=t+\dfrac12$이고,

$x\to\dfrac12$일 때 $t\to 0$이다.

또 $\cos\pi x=\cos\Big(\dfrac{\pi}{2}+\pi t\Big)=-\sin\pi t$이므로

$\displaystyle\lim_{x\to\frac12}\frac{\tan(\cos\pi x)}{2x-1}$

$\displaystyle=\lim_{t\to 0}\frac{\tan(-\sin\pi t)}{2t}$

$\displaystyle=-\lim_{t\to 0}\frac{\tan(\sin\pi t)}{2t}$

$\displaystyle=-\lim_{t\to 0}\Big\{\frac{\tan(\sin\pi t)}{\sin\pi t}\times\frac{\sin\pi t}{\pi t}\times\frac{\pi}{2}\Big\}$

$\displaystyle=-\Big(1\times 1\times\frac{\pi}{2}\Big)=-\frac{\pi}{2}$

답 (1) $\dfrac1e$ (2) $-\dfrac{\pi}{2}$

11 **전략** $f(n)$을 먼저 간단히 정리하고 부분분수

$\dfrac{1}{AB}=\dfrac{1}{B-A}\Big(\dfrac1A-\dfrac1B\Big)$을 이용한다.

$\displaystyle f(n)=\lim_{x\to 0}\frac{x}{\sin x+\sin 2x+\cdots+\sin nx}$

$\displaystyle=\lim_{x\to 0}\frac{1}{\dfrac{\sin x}{x}+\dfrac{\sin 2x}{x}+\cdots+\dfrac{\sin nx}{x}}$

$\displaystyle=\lim_{x\to 0}\frac{1}{\dfrac{\sin x}{x}+2\times\dfrac{\sin 2x}{2x}+\cdots+n\times\dfrac{\sin nx}{nx}}$

$\displaystyle=\frac{1}{1+2+\cdots+n}=\frac{2}{n(n+1)}$

이므로

$\displaystyle\sum_{k=1}^{n}f(k)=\sum_{k=1}^{n}\frac{2}{k(k+1)}$

$\displaystyle\qquad=2\sum_{k=1}^{n}\Big(\frac1k-\frac{1}{k+1}\Big)$

$\displaystyle\qquad=2\Big\{\Big(1-\frac12\Big)+\Big(\frac12-\frac13\Big)+\cdots+\Big(\frac1n-\frac{1}{n+1}\Big)\Big\}$

$\displaystyle\qquad=2\Big(1-\frac{1}{n+1}\Big)$

$\displaystyle\therefore\sum_{n=1}^{\infty}f(n)=\lim_{n\to\infty}2\Big(1-\frac{1}{n+1}\Big)=2$

답 ②

12 **전략** $x\to a$일 때, 0이 아닌 극한값이 존재하고
(분자) $\to 0$이면 (분모) $\to 0$이다.

$x\to 0$일 때, 0이 아닌 극한값이 존재하고
(분자) $\to 0$이므로 (분모) $\to 0$이다.

곧, $2^{0+1}-a=0$이므로 $a=2$

$a=2$를 주어진 식의 좌변에 대입하면

$$\lim_{x \to 0} \frac{\sin 7x}{2^{x+1}-a} = \lim_{x \to 0} \frac{\sin 7x}{2^{x+1}-2}$$

$$= \lim_{x \to 0} \frac{\sin 7x}{2(2^x-1)}$$

$$= \lim_{x \to 0} \left(\frac{\sin 7x}{7x} \times \frac{x}{2^x-1} \times \frac{7}{2} \right)$$

$$= 1 \times \frac{1}{\ln 2} \times \frac{7}{2} = \frac{7}{2\ln 2}$$

따라서 $b=7$이므로 $ab=2 \times 7 = 14$

📋 14

13 (전략) 함수 $f(x)$가 $x=\dfrac{\pi}{2}$에서 연속이면

$$\lim_{x \to \frac{\pi}{2}} f(x) = f\left(\frac{\pi}{2}\right) \text{이다.}$$

$f(x)$가 $x=\dfrac{\pi}{2}$에서 연속이므로 $\lim\limits_{x \to \frac{\pi}{2}} \dfrac{\sin x - a}{x - \dfrac{\pi}{2}} = b$

$x \to \dfrac{\pi}{2}$일 때, 극한값이 존재하고 (분모) $\to 0$이므로

(분자) $\to 0$이다.

곧, $\sin \dfrac{\pi}{2} - a = 0$이므로 $a=1$

$x - \dfrac{\pi}{2} = t$라 하면 $x = \dfrac{\pi}{2} + t$이고,

$x \to \dfrac{\pi}{2}$일 때 $t \to 0$이므로

$$\lim_{x \to \frac{\pi}{2}} \frac{\sin x - 1}{x - \frac{\pi}{2}} = \lim_{t \to 0} \frac{\sin\left(\frac{\pi}{2}+t\right) - 1}{t}$$

$$= \lim_{t \to 0} \frac{\cos t - 1}{t}$$

$$= \lim_{t \to 0} \frac{(\cos t - 1)(\cos t + 1)}{t(\cos t + 1)}$$

$$= \lim_{t \to 0} \frac{-\sin^2 t}{t(\cos t + 1)}$$

$$= -\lim_{t \to 0} \left(\frac{\sin^2 t}{t^2} \times \frac{t}{\cos t + 1} \right)$$

$$= -\left(1^2 \times \frac{0}{1+1} \right) = 0$$

따라서 $b=0$이므로 $a+b=1+0=1$

📋 ①

14 (전략) 밑과 지수에 모두 미지수가 있으므로 양변에 자연
로그를 잡는다.

$f(x) = (\sin x)^x$에서 $\ln f(x) = x \ln(\sin x)$

양변을 x에 대하여 미분하면

$$\frac{f'(x)}{f(x)} = (x)' \ln(\sin x) + x \{\ln(\sin x)\}'$$

$$= \ln(\sin x) + x \times \frac{\cos x}{\sin x}$$

$$\therefore f'(x) = \left\{ \ln(\sin x) + \frac{x\cos x}{\sin x} \right\}(\sin x)^x$$

$$\therefore f'\left(\frac{\pi}{2}\right) = \left\{ \ln\left(\sin \frac{\pi}{2}\right) + \frac{\frac{\pi}{2}\cos\frac{\pi}{2}}{\sin\frac{\pi}{2}} \right\}\left(\sin \frac{\pi}{2}\right)^{\frac{\pi}{2}}$$

$$= (0+0) \times 1 = 0$$

📋 0

15 (전략) 함수 $f(x)$가 $x=a$에서 미분가능하면 $f(x)$는
$x=a$에서 연속이고 $f'(a)$가 존재함을 이용한다.

$f_1(x) = \sin \pi x - a$, $f_2(x) = bxe^{x-1}$이라 하자.

$f_1'(x) = \pi \cos \pi x$, $f_2'(x) = b(x+1)e^{x-1}$

(i) $x=1$에서 연속이므로

$$\lim_{x \to 1+} (\sin \pi x - a) = \lim_{x \to 1-} bxe^{x-1}$$
$$= f(1)$$

$$\therefore -a = b$$

(ii) $f'(1)$이 존재하므로

$$\lim_{x \to 1+} \pi \cos \pi x = \lim_{x \to 1-} b(x+1)e^{x-1}$$

$$\therefore -\pi = 2b$$

(i), (ii)에서 $a = \dfrac{\pi}{2}$, $b = -\dfrac{\pi}{2}$

📋 $a = \dfrac{\pi}{2}$, $b = -\dfrac{\pi}{2}$

16 (전략) $x=a$에서 미분가능하면 $x=a$에서 미분계수가 존
재함을 이용한다.

ㄱ. $g(x) = \sin x$라 하면 $f(0)g(0) = 0$이므로

$$\lim_{h \to 0+} \frac{f(h)g(h) - f(0)g(0)}{h}$$

$$= \lim_{h \to 0+} \frac{(h+2\pi)\sin h}{h} = 2\pi$$

$$\lim_{h \to 0-} \frac{f(h)g(h) - f(0)g(0)}{h}$$

$$= \lim_{h \to 0-} \frac{(-h+2\pi)\sin h}{h} = 2\pi$$

곧, $\lim\limits_{h \to 0} \dfrac{f(h)g(h) - f(0)g(0)}{h} = 2\pi$이므로

$f(x)\sin x$는 $x=0$에서 미분가능하다.

ㄴ. $\sin f(0)=\sin 0=0$이므로

$$\lim_{h\to 0+}\frac{\sin f(h)-\sin f(0)}{h}$$

$$=\lim_{h\to 0+}\frac{\sin (h+2\pi)}{h}=\lim_{h\to 0+}\frac{\sin h}{h}=1$$

$$\lim_{h\to 0-}\frac{\sin f(h)-\sin f(0)}{h}$$

$$=\lim_{h\to 0-}\frac{\sin (-h+2\pi)}{h}=\lim_{h\to 0-}\frac{-\sin h}{h}=-1$$

곧, $\sin f(x)$는 $x=0$에서 미분가능하지 않다.

ㄷ. $\cos f(0)=\cos 0=1$이므로

$$\lim_{h\to 0+}\frac{\cos f(h)-\cos f(0)}{h}$$

$$=\lim_{h\to 0+}\frac{\cos (h+2\pi)-1}{h}=\lim_{h\to 0+}\frac{\cos h-1}{h}$$

$$=\lim_{h\to 0+}\frac{(\cos h-1)(\cos h+1)}{h(\cos h+1)}$$

$$=\lim_{h\to 0+}\frac{-\sin^2 h}{h(\cos h+1)}$$

$$=\lim_{h\to 0+}\left(-\frac{\sin^2 h}{h^2}\times\frac{h}{\cos h+1}\right)=0$$

$$\lim_{h\to 0-}\frac{\cos f(h)-\cos f(0)}{h}$$

$$=\lim_{h\to 0-}\frac{\cos (-h+2\pi)-1}{h}=\lim_{h\to 0-}\frac{\cos h-1}{h}=0$$

곧, $\lim_{h\to 0}\dfrac{\cos f(h)-\cos f(0)}{h}=0$이므로

$\cos f(x)$는 $x=0$에서 미분가능하다.

따라서 $x=0$에서 미분가능한 함수는 ㄱ, ㄷ이다.

답 ③

17 **전략** 원의 성질을 활용하여 삼각함수의 극한을 생각한다.

점 P의 좌표가 $(t, \sin t)$ $(0<t<\pi)$이므로

점 Q의 좌표는 $(t, 0)$

$\overline{PR}=\overline{PQ}=\sin t$

$\overline{OR}=\overline{OP}-\overline{PR}=\sqrt{t^2+\sin^2 t}-\sin t$

이므로

$$\lim_{t\to 0+}\frac{\overline{OQ}}{\overline{OR}}=\lim_{t\to 0+}\frac{t}{\sqrt{t^2+\sin^2 t}-\sin t}$$

$$=\lim_{t\to 0+}\frac{t(\sqrt{t^2+\sin^2 t}+\sin t)}{(t^2+\sin^2 t)-\sin^2 t}$$

$$=\lim_{t\to 0+}\frac{\sqrt{t^2+\sin^2 t}+\sin t}{t}$$

$$=\lim_{t\to 0+}\left\{\sqrt{1+\left(\frac{\sin t}{t}\right)^2}+\frac{\sin t}{t}\right\}$$

$$=\sqrt{1+1^2}+1=1+\sqrt 2$$

곧, $1+\sqrt 2=a+b\sqrt 2$이고

a, b는 정수이므로 $a=1$, $b=1$

$\therefore a+b=2$

답 2

18 **전략** $f(\theta)$를 구하고 삼각함수의 극한을 이용할 수 있도록 식을 변형한다.

점 O에서 선분 AC에 내린 수선의 발을 H라 하면

$\overline{AH}=10\sin\dfrac{\theta}{2}$이므로

$\overline{AC}=2\overline{AH}=20\sin\dfrac{\theta}{2}$

또 삼각형 OAB에서

$\overline{AB}=10\tan\theta$, $\overline{OB}=\dfrac{10}{\cos\theta}$, $\overline{BC}=\dfrac{10}{\cos\theta}-10$

$f(\theta)=\overline{AB}+\overline{BC}+\overline{CA}$이므로

$$\frac{f(\theta)}{\theta}=\frac{10\tan\theta+\dfrac{10}{\cos\theta}-10+20\sin\dfrac{\theta}{2}}{\theta}$$

$$=10\times\frac{\tan\theta}{\theta}+10\times\frac{1-\cos\theta}{\theta\cos\theta}+20\times\frac{\sin\dfrac{\theta}{2}}{\theta}$$

$$=10\times\frac{\tan\theta}{\theta}+10\times\frac{1-\cos^2\theta}{\theta\cos\theta(1+\cos\theta)}$$

$$+20\times\frac{\sin\dfrac{\theta}{2}}{\theta}$$

$$=10\times\frac{\tan\theta}{\theta}+10\times\frac{\sin\theta}{\theta}\times\sin\theta$$

$$\times\frac{1}{\cos\theta(1+\cos\theta)}+20\times\frac{\sin\dfrac{\theta}{2}}{\dfrac{\theta}{2}}\times\frac{1}{2}$$

$$\therefore \lim_{\theta\to 0+}\frac{f(\theta)}{\theta}=10\times 1+10\times 1\times 0\times\frac{1}{2}+20\times 1\times\frac{1}{2}$$

$$=10+10=20$$

답 20

여러 가지 미분법

개념 Check 102쪽 ~ 104쪽

1

양변을 x에 대하여 미분하면

$$2x - 2y\frac{dy}{dx} = 0$$

$$\therefore \frac{dy}{dx} = \frac{x}{y}$$

답 $\frac{dy}{dx} = \frac{x}{y}$

2

양변을 x에 대하여 미분하면

$$\frac{dy}{dx} = 3x^2$$

$$\therefore \frac{dx}{dy} = \frac{1}{\frac{dy}{dx}} = \frac{1}{3x^2}$$

답 $\frac{dx}{dy} = \frac{1}{3x^2}$

3

$\frac{dx}{dt} = -\sin t$, $\frac{dy}{dt} = \cos t$이므로

$$\frac{dy}{dx} = \frac{\frac{dy}{dt}}{\frac{dx}{dt}} = \frac{\cos t}{-\sin t} = -\cot t$$

답 $\frac{dy}{dx} = -\cot t$

대표Q 105쪽 ~ 107쪽

대표 01

(1) 양변을 x에 대하여 미분하면

$$4x + \left(\frac{d}{dy}3y^2\right)\frac{dy}{dx} = 0$$

$$4x + 6y\frac{dy}{dx} = 0$$

따라서 $y \neq 0$일 때, $\frac{dy}{dx} = -\frac{2x}{3y}$

(2) 양변을 x에 대하여 미분하면

$$\left(\frac{d}{dx}x\right)y^2 + x\left(\frac{d}{dx}y^2\right) = 0$$

$$1 \times y^2 + x \times 2y\frac{dy}{dx} = 0$$

따라서 $xy \neq 0$일 때, $\frac{dy}{dx} = -\frac{y}{2x}$

(3) 양변에 xy를 곱하면

$$x^2 - y^2 = xy$$

$$x^2 - y^2 - xy = 0$$

양변을 x에 대하여 미분하면

$$2x - 2y\frac{dy}{dx} - \left(y + x\frac{dy}{dx}\right) = 0$$

$$(x + 2y)\frac{dy}{dx} = 2x - y$$

따라서 $x + 2y \neq 0$일 때, $\frac{dy}{dx} = \frac{2x-y}{x+2y}$

(4) 양변을 x에 대하여 미분하면

$$-\sin x + \left(\frac{d}{dy}\sin y\right)\frac{dy}{dx} = 0$$

$$-\sin x + \cos y\frac{dy}{dx} = 0$$

따라서 $\cos y \neq 0$일 때, $\frac{dy}{dx} = \frac{\sin x}{\cos y}$

답 (1) $\frac{dy}{dx} = -\frac{2x}{3y}$ (2) $\frac{dy}{dx} = -\frac{y}{2x}$

(3) $\frac{dy}{dx} = \frac{2x-y}{x+2y}$ (4) $\frac{dy}{dx} = \frac{\sin x}{\cos y}$

참고 (1) $y = 0$이면 y를 x에 대하여 미분가능한 함수로 나타낼 수 없다.

(2) $xy^2 = 1$이면 $xy \neq 0$이다. 따라서 $xy \neq 0$이라는 조건은 쓰지 않아도 된다.

1-1

(1) 양변을 x에 대하여 미분하면

$$2x - y - x\frac{dy}{dx} + \frac{dy}{dx} = 0$$

$$(x - 1)\frac{dy}{dx} = 2x - y$$

따라서 $x \neq 1$일 때, $\frac{dy}{dx} = \frac{2x-y}{x-1}$

(2) 양변에 xy를 곱하면

$y^3 - x = xy$

$y^3 - x - xy = 0$

양변을 x에 대하여 미분하면

$3y^2 \dfrac{dy}{dx} - 1 - y - x\dfrac{dy}{dx} = 0$

$(3y^2 - x)\dfrac{dy}{dx} = y + 1$

따라서 $3y^2 - x \neq 0$일 때, $\dfrac{dy}{dx} = \dfrac{y+1}{3y^2 - x}$

(3) $\sqrt{x^2 + 1} + \sqrt{y^2 + 1} = 1$에서

$(x^2 + 1)^{\frac{1}{2}} + (y^2 + 1)^{\frac{1}{2}} = 1$

양변을 x에 대하여 미분하면

$\dfrac{1}{2}(x^2+1)^{-\frac{1}{2}} \times 2x + \dfrac{1}{2}(y^2+1)^{-\frac{1}{2}} \times 2y\dfrac{dy}{dx} = 0$

$\dfrac{x}{\sqrt{x^2+1}} + \dfrac{y}{\sqrt{y^2+1}}\dfrac{dy}{dx} = 0$

따라서 $y\sqrt{x^2+1} \neq 0$일 때, $\dfrac{dy}{dx} = -\dfrac{x\sqrt{y^2+1}}{y\sqrt{x^2+1}}$

(4) 양변을 x에 대하여 미분하면

$2x = \dfrac{1}{y}\dfrac{dy}{dx}$

$\therefore \dfrac{dy}{dx} = 2xy$

🖎 (1) $\dfrac{dy}{dx} = \dfrac{2x-y}{x-1}$　(2) $\dfrac{dy}{dx} = \dfrac{y+1}{3y^2 - x}$

(3) $\dfrac{dy}{dx} = -\dfrac{x\sqrt{y^2+1}}{y\sqrt{x^2+1}}$　(4) $\dfrac{dy}{dx} = 2xy$

대표 02

(1) $g(1) = a$라 하면 $f(a) = 1$이므로

$a^3 + 3a + 1 = 1$, $a(a^2 + 3) = 0$

a는 실수이므로 $a = 0$

$f'(x) = 3x^2 + 3$에서 $f'(0) = 3$이므로

$g'(1) = \dfrac{1}{f'(0)} = \dfrac{1}{3}$

(2) $y = x^3 + 3x + 1$에서 $\dfrac{dy}{dx} = 3x^2 + 3$이므로

$\dfrac{dx}{dy} = \dfrac{1}{\dfrac{dy}{dx}} = \dfrac{1}{3x^2 + 3}$

다른 풀이

$y = x^3 + 3x + 1$의 양변을 y에 대하여 미분하면

$1 = 3x^2 \dfrac{dx}{dy} + 3\dfrac{dx}{dy}$

$(3x^2 + 3)\dfrac{dx}{dy} = 1$

$\therefore \dfrac{dx}{dy} = \dfrac{1}{3x^2 + 3}$

🖎 (1) $\dfrac{1}{3}$　(2) $\dfrac{dx}{dy} = \dfrac{1}{3x^2 + 3}$

2-1

(1) 양변을 y에 대하여 미분하면

$\dfrac{dx}{dy} = 2 \times \dfrac{y}{y+2} \times \left(\dfrac{y}{y+2}\right)'$

$\quad = 2 \times \dfrac{y}{y+2} \times \dfrac{(y+2) - y}{(y+2)^2}$

$\quad = \dfrac{4y}{(y+2)^3}$

$\therefore \dfrac{dy}{dx} = \dfrac{1}{\dfrac{dx}{dy}} = \dfrac{(y+2)^3}{4y}$

(2) 양변을 y에 대하여 미분하면

$\dfrac{dx}{dy} = \dfrac{e^y}{e^y + 1}$

$\therefore \dfrac{dy}{dx} = \dfrac{1}{\dfrac{dx}{dy}} = \dfrac{e^y + 1}{e^y} = 1 + e^{-y}$

(3) 양변을 y에 대하여 미분하면

$\dfrac{dx}{dy} = \cos y$

$\therefore \dfrac{dy}{dx} = \dfrac{1}{\dfrac{dx}{dy}} = \dfrac{1}{\cos y} = \sec y$

🖎 (1) $\dfrac{dy}{dx} = \dfrac{(y+2)^3}{4y}$　(2) $\dfrac{dy}{dx} = 1 + e^{-y}$

(3) $\dfrac{dy}{dx} = \sec y$

2-2

$\lim\limits_{x \to 1} \dfrac{f(x) + 2}{x - 1} = -3$에서

$x \to 1$일 때 극한값이 존재하고 (분모) $\to 0$이므로

(분자) $\to 0$이다.

$\therefore f(1) = -2$, $g(-2) = 1$

곧, $\lim\limits_{x \to 1} \dfrac{f(x) + 2}{x - 1} = \lim\limits_{x \to 1} \dfrac{f(x) - f(1)}{x - 1} = f'(1) = -3$

$$\therefore g'(-2)=\frac{1}{f'(1)}=-\frac{1}{3}$$

탭 $-\dfrac{1}{3}$

대표 03

(1) $\dfrac{dx}{dt}=1-\dfrac{1}{t^2}$,

$\dfrac{dy}{dt}=1+\dfrac{1}{t^2}$이므로

$$\frac{dy}{dx}=\frac{\dfrac{dy}{dt}}{\dfrac{dx}{dt}}=\frac{1+\dfrac{1}{t^2}}{1-\dfrac{1}{t^2}}=\frac{t^2+1}{t^2-1}$$

(2) $\dfrac{dx}{dt}=-3\cos^2 t\sin t$,

$\dfrac{dy}{dt}=3\sin^2 t\cos t$이므로

$$\frac{dy}{dx}=\frac{\dfrac{dy}{dt}}{\dfrac{dx}{dt}}=\frac{3\sin^2 t\cos t}{-3\cos^2 t\sin t}=-\frac{\sin t}{\cos t}=-\tan t$$

탭 (1) $\dfrac{dy}{dx}=\dfrac{t^2+1}{t^2-1}$　(2) $\dfrac{dy}{dx}=-\tan t$

참고 (1) $\dfrac{t^2+1}{t^2-1}=\dfrac{t+\dfrac{1}{t}}{t-\dfrac{1}{t}}$이므로 $\dfrac{dy}{dx}=\dfrac{x}{y}$라 해도 된다.

　(2) $\cos t=x^{\frac{1}{3}}$, $\sin t=y^{\frac{1}{3}}$이므로

$$\frac{dy}{dx}=-\frac{y^{\frac{1}{3}}}{x^{\frac{1}{3}}}=-\left(\frac{y}{x}\right)^{\frac{1}{3}}$$이라 해도 된다.

3-1

(1) $\dfrac{dx}{dt}=\dfrac{1}{2}t^{-\frac{1}{2}}=\dfrac{1}{2\sqrt{t}}$,

$\dfrac{dy}{dt}=4(2t-1)^3\times 2=8(2t-1)^3$이므로

$$\frac{dy}{dx}=\frac{\dfrac{dy}{dt}}{\dfrac{dx}{dt}}=\frac{8(2t-1)^3}{\dfrac{1}{2\sqrt{t}}}=16\sqrt{t}\,(2t-1)^3$$

(2) $\dfrac{dx}{dt}=2t$, $\dfrac{dy}{dt}=e^t-1$이므로

$$\frac{dy}{dx}=\frac{\dfrac{dy}{dt}}{\dfrac{dx}{dt}}=\frac{e^t-1}{2t}$$

탭 (1) $\dfrac{dy}{dx}=16\sqrt{t}\,(2t-1)^3$　(2) $\dfrac{dy}{dx}=\dfrac{e^t-1}{2t}$

3-2

$\dfrac{dx}{dt}=3$, $\dfrac{dy}{dt}=-4t$이므로

$$\frac{dy}{dx}=\frac{\dfrac{dy}{dt}}{\dfrac{dx}{dt}}=-\frac{4}{3}t$$

따라서 $t=-3$에서 접선의 기울기는

$$-\frac{4}{3}\times(-3)=4$$

탭 4

개념 Check 108쪽

4

(1) $y'=12x^3+6x^2$

　$y''=36x^2+12x$

(2) $y=\dfrac{1}{x}=x^{-1}$이므로

　$y'=-x^{-2}$

　$y''=-2\times(-x^{-3})=2x^{-3}=\dfrac{2}{x^3}$

(3) $y=\sqrt{x}=x^{\frac{1}{2}}$이므로

　$y'=\dfrac{1}{2}x^{-\frac{1}{2}}$

　$y''=-\dfrac{1}{2}\times\dfrac{1}{2}x^{-\frac{3}{2}}=-\dfrac{1}{4\sqrt{x^3}}$

(4) $y'=e^x$

　$y''=e^x$

(5) $y'=\dfrac{1}{x}$

　$y''=-\dfrac{1}{x^2}$

(6) $y'=-\sin x$

　$y''=-\cos x$

탭 (1) $y''=36x^2+12x$　(2) $y''=\dfrac{2}{x^3}$

(3) $y''=-\dfrac{1}{4\sqrt{x^3}}$　(4) $y''=e^x$

(5) $y''=-\dfrac{1}{x^2}$　(6) $y''=-\cos x$

대표 04

(1) $f'(x)=e^{ax}+xe^{ax}\times a=(1+ax)e^{ax}$

$f''(x)=ae^{ax}+(1+ax)e^{ax}\times a=(2a+a^2x)e^{ax}$

$f''(0)=2$이므로 $2a=2$

$\therefore a=1$

(2) $f(x)=xe^x$, $f'(x)=(x+1)e^x$, $f''(x)=(x+2)e^x$

를 $f(x)+pf'(x)+qf''(x)=0$에 대입하면

$xe^x+p(x+1)e^x+q(x+2)e^x=0$

$\{(1+p+q)x+p+2q\}e^x=0$

x에 대한 항등식이므로

$1+p+q=0$, $p+2q=0$

$\therefore p=-2$, $q=1$

🔲 (1) 1 (2) $p=-2$, $q=1$

4-1

(1) $y'=4(x^2+1)^3\times 2x=8x(x^2+1)^3$

$y''=8(x^2+1)^3+3\times 8x(x^2+1)^2\times 2x$

$=8(x^2+1)^2(7x^2+1)$

(2) $y'=\cos x\times\cos x+\sin x\times(-\sin x)$

$=\cos^2 x-\sin^2 x$

$y''=2\cos x\times(-\sin x)-2\sin x\times\cos x$

$=-4\sin x\cos x$

🔲 (1) $y''=8(x^2+1)^2(7x^2+1)$

(2) $y''=-4\sin x\cos x$

4-2

(1) $f'(x)=2e^{bx}+(2x+a)e^{bx}\times b$

$=(2bx+ab+2)e^{bx}$ ⋯ ㉠

$f''(x)=2b\times e^{bx}+(2bx+ab+2)e^{bx}\times b$

$=(2b^2x+ab^2+4b)e^{bx}$ ⋯ ㉡

$f'(0)=4$이므로 ㉠에서 $ab+2=4$

$\therefore ab=2$

$f''(0)=12$이므로 ㉡에서 $b(ab+4)=12$

$\therefore a=1$, $b=2$

(2) (1)에서 $f''(x)=(8x+12)e^{2x}$

$\therefore \lim_{x\to 1}\frac{f'(x)-f'(1)}{x-1}=f''(1)=20e^2$

🔲 (1) $a=1$, $b=2$ (2) $20e^2$

연습과 실전 7 여러 가지 미분법 110쪽~112쪽

01 (1) $\frac{dy}{dx}=1$ (2) $\frac{dy}{dx}=-\frac{\sqrt[3]{y}}{\sqrt[3]{x}}$

(3) $\frac{dy}{dx}=\frac{3x(x+2)}{4y^3}$ (4) $\frac{dy}{dx}=-y\ln y$

02 (1) $\frac{dy}{dx}=\frac{2\sqrt{y+1}}{3y+2}$ (2) $\frac{dy}{dx}=-\frac{(y^2-1)^2}{2(y^2+1)}$

03 ⑤ **04** ③ **05** 2

06 (1) $y''=\frac{4x-6}{x^4}$ (2) $y''=\frac{3x(x^3+4)}{4(x^3+1)\sqrt{x^3+1}}$

(3) $y''=-4(\sin 2x+x\cos 2x)$

(4) $y''=-\csc^2 x$

07 $a=\frac{2}{5}$, $b=\frac{7}{5}$ **08** 17 **09** ① **10** 1

11 -4 **12** ① **13** 2 **14** $p=-1$, $q=\frac{1}{2}$

15 ⑤

01

(1) 양변을 x에 대하여 미분하면

$2x-2y-2x\frac{dy}{dx}+2y\frac{dy}{dx}=0$, $(x-y)\frac{dy}{dx}=x-y$

따라서 $x-y\neq 0$일 때, $\frac{dy}{dx}=1$

(2) 주어진 방정식은 $x^{\frac{2}{3}}+y^{\frac{2}{3}}=5$이므로

양변을 x에 대하여 미분하면

$\frac{2}{3}x^{-\frac{1}{3}}+\frac{2}{3}y^{-\frac{1}{3}}\frac{dy}{dx}=0$, $\frac{2}{3\sqrt[3]{x}}+\frac{2}{3\sqrt[3]{y}}\frac{dy}{dx}=0$

따라서 $x\neq 0$일 때, $\frac{dy}{dx}=-\frac{\sqrt[3]{y}}{\sqrt[3]{x}}$

(3) $y^4=x^3+3x^2$이므로 양변을 x에 대하여 미분하면

$4y^3\frac{dy}{dx}=3x^2+6x$

따라서 $y\neq 0$일 때, $\frac{dy}{dx}=\frac{3x(x+2)}{4y^3}$

다른 풀이

$y^2=\sqrt{x^3+3x^2}$의 양변을 x에 대하여 미분하면

$2y\frac{dy}{dx}=\frac{3x^2+6x}{2\sqrt{x^3+3x^2}}$, $2y\frac{dy}{dx}=\frac{3x(x+2)}{2y^2}$

$\therefore \frac{dy}{dx}=\frac{3x(x+2)}{4y^3}$

(4) 양변을 x에 대하여 미분하면

$$e^x \ln y + \frac{e^x}{y}\frac{dy}{dx} = 0$$

$$\therefore \frac{dy}{dx} = -y \ln y$$

    (답) (1) $\frac{dy}{dx} = 1$ (2) $\frac{dy}{dx} = -\frac{\sqrt[3]{y}}{\sqrt[3]{x}}$

    (3) $\frac{dy}{dx} = \frac{3x(x+2)}{4y^3}$ (4) $\frac{dy}{dx} = -y \ln y$

02

(1) 양변을 y에 대하여 미분하면

$$\frac{dx}{dy} = \sqrt{y+1} + y \times \frac{1}{2\sqrt{y+1}} = \frac{3y+2}{2\sqrt{y+1}}$$

$$\therefore \frac{dy}{dx} = \frac{1}{\frac{dx}{dy}} = \frac{2\sqrt{y+1}}{3y+2}$$

(2) 양변을 y에 대하여 미분하면

$$\frac{dx}{dy} = \frac{2(y^2-1) - 2y \times 2y}{(y^2-1)^2} = -\frac{2(y^2+1)}{(y^2-1)^2}$$

$$\therefore \frac{dy}{dx} = \frac{1}{\frac{dx}{dy}} = -\frac{(y^2-1)^2}{2(y^2+1)}$$

    (답) (1) $\frac{dy}{dx} = \frac{2\sqrt{y+1}}{3y+2}$ (2) $\frac{dy}{dx} = -\frac{(y^2-1)^2}{2(y^2+1)}$

03

$f(-1) = a$라 하면 $g'(f(-1)) = g'(a) = \dfrac{1}{f'(-1)}$

$f'(x) = -\dfrac{-e^{-x}}{(1+e^{-x})^2} = \dfrac{e^{-x}}{(1+e^{-x})^2}$에서

$f'(-1) = \dfrac{e}{(1+e)^2}$이므로 $g'(f(-1)) = \dfrac{(1+e)^2}{e}$

    (답) ⑤

04

$h'(x) = g(x) + xg'(x)$에서

$h'(2) = g(2) + 2g'(2)$

$f(1) = 2$, $f'(1) = 3$이므로

$g(2) = 1$, $g'(2) = \dfrac{1}{f'(1)} = \dfrac{1}{3}$

$\therefore h'(2) = 1 + 2 \times \dfrac{1}{3} = \dfrac{5}{3}$

    (답) ③

05

$\dfrac{dx}{dt} = e^{t+1}$, $\dfrac{dy}{dt} = 2e^{2t+3}$이므로

$$\frac{dy}{dx} = \frac{\frac{dy}{dt}}{\frac{dx}{dt}} = \frac{2e^{2t+3}}{e^{t+1}} = 2e^{t+2}$$

$t = -2$를 대입하면 $\dfrac{dy}{dx} = 2$

    (답) 2

06

(1) $y = x + 2x^{-1} - x^{-2}$이므로

    $y' = 1 - 2x^{-2} + 2x^{-3}$

    $y'' = 4x^{-3} - 6x^{-4} = \dfrac{4x-6}{x^4}$

(2) $y' = \dfrac{3x^2}{2\sqrt{x^3+1}}$

$$y'' = \frac{3}{2} \times \frac{2x \times \sqrt{x^3+1} - x^2 \times \dfrac{3x^2}{2\sqrt{x^3+1}}}{x^3+1}$$

$$= \frac{3x(x^3+4)}{4(x^3+1)\sqrt{x^3+1}}$$

다른 풀이

$y = (x^3+1)^{\frac{1}{2}}$이므로

$y' = \dfrac{1}{2}(x^3+1)^{-\frac{1}{2}} \times 3x^2 = \dfrac{3}{2}x^2(x^3+1)^{-\frac{1}{2}}$

$y'' = 3x(x^3+1)^{-\frac{1}{2}} - \dfrac{3}{4}x^2(x^3+1)^{-\frac{3}{2}} \times 3x^2$

$\quad = \left\{3x(x^3+1) - \dfrac{9}{4}x^4\right\}(x^3+1)^{-\frac{3}{2}}$

$\quad = \dfrac{3x(x^3+4)}{4(x^3+1)\sqrt{x^3+1}}$

(3) $y' = \cos 2x - 2x \sin 2x$

    $y'' = -2\sin 2x - 2\sin 2x - 4x\cos 2x$

    $\quad = -4(\sin 2x + x\cos 2x)$

(4) $y' = \dfrac{\cos x}{\sin x}$

  $y'' = \dfrac{-\sin x \sin x - \cos x \cos x}{\sin^2 x} = -\dfrac{1}{\sin^2 x}$

  $\quad = -\csc^2 x$

    (답) (1) $y'' = \dfrac{4x-6}{x^4}$ (2) $y'' = \dfrac{3x(x^3+4)}{4(x^3+1)\sqrt{x^3+1}}$

    (3) $y'' = -4(\sin 2x + x\cos 2x)$

    (4) $y'' = -\csc^2 x$

07 전략 먼저 방정식의 양변에 xy를 곱한 다음,

양변을 x에 대하여 미분하여 $\dfrac{dy}{dx}$를 구한다.

점 $(1, -1)$을 지나므로 대입하면 $a+1 = b$ ⋯ ㉠

방정식의 양변에 xy를 곱하면 $ax^3+y^2=bx^2y^2$

양변을 x에 대하여 미분하면

$$3ax^2+2y\frac{dy}{dx}=2bxy^2+2bx^2y\frac{dy}{dx}$$

$$(2bx^2y-2y)\frac{dy}{dx}=3ax^2-2bxy^2$$

$$\therefore \frac{dy}{dx}=\frac{3ax^2-2bxy^2}{2bx^2y-2y}$$

점 $(1,-1)$에서 접선의 기울기가 2이므로

$x=1$, $y=-1$을 대입하면

$$\frac{3a-2b}{-2b+2}=2,\ 3a=-2b+4 \qquad \cdots\ \text{ⓛ}$$

㉠, ㉡을 연립하여 풀면 $a=\dfrac{2}{5}$, $b=\dfrac{7}{5}$

답 $a=\dfrac{2}{5}$, $b=\dfrac{7}{5}$

08 전략 $g(3)=0$이므로 미분계수의 정의와

$$g'(3)=\frac{1}{f'(0)},\ f(0)=3임을 이용한다.$$

$g(3)=0$이므로

$$\lim_{x\to3}\frac{x-3}{g(x)}=\lim_{x\to3}\frac{x-3}{g(x)-g(3)}=\frac{1}{g'(3)}=f'(0)$$

또 $f(0)=3$이므로

$f(0)=a=3$ $\therefore f(x)=3e^{5x}+x+\sin x$

$f'(x)=15e^{5x}+1+\cos x$

$\therefore f'(0)=15+1+1=17$

답 17

09 전략 역함수의 미분법을 이용한다.

$$f'(x)=\frac{e^x}{e^x-1}$$

또 $g(a)=b$라 하면 $f(b)=a$이므로

$a=\ln(e^b-1)$, $e^b=e^a+1$

$$\therefore \frac{1}{f'(a)}+\frac{1}{g'(a)}=\frac{1}{f'(a)}+f'(b)$$

$$=\frac{e^a-1}{e^a}+\frac{e^b}{e^b-1}$$

$$=\frac{e^a-1}{e^a}+\frac{e^a+1}{e^a}=2$$

다른 풀이

$y=\ln(e^x-1)$이라 하면

$e^x-1=e^y$, $x=\ln(e^y+1)$

$\therefore g(x)=\ln(e^x+1)$

따라서 $f'(x)=\dfrac{e^x}{e^x-1}$, $g'(x)=\dfrac{e^x}{e^x+1}$이므로

$$\frac{1}{f'(a)}+\frac{1}{g'(a)}=\frac{e^a-1}{e^a}+\frac{e^a+1}{e^a}=2$$

답 ①

10 전략 $\displaystyle\lim_{t\to1}\frac{dx}{dt}$, $\displaystyle\lim_{t\to1}\frac{dy}{dt}$ 를 각각 n에 대한 식으로 나타낸 다음, 수열의 극한을 이용한다.

$$\frac{dx}{dt}=1+3t^2+5t^4+\cdots+(2n-1)t^{2n-2},$$

$$\frac{dy}{dt}=2t+4t^3+6t^5+\cdots+2nt^{2n-1}이므로$$

$$\frac{dy}{dx}=\frac{\dfrac{dy}{dt}}{\dfrac{dx}{dt}}=\frac{2t+4t^3+6t^5+\cdots+2nt^{2n-1}}{1+3t^2+5t^4+\cdots+(2n-1)t^{2n-2}}$$

$$\therefore \lim_{n\to\infty}\left(\lim_{t\to1}\frac{dy}{dx}\right)=\lim_{n\to\infty}\frac{2+4+6+\cdots+2n}{1+3+5+\cdots+(2n-1)}$$

$$=\lim_{n\to\infty}\frac{n^2+n}{n^2}=1$$

답 1

11 전략 미분계수의 정의와 매개변수로 나타낸 함수의 미분법을 이용한다.

$$\lim_{h\to0}\frac{f(1+3h)-f(1+h)}{h}$$

$$=\lim_{h\to0}\left\{3\times\frac{f(1+3h)-f(1)}{3h}-\frac{f(1+h)-f(1)}{h}\right\}$$

$$=3f'(1)-f'(1)=2f'(1)$$

이므로 $x=1$일 때 $\dfrac{dy}{dx}$를 구한다.

$$\frac{dx}{d\theta}=\cos\theta-\sin\theta,\ \frac{dy}{d\theta}=1+\sin\theta이므로$$

$$\frac{dy}{dx}=\frac{\dfrac{dy}{d\theta}}{\dfrac{dx}{d\theta}}=\frac{1+\sin\theta}{\cos\theta-\sin\theta} \qquad \cdots\ \text{㉠}$$

또 $x=1$일 때, $\sin\theta+\cos\theta=1$

$\sin^2\theta+\cos^2\theta=1$과 연립하여 풀면

$\sin\theta=0$, $\cos\theta=1$ 또는 $\sin\theta=1$, $\cos\theta=0$

$\dfrac{\pi}{4}<\theta<\dfrac{5}{4}\pi$이므로 $\sin\theta=1$, $\cos\theta=0$

$\therefore \theta=\dfrac{\pi}{2}$

㉠에 대입하면 $\dfrac{1+1}{-1}=-2$

$\therefore 2f'(1)=-4$

❸ -4

참고 $\sin\theta+\cos\theta=1$에서 θ의 값은 삼각함수의 합성을 이용하여 구할 수도 있다.

$$\sqrt{2}\left(\sin\theta\times\dfrac{1}{\sqrt{2}}+\cos\theta\times\dfrac{1}{\sqrt{2}}\right)=1$$

$$\sin\left(\theta+\dfrac{\pi}{4}\right)=\dfrac{1}{\sqrt{2}}$$

$\dfrac{\pi}{4}<\theta<\dfrac{5}{4}\pi$이므로 $\theta+\dfrac{\pi}{4}=\dfrac{3}{4}\pi$ $\therefore \theta=\dfrac{\pi}{2}$

12 전략 $x\to 1$일 때 극값이 존재하고 (분모) $\to 0$이므로 (분자) $\to 0$임을 이용한다.

$x\to 1$일 때 극한값이 존재하고 (분모) $\to 0$이므로 (분자) $\to 0$이다. 곧,

$f'(f(1))-1=0$ $\therefore f'(f(1))=1$

$\displaystyle\lim_{x\to 1}\dfrac{f'(f(x))-1}{x-1}$

$=\displaystyle\lim_{x\to 1}\dfrac{f'(f(x))-f'(f(1))}{x-1}$

$=\displaystyle\lim_{x\to 1}\left\{\dfrac{f'(f(x))-f'(f(1))}{f(x)-f(1)}\times\dfrac{f(x)-f(1)}{x-1}\right\}$

$=f''(f(1))f'(1)=3$

$f(1)=2,\ f'(1)=3$이므로

$f''(2)\times 3=3$ $\therefore f''(2)=1$

❸ ①

13 전략 로그함수의 미분법을 이용하여 $g'(x)$를 구한 다음, $f'\left(\dfrac{\pi}{4}\right),\ f''\left(\dfrac{\pi}{4}\right)$의 값을 구하여 $g'\left(\dfrac{\pi}{4}\right)$의 값을 구한다.

$g(x)=\ln f'(x)$이므로 $g'(x)=\dfrac{f''(x)}{f'(x)}$ $\cdots$ ㉠

$f'(x)=1+\{f(x)\}^2$ $\cdots$ ㉡

㉡에 $x=\dfrac{\pi}{4}$를 대입하면

$f'\left(\dfrac{\pi}{4}\right)=1+\left\{f\left(\dfrac{\pi}{4}\right)\right\}^2$

$f\left(\dfrac{\pi}{4}\right)=1$이므로 $f'\left(\dfrac{\pi}{4}\right)=2$

㉡의 양변을 x에 대하여 미분하면

$f''(x)=2f(x)f'(x)$

$x=\dfrac{\pi}{4}$를 대입하면

$f''\left(\dfrac{\pi}{4}\right)=2f\left(\dfrac{\pi}{4}\right)f'\left(\dfrac{\pi}{4}\right)=2\times 1\times 2=4$

㉠에서 $g'\left(\dfrac{\pi}{4}\right)=\dfrac{f''\left(\dfrac{\pi}{4}\right)}{f'\left(\dfrac{\pi}{4}\right)}=\dfrac{4}{2}=2$

❸ 2

14 전략 함수의 곱의 미분법을 이용하여 $f'(x),\ f''(x)$를 구한 다음, 주어진 등식에 대입하여 x에 대한 항등식임을 이용한다.

$f'(x)=e^x(\sin x+\cos x)+e^x(\cos x-\sin x)$
$\quad=2e^x\cos x$

$f''(x)=2e^x\cos x-2e^x\sin x=2e^x(\cos x-\sin x)$

를 $f(x)+pf'(x)+qf''(x)=0$에 대입하면

$e^x(\sin x+\cos x)+2pe^x\cos x+2qe^x(\cos x-\sin x)$
$=0$

$e^x\{(1-2q)\sin x+(1+2p+2q)\cos x\}=0$

x에 대한 항등식이므로

$1-2q=0,\ 1+2p+2q=0$

$\therefore p=-1,\ q=\dfrac{1}{2}$

❸ $p=-1,\ q=\dfrac{1}{2}$

15 전략 $f(x)=x^{\ln x}$에서 양변에 자연로그를 잡고 양변을 x에 대하여 미분하여 $f'(x),\ f''(x)$를 구한다.

$f(x)=x^{\ln x}$에서

$\ln f(x)=\ln x^{\ln x},\ \ln f(x)=(\ln x)^2$

양변을 x에 대하여 미분하면

$\dfrac{f'(x)}{f(x)}=2\ln x\times\dfrac{1}{x}$

$f'(x)=\dfrac{2\ln x}{x}\times f(x)$

$f''(x)=\left(\dfrac{2\ln x}{x}\right)'\times f(x)+\dfrac{2\ln x}{x}\times f'(x)$

$\qquad=\dfrac{\dfrac{2}{x}\times x-2\ln x}{x^2}\times f(x)$

$\qquad\qquad+\dfrac{2\ln x}{x}\times\left\{\dfrac{2\ln x}{x}\times f(x)\right\}$

$\qquad=\dfrac{2(1-\ln x)+4(\ln x)^2}{x^2}\times f(x)$

$f(e)=e$이므로

$f''(e)=\dfrac{4}{e^2}\times e=\dfrac{4}{e}$

❸ ⑤

접선의 방정식

114쪽

개념 Check

1

$f(x)=\ln x$라 하면 $f'(x)=\dfrac{1}{x}$, $f'(e)=\dfrac{1}{e}$

따라서 접선의 방정식은

$y-1=\dfrac{1}{e}(x-e)$ $\therefore y=\dfrac{1}{e}x$

답 $y=\dfrac{1}{e}x$

2

(1) 접점의 좌표를 $(a,\ln a)$라 하자.

$f(x)=\ln x$라 하면

$f'(x)=\dfrac{1}{x}$이고 접선의 기울기가 1이므로

$f'(a)=1$에서 $\dfrac{1}{a}=1$ $\therefore a=1$

따라서 접점의 좌표는 $(1,0)$이다.

(2) 기울기가 1이고 점 $(1,0)$을 지나므로

$y=x-1$

답 (1) $(1,0)$ (2) $y=x-1$

대표Q

115쪽~119쪽

대표 Q1

(1) $f(x)=\dfrac{x^2+2}{x}=x+\dfrac{2}{x}$라 하면

$f'(x)=1-\dfrac{2}{x^2}$

$f(-1)=-3$, $f'(-1)=-1$

따라서 접선의 방정식은

$y+3=-(x+1)$ $\therefore y=-x-4$

(2) $f(x)=xe^x$이라 하면

$f'(x)=(x+1)e^x$

$f(1)=e$, $f'(1)=2e$

따라서 접선의 방정식은

$y-e=2e(x-1)$ $\therefore y=2ex-e$

(3) $f(x)=\sin^2 x$라 하면

$f'(x)=2\sin x\cos x$

$f\left(\dfrac{\pi}{4}\right)=\dfrac{1}{2}$, $f'\left(\dfrac{\pi}{4}\right)=1$

따라서 접선의 방정식은

$y-\dfrac{1}{2}=x-\dfrac{\pi}{4}$ $\therefore y=x-\dfrac{\pi}{4}+\dfrac{1}{2}$

답 (1) $y=-x-4$ (2) $y=2ex-e$ (3) $y=x-\dfrac{\pi}{4}+\dfrac{1}{2}$

1-1

(1) $f(x)=\sqrt{x-1}$이라 하면

$f'(x)=\dfrac{1}{2\sqrt{x-1}}$

$f(5)=2$, $f'(5)=\dfrac{1}{4}$

따라서 접선의 방정식은

$y-2=\dfrac{1}{4}(x-5)$ $\therefore y=\dfrac{1}{4}x+\dfrac{3}{4}$

(2) $f(x)=\ln(x^2-3)$이라 하면

$f'(x)=\dfrac{2x}{x^2-3}$

$f(2)=0$, $f'(2)=4$

따라서 접선의 방정식은

$y=4(x-2)$ $\therefore y=4x-8$

(3) $f(x)=\sin x+\cos x$라 하면

$f'(x)=\cos x-\sin x$

$f\left(\dfrac{\pi}{2}\right)=1$, $f'\left(\dfrac{\pi}{2}\right)=-1$

따라서 접선의 방정식은

$y-1=-\left(x-\dfrac{\pi}{2}\right)$ $\therefore y=-x+\dfrac{\pi}{2}+1$

답 (1) $y=\dfrac{1}{4}x+\dfrac{3}{4}$ (2) $y=4x-8$

(3) $y=-x+\dfrac{\pi}{2}+1$

1-2

$g'(x)=f'(x)\ln x^4+f(x)(\ln x^4)'$

$\qquad=f'(x)\ln x^4+f(x)\times\dfrac{4x^3}{x^4}$

$\qquad=4f'(x)\ln x+\dfrac{4f(x)}{x}$

점 $(e,-e)$는 곡선 $y=f(x)$ 위의 점이므로

$f(e)=-e$

곡선 $y=f(x)$ 위의 점 $(e,-e)$에서의 접선과 곡선

$y=g(x)$ 위의 점 $(e,-4e)$에서의 접선이 수직이므로

$f'(e)\times g'(e)=-1$

$f'(e)\left\{4f'(e)\ln e+\dfrac{4f(e)}{e}\right\}=-1$

$4\{f'(e)\}^2-4f'(e)+1=0$, $\{2f'(e)-1\}^2=0$

$$\therefore f'(e)=\frac{1}{2}$$

답 $\dfrac{1}{2}$

대표 02

접점의 x좌표를 a라 하자.

(1) $f(x)=\sqrt{x^2+3}$이라 하면

$$f'(x)=\frac{2x}{2\sqrt{x^2+3}}=\frac{x}{\sqrt{x^2+3}}$$

접선의 기울기가 $\dfrac{1}{2}$이므로 $f'(a)=\dfrac{1}{2}$

$$\frac{a}{\sqrt{a^2+3}}=\frac{1}{2},\ 4a^2=a^2+3 \quad \therefore a=1\ (\because a>0)$$

$f(1)=\sqrt{1+3}=2$이므로 접선의 방정식은

$$y-2=\frac{1}{2}(x-1) \quad \therefore y=\frac{1}{2}x+\frac{3}{2}$$

(2) $f(x)=x\ln x$라 하면 $f'(x)=\ln x+1$

직선 $y=\dfrac{3}{2}x-\dfrac{1}{2}$에 평행하므로 $f'(a)=\dfrac{3}{2}$

$$\ln a+1=\frac{3}{2},\ \ln a=\frac{1}{2} \quad \therefore a=e^{\frac{1}{2}}=\sqrt{e}$$

$f(\sqrt{e})=\sqrt{e}\times\ln\sqrt{e}=\dfrac{1}{2}\sqrt{e}$이므로 접선의 방정식은

$$y-\frac{1}{2}\sqrt{e}=\frac{3}{2}(x-\sqrt{e}) \quad \therefore y=\frac{3}{2}x-\sqrt{e}$$

(3) $f(x)=2\sin 2x$라 하면 $f'(x)=4\cos 2x$

직선 $y=\dfrac{1}{2}x$에 수직이므로 $f'(a)=-2$

$$4\cos 2a=-2 \quad \therefore \cos 2a=-\frac{1}{2}$$

$0\le 2a\le 2\pi$이므로 $2a=\dfrac{2}{3}\pi$ 또는 $2a=\dfrac{4}{3}\pi$

$$\therefore a=\frac{\pi}{3} \ \text{또는}\ a=\frac{2}{3}\pi$$

(i) $a=\dfrac{\pi}{3}$일 때, $f\left(\dfrac{\pi}{3}\right)=\sqrt{3}$이므로 접선의 방정식은

$$y-\sqrt{3}=-2\left(x-\frac{\pi}{3}\right)$$

$$\therefore y=-2x+\frac{2}{3}\pi+\sqrt{3}$$

(ii) $a=\dfrac{2}{3}\pi$일 때, $f\left(\dfrac{2}{3}\pi\right)=-\sqrt{3}$이므로 접선의 방정식은

$$y+\sqrt{3}=-2\left(x-\frac{2}{3}\pi\right)$$

$$\therefore y=-2x+\frac{4}{3}\pi-\sqrt{3}$$

답 (1) $y=\dfrac{1}{2}x+\dfrac{3}{2}$ (2) $y=\dfrac{3}{2}x-\sqrt{e}$

(3) $y=-2x+\dfrac{2}{3}\pi+\sqrt{3},\ y=-2x+\dfrac{4}{3}\pi-\sqrt{3}$

2-1

접점의 x좌표를 a라 하자.

(1) $f(x)=-\dfrac{2x}{x+1}$라 하면

$$f'(x)=-\frac{2(x+1)-2x\times 1}{(x+1)^2}=-\frac{2}{(x+1)^2}$$

접선의 기울기가 -2이므로 $f'(a)=-2$

$$-\frac{2}{(a+1)^2}=-2,\ (a+1)^2=1$$

$$\therefore a=-2 \ \text{또는}\ a=0$$

(i) $a=-2$일 때, $f(-2)=-4$이므로 접선의 방정식은

$$y+4=-2(x+2)$$

$$\therefore y=-2x-8$$

(ii) $a=0$일 때, $f(0)=0$이므로 접선의 방정식은

$$y=-2x$$

(2) $f(x)=\cos 3x$라 하면 $f'(x)=-3\sin 3x$

직선 $y=-3x$에 평행하므로 $f'(a)=-3$

$$-3\sin 3a=-3 \quad \therefore \sin 3a=1$$

$0\le 3a\le 3\pi$이므로 $3a=\dfrac{\pi}{2}$ 또는 $3a=\dfrac{5}{2}\pi$

$$\therefore a=\frac{\pi}{6} \ \text{또는}\ a=\frac{5}{6}\pi$$

(i) $a=\dfrac{\pi}{6}$일 때, $f\left(\dfrac{\pi}{6}\right)=0$이므로 접선의 방정식은

$$y=-3\left(x-\frac{\pi}{6}\right)$$

$$\therefore y=-3x+\frac{\pi}{2}$$

(ii) $a=\dfrac{5}{6}\pi$일 때, $f\left(\dfrac{5}{6}\pi\right)=0$이므로 접선의 방정식은

$$y=-3\left(x-\frac{5}{6}\pi\right)$$

$$\therefore y=-3x+\frac{5}{2}\pi$$

(3) $f(x)=e^{4x}$이라 하면 $f'(x)=4e^{4x}$

직선 $y=-\dfrac{1}{4}x$에 수직이므로 $f'(a)=4$

$$4e^{4a}=4,\ e^{4a}=1 \quad \therefore a=0$$

$f(0)=1$이므로 접선의 방정식은

$$y-1=4x \quad \therefore y=4x+1$$

답 (1) $y=-2x-8,\ y=-2x$

(2) $y=-3x+\dfrac{\pi}{2},\ y=-3x+\dfrac{5}{2}\pi$

(3) $y=4x+1$

대표 **03**

(1) $f(x)=\ln x$라 하고, 접점을 $(a,\ \ln a)$라 하자.

$$f'(x)=\frac{1}{x},\ f'(a)=\frac{1}{a}$$

이므로 접선의 방정식은 $y-\ln a=\dfrac{1}{a}(x-a)$

원점을 지나므로 $-\ln a=-1$ $\therefore a=e$

따라서 접선의 방정식은

$$y-1=\frac{1}{e}(x-e)\qquad \therefore y=\frac{1}{e}x$$

(2) $f(x)=xe^{-x}$이라 하고, 접점을 $(a,\ ae^{-a})$이라 하자.

$$f'(x)=(1-x)e^{-x},\ f'(a)=(1-a)e^{-a}$$

이므로 접선의 방정식은

$$y-ae^{-a}=(1-a)e^{-a}(x-a)$$

점 $(k,\ 0)$을 지나므로

$$-ae^{-a}=(1-a)e^{-a}(k-a)$$

$e^{-a}>0$이므로 $-a=(1-a)(k-a)$

$$a^2-ka+k=0\qquad \cdots\ \text{㉠}$$

접선이 한 개이면 a의 값이 1개이므로 ㉠이 중근을 가진다.

$$D=k^2-4k=0\qquad \therefore k=0\ \text{또는}\ k=4$$

답 (1) $y=\dfrac{1}{e}x$ (2) 0, 4

3-1

(1) $f(x)=e^x$이라 하고, 접점을 $(a,\ e^a)$이라 하자.

$$f'(x)=e^x,\ f'(a)=e^a$$

이므로 접선의 방정식은 $y-e^a=e^a(x-a)$

원점을 지나므로 $-e^a=-ae^a$ $\therefore a=1$

따라서 접선의 방정식은

$$y-e=e(x-1)\qquad \therefore y=ex$$

(2) $f(x)=\dfrac{x+1}{x}$이라 하고, 접점을 $\left(a,\ \dfrac{a+1}{a}\right)$이라 하자.

$$f'(x)=-\frac{1}{x^2},\ f'(a)=-\frac{1}{a^2}$$

이므로 접선의 방정식은 $y-\dfrac{a+1}{a}=-\dfrac{1}{a^2}(x-a)$

점 $(-3,\ 2)$를 지나므로

$$2-\frac{a+1}{a}=-\frac{1}{a^2}(-3-a)$$

$$2a^2-a(a+1)=3+a$$

$$a^2-2a-3=0\qquad \therefore a=-1\ \text{또는}\ a=3$$

(i) $a=-1$일 때, $y=-x-1$

(ii) $a=3$일 때, $y-\dfrac{4}{3}=-\dfrac{1}{9}(x-3)$

$$\therefore y=-\frac{1}{9}x+\frac{5}{3}$$

답 (1) $y=ex$ (2) $y=-x-1,\ y=-\dfrac{1}{9}x+\dfrac{5}{3}$

3-2

$f(x)=e^{-x^2}$이라 하고, 접점을 $(a,\ e^{-a^2})$이라 하자.

$$f'(x)=-2xe^{-x^2},\ f'(a)=-2ae^{-a^2}$$

이므로 접선의 방정식은

$$y-e^{-a^2}=-2ae^{-a^2}(x-a)$$

점 $(k,\ 0)$을 지나므로

$$-e^{-a^2}=-2ae^{-a^2}(k-a)$$

$e^{-a^2}>0$이므로 $-1=-2a(k-a)$

$$2a^2-2ka+1=0\qquad \cdots\ \text{㉠}$$

접선이 2개이면 a의 값이 2개이므로 ㉠이 서로 다른 두 실근을 가진다.

$$\frac{D}{4}=k^2-2>0\qquad \therefore k<-\sqrt{2}\ \text{또는}\ k>\sqrt{2}$$

답 $k<-\sqrt{2}$ 또는 $k>\sqrt{2}$

참고 곡선 밖의 한 점에서 그은 접선의 개수

➡ 접점의 x좌표에 대한 방정식의 해의 개수

대표 **04**

(1) $4x^2+9y^2=25$ $\cdots\ \text{㉠}$

㉠에 $x=\dfrac{3}{2}$을 대입하면

$$9+9y^2=25\qquad \therefore y=\pm\frac{4}{3}$$

또 ㉠의 양변을 x에 대하여 미분하면

$$8x+18y\frac{dy}{dx}=0\qquad \therefore \frac{dy}{dx}=-\frac{4x}{9y}$$

(i) 접점이 $\left(\dfrac{3}{2},\ \dfrac{4}{3}\right)$일 때,

기울기는 $\dfrac{dy}{dx}=-\dfrac{4\times\dfrac{3}{2}}{9\times\dfrac{4}{3}}=-\dfrac{1}{2}$

이므로 접선의 방정식은

$$y-\frac{4}{3}=-\frac{1}{2}\left(x-\frac{3}{2}\right)\qquad \therefore y=-\frac{1}{2}x+\frac{25}{12}$$

(ii) 접점이 $\left(\dfrac{3}{2},\ -\dfrac{4}{3}\right)$일 때,

기울기는 $\dfrac{dy}{dx}=-\dfrac{4\times\dfrac{3}{2}}{9\times\left(-\dfrac{4}{3}\right)}=\dfrac{1}{2}$

이므로 접선의 방정식은

$$y+\frac{4}{3}=\frac{1}{2}\left(x-\frac{3}{2}\right)\qquad \therefore y=\frac{1}{2}x-\frac{25}{12}$$

(2) $x=\cos^3 t$, $y=\sin^3 t$에 $t=\dfrac{\pi}{3}$를 대입하면

접점은 $\left(\dfrac{1}{8}, \dfrac{3\sqrt{3}}{8}\right)$

$\dfrac{dx}{dt}=-3\cos^2 t\sin t$, $\dfrac{dy}{dt}=3\sin^2 t\cos t$이므로

$$\dfrac{dy}{dx}=\dfrac{\dfrac{dy}{dt}}{\dfrac{dx}{dt}}=\dfrac{3\sin^2 t\cos t}{-3\cos^2 t\sin t}=-\dfrac{\sin t}{\cos t}$$

$t=\dfrac{\pi}{3}$를 대입하면 접선의 기울기는 $-\sqrt{3}$이므로

접선의 방정식은

$$y-\dfrac{3\sqrt{3}}{8}=-\sqrt{3}\left(x-\dfrac{1}{8}\right) \qquad \therefore y=-\sqrt{3}x+\dfrac{\sqrt{3}}{2}$$

🅐 (1) $\left(\dfrac{3}{2}, \dfrac{4}{3}\right)$일 때 $y=-\dfrac{1}{2}x+\dfrac{25}{12}$,

$\quad\left(\dfrac{3}{2}, -\dfrac{4}{3}\right)$일 때 $y=\dfrac{1}{2}x-\dfrac{25}{12}$

(2) $y=-\sqrt{3}x+\dfrac{\sqrt{3}}{2}$

4-1

$x^2+xy-y=3$ $\quad\cdots$ ㉠

㉠에 $y=-1$을 대입하면

$x^2-x-2=0$, $(x+1)(x-2)=0$

$\therefore x=-1$ 또는 $x=2$

또 ㉠의 양변을 x에 대하여 미분하면

$2x+y+x\dfrac{dy}{dx}-\dfrac{dy}{dx}=0$

$\therefore \dfrac{dy}{dx}=\dfrac{-2x-y}{x-1}$

(ⅰ) 접점이 $(-1, -1)$일 때,

기울기는 $\dfrac{dy}{dx}=\dfrac{2+1}{-1-1}=-\dfrac{3}{2}$

이므로 접선의 방정식은

$y+1=-\dfrac{3}{2}(x+1)$ $\quad\therefore y=-\dfrac{3}{2}x-\dfrac{5}{2}$

(ⅱ) 접점이 $(2, -1)$일 때,

기울기는 $\dfrac{dy}{dx}=\dfrac{-4+1}{2-1}=-3$

이므로 접선의 방정식은

$y+1=-3(x-2)$ $\quad\therefore y=-3x+5$

🅐 $(-1, -1)$일 때 $y=-\dfrac{3}{2}x-\dfrac{5}{2}$,

$\quad(2, -1)$일 때 $y=-3x+5$

4-2

$\dfrac{dx}{dt}=\dfrac{(1-t^2)-t\times(-2t)}{(1-t^2)^2}=\dfrac{t^2+1}{(1-t^2)^2}$

$\dfrac{dy}{dt}=\dfrac{(1-t^2)-(t-2)\times(-2t)}{(1-t^2)^2}=\dfrac{t^2-4t+1}{(1-t^2)^2}$

이므로

$$\dfrac{dy}{dx}=\dfrac{\dfrac{dy}{dt}}{\dfrac{dx}{dt}}=\dfrac{\dfrac{t^2-4t+1}{(1-t^2)^2}}{\dfrac{t^2+1}{(1-t^2)^2}}=\dfrac{t^2-4t+1}{t^2+1}$$

$t=a$에 대응하는 점에서 접선의 기울기가 1이므로

$\dfrac{a^2-4a+1}{a^2+1}=1$, $a^2-4a+1=a^2+1$

$\therefore a=0$

$x=\dfrac{t}{1-t^2}$, $y=\dfrac{t-2}{1-t^2}$에 $t=0$을 대입하면

접점은 $(0, -2)$이므로 접선의 방정식은

$y=x-2$

🅐 $y=x-2$

날선 05

(1) 기울기가 1인 직선이 두 곡선 $y=f(x)$, $y=g(x)$와

접하는 점을 각각 $A(a, ka^3+1)$, $B(b, \ln b)$라 하자.

$g'(x)=\dfrac{1}{x}$이고 점 B에서 접선의 기울기가 1이므로

$g'(b)=1$에서 $\dfrac{1}{b}=1$ $\quad\therefore b=1$

이때 $B(1, 0)$이므로 접선의 방정식은 $y=x-1$

$f'(x)=3kx^2$이고 $f'(a)=1$이므로

$3ka^2=1$ $\quad\cdots$ ㉠

A가 직선 $y=x-1$ 위의 점이므로

$ka^3+1=a-1$ $\quad\cdots$ ㉡

㉠에서 $ka^2=\dfrac{1}{3}$을 ㉡에 대입하면

$\dfrac{a}{3}+1=a-1$ $\quad\therefore a=3$

$a=3$을 ㉠에 대입하면

$27k=1$ $\quad\therefore k=\dfrac{1}{27}$

(2) 두 곡선 $y=f(x)$, $y=g(x)$가 $x=p$인 점에서 접한

다고 하자.

$f(p)=g(p)$이므로 $kp^3+1=\ln p$ $\quad\cdots$ ㉠

$f'(p)=g'(p)$이므로 $3kp^2=\dfrac{1}{p}$ $\quad\cdots$ ㉡

㉡에서 $kp^3=\dfrac{1}{3}$ $\quad\cdots$ ㉢

©을 ⊙에 대입하면

$$\frac{4}{3}=\ln p \qquad \therefore p=e^{\frac{4}{3}}$$

$g(p)=\dfrac{4}{3}$이므로 접점의 좌표는 $\left(e^{\frac{4}{3}}, \dfrac{4}{3}\right)$

$p^3=e^4$이므로 ©에서 $k=\dfrac{1}{3e^4}$

冒 (1) $\dfrac{1}{27}$ (2) **접점의 좌표** : $\left(e^{\frac{4}{3}}, \dfrac{4}{3}\right)$, $k=\dfrac{1}{3e^4}$

5-1

$f(x)=e^x$이라 하면 $f'(x)=e^x$

점 $(1, e)$에서 접선의 방정식은

$$y-e=e(x-1) \qquad \therefore y=ex \qquad \cdots \text{⊙}$$

$g(x)=2\sqrt{x-k}=2(x-k)^{\frac{1}{2}}$이라 하면

$$g'(x)=\frac{1}{2}\times 2(x-k)^{-\frac{1}{2}}=\frac{1}{\sqrt{x-k}}$$

곡선 $y=2\sqrt{x-k}$와 직선 $y=ex$가 접하는 점을 $(a, 2\sqrt{a-k})$라 하면 접선의 방정식

$$y-2\sqrt{a-k}=\frac{1}{\sqrt{a-k}}(x-a)$$

$$\therefore y=\frac{1}{\sqrt{a-k}}x+\frac{a-2k}{\sqrt{a-k}} \qquad \cdots \text{©}$$

⊙, ©이 일치하므로

$$\frac{1}{\sqrt{a-k}}=e, \ a-2k=0$$

위의 두 식을 연립하여 풀면 $k=\dfrac{1}{e^2}$

다른 풀이

직선 $y=ex$가 곡선 $y=2\sqrt{x-k}$에 접하므로

$ex=2\sqrt{x-k}$의 양변을 제곱하여 풀면

$$e^2x^2=4x-4k, \ e^2x^2-4x+4k=0$$

이 이차방정식이 중근을 가지므로

$$\frac{D}{4}=4-4ke^2=0 \qquad \therefore k=\frac{1}{e^2}$$

冒 $\dfrac{1}{e^2}$

5-2

$f(x)=\dfrac{k}{x}, g(x)=e^x$이라 하고 두 곡선 $y=f(x)$, $y=g(x)$가 $x=p$인 점에서 접한다고 하자.

$f(p)=g(p)$이므로 $\dfrac{k}{p}=e^p \qquad \cdots \text{⊙}$

$f'(x)=-\dfrac{k}{x^2}, g'(x)=e^x$이고

$f'(p)=g'(p)$이므로 $-\dfrac{k}{p^2}=e^p \qquad \cdots \text{©}$

©을 ⊙에 대입하면 $\dfrac{k}{p}=-\dfrac{k}{p^2}$

$k\neq 0$이므로 $p=-1, k=-\dfrac{1}{e}$

$g(p)=\dfrac{1}{e}$이므로 접점의 좌표는 $\left(-1, \dfrac{1}{e}\right)$

冒 접점의 좌표 : $\left(-1, \dfrac{1}{e}\right)$, $k=-\dfrac{1}{e}$

개념 Check
120쪽

3

$f(x)=\sqrt{x}$는 구간 $[0, 1]$에서 연속이고 구간 $(0, 1)$에서 미분가능하다.

따라서 평균값 정리에서 $\dfrac{f(1)-f(0)}{1-0}=f'(c)$인 c가 구간 $(0, 1)$에 적어도 하나 존재한다.

$f(0)=0, f(1)=1$이고 $f'(c)=\dfrac{1}{2\sqrt{c}}$이므로

$$\frac{1-0}{1-0}=\frac{1}{2\sqrt{c}}, 2\sqrt{c}=1, 4c=1$$

$$\therefore c=\frac{1}{4}$$

冒 $\dfrac{1}{4}$

대표Q
122쪽

날선 06

ㄱ. $f(x)$는 미분가능하므로 연속이다.

$f(-1)<\dfrac{1}{2}, \ f(0)>\dfrac{1}{2}$이므로 $f(a)=\dfrac{1}{2}$인 a가 구간 $(-1, 0)$에 적어도 하나 있다.

또 $f(0)>\dfrac{1}{2}, \ f(1)<\dfrac{1}{2}$이므로 $f(a)=\dfrac{1}{2}$인 a가 구간 $(0, 1)$에 적어도 하나 있다.

따라서 $f(a)=\dfrac{1}{2}$인 a가 구간 $(-1, 1)$에 두 개 이상 있다. (참)

ㄴ. $\dfrac{f(1)-f(0)}{1-0}=-1$이므로 평균값 정리에서 $f'(b)=-1$인 b가 구간 $(0, 1)$에 적어도 하나 있다.

(참)

ㄷ. $g'(x)=f'(f(x))f'(x)$에서
$$g'(0)=f'(f(0))f'(0)=f'(1)f'(0)$$
$$g'(1)=f'(f(1))f'(1)=f'(0)f'(1)$$
따라서 $g'(0)=g'(1)$이므로 롤의 정리에서
$g''(c)=0$인 c가 구간 $(0, 1)$에 적어도 하나 있다.
(참)

따라서 옳은 것은 ㄱ, ㄴ, ㄷ이다.

답 ⑤

6-1

(1) $f(x)=x+\sin x$에서 $f'(x)=1+\cos x$
$g(x)=f(f(x))$에서
$$g'(x)=f'(f(x))f'(x)$$
$$=\{1+\cos(x+\sin x)\}(1+\cos x)$$
구간 $(0, \pi)$에서 $1+\cos(x+\sin x)>0$,
$1+\cos x>0$이므로 $g'(x)>0$
따라서 $g(x)$는 구간 $(0, \pi)$에서 증가한다. (참)

(2) $f(0)=0+\sin 0=0$이므로
$$g(0)=f(f(0))=f(0)=0$$
$f(\pi)=\pi+\sin\pi=\pi$이므로
$$g(\pi)=f(f(\pi))=f(\pi)=\pi$$
구간 $(0, \pi)$에서 $g(x)$의 평균변화율은
$$\frac{g(\pi)-g(0)}{\pi-0}=\frac{\pi-0}{\pi-0}=1$$
$g(x)$는 구간 $[0, \pi]$에서 연속이고 구간 $(0, \pi)$에서
미분가능하므로 평균값 정리에 의하여 $g'(c)=1$인
c가 구간 $(0, \pi)$에 적어도 하나 있다. (참)

답 (1) 참 (2) 참

연습과 실전 **8 접선의 방정식** 123쪽 ~ 126쪽

---

01 (1) $y=3x-4$ (2) $y=3ex-2e^2$ **02** ④

03 ⑤ **04** $e-1$

05 $y=\sqrt{3}x+\frac{\sqrt{3}}{6}\pi+\frac{1}{2}$, $y=\sqrt{3}x+\frac{\sqrt{3}}{3}\pi-\frac{1}{2}$

06 ⑤ **07** 4 **08** $\frac{3}{4}$ **09** ① **10** $-\frac{e^4}{4}$

11 $-\frac{5}{4}$ **12** ④ **13** 10 **14** 15

15 풀이 참조

01

(1) $f(x)=x\sqrt{x}$라 하면
$$f'(x)=\frac{3\sqrt{x}}{2}, \ f'(4)=3$$
따라서 접선의 방정식은
$$y-8=3(x-4) \qquad \therefore y=3x-4$$

(2) $f(x)=x^2\ln x$라 하면
$$f'(x)=2x\ln x+x, \ f'(e)=3e$$
따라서 접선의 방정식은
$$y-e^2=3e(x-e) \qquad \therefore y=3ex-2e^2$$

답 (1) $y=3x-4$ (2) $y=3ex-2e^2$

02

$f(x)=ax-\sin x$라 하면
$$f'(x)=a-\cos x$$
곡선 $y=f(x)$가 점 $\left(\frac{\pi}{2}, b\right)$를 지나므로
$$f\left(\frac{\pi}{2}\right)=a\times\frac{\pi}{2}-\sin\frac{\pi}{2}=b \qquad \cdots \text{㉠}$$
$x=\frac{\pi}{2}$일 때 접선의 기울기가 1이므로
$$f'\left(\frac{\pi}{2}\right)=a-\cos\frac{\pi}{2}=1 \qquad \therefore a=1$$
$a=1$을 ㉠에 대입하면 $b=\frac{\pi}{2}-1$
$$\therefore a+b=\frac{\pi}{2}$$

답 ④

03

$f(x)=x\sin x$라 하면
$$f'(x)=\sin x+x\cos x$$
점 $\left(\frac{\pi}{2}, \frac{\pi}{2}\right)$에서 접선의 기울기는
$$f'\left(\frac{\pi}{2}\right)=\sin\frac{\pi}{2}+\frac{\pi}{2}\cos\frac{\pi}{2}=1$$
따라서 이 접선에 수직인 직선은 기울기가 -1이고,
점 $\left(\frac{\pi}{2}, \frac{\pi}{2}\right)$를 지나므로
$$y-\frac{\pi}{2}=-\left(x-\frac{\pi}{2}\right) \qquad \therefore y=-x+\pi$$
이 직선이 점 $\left(\frac{\pi}{6}, a\right)$를 지나므로
$$a=-\frac{\pi}{6}+\pi=\frac{5}{6}\pi$$

답 ⑤

04

$f(x)=2x+\ln x$라 하면

$f'(x)=2+\dfrac{1}{x}$

두 점 A, B를 지나는 직선의 기울기는 $\dfrac{2e-1}{e-1}$이므로 선

분 AB와 평행한 직선이 곡선과 접하는 점의 x좌표를 a

라 하면

$f'(a)=\dfrac{2e-1}{e-1}$에서 $2+\dfrac{1}{a}=\dfrac{2e-1}{e-1}$, $\dfrac{1}{a}=\dfrac{1}{e-1}$

$\therefore a=e-1$

답 $e-1$

05

$f(x)=\cos 2x$라 하면

$f'(x)=-2\sin 2x$

접선의 기울기가

$\tan\dfrac{\pi}{3}=\sqrt{3}$이므로

접점을 $(a,\,\cos 2a)$라 하면

$f'(a)=\sqrt{3}$에서 $-2\sin 2a=\sqrt{3}$

$\therefore \sin 2a=-\dfrac{\sqrt{3}}{2}$

$-\pi<2a<\pi$이므로

$2a=-\dfrac{\pi}{3}$ 또는 $2a=-\dfrac{2}{3}\pi$

$\therefore a=-\dfrac{\pi}{6}$ 또는 $a=-\dfrac{\pi}{3}$

따라서 접선의 방정식은

$y-\cos\left(-\dfrac{\pi}{3}\right)=\sqrt{3}\left(x+\dfrac{\pi}{6}\right)$

또는 $y-\cos\left(-\dfrac{2}{3}\pi\right)=\sqrt{3}\left(x+\dfrac{\pi}{3}\right)$

$\therefore y=\sqrt{3}x+\dfrac{\sqrt{3}}{6}\pi+\dfrac{1}{2}$ 또는 $y=\sqrt{3}x+\dfrac{\sqrt{3}}{3}\pi-\dfrac{1}{2}$

답 $y=\sqrt{3}x+\dfrac{\sqrt{3}}{6}\pi+\dfrac{1}{2},\ y=\sqrt{3}x+\dfrac{\sqrt{3}}{3}\pi-\dfrac{1}{2}$

06

점 A$(a,\,3e^{a-1})$이라 하자.

$y'=3e^{x-1}$이므로 A에서

접선의 기울기는 $3e^{a-1}$이고,

접선의 방정식은

$y-3e^{a-1}=3e^{a-1}(x-a)$

이 직선이 원점을 지나므로

$-3e^{a-1}=-3ae^{a-1}$

$e^{a-1}>0$이므로 $a=1$

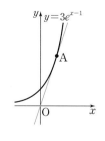

곧, A$(1,\,3)$이므로

$\overline{OA}=\sqrt{1^2+3^2}=\sqrt{10}$

답 ⑤

07

점 $(2\sqrt{3},\,-2\sqrt{3})$이 곡선 위의 점이므로

$\dfrac{3}{\sin\theta}=2\sqrt{3}$, $2\tan\theta=-2\sqrt{3}$

$\therefore \sin\theta=\dfrac{\sqrt{3}}{2}$, $\tan\theta=-\sqrt{3}$

$0<\theta<\pi$이므로 $\theta=\dfrac{2}{3}\pi$

또 $\dfrac{dx}{d\theta}=\dfrac{-3\cos\theta}{\sin^2\theta}$, $\dfrac{dy}{d\theta}=2\sec^2\theta=\dfrac{2}{\cos^2\theta}$이므로

$\dfrac{dy}{dx}=\dfrac{\dfrac{dy}{d\theta}}{\dfrac{dx}{d\theta}}=\dfrac{\dfrac{2}{\cos^2\theta}}{\dfrac{-3\cos\theta}{\sin^2\theta}}=-\dfrac{2\sin^2\theta}{3\cos^3\theta}$

$\theta=\dfrac{2}{3}\pi$일 때, $\dfrac{dy}{dx}=-\dfrac{2\times\left(\dfrac{\sqrt{3}}{2}\right)^2}{3\times\left(-\dfrac{1}{2}\right)^3}=4$

답 4

참고 $\left(\dfrac{1}{\sin\theta}\right)'=(\csc\theta)'=-\csc\theta\cot\theta$를 이용하여 풀

수도 있다.

08 전략 삼각함수의 덧셈정리를 이용하여 $\tan\theta$의 값을 구

한다.

$l,\,m$이 x축의 양의 방

향과 이루는 각의 크기

를 각각 $\alpha,\,\beta$라 하자.

$f'(x)=\dfrac{2(x+1)-2x}{(x+1)^2}$

$=\dfrac{2}{(x+1)^2}$

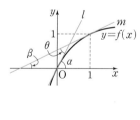

이므로

$\tan\alpha=f'(0)=2$, $\tan\beta=f'(1)=\dfrac{1}{2}$

이때 $\theta=\alpha-\beta$이므로

$\tan\theta=\tan(\alpha-\beta)=\dfrac{\tan\alpha-\tan\beta}{1+\tan\alpha\tan\beta}$

$=\dfrac{2-\dfrac{1}{2}}{1+2\times\dfrac{1}{2}}=\dfrac{3}{4}$

답 $\dfrac{3}{4}$

09 전략 접점의 좌표를 $(a,\ e^{a+k})$으로 놓은 다음, 접선의 방정식을 구한다.

$f(x)=e^{x+k}$이라 하고, 접점을 $(a,\ e^{a+k})$이라 하자.

$f'(x)=e^{x+k},\ f'(a)=e^{a+k}$

이므로 접선의 방정식은

$y-e^{a+k}=e^{a+k}(x-a)$

점 $(1,\ 0)$을 지나므로

$-e^{a+k}=e^{a+k}(1-a)$ ⋯ ㉠

또 점 $(3,\ 2)$를 지나므로

$2-e^{a+k}=e^{a+k}(3-a)$ ⋯ ㉡

㉠에서 $e^{a+k}>0$이므로 $a=2$

$a=2$를 ㉡에 대입하면

$2-e^{2+k}=e^{2+k}$

$2=2e^{2+k}$ ∴ $k=-2$

답 ①

10 전략 근과 계수의 관계를 이용하여 m_1m_2의 값을 구한다.

$f(x)=\dfrac{e^x}{x}$이라 하고, 접점을 $\left(a,\ \dfrac{e^a}{a}\right)$이라 하자.

$f'(x)=\dfrac{xe^x-e^x}{x^2}=\dfrac{e^x(x-1)}{x^2}$

이므로 접선의 방정식은

$y-\dfrac{e^a}{a}=\dfrac{e^a(a-1)}{a^2}(x-a)$

점 $(2,\ 0)$을 지나므로

$-\dfrac{e^a}{a}=\dfrac{e^a(a-1)}{a^2}\times(2-a)$

$-ae^a=e^a(a-1)(2-a)$

$e^a>0$이므로 $-a=(a-1)(2-a),\ a^2-4a+2=0$

이 방정식의 두 근을 $\alpha,\ \beta$라 하면

$m_1=\dfrac{e^{\alpha}(\alpha-1)}{\alpha^2},\ m_2=\dfrac{e^{\beta}(\beta-1)}{\beta^2}$

이고, 근과 계수의 관계에서 $\alpha+\beta=4,\ \alpha\beta=2$이므로

$m_1m_2=\dfrac{e^{\alpha}(\alpha-1)}{\alpha^2}\times\dfrac{e^{\beta}(\beta-1)}{\beta^2}$

$=\dfrac{e^{\alpha+\beta}(\alpha\beta-\alpha-\beta+1)}{(\alpha\beta)^2}$

$=\dfrac{e^4(2-4+1)}{4}=-\dfrac{e^4}{4}$

답 $-\dfrac{e^4}{4}$

11 전략 두 곡선 $y=f(x),\ y=g(x)$가 $x=t$인 점에서 접하면 $f(t)=g(t),\ f'(t)=g'(t)$이다.

$f(t)=g(t)$이므로

$\cos^2 t+a=\sin t$ ⋯ ㉠

$f'(x)=-2\cos x\sin x,\ g'(x)=\cos x$이고

$f'(t)=g'(t)$이므로

$-2\cos t\sin t=\cos t,\ \cos t(2\sin t+1)=0$

∴ $\cos t=0$ 또는 $\sin t=-\dfrac{1}{2}$

$-\dfrac{\pi}{2}<t<\dfrac{\pi}{2}$이므로 $\sin t=-\dfrac{1}{2}$ ∴ $t=-\dfrac{\pi}{6}$

$t=-\dfrac{\pi}{6}$를 ㉠에 대입하면

$\dfrac{3}{4}+a=-\dfrac{1}{2}$ ∴ $a=-\dfrac{5}{4}$

답 $-\dfrac{5}{4}$

12 전략 두 곡선이 역함수 관계임을 이용한다.

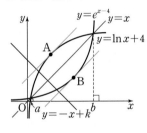

$y=\ln x+4$는 함수 $y=e^{x-4}$의 역함수이므로 두 곡선은 직선 $y=x$에 대칭이다.

또 두 직선 $y=x$와 $y=-x+k$는 수직이므로 두 점 A, B에서 접선의 기울기가 1일 때, 선분 AB의 길이가 최대이다.

$f(x)=\ln x+4$라 하고, A의 x좌표를 p라 하면

$f'(x)=\dfrac{1}{x},\ f'(p)=1$이므로

$\dfrac{1}{p}=1$ ∴ $p=1$

$A(1,\ 4)$이고 이 점이 직선 $y=-x+k$ 위의 점이므로

$4=-1+k$ ∴ $k=5$

답 ④

13 전략 $x\to a$일 때 극한값이 존재하고 (분모) $\to 0$이면 (분자) $\to 0$이다.

$\lim\limits_{x\to 1}\dfrac{f(x)-\dfrac{\pi}{6}}{x-1}$에서 $x\to 1$일 때 극한값이 존재하고 (분모) $\to 0$이므로 (분자) $\to 0$이다.

곧, $f(1)-\dfrac{\pi}{6}=0$이므로

$f(1)=\dfrac{\pi}{6}$이고 $k=f'(1)$ $\qquad \cdots$ ㉠

$h(x)=(g\circ f)(x)$라 하면

$h(x)=\sin f(x)$이므로

$h(1)=\sin f(1)=\sin \dfrac{\pi}{6}=\dfrac{1}{2}$

또 $h'(x)=f'(x)\cos f(x)$이므로

$h'(1)=f'(1)\cos f(1)=f'(1)\times \cos \dfrac{\pi}{6}=\dfrac{\sqrt{3}}{2}f'(1)$

따라서 $x=1$인 점에서 곡선 $y=h(x)$의 접선의 방정식은

$y-\dfrac{1}{2}=\dfrac{\sqrt{3}}{2}f'(1)(x-1)$

원점을 지나므로

$-\dfrac{1}{2}=-\dfrac{\sqrt{3}}{2}f'(1)$ $\qquad \therefore f'(1)=\dfrac{1}{\sqrt{3}}$

㉠에서 $k=\dfrac{1}{\sqrt{3}}$

$\therefore 30k^2=30\times \dfrac{1}{3}=10$

답 10

14 **전략** 역함수의 미분법을 이용하여 접선의 기울기를 구한다.

$h(x)=f(2x)$라 하자.

$f(2)=1$이므로 $h(1)=f(2)=1$

또 $f'(2)=1$이고 $h'(x)=2f'(2x)$이므로

$h'(1)=2f'(2)=2$

점 $(1, a)$가 곡선 $y=g(x)$ 위의 점이므로

$g(1)=a$

$h(x)$는 함수 $g(x)$의 역함수이므로

$h(a)=1$ $\qquad \therefore a=1$

$g(1)=1$이므로 $x=1$인 점에서 곡선 $y=g(x)$의 접선의 기울기는

$g'(1)=\dfrac{1}{h'(1)}=\dfrac{1}{2}$ $\qquad \therefore b=\dfrac{1}{2}$

$\therefore 10(a+b)=10\times \left(1+\dfrac{1}{2}\right)=15$

답 15

15 **전략** 평균값 정리를 이용한다.

(1) 함수 $f(x)$는 구간 $[0, 1]$에서 연속이고 구간 $(0, 1)$에서 미분가능하므로 평균값 정리에서

$\dfrac{f(1)-f(0)}{1-0}=f'(c)$

를 만족시키는 c가 $0<c<1$에서 적어도 하나 존재한다.

곧, $\dfrac{f(1)-f(0)}{1-0}=\dfrac{1-\dfrac{1}{5}}{1-0}=\dfrac{4}{5}$이므로

$f'(c)=\dfrac{4}{5}$인 c가 구간 $(0, 1)$에 존재한다.

(2) 구간 $(0, 1)$에서 직선 $y=x$와 곡선 $y=f(x)$의 교점을 (a, a)라 하자.

함수 $g(x)$는 구간 $[a, 1]$에서 연속이고 구간 $(a, 1)$에서 미분가능하므로 평균값 정리에서

$\dfrac{g(1)-g(a)}{1-a}=g'(c)$

를 만족시키는 c가 $a<c<1$에 적어도 하나 존재한다.

$g(1)=f(f(1))=f(1)=1$,

$g(a)=f(f(a))=f(a)=a$

이므로

$\dfrac{g(1)-g(a)}{1-a}=\dfrac{1-a}{1-a}=1$

곧, 구간 $(a, 1)$에 $g'(c)=1$인 c가 존재한다.

따라서 $g'(c)=1$인 c가 구간 $(0, 1)$에 존재한다.

답 풀이 참조

그래프

1

(1) $f(x)=x^3+2x^2$이라 하면

$f'(x)=3x^2+4x$, $f''(x)=6x+4$

$f''(x)=0$에서 $x=-\dfrac{2}{3}$

이때 $f''(x)$의 부호를 조사하면

$x<-\dfrac{2}{3}$에서 $f''(x)<0$, $x>-\dfrac{2}{3}$에서 $f''(x)>0$

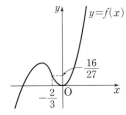

따라서 곡선 $y=f(x)$의 변곡점의 좌표는

$\left(-\dfrac{2}{3},\ \dfrac{16}{27}\right)$

(2) $f(x)=x^4-3x^2$이라 하면 $f'(x)=4x^3-6x$

$f''(x)=12x^2-6=12\left(x+\dfrac{\sqrt{2}}{2}\right)\left(x-\dfrac{\sqrt{2}}{2}\right)$

$f''(x)=0$에서 $x=\pm\dfrac{\sqrt{2}}{2}$

이때 $f''(x)$의 부호를 조사하면

$x<-\dfrac{\sqrt{2}}{2}$에서 $f''(x)>0$,

$-\dfrac{\sqrt{2}}{2}<x<\dfrac{\sqrt{2}}{2}$에서 $f''(x)<0$,

$x>\dfrac{\sqrt{2}}{2}$에서 $f''(x)>0$

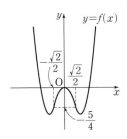

따라서 곡선 $y=f(x)$의 변곡점의 좌표는

$\left(-\dfrac{\sqrt{2}}{2},\ -\dfrac{5}{4}\right),\left(\dfrac{\sqrt{2}}{2},\ -\dfrac{5}{4}\right)$

답 (1) $\left(-\dfrac{2}{3},\ \dfrac{16}{27}\right)$　(2) $\left(-\dfrac{\sqrt{2}}{2},\ -\dfrac{5}{4}\right),\left(\dfrac{\sqrt{2}}{2},\ -\dfrac{5}{4}\right)$

대표 01

(1) $f'(x)=1-\dfrac{1}{2\sqrt{x}}=\dfrac{2\sqrt{x}-1}{2\sqrt{x}}$

$f'(x)=0$에서 $2\sqrt{x}=1$　∴ $x=\dfrac{1}{4}$

$x\geq0$에서 함수 $f(x)$의 증감표는 다음과 같다.

x	0	$\cdots$	$\dfrac{1}{4}$	$\cdots$
$f'(x)$		$-$	0	$+$
$f(x)$	0	$\searrow$	$-\dfrac{1}{4}$	$\nearrow$

따라서 극솟값은 $f\left(\dfrac{1}{4}\right)=-\dfrac{1}{4}$

(2) $g'(x)=\dfrac{2(x^2+1)-2x\times2x}{(x^2+1)^2}=\dfrac{-2(x+1)(x-1)}{(x^2+1)^2}$

$g'(x)=0$에서 $x=\pm1$

함수 $g(x)$의 증감표는 다음과 같다.

x	$\cdots$	-1	$\cdots$	1	$\cdots$
$g'(x)$	$-$	0	$+$	0	$-$
$g(x)$	$\searrow$	-1	$\nearrow$	1	$\searrow$

따라서 극댓값은 $g(1)=1$, 극솟값은 $g(-1)=-1$

(3) $h'(x)=e^x(\sin x+\cos x)+e^x(\cos x-\sin x)$

$\quad\ \ =2e^x\cos x$

$h'(x)=0$에서 $\cos x=0$　∴ $x=\dfrac{\pi}{2}$ 또는 $x=\dfrac{3}{2}\pi$

$0<x<2\pi$에서 함수 $h(x)$의 증감표는 다음과 같다.

x	(0)	$\cdots$	$\dfrac{\pi}{2}$	$\cdots$	$\dfrac{3}{2}\pi$	$\cdots$	(2π)
$h'(x)$		$+$	0	$-$	0	$+$	
$h(x)$		$\nearrow$	$e^{\frac{\pi}{2}}$	$\searrow$	$-e^{\frac{3}{2}\pi}$	$\nearrow$	

따라서 극댓값은 $h\left(\dfrac{\pi}{2}\right)=e^{\frac{\pi}{2}}$,

극솟값은 $h\left(\dfrac{3}{2}\pi\right)=-e^{\frac{3}{2}\pi}$

답 (1) 극솟값 : $-\dfrac{1}{4}$　(2) 극댓값 : 1, 극솟값 : -1

(3) 극댓값 : $e^{\frac{\pi}{2}}$, 극솟값 : $-e^{\frac{3}{2}\pi}$

참고 (1) $f''(x)=\dfrac{1}{4x\sqrt{x}}$이므로 $x>0$에서 $f''(x)>0$이다.

따라서 곡선은 아래로 볼록하고 극값은 극솟값이다.

(2) $g''(x)$보다는 증감을 조사하는 것이 편하다.

(3) $h''(x)=2e^x\cos x-2e^x\sin x$

$\qquad =2e^x(\cos x-\sin x)$

$h''\left(\dfrac{\pi}{2}\right)<0$이므로 $x=\dfrac{\pi}{2}$에서 극대,

$h''\left(\dfrac{3}{2}\pi\right)>0$이므로 $x=\dfrac{3}{2}\pi$에서 극소라 해도 된다.

함수의 그래프는 그림과 같다.

(1)
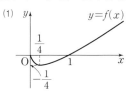

(2)
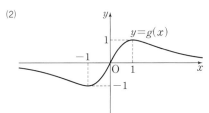

(3)
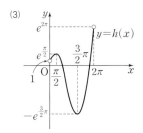

1-1

(1) $f'(x)=e^{-x+2}-xe^{-x+2}=(1-x)e^{-x+2}$

$f'(x)=0$에서 $x=1$

함수 $f(x)$의 증감표는 다음과 같다.

x	$\cdots$	1	$\cdots$
$f'(x)$	$+$	0	$-$
$f(x)$	$\nearrow$	e	$\searrow$

따라서 극댓값은 $f(1)=e$

(2) $g'(x)=2x\ln x+x=x(2\ln x+1)$

$g'(x)=0$에서 $x=e^{-\frac{1}{2}}$ $(\because x>0)$

$x>0$에서 함수 $g(x)$의 증감표는 다음과 같다.

x	(0)	$\cdots$	$e^{-\frac{1}{2}}$	$\cdots$
$g'(x)$		$-$	0	$+$
$g(x)$		$\searrow$	$-\dfrac{1}{2e}$	$\nearrow$

따라서 극솟값은 $g(e^{-\frac{1}{2}})=-\dfrac{1}{2e}$

(3) $h'(x)=1-2\cos x$

$h'(x)=0$에서 $\cos x=\dfrac{1}{2}$ $\quad\therefore x=\dfrac{\pi}{3}$ 또는 $x=\dfrac{5}{3}\pi$

$0<x<2\pi$에서 함수 $h(x)$의 증감표는 다음과 같다.

x	(0)	$\cdots$	$\dfrac{\pi}{3}$	$\cdots$	$\dfrac{5}{3}\pi$	$\cdots$	(2π)
$h'(x)$		$-$	0	$+$	0	$-$	
$h(x)$		$\searrow$	$\dfrac{\pi}{3}-\sqrt{3}$	$\nearrow$	$\dfrac{5}{3}\pi+\sqrt{3}$	$\searrow$	

따라서 극댓값은 $h\left(\dfrac{5}{3}\pi\right)=\dfrac{5}{3}\pi+\sqrt{3}$,

극솟값은 $h\left(\dfrac{\pi}{3}\right)=\dfrac{\pi}{3}-\sqrt{3}$

답 (1) 극댓값 : e 　　(2) 극솟값 : $-\dfrac{1}{2e}$

　　(3) 극댓값 : $\dfrac{5}{3}\pi+\sqrt{3}$, 극솟값 : $\dfrac{\pi}{3}-\sqrt{3}$

참고 함수의 그래프는 그림과 같다.

(1)
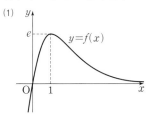

(2)
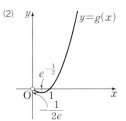

(3)
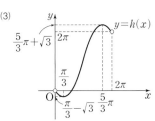

대표 02

(1) $f'(x)=(2x+1)e^{-x}-(x^2+x+k)e^{-x}$

$\qquad =-(x^2-x+k-1)e^{-x}$

함수 $f(x)$가 극값을 갖지 않으려면 모든 실수 x에 대하여

$f'(x) \geq 0$ 또는 $f'(x) \leq 0$

$e^{-x} > 0$이므로 이차방정식 $x^2 - x + k - 1 = 0$이 실근을 갖지 않거나 중근을 가진다.

곧, $D = 1 - 4(k-1) \leq 0$ $\quad \therefore k \geq \dfrac{5}{4}$

(2) $g'(x) = a + \dfrac{1}{x}$

$x = 1$에서 극값을 가지므로

$g'(1) = 0$에서 $a + 1 = 0$ $\quad \therefore a = -1$

또 $g(x) = -x + b + \ln x$이고, 극솟값이 -2이므로

$g(1) = -2$에서 $-1 + b + \ln 1 = -2$

$\therefore b = -1$

(3) $h'(x) = \dfrac{(x^2 + a) - (x+b) \times 2x}{(x^2 + a)^2}$

$\qquad = \dfrac{-x^2 - 2bx + a}{(x^2 + a)^2}$

$x = -3$과 $x = 1$에서 극값을 가지므로

$h'(-3) = 0$에서 $-9 + 6b + a = 0$ $\quad \cdots$ ㉠

$h'(1) = 0$에서 $-1 - 2b + a = 0$ $\quad \cdots$ ㉡

㉠, ㉡을 연립하여 풀면

$a = 3$, $b = 1$

이때 $h'(x) = -\dfrac{(x+3)(x-1)}{(x^2+3)^2}$이므로 증감을 조사하면 $x = -3$에서 극소이고 $x = 1$에서 극대이다.

따라서 $h(x) = \dfrac{x+1}{x^2+3}$이므로

극댓값은 $h(1) = \dfrac{1}{2}$, 극솟값은 $h(-3) = -\dfrac{1}{6}$

답 (1) $k \geq \dfrac{5}{4}$ (2) $a = -1$, $b = -1$

(3) 극댓값 : $\dfrac{1}{2}$, 극솟값 : $-\dfrac{1}{6}$

참고 (1) $f'(x) \leq 0$이므로 구간 $(-\infty, \infty)$에서 함수 $f(x)$는 감소한다.

2-1

$f'(x) = k + 3\sin x$

함수 $f(x)$가 극값을 갖지 않으려면 모든 실수 x에 대하여

$f'(x) \geq 0$ 또는 $f'(x) \leq 0$

$-1 \leq \sin x \leq 1$이므로

$k - 3 \leq k + 3\sin x \leq k + 3$

따라서 $k + 3 \leq 0$ 또는 $k - 3 \geq 0$이어야 하므로

$k \leq -3$ 또는 $k \geq 3$

답 $k \leq -3$ 또는 $k \geq 3$

2-2

(1) $f'(x) = a + be^{x-2}$

$x = 2$에서 극값을 가지므로

$f'(2) = 0$에서 $a + b = 0$ $\quad \cdots$ ㉠

또 극댓값이 1이므로

$f(2) = 1$에서 $2a + b = 1$ $\quad \cdots$ ㉡

㉠, ㉡을 연립하여 풀면

$a = 1$, $b = -1$

(2) $g'(x) = 2ax - b + \dfrac{1}{x}$

$x = \dfrac{1}{4}$과 $x = 1$에서 극값을 가지므로

$g'\left(\dfrac{1}{4}\right) = 0$에서 $\dfrac{a}{2} - b + 4 = 0$ $\quad \cdots$ ㉠

$g'(1) = 0$에서 $2a - b + 1 = 0$ $\quad \cdots$ ㉡

㉠, ㉡을 연립하여 풀면

$a = 2$, $b = 5$

이때 $g'(x) = 4x - 5 + \dfrac{1}{x}$이므로 증감을 조사하면

$x = \dfrac{1}{4}$에서 극대이고 $x = 1$에서 극소이다.

따라서 $g(x) = 2x^2 - 5x + \ln x$이므로

극댓값은 $g\left(\dfrac{1}{4}\right) = -\dfrac{9}{8} - 2\ln 2$,

극솟값은 $g(1) = -3$

답 (1) $a = 1$, $b = -1$

(2) 극댓값 : $-\dfrac{9}{8} - 2\ln 2$, 극솟값 : -3

대표 03

(1) $f(x) = x^4 - 6x^2 + 1$이라 하면

$f'(x) = 4x^3 - 12x$

$f''(x) = 12x^2 - 12 = 12(x+1)(x-1)$

$f''(x) = 0$에서 $x = -1$ 또는 $x = 1$

x	$\cdots$	-1	$\cdots$	1	$\cdots$
$f''(x)$	$+$	0	$-$	0	$+$
$f(x)$	$\cup$		$\cap$		$\cup$

구간 $(-\infty, -1)$ 또는 $(1, \infty)$에서 아래로 볼록하고, 구간 $(-1, 1)$에서 위로 볼록하다.

또 $f(-1) = -4$, $f(1) = -4$이므로 변곡점의 좌표는 $(-1, -4)$, $(1, -4)$이다.

(2) $f(x)=\dfrac{1}{x^2+1}$이라 하면

$$f'(x)=-\dfrac{2x}{(x^2+1)^2}$$

$$f''(x)=-\dfrac{2(x^2+1)^2-2x\times2(x^2+1)\times2x}{(x^2+1)^4}$$

$$=\dfrac{2(3x^2-1)}{(x^2+1)^3}$$

$f''(x)=0$에서 $x=\pm\dfrac{\sqrt{3}}{3}$

x	$\cdots$	$-\dfrac{\sqrt{3}}{3}$	$\cdots$	$\dfrac{\sqrt{3}}{3}$	$\cdots$
$f''(x)$	$+$	0	$-$	0	$+$
$f(x)$	$\cup$		$\cap$		$\cup$

구간 $\left(-\infty,\ -\dfrac{\sqrt{3}}{3}\right)$ 또는 $\left(\dfrac{\sqrt{3}}{3},\ \infty\right)$에서 아래로 볼록하고, 구간 $\left(-\dfrac{\sqrt{3}}{3},\ \dfrac{\sqrt{3}}{3}\right)$에서 위로 볼록하다.

또 $f\left(-\dfrac{\sqrt{3}}{3}\right)=\dfrac{3}{4}$, $f\left(\dfrac{\sqrt{3}}{3}\right)=\dfrac{3}{4}$이므로 변곡점의 좌표는 $\left(-\dfrac{\sqrt{3}}{3},\ \dfrac{3}{4}\right)$, $\left(\dfrac{\sqrt{3}}{3},\ \dfrac{3}{4}\right)$이다.

(3) $f(x)=x\ln x$라 하면

$$f'(x)=\ln x+1,\ f''(x)=\dfrac{1}{x}$$

$x>0$인 모든 실수 x에 대하여 $f''(x)>0$

따라서 구간 $(0,\ \infty)$에서 아래로 볼록하고, 변곡점은 없다.

(4) $f(x)=x+2\cos x$라 하면

$$f'(x)=1-2\sin x$$

$$f''(x)=-2\cos x$$

$f''(x)=0$에서 $x=\dfrac{\pi}{2}$ 또는 $x=\dfrac{3}{2}\pi$

x	(0)	$\cdots$	$\dfrac{\pi}{2}$	$\cdots$	$\dfrac{3}{2}\pi$	$\cdots$	(2π)
$f''(x)$		$-$	0	$+$	0	$-$	
$f(x)$		$\cap$		$\cup$		$\cap$	

구간 $\left(0,\ \dfrac{\pi}{2}\right)$ 또는 $\left(\dfrac{3}{2}\pi,\ 2\pi\right)$에서 위로 볼록하고, 구간 $\left(\dfrac{\pi}{2},\ \dfrac{3}{2}\pi\right)$에서 아래로 볼록하다.

또 $f\left(\dfrac{\pi}{2}\right)=\dfrac{\pi}{2}$, $f\left(\dfrac{3}{2}\pi\right)=\dfrac{3}{2}\pi$이므로 변곡점의 좌표는 $\left(\dfrac{\pi}{2},\ \dfrac{\pi}{2}\right)$, $\left(\dfrac{3}{2}\pi,\ \dfrac{3}{2}\pi\right)$이다.

📖 풀이 참조

3-1

(1) $f(x)=x^4+4x^3+15$라 하면

$$f'(x)=4x^3+12x^2$$

$$f''(x)=12x^2+24x=12x(x+2)$$

$f''(x)=0$에서 $x=-2$ 또는 $x=0$

x	$\cdots$	-2	$\cdots$	0	$\cdots$
$f''(x)$	$+$	0	$-$	0	$+$
$f(x)$	$\cup$		$\cap$		$\cup$

구간 $(-\infty,\ -2)$ 또는 $(0,\ \infty)$에서 아래로 볼록하고, 구간 $(-2,\ 0)$에서 위로 볼록하다.

또 $f(-2)=-1$, $f(0)=15$이므로 변곡점의 좌표는 $(-2,\ -1)$, $(0,\ 15)$이다.

(2) $f(x)=\dfrac{x}{x^2+1}$라 하면

$$f'(x)=\dfrac{(x^2+1)-x\times2x}{(x^2+1)^2}=\dfrac{-x^2+1}{(x^2+1)^2}$$

$$f''(x)=\dfrac{-2x(x^2+1)^2-(-x^2+1)\times2(x^2+1)\times2x}{(x^2+1)^4}$$

$$=\dfrac{2x(x^2-3)}{(x^2+1)^3}$$

$f''(x)=0$에서 $x=0$ 또는 $x=\pm\sqrt{3}$

x	$\cdots$	$-\sqrt{3}$	$\cdots$	0	$\cdots$	$\sqrt{3}$	$\cdots$
$f''(x)$	$-$	0	$+$	0	$-$	0	$+$
$f(x)$	$\cap$		$\cup$		$\cap$		$\cup$

구간 $(-\infty,\ -\sqrt{3})$ 또는 $(0,\ \sqrt{3})$에서 위로 볼록하고, 구간 $(-\sqrt{3},\ 0)$ 또는 $(\sqrt{3},\ \infty)$에서 아래로 볼록하다.

또 $f(-\sqrt{3})=-\dfrac{\sqrt{3}}{4}$, $f(0)=0$, $f(\sqrt{3})=\dfrac{\sqrt{3}}{4}$이므로 변곡점의 좌표는 $\left(-\sqrt{3},\ -\dfrac{\sqrt{3}}{4}\right)$, $(0,\ 0)$, $\left(\sqrt{3},\ \dfrac{\sqrt{3}}{4}\right)$이다.

(3) $f(x)=xe^x$이라 하면

$$f'(x)=e^x+xe^x=(1+x)e^x$$

$$f''(x)=e^x+(1+x)e^x=(2+x)e^x$$

$f''(x)=0$에서 $x=-2$

x	$\cdots$	-2	$\cdots$
$f''(x)$	$-$	0	$+$
$f(x)$	$\cap$		$\cup$

구간 $(-\infty,\ -2)$에서 위로 볼록하고, 구간 $(-2,\ \infty)$에서 아래로 볼록하다.

또 $f(-2)=-\dfrac{2}{e^2}$이므로 변곡점의 좌표는

$\left(-2,\ -\dfrac{2}{e^2}\right)$이다.

(4) $f(x)=\ln(x^2+1)$이라 하면

$$f'(x)=\frac{2x}{x^2+1}$$

$$f''(x)=\frac{2(x^2+1)-2x\times 2x}{(x^2+1)^2}=\frac{-2(x^2-1)}{(x^2+1)^2}$$

$f''(x)=0$에서 $x=\pm 1$

x	$\cdots$	-1	$\cdots$	1	$\cdots$
$f''(x)$	$-$	0	$+$	0	$-$
$f(x)$	$\cap$		$\cup$		$\cap$

구간 $(-\infty,\ -1)$ 또는 $(1,\ \infty)$에서 위로 볼록하고, 구간 $(-1,\ 1)$에서 아래로 볼록하다.

또 $f(-1)=\ln 2$, $f(1)=\ln 2$이므로 변곡점의 좌표는 $(-1,\ \ln 2)$, $(1,\ \ln 2)$이다.

🔁 풀이 참조

대표 04

(1) $f(x)=a\sin x+b\cos 2x$라 하면

$$f'(x)=a\cos x-2b\sin 2x$$

$$f''(x)=-a\sin x-4b\cos 2x$$

변곡점의 좌표가 $\left(\dfrac{\pi}{2},\ 2\right)$이므로

$f\left(\dfrac{\pi}{2}\right)=2$에서 $a-b=2$ $\cdots$ ㉠

$f''\left(\dfrac{\pi}{2}\right)=0$에서 $-a+4b=0$ $\cdots$ ㉡

㉠, ㉡을 연립하여 풀면 $a=\dfrac{8}{3}$, $b=\dfrac{2}{3}$

(2) $f(x)=(x^2+k)e^x$이라 하면

$$f'(x)=2xe^x+(x^2+k)e^x=(x^2+2x+k)e^x$$

$$f''(x)=(2x+2)e^x+(x^2+2x+k)e^x$$
$$=(x^2+4x+2+k)e^x$$

변곡점이 없고, 모든 실수 x에 대하여 $e^x>0$이므로 이차방정식 $x^2+4x+2+k=0$이 실근을 갖지 않거나 중근을 가진다.

곧, $\dfrac{D}{4}=4-(2+k)\le 0$ $\therefore k\ge 2$

(3) $f(x)=x^3+ax^2+b$라 하면

$f'(x)=3x^2+2ax$, $f''(x)=6x+2a$

$f''(x)=0$에서 $x=-\dfrac{a}{3}$이므로

변곡점의 x좌표는 $-\dfrac{a}{3}$이다.

변곡점에서 접선의 기울기가 -3이므로

$f'\left(-\dfrac{a}{3}\right)=-3$에서 $\dfrac{a^2}{3}-\dfrac{2}{3}a^2=-3$, $a^2=9$

$a>0$이므로 $a=3$

$\therefore f(x)=x^3+3x^2+b$

변곡점의 좌표는 $(-1,\ b+2)$이고,

이 점이 직선 $y=-3x+1$ 위의 점이므로

$b+2=3+1$ $\therefore b=2$

🔁 (1) $a=\dfrac{8}{3}$, $b=\dfrac{2}{3}$ (2) $k\ge 2$ (3) $a=3$, $b=2$

4-1

$f(x)=\dfrac{x^2+ax+b}{x^2-1}$라 하면

$$f'(x)=\frac{-ax^2-2(1+b)x-a}{(x^2-1)^2}$$

$$f''(x)=\frac{2ax^3+6(1+b)x^2+6ax+2(1+b)}{(x^2-1)^3}$$

변곡점의 좌표가 $(2,\ 9)$이므로

$f(2)=9$에서 $2a+b-23=0$ $\cdots$ ㉠

$f''(2)=0$에서 $14a+13b+13=0$ $\cdots$ ㉡

㉠, ㉡을 연립하여 풀면 $a=26$, $b=-29$

🔁 $a=26$, $b=-29$

4-2

$f(x)=(\ln ax)^2$이라 하면

$$f'(x)=2(\ln ax)\times \frac{a}{ax}=\frac{2\ln ax}{x}$$

$$f''(x)=\frac{\dfrac{2a}{ax}\times x-2\ln ax}{x^2}=\frac{2(1-\ln ax)}{x^2}$$

$f''(x)=0$에서 $x=\dfrac{e}{a}$이므로

변곡점의 x좌표는 $\dfrac{e}{a}$이다.

변곡점에서 접선의 기울기가 4이므로

$f'\left(\dfrac{e}{a}\right)=4$에서 $\dfrac{2}{\dfrac{e}{a}}=4$ $\therefore a=2e$

🔁 $2e$

낱선 05

(1) $f(-x)=-f(x)$의 양변을 미분하면

$-f'(-x)=-f'(x)$ $\therefore f'(-x)=f'(x)$ (참)

(2) (1)에서 $y=f'(x)$의 그래프는 y축에 대칭이다.

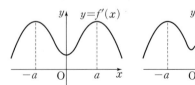

따라서 그림과 같이 $f'(x)$는 $x=0$에서 극소일 수도 있고, 극대일 수도 있다. (거짓)

(3) $f'(-x)=f'(x)$의 양변을 미분하면
$$-f''(-x)=f''(x)$$
$x=0$을 대입하면 $f''(0)=0$
$f''(x)$가 상수가 아닌 다항식이므로 $x=0$의 좌우에서 부호가 바뀐다.
또 $f(-x)=-f(x)$에서 $f(0)=0$이므로 원점은 곡선 $y=f(x)$의 변곡점이다. (참)

📝 (1) 참 (2) 거짓 (3) 참

5-1

(1) $f''(x)=0$을 만족시키는 x의 값 좌우에서 $f''(x)$의 부호가 바뀔 때, 함수 $f(x)$는 변곡점을 가진다. 곧, 변곡점의 개수는 $f'(x)$의 극값의 개수와 같으므로 $f(x)$는 $x=b$, $x=0$, $x=c$, $x=e$에서 변곡점을 가진다.
따라서 변곡점의 개수는 4이다.

(2) $f'(x)=0$을 만족시키는 x의 값 좌우에서 $f'(x)$의 부호가 바뀔 때, 함수 $f(x)$는 극값을 가진다. 곧, $f(x)$는 $x=a$, $x=d$, $x=f$에서 극값을 가진다.
따라서 극값의 개수는 3이다.

📝 (1) 4 (2) 3

대표Q   137쪽~138쪽

대표 06

(1) $f(x)=3x^4-4x^3-1$이라 하면
$$f'(x)=12x^3-12x^2=12x^2(x-1)$$
$$f''(x)=36x^2-24x=12x(3x-2)$$
$f'(x)=0$에서 $x=0$ 또는 $x=1$
$f''(x)=0$에서 $x=0$ 또는 $x=\dfrac{2}{3}$

함수 $f(x)$의 증감표는 다음과 같다.

x	$\cdots$	0	$\cdots$	$\dfrac{2}{3}$	$\cdots$	1	$\cdots$
$f'(x)$	$-$	0	$-$	$-$	$-$	0	$+$
$f''(x)$	$+$	0	$-$	0	$+$	$+$	$+$
$f(x)$	$\searrow$	(변곡점)	$\searrow$	(변곡점)	$\searrow$	(극소)	$\nearrow$

따라서 극댓값은 없고, 극솟값은 $f(1)=-2$,

변곡점의 좌표는 $(0,\,-1)$, $\left(\dfrac{2}{3},\,-\dfrac{43}{27}\right)$이므로 그래프는 그림과 같다.

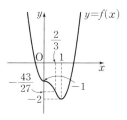

(2) $g(x)=x+\dfrac{1}{x}=\dfrac{x^2+1}{x}$이라 하면
$$g'(x)=\dfrac{x^2-1}{x^2}=\dfrac{(x+1)(x-1)}{x^2}$$
$$g''(x)=\dfrac{2}{x^3}$$
$g'(x)=0$에서 $x=\pm1$
함수 $g(x)$의 증감표는 다음과 같다.

x	$\cdots$	-1	$\cdots$	(0)	$\cdots$	1	$\cdots$
$g'(x)$	$+$	0	$-$		$-$	0	$+$
$g''(x)$	$-$	$-$	$-$		$+$	$+$	$+$
$g(x)$	$\nearrow$	(극대)	$\searrow$		$\searrow$	(극소)	$\nearrow$

따라서 극댓값은 $g(-1)=-2$, 극솟값은 $g(1)=2$, 변곡점은 없다.
$\displaystyle\lim_{x\to0+}g(x)=\infty$, $\displaystyle\lim_{x\to0-}g(x)=-\infty$이고,
$x\to\infty$ 또는 $x\to-\infty$일 때, $y=g(x)$의 그래프는 직선 $y=x$에 한없이 가까워지므로 그래프는 그림과 같다.

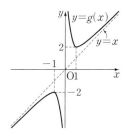

📝 풀이 참조

6-1

(1) $f(x)=x^3-3x+4$라 하면
$$f'(x)=3x^2-3=3(x+1)(x-1)$$
$$f''(x)=6x$$
$f'(x)=0$에서 $x=\pm1$
$f''(x)=0$에서 $x=0$

함수 $f(x)$의 증감표는 다음과 같다.

x	$\cdots$	-1	$\cdots$	0	$\cdots$	1	$\cdots$
$f'(x)$	$+$	0	$-$	$-$	$-$	0	$+$
$f''(x)$	$-$	$-$	$-$	0	$+$	$+$	$+$
$f(x)$	↗	(극대)	↘	(변곡점)	↘	(극소)	↗

따라서 극댓값은 $f(-1)=6$, 극솟값은 $f(1)=2$, 변곡점의 좌표는 $(0, 4)$이므로 그래프는 그림과 같다.

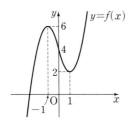

(2) $f(x)=x-\sqrt{x-2}$라 하면

$x-2 \geq 0$이므로 $x \geq 2$

$$f'(x)=1-\frac{1}{2\sqrt{x-2}}$$

$$f''(x)=\frac{1}{4(x-2)\sqrt{x-2}}$$

$f'(x)=0$에서 $x=\dfrac{9}{4}$이고, $f''(x)>0$이다.

$x \geq 2$에서 함수 $f(x)$의 증감표는 다음과 같다.

x	2	$\cdots$	$\dfrac{9}{4}$	$\cdots$
$f'(x)$		$-$	0	$+$
$f''(x)$		$+$	$+$	$+$
$f(x)$	2	↘	(극소)	↗

따라서 극댓값은 없고, 극솟값은 $f\left(\dfrac{9}{4}\right)=\dfrac{7}{4}$, 변곡점은 없으므로 그래프는 그림과 같다.

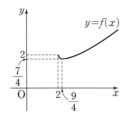

(3) $f(x)=\dfrac{3}{x^2+3}$이라 하면

$$f'(x)=-\frac{6x}{(x^2+3)^2}$$

$$f''(x)=\frac{18(x+1)(x-1)}{(x^2+3)^3}$$

$f'(x)=0$에서 $x=0$

$f''(x)=0$에서 $x=\pm 1$

함수 $f(x)$의 증감표는 다음과 같다.

x	$\cdots$	-1	$\cdots$	0	$\cdots$	1	$\cdots$
$f'(x)$	$+$	$+$	$+$	0	$-$	$-$	$-$
$f''(x)$	$+$	0	$-$	$-$	$-$	0	$+$
$f(x)$	↗	(변곡점)	↗	(극대)	↘	(변곡점)	↘

따라서 극댓값은 $f(0)=1$, 극솟값은 없고, 변곡점의 좌표는 $\left(-1, \dfrac{3}{4}\right)$, $\left(1, \dfrac{3}{4}\right)$이므로 그래프는 그림과 같다.

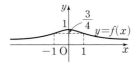

📄 풀이 참조

대표 **07**

(1) $f(x)=\dfrac{\ln x}{x}$라 하면 $x>0$

$$f'(x)=\frac{1-\ln x}{x^2}, \ f''(x)=\frac{2\ln x-3}{x^3}$$

$f'(x)=0$에서 $x=e$

$f''(x)=0$에서 $x=e\sqrt{e}$

$x>0$에서 함수 $f(x)$의 증감표는 다음과 같다.

x	(0)	$\cdots$	e	$\cdots$	$e\sqrt{e}$	$\cdots$
$f'(x)$		$+$	0	$-$	$-$	$-$
$f''(x)$		$-$	$-$	$-$	0	$+$
$f(x)$	↗	(극대)	↘	(변곡점)	↘	

따라서 극댓값은 $f(e)=\dfrac{1}{e}$, 극솟값은 없고, 변곡점의 좌표는 $\left(e\sqrt{e}, \dfrac{3}{2e\sqrt{e}}\right)$이다.

$\displaystyle\lim_{x \to 0+} f(x)=-\infty$, $\displaystyle\lim_{x \to \infty} f(x)=0$이므로 그래프는 그림과 같다.

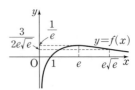

(2) $f(x)=\sin x+\cos x$라 하면

$$f'(x)=\cos x-\sin x$$

$$f''(x)=-\sin x-\cos x$$

$f'(x)=0$에서 $\sin x=\cos x$

$\therefore x=\dfrac{\pi}{4}$ 또는 $x=\dfrac{5}{4}\pi$ $(\because 0\le x\le 2\pi)$

$f''(x)=0$에서 $\sin x=-\cos x$

$\therefore x=\dfrac{3}{4}\pi$ 또는 $x=\dfrac{7}{4}\pi$ $(\because 0\le x\le 2\pi)$

$0\le x\le 2\pi$에서 함수 $f(x)$의 증감표는 다음과 같다.

x	0	$\cdots$	$\dfrac{\pi}{4}$	$\cdots$	$\dfrac{3}{4}\pi$	$\cdots$	$\dfrac{5}{4}\pi$	$\cdots$	$\dfrac{7}{4}\pi$	$\cdots$	2π
$f'(x)$	+	+	0	−	−	−	0	+	+	+	+
$f''(x)$	−	−	−	−	0	+	+	+	0	−	−
$f(x)$	1	↗	(극대)	↘	(변곡점)	↘	(극소)	↗	(변곡점)	↗	1

따라서 극댓값은 $f\left(\dfrac{\pi}{4}\right)=\sqrt{2}$, 극솟값은

$f\left(\dfrac{5}{4}\pi\right)=-\sqrt{2}$, 변곡점의 좌표는 $\left(\dfrac{3}{4}\pi,\,0\right)$, $\left(\dfrac{7}{4}\pi,\,0\right)$

이므로 그래프는 그림과 같다.

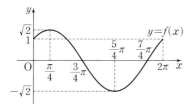

📘 풀이 참조

7-1

⑴ $f(x)=xe^{-x}$이라 하면

$f'(x)=e^{-x}-xe^{-x}=(1-x)e^{-x}$

$f''(x)=-e^{-x}-(1-x)e^{-x}=(x-2)e^{-x}$

$f'(x)=0$에서 $x=1$

$f''(x)=0$에서 $x=2$

함수 $f(x)$의 증감표는 다음과 같다.

x	$\cdots$	1	$\cdots$	2	$\cdots$
$f'(x)$	+	0	−	−	−
$f''(x)$	−	−	−	0	+
$f(x)$	↗	(극대)	↘	(변곡점)	↘

따라서 극댓값은 $f(1)=\dfrac{1}{e}$, 극솟값은 없고, 변곡점의

좌표는 $\left(2,\,\dfrac{2}{e^2}\right)$이다.

$\lim\limits_{x\to\infty}f(x)=0$, $\lim\limits_{x\to-\infty}f(x)=-\infty$이므로 그래프는 그림과 같다.

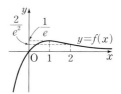

⑵ $f(x)=\ln(x^2+1)^2$이라 하면

$f'(x)=\dfrac{2(x^2+1)\times 2x}{(x^2+1)^2}=\dfrac{4x}{x^2+1}$

$f''(x)=\dfrac{4(x^2+1)-4x\times 2x}{(x^2+1)^2}$

$=-\dfrac{4(x+1)(x-1)}{(x^2+1)^2}$

$f'(x)=0$에서 $x=0$

$f''(x)=0$에서 $x=\pm 1$

함수 $f(x)$의 증감표는 다음과 같다.

x	$\cdots$	-1	$\cdots$	0	$\cdots$	1	$\cdots$
$f'(x)$	−	−	−	0	+	+	+
$f''(x)$	−	0	+	+	+	0	−
$f(x)$	↘	(변곡점)	↘	(극소)	↗	(변곡점)	↗

따라서 극댓값은 없고, 극솟값은 $f(0)=0$, 변곡점의 좌표는 $(-1,\,\ln 4)$, $(1,\,\ln 4)$이다.

$\lim\limits_{x\to\infty}f(x)=\infty$, $\lim\limits_{x\to-\infty}f(x)=\infty$이므로 그래프는 그림과 같다.

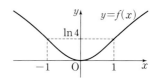

⑶ $f(x)=x+2\sin x$라 하면

$f'(x)=1+2\cos x$

$f''(x)=-2\sin x$

$f'(x)=0$에서 $\cos x=-\dfrac{1}{2}$

$\therefore x=\dfrac{2}{3}\pi$ 또는 $x=\dfrac{4}{3}\pi$ $(\because 0\le x\le 2\pi)$

$f''(x)=0$에서 $\sin x=0$

$\therefore x=0$ 또는 $x=\pi$ 또는 $x=2\pi$ $(\because 0\le x\le 2\pi)$

$0\le x\le 2\pi$에서 함수 $f(x)$의 증감표는 다음과 같다.

x	0	$\cdots$	$\dfrac{2}{3}\pi$	$\cdots$	π	$\cdots$	$\dfrac{4}{3}\pi$	$\cdots$	2π
$f'(x)$	+	+	0	−	−	−	0	+	+
$f''(x)$	0	−	−	−	0	+	+	+	0
$f(x)$	0	↗	(극대)	↘	(변곡점)	↘	(극소)	↗	2π

따라서 극댓값은 $f\left(\frac{2}{3}\pi\right)=\frac{2}{3}\pi+\sqrt{3}$, 극솟값은

$f\left(\frac{4}{3}\pi\right)=\frac{4}{3}\pi-\sqrt{3}$, 변곡점의 좌표는 $(\pi,\ \pi)$이므로

그래프는 그림과 같다.

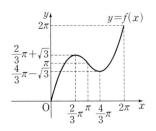

🖎 풀이 참조

개념 Check 　　　　　　　　　　　　139쪽

2

$f(x)=x\ln x$라 하면 $x>0$

$f'(x)=\ln x+x\times\frac{1}{x}=\ln x+1$

$f'(x)=0$에서 $x=\frac{1}{e}$

$x=\frac{1}{e}$에서 극소이고,

극솟값은 $f\left(\frac{1}{e}\right)=-\frac{1}{e}$이므로

$y=f(x)$의 그래프는 그림과

같다.

따라서 $x>0$에서 $f(x)$의 최솟

값은 $f\left(\frac{1}{e}\right)=-\frac{1}{e}$

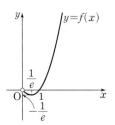

🖎 $-\dfrac{1}{e}$

대표Q 　　　　　　　　　　　　140쪽 ~ 142쪽

대표 08

(1) $1-x^2\geq0$이므로 $x^2\leq1$ 　　 $\therefore -1\leq x\leq1$

　　$f(x)=x+\sqrt{1-x^2}$이라 하면

　　$f'(x)=1+\dfrac{-2x}{2\sqrt{1-x^2}}=1-\dfrac{x}{\sqrt{1-x^2}}$

　　$f'(x)=0$에서 $\sqrt{1-x^2}=x$　　$\cdots$ ㉠

　　양변을 제곱하면

　　$1-x^2=x^2$, $x^2=\dfrac{1}{2}$　　 $\therefore x=\pm\dfrac{1}{\sqrt{2}}$

그런데 $x=-\dfrac{1}{\sqrt{2}}$은 ㉠을 만족시키지 않으므로

$x=\dfrac{1}{\sqrt{2}}$

함수 $f(x)$의 증감표는 다음과 같다.

x	-1	$\cdots$	$\dfrac{1}{\sqrt{2}}$	$\cdots$	1
$f'(x)$		$+$	0	$-$	
$f(x)$	-1	↗	$\sqrt{2}$	↘	1

따라서 최댓값은 $f\left(\dfrac{1}{\sqrt{2}}\right)=\sqrt{2}$,

최솟값은 $f(-1)=-1$

(2) $2^x=t$라 하면 $t>0$이고 $y=\dfrac{2t}{t^2+4}$

　　$g(t)=\dfrac{2t}{t^2+4}$라 하면

　　$g'(t)=\dfrac{2(t^2+4)-2t\times2t}{(t^2+4)^2}=-\dfrac{2(t+2)(t-2)}{(t^2+4)^2}$

　　$g'(t)=0$에서 $t=2$ ($\because t>0$)

　　$t>0$에서 함수 $g(t)$의 증감표는 다음과 같다.

t	(0)	$\cdots$	2	$\cdots$
$g'(t)$		$+$	0	$-$
$g(t)$		↗	$\dfrac{1}{2}$	↘

따라서 최댓값은 $g(2)=\dfrac{1}{2}$

(3) $h(x)=(2-\sin x)\sin x$라 하자.

　　$\sin x$의 주기가 2π이므로 $h(x)$의 주기도 2π이다.

　　곧, 구간 $[0,\ 2\pi]$에서 최댓값과 최솟값을 구해도 충

　　분하다.

　　$h'(x)=-\cos x\sin x+(2-\sin x)\cos x$

　　$=-2\cos x(\sin x-1)$

　　$h'(x)=0$에서 $\cos x=0$ 또는 $\sin x=1$

　　$\therefore x=\dfrac{\pi}{2}$ 또는 $x=\dfrac{3}{2}\pi$ ($\because 0\leq x\leq2\pi$)

　　$0\leq x\leq2\pi$에서 함수 $h(x)$의 증감표는 다음과 같다.

x	0	$\cdots$	$\dfrac{\pi}{2}$	$\cdots$	$\dfrac{3}{2}\pi$	$\cdots$	2π
$h'(x)$		$+$	0	$-$	0	$+$	
$h(x)$	0	↗	1	↘	-3	↗	0

따라서 최댓값은 $h\left(\dfrac{\pi}{2}\right)=1$, 최솟값은 $h\left(\dfrac{3}{2}\pi\right)=-3$

🖎 (1) **최댓값**: $\sqrt{2}$, **최솟값**: -1　(2) $\dfrac{1}{2}$

(3) **최댓값**: 1, **최솟값**: -3

참고 함수의 그래프는 그림과 같다.

(1)
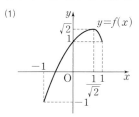

(2)
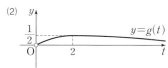

(3)
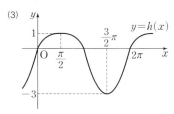

8-1

(1) $4-x^2 \geq 0$이므로 $x^2 \leq 4$ $\therefore -2 \leq x \leq 2$

$f(x)=x\sqrt{4-x^2}$이라 하면

$$f'(x)=\sqrt{4-x^2}-\frac{x^2}{\sqrt{4-x^2}}=\frac{4-2x^2}{\sqrt{4-x^2}}$$

$f'(x)=0$에서 $x^2-2=0$ $\therefore x=\pm\sqrt{2}$

$-2 \leq x \leq 2$에서 함수 $f(x)$의 증감는 다음과 같다.

x	-2	$\cdots$	$-\sqrt{2}$	$\cdots$	$\sqrt{2}$	$\cdots$	2
$f'(x)$		$-$	0	$+$	0	$-$	
$f(x)$	0	$\searrow$	-2	$\nearrow$	2	$\searrow$	0

따라서 최댓값은 $f(\sqrt{2})=2$,

최솟값은 $f(-\sqrt{2})=-2$

(2) $g(x)=\dfrac{\ln x}{x^2}$라 하면 $x>0$

$$g'(x)=\frac{x-2x\ln x}{x^4}=\frac{1-2\ln x}{x^3}$$

$g'(x)=0$에서 $1-2\ln x=0$ $\therefore x=\sqrt{e}$

$x>0$에서 함수 $g(x)$의 증감표는 다음과 같다.

x	(0)	$\cdots$	$\sqrt{e}$	$\cdots$
$g'(x)$		$+$	0	$-$
$g(x)$		$\nearrow$	$\dfrac{1}{2e}$	$\searrow$

따라서 최댓값은 $g(\sqrt{e})=\dfrac{1}{2e}$

답 (1) **최댓값 : 2, 최솟값 : -2**   (2) $\dfrac{1}{2e}$

참고 함수의 그래프는 그림과 같다.

(1)
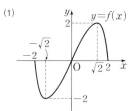

(2)
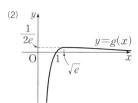

8-2

$f'(x)=2kxe^{-x}-kx^2e^{-x}=-kx(x-2)e^{-x}$

$f'(x)=0$에서 $x=0$ 또는 $x=2$

구간 $[-1, 3]$에서 함수 $f(x)$의 증감표는 다음과 같다.

x	-1	$\cdots$	0	$\cdots$	2	$\cdots$	3
$f'(x)$		$-$	0	$+$	0	$-$	
$f(x)$	ke	$\searrow$	0	$\nearrow$	$\dfrac{4k}{e^2}$	$\searrow$	$\dfrac{9k}{e^3}$

이때 $ke>\dfrac{4k}{e^2}$이므로 최댓값은 $f(-1)=ke$

곧, $ke=2$ $\therefore k=\dfrac{2}{e}$

따라서 최솟값은 $f(0)=0$

답 $k=\dfrac{2}{e}$, 최솟값 : 0

대표 09

밑면인 원의 반지름의 길이를 r m, 높이를 h m라 하자.

밑면, 윗면에 필요한 철판은 한 변의 길이가 $2r$ m인 정사각형 모양의 철판 2장이고, 옆면에 필요한 철판은

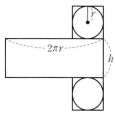

가로, 세로의 길이가 각각 $2r$ m, h m인 직사각형 모양의 철판 한 장이다.

따라서 구입하려는 철판의 넓이를 S m^{2}라 하면

$S=2\times(2r)^2+2\pi rh$ $\cdots\cdots$ ㉠

원기둥 모양 통의 부피가 64 m^{3}이므로 $\pi r^2 h=64$

$rh=\dfrac{64}{\pi r}$ 를 ㉠에 대입하면 $S(r)=8r^2+\dfrac{128}{r}$ $\quad\cdots$ ㉡

$S'(r)=16r-\dfrac{128}{r^2}=\dfrac{16(r^3-8)}{r^2}$

$\qquad=\dfrac{16(r-2)(r^2+2r+4)}{r^2}$

$S'(r)=0$에서 $r=2$

따라서 $S(r)$는 $r=2$일 때 극소이면서 최소이다.

$r=2$를 ㉡에 대입하면 넓이의 최솟값이

$8\times2^2+\dfrac{128}{2}=96\,(\text{m}^2)$

이므로 필요한 최소 비용은 96만 원이다.

📗 96만 원

9-1

그림에서 점 D의 좌표를

$(a,\,e^{-a})\,(a>0)$이라 하면

$\overline{\text{AD}}=2a,\ \overline{\text{CD}}=e^{-a}$

직사각형 ABCD의 넓이

를 $S(a)$라 하면

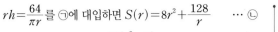

$S(a)=2ae^{-a}$

$S'(a)=2e^{-a}-2ae^{-a}=2(1-a)e^{-a}$

$S'(a)=0$에서 $a=1\,(\because e^{-a}>0)$

$a>0$에서 함수 $S(a)$의 증감표는 다음과 같다.

a	(0)	$\cdots$	1	$\cdots$
$S'(a)$		$+$	0	$-$
$S(a)$		↗	$\dfrac{2}{e}$	↘

따라서 $S(a)$는 $a=1$일 때 극대이면서 최대이므로

최댓값은 $S(1)=\dfrac{2}{e}$

📗 $\dfrac{2}{e}$

9-2

원기둥의 밑면의 반지름의 길이를 r

$(0<r<1)$, 높이를 h라 하면 그림

과 같이 구의 중심 O을 지나면서 원

기둥의 밑면에 수직인 평면으로 자

른 단면에서

$h=2\sqrt{1-r^2}$

원기둥의 부피를 $V(r)$라 하면

$V(r)=\pi r^2 h=2\pi r^2\sqrt{1-r^2}$

$V'(r)=4\pi r\sqrt{1-r^2}+2\pi r^2\times\dfrac{-2r}{2\sqrt{1-r^2}}$

$\qquad=\dfrac{4\pi r(1-r^2)-2\pi r^3}{\sqrt{1-r^2}}$

$\qquad=\dfrac{2\pi r(2-3r^2)}{\sqrt{1-r^2}}$

$V'(r)=0$에서

$r=\dfrac{\sqrt{6}}{3}\,(\because 0<r<1)$

$0<r<1$에서 함수 $V(r)$의 증감표는 다음과 같다.

r	(0)	$\cdots$	$\dfrac{\sqrt{6}}{3}$	$\cdots$	(1)
$V'(r)$		$+$	0	$-$	
$V(r)$		↗	(극대)	↘	

따라서 $V(r)$는 $r=\dfrac{\sqrt{6}}{3}$일 때 극대이면서 최대이다.

📗 $\dfrac{\sqrt{6}}{3}$

날선 Q10

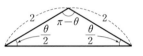

두 변의 길이가 1인 이등변삼각형의 꼭지각의 크기는

$\pi-2\theta$이고, 두 변의 길이가 2인 이등변삼각형의 꼭지각

의 크기는 $\pi-\theta$이다.

따라서 두 삼각형의 넓이의 합을 $S(\theta)$라 하면

$S(\theta)=\dfrac{1}{2}\times1^2\times\sin(\pi-2\theta)+\dfrac{1}{2}\times2^2\times\sin(\pi-\theta)$

$\qquad=\dfrac{1}{2}\sin2\theta+2\sin\theta$

$S'(\theta)=\cos2\theta+2\cos\theta=2\cos^2\theta+2\cos\theta-1$

$S'(\theta)=0$에서 $2\cos^2\theta+2\cos\theta-1=0$

$0<\theta<\dfrac{\pi}{2}$에서 $\cos\theta=\dfrac{-1+\sqrt{3}}{2}$

$S''(\theta)=-4\cos\theta\sin\theta-2\sin\theta$

$\qquad=-2\sin\theta(2\cos\theta+1)$

이므로 $0<\theta<\dfrac{\pi}{2}$이고 $\cos\theta=\dfrac{-1+\sqrt{3}}{2}$일 때,

$\sin\theta>0,\ 2\cos\theta+1>0\qquad\therefore S''(\theta)<0$

따라서 $S(\theta)$는 $\cos\theta=\dfrac{-1+\sqrt{3}}{2}$일 때 극대이면서 최대

이다.

📗 $\dfrac{-1+\sqrt{3}}{2}$

참고 △ABC에서 두 변의 길이 b, c와 그 끼인각 ∠A의 크기를 알 때, 삼각형의 넓이 S는

(1) ∠A가 예각일 때, $S=\dfrac{1}{2}bc\sin A$

(2) ∠A가 둔각일 때, $S=\dfrac{1}{2}bc\sin(\pi-A)$

10-1

물통의 부피를 $V(\theta)$라 하면

$$V(\theta)=\dfrac{1}{2}\times\{1+(1+2\sin\theta)\}\times\cos\theta\times8$$
$$=8\cos\theta(\sin\theta+1)$$
$$V'(\theta)=-8\sin\theta(\sin\theta+1)+8\cos^2\theta$$
$$=-8\sin\theta(\sin\theta+1)+8(1-\sin^2\theta)$$
$$=8(1-\sin\theta-2\sin^2\theta)$$
$$V'(\theta)=0에서\ 2\sin^2\theta+\sin\theta-1=0$$
$$0<\theta<\dfrac{\pi}{2}에서\ \sin\theta=\dfrac{1}{2}\qquad\therefore\theta=\dfrac{\pi}{6}$$
$$V''(\theta)=-32\sin\theta\cos\theta-8\cos\theta$$
$$=-8\cos\theta(4\sin\theta+1)$$

이므로 $\theta=\dfrac{\pi}{6}$일 때,

$\cos\theta>0$, $4\sin\theta+1>0$ $\qquad\therefore V''(\theta)<0$

따라서 $V(\theta)$는 $\theta=\dfrac{\pi}{6}$일 때 극대이면서 최대이므로

최댓값은 $V\left(\dfrac{\pi}{6}\right)=6\sqrt{3}$

답 $6\sqrt{3}$

---

9 그래프

01 (1) 극댓값 : $\dfrac{1}{3}$, 극솟값 : -1

(2) 극솟값 : $-\dfrac{1}{e^2}$　(3) 극댓값 : 1

02 $a\geq1$　**03** ③　**04** ⑤

05 (1) $(0,-1)$, $(1,0)$　(2) $\left(-3,\dfrac{12}{e^3}\right)$, $(0,0)$

(3) $(1,1)$

06 $a=1$, $b=-3$

07 (1) 최댓값 : 4, 최솟값 : $2\sqrt{2}$

(2) 최댓값 : $\dfrac{\sqrt{3}}{3}$, 최솟값 : $-\dfrac{\sqrt{3}}{3}$

08 최댓값 : $\dfrac{148}{27}$, 최솟값 : -1　**09** ②

10 ①　**11** $2e$　**12** $\dfrac{1}{\sqrt{e}}$　**13** ③　**14** ③

15 최댓값 : 1, 최솟값 : -3　**16** 11　**17** 2

18 34　**19** ⑤

01

(1) $f'(x)=\dfrac{(x^2-x+1)-(x-1)(2x-1)}{(x^2-x+1)^2}$

$=-\dfrac{x^2-2x}{(x^2-x+1)^2}=-\dfrac{x(x-2)}{(x^2-x+1)^2}$

$f'(x)=0$에서 $x=0$ 또는 $x=2$

함수 $f(x)$의 증감표는 다음과 같다.

x	$\cdots$	0	$\cdots$	2	$\cdots$
$f'(x)$	$-$	0	$+$	0	$-$
$f(x)$	$\searrow$	(극소)	$\nearrow$	(극대)	$\searrow$

따라서 극댓값은 $f(2)=\dfrac{1}{3}$, 극솟값은 $f(0)=-1$

(2) $g'(x)=1+\ln x+x\times\dfrac{1}{x}=\ln x+2$

$g'(x)=0$에서 $\ln x=-2$ $\qquad\therefore x=\dfrac{1}{e^2}$

$x>0$에서 함수 $g(x)$의 증감표는 다음과 같다.

x	(0)	$\cdots$	$\dfrac{1}{e^2}$	$\cdots$
$g'(x)$		$-$	0	$+$
$g(x)$		$\searrow$	(극소)	$\nearrow$

따라서 극솟값은 $g\left(\dfrac{1}{e^2}\right)=-\dfrac{1}{e^2}$

다른 풀이

$g''(x)=\dfrac{1}{x}$에서 $g''\left(\dfrac{1}{e^2}\right)=e^2>0$이므로

$x=\dfrac{1}{e^2}$에서 극소이다.

(3) $h'(x)=2\sin x\cos x$

$0<x<\pi$에서 $\sin x>0$이므로

$h'(x)=0$에서 $\cos x=0$ $\therefore x=\dfrac{\pi}{2}$

$0<x<\pi$에서 함수 $h(x)$의 증감표는 다음과 같다.

x	(0)	$\cdots$	$\dfrac{\pi}{2}$	$\cdots$	(π)
$h'(x)$		$+$	0	$-$	
$h(x)$		↗	(극대)	↘	

따라서 극댓값은 $h\left(\dfrac{\pi}{2}\right)=1$

다른 풀이

$h''(x)=2\cos^2 x-2\sin^2 x$에서

$h''\left(\dfrac{\pi}{2}\right)=-2<0$이므로 $x=\dfrac{\pi}{2}$에서 극대이다.

$\text{(1) 극댓값}:\dfrac{1}{3},\text{ 극솟값}:-1$

$\text{(2) 극솟값}:-\dfrac{1}{e^2}$ $\text{(3) 극댓값}:1$

02

$f'(x)=\dfrac{2}{x}-\dfrac{a}{x^2}-1=-\dfrac{x^2-2x+a}{x^2}$

$x>0$에서 $f(x)$가 감소하므로

$x>0$에서 $f'(x)\le0$이다. 곧,

$-\dfrac{x^2-2x+a}{x^2}\le0,\ x^2-2x+a\ge0$ $\cdots$ ㉠

$g(x)=x^2-2x+a$라 하면

$g(x)=(x-1)^2+a-1$

이므로 $y=g(x)$의 그래프

는 그림과 같다.

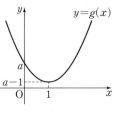

따라서 ㉠을 만족시키려면

$g(1)\ge0$이므로

$a-1\ge0$ $\therefore a\ge1$

$a\ge1$

03

$f'(x)=2xe^x+x^2e^x=(x^2+2x)e^x$

$f''(x)=(2x+2)e^x+(x^2+2x)e^x=(x^2+4x+2)e^x$

$f'(x)=0$에서 $x=-2$ 또는 $x=0$

$f''(-2)=-\dfrac{2}{e^2}<0,\ f''(0)=2>0$

이므로 $x=-2$에서 극대, $x=0$에서 극소이다.

이때 극솟값이 2이므로 $f(0)=a=2$

따라서 극댓값은 $f(-2)=\dfrac{4}{e^2}+2$

③

04

$f(x)=e^x\cos x$라 하면

$f'(x)=e^x\cos x-e^x\sin x=e^x(\cos x-\sin x)$

$f''(x)=e^x(\cos x-\sin x)+e^x(-\sin x-\cos x)$

$\qquad=-2e^x\sin x$

$e^x>0$이므로 $f''(x)=0$에서 $\sin x=0$

$0<x<2\pi$이므로 $x=\pi$

$0<x<\pi$에서 $f''(x)<0$, $\pi<x<2\pi$에서 $f''(x)>0$이

므로 곡선이 아래로 볼록한 구간은 $(\pi,\ 2\pi)$이다.

⑤

05

(1) $f(x)=x^4-2x^3+2x-1$이라 하면

$f'(x)=4x^3-6x^2+2,\ f''(x)=12x^2-12x$

$f''(x)=0$에서 $x=0$ 또는 $x=1$

x	$\cdots$	0	$\cdots$	1	$\cdots$
$f''(x)$	$+$	0	$-$	0	$+$
$f(x)$	$\cup$		$\cap$		$\cup$

따라서 $x=0$, $x=1$의 좌우에서 $f''(x)$의 부호가 바

뀌므로 변곡점의 좌표는 $(0,\ -1)$, $(1,\ 0)$이다.

(2) $f(x)=(x^2-x)e^x$이라 하면

$f'(x)=(2x-1)e^x+(x^2-x)e^x=(x^2+x-1)e^x$

$f''(x)=(2x+1)e^x+(x^2+x-1)e^x=x(x+3)e^x$

$f''(x)=0$에서 $x=-3$ 또는 $x=0$

x	$\cdots$	-3	$\cdots$	0	$\cdots$
$f''(x)$	$+$	0	$-$	0	$+$
$f(x)$	$\cup$		$\cap$		$\cup$

따라서 $x=-3$, $x=0$의 좌우에서 $f''(x)$의 부호가

바뀌므로 변곡점의 좌표는 $\left(-3,\ \dfrac{12}{e^3}\right)$, $(0,\ 0)$이다.

(3) $f(x)=x^2-2x\ln x$라 하면

$f'(x)=2x-2\ln x-2x\times\dfrac{1}{x}=2x-2\ln x-2$

$$f''(x)=2-\frac{2}{x}=\frac{2x-2}{x}$$

$x>0$이므로 $f''(x)=0$에서 $x=1$

x	(0)	$\cdots$	1	$\cdots$
$f''(x)$		$-$	0	$+$
$f(x)$		$\frown$		$\smile$

따라서 $x=1$의 좌우에서 $f''(x)$의 부호가 바뀌므로
변곡점의 좌표는 $(1, 1)$이다.

🗒 (1) $(0, -1)$, $(1, 0)$ (2) $\left(-3, \dfrac{12}{e^3}\right)$, $(0, 0)$

(3) $(1, 1)$

06

$f(x)=ax^3+bx^2+1$이라 하면
점 $(1, -1)$이 곡선 $y=f(x)$ 위의 점이므로
$f(1)=-1$에서 $a+b+1=-1$ ⋯ ㉠
$f'(x)=3ax^2+2bx$, $f''(x)=6ax+2b$이고
점 $(1, -1)$이 변곡점이므로
$f''(1)=0$에서 $6a+2b=0$ ⋯ ㉡
㉠, ㉡을 연립하여 풀면 $a=1$, $b=-3$

🗒 $a=1$, $b=-3$

07

(1) $x \geq 0$, $8-x \geq 0$이므로 $0 \leq x \leq 8$

$$f'(x)=\frac{1}{2\sqrt{x}}-\frac{1}{2\sqrt{8-x}}=\frac{\sqrt{8-x}-\sqrt{x}}{2\sqrt{x}\sqrt{8-x}}$$

$f'(x)=0$에서 $\sqrt{8-x}=\sqrt{x}$

양변을 제곱하면 $8-x=x$ ∴ $x=4$

$0 \leq x \leq 8$에서 함수 $f(x)$의 증감표는 다음과 같다.

x	0	$\cdots$	4	$\cdots$	8
$f'(x)$		$+$	0	$-$	
$f(x)$	$2\sqrt{2}$	$\nearrow$	4	$\searrow$	$2\sqrt{2}$

따라서 최댓값은 $f(4)=4$,
최솟값은 $f(0)=f(8)=2\sqrt{2}$

(2) $f'(x)=\dfrac{\cos x(\cos x+2)-\sin x \times (-\sin x)}{(\cos x+2)^2}$

$=\dfrac{2\cos x+1}{(\cos x+2)^2}$

$f'(x)=0$에서 $\cos x=-\dfrac{1}{2}$

$0 \leq x \leq 2\pi$이므로 $x=\dfrac{2}{3}\pi$ 또는 $x=\dfrac{4}{3}\pi$

$0 \leq x \leq 2\pi$에서 함수 $f(x)$의 증감표는 다음과 같다.

x	0	$\cdots$	$\dfrac{2}{3}\pi$	$\cdots$	$\dfrac{4}{3}\pi$	$\cdots$	2π
$f'(x)$		$+$	0	$-$	0	$+$	
$f(x)$	0	$\nearrow$	$\dfrac{\sqrt{3}}{3}$	$\searrow$	$-\dfrac{\sqrt{3}}{3}$	$\nearrow$	0

따라서 최댓값은 $f\left(\dfrac{2}{3}\pi\right)=\dfrac{\sqrt{3}}{3}$,

최솟값은 $f\left(\dfrac{4}{3}\pi\right)=-\dfrac{\sqrt{3}}{3}$

🗒 (1) **최댓값 : 4, 최솟값 : $2\sqrt{2}$**

(2) **최댓값 : $\dfrac{\sqrt{3}}{3}$, 최솟값 : $-\dfrac{\sqrt{3}}{3}$**

08

$f(x)=\sin^3 x+2\cos^2 x-4\sin x+2$

$=\sin^3 x+2(1-\sin^2 x)-4\sin x+2$

$=\sin^3 x-2\sin^2 x-4\sin x+4$

$\sin x=t$라 하면 $-1 \leq t \leq 1$이고

$g(t)=t^3-2t^2-4t+4$라 하면

$g'(t)=3t^2-4t-4=(3t+2)(t-2)$

$-1 \leq t \leq 1$이므로 $g'(t)=0$에서 $t=-\dfrac{2}{3}$

$-1 \leq t \leq 1$에서 함수 $g(t)$의 증감표는 다음과 같다.

t	-1	$\cdots$	$-\dfrac{2}{3}$	$\cdots$	1
$g'(t)$		$+$	0	$-$	
$g(t)$	5	$\nearrow$	$\dfrac{148}{27}$	$\searrow$	-1

따라서 최댓값은 $g\left(-\dfrac{2}{3}\right)=\dfrac{148}{27}$, 최솟값은 $g(1)=-1$

🗒 **최댓값 : $\dfrac{148}{27}$, 최솟값 : -1**

09

점 A의 x좌표를
$t\left(0<t<\dfrac{\pi}{2}\right)$라 하면
$D(t, 4\sin t)$이므로
$\overline{AD}=4\sin t$
또 두 점 A, B는 직선
$x=\dfrac{\pi}{2}$에 대칭이므로
$\overline{AB}=2 \times \left(\dfrac{\pi}{2}-t\right)=\pi-2t$

따라서 직사각형 ABCD의 둘레의 길이를 $f(t)$라 하면

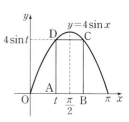

$f(t)=2\times(\pi-2t+4\sin t)=2\pi-4t+8\sin t$

$f'(t)=-4+8\cos t$

$f'(t)=0$에서 $\cos t=\dfrac{1}{2}$ $\therefore t=\dfrac{\pi}{3}\left(\because 0<t<\dfrac{\pi}{2}\right)$

$0<t<\dfrac{\pi}{2}$에서 함수 $f(t)$의 증감표는 다음과 같다.

t	(0)	$\cdots$	$\dfrac{\pi}{3}$	$\cdots$	$\left(\dfrac{\pi}{2}\right)$
$f'(t)$		$+$	0	$-$	
$f(t)$		$\nearrow$	(극대)	$\searrow$	

따라서 $f(t)$는 $t=\dfrac{\pi}{3}$일 때 극대이면서 최대이므로

$\overline{AB}=\pi-\dfrac{2}{3}\pi=\dfrac{\pi}{3}$

                                           답 ②

10 **전략** 극솟값을 가질 조건을 찾는다.

$f(x)=\dfrac{\sin x}{e^{2x}}=e^{-2x}\sin x$이므로

$f'(x)=-2e^{-2x}\sin x+e^{-2x}\cos x$
$\qquad=e^{-2x}(\cos x-2\sin x)$

$f''(x)=-2e^{-2x}(\cos x-2\sin x)$
$\qquad\quad +e^{-2x}(-\sin x-2\cos x)$
$\qquad=e^{-2x}(3\sin x-4\cos x)$

함수 $f(x)$는 $x=a$에서 극솟값을 가지므로

$f'(a)=0$, $f''(a)>0$이다.

$e^{-2x}>0$이므로

$\cos a-2\sin a=0$ $\therefore 2\sin a=\cos a$

$2\sin a=\cos a$와 $\sin^2 a+\cos^2 a=1$을 연립하여 풀면

$\sin a=\dfrac{1}{\sqrt{5}}$, $\cos a=\dfrac{2}{\sqrt{5}}$ 또는

$\sin a=-\dfrac{1}{\sqrt{5}}$, $\cos a=-\dfrac{2}{\sqrt{5}}$

이 중 $f''(a)=e^{-2a}(3\sin a-4\cos a)>0$인 경우는

$\sin a=-\dfrac{1}{\sqrt{5}}=-\dfrac{\sqrt{5}}{5}$, $\cos a=-\dfrac{2}{\sqrt{5}}=-\dfrac{2\sqrt{5}}{5}$

                                           답 ①

11 **전략** 함수 $f(x)$에서 $f''(a)=0$이고 $x=a$의 좌우에서 $f''(x)$의 부호가 바뀌면 점 $(a,\ f(a))$는 곡선 $y=f(x)$의 변곡점이다.

$f(x)=\left(\ln\dfrac{1}{ax}\right)^2=(-\ln ax)^2=(\ln ax)^2$이라 하면

$f'(x)=2\ln ax\times\dfrac{a}{ax}=\dfrac{2\ln ax}{x}$

$f''(x)=\dfrac{\dfrac{2a}{ax}\times x-2\ln ax}{x^2}=\dfrac{2-2\ln ax}{x^2}$

$f''(x)=0$에서

$2-2\ln ax=0,\ \ln ax=1,\ ax=e$ $\therefore x=\dfrac{e}{a}$

$x=\dfrac{e}{a}$일 때 $y=\left(\ln\dfrac{1}{e}\right)^2=1$이므로

$x=\dfrac{e}{a},\ y=1$을 $y=2x$에 대입하면

$1=\dfrac{2e}{a}$ $\therefore a=2e$

                                         답 $2e$

12 **전략** 삼각함수의 미분
$\{\cos^n f(x)\}'$
$=n\cos^{n-1}f(x)\times\{-\sin f(x)\}\times f'(x)$
를 이용한다.

$y'=-n\cos^{n-1}x\sin x$

$y''=-n(n-1)\cos^{n-2}x(-\sin x)\sin x$
$\qquad -n\cos^{n-1}x\cos x$
$\qquad=n\cos^{n-2}x\{(n-1)\sin^2 x-\cos^2 x\}$

$0<x<\dfrac{\pi}{2}$일 때 $\cos x\neq 0$이므로

$y''=0$에서 $(n-1)\sin^2 x-\cos^2 x=0$

$(n-1)(1-\cos^2 x)-\cos^2 x=0$

$\cos^2 x=\dfrac{n-1}{n}$ $\therefore \cos x=\left(\dfrac{n-1}{n}\right)^{\frac{1}{2}}$

이 방정식의 해를 x_n이라 하면

$a_n=\cos^n x_n=\left(\dfrac{n-1}{n}\right)^{\frac{n}{2}}$

$\therefore \lim_{n\to\infty}a_n=\lim_{n\to\infty}\left(\dfrac{n-1}{n}\right)^{\frac{n}{2}}=\lim_{n\to\infty}\left\{\left(1-\dfrac{1}{n}\right)^{-n}\right\}^{-\frac{1}{2}}$
$\qquad\qquad=e^{-\frac{1}{2}}=\dfrac{1}{\sqrt{e}}$

                                       답 $\dfrac{1}{\sqrt{e}}$

13 **전략** 지수함수의 미분 $\{e^{f(x)}\}'=e^{f(x)}\times f'(x)$를 이용한다.

$f'(x)=-4xe^{-2x^2}$

$f''(x)=-4e^{-2x^2}+16x^2 e^{-2x^2}$
$\qquad=4e^{-2x^2}(2x+1)(2x-1)$

$f'(x)=0$에서 $x=0$

$f''(x)=0$에서 $x=\pm\dfrac{1}{2}$

함수 $f(x)$의 증감표는 다음과 같다.

x	$\cdots$	$-\dfrac{1}{2}$	$\cdots$	0	$\cdots$	$\dfrac{1}{2}$	$\cdots$
$f'(x)$	$+$	$+$	$+$	0	$-$	$-$	$-$
$f''(x)$	$+$	0	$-$	$-$	$-$	0	$+$
$f(x)$	↗	$\dfrac{1}{\sqrt{e}}$	⤴	1	⤵	$\dfrac{1}{\sqrt{e}}$	↘

또 $\displaystyle\lim_{x\to-\infty}e^{-2x^2}=\lim_{x\to\infty}e^{-2x^2}=0$이므로 x축은 점근선이다.

따라서 $y=f(x)$의 그래프는 그림과 같다.

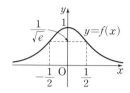

ㄱ. $f(-x)=e^{-2x^2}$이므로 $f(-x)=f(x)$이다.

　　따라서 $y=f(x)$의 그래프는 y축에 대칭이다. (참)

ㄴ. 치역은 $\{y\,|\,0<y\le 1\}$이다. (거짓)

ㄷ. 변곡점의 좌표는 $\left(-\dfrac{1}{2},\dfrac{1}{\sqrt{e}}\right)$, $\left(\dfrac{1}{2},\dfrac{1}{\sqrt{e}}\right)$이므로 2개

　　이다. (참)

따라서 옳은 것은 ㄱ, ㄷ이다.

답 ③

---

14 전략 곱의 미분법을 이용하여 $f'(x)$, $f''(x)$를 구한다.

$f'(x)=nx^{n-1}e^{-x}-x^n e^{-x}=(n-x)x^{n-1}e^{-x}$

$f''(x)=-x^{n-1}e^{-x}+(n-1)(n-x)x^{n-2}e^{-x}$
$\qquad\quad -(n-x)x^{n-1}e^{-x}$
$\qquad =\{-x(n-1)(n-x)-x(n-x)\}x^{n-2}e^{-x}$
$\qquad =(x^2-2nx+n^2-n)x^{n-2}e^{-x}$

ㄱ. $f\left(\dfrac{n}{2}\right)=\left(\dfrac{n}{2}\right)^n e^{-\frac{n}{2}}$,

　　$f'\left(\dfrac{n}{2}\right)=\dfrac{n}{2}\left(\dfrac{n}{2}\right)^{n-1}e^{-\frac{n}{2}}=\left(\dfrac{n}{2}\right)^n e^{-\frac{n}{2}}$

　　이므로 $f\left(\dfrac{n}{2}\right)=f'\left(\dfrac{n}{2}\right)$ (참)

ㄴ. $f'(x)=0$에서 $x=n$

　　$0<x<n$일 때, $f'(x)>0$이고

　　$x>n$일 때, $f'(x)<0$이므로

　　$f(x)$는 $x=n$에서 극댓값을 가진다. (참)

ㄷ. $f''(0)=0$이지만 n이 3 이상의 짝수이면 $x=0$의 좌

　　우에서 $f''(x)$의 부호가 바뀌지 않는다.

　　따라서 점 $(0,0)$은 변곡점이 아니다. (거짓)

따라서 옳은 것은 ㄱ, ㄴ이다.

답 ③

---

15 전략 삼각함수의 합성을 이용한다.

$g(x)=\sqrt{2}\left(\dfrac{1}{\sqrt{2}}\sin x+\dfrac{1}{\sqrt{2}}\cos x\right)$
$\qquad =\sqrt{2}\sin\left(x+\dfrac{\pi}{4}\right)$

이므로 $g(x)=t$라 하면 $-\sqrt{2}\le t\le\sqrt{2}$

$f(g(x))=f(t)=-t^3+3t-1$에서

$f'(t)=-3t^2+3=-3(t^2-1)$

$f'(t)=0$에서 $t=\pm 1$

$-\sqrt{2}\le t\le\sqrt{2}$에서 함수 $f(t)$의 증감표는 다음과 같다.

t	$-\sqrt{2}$	$\cdots$	-1	$\cdots$	1	$\cdots$	$\sqrt{2}$
$f'(t)$		$-$	0	$+$	0	$-$	
$f(t)$	$-\sqrt{2}-1$	↘	-3	↗	1	↘	$\sqrt{2}-1$

따라서 최댓값은 $f(1)=1$, 최솟값은 $f(-1)=-3$

답 최댓값 : 1, 최솟값 : -3

참고 $y=g(x)$의 그래프를 그리고 $g(x)$의 범위를 구할 수

　　도 있다.

　　$g(x)=\sin x+\cos x$에서 $g'(x)=\cos x-\sin x$

　　$g'(x)=0$에서 $\cos x=\sin x$

　　$\therefore x=\dfrac{\pi}{4}$ 또는 $x=\dfrac{5}{4}\pi$

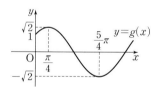

증감을 조사하면 $y=g(x)$의 그래프는 위와 같고

$-\sqrt{2}\le g(x)\le\sqrt{2}$이다.

---

16 전략 함수 $f(x)$의 극값을 먼저 구한다.

$f'(x)=\dfrac{1\times\{(x-5)^2+36\}-(x-5)\times 2(x-5)}{\{(x-5)^2+36\}^2}$
$\qquad =\dfrac{-(x-5)^2+36}{\{(x-5)^2+36\}^2}$

$f'(x)=0$에서 $(x-5)^2=36$

$\therefore x=-1$ 또는 $x=11$

함수 $f(x)$의 증감표는 다음과 같다.

x	$\cdots$	-1	$\cdots$	11	$\cdots$
$f'(x)$	$-$	0	$+$	0	$-$
$f(x)$	↘	(극소)	↗	(극대)	↘

이때 $f(5)=0$이고 $\displaystyle\lim_{x\to-\infty}f(x)=\lim_{x\to\infty}f(x)=0$이므로

$y=f(x)$의 그래프는 그
림과 같고 점 $(5,\ 0)$에
대칭이다.

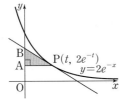

따라서 $a\geq 11$이면

최댓값은 $f(11)=\dfrac{1}{12}$, 최솟값은 $f(-1)=-\dfrac{1}{12}$

이므로 $M+m=0$이다.

따라서 a의 최솟값은 11이다.

🅐 11

17 【전략】 접선의 방정식을 이용하여 두 점 A, B의 좌표를 t에 대한 식으로 나타낸다.

$y'=-2e^{-x}$이므로

P$(t,\ 2e^{-t})$에서 접선의 방
정식은

$y-2e^{-t}=-2e^{-t}(x-t)$

$x=0$을 대입하면

$y-2e^{-t}=2te^{-t}$

$\therefore y=2(t+1)e^{-t}$

따라서 A$(0,\ 2e^{-t})$, B$(0,\ 2(t+1)e^{-t})$이므로

$\overline{\text{AB}}=2(t+1)e^{-t}-2e^{-t}=2te^{-t}$

삼각형 APB의 넓이를 $S(t)$라 하면

$S(t)=\dfrac{1}{2}\times 2te^{-t}\times t=t^2e^{-t}$

$S'(t)=2te^{-t}-t^2e^{-t}=t(2-t)e^{-t}$

$t>0$, $e^{-t}>0$이므로 $S'(t)=0$에서 $t=2$

$t>0$에서 함수 $S(t)$의 증감표는 다음과 같다.

t	(0)	$\cdots$	2	$\cdots$
$S'(t)$		$+$	0	$-$
$S(t)$		↗	(극대)	↘

따라서 $S(t)$는 $t=2$일 때 극대이면서 최대이다.

🅐 2

18 【전략】 삼각함수를 이용하여 조건을 만족시키는 $\cos\theta$의 값을 구한다.

$0<\theta<\dfrac{\pi}{3}$이므로

직각삼각형 OBQ에서

$\overline{\text{OQ}}=2\cos\theta$,

$\overline{\text{OP}}=2\cos\theta-1$

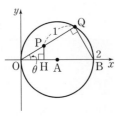

점 P에서 x축에 내린 수선
의 발을 H라 하면 직각삼각

형 POH에서

$\overline{\text{PH}}=\overline{\text{OP}}\sin\theta=(2\cos\theta-1)\sin\theta$

이때 $\overline{\text{PH}}$의 길이는 P의 y좌표이다.

$f(\theta)=\sin\theta(2\cos\theta-1)$이라 하면

$f'(\theta)=\cos\theta(2\cos\theta-1)+\sin\theta\times(-2\sin\theta)$

$\qquad=2\cos^2\theta-\cos\theta-2\sin^2\theta$

$\qquad=2\cos^2\theta-\cos\theta-2(1-\cos^2\theta)$

$\qquad=4\cos^2\theta-\cos\theta-2$

$f'(\theta)=0$에서 $4\cos^2\theta-\cos\theta-2=0$

$0<\theta<\dfrac{\pi}{3}$에서 $\dfrac{1}{2}<\cos\theta<1$이므로 $\cos\theta=\dfrac{1+\sqrt{33}}{8}$

그런데

$f''(\theta)=-8\cos\theta\sin\theta+\sin\theta=\sin\theta(-8\cos\theta+1)$

이고, $0<\theta<\dfrac{\pi}{3}$에서 $\sin\theta>0$이므로

$\cos\theta=\dfrac{1+\sqrt{33}}{8}$일 때, $f''(\theta)<0$

따라서 $f(\theta)$는 $\cos\theta=\dfrac{1+\sqrt{33}}{8}$일 때 극대이면서 최대
이므로

$a+b=1+33=34$

🅐 34

19 【전략】 로그함수의 미분법과 합성함수의 미분법을 이용하여 $f'(x)$를 구하고, 함수의 그래프를 그린다.

ㄱ. $f'(x)=\dfrac{4x}{2x^2+1}$이므로 $f'(-x)=\dfrac{-4x}{2x^2+1}$

　　$\therefore f'(-x)=-f'(x)$ (참)

ㄴ. $f''(x)=\dfrac{4(2x^2+1)-4x\times 4x}{(2x^2+1)^2}=\dfrac{4(1-2x^2)}{(2x^2+1)^2}$

　　$f''(x)=0$에서 $1-2x^2=0$ 　　$\therefore x=\pm\dfrac{1}{\sqrt{2}}$

　　$f'\left(\dfrac{1}{\sqrt{2}}\right)=\dfrac{4\times\dfrac{1}{\sqrt{2}}}{2\times\dfrac{1}{2}+1}=\sqrt{2}$,

　　$f'\left(-\dfrac{1}{\sqrt{2}}\right)=\dfrac{4\times\left(-\dfrac{1}{\sqrt{2}}\right)}{2\times\dfrac{1}{2}+1}=-\sqrt{2}$이고,

　　$\displaystyle\lim_{x\to\infty}f'(x)=\lim_{x\to\infty}f'(x)=0$이므로 증감을 조사하여
　　$y=f'(x)$의 그래프를 그리면 그림과 같다.

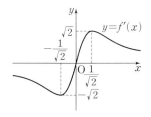

따라서 $f'(x)$의 최댓값은 $\sqrt{2}$이다. (참)

ㄷ. 함수 $f(x)$는 구간 $[x_1,\ x_2]$에서 연속이고 미분가능하므로 평균값 정리에 의하여

$$\frac{f(x_2)-f(x_1)}{x_2-x_1}=f'(c)$$

인 실수 c가 구간 $(x_1,\ x_2)$에서 적어도 하나 존재한다.

ㄴ에서 $y=f'(x)$의 그래프에서

$-\sqrt{2}\le f'(c)\le \sqrt{2}$이므로 $|f'(c)|\le \sqrt{2}$이다.

$$\therefore \left|\frac{f(x_2)-f(x_1)}{x_2-x_1}\right|=|f'(c)|\le \sqrt{2}$$

$x_1<x_2$이므로 $|f(x_2)-f(x_1)|\le \sqrt{2}(x_2-x_1)$ (참)

따라서 옳은 것은 ㄱ, ㄴ, ㄷ이다.

🖳 ⑤

10 도함수의 활용

개념 Check
149쪽

1

$f(x)=x-\ln(1+x)$라 하면

$$f'(x)=1-\frac{1}{1+x}=\frac{x}{1+x}$$

$x>0$에서 $f'(x)>0$이므로 함수 $f(x)$는 구간 $(0,\ \infty)$에서 증가한다.

또 $f(0)=0-\ln(1+0)=0$이므로

$x>0$에서 $f(x)>0$

따라서 $x>0$일 때, 부등식 $x>\ln(1+x)$가 성립한다.

🖳 풀이 참조

(참고) $x>a$에서 $f(x)>0$이 성립함을 증명할 때,

$f(x)$의 최솟값이 존재하지 않으면

➡ $x>a$에서 함수 $f(x)$가 증가하고 $f(a)>0$임을 보인다.

대표Q
150쪽~152쪽

대표 01

(1) $f(x)=\sin x-x+1$이라 하면

$f'(x)=\cos x-1,\ f''(x)=-\sin x$

$f'(x)=0$에서 $\cos x-1=0$

$\therefore x=\cdots,\ -2\pi,\ 0,\ 2\pi,\ 4\pi,\ \cdots$

$f''(x)=0$에서 $-\sin x=0$

$\therefore x=\cdots,\ -2\pi,\ -\pi,\ 0,\ \pi,\ 2\pi,\ \cdots$

함수 $f(x)$의 증감표는 다음과 같다.

x	$\cdots$	-2π	$\cdots$	$-\pi$	$\cdots$	0	$\cdots$	π	$\cdots$	2π	$\cdots$
$f'(x)$	$-$	0	$-$	$-$	$-$	0	$-$	$-$	$-$	0	$-$
$f''(x)$	$+$	0	$-$	0	$+$	0	$-$	0	$+$	0	$-$
$f(x)$	$\searrow$	$2\pi+1$	$\searrow$	$\pi+1$	$\searrow$	1	$\searrow$	$1-\pi$	$\searrow$	$1-2\pi$	$\searrow$

또 $\lim\limits_{x\to-\infty}f(x)=\infty$,

$\lim\limits_{x\to\infty}f(x)=-\infty$이므로

$y=f(x)$의 그래프는 그림과 같이 x축과 한 점에서 만난다.

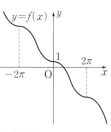

따라서 방정식

$\sin x-x+1=0$의 실근은 한 개이다.

(2) $f(x)=x^2e^{-x}$이라 하면

$f'(x)=2xe^{-x}-x^2e^{-x}=-x(x-2)e^{-x}$

$f'(x)=0$에서 $-x(x-2)e^{-x}=0$

$\therefore x=0$ 또는 $x=2$

함수 $f(x)$의 증감표는 다음과 같다.

x	$\cdots$	0	$\cdots$	2	$\cdots$
$f'(x)$	$-$	0	$+$	0	$-$
$f(x)$	$\searrow$	0	$\nearrow$	$\dfrac{4}{e^2}$	$\searrow$

또 $\lim\limits_{x\to\infty}\dfrac{x^2}{e^x}=0$이므로 $y=f(x)$의 그래프는 그림과 같다.

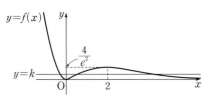

곡선 $y=f(x)$와 직선 $y=k$가 세 점에서 만나면 근이 세 개이므로

$0<k<\dfrac{4}{e^2}$

답 (1) 1 (2) $0<k<\dfrac{4}{e^2}$

참고 (2) 로피탈 정리에서

$$\lim_{x\to\infty}\frac{x^2}{e^x}=\lim_{x\to\infty}\frac{2x}{e^x}=\lim_{x\to\infty}\frac{2}{e^x}=0$$

1-1

(1) $f(x)=e^x-5x$라 하면

$f'(x)=e^x-5$

$f'(x)=0$에서 $e^x-5=0$ $\therefore x=\ln 5$

함수 $f(x)$의 증감표는 다음과 같다.

x	$\cdots$	$\ln 5$	$\cdots$
$f'(x)$	$-$	0	$+$
$f(x)$	$\searrow$	$5-5\ln 5$	$\nearrow$

또 $f(0)=1$,

$\lim\limits_{x\to-\infty}f(x)=\infty$,

$\lim\limits_{x\to\infty}f(x)=\infty$이므로

$y=f(x)$의 그래프는 그림과 같이 x축과 두 점에서 만난다.

따라서 방정식 $e^x-5x=0$의 실근은 두 개이다.

(2) $f(x)=x-\cos x$라 하면

$f'(x)=1+\sin x$, $f''(x)=\cos x$

$f'(x)=0$에서 $1+\sin x=0$

$\therefore x=\cdots,\ -\dfrac{\pi}{2},\ \dfrac{3}{2}\pi,\ \cdots$

$f''(x)=0$에서 $\cos x=0$

$\therefore x=\cdots,\ -\dfrac{3}{2}\pi,\ -\dfrac{\pi}{2},\ \dfrac{\pi}{2},\ \dfrac{3}{2}\pi,\ \cdots$

함수 $f(x)$의 증감표는 다음과 같다.

x	$\cdots$	$-\dfrac{\pi}{2}$	$\cdots$	$\dfrac{\pi}{2}$	$\cdots$	$\dfrac{3}{2}\pi$	$\cdots$
$f'(x)$	$+$	0	$+$	$+$	$+$	0	$+$
$f''(x)$	$-$	0	$+$	0	$-$	0	$+$
$f(x)$	$\nearrow$	$-\dfrac{\pi}{2}$	$\int$	$\dfrac{\pi}{2}$	$\int$	$\dfrac{3}{2}\pi$	$\nearrow$

또 $f(0)=-1$,

$\lim\limits_{x\to-\infty}f(x)=-\infty$,

$\lim\limits_{x\to\infty}f(x)=\infty$이므로

$y=f(x)$의 그래프는

그림과 같고 직선

$y=\dfrac{1}{2}$과 한 점에서 만난다.

따라서 방정식 $x-\cos x=\dfrac{1}{2}$의 실근은 한 개이다.

답 (1) 2 (2) 1

1-2

$\ln x-x+k=0$에서 $x>0$

$f(x)=-\ln x+x$라 하면 $f'(x)=-\dfrac{1}{x}+1$

$f'(x)=0$에서 $x=1$

$x>0$에서 함수 $f(x)$의 증감표는 다음과 같다.

x	(0)	$\cdots$	1	$\cdots$
$f'(x)$		$-$	0	$+$
$f(x)$		$\searrow$	1	$\nearrow$

또 $\lim\limits_{x\to\infty}f(x)=\infty$,

$\lim\limits_{x\to 0+}f(x)=\infty$이므로

$y=f(x)$의 그래프는 그림과 같다.

곡선 $y=f(x)$와 직선 $y=k$가

두 점에서 만나면 근이 두 개이므로

$k>1$

답 $k>1$

대표 02

직선 $y=ax$는 원점을 지나므로 곡선 $y=\dfrac{\ln x}{x}$와 원점을 지나는 직선의 교점의 개수를 생각한다.

$f(x)=\dfrac{\ln x}{x}$라 하면

$f'(x)=\dfrac{1-\ln x}{x^2}$

$f'(x)=0$에서 $1-\ln x=0$ $\qquad\therefore x=e$

$x>0$에서 함수 $f(x)$의 증감표는 다음과 같다.

x	(0)	$\cdots$	e	$\cdots$
$f'(x)$		$+$	0	$-$
$f(x)$		$\nearrow$	$\dfrac{1}{e}$	$\searrow$

또 $\displaystyle\lim_{x\to 0+}f(x)=-\infty$,

$\displaystyle\lim_{x\to\infty}f(x)=0$이므로 $y=f(x)$

의 그래프는 그림과 같다.

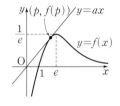

곡선 위의 점 $(p,\ f(p))$에서 접선의 방정식은

$y-\dfrac{\ln p}{p}=\dfrac{1-\ln p}{p^2}(x-p)$

이 직선이 원점을 지나므로

$-\dfrac{\ln p}{p}=\dfrac{1-\ln p}{p^2}(-p)$

$2\ln p=1$ $\qquad\therefore p=\sqrt{e}$

이때 접선의 기울기는 $f'(\sqrt{e})=\dfrac{1}{2e}$

(1) 원점을 지나는 직선이 곡선 $y=f(x)$와 한 점에서 만나면 근이 한 개이므로

$a=\dfrac{1}{2e}$ 또는 $a\leq 0$

(2) 원점을 지나는 직선이 곡선 $y=f(x)$와 두 점에서 만나면 근이 두 개이므로

$0<a<\dfrac{1}{2e}$

다른 풀이

$x\neq 0$이므로 양변을 x로 나누면 $\dfrac{\ln x}{x^2}=a$

$f(x)=\dfrac{\ln x}{x^2}$라 하면

$f'(x)=\dfrac{x-2x\ln x}{x^4}=\dfrac{1-2\ln x}{x^3}$

$f'(x)=0$에서 $1-2\ln x=0$ $\qquad\therefore x=\sqrt{e}$

$x>0$에서 함수 $f(x)$의 증감표는 다음과 같다.

x	(0)	$\cdots$	$\sqrt{e}$	$\cdots$
$f'(x)$		$+$	0	$-$
$f(x)$		$\nearrow$	$\dfrac{1}{2e}$	$\searrow$

또 $\displaystyle\lim_{x\to 0+}f(x)=-\infty$,

$\displaystyle\lim_{x\to\infty}f(x)=0$이므로

$y=f(x)$의 그래프는 그림과 같다.

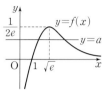

(1) 곡선 $y=f(x)$와 직선 $y=a$가 한 점에서 만나면 근이 한 개이므로

$a=\dfrac{1}{2e}$ 또는 $a\leq 0$

(2) 곡선 $y=f(x)$와 직선 $y=a$가 두 점에서 만나면 근이 두 개이므로

$0<a<\dfrac{1}{2e}$

$\quad$ 답 (1) $a=\dfrac{1}{2e}$ 또는 $a\leq 0$ (2) $0<a<\dfrac{1}{2e}$

2-1

직선 $y=k(x+1)$은 점 $(-1,\ 0)$을 지나므로 점 $(-1,\ 0)$을 지나는 직선과 곡선 $y=e^x$의 교점의 개수를 생각한다.

$f(x)=e^x$이라 하면 $f'(x)=e^x$이고, $y=f(x)$의 그래프는 그림과 같다.

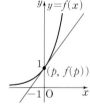

곡선 $y=f(x)$ 위의 점 $(p,\ f(p))$에서 접선의 방정식은

$y-e^p=e^p(x-p)$

이 직선이 점 $(-1,\ 0)$을 지나면

$-e^p=e^p(-1-p)$, $-1=-1-p$

$\therefore p=0$

이때 접선의 기울기는 $f'(0)=1$

점 $(-1,\ 0)$을 지나는 직선이 곡선 $y=f(x)$와 두 점에서 만나면 근이 두 개이므로

$k>1$

다른 풀이

$x\neq -1$이므로 양변을 $x+1$로 나누면 $\dfrac{e^x}{x+1}=k$

$f(x)=\dfrac{e^x}{x+1}$이라 하면

$f'(x)=\dfrac{e^x(x+1)-e^x}{(x+1)^2}=\dfrac{xe^x}{(x+1)^2}$

$f'(x)=0$에서 $xe^x=0$ $\qquad\therefore x=0$

함수 $f(x)$의 증감표는 다음과 같다.

x	$\cdots$	(-1)	$\cdots$	0	$\cdots$
$f'(x)$	$-$		$-$	0	$+$
$f(x)$	$\searrow$		$\searrow$	1	$\nearrow$

또 $\lim\limits_{x\to-\infty} f(x)=0$,

$\lim\limits_{x\to-1-} f(x)=-\infty$,

$\lim\limits_{x\to-1+} f(x)=\infty$,

$\lim\limits_{x\to\infty} f(x)=\infty$이므로

$y=f(x)$의 그래프는 그림과
같다.

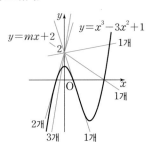

곡선 $y=f(x)$와 직선 $y=k$가 두 점에서 만나면 근이 두
개이므로

$k>1$

답 $k>1$

2-2

점 $(0, 2)$를 지나고 기울기가 m인 직선의 방정식은
$y=mx+2$

직선 $y=mx+2$와 곡선 $y=x^3-3x^2+1$의 교점의 개
수는 방정식 $mx+2=x^3-3x^2+1$, 곧

$x^2-3x-\dfrac{1}{x}=m$ ($\because x\neq 0$)의 실근의 개수와 같다.

$f(x)=x^2-3x-\dfrac{1}{x}$이라 하면

$f'(x)=2x-3+\dfrac{1}{x^2}=\dfrac{(x-1)^2(2x+1)}{x^2}$

$f'(x)=0$에서 $x=-\dfrac{1}{2}$ 또는 $x=1$

함수 $f(x)$의 증감표는 다음과 같다.

x	$\cdots$	$-\dfrac{1}{2}$	$\cdots$	(0)	$\cdots$	1	$\cdots$
$f'(x)$	$-$	0	$+$		$+$	0	$+$
$f(x)$	$\searrow$	$\dfrac{15}{4}$	$\nearrow$		$\nearrow$	-3	$\nearrow$

또 $\lim\limits_{x\to-\infty} f(x)=\infty$,

$\lim\limits_{x\to0-} f(x)=\infty$,

$\lim\limits_{x\to0+} f(x)=-\infty$,

$\lim\limits_{x\to\infty} f(x)=\infty$이므로

$y=f(x)$의 그래프는 그림
과 같다.

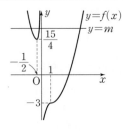

곡선 $y=f(x)$와 직선 $y=m$이 세 점에서 만나면

$m>\dfrac{15}{4}$

답 $m>\dfrac{15}{4}$

참고 그림과 같이 곡선 $y=x^3-3x^2+1$과 직선
$y=mx+2$의 교점의 개수를 조사하여 m값의 범위를
구할 수도 있다.

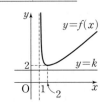

대표 **03**

(1) $x-k>\ln(x-1)$에서 $x-\ln(x-1)>k$이므로
$f(x)=x-\ln(x-1)$이라 하면

$f'(x)=1-\dfrac{1}{x-1}=\dfrac{x-2}{x-1}$

$f'(x)=0$에서 $x=2$

$x>1$에서 함수 $f(x)$의 증감표는 다음과 같다.

x	(1)	$\cdots$	2	$\cdots$
$f'(x)$		$-$	0	$+$
$f(x)$		$\searrow$	2	$\nearrow$

또 $\lim\limits_{x\to1+} f(x)=\infty$,

$\lim\limits_{x\to\infty} f(x)=\infty$이므로

$y=f(x)$의 그래프는 그림과
같다.

직선 $y=k$가 곡선 $y=f(x)$의
아래쪽에 있어야 하므로 $k<2$

다른 풀이

$f(x)=x-\ln(x-1)-k$라 하면

$f'(x)=1-\dfrac{1}{x-1}=\dfrac{x-2}{x-1}$

$f'(x)=0$에서 $x=2$

$x>1$에서 함수 $f(x)$의 증감표는 다음과 같다.

x	(1)	$\cdots$	2	$\cdots$
$f'(x)$		$-$	0	$+$
$f(x)$		$\searrow$	$2-k$	$\nearrow$

곧, $x=2$에서 $f(x)$는 최소이고

$f(2)=2-k$이므로 $2-k>0$ $\therefore k<2$

(2) $\cos x>k-\dfrac{x^2}{2}$에서 $\cos x+\dfrac{x^2}{2}>k$이므로

$f(x)=\cos x+\dfrac{x^2}{2}$이라 하면

$f'(x)=-\sin x+x$, $f''(x)=-\cos x+1$

$0<x<\pi$에서 $f''(x)>0$이므로 $f'(x)$는 증가한다.

또 $f'(0)=0$이므로 $0<x<\pi$에서 $f'(x)>0$이고

$f(x)$는 증가한다.

$f'(\pi)=\pi$, $f(0)=1$, $f(\pi)=\dfrac{\pi^2}{2}-1$이므로

$0<x<\pi$에서 $y=f'(x)$, $y=f(x)$의 그래프는 그림과 같다.

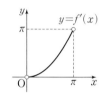 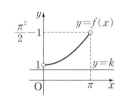

$f(x)>k$이어야 하므로 $k\leq 1$

📋 (1) $k<2$ (2) $k\leq 1$

3-1

$f(x)=x\ln x+x$라 하면

$f'(x)=\ln x+2$

$f'(x)=0$에서 $\ln x+2=0$ $\therefore x=\dfrac{1}{e^2}$

$x>0$에서 함수 $f(x)$의 증감표는 다음과 같다.

x	(0)	$\cdots$	$\dfrac{1}{e^2}$	$\cdots$
$f'(x)$		$-$	0	$+$
$f(x)$		$\searrow$	$-\dfrac{1}{e^2}$	$\nearrow$

또 $\lim\limits_{x\to\infty}f(x)=\infty$이므로

$y=f(x)$의 그래프는 그림과 같다.

직선 $y=k$가 곡선 $y=f(x)$와 접하거나 아래쪽에 있어야 하므로

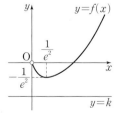

$k\leq-\dfrac{1}{e^2}$

다른 풀이

$x\ln x+x\geq k$에서 $x\ln x+x-k\geq 0$

$f(x)=x\ln x+x-k$라 하면

$f'(x)=\ln x+2$

$f'(x)=0$에서 $\ln x+2=0$ $\therefore x=\dfrac{1}{e^2}$

$x>0$에서 함수 $f(x)$의 증감표는 다음과 같다.

x	(0)	$\cdots$	$\dfrac{1}{e^2}$	$\cdots$
$f'(x)$		$-$	0	$+$
$f(x)$		$\searrow$	$-\dfrac{1}{e^2}-k$	$\nearrow$

곧, $x=\dfrac{1}{e^2}$에서 $f(x)$는 최소이므로 $-\dfrac{1}{e^2}-k\geq 0$

$\therefore k\leq-\dfrac{1}{e^2}$

📋 $k\leq-\dfrac{1}{e^2}$

3-2

$f(x)=(x-2)e^x+x+2$라 하면

$f'(x)=(x-1)e^x+1$, $f''(x)=xe^x$

$e^x>0$이므로 $x>0$에서 $f''(x)>0$

$x>0$에서 함수 $f'(x)$는 증가하고 $f'(0)=0$이므로

$f'(x)>0$

또 $x>0$일 때 $f'(x)>0$이므로 $x>0$에서 함수 $f(x)$는 증가한다.

이때 $f(0)=0$이므로 $f(x)>0$

따라서 $x>0$에서 부등식 $(x-2)e^x+x+2>0$이 성립한다.

📋 풀이 참조

▶ **개념 Check** 153쪽~155쪽

2

시각 t에서 P의

속도는 $v(t)=x'(t)=e^t+1$,

가속도는 $a(t)=v'(t)=e^t$

📋 속도 : e^t+1, 가속도 : e^t

3

(1) 시각 t에서 P의 속도는

$(v_x,\ v_y)=(x',\ y')=(2t,\ e^t)$

(2) 시각 $t=1$에서 P의 속도는 $(2,\ e)$이므로

속력은 $\sqrt{{v_x}^2+{v_y}^2}=\sqrt{4+e^2}$

(3) 시각 t에서 P의 가속도는

$$(a_x,\ a_y)=(v_x{'},\ v_y{'})=(2,\ e^t)$$

답 (1) $(2t,\ e^t)$　(2) $\sqrt{4+e^2}$　(3) $(2,\ e^t)$

대표Q　　　　　　　　　　156쪽 ~ 157쪽

대표 04

시각 t에서 P의 속도 $v(t)$와 가속도 $a(t)$는

$$v(t)=x'(t)=e^t(\cos t-\sin t)$$

$$a(t)=v'(t)$$
$$=e^t(\cos t-\sin t)+e^t(-\sin t-\cos t)$$
$$=-2e^t\sin t$$

(1) 원점을 지나면 $x(t)=0$이므로 $e^t\cos t=0$

$e^t>0$이므로 $\cos t=0$

따라서 $t=\dfrac{\pi}{2}$일 때, 처음으로 원점을 지난다.

곧, 시각 $t=\dfrac{\pi}{2}$에서 P의

속도는 $v\left(\dfrac{\pi}{2}\right)=e^{\frac{\pi}{2}}(0-1)=-e^{\frac{\pi}{2}}$

가속도는 $a\left(\dfrac{\pi}{2}\right)=-2e^{\frac{\pi}{2}}$

(2) 시각 t에서 운동 방향을 바꾸면 $v(t)=0$이고, t의 좌우에서 $v(t)$의 부호가 바뀐다.

$v(t)=0$에서 $e^t(\cos t-\sin t)=0$

$e^t>0$이므로 $\cos t=\sin t$, $\tan t=1$

$\therefore t=\dfrac{\pi}{4}$ 또는 $t=\dfrac{5}{4}\pi$

두 시각 모두 t의 좌우에서 $v(t)$의 부호가 바뀌므로 P의 운동 방향도 바뀐다.

(3) $a(t)=0$에서 $-2e^t\sin t=0$

$e^t>0$이므로 $\sin t=0$　$\therefore t=\pi$

이때 P의 위치는 $x(\pi)=-e^{\pi}$

답 (1) 속도 : $-e^{\frac{\pi}{2}}$, 가속도 : $-2e^{\frac{\pi}{2}}$

(2) $t=\dfrac{\pi}{4}$ 또는 $t=\dfrac{5}{4}\pi$

(3) $-e^{\pi}$

4-1

시각 t에서 P의 속도 $v(t)$와 가속도 $a(t)$는

$$v(t)=x'(t)=2t+\dfrac{4}{t}$$

$$a(t)=v'(t)=2-\dfrac{4}{t^2}$$

(1) $t=4$에서 P의 속도와 가속도는

$$v(4)=9,\ a(4)=\dfrac{7}{4}$$

(2) $a(t)=0$에서 $2-\dfrac{4}{t^2}=0$, $t^2=2$

$t>0$이므로 $t=\sqrt{2}$

이때 P의 위치는 $x(\sqrt{2})=2+2\ln 2$

답 (1) 속도 : 9, 가속도 : $\dfrac{7}{4}$　(2) $2+2\ln 2$

4-2

시각 t에서 P의 속도 $v(t)$는

$$v(t)=x'(t)=2at-e^{-t}$$

$t=2$에서 P의 속도가 $4-e^{-2}$이므로

$v(2)=4a-e^{-2}=4-e^{-2}$에서 $a=1$

$\therefore x(t)=t^2+e^{-t}$

따라서 $t=1$에서 P의 위치는

$$x(1)=1+\dfrac{1}{e}$$

답 $1+\dfrac{1}{e}$

대표 05

(1) 시각 t에서 P의

속도는 $(v_x,\ v_y)=(x',\ y')=(1-\sin t,\ \cos t)$

가속도는 $(a_x,\ a_y)=(v_x{'},\ v_y{'})=(-\cos t,\ -\sin t)$

(2) x축과 만나면 $y=0$이므로 $1+\sin t=0$

$t>0$이므로 $t=\dfrac{3}{2}\pi,\ \dfrac{3}{2}\pi+2\pi,\ \dfrac{3}{2}\pi+4\pi,\ \cdots$

따라서 두 번째 만나면 $t=\dfrac{3}{2}\pi+2\pi=\dfrac{7}{2}\pi$

이때 P의

속도는 $\left(1-\sin\dfrac{7}{2}\pi,\ \cos\dfrac{7}{2}\pi\right)=(2,\ 0)$,

가속도는 $\left(-\cos\dfrac{7}{2}\pi,\ -\sin\dfrac{7}{2}\pi\right)=(0,\ 1)$

(3) 속력은 $\sqrt{v_x{}^2+v_y{}^2}$ 이므로

$v_x{}^2+v_y{}^2=(1-\sin t)^2+\cos^2 t=2-2\sin t$

$-1\le\sin t\le 1$ 이므로 $\sin t=-1$일 때 속력이 최대이다.

$0\le t\le 2\pi$ 이므로 $t=\dfrac{3}{2}\pi$

이때 P의

위치는 $\left(\dfrac{3}{2}\pi+\cos\dfrac{3}{2}\pi,\ 1+\sin\dfrac{3}{2}\pi\right)=\left(\dfrac{3}{2}\pi,\ 0\right)$,

가속도는 $\left(-\cos\dfrac{3}{2}\pi,\ -\sin\dfrac{3}{2}\pi\right)=(0,\ 1)$

> 📝 (1) 속도 : $(1-\sin t,\ \cos t)$,
> 가속도 : $(-\cos t,\ -\sin t)$
> (2) 속도 : $(2,\ 0)$, 가속도 : $(0,\ 1)$
> (3) 위치 : $\left(\dfrac{3}{2}\pi,\ 0\right)$, 가속도 : $(0,\ 1)$

5-1

(1) 시각 t에서 P의

속도는 $(v_x,\ v_y)=(x',\ y')=(-4t+4,\ 5)$

가속도는 $(a_x,\ a_y)=(v_x{}',\ v_y{}')=(-4,\ 0)$

(2) 속력은 $\sqrt{v_x{}^2+v_y{}^2}$ 이므로

$v_x{}^2+v_y{}^2=(-4t+4)^2+5^2=16(t-1)^2+25$

따라서 $t=1$일 때 속력이 최소이다.

이때 P의 위치는 $(2,\ 5)$, 속도는 $(0,\ 5)$

> 📝 (1) 속도 : $(-4t+4,\ 5)$, 가속도 : $(-4,\ 0)$
> (2) 위치 : $(2,\ 5)$, 속도 : $(0,\ 5)$

5-2

시각 t에서 P의 속도는

$(v_x,\ v_y)=(x',\ y')$
$\qquad =(e^t(\cos t-\sin t),\ e^t(\cos t+\sin t))$

가속도는 $(a_x,\ a_y)=(v_x{}',\ v_y{}')=(-2e^t\sin t,\ 2e^t\cos t)$

이므로 속력은

$\sqrt{v_x{}^2+v_y{}^2}=\sqrt{e^{2t}(\cos t-\sin t)^2+e^{2t}(\cos t+\sin t)^2}$
$\qquad\qquad\quad =\sqrt{2e^{2t}}=\sqrt{2}\,e^t$

가속도의 크기는

$\sqrt{a_x{}^2+a_y{}^2}=\sqrt{(-2e^t\sin t)^2+(2e^t\cos t)^2}$
$\qquad\qquad\quad =\sqrt{4e^{2t}}=2e^t$

P의 속력이 $\sqrt{2}\,e^4$ 이므로

$\sqrt{2}\,e^t=\sqrt{2}\,e^4$ 에서 $t=4$

따라서 $t=4$에서 P의 가속도의 크기는 $2e^4$

> 📝 $2e^4$

---

01 (1) 0 (2) 1		**02** ②	**03** ④	**04** 40
05 10	**06** ⑤	**07** 7	**08** $k\ge\dfrac{1}{e}$	
09 $2-\dfrac{2}{e}$	**10** ③	**11** $\dfrac{2\sqrt{10}}{3}$	**12** $p=1,\ q=-12$	
13 $\left(-\dfrac{3\sqrt{2}}{2},\ \dfrac{3\sqrt{2}}{2}\right)$	**14** $\dfrac{50}{49}$	**15** ⑤		

01

(1) $f(x)=e^x-2x$라 하면 $f'(x)=e^x-2$

$f'(x)=0$에서 $e^x=2$ ∴ $x=\ln 2$

$f(\ln 2)=e^{\ln 2}-2\ln 2=2(1-\ln 2)>0$

$\displaystyle\lim_{x\to-\infty}f(x)=\infty,\ \lim_{x\to\infty}f(x)=\infty$

이므로 증감을 조사하여 $y=f(x)$의 그래프를 그리면 그림과 같다.

따라서 x축과 만나지 않으므로 실근을 갖지 않는다.

(2) $f(x)=x\ln x-1$이라 하면

$f'(x)=\ln x+x\times\dfrac{1}{x}=\ln x+1$

$f'(x)=0$에서 $x=e^{-1}=\dfrac{1}{e}$

$f\left(\dfrac{1}{e}\right)=-\dfrac{1}{e}-1$이고,

$\displaystyle\lim_{x\to\infty}f(x)=\infty$이므로

$x>0$에서 증감을 조사하여 $y=f(x)$의 그래프를 그리면 그림과 같다.

따라서 x축과 한 점에서 만나므로 1개의 실근을 가진다.

> 📝 (1) 0 (2) 1

02

$f(x)=e^x+e^{-x}$이라 하면 $f'(x)=e^x-e^{-x}$

$f'(x)=0$에서 $e^x=e^{-x}$, $e^{2x}=1$ ∴ $x=0$

$f(0)=2,\ \displaystyle\lim_{x\to-\infty}f(x)=\infty,\ \lim_{x\to\infty}f(x)=\infty$

이므로 증감을 조사하여 $y=f(x)$의 그래프를 그리면 그림과 같다.

곡선 $y=f(x)$와 직선 $y=k$가
한 점에서 만나므로 $k=2$

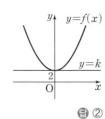

답 ②

참고 $f(x)=e^x+e^{-x}-k$로 놓고 $y=f(x)$의 그래프가
x축과 한 점에서 만날 조건을 찾아도 된다.

03

직선 $y=ax$가 원점에서 곡선 $y=\tan 2x$에 접할 때 a가
최대이다.
$f(x)=\tan 2x$라 하면
$f'(x)=2\sec^2 2x$이므로
$f'(0)=2$
따라서 a의 최댓값은 2이다.

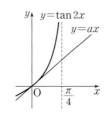

다른 풀이

$0<x<\dfrac{\pi}{4}$에서 $\tan 2x-ax>0$이 성립한다.

$f(x)=\tan 2x-ax$라 하면
$f'(x)=2\sec^2 2x-a$

$0<x<\dfrac{\pi}{4}$일 때, $2\sec^2 2x=\dfrac{2}{\cos^2 2x}>2$

$a>2$이면 그림과 같이 $f(x)$는
극솟값을 가지고 $f(0)=0$이므로
극솟값은 음수이다.
따라서 $a\le 2$이면 $f(x)$는 극값
을 갖지 않고 $f(x)>0$이다.
곧, a의 최댓값은 2이다.

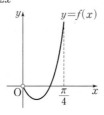

답 ④

04

시각 t에서 P의 속도 $v(t)$와 가속도 $a(t)$는
$v(t)=x'(t)=1-\dfrac{40}{\pi}\sin(2\pi t)$
$a(t)=v'(t)=-80\cos(2\pi t)$
$\therefore a\left(\dfrac{1}{3}\right)=-80\cos\dfrac{2}{3}\pi$
$\qquad\qquad =-80\times\left(-\dfrac{1}{2}\right)=40$

답 40

05

$x=5t$, $y=5\sqrt{3}\,t-5t^2$이므로
$v_x=\dfrac{dx}{dt}=5$, $v_y=\dfrac{dy}{dt}=5\sqrt{3}-10t$
공이 지면에 떨어질 때 $y=0$이므로
$5\sqrt{3}\,t-5t^2=0$, $5t(\sqrt{3}-t)=0$
$t>0$이므로 $t=\sqrt{3}$
따라서 $t=\sqrt{3}$일 때
$v_x=5$, $v_y=5\sqrt{3}-10\times\sqrt{3}=-5\sqrt{3}$
따라서 속력은
$\sqrt{5^2+(-5\sqrt{3}\,)^2}=10$

답 10

06 전략 $f(x)=\sin x-x\cos x$로 놓고 그래프를 그려 직
선 $y=k$와 두 점에서 만날 조건을 찾는다.

$\sin x-x\cos x=k$에서 $f(x)=\sin x-x\cos x$라 하면
$f'(x)=\cos x-\cos x+x\sin x=x\sin x$
$0\le x\le 2\pi$에서 $f'(x)=0$의 해는
$x=0$ 또는 $x=\pi$ 또는 $x=2\pi$
$f(0)=0$, $f(\pi)=\pi$,
$f(2\pi)=-2\pi$이므로
증감을 조사하여 $y=f(x)$의
그래프를 그리면 그림과 같다.
따라서 곡선 $y=f(x)$와 직선
$y=k$가 두 점에서 만나므로
$0\le k<\pi$

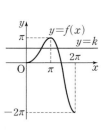

이때 k가 정수이므로 $k=0$, 1, 2, 3이고 그 합은 6이다.

답 ⑤

07 전략 양변을 x로 나눈 방정식 $x^3+\dfrac{3}{x}=a$에서
실근이 없을 조건을 찾는다.

$x^4+3=ax$에서 $x=0$은 해가 아니므로 $x^3+\dfrac{3}{x}=a$의 실
근이 없을 조건을 찾으면 된다.

$f(x)=x^3+\dfrac{3}{x}$이라 하면
$f'(x)=3x^2-\dfrac{3}{x^2}$
$f'(x)=0$에서
$3x^2-\dfrac{3}{x^2}=0$, $x^4-1=0$, $(x^2+1)(x^2-1)=0$
$\therefore x=\pm 1$

$f(-1)=-4$, $f(1)=4$이고

$\lim\limits_{x\to-\infty}f(x)=-\infty$

$\lim\limits_{x\to0-}f(x)=-\infty$

$\lim\limits_{x\to0+}f(x)=\infty$

$\lim\limits_{x\to\infty}f(x)=\infty$이므로

증감을 조사하여 $y=f(x)$의 그
래프를 그리면 그림과 같다.

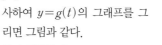

따라서 곡선 $y=f(x)$와 직선 $y=a$가 만나지 않으면
$-4<a<4$

이때 a가 정수이므로 -3, -2, $\cdots$, 2, 3의 7개이다.

🅐 7

참고 $f(x)=x^4-ax$라 하고 곡선 $y=f(x)$가 직선 $y=-3$
의 위쪽에 있을 조건을 찾아도 된다.

08 전략 양변에 e^x을 곱하여 (x에 대한 식)$\geq-k$ 꼴로 변
형한다.

$e^x>0$이므로 양변에 e^x을 곱하면
$xe^x+k\geq0$, $xe^x\geq-k$

$f(x)=xe^x$이라 하면 $f'(x)=e^x+xe^x=(x+1)e^x$

$f'(x)=0$에서 $x=-1$

$f(-1)=-\dfrac{1}{e}$이고,

$\lim\limits_{x\to-\infty}f(x)=0$,

$\lim\limits_{x\to\infty}f(x)=\infty$이므로 증감을

조사하여 $y=f(x)$의 그래프
를 그리면 그림과 같다.

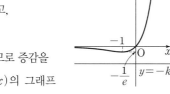

직선 $y=-k$가 곡선 $y=f(x)$와 접하거나 아래쪽에 있어
야 하므로
$-k\leq-\dfrac{1}{e}$ $\therefore k\geq\dfrac{1}{e}$

다른 풀이

$f(x)=x+ke^{-x}$이라 하면
$f'(x)=1-ke^{-x}$

(i) $k\leq0$일 때,
    $f'(x)>0$이고 $f(0)=k\leq0$이므로 성립하지 않는다.

(ii) $k>0$일 때,
    $f'(x)=0$에서
    $ke^{-x}=1$, $e^x=k$
    $\therefore x=\ln k$
    증감을 조사하면 $x=\ln k$
    일 때 극소이고 최소이므로

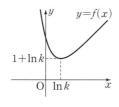

$f(\ln k)\geq0$이면 부등식이 성립한다.

$e^{-\ln k}=(e^{\ln k})^{-1}=k^{-1}=\dfrac{1}{k}$이므로

$f(\ln k)=\ln k+ke^{-\ln k}=1+\ln k\geq0$

$\therefore k\geq\dfrac{1}{e}$

🅐 $k\geq\dfrac{1}{e}$

09 전략 평균값 정리를 이용한다.

조건에서 $x_2-x_1>0$이므로

$\dfrac{f(x_2)-f(x_1)}{x_2-x_1}\leq2$

함수 $f(x)$는 구간 $[x_1,\ x_2]$에서 연속이고 구간 $(x_1,\ x_2)$
에서 미분가능하므로 평균값 정리에 의하여

$\dfrac{f(x_2)-f(x_1)}{x_2-x_1}=f'(t)\ (x_1<t<x_2)$

인 t가 존재한다. 그리고 $f'(t)$가 연속이므로 $t>0$일 때
$f'(t)\leq2$일 조건을 찾는다.

$f'(x)=\dfrac{2\ln x}{x}+a$이므로 $f'(t)\leq2$에서

$\dfrac{2\ln t}{t}\leq2-a$ $\cdots$ ㉠

$g(t)=\dfrac{2\ln t}{t}$라 하면

$g'(t)=\dfrac{2-2\ln t}{t^2}$

$g'(t)=0$에서 $t=e$

$g(e)=\dfrac{2}{e}$이고,

$\lim\limits_{t\to0+}g(t)=-\infty$,

$\lim\limits_{t\to\infty}g(t)=0$이므로 증감을 조
사하여 $y=g(t)$의 그래프를 그
리면 그림과 같다.

㉠이 성립하면

$\dfrac{2}{e}\leq2-a$, $a\leq2-\dfrac{2}{e}$

따라서 실수 a의 최댓값은 $2-\dfrac{2}{e}$

🅐 $2-\dfrac{2}{e}$

10 전략 $x=a$에서 극값을 가지므로 $f'(a)=0$이다.

$f'(x)=-e^{-x}(\ln x-2)+e^{-x}\times\dfrac{1}{x}$

$\qquad=e^{-x}\Big(\dfrac{1}{x}+2-\ln x\Big)$

$g(x)=\dfrac{1}{x}+2-\ln x$라 하자.

$e^{-x}>0$이므로 $f'(a)=0$이면 $g(a)=0$이다.

또 $g'(x)=-\dfrac{1}{x^2}-\dfrac{1}{x}$이므로 $x>0$에서 $g'(x)<0$이다.

곧, $x>0$에서 $g(x)$는 감소한다.

그런데 $g(e^2)=\dfrac{1}{e^2}>0$, $g(e^3)=\dfrac{1}{e^3}-1<0$이므로

$g(a)=0$인 a는 구간 $(e^2,\ e^3)$에 속한다.

답 ③

11 전략 점 P의 좌표를 t에 대한 식으로 나타낸다.

출발한 지 t초 후 두 점 A, B의 좌표는 각각 $(2t,\ 0)$, $(0,\ 3t)$이므로 선분 AB를 $2:1$로 내분하는 점 P의 좌표를 $(x,\ y)$라 하면

$x=\dfrac{2}{3}t,\ y=2t$

$\therefore \dfrac{dx}{dt}=\dfrac{2}{3},\ \dfrac{dy}{dt}=2$

따라서 P의 속력은

$\sqrt{\left(\dfrac{2}{3}\right)^2+2^2}=\dfrac{2\sqrt{10}}{3}$

답 $\dfrac{2\sqrt{10}}{3}$

12 전략 시각 t에서 P의 위치가 $x=f(t)$이면

$$(\text{속도})=v(t)=\dfrac{dx}{dt}=f'(t)$$

$$(\text{가속도})=a(t)=\dfrac{dv}{dt}=v'(t)$$

시각 t에서 P의 속도 $v(t)$와 가속도 $a(t)$는

$v(t)=x'(t)=2pt+\dfrac{q}{t+1}$

$a(t)=v'(t)=2p-\dfrac{q}{(t+1)^2}$

$t=2$에서 운동 방향을 바꾸므로 $v(2)=0$

$\therefore 4p+\dfrac{q}{3}=0$ $\quad\cdots$ ㉠

$t=1$에서 가속도가 5이므로 $a(1)=5$

$\therefore 2p-\dfrac{q}{4}=5$ $\quad\cdots$ ㉡

㉠, ㉡을 연립하여 풀면

$p=1,\ q=-12$

답 $p=1,\ q=-12$

13 전략 속도는 $\left(\dfrac{dx}{dt},\ \dfrac{dy}{dt}\right)$, 속력은 $\sqrt{\left(\dfrac{dx}{dt}\right)^2+\left(\dfrac{dy}{dt}\right)^2}$ 이다.

$\dfrac{dx}{dt}=-6\cos^2 t\sin t,\ \dfrac{dy}{dt}=6\sin^2 t\cos t$

이므로 P의 속력은

$\sqrt{(-6\cos^2 t\sin t)^2+(6\sin^2 t\cos t)^2}$
$=\sqrt{36\cos^4 t\sin^2 t+36\sin^4 t\cos^2 t}$
$=\sqrt{36\sin^2 t\cos^2 t(\cos^2 t+\sin^2 t)}$
$=6\sin t\cos t=3\sin 2t$

속력이 최대일 때는 $\sin 2t=1$에서 $2t=\dfrac{\pi}{2}$일 때이므로

$t=\dfrac{\pi}{4}$

따라서 $t=\dfrac{\pi}{4}$에서 P의 속도는

$\left(-6\times\left(\dfrac{\sqrt{2}}{2}\right)^3,\ 6\times\left(\dfrac{\sqrt{2}}{2}\right)^3\right)=\left(-\dfrac{3\sqrt{2}}{2},\ \dfrac{3\sqrt{2}}{2}\right)$

답 $\left(-\dfrac{3\sqrt{2}}{2},\ \dfrac{3\sqrt{2}}{2}\right)$

14 전략 직선 OP, 직선 AB의 방정식을 연립하여 Q의 좌표부터 구한다.

시각 t에서 각 AOP의 크기를 $\theta(t)$라 하자.

t초 후 호 AP의 길이는 t이므로

$\theta(t)=t$

따라서 $\mathrm{P}(\cos t,\ \sin t)$이므로 직선 OP의 방정식은

$y=\dfrac{\sin t}{\cos t}x$ $\quad\cdots$ ㉠

직선 AB의 방정식은

$y=-x+1$ $\quad\cdots$ ㉡

$\mathrm{Q}(x,\ y)$라 하면 점 Q는 두 직선 ㉠, ㉡의 교점이므로

㉠, ㉡을 연립하여 풀면

$x=\dfrac{\cos t}{\cos t+\sin t},\ y=\dfrac{\sin t}{\cos t+\sin t}$

$\therefore \dfrac{dx}{dt}=\dfrac{-\sin t(\cos t+\sin t)-\cos t(-\sin t+\cos t)}{(\cos t+\sin t)^2}$

$\qquad\quad =\dfrac{-1}{(\cos t+\sin t)^2}$ $\quad\cdots$ ㉢

$\dfrac{dy}{dt}=\dfrac{\cos t(\cos t+\sin t)-\sin t(-\sin t+\cos t)}{(\cos t+\sin t)^2}$

$\qquad\quad =\dfrac{1}{(\cos t+\sin t)^2}$ $\quad\cdots$ ㉣

점 P의 x좌표가 $\dfrac{4}{5}$일 때, 곧 $\cos t=\dfrac{4}{5}$이면 y좌표는

$\sin t=\sqrt{1-\left(\dfrac{4}{5}\right)^2}=\dfrac{3}{5}$

따라서 $\cos t = \dfrac{4}{5}$, $\sin t = \dfrac{3}{5}$ 을 ㉢, ㉣에 대입하면

속도는 $\left(-\dfrac{25}{49}, \dfrac{25}{49}\right)$

$\therefore b-a = \dfrac{25}{49} - \left(-\dfrac{25}{49}\right) = \dfrac{50}{49}$

$\color{red}{\boxed{\scriptsize답}}\ \dfrac{50}{49}$

15 (전략) ㄷ. 곡선 $y=h''(x)$와 직선 $y=x$가 만나는 점의 x좌표가 방정식 $h''(x)-x=0$의 해이다.

ㄱ. $x=0$을 $f(-x)=-f(x)$에 대입하면

$f(0)=-f(0)$ $\qquad \therefore f(0)=0$

$\therefore h(0)=0$ (참)

ㄴ. $h'(x)=f'(x)+g(x)+xg'(x)$

$f(-x)=-f(x)$의 양변을 미분하면

$-f'(-x)=-f'(x)$

$\therefore f'(-x)=f'(x)$

$g(-x)=g(x)$의 양변을 미분하면

$-g'(-x)=g'(x)$

이므로

$h'(-x)=f'(-x)+g(-x)-xg'(-x)$
$\qquad\quad =f'(x)+g(x)+xg'(x)$

$\therefore h'(-x)=h'(x)$ (참)

ㄷ. $h'(-x)=h'(x)$의 양변을 미분하면

$-h''(-x)=h''(x)$ $\qquad \cdots$ ㉠

$x=0$을 대입하면

$-h''(0)=h''(0)$

$\therefore h''(0)=0$

$h''(x)$가 $x=1$에서 극댓값 1을 가지므로 $h''(1)=1$

$x=1$을 ㉠에 대입하면

$-h''(-1)=h''(1)=1$

곧, $h''(0)=0$, $h''(1)=1$, $h''(-1)=-1$이므로

$y=h''(x)$의 그래프는 세 점 $(0, 0)$, $(1, 1)$,

$(-1, -1)$을 지난다.

따라서 곡선 $y=h''(x)$와

직선 $y=x$는 그림과 같이

적어도 세 점 $(0, 0)$,

$(1, 1)$, $(-1, -1)$에서

만나므로 방정식

$h''(x)-x=0$의 실근은

적어도 3개이다. (참)

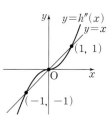

따라서 옳은 것은 ㄱ, ㄴ, ㄷ이다.

$\color{red}{\boxed{\scriptsize답}}\ ⑤$

11 부정적분과 정적분

개념 **Check** 162쪽~164쪽

1

$\color{red}{\boxed{\scriptsize답}}$ (1) e^x (2) e^x+C

2

(1) $\displaystyle\int x^{-3}\,dx = \dfrac{1}{-3+1}x^{-3+1}+C = -\dfrac{1}{2x^2}+C$

(2) $\displaystyle\int x\sqrt{x}\,dx = \int x^{\frac{3}{2}}\,dx = \dfrac{1}{\frac{3}{2}+1}x^{\frac{3}{2}+1}+C$

$\qquad\qquad\qquad = \dfrac{2}{5}x^{\frac{5}{2}}+C$

(3) $\displaystyle\int \dfrac{1}{2x}\,dx = \dfrac{1}{2}\int \dfrac{1}{x}\,dx = \dfrac{1}{2}\ln|x|+C$

$\color{red}{\boxed{\scriptsize답}}$ (1) $-\dfrac{1}{2x^2}+C$ (2) $\dfrac{2}{5}x^{\frac{5}{2}}+C$ (3) $\dfrac{1}{2}\ln|x|+C$

3

$\color{red}{\boxed{\scriptsize답}}$ (1) $-e^x+C$ (2) $\dfrac{3^x}{\ln 3}+C$

4

(2) $\displaystyle\int (\sec^2 x + \csc^2 x)\,dx = \int \sec^2 x\,dx + \int \csc^2 x\,dx$

$\qquad\qquad\qquad\qquad\quad = \tan x - \cot x + C$

$\color{red}{\boxed{\scriptsize답}}$ (1) $\cos x + C$ (2) $\tan x - \cot x + C$

대표Q 165쪽~167쪽

대표 01

(1) $\displaystyle\int x^3\sqrt{x}\,dx = \int x^{\frac{4}{3}}\,dx = \dfrac{3}{7}x^{\frac{7}{3}}+C$

$\qquad\qquad\qquad = \dfrac{3}{7}x^2\sqrt[3]{x}+C$

(2) $\displaystyle\int \left(x-\dfrac{1}{x}\right)^2 dx = \int \left(x^2-2+\dfrac{1}{x^2}\right)dx$

$\qquad\qquad\qquad\quad = \int (x^2-2+x^{-2})\,dx$

$\qquad\qquad\qquad\quad = \dfrac{1}{3}x^3-2x-x^{-1}+C$

$\qquad\qquad\qquad\quad = \dfrac{1}{3}x^3-2x-\dfrac{1}{x}+C$

(3) $\displaystyle\int\frac{(\sqrt{x}-1)^2}{x}dx=\int\frac{x-2\sqrt{x}+1}{x}dx$

$\displaystyle\qquad=\int\left(1-2x^{-\frac{1}{2}}+\frac{1}{x}\right)dx$

$\displaystyle\qquad=x-4x^{\frac{1}{2}}+\ln|x|+C$

$\displaystyle\qquad=x-4\sqrt{x}+\ln|x|+C$

🖪 (1) $\dfrac{3}{7}x^2\sqrt[3]{x}+C$ (2) $\dfrac{1}{3}x^3-2x-\dfrac{1}{x}+C$

(3) $x-4\sqrt{x}+\ln|x|+C$

1-1

(1) $\displaystyle\int\frac{\sqrt[3]{x}+1}{x}dx=\int\left(x^{-\frac{2}{3}}+\frac{1}{x}\right)dx$

$\displaystyle\qquad=3x^{\frac{1}{3}}+\ln|x|+C$

$\displaystyle\qquad=3\sqrt[3]{x}+\ln|x|+C$

(2) $\displaystyle\int\frac{1}{x^4}(2-x)\,dx=\int(2x^{-4}-x^{-3})\,dx$

$\displaystyle\qquad=-\frac{2}{3}x^{-3}+\frac{1}{2}x^{-2}+C$

$\displaystyle\qquad=-\frac{2}{3x^3}+\frac{1}{2x^2}+C$

(3) $\displaystyle\int\frac{(x-1)(x-3)}{x^2}dx=\int\frac{x^2-4x+3}{x^2}dx$

$\displaystyle\qquad=\int\left(1-\frac{4}{x}+3x^{-2}\right)dx$

$\displaystyle\qquad=x-4\ln|x|-3x^{-1}+C$

$\displaystyle\qquad=x-4\ln|x|-\frac{3}{x}+C$

🖪 (1) $3\sqrt[3]{x}+\ln|x|+C$ (2) $-\dfrac{2}{3x^3}+\dfrac{1}{2x^2}+C$

(3) $x-4\ln|x|-\dfrac{3}{x}+C$

1-2

$f(x)=\displaystyle\int f'(x)\,dx$ 이고

$\dfrac{x-1}{\sqrt{x}-1}=\dfrac{(x-1)(\sqrt{x}+1)}{(\sqrt{x}-1)(\sqrt{x}+1)}=\sqrt{x}+1$ 이므로

$f(x)=\displaystyle\int(\sqrt{x}+1)\,dx=\int(x^{\frac{1}{2}}+1)\,dx$

$\displaystyle\qquad=\frac{2}{3}x^{\frac{3}{2}}+x+C$

$\displaystyle\qquad=\frac{2}{3}x\sqrt{x}+x+C$

$f(9)=3$ 이므로

$\dfrac{2}{3}\times9\times\sqrt{9}+9+C=3$ $\quad\therefore C=-24$

$\therefore f(x)=\dfrac{2}{3}x\sqrt{x}+x-24$

🖪 $f(x)=\dfrac{2}{3}x\sqrt{x}+x-24$

대표 02

(1) $\displaystyle\int(3^x+1)^2\,dx=\int(9^x+2\times3^x+1)\,dx$

$\displaystyle\qquad=\frac{9^x}{\ln9}+\frac{2\times3^x}{\ln3}+x+C$

(2) $\dfrac{e^{2x}-1}{e^x+1}=\dfrac{(e^x+1)(e^x-1)}{e^x+1}=e^x-1$ 이므로

$\displaystyle\int\frac{e^{2x}-1}{e^x+1}dx=\int(e^x-1)\,dx=e^x-x+C$

(3) $(e^{-x})'=-e^{-x}$ 이므로

$\displaystyle\int\frac{e^{2x}+1}{e^x}dx=\int(e^x+e^{-x})\,dx=e^x-e^{-x}+C$

$\displaystyle\qquad=e^x-\frac{1}{e^x}+C$

🖪 (1) $\dfrac{9^x}{\ln9}+\dfrac{2\times3^x}{\ln3}+x+C$ (2) e^x-x+C

(3) $e^x-\dfrac{1}{e^x}+C$

2-1

(1) $\displaystyle\int(2^x-1)^2\,dx=\int(4^x-2\times2^x+1)\,dx$

$\displaystyle\qquad=\frac{4^x}{\ln4}-\frac{2^{x+1}}{\ln2}+x+C$

(2) $\dfrac{x^2-e^{2x}}{x-e^x}=\dfrac{(x+e^x)(x-e^x)}{x-e^x}=x+e^x$ 이므로

$\displaystyle\int\frac{x^2-e^{2x}}{x-e^x}dx=\int(x+e^x)\,dx=\frac{1}{2}x^2+e^x+C$

(3) $\displaystyle\int\frac{27^x}{9^x}dx=\int\left(\frac{27}{9}\right)^x dx=\int3^x dx=\frac{3^x}{\ln3}+C$

🖪 (1) $\dfrac{4^x}{\ln4}-\dfrac{2^{x+1}}{\ln2}+x+C$ (2) $\dfrac{1}{2}x^2+e^x+C$

(3) $\dfrac{3^x}{\ln3}+C$

2-2

$f'(x)=2e^x(e^x-1)$ 이므로

$f(x)=\displaystyle\int2e^x(e^x-1)\,dx=\int(2e^{2x}-2e^x)\,dx$

$\displaystyle\qquad=e^{2x}-2e^x+C$

$f(0)=2$이므로 $1-2+C=2$　　$\therefore C=3$

따라서 $f(x)=e^{2x}-2e^x+3$이므로

$f(2)=e^4-2e^2+3$

📋 e^4-2e^2+3

대표 03

(1) $\displaystyle\int\frac{\cos^2 x}{1+\sin x}\,dx=\int\frac{1-\sin^2 x}{1+\sin x}\,dx$

$\displaystyle\qquad=\int\frac{(1+\sin x)(1-\sin x)}{1+\sin x}\,dx$

$\displaystyle\qquad=\int(1-\sin x)\,dx$

$\qquad=x+\cos x+C$

(2) $\displaystyle\int(1-\tan^2 x)\,dx=\int(1-\sec^2 x+1)\,dx$

$\qquad=2x-\tan x+C$

(3) $\displaystyle\int\sin^2\frac{\theta}{2}\,d\theta=\int\frac{1-\cos\theta}{2}\,d\theta=\frac{\theta}{2}-\frac{\sin\theta}{2}+C$

📋 (1) $x+\cos x+C$　(2) $2x-\tan x+C$

(3) $\dfrac{\theta}{2}-\dfrac{\sin\theta}{2}+C$

3-1

(1) $\displaystyle\int\frac{\sin^2 x}{1-\cos x}\,dx=\int\frac{1-\cos^2 x}{1-\cos x}\,dx$

$\displaystyle\qquad=\int\frac{(1+\cos x)(1-\cos x)}{1-\cos x}\,dx$

$\displaystyle\qquad=\int(1+\cos x)\,dx$

$\qquad=x+\sin x+C$

(2) $\displaystyle\int\cot^2 x\,dx=\int(\csc^2 x-1)\,dx=-\cot x-x+C$

(3) $\displaystyle\int\cos^2\frac{x}{2}\,dx=\int\frac{1+\cos x}{2}\,dx=\frac{x}{2}+\frac{\sin x}{2}+C$

📋 (1) $x+\sin x+C$　(2) $-\cot x-x+C$

(3) $\dfrac{x}{2}+\dfrac{\sin x}{2}+C$

3-2

$f'(x)=\displaystyle\int f''(x)\,dx=\int\sin x\,dx=-\cos x+C_1$

$f'(0)=1$이므로 $C_1=2$　　$\therefore f'(x)=-\cos x+2$

$f(x)=\displaystyle\int f'(x)\,dx=\int(-\cos x+2)\,dx$

$\qquad=-\sin x+2x+C_2$

$f(0)=0$이므로 $C_2=0$　　$\therefore f(x)=-\sin x+2x$

📋 $f(x)=-\sin x+2x$

5

(1) $\displaystyle\int_0^4\sqrt{x}\,dx=\left[\frac{2}{3}x\sqrt{x}\right]_0^4=\frac{2}{3}\times4\sqrt{4}=\frac{16}{3}$

(2) $\displaystyle\int_1^e\frac{1}{x}\,dx=\Big[\ln|x|\Big]_1^e=\ln e-\ln 1=1$

(3) $\displaystyle\int_0^1 e^x\,dx=\Big[e^x\Big]_0^1=e^1-e^0=e-1$

(4) $\displaystyle\int_0^\pi\cos x\,dx=\Big[\sin x\Big]_0^\pi=\sin\pi-\sin 0=0$

📋 (1) $\dfrac{16}{3}$　(2) 1　(3) $e-1$　(4) 0

대표 04

(1) $\displaystyle\int_1^3\frac{x^2-3x-1}{x^2}\,dx=\int_1^3\left(1-\frac{3}{x}-x^{-2}\right)dx$

$\displaystyle\qquad=\left[x-3\ln|x|+x^{-1}\right]_1^3$

$\displaystyle\qquad=\left(3-3\ln 3+\frac{1}{3}\right)-(1-0+1)$

$\displaystyle\qquad=\frac{4}{3}-3\ln 3$

(2) $\displaystyle\int_0^2(x-\sqrt{x})^2\,dx=\int_0^2(x^2-2x\sqrt{x}+x)\,dx$

$\displaystyle\qquad=\int_0^2\left(x^2-2x^{\frac{3}{2}}+x\right)dx$

$\displaystyle\qquad=\left[\frac{1}{3}x^3-\frac{4}{5}x^{\frac{5}{2}}+\frac{1}{2}x^2\right]_0^2$

$\displaystyle\qquad=\frac{14}{3}-\frac{16}{5}\sqrt{2}$

(3) $\displaystyle\int_0^1\frac{e^x}{1-e^x}\,dx-\int_0^1\frac{e^{2y}}{1-e^y}\,dy$

$\displaystyle\quad=\int_0^1\frac{e^x}{1-e^x}\,dx-\int_0^1\frac{e^{2x}}{1-e^x}\,dx$

$\displaystyle\quad=\int_0^1\frac{e^x-e^{2x}}{1-e^x}\,dx=\int_0^1\frac{e^x(1-e^x)}{1-e^x}\,dx$

$\displaystyle\quad=\int_0^1 e^x\,dx=\Big[e^x\Big]_0^1=e-1$

(4) $\displaystyle\left(\sin\frac{\theta}{2}+\cos\frac{\theta}{2}\right)^2$

$\displaystyle\quad=\sin^2\frac{\theta}{2}+2\sin\frac{\theta}{2}\cos\frac{\theta}{2}+\cos^2\frac{\theta}{2}$

$\quad=1+\sin\theta$

이므로

$$\int_{-\pi}^{\pi}\left(\sin\frac{\theta}{2}+\cos\frac{\theta}{2}\right)^2 d\theta = \int_{-\pi}^{\pi}(1+\sin\theta)\,d\theta$$
$$= \Big[\theta-\cos\theta\Big]_{-\pi}^{\pi}$$
$$= (\pi+1)-(-\pi+1)$$
$$= 2\pi$$

🔒 (1) $\dfrac{4}{3}-3\ln3$ (2) $\dfrac{14}{3}-\dfrac{16}{5}\sqrt{2}$ (3) $e-1$ (4) 2π

4-1

(1) $\displaystyle\int_1^e \frac{3x^3-2x^2+3}{x}\,dx$

$$= \int_1^e \left(3x^2-2x+\frac{3}{x}\right)dx$$
$$= \Big[x^3-x^2+3\ln|x|\Big]_1^e$$
$$= (e^3-e^2+3)-(1-1+0)$$
$$= e^3-e^2+3$$

(2) $\displaystyle\int_0^1 (e^x+e^{-x})^2\,dx$

$$= \int_0^1 (e^{2x}+2+e^{-2x})\,dx$$
$$= \left[\frac{1}{2}e^{2x}+2x-\frac{1}{2}e^{-2x}\right]_0^1$$
$$= \left(\frac{1}{2}e^2+2-\frac{1}{2}e^{-2}\right)-\left(\frac{1}{2}+0-\frac{1}{2}\right)$$
$$= \frac{1}{2}\left(e^2-\frac{1}{e^2}+4\right)$$

(3) $\displaystyle\int_1^2 (\sqrt{x}+2x)\,dx+2\int_1^2 (\sqrt{x}-x)\,dx$

$$= \int_1^2 \{\sqrt{x}+2x+2(\sqrt{x}-x)\}\,dx$$
$$= \int_1^2 3\sqrt{x}\,dx = 3\left[\frac{2}{3}x^{\frac{3}{2}}\right]_1^2 = 2(2\sqrt{2}-1)$$

(4) $\displaystyle\int_0^{\pi} e^x(\sin x+\cos x)^2\,dx+\int_0^{\pi} e^y(\sin y-\cos y)^2\,dy$

$$= \int_0^{\pi} e^x(\sin x+\cos x)^2\,dx$$
$$\quad +\int_0^{\pi} e^x(\sin x-\cos x)^2\,dx$$
$$= \int_0^{\pi} e^x\{(\sin x+\cos x)^2+(\sin x-\cos x)^2\}\,dx$$
$$= \int_0^{\pi} 2e^x\,dx = 2\Big[e^x\Big]_0^{\pi} = 2(e^{\pi}-1)$$

🔒 (1) e^3-e^2+3 (2) $\dfrac{1}{2}\left(e^2-\dfrac{1}{e^2}+4\right)$

(3) $2(2\sqrt{2}-1)$ (4) $2(e^{\pi}-1)$

대표 05

(1) $\displaystyle\int_{-\pi}^{\pi} f(x)\,dx = \int_{-\pi}^{0}(\cos x-1)\,dx+\int_0^{\pi}\sin x\,dx$

$$= \Big[\sin x-x\Big]_{-\pi}^{0}+\Big[-\cos x\Big]_0^{\pi}$$
$$= -\pi+2$$

(2) $e^x=2$에서 $x=\ln2$이므로

$x\leq\ln2$일 때, $|e^x-2|=-(e^x-2)$

$x\geq\ln2$일 때, $|e^x-2|=e^x-2$

$\therefore \displaystyle\int_0^1 |e^x-2|\,dx$

$$= \int_0^{\ln2}\{-(e^x-2)\}\,dx+\int_{\ln2}^1 (e^x-2)\,dx$$
$$= \Big[-e^x+2x\Big]_0^{\ln2}+\Big[e^x-2x\Big]_{\ln2}^1$$
$$= (-1+2\ln2)+(e-4+2\ln2)$$
$$= 4\ln2+e-5$$

🔒 (1) $-\pi+2$ (2) $4\ln2+e-5$

5-1

$$\int_{-1}^{e} f(x)\,dx = \int_{-1}^{1} e^{x-1}\,dx+\int_1^e \frac{1}{x^2}\,dx$$
$$= \Big[e^{x-1}\Big]_{-1}^{1}+\left[-\frac{1}{x}\right]_1^e$$
$$= (1-e^{-2})+\left(-\frac{1}{e}+1\right)$$
$$= 2-\frac{1}{e}-\frac{1}{e^2}$$

🔒 $2-\dfrac{1}{e}-\dfrac{1}{e^2}$

5-2

$f(x)=|\cos x|$라 하면

$$f(x)=\begin{cases} \cos x & \left(0\leq x\leq\dfrac{\pi}{2}\right) \\[2mm] -\cos x & \left(\dfrac{\pi}{2}\leq x\leq\pi\right) \end{cases}$$

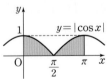

$$\therefore \int_0^\pi |\cos x| \, dx = \int_0^{\frac{\pi}{2}} \cos x \, dx + \int_{\frac{\pi}{2}}^\pi (-\cos x) \, dx$$
$$= \Big[\sin x \Big]_0^{\frac{\pi}{2}} + \Big[-\sin x \Big]_{\frac{\pi}{2}}^\pi$$
$$= 1 + 1 = 2$$

冒 2

대표 **06**

(1) $f(x) = \cos x$, $g(x) = x \cos x$라 하면
$f(-x) = \cos(-x) = \cos x = f(x)$,
$g(-x) = -x \cos(-x) = -x \cos x = -g(x)$
이므로 $y = \cos x$의 그래프는 y축에 대칭이고,
$y = x \cos x$의 그래프는 원점에 대칭이다.

$$\therefore \int_{-\frac{3}{4}\pi}^{\frac{3}{4}\pi} (x+1) \cos x \, dx$$
$$= \int_{-\frac{3}{4}\pi}^{\frac{3}{4}\pi} x \cos x \, dx + \int_{-\frac{3}{4}\pi}^{\frac{3}{4}\pi} \cos x \, dx$$
$$= 0 + 2 \int_0^{\frac{3}{4}\pi} \cos x \, dx$$
$$= 2 \Big[\sin x \Big]_0^{\frac{3}{4}\pi} = \sqrt{2}$$

(2) $f(x) = |\sin x|$라 하면
$f(x)$는 주기가 π인 주기함수이므로
$$\int_a^{a+\pi} f(x) \, dx = \int_0^\pi f(x) \, dx$$
$$\therefore \int_a^{a+\pi} |\sin x| \, dx = \int_0^\pi |\sin x| \, dx$$
$$= \int_0^\pi \sin x \, dx = \Big[-\cos x \Big]_0^\pi = 2$$

冒 (1) $\sqrt{2}$ (2) 2

6-1

$f(x) = e^x + e^{-x}$이라 하면
$f(-x) = e^{-x} + e^x = f(x)$이므로
$y = f(x)$의 그래프는 y축에 대칭이다.

$$\therefore \int_{-1}^1 f(x) \, dx = 2 \int_0^1 f(x) \, dx$$
$$= 2 \int_0^1 (e^x + e^{-x}) \, dx$$
$$= 2 \Big[e^x - e^{-x} \Big]_0^1 = 2 \Big(e - \frac{1}{e} \Big)$$

冒 $2 \Big(e - \frac{1}{e} \Big)$

6-2

함수 $f(x)$가 모든 실수 x에 대하여 $f(x+2) = f(x)$이므로
$$\int_0^2 f(x) \, dx = \int_2^4 f(x) \, dx = \int_4^6 f(x) \, dx$$
$$= \int_6^8 f(x) \, dx = \int_8^{10} f(x) \, dx$$

이고,
$$\int_0^2 f(x) \, dx = \int_0^2 (e^x - 1) \, dx = \Big[e^x - x \Big]_0^2$$
$$= (e^2 - 2) - 1 = e^2 - 3$$
$$\therefore \int_0^{10} f(x) \, dx = 5 \int_0^2 f(x) \, dx = 5(e^2 - 3)$$

冒 $5(e^2 - 3)$

대표 **07**

(1) $\int_0^4 f(t) \, dt = a$ (a는 상수)라 하면
$f(x) = \sqrt{x} + a$이므로 $\int_0^4 (\sqrt{x} + a) \, dx = a$
$$(좌변) = \Big[\frac{2}{3} x \sqrt{x} + ax \Big]_0^4 = \frac{16}{3} + 4a$$
$$\frac{16}{3} + 4a = a, \quad a = -\frac{16}{9} \qquad \therefore f(x) = \sqrt{x} - \frac{16}{9}$$

(2) $\int_1^x f(t) \, dt = xe^x + ax$ ⋯ ㉠
양변을 x에 대하여 미분하면
$f(x) = (x+1)e^x + a$
㉠의 양변에 $x=1$을 대입하면 $0 = e + a$, $a = -e$
$$\therefore f(x) = (x+1)e^x - e$$

(3) $\int_0^x (x-t) f(t) \, dt = \sin x \cos x$에서
$$x \int_0^x f(t) \, dt - \int_0^x t f(t) \, dt = \sin x \cos x$$
양변을 x에 대하여 미분하면
$$\int_0^x f(t) \, dt + xf(x) - xf(x) = \cos^2 x - \sin^2 x$$
$$\int_0^x f(t) \, dt = \cos^2 x - \sin^2 x$$
양변을 다시 x에 대하여 미분하면
$$f(x) = 2\cos x (-\sin x) - 2\sin x \cos x$$
$$= -4 \sin x \cos x$$

冒 (1) $f(x) = \sqrt{x} - \frac{16}{9}$ (2) $f(x) = (x+1)e^x - e$

(3) $f(x) = -4 \sin x \cos x$

7-1

(1) $\int_0^\pi f(t)\,dt=a$ (a는 상수)라 하면

$f(x)=\sin x+a$이므로

$\int_0^\pi (\sin x+a)\,dx=a$

(좌변) $=\Big[-\cos x+ax\Big]_0^\pi=2+a\pi$

$2+a\pi=a,\ a=\dfrac{2}{1-\pi}$

$\therefore f(x)=\sin x+\dfrac{2}{1-\pi}$

(2) $\int_1^x f(t)\,dt=xf(x)+x^2+5x$ $\quad\cdots\ \ominus$

양변을 x에 대하여 미분하면

$f(x)=f(x)+xf'(x)+2x+5$

$xf'(x)=-2x-5$

$f'(x)=-2-\dfrac{5}{x}$

$f(x)=\int f'(x)\,dx$이므로

$f(x)=\int\Big(-2-\dfrac{5}{x}\Big)dx$

$\qquad =-2x-5\ln|x|+C$

$\ominus$의 양변에 $x=1$을 대입하면

$0=f(1)+6,\ f(1)=-6$

이므로

$-6=-2+C,\ C=-4$

$\therefore f(x)=-2x-5\ln|x|-4$

(3) $\int_0^x (x-t)f(t)\,dt=e^x-\sin x-x$에서

$x\int_0^x f(t)\,dt-\int_0^x tf(t)\,dt=e^x-\sin x-x$

양변을 x에 대하여 미분하면

$\int_0^x f(t)\,dt+xf(x)-xf(x)=e^x-\cos x-1$

$\int_0^x f(t)\,dt=e^x-\cos x-1$

양변을 다시 x에 대하여 미분하면

$f(x)=e^x+\sin x$

답 (1) $f(x)=\sin x+\dfrac{2}{1-\pi}$

(2) $f(x)=-2x-5\ln|x|-4$

(3) $f(x)=e^x+\sin x$

7-2

$\int_1^{2x} f(t)\,dt=\ln x+ax^2+a$ $\quad\cdots\ \ominus$

양변을 x에 대하여 미분하면

$f(2x)\times 2=\dfrac{1}{x}+2ax$

$f(2x)=\dfrac{1}{2x}+ax$

$\ominus$의 양변에 $x=\dfrac{1}{2}$을 대입하면

$0=-\ln 2+\dfrac{a}{4}+a,\ a=\dfrac{4}{5}\ln 2$

$\therefore f(2x)=\dfrac{1}{2x}+\Big(\dfrac{4}{5}\ln 2\Big)x$ $\quad\cdots\ \bigcirc\!\!\bigcirc$

$\bigcirc\!\!\bigcirc$에 $x=\dfrac{e}{2}$를 대입하면

$f(e)=\dfrac{1}{e}+\dfrac{2e\ln 2}{5}$

답 $\dfrac{1}{e}+\dfrac{2e\ln 2}{5}$

참고 $\int_a^{g(x)} f(t)\,dt$에서 $f(x)$의 한 부정적분을 $F(x)$라 하면

$\int_a^{g(x)} f(t)\,dt=F(g(x))-F(a)$

양변을 x에 대하여 미분하면

$\dfrac{d}{dx}\int_a^{g(x)} f(t)\,dt=F'(g(x))g'(x)$

대표 08

(1) $f(t)=t\ln t$로 놓고 $f(t)$의 한 부정적분을 $F(t)$라 하면

$\displaystyle\lim_{x\to 1}\dfrac{1}{x-1}\int_1^x t\ln t\,dt=\lim_{x\to 1}\dfrac{F(x)-F(1)}{x-1}$

$\qquad\qquad\qquad\qquad\quad =F'(1)=f(1)=0$

(2) $f'(x)=\dfrac{d}{dx}\int_0^x \sqrt{t}\,(1-t)\,dt=\sqrt{x}\,(1-x)$

$f'(x)=0$에서 $x=1$ ($\because\ x>0$)

$x>0$에서 $f(x)$의 증감표는 다음과 같다.

x	(0)	$\cdots$	1	$\cdots$
$f'(x)$		$+$	0	$-$
$f(x)$		$\nearrow$	극대	$\searrow$

따라서 $x=1$에서 극대이고, 극댓값은

$f(1)=\int_0^1 \sqrt{t}\,(1-t)\,dt=\int_0^1 (\sqrt{t}-t\sqrt{t}\,)\,dt$

$$=\left[\frac{2}{3}t\sqrt{t}-\frac{2}{5}t^2\sqrt{t}\right]_0^1=\frac{4}{15}$$

답 (1) 0　(2) $\frac{4}{15}$

참고 (2) $f(x)=\int_0^x \sqrt{t}\,(1-t)\,dt=\left[\frac{2}{3}t\sqrt{t}-\frac{2}{5}t^2\sqrt{t}\right]_0^x$

$$=\frac{2}{3}x\sqrt{x}-\frac{2}{5}x^2\sqrt{x}$$

8-1

(1) $f(t)=\cos\left(\frac{\pi}{2}t\right)$로 놓고 $f(t)$의 한 부정적분을 $F(t)$

라 하면

$$\lim_{x\to-1}\frac{1}{x+1}\int_{-1}^{x}\cos\left(\frac{\pi}{2}t\right)dt$$

$$=\lim_{x\to-1}\frac{F(x)-F(-1)}{x-(-1)}$$

$$=F'(-1)=f(-1)=0$$

(2) $f(t)=t(e^t+\ln t)$로 놓고 $f(t)$의 한 부정적분을 $F(t)$

라 하면

$$\lim_{h\to0}\frac{1}{h}\int_2^{2+h}t(e^t+\ln t)\,dt$$

$$=\lim_{h\to0}\frac{F(2+h)-F(2)}{h}$$

$$=F'(2)=f(2)$$

$$=2(e^2+\ln 2)$$

답 (1) 0　(2) $2(e^2+\ln 2)$

8-2

$$f'(x)=\frac{d}{dx}\int_1^x(2-e^t)\,dt=2-e^x$$

$f'(x)=0$에서 $x=\ln 2$

$f(x)$의 증감표는 다음과 같다.

x	$\cdots$	$\ln 2$	$\cdots$
$f'(x)$	$+$	0	$-$
$f(x)$	$\nearrow$	극대	$\searrow$

따라서 $x=\ln 2$에서 극대이고, 극댓값은

$$f(\ln 2)=\int_1^{\ln 2}(2-e^t)\,dt$$

$$=\left[2t-e^t\right]_1^{\ln 2}=(2\ln 2-2)-(2-e)$$

$$=2\ln 2+e-4$$

답 $2\ln 2+e-4$

---

01 (1) $\frac{1}{2}x^2+x+\ln|x|+C$　(2) $\frac{2}{3}x\sqrt{x}-2\sqrt{x}+C$

(3) $\frac{4^x}{\ln 4}-\frac{2^x}{\ln 2}+C$　(4) $\tan x-\cot x+C$

02 ④　　**03** ③

04 (1) $1+3\ln 2$　(2) 48　(3) $6-8\ln 2$

05 (1) $2\left(e-\frac{1}{e}\right)$　(2) $\frac{11}{3}$　**06** 0　**07** ①

08 $-\frac{26}{3}$　**09** ④　**10** (1) 2　(2) $2\sqrt{2}-2$

11 (1) 0　(2) 2　**12** ③　**13** $\frac{\pi}{6}+\sqrt{3}-2$

14 3　　**15** ①　　**16** 12

01

(1) $\displaystyle\int\frac{x^3-1}{x^2-x}\,dx=\int\frac{(x-1)(x^2+x+1)}{x(x-1)}\,dx$

$$=\int\left(x+1+\frac{1}{x}\right)dx$$

$$=\frac{1}{2}x^2+x+\ln|x|+C$$

(2) $\displaystyle\int\frac{x-1}{\sqrt{x}}\,dx=\int\left(\sqrt{x}-\frac{1}{\sqrt{x}}\right)dx$

$$=\int\left(x^{\frac{1}{2}}-x^{-\frac{1}{2}}\right)dx$$

$$=\frac{2}{3}x^{\frac{3}{2}}-2x^{\frac{1}{2}}+C$$

$$=\frac{2}{3}x\sqrt{x}-2\sqrt{x}+C$$

(3) $\displaystyle\int\frac{8^x-2^x}{2^x+1}\,dx=\int\frac{2^x(2^{2x}-1)}{2^x+1}\,dx$

$$=\int\frac{2^x(2^x+1)(2^x-1)}{2^x+1}\,dx$$

$$=\int 2^x(2^x-1)\,dx$$

$$=\int(4^x-2^x)\,dx$$

$$=\frac{4^x}{\ln 4}-\frac{2^x}{\ln 2}+C$$

(4) $(\tan x+\cot x)^2=\tan^2 x+2+\cot^2 x$

$$=(\sec^2 x-1)+2+(\csc^2 x-1)$$

$$=\sec^2 x+\csc^2 x$$

이므로

$$\int(\tan x+\cot x)^2\,dx=\int(\sec^2 x+\csc^2 x)\,dx$$

$$=\tan x-\cot x+C$$

(1) $\dfrac{1}{2}x^2+x+\ln|x|+C$

(2) $\dfrac{2}{3}x\sqrt{x}-2\sqrt{x}+C$

(3) $\dfrac{4^x}{\ln 4}-\dfrac{2^x}{\ln 2}+C$

(4) $\tan x-\cot x+C$

02

$\displaystyle\lim_{h\to 0}\dfrac{f(x+h)-f(x)}{h}=f'(x)$이므로

$f(x)=\displaystyle\int\left(e^x-\dfrac{1}{x}\right)dx=e^x-\ln|x|+C$

$f(1)=e$이므로

$e=e-0+C,\ C=0$

따라서 $f(x)=e^x-\ln|x|$이므로 $f(e)=e^e-1$

답 ④

03

$$F(8)-F(1)=\int_1^8\left(\sqrt[3]{x}-\dfrac{2}{x}\right)dx=\left[\dfrac{3}{4}x^{\frac{4}{3}}-2\ln|x|\right]_1^8$$

$$=\dfrac{45}{4}-6\ln 2$$

다른 풀이

$$F(x)=\int\left(\sqrt[3]{x}-\dfrac{2}{x}\right)dx=\int\left(x^{\frac{1}{3}}-\dfrac{2}{x}\right)dx$$

$$=\dfrac{3}{4}x^{\frac{4}{3}}-2\ln|x|+C$$

이므로

$$F(8)-F(1)=\dfrac{3}{4}\times(2^3)^{\frac{4}{3}}-2\ln 8+C-\left(\dfrac{3}{4}+C\right)$$

$$=\dfrac{45}{4}-6\ln 2$$

답 ③

04

(1) $\displaystyle\int_1^2\dfrac{3x+2}{x^2}\,dx=\int_1^2\left(\dfrac{3}{x}+2x^{-2}\right)dx$

$$=\left[3\ln|x|-\dfrac{2}{x}\right]_1^2$$

$$=1+3\ln 2$$

(2) $\displaystyle\int_0^4(5x-3)\sqrt{x}\,dx=\int_0^4\left(5x^{\frac{3}{2}}-3x^{\frac{1}{2}}\right)dx$

$$=\left[2x^{\frac{5}{2}}-2x^{\frac{3}{2}}\right]_0^4$$

$$=48$$

(3) $\displaystyle\int_{\ln 2}^{\ln 8}(\sqrt{e^x}-2)(\sqrt{e^x}+2)\,dx$

$$=\int_{\ln 2}^{\ln 8}(e^x-4)\,dx=\left[e^x-4x\right]_{\ln 2}^{\ln 8}$$

$$=(8-12\ln 2)-(2-4\ln 2)$$

$$=6-8\ln 2$$

답 (1) $1+3\ln 2$ (2) 48 (3) $6-8\ln 2$

05

(1) $\displaystyle\int_{-1}^2(e^x+e^{-x})\,dx+\int_2^1(e^x+e^{-x})\,dx$

$$=\int_{-1}^1(e^x+e^{-x})\,dx=\left[e^x-e^{-x}\right]_{-1}^1$$

$$=\left(e-\dfrac{1}{e}\right)-\left(\dfrac{1}{e}-e\right)$$

$$=2\left(e-\dfrac{1}{e}\right)$$

(2) $\displaystyle\int_1^2\dfrac{2x^3-3}{x+3}\,dx-\int_2^1\dfrac{6x^2-x}{x+3}\,dx$

$$=\int_1^2\dfrac{2x^3-3}{x+3}\,dx+\int_1^2\dfrac{6x^2-x}{x+3}\,dx$$

$$=\int_1^2\dfrac{2x^3+6x^2-x-3}{x+3}\,dx$$

$$=\int_1^2\dfrac{(x+3)(2x^2-1)}{x+3}\,dx$$

$$=\int_1^2(2x^2-1)\,dx=\left[\dfrac{2}{3}x^3-x\right]_1^2$$

$$=\dfrac{11}{3}$$

답 (1) $2\left(e-\dfrac{1}{e}\right)$ (2) $\dfrac{11}{3}$

참고 (1) $f(x)=e^x+e^{-x}$이라 하면

$f(-x)=e^{-x}+e^x=f(x)$이므로

$\displaystyle\int_{-1}^1(e^x+e^{-x})\,dx=2\int_0^1(e^x+e^{-x})\,dx$임을 이용하

여 계산할 수도 있다.

06

$\displaystyle\int_0^1 e^t f(t)\,dt=a\ (a는\ 상수)$라 하면

$f(x)=e^{-x}-a$이므로

$$a=\int_0^1 e^t(e^{-t}-a)\,dt=\int_0^1(1-ae^t)\,dt$$

$$=\Big[t-ae^t\Big]_0^1=(1-ae)+a$$

$$\therefore a=\frac{1}{e}$$

따라서 $f(x)=e^{-x}-\dfrac{1}{e}$이므로

$$f(1)=e^{-1}-\frac{1}{e}=0$$

답 0

07

$f(t)=t\ln t+at$로 놓고 $f(t)$의 한 부정적분을 $F(t)$라 하면

$$\lim_{x\to e}\frac{1}{x-e}\int_e^x(t\ln t+at)\,dt$$

$$=\lim_{x\to e}\frac{F(x)-F(e)}{x-e}=F'(e)$$

$$=f(e)=e+ae$$

$e+ae=e^2$이므로 $a=e-1$

답 ①

08

$f'(x)=x^2-2x-3=(x+1)(x-3)$이므로

$f'(x)=0$에서 $x=-1$ 또는 $x=3$

함수 $f(x)$의 증감표는 다음과 같다.

x	$\cdots$	-1	$\cdots$	3	$\cdots$
$f'(x)$	$+$	0	$-$	0	$+$
$f(x)$	↗	극대	↘	극소	↗

$$f(x)=\int(x^2-2x-3)\,dx=\frac{1}{3}x^3-x^2-3x+C$$

$f(x)$는 $x=-1$일 때 극댓값을 가지므로 $f(-1)=2$

$$-\frac{1}{3}-1+3+C=2,\ C=\frac{1}{3}$$

$$\therefore f(x)=\frac{1}{3}x^3-x^2-3x+\frac{1}{3}$$

따라서 극솟값은 $f(3)=-\dfrac{26}{3}$

답 $-\dfrac{26}{3}$

09 전략 $f(x)=\int f'(x)\,dx$임을 이용하여 $f(x)$를 구한다.

$f'(x)=4\sin\dfrac{x}{2}\cos\dfrac{x}{2}-\sin^2\dfrac{x}{2}$이므로

$$f(x)=\int\Big(4\sin\frac{x}{2}\cos\frac{x}{2}-\sin^2\frac{x}{2}\Big)dx$$

$$=\int\Big(2\sin x-\frac{1-\cos x}{2}\Big)dx$$

$$=-2\cos x-\frac{1}{2}x+\frac{1}{2}\sin x+C$$

$x=0,\ y=2$를 대입하면 $2=-2+C,\ C=4$

따라서 $f(x)=-2\cos x-\dfrac{1}{2}x+\dfrac{1}{2}\sin x+4$이므로

$$f(\pi)=2-\frac{\pi}{2}+4=6-\frac{\pi}{2}$$

답 ④

10 전략 함수가 음인 구간과 양인 구간으로 나누어 구한다.

(1) $\sqrt{x}-1=0$에서 $x=1$이므로

$$|\sqrt{x}-1|=\begin{cases}1-\sqrt{x}\ (0\le x\le1)\\\sqrt{x}-1\ (x\ge1)\end{cases}$$

$$\therefore \int_0^4|\sqrt{x}-1|\,dx$$

$$=\int_0^1(1-\sqrt{x})\,dx+\int_1^4(\sqrt{x}-1)\,dx$$

$$=\Big[x-\frac{2}{3}x^{\frac{3}{2}}\Big]_0^1+\Big[\frac{2}{3}x^{\frac{3}{2}}-x\Big]_1^4$$

$$=\frac{1}{3}+\frac{5}{3}=2$$

(2) $\cos x=\sin x$에서 $\tan x=1$

$0\le x\le\dfrac{\pi}{2}$에서 $x=\dfrac{\pi}{4}$이므로

$$|\cos x-\sin x|=\begin{cases}\cos x-\sin x\ \Big(0\le x\le\frac{\pi}{4}\Big)\\\sin x-\cos x\ \Big(\frac{\pi}{4}\le x\le\frac{\pi}{2}\Big)\end{cases}$$

$$\therefore \int_0^{\frac{\pi}{2}}|\cos x-\sin x|\,dx$$

$$=\int_0^{\frac{\pi}{4}}(\cos x-\sin x)\,dx+\int_{\frac{\pi}{4}}^{\frac{\pi}{2}}(\sin x-\cos x)\,dx$$

$$=\Big[\sin x+\cos x\Big]_0^{\frac{\pi}{4}}+\Big[-\cos x-\sin x\Big]_{\frac{\pi}{4}}^{\frac{\pi}{2}}$$

$$=(\sqrt{2}-1)+(\sqrt{2}-1)$$

$$=2\sqrt{2}-2$$

답 (1) 2 (2) $2\sqrt{2}-2$

정답 및 풀이

11 **전략** $f(-x)=f(x)$이면 $\displaystyle\int_{-a}^{a}f(x)\,dx=2\int_{0}^{a}f(x)\,dx$, $f(-x)=-f(x)$이면 $\displaystyle\int_{-a}^{a}f(x)\,dx=0$이다.

(1) $f(x)=x^2(e^x-e^{-x})$이라 하면

$f(-x)=x^2(e^{-x}-e^x)=-f(x)$

이므로 $y=f(x)$의 그래프는 원점에 대칭이다.

$\therefore \displaystyle\int_{-2}^{2}x^2(e^x-e^{-x})\,dx=0$

(2) $f(x)=x\sin^2 x$라 하면

$f(-x)=-x\sin^2(-x)=-x\sin^2 x=-f(x)$

이므로 $y=f(x)$의 그래프는 원점에 대칭이다.

또 $y=\cos x$의 그래프는 y축에 대칭, $y=\sin x$의 그래프는 원점에 대칭이다.

$\therefore \displaystyle\int_{-\frac{\pi}{2}}^{\frac{\pi}{2}}(x\sin^2 x+\cos x+\sin x)\,dx$

$=2\displaystyle\int_{0}^{\frac{\pi}{2}}\cos x\,dx=2\Big[\sin x\Big]_{0}^{\frac{\pi}{2}}=2$

답 (1) 0 (2) 2

12 **전략** $x<-1$, $x>-1$인 경우로 나누어 $f(x)$를 구하고 $f(x)$가 $x=-1$에서 연속임을 이용한다.

$f(x)=\begin{cases} -\dfrac{1}{x}+C_1 & (x<-1) \\ x^3+x+C_2 & (x>-1) \end{cases}$ 이고

$f(-2)=\dfrac{1}{2}$이므로 $\dfrac{1}{2}+C_1=\dfrac{1}{2}$, $C_1=0$

$f(x)$가 $x=-1$에서 연속이므로

$1+C_1=-1-1+C_2$

$C_1=0$이므로 $C_2=3$

$\therefore f(0)=C_2=3$

답 ③

13 **전략** $\dfrac{d}{dx}\displaystyle\int_{a}^{x}f(t)\,dt=f(x)$임을 이용한다.

$f'(x)=1-2\sin x$이므로

$f'(x)=0$에서 $\sin x=\dfrac{1}{2}$

$0<x<\pi$이므로 $x=\dfrac{\pi}{6}$ 또는 $\dfrac{5}{6}\pi$

$0<x<\pi$에서 $f(x)$의 증감표는 다음과 같다.

x	(0)	$\cdots$	$\dfrac{\pi}{6}$	$\cdots$	$\dfrac{5}{6}\pi$	$\cdots$	(π)
$f'(x)$		$+$	0	$-$	0	$+$	
$f(x)$		↗	극대	↘	극소	↗	

따라서 $x=\dfrac{\pi}{6}$에서 극대이므로 극댓값은

$f\Big(\dfrac{\pi}{6}\Big)=\displaystyle\int_{0}^{\frac{\pi}{6}}(1-2\sin t)\,dt$

$=\Big[t+2\cos t\Big]_{0}^{\frac{\pi}{6}}=\dfrac{\pi}{6}+\sqrt{3}-2$

답 $\dfrac{\pi}{6}+\sqrt{3}-2$

14 **전략** $\displaystyle\int_{a}^{a}f(x)\,dx=0$임을 이용하여 식을 정리하고 미분한다.

주어진 식의 양변에 $x=1$을 대입하면

$0=1+a-3+1$, $a=1$

$\therefore \displaystyle\int_{1}^{x}(x-t)f(t)\,dt=e^{x-1}+x^2-3x+1$

좌변을 정리하면

$x\displaystyle\int_{1}^{x}f(t)\,dt-\int_{1}^{x}tf(t)\,dt=e^{x-1}+x^2-3x+1$

양변을 x에 대하여 미분하면

$\displaystyle\int_{1}^{x}f(t)\,dt+xf(x)-xf(x)=e^{x-1}+2x-3$

$\therefore \displaystyle\int_{1}^{x}f(t)\,dt=e^{x-1}+2x-3$

양변을 다시 x에 대하여 미분하면

$f(x)=e^{x-1}+2 \qquad \therefore f(a)=f(1)=3$

답 3

15 **전략** 역함수의 관계를 이용하여 식을 정리하고 정적분의 정의를 이용하여 계산한다.

$f(g(x))=x$, $g(f(x))=x$이므로

$f'(g(x))g'(x)=1$, $g'(f(x))f'(x)=1$

$\therefore \displaystyle\int_{1}^{3}\Big\{\dfrac{f(x)}{f'(g(x))}+\dfrac{g(x)}{g'(f(x))}\Big\}dx$

$=\displaystyle\int_{1}^{3}\{f(x)g'(x)+f'(x)g(x)\}\,dx$

$=\displaystyle\int_{1}^{3}\{f(x)g(x)\}'\,dx=\Big[f(x)g(x)\Big]_{1}^{3}$

$=f(3)g(3)-f(1)g(1)$

$f(1)=3$에서 $g(3)=1$, $g(1)=3$에서 $f(3)=1$이므로

$f(3)g(3)-f(1)g(1)=1\times 1-3\times 3=-8$

답 ①

(참고) $g(x)$는 $f(x)$의 역함수이므로 $f(g(x))=x$

양변을 x에 대하여 미분하면

$\{f(g(x))\}'=f'(g(x))g'(x)=1$

$\therefore \dfrac{1}{f'(g(x))}=g'(x)$

같은 이유로 $g(f(x))=x$에서 $\dfrac{1}{g'(f(x))}=f'(x)$

16 (전략) 주기함수의 성질을 이용한다.

$0 \le x \le 1$일 때, $f(x)=\sin \pi x+1$이므로

$f(0)=f(1)=1$

⑺에서 $f(2)=f(0)=1$

⑻에서 $1<x<2$일 때, $f(x)$는 증가하거나 상수함수이다.

그런데 $f(x)$는 연속이고 $f(1)=f(2)=1$이므로

$1 \le x \le 2$에서 $f(x)=1$이다.

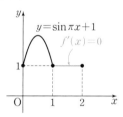

따라서 $y=f(x)$의 그래프는 그림과 같다.

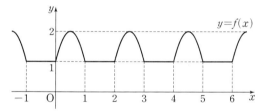

$\displaystyle \int_0^6 f(x)\,dx = 3\int_0^2 f(x)\,dx$

$\qquad = 3\int_0^1 (\sin \pi x+1)\,dx+3\times 1$

$\qquad = 3\left[-\dfrac{1}{\pi}\cos \pi x+x\right]_0^1+3$

$\qquad = 3\left(\dfrac{1}{\pi}+1+\dfrac{1}{\pi}-0\right)+3$

$\qquad = 6+\dfrac{6}{\pi}$

$\therefore p+q=6+6=12$

(답) 12

---

12 치환적분법과 부분적분법

개념 Check
179쪽~180쪽

1

(1) $2x-1=t$라 하면 $\dfrac{dt}{dx}=2$, $dx=\dfrac{1}{2}dt$이므로

$\displaystyle \int (2x-1)^2\,dx = \int \dfrac{t^2}{2}\,dt = \dfrac{1}{6}t^3+C$

$\qquad = \dfrac{1}{6}(2x-1)^3+C$

다른 풀이

$f(x)=x^2$이라 하면 $F(x)=\dfrac{1}{3}x^3+C$이므로

$\displaystyle \int f(2x-1)\,dx = \dfrac{1}{2}\times F(2x-1)+C$

$\qquad = \dfrac{1}{6}(2x-1)^3+C$

(2) $-x+1=t$라 하면 $\dfrac{dt}{dx}=-1$, $dx=-dt$이므로

$\displaystyle \int e^{-x+1}\,dx = \int -e^t\,dt = -e^t+C$

$\qquad = -e^{-x+1}+C$

다른 풀이

$f(x)=e^x$이라 하면 $F(x)=e^x+C$이므로

$\displaystyle \int f(-x+1)\,dx = -1\times F(-x+1)+C$

$\qquad = -e^{-x+1}+C$

(3) $3x+2=t$라 하면 $\dfrac{dt}{dx}=3$, $dx=\dfrac{1}{3}dt$이므로

$\displaystyle \int \sin (3x+2)\,dx = \int \sin t \times \dfrac{1}{3}\,dt$

$\qquad = -\dfrac{1}{3}\cos t+C$

$\qquad = -\dfrac{1}{3}\cos (3x+2)+C$

다른 풀이

$f(x)=\sin x$라 하면 $F(x)=-\cos x+C$이므로

$\displaystyle \int f(3x+2)\,dx = \dfrac{1}{3}\times F(3x+2)+C$

$\qquad = -\dfrac{1}{3}\cos (3x+2)+C$

(4) $2x-3=t$라 하면 $\dfrac{dt}{dx}=2$, $dx=\dfrac{1}{2}dt$이므로

$\displaystyle \int \dfrac{1}{2x-3}\,dx = \int \dfrac{1}{2t}\,dt = \dfrac{1}{2}\ln |t|+C$

$\qquad = \dfrac{1}{2}\ln |2x-3|+C$

다른 풀이

$f(x)=\dfrac{1}{x}$이라 하면 $F(x)=\ln|x|+C$이므로

$\displaystyle\int f(2x-3)\,dx=\dfrac{1}{2}\times F(2x-3)+C$

$\qquad\qquad\qquad =\dfrac{1}{2}\ln|2x-3|+C$

📋 (1) $\dfrac{1}{6}(2x-1)^3+C$ \qquad (2) $-e^{-x+1}+C$

\qquad (3) $-\dfrac{1}{3}\cos(3x+2)+C$ \quad (4) $\dfrac{1}{2}\ln|2x-3|+C$

2

(1) $2x-1=t$라 하면 $\dfrac{dt}{dx}=2$, $dx=\dfrac{1}{2}\,dt$

$x=1$일 때 $t=1$, $x=2$일 때 $t=3$이므로

$\displaystyle\int_1^2 (2x-1)^3\,dx=\int_1^3 \dfrac{t^3}{2}\,dt=\left[\dfrac{1}{8}t^4\right]_1^3=10$

다른 풀이

$\displaystyle\int (2x-1)^3\,dx=\int \dfrac{t^3}{2}\,dt=\dfrac{1}{8}t^4+C$

$\qquad\qquad\qquad =\dfrac{1}{8}(2x-1)^4+C$

$\therefore \displaystyle\int_1^2 (2x-1)^3\,dx=\left[\dfrac{1}{8}(2x-1)^4\right]_1^2=10$

(2) $x^2=t$라 하면 $\dfrac{dt}{dx}=2x$, $2x\,dx=dt$

$x=0$일 때 $t=0$, $x=1$일 때 $t=1$이므로

$\displaystyle\int_0^1 2xe^{x^2}\,dx=\int_0^1 e^t\,dt=\left[e^t\right]_0^1=e-1$

📋 (1) 10 \quad (2) $e-1$

대표Q 181쪽 ~ 187쪽

대표 01

(1) $3x+1=t$라 하면 $\dfrac{dt}{dx}=3$, $dx=\dfrac{1}{3}\,dt$이므로

$\displaystyle\int (3x+1)^4\,dx=\int t^4\times\dfrac{1}{3}\,dt$

$\qquad\qquad\qquad =\dfrac{1}{15}t^5+C=\dfrac{1}{15}(3x+1)^5+C$

다른 풀이

$f(x)=x^4$이라 하면 $F(x)=\dfrac{1}{5}x^5+C$이므로

$\displaystyle\int f(3x+1)\,dx=\dfrac{1}{3}F(3x+1)+C$

$\qquad\qquad\qquad =\dfrac{1}{15}(3x+1)^5+C$

(2) $2x+5=t$라 하면 $\dfrac{dt}{dx}=2$, $dx=\dfrac{1}{2}\,dt$이므로

$\displaystyle\int \sqrt{2x+5}\,dx=\int \sqrt{t}\times\dfrac{1}{2}\,dt=\dfrac{1}{3}t\sqrt{t}+C$

$\qquad\qquad\qquad =\dfrac{1}{3}(2x+5)\sqrt{2x+5}+C$

다른 풀이

$f(x)=\sqrt{x}$라 하면 $F(x)=\dfrac{2}{3}x\sqrt{x}+C$이므로

$\displaystyle\int f(2x+5)\,dx=\dfrac{1}{2}F(2x+5)+C$

$\qquad\qquad\qquad =\dfrac{1}{3}(2x+5)\sqrt{2x+5}+C$

(3) $1-\dfrac{1}{2}x=t$라 하면 $\dfrac{dt}{dx}=-\dfrac{1}{2}$, $dx=-2\,dt$이므로

$\displaystyle\int e^{1-\frac{1}{2}x}\,dx=\int e^t\times(-2)\,dt=-2e^t+C$

$\qquad\qquad\qquad =-2e^{1-\frac{1}{2}x}+C$

다른 풀이

$f(x)=e^x$이라 하면 $F(x)=e^x+C$이므로

$\displaystyle\int f\!\left(1-\dfrac{1}{2}x\right)dx=-2F\!\left(1-\dfrac{1}{2}x\right)+C$

$\qquad\qquad\qquad =-2e^{1-\frac{1}{2}x}+C$

(4) $3-2x=t$라 하면 $\dfrac{dt}{dx}=-2$, $dx=-\dfrac{1}{2}\,dt$이므로

$\displaystyle\int \dfrac{1}{3-2x}\,dx=\int \dfrac{1}{t}\times\left(-\dfrac{1}{2}\right)dt$

$\qquad\qquad\qquad =-\dfrac{1}{2}\ln|t|+C$

$\qquad\qquad\qquad =-\dfrac{1}{2}\ln|3-2x|+C$

다른 풀이

$f(x)=\dfrac{1}{x}$이라 하면 $F(x)=\ln|x|+C$이므로

$\displaystyle\int f(3-2x)\,dx=-\dfrac{1}{2}F(3-2x)+C$

$\qquad\qquad\qquad =-\dfrac{1}{2}\ln|3-2x|+C$

📋 (1) $\dfrac{1}{15}(3x+1)^5+C$ \quad (2) $\dfrac{1}{3}(2x+5)\sqrt{2x+5}+C$

\qquad (3) $-2e^{1-\frac{1}{2}x}+C$ \qquad (4) $-\dfrac{1}{2}\ln|3-2x|+C$

1-1

(1) $2x-1=t$라 하면 $\dfrac{dt}{dx}=2$, $dx=\dfrac{1}{2}\,dt$이므로

$$\int \frac{1}{(2x-1)^3}\,dx = \int \frac{1}{t^3} \times \frac{1}{2}\,dt = \frac{1}{2}\int t^{-3}\,dt$$
$$= -\frac{1}{4}t^{-2}+C$$
$$= -\frac{1}{4(2x-1)^2}+C$$

(2) $4x-1=t$라 하면 $\dfrac{dt}{dx}=4$, $dx=\dfrac{1}{4}dt$이므로

$$\int \sqrt[3]{4x-1}\,dx = \int t^{\frac{1}{3}} \times \frac{1}{4}\,dt$$
$$= \frac{1}{4} \times \frac{3}{4}t^{\frac{4}{3}}+C$$
$$= \frac{3}{16}(4x-1)^{\frac{4}{3}}+C$$
$$= \frac{3}{16}(4x-1)\sqrt[3]{4x-1}+C$$

다른 풀이

$f(x)=x^{\frac{1}{3}}$이라 하면 $F(x)=\dfrac{3}{4}x^{\frac{4}{3}}+C$이므로

$$\int f(4x-1)\,dx = \frac{1}{4}F(4x-1)+C$$
$$= \frac{1}{4} \times \frac{3}{4}(4x-1)^{\frac{4}{3}}+C$$
$$= \frac{3}{16}(4x-1)\sqrt[3]{4x-1}+C$$

(3) $3x-1=t$라 하면 $\dfrac{dt}{dx}=3$, $dx=\dfrac{1}{3}dt$이므로

$$\int e^{3x-1}\,dx = \int e^t \times \frac{1}{3}\,dt = \frac{1}{3}e^t+C = \frac{1}{3}e^{3x-1}+C$$

다른 풀이

$f(x)=e^x$이라 하면 $F(x)=e^x+C$이므로

$$\int f(3x-1)\,dx = \frac{1}{3}F(3x-1)+C$$
$$= \frac{1}{3}e^{3x-1}+C$$

(4) $3x+1=t$라 하면 $\dfrac{dt}{dx}=3$, $dx=\dfrac{1}{3}dt$이므로

$$\int \sec^2(3x+1)\,dx = \int \sec^2 t \times \frac{1}{3}\,dt$$
$$= \frac{1}{3}\tan t+C$$
$$= \frac{1}{3}\tan(3x+1)+C$$

冒 (1) $-\dfrac{1}{4(2x-1)^2}+C$

(2) $\dfrac{3}{16}(4x-1)\sqrt[3]{4x-1}+C$

(3) $\dfrac{1}{3}e^{3x-1}+C$　(4) $\dfrac{1}{3}\tan(3x+1)+C$

대표 02

(1) $x^2+3x=t$라 하면 $\dfrac{dt}{dx}=2x+3$, $(2x+3)\,dx=dt$

이므로

$$\int (2x+3)(x^2+3x)^3\,dx = \int t^3\,dt = \frac{1}{4}t^4+C$$
$$= \frac{1}{4}(x^2+3x)^4+C$$

다른 풀이

$f(x)=x^3$, $g(x)=x^2+3x$라 하면

$F(x)=\dfrac{1}{4}x^4+C$이므로

$$\int f(g(x))g'(x)\,dx = F(g(x))+C$$
$$= \frac{1}{4}(x^2+3x)^4+C$$

(2) $x^2+1=t$라 하면 $\dfrac{dt}{dx}=2x$, $x\,dx=\dfrac{1}{2}dt$이므로

$$\int xe^{x^2+1}\,dx = \int e^t \times \frac{1}{2}\,dt = \frac{1}{2}e^t+C$$
$$= \frac{1}{2}e^{x^2+1}+C$$

(3) $1-x^2=t$라 하면 $\dfrac{dt}{dx}=-2x$, $x\,dx=-\dfrac{1}{2}dt$이므로

$$\int \frac{x}{\sqrt{1-x^2}}\,dx = \int \frac{1}{\sqrt{t}} \times \left(-\frac{1}{2}\right)dt$$
$$= -\sqrt{t}+C$$
$$= -\sqrt{1-x^2}+C$$

(4) $\sin x=t$라 하면 $\dfrac{dt}{dx}=\cos x$, $\cos x\,dx=dt$이므로

$$\int \sin x \cos x\,dx = \int t\,dt = \frac{1}{2}t^2+C$$
$$= \frac{1}{2}\sin^2 x+C \qquad \cdots \ \text{㉠}$$

冒 (1) $\dfrac{1}{4}(x^2+3x)^4+C$　(2) $\dfrac{1}{2}e^{x^2+1}+C$

(3) $-\sqrt{1-x^2}+C$　(4) $\dfrac{1}{2}\sin^2 x+C$

참고 (4) $\cos x=t$라 하면 $\dfrac{dt}{dx}=-\sin x$, $\sin x\,dx=-dt$

이므로

$$\int \sin x \cos x\,dx = \int t \times (-1)\,dt$$
$$= -\frac{1}{2}t^2+C$$
$$= -\frac{1}{2}\cos^2 x+C \qquad \cdots \ \text{㉡}$$

$\cos^2 x=1-\sin^2 x$이므로 ㉠, ㉡은 상수 차이만 있다. 따라서 같은 식이다.

2-1

(1) $1-x^2=t$라 하면 $\dfrac{dt}{dx}=-2x$, $x\,dx=-\dfrac{1}{2}\,dt$이므로

$$\int x(1-x^2)^3\,dx=\int t^3\times\left(-\dfrac{1}{2}\right)dt$$
$$=-\dfrac{1}{8}t^4+C$$
$$=-\dfrac{1}{8}(1-x^2)^4+C$$

(2) $1-x^2=t$라 하면 $\dfrac{dt}{dx}=-2x$, $2x\,dx=-dt$이므로

$$\int 2x\sqrt{1-x^2}\,dx=-\int\sqrt{t}\,dt$$
$$=-\dfrac{2}{3}t^{\frac{3}{2}}+C$$
$$=-\dfrac{2}{3}(1-x^2)\sqrt{1-x^2}+C$$

(3) $\ln(x+1)=t$라 하면 $\dfrac{dt}{dx}=\dfrac{1}{x+1}$, $\dfrac{1}{x+1}\,dx=dt$이므로

$$\int\dfrac{\ln(x+1)}{x+1}\,dx=\int t\,dt=\dfrac{1}{2}t^2+C$$
$$=\dfrac{1}{2}\{\ln(x+1)\}^2+C$$

(4) $x^2-1=t$라 하면 $\dfrac{dt}{dx}=2x$, $x\,dx=\dfrac{1}{2}\,dt$이므로

$$\int x\cos(x^2-1)\,dx=\int\cos t\times\dfrac{1}{2}\,dt$$
$$=\dfrac{1}{2}\sin t+C$$
$$=\dfrac{1}{2}\sin(x^2-1)+C$$

답 (1) $-\dfrac{1}{8}(1-x^2)^4+C$

(2) $-\dfrac{2}{3}(1-x^2)\sqrt{1-x^2}+C$

(3) $\dfrac{1}{2}\{\ln(x+1)\}^2+C$

(4) $\dfrac{1}{2}\sin(x^2-1)+C$

2-2

$x^3+x=t$라 하면 $\dfrac{dt}{dx}=3x^2+1$, $(3x^2+1)\,dx=dt$이므로

$$f(x)=\int(3x^2+1)(x^3+x)^2\,dx$$
$$=\int t^2\,dt=\dfrac{1}{3}t^3+C$$
$$=\dfrac{1}{3}(x^3+x)^3+C$$

$f(1)=3$이므로 $\dfrac{8}{3}+C=3$ $\therefore C=\dfrac{1}{3}$

따라서 $f(x)=\dfrac{1}{3}(x^3+x)^3+\dfrac{1}{3}$이므로

$$f(-1)=-\dfrac{7}{3}$$

답 $-\dfrac{7}{3}$

대표 03

(1) $x^3+1=t$라 하면 $\dfrac{dt}{dx}=3x^2$, $x^2\,dx=\dfrac{1}{3}\,dt$이므로

$$\int\dfrac{x^2}{x^3+1}\,dx=\int\dfrac{1}{t}\times\dfrac{1}{3}\,dt=\dfrac{1}{3}\ln|t|+C$$
$$=\dfrac{1}{3}\ln|x^3+1|+C$$

다른 풀이

$$\int\dfrac{x^2}{x^3+1}\,dx=\dfrac{1}{3}\int\dfrac{3x^2}{x^3+1}\,dx$$에서 $(x^3+1)'=3x^2$

이므로

$$\int\dfrac{x^2}{x^3+1}\,dx=\dfrac{1}{3}\ln|x^3+1|+C$$

(2) 분모, 분자에 각각 e^x을 곱하면

$$\int\dfrac{1}{1-e^{-x}}\,dx=\int\dfrac{e^x}{e^x-1}\,dx$$

$e^x-1=t$라 하면 $\dfrac{dt}{dx}=e^x$, $e^x\,dx=dt$이므로

$$\int\dfrac{e^x}{e^x-1}\,dx=\int\dfrac{1}{t}\,dt=\ln|t|+C$$
$$=\ln|e^x-1|+C$$

다른 풀이

$$\int\dfrac{e^x}{e^x-1}\,dx$$에서 $(e^x-1)'=e^x$이므로

$$\int\dfrac{e^x}{e^x-1}\,dx=\ln|e^x-1|+C$$

(3) $\ln x=t$라 하면 $\dfrac{dt}{dx}=\dfrac{1}{x}$, $\dfrac{1}{x}\,dx=dt$이므로

$$\int\dfrac{1}{x\ln x}\,dx=\int\dfrac{1}{t}\,dt=\ln|t|+C$$
$$=\ln|\ln x|+C$$

(4) $\displaystyle\int\tan x\,dx=\int\dfrac{\sin x}{\cos x}\,dx$에서

$\cos x=t$라 하면 $\dfrac{dt}{dx}=-\sin x$, $\sin x\,dx=-dt$이

므로

$$\int\dfrac{\sin x}{\cos x}\,dx=\int\dfrac{-1}{t}\,dt=-\ln|t|+C$$
$$=-\ln|\cos x|+C$$

(1) $\dfrac{1}{3}\ln|x^3+1|+C$ **(2)** $\ln|e^x-1|+C$

(3) $\ln|\ln x|+C$ **(4)** $-\ln|\cos x|+C$

3-1

(1) $x^2-2x+1=t$라 하면 $\dfrac{dt}{dx}=2x-2$,

$(x-1)\,dx=\dfrac{1}{2}\,dt$이므로

$$\int \frac{x-1}{x^2-2x+1}\,dx=\int \frac{1}{t}\times\frac{1}{2}\,dt=\frac{1}{2}\ln|t|+C$$
$$=\frac{1}{2}\ln|x^2-2x+1|+C$$

(2) $e^x+1=t$라 하면 $\dfrac{dt}{dx}=e^x$, $e^x\,dx=dt$이므로

$$\int \frac{e^x}{e^x+1}\,dx=\int \frac{1}{t}\,dt=\ln|t|+C$$
$$=\ln(e^x+1)+C$$

(3) 분모, 분자에 각각 e^x을 곱하면

$$\int \frac{e^x}{e^x+e^{-x}}\,dx=\int \frac{e^{2x}}{e^{2x}+1}\,dx$$

$e^{2x}+1=t$라 하면 $\dfrac{dt}{dx}=2e^{2x}$, $e^{2x}\,dx=\dfrac{1}{2}\,dt$

$$\int \frac{e^{2x}}{e^{2x}+1}\,dx=\int \frac{1}{t}\times\frac{1}{2}\,dt=\frac{1}{2}\ln|t|+C$$
$$=\frac{1}{2}\ln(e^{2x}+1)+C$$

(4) $1+3\sin x=t$라 하면 $\dfrac{dt}{dx}=3\cos x$,

$\cos x\,dx=\dfrac{1}{3}\,dt$이므로

$$\int \frac{\cos x}{1+3\sin x}\,dx=\int \frac{1}{t}\times\frac{1}{3}\,dt=\frac{1}{3}\ln|t|+C$$
$$=\frac{1}{3}\ln|1+3\sin x|+C$$

(1) $\dfrac{1}{2}\ln|x^2-2x+1|+C$ **(2)** $\ln(e^x+1)+C$

(3) $\dfrac{1}{2}\ln(e^{2x}+1)+C$ **(4)** $\dfrac{1}{3}\ln|1+3\sin x|+C$

대표 04

(1) $\displaystyle\int \frac{2x-1}{x+2}\,dx=\int\left(2-\frac{5}{x+2}\right)dx$
$$=2x-5\ln|x+2|+C$$

(2) $x^2+1=t$라 하면 $\dfrac{dt}{dx}=2x$, $x\,dx=\dfrac{1}{2}\,dt$이므로

$$\int \frac{x}{(x^2+1)^3}\,dx=\int \frac{1}{t^3}\times\frac{1}{2}\,dt=\frac{1}{2}\times\left(-\frac{1}{2t^2}\right)+C$$
$$=-\frac{1}{4(x^2+1)^2}+C$$

(3) $\dfrac{1}{x^2-1}=\dfrac{1}{(x-1)(x+1)}=\dfrac{1}{2}\left(\dfrac{1}{x-1}-\dfrac{1}{x+1}\right)$
이므로

$$\int \frac{1}{x^2-1}\,dx=\frac{1}{2}\int\left(\frac{1}{x-1}-\frac{1}{x+1}\right)dx$$
$$=\frac{1}{2}(\ln|x-1|-\ln|x+1|)+C$$
$$=\frac{1}{2}\ln\left|\frac{x-1}{x+1}\right|+C$$

(1) $2x-5\ln|x+2|+C$

(2) $-\dfrac{1}{4(x^2+1)^2}+C$

(3) $\dfrac{1}{2}\ln\left|\dfrac{x-1}{x+1}\right|+C$

참고 **(1)** $\displaystyle\int \frac{5}{x+2}\,dx$에서 $x+2=t$라 하면

$$\frac{dt}{dx}=1, \; dt=dx$$이므로

$$\int \frac{5}{x+2}\,dx=\int \frac{5}{t}\,dt=5\ln|t|+C$$
$$=5\ln|x+2|+C$$

4-1

(1) $\displaystyle\int \frac{9x}{3x+1}\,dx=\int\left(3-\frac{3}{3x+1}\right)dx$
$$=3x-\ln|3x+1|+C$$

(2) $\dfrac{1}{x^2+3x+2}=\dfrac{1}{(x+1)(x+2)}=\dfrac{1}{x+1}-\dfrac{1}{x+2}$
이므로

$$\int \frac{1}{x^2+3x+2}\,dx=\int\left(\frac{1}{x+1}-\frac{1}{x+2}\right)dx$$
$$=\ln|x+1|-\ln|x+2|+C$$
$$=\ln\left|\frac{x+1}{x+2}\right|+C$$

(1) $3x-\ln|3x+1|+C$ **(2)** $\ln\left|\dfrac{x+1}{x+2}\right|+C$

참고 **(1)** $\displaystyle\int \frac{3}{3x+1}\,dx$에서 $3x+1=t$라 하면

$$\frac{dt}{dx}=3, \; 3\,dx=dt$$이므로

$$\int \frac{3}{3x+1}\,dx=\int \frac{1}{t}\,dt=\ln|t|+C$$
$$=\ln|3x+1|+C$$

4-2

$$f(x)=\int \frac{x+3}{x^2+2x}\,dx-\int \frac{x+1}{x^2+2x}\,dx$$
$$=\int \frac{2}{x^2+2x}\,dx$$

$\dfrac{2}{x^2+2x}=\dfrac{2}{x(x+2)}=\dfrac{1}{x}-\dfrac{1}{x+2}$ 이므로

$$f(x)=\int \left(\frac{1}{x}-\frac{1}{x+2}\right)dx$$
$$=\ln|x|-\ln|x+2|+C$$

$f(1)=0$ 이므로 $-\ln 3+C=0$ $\therefore C=\ln 3$

따라서 $f(x)=\ln|x|-\ln|x+2|+\ln 3$ 이므로

$$f(-1)=\ln 3$$

답 $\ln 3$

대표 05

(1) $1-x=t$ 라 하면 $\dfrac{dt}{dx}=-1$, $dx=-dt$

또 $x=1-t$ 에서 $2x+1=3-2t$ 이므로

$$\int (2x+1)\sqrt{1-x}\,dx$$
$$=\int (3-2t)\sqrt{t}\times(-1)\,dt$$
$$=\int (-3\sqrt{t}+2t\sqrt{t})\,dt=-2t^{\frac{3}{2}}+\frac{4}{5}t^{\frac{5}{2}}+C$$
$$=-2(1-x)\sqrt{1-x}+\frac{4}{5}(1-x)^2\sqrt{1-x}+C$$

다른 풀이

$\sqrt{1-x}=t$ 라 하면 $\dfrac{dt}{dx}=-\dfrac{1}{2\sqrt{1-x}}=-\dfrac{1}{2t}$,

$dx=-2t\,dt$

또 $1-x=t^2$ 에서 $x=1-t^2$, $2x+1=3-2t^2$ 이므로

$$\int (2x+1)\sqrt{1-x}\,dx$$
$$=\int (3-2t^2)\times t\times(-2t)\,dt=\int (4t^4-6t^2)\,dt$$
$$=\frac{4}{5}t^5-2t^3+C$$
$$=\frac{4}{5}(1-x)^2\sqrt{1-x}-2(1-x)\sqrt{1-x}+C$$

(2) $e^x+1=t$ 라 하면 $\dfrac{dt}{dx}=e^x=t-1$, $dx=\dfrac{1}{t-1}\,dt$ 이

므로

$$\int \frac{1}{e^x+1}\,dx=\int \frac{1}{t(t-1)}\,dt=\int \left(\frac{1}{t-1}-\frac{1}{t}\right)dt$$
$$=\ln|t-1|-\ln|t|+C$$

$$=\ln\left|\frac{t-1}{t}\right|+C$$
$$=\ln\left(\frac{e^x}{e^x+1}\right)+C$$

(3) $\sin^3 x=\sin^2 x \sin x=(1-\cos^2 x)\sin x$ 이므로

$\cos x=t$ 라 하면 $\dfrac{dt}{dx}=-\sin x$, $\sin x\,dx=-dt$

$$\therefore \int \sin^3 x\,dx=\int (1-\cos^2 x)\sin x\,dx$$
$$=\int (1-t^2)\times(-1)\,dt$$
$$=\int (t^2-1)\,dt=\frac{1}{3}t^3-t+C$$
$$=\frac{1}{3}\cos^3 x-\cos x+C$$

(4) $\cos 2x \cos x=(1-2\sin^2 x)\cos x$ 이므로

$\sin x=t$ 라 하면 $\dfrac{dt}{dx}=\cos x$, $\cos x\,dx=dt$

$$\therefore \int \cos 2x \cos x\,dx=\int (1-2\sin^2 x)\cos x\,dx$$
$$=\int (1-2t^2)\,dt$$
$$=-\frac{2}{3}t^3+t+C$$
$$=-\frac{2}{3}\sin^3 x+\sin x+C$$

답 (1) $-2(1-x)\sqrt{1-x}+\dfrac{4}{5}(1-x)^2\sqrt{1-x}+C$

(2) $\ln\left(\dfrac{e^x}{e^x+1}\right)+C$

(3) $\dfrac{1}{3}\cos^3 x-\cos x+C$

(4) $-\dfrac{2}{3}\sin^3 x+\sin x+C$

5-1

(1) $\sqrt{x+2}=t$ 라 하면 $\dfrac{dt}{dx}=\dfrac{1}{2\sqrt{x+2}}=\dfrac{1}{2t}$, $dx=2t\,dt$

또 $x+2=t^2$ 에서 $x=t^2-2$ 이므로

$$\int x\sqrt{x+2}\,dx$$
$$=\int (t^2-2)t\times 2t\,dt=\int (2t^4-4t^2)\,dt$$
$$=\frac{2}{5}t^5-\frac{4}{3}t^3+C$$
$$=\frac{2}{5}(x+2)^2\sqrt{x+2}-\frac{4}{3}(x+2)\sqrt{x+2}+C$$

(2) $\sqrt{x+1}=t$ 라 하면 $\dfrac{dt}{dx}=\dfrac{1}{2\sqrt{x+1}}=\dfrac{1}{2t}$, $dx=2t\,dt$

또 $x+1=t^2$에서 $x-1=t^2-2$이므로

$$\int \frac{x-1}{\sqrt{x+1}}\,dx = \int \frac{t^2-2}{t}\times 2t\,dt$$
$$= \int (2t^2-4)\,dt = \frac{2}{3}t^3-4t+C$$
$$= \frac{2}{3}(x+1)\sqrt{x+1}-4\sqrt{x+1}+C$$

(3) $\displaystyle\int \tan x \sec^2 x\,dx = \int \frac{\sin x}{\cos x}\times \frac{1}{\cos^2 x}\,dx$
$$= \int \frac{\sin x}{\cos^3 x}\,dx$$

$\cos x=t$라 하면 $\dfrac{dt}{dx}=-\sin x$, $\sin x\,dx=-dt$이므로

$$\int \frac{\sin x}{\cos^3 x}\,dx = \int \frac{1}{t^3}\times (-1)\,dt$$
$$= \frac{1}{2}t^{-2}+C = \frac{1}{2\cos^2 x}+C$$

(4) $\displaystyle\int \frac{\cos^3 x}{1+\sin x}\,dx = \int \frac{(1-\sin^2 x)\cos x}{1+\sin x}\,dx$
$$= \int (1-\sin x)\cos x\,dx$$

$1-\sin x=t$라 하면 $\dfrac{dt}{dx}=-\cos x$, $\cos x\,dx=-dt$ 이므로

$$\int (1-\sin x)\cos x\,dx = \int t\times (-1)\,dt$$
$$= -\frac{1}{2}t^2+C$$
$$= -\frac{1}{2}(1-\sin x)^2+C$$

답 (1) $\dfrac{2}{5}(x+2)^2\sqrt{x+2}-\dfrac{4}{3}(x+2)\sqrt{x+2}+C$

(2) $\dfrac{2}{3}(x+1)\sqrt{x+1}-4\sqrt{x+1}+C$

(3) $\dfrac{1}{2\cos^2 x}+C$

(4) $-\dfrac{1}{2}(1-\sin x)^2+C$

대표 06

(1) $2x+1=t$라 하면 $\dfrac{dt}{dx}=2$, $dx=\dfrac{1}{2}dt$이고

$x=1$일 때 $t=3$, $x=3$일 때 $t=7$이므로

$$\int_1^3 \frac{1}{(2x+1)^2}\,dx = \int_3^7 \frac{1}{t^2}\times \frac{1}{2}\,dt$$
$$= \left[-\frac{1}{2t}\right]_3^7 = \frac{2}{21}$$

다른 풀이

$$\int_1^3 \frac{1}{(2x+1)^2}\,dx = \left[-\frac{1}{2}(2x+1)^{-1}\right]_1^3 = \frac{2}{21}$$

(2) $1-x=t$라 하면 $\dfrac{dt}{dx}=-1$, $dx=-dt$, $x=1-t$이

고, $x=0$일 때 $t=1$, $x=1$일 때 $t=0$이므로

$$\int_0^1 x\sqrt{1-x}\,dx = \int_1^0 (1-t)\sqrt{t}\times (-1)\,dt$$
$$= \int_1^0 (t\sqrt{t}-\sqrt{t})\,dt$$
$$= \left[\frac{2}{5}t^2\sqrt{t}-\frac{2}{3}t\sqrt{t}\right]_1^0 = \frac{4}{15}$$

다른 풀이

$\sqrt{1-x}=t$라 하면

$$\frac{dt}{dx}=\frac{-1}{2\sqrt{1-x}}=-\frac{1}{2t},\ dx=-2t\,dt$$

또 $1-x=t^2$에서 $x=1-t^2$이고

$x=0$일 때 $t=1$, $x=1$일 때 $t=0$이므로

$$\int_0^1 x\sqrt{1-x}\,dx = \int_1^0 (1-t^2)t\times (-2t)\,dt$$
$$= \int_1^0 (2t^4-2t^2)\,dt$$
$$= \left[\frac{2}{5}t^5-\frac{2}{3}t^3\right]_1^0 = \frac{4}{15}$$

(3) $\ln x+1=t$라 하면 $\dfrac{dt}{dx}=\dfrac{1}{x}$, $\dfrac{1}{x}\,dx=dt$이고

$x=1$일 때 $t=1$, $x=e$일 때 $t=2$이므로

$$\int_1^e \frac{(\ln x+1)^2}{x}\,dx = \int_1^2 t^2\,dt = \left[\frac{1}{3}t^3\right]_1^2 = \frac{7}{3}$$

(4) $2+\cos x=t$라 하면 $\dfrac{dt}{dx}=-\sin x$,

$\sin x\,dx=-dt$이고,

$x=0$일 때 $t=3$, $x=\pi$일 때 $t=1$이므로

$$\int_0^\pi \frac{\sin x}{2+\cos x}\,dx = \int_3^1 \frac{1}{t}\times (-1)\,dt$$
$$= \left[-\ln|t|\right]_3^1 = \ln 3$$

답 (1) $\dfrac{2}{21}$ (2) $\dfrac{4}{15}$ (3) $\dfrac{7}{3}$ (4) $\ln 3$

6-1

(1) $x^2+1=t$라 하면 $\dfrac{dt}{dx}=2x$, $x\,dx=\dfrac{1}{2}dt$이고

$x=0$일 때 $t=1$, $x=1$일 때 $t=2$이므로

$$\int_0^1 \frac{x}{(x^2+1)^2}\,dx = \int_1^2 \frac{1}{t^2}\times \frac{1}{2}\,dt$$
$$= \left[-\frac{1}{2t}\right]_1^2 = \frac{1}{4}$$

(2) $x^3+1=t$라 하면 $\dfrac{dt}{dx}=3x^2$, $3x^2\,dx=dt$이고

$x=0$일 때 $t=1$, $x=1$일 때 $t=2$이므로

$$\int_0^1 3x^2\sqrt{x^3+1}\,dx=\int_1^2\sqrt{t}\,dt$$
$$=\left[\frac{2}{3}t^{\frac{3}{2}}\right]_1^2=\frac{2(2\sqrt{2}-1)}{3}$$

(3) $e^{2x}+1=t$라 하면 $\dfrac{dt}{dx}=2e^{2x}$, $e^{2x}\,dx=\dfrac{1}{2}\,dt$이고

$x=0$일 때 $t=2$, $x=\ln 2$일 때 $t=5$이므로

$$\int_0^{\ln 2}\frac{e^{2x}}{e^{2x}+1}\,dx=\int_2^5\frac{1}{t}\times\frac{1}{2}\,dt=\left[\frac{1}{2}\ln|t|\right]_2^5$$
$$=\frac{1}{2}(\ln 5-\ln 2)=\frac{1}{2}\ln\frac{5}{2}$$

(4) $\sin 2x=2\sin x\cos x$이므로

$\sin 2x\cos x=2\sin x\cos^2 x$

$\cos x=t$라 하면 $\dfrac{dt}{dx}=-\sin x$, $\sin x\,dx=-dt$이고

$x=0$일 때 $t=1$, $x=\dfrac{\pi}{2}$일 때 $t=0$이므로

$$\int_0^{\frac{\pi}{2}}\sin 2x\cos x\,dx=\int_0^{\frac{\pi}{2}}2\sin x\cos^2 x\,dx$$
$$=\int_1^0 2t^2\times(-1)\,dt$$
$$=\int_0^1 2t^2\,dt=\left[\frac{2}{3}t^3\right]_0^1=\frac{2}{3}$$

답 (1) $\dfrac{1}{4}$　(2) $\dfrac{2(2\sqrt{2}-1)}{3}$　(3) $\dfrac{1}{2}\ln\dfrac{5}{2}$　(4) $\dfrac{2}{3}$

대표 07

(1) $x=r\sin\theta\left(-\dfrac{\pi}{2}\le\theta\le\dfrac{\pi}{2}\right)$라 하면

$\dfrac{dx}{d\theta}=r\cos\theta$, $dx=r\cos\theta\,d\theta$이고,

$x=0$일 때 $\theta=0$, $x=r$일 때 $\theta=\dfrac{\pi}{2}$이다. 이 범위에서

$\sqrt{r^2-x^2}=\sqrt{r^2(1-\sin^2\theta)}=r\cos\theta$

$$\therefore \int_0^r\sqrt{r^2-x^2}\,dx=\int_0^{\frac{\pi}{2}}r\cos\theta\times r\cos\theta\,d\theta$$
$$=\int_0^{\frac{\pi}{2}}r^2\cos^2\theta\,d\theta$$
$$=r^2\int_0^{\frac{\pi}{2}}\frac{1+\cos 2\theta}{2}\,d\theta$$
$$=\frac{r^2}{2}\left[\theta+\frac{1}{2}\sin 2\theta\right]_0^{\frac{\pi}{2}}=\frac{\pi}{4}r^2$$

(2) $x=\tan\theta\left(-\dfrac{\pi}{2}<\theta<\dfrac{\pi}{2}\right)$라 하면

$\dfrac{dx}{d\theta}=\sec^2\theta$, $dx=\sec^2\theta\,d\theta$이고,

$x=-1$일 때 $\theta=-\dfrac{\pi}{4}$, $x=1$일 때 $\theta=\dfrac{\pi}{4}$이므로

$$\int_{-1}^1\frac{1}{1+x^2}\,dx=\int_{-\frac{\pi}{4}}^{\frac{\pi}{4}}\frac{\sec^2\theta}{1+\tan^2\theta}\,d\theta=\int_{-\frac{\pi}{4}}^{\frac{\pi}{4}}1\,d\theta$$
$$=\left[\theta\right]_{-\frac{\pi}{4}}^{\frac{\pi}{4}}=\frac{\pi}{2}$$

답 (1) $\dfrac{\pi}{4}r^2$　(2) $\dfrac{\pi}{2}$

7-1

(1) $x=2\sin\theta\left(-\dfrac{\pi}{2}\le\theta\le\dfrac{\pi}{2}\right)$라 하면

$\dfrac{dx}{d\theta}=2\cos\theta$, $dx=2\cos\theta\,d\theta$이고

$x=0$일 때 $\theta=0$, $x=2$일 때 $\theta=\dfrac{\pi}{2}$이다. 이 범위에서

$\sqrt{2^2-x^2}=\sqrt{2^2(1-\sin^2\theta)}=2\cos\theta$

$$\therefore \int_0^2\sqrt{4-x^2}\,dx=\int_0^{\frac{\pi}{2}}2\cos\theta\times 2\cos\theta\,d\theta$$
$$=\int_0^{\frac{\pi}{2}}4\cos^2\theta\,d\theta$$
$$=2\int_0^{\frac{\pi}{2}}(1+\cos 2\theta)\,d\theta$$
$$=2\left[\theta+\frac{1}{2}\sin 2\theta\right]_0^{\frac{\pi}{2}}=\pi$$

(2) $x=2\tan\theta\left(-\dfrac{\pi}{2}<\theta<\dfrac{\pi}{2}\right)$라 하면

$\dfrac{dx}{d\theta}=2\sec^2\theta$, $dx=2\sec^2\theta\,d\theta$이고

$x=0$일 때 $\theta=0$, $x=2\sqrt{3}$일 때 $\theta=\dfrac{\pi}{3}$이므로

$$\int_0^{2\sqrt{3}}\frac{1}{4+x^2}\,dx=\int_0^{\frac{\pi}{3}}\frac{2\sec^2\theta}{4+4\tan^2\theta}\,d\theta$$
$$=\int_0^{\frac{\pi}{3}}\frac{1}{2}\,d\theta=\left[\frac{1}{2}\theta\right]_0^{\frac{\pi}{3}}=\frac{\pi}{6}$$

답 (1) π　(2) $\dfrac{\pi}{6}$

개념 Check　188쪽 ~ 189쪽

3

(1) $f'(x)=1$, $g(x)=e^x$

(2) $\displaystyle\int x(e^x)'\,dx=xe^x-\int 1\times e^x\,dx$
$$=xe^x-e^x+C=e^x(x-1)+C$$

답 (1) $f'(x)=1$, $g(x)=e^x$　(2) $e^x(x-1)+C$

4

(1) $f'(x)=2$, $g(x)=e^x$

(2) $\displaystyle\int_0^1 (2x-1)e^x\,dx = \Big[(2x-1)e^x\Big]_0^1 - \int_0^1 2e^x\,dx$

$$= (e+1) - \Big[2e^x\Big]_0^1$$

$$= e+1-(2e-2) = -e+3$$

답 (1) $f'(x)=2$, $g(x)=e^x$ (2) $-e+3$

대표 08

(1) $f(x)=x+1$, $g'(x)=e^x$이라 하면

$f'(x)=1$, $g(x)=e^x$이므로

$$\int (x+1)e^x\,dx = (x+1)e^x - \int e^x\,dx$$

$$= xe^x + C$$

(2) $f(x)=\ln(x+1)$, $g'(x)=1$이라 하면

$f'(x)=\dfrac{1}{x+1}$, $g(x)=x$이므로

$$\int \ln(x+1)\,dx = x\ln(x+1) - \int \frac{x}{x+1}\,dx$$

$$= x\ln(x+1) - \int \Big(1 - \frac{1}{x+1}\Big)dx$$

$$= x\ln(x+1) - x + \ln|x+1| + C$$

$$= (x+1)\ln(x+1) - x + C$$

(3) $f(x)=x^2$, $g'(x)=\cos x$라 하면

$f'(x)=2x$, $g(x)=\sin x$이므로

$$\int x^2 \cos x\,dx = x^2 \sin x - \int 2x\sin x\,dx$$

$$= x^2 \sin x - 2\int x\sin x\,dx \quad \cdots \text{㉠}$$

$\displaystyle\int x\sin x\,dx$에서 $u(x)=x$, $v'(x)=\sin x$라 하면

$u'(x)=1$, $v(x)=-\cos x$이므로

$$\int x\sin x\,dx = -x\cos x - \int (-\cos x)\,dx$$

$$= -x\cos x + \sin x + C$$

㉠에 대입하고 정리하면

$$\int x^2 \cos x\,dx = x^2 \sin x - 2(-x\cos x + \sin x + C)$$

$$= x^2 \sin x + 2x\cos x - 2\sin x + C$$

답 (1) $xe^x + C$

(2) $(x+1)\ln(x+1) - x + C$

(3) $x^2 \sin x + 2x\cos x - 2\sin x + C$

8-1

(1) $f(x)=\ln x$, $g'(x)=x$라 하면

$f'(x)=\dfrac{1}{x}$, $g(x)=\dfrac{1}{2}x^2$이므로

$$\int x\ln x\,dx = \ln x \times \frac{1}{2}x^2 - \int \frac{1}{x} \times \frac{1}{2}x^2\,dx$$

$$= \frac{1}{2}x^2 \ln x - \frac{1}{4}x^2 + C$$

(2) $f(x)=x$, $g'(x)=\sin 2x$라 하면

$f'(x)=1$, $g(x)=-\dfrac{1}{2}\cos 2x$이므로

$$\int x\sin 2x\,dx$$

$$= x\times\Big(-\frac{1}{2}\cos 2x\Big) - \int\Big(-\frac{1}{2}\cos 2x\Big)dx$$

$$= -\frac{1}{2}x\cos 2x + \frac{1}{4}\sin 2x + C$$

답 (1) $\dfrac{1}{2}x^2 \ln x - \dfrac{1}{4}x^2 + C$

(2) $-\dfrac{1}{2}x\cos 2x + \dfrac{1}{4}\sin 2x + C$

8-2

(1) $f(x)=x^2$, $g'(x)=e^x$이라 하면

$f'(x)=2x$, $g(x)=e^x$이므로

$$\int x^2 e^x\,dx = x^2 e^x - \int 2xe^x\,dx$$

$$= x^2 e^x - 2\int xe^x\,dx \quad \cdots \text{㉠}$$

$\displaystyle\int xe^x\,dx$에서 $u(x)=x$, $v'(x)=e^x$이라 하면

$u'(x)=1$, $v(x)=e^x$이므로

$$\int xe^x\,dx = xe^x - \int e^x\,dx$$

$$= xe^x - e^x + C$$

㉠에 대입하고 정리하면

$$\int x^2 e^x\,dx = x^2 e^x - 2(xe^x - e^x + C)$$

$$= x^2 e^x - 2xe^x + 2e^x + C$$

(2) $f(x)=(\ln x)^2$, $g'(x)=1$이라 하면

$f'(x)=\dfrac{2\ln x}{x}$, $g(x)=x$이므로

$$\int (\ln x)^2\,dx = (\ln x)^2 \times x - \int \frac{2\ln x}{x} \times x\,dx$$

$$= x(\ln x)^2 - 2\int \ln x\,dx \quad \cdots \text{㉠}$$

$\int \ln x \, dx$에서 $u(x) = \ln x$, $v'(x) = 1$이라 하면

$u'(x) = \dfrac{1}{x}$, $v(x) = x$이므로

$$\int \ln x \, dx = (\ln x) \times x - \int \dfrac{1}{x} \times x \, dx$$
$$= x \ln x - x + C$$

㉠에 대입하고 정리하면

$$\int (\ln x)^2 \, dx = x(\ln x)^2 - 2(x \ln x - x + C)$$
$$= x(\ln x)^2 - 2x \ln x + 2x + C$$

　　　　　🔁 (1) $x^2 e^x - 2x e^x + 2e^x + C$

　　　　　　 (2) $x(\ln x)^2 - 2x \ln x + 2x + C$

대표 09

(1) $f(x) = \ln x$, $g'(x) = 1$이라 하면

$f'(x) = \dfrac{1}{x}$, $g(x) = x$이므로

$$\int_1^e \ln x \, dx = \Big[x \ln x \Big]_1^e - \int_1^e 1 \, dx = e - \Big[x \Big]_1^e$$
$$= e - (e-1) = 1$$

(2) $f(x) = x$, $g'(x) = e^{2x-1}$이라 하면

$f'(x) = 1$, $g(x) = \dfrac{1}{2} e^{2x-1}$이므로

$$\int_0^1 x e^{2x-1} \, dx = \Big[\dfrac{1}{2} x e^{2x-1} \Big]_0^1 - \int_0^1 \dfrac{1}{2} e^{2x-1} \, dx$$
$$= \dfrac{1}{2} e - \Big[\dfrac{1}{4} e^{2x-1} \Big]_0^1$$
$$= \dfrac{1}{2} e - \Big(\dfrac{1}{4} e - \dfrac{1}{4} e^{-1} \Big)$$
$$= \dfrac{1}{4} \Big(e + \dfrac{1}{e} \Big)$$

(3) $f(x) = e^x$, $g'(x) = \sin x$라 하면

$f'(x) = e^x$, $g(x) = -\cos x$이므로

$$\int_0^\pi e^x \sin x \, dx$$
$$= \Big[e^x (-\cos x) \Big]_0^\pi - \int_0^\pi e^x (-\cos x) \, dx$$
$$= e^\pi + 1 + \int_0^\pi e^x \cos x \, dx \quad \cdots ㉠$$

$\displaystyle \int_0^\pi e^x \cos x \, dx$에서

$u(x) = e^x$, $v'(x) = \cos x$라 하면

$u'(x) = e^x$, $v(x) = \sin x$이므로

$$\int_0^\pi e^x \cos x \, dx = \Big[e^x \sin x \Big]_0^\pi - \int_0^\pi e^x \sin x \, dx$$
$$= 0 - \int_0^\pi e^x \sin x \, dx$$

㉠에 대입하면

$$\int_0^\pi e^x \sin x \, dx = e^\pi + 1 - \int_0^\pi e^x \sin x \, dx$$
$$2 \int_0^\pi e^x \sin x \, dx = e^\pi + 1$$
$$\therefore \int_0^\pi e^x \sin x \, dx = \dfrac{e^\pi + 1}{2}$$

　　　🔁 (1) 1　(2) $\dfrac{1}{4} \Big(e + \dfrac{1}{e} \Big)$　(3) $\dfrac{e^\pi + 1}{2}$

9-1

(1) $f(x) = x$, $g'(x) = \sin x + \cos x$라 하면

$f'(x) = 1$, $g(x) = -\cos x + \sin x$이므로

$$\int_0^\pi x(\sin x + \cos x) \, dx$$
$$= \Big[x(-\cos x + \sin x) \Big]_0^\pi$$
$$\quad - \int_0^\pi (-\cos x + \sin x) \, dx$$
$$= \pi - \Big[-\sin x - \cos x \Big]_0^\pi$$
$$= \pi - 2$$

(2) $f(x) = \ln x$, $g'(x) = \dfrac{1}{x^2}$이라 하면

$f'(x) = \dfrac{1}{x}$, $g(x) = -\dfrac{1}{x}$이므로

$$\int_1^e \dfrac{\ln x}{x^2} \, dx = \Big[-\dfrac{\ln x}{x} \Big]_1^e - \int_1^e \dfrac{1}{x} \times \Big(-\dfrac{1}{x} \Big) \, dx$$
$$= -\dfrac{1}{e} + \Big[-\dfrac{1}{x} \Big]_1^e$$
$$= -\dfrac{1}{e} + \Big(-\dfrac{1}{e} + 1 \Big)$$
$$= 1 - \dfrac{2}{e}$$

　　　　　🔁 (1) $\pi - 2$　(2) $1 - \dfrac{2}{e}$

9-2

$f(x) = \cos x$, $g'(x) = e^x$이라 하면

$f'(x) = -\sin x$, $g(x) = e^x$이므로

$$\int_0^\pi e^x \cos x \, dx$$
$$= \Big[e^x \cos x \Big]_0^\pi - \int_0^\pi e^x (-\sin x) \, dx$$
$$= (-e^\pi - 1) + \int_0^\pi e^x \sin x \, dx \quad \cdots ㉠$$

$\displaystyle\int_0^\pi e^x \sin x\, dx$에서

$u(x)=\sin x$, $v'(x)=e^x$이라 하면

$u'(x)=\cos x$, $v(x)=e^x$이므로

$$\int_0^\pi e^x \sin x\, dx = \Big[e^x \sin x\Big]_0^\pi - \int_0^\pi e^x \cos x\, dx$$

$$= 0 - \int_0^\pi e^x \cos x\, dx$$

㉠에 대입하면

$$\int_0^\pi e^x \cos x\, dx = (-e^\pi - 1) - \int_0^\pi e^x \cos x\, dx$$

$$2\int_0^\pi e^x \cos x\, dx = -e^\pi - 1$$

$$\therefore \int_0^\pi e^x \cos x\, dx = -\frac{e^\pi + 1}{2}$$

답 $-\dfrac{e^\pi + 1}{2}$

날선 010

$F(x)=\displaystyle\int_0^x t f(x-t)\, dt$에서 $x-t=y$라 하면

$\dfrac{dy}{dt}=-1$, $dt=-dy$, $t=x-y$이고

$t=0$일 때 $y=x$, $t=x$일 때 $y=0$이므로

$$F(x)=\int_0^x t f(x-t)\, dt$$

$$= \int_x^0 (x-y)f(y)\times(-1)\, dy$$

$$= \int_0^x (x-y)f(y)\, dy$$

$$= x\int_0^x f(y)\, dy - \int_0^x y f(y)\, dy$$

$$\therefore F'(x) = \int_0^x f(y)\, dy + xf(x) - xf(x)$$

$$= \int_0^x f(y)\, dy$$

$$= \int_0^x \ln(y+1)\, dy$$

$u(y)=\ln(y+1)$, $v'(y)=1$이라 하면

$u'(y)=\dfrac{1}{y+1}$, $v(y)=y$이므로

$$\int_0^x \ln(y+1)\, dy = \Big[y\ln(y+1)\Big]_0^x - \int_0^x \frac{y}{y+1}\, dy$$

$$= x\ln(x+1) - \int_0^x \Big(1 - \frac{1}{y+1}\Big)\, dy$$

$$= x\ln(x+1) - \Big[y - \ln|y+1|\Big]_0^x$$

$$= x\ln(x+1) - x + \ln|x+1|$$

$$= (x+1)\ln(x+1) - x$$

$$\therefore F'(e-1) = e - (e-1) = 1$$

답 1

10-1

$\displaystyle\int_0^1 (x-1)f'(x+1)\, dx$에서 $x+1=t$라 하면

$\dfrac{dt}{dx}=1$, $dt=dx$, $x=t-1$이고

$x=0$일 때 $t=1$, $x=1$일 때 $t=2$이므로

$$\int_0^1 (x-1)f'(x+1)\, dx = \int_1^2 (t-2)f'(t)\, dt$$

$\displaystyle\int_1^2 (t-2)f'(t)\, dt$에서 부분적분법을 이용하면

$$\int_1^2 (t-2)f'(t)\, dt = \Big[(t-2)f(t)\Big]_1^2 - \int_1^2 f(t)\, dt$$

$$= f(1) - \int_1^2 f(t)\, dt$$

$$= 2 - \int_1^2 f(t)\, dt$$

곧, $2 - \displaystyle\int_1^2 f(t)\, dt = -4$이므로

$$\int_1^2 f(x)\, dx = 6$$

답 6

10-2

(1) $f(x)=\displaystyle\int_0^x \frac{1}{1+t^6}\, dt$의 양변을 x에 대하여 미분하면

$$f'(x) = \frac{1}{1+x^6}$$

(2) $f'(x)=\dfrac{1}{1+x^6}$이므로

$$\int_0^a \frac{e^{f(x)}}{1+x^6}\, dx = \int_0^a e^{f(x)}f'(x)\, dx$$

$f(x)=t$라 하면 $\dfrac{dt}{dx}=f'(x)$, $f'(x)\, dx = dt$이고

$x=0$일 때 $t=f(0)=\displaystyle\int_0^0 \frac{1}{1+t^6}\, dt=0$,

$x=a$일 때 $t=f(a)=\dfrac{1}{2}$이므로

$$\int_0^a e^{f(x)}f'(x)\, dx = \int_0^{\frac{1}{2}} e^t\, dt$$

$$= \Big[e^t\Big]_0^{\frac{1}{2}} = \sqrt{e} - 1$$

답 (1) $f'(x) = \dfrac{1}{1+x^6}$ (2) $\sqrt{e} - 1$

01 (1) $\dfrac{1}{4}(x^3-4x+2)^4+C$

  (2) $\dfrac{1}{2}\left(\dfrac{1}{2}x+2\right)^4+C$

  (3) $\dfrac{1}{6(1-2x)^3}+C$

02 (1) $\ln\left|\dfrac{x+2}{x+3}\right|+C$

  (2) $\dfrac{1}{2}x^2-x+2\ln|x+1|+C$

  (3) $\ln|x^3-3x+5|+C$

03 (1) $\dfrac{1}{3}(x^2-1)\sqrt{x^2-1}+C$ (2) $\dfrac{2}{3}\sqrt{x^3+1}+C$

  (3) $\dfrac{1}{15}(x^2-1)(3x^2+2)\sqrt{x^2-1}+C$

04 (1) $\dfrac{1}{10}(e^{2x}-1)^5+C$ (2) $\ln(e^x+e^{-x})+C$

  (3) $(\ln x)^3+C$ (4) $\sin(\ln x)+C$

05 (1) $\dfrac{1}{5}\sin 5x+C$ (2) $\ln|\sin x+\cos x|+C$

  (3) $e^{\sin x}+C$ (4) $\sec x+C$

06 (1) 2 (2) $\dfrac{1}{2}$ (3) $\dfrac{7}{24}$

07 (1) $x^2\ln x-\dfrac{1}{2}x^2+C$

  (2) $2x\sin x-(x^2-2)\cos x+C$

08 (1) 2 (2) $-\dfrac{2}{e}+1$ **09** ⑤

10 (1) $\dfrac{1}{2}(1+\sin x)^2+C$

  (2) $-\dfrac{1}{2}\ln\left|\dfrac{\sin x-1}{\sin x+1}\right|+C$

  (3) $\dfrac{1}{2}\tan^2 x+\ln|\cos x|+C$

11 (1) $(x^2-4x+8)e^x+C$

  (2) $\dfrac{1}{2}x^2\ln x(\ln x-1)+\dfrac{1}{4}x^2+C$

12 (1) $\dfrac{\pi}{4}$ (2) $\dfrac{\pi}{4}$

13 (1) $a=2$, $b=-1$

  (2) $2\ln|x+1|-\ln|x+3|+C$

14 ①   **15** $-\dfrac{5}{6}$ **16** ②   **17** $-\dfrac{1}{6}(e-1)$

18 $\dfrac{e+1}{e^2}$ **19** ④   **20** 12

01

(1) $x^3-4x+2=t$라 하면

$$\dfrac{dt}{dx}=3x^2-4,\ (3x^2-4)\,dx=dt\text{이므로}$$

$$\int(3x^2-4)(x^3-4x+2)^3\,dx$$

$$=\int t^3\,dt=\dfrac{1}{4}t^4+C$$

$$=\dfrac{1}{4}(x^3-4x+2)^4+C$$

(2) $\dfrac{1}{2}x+2=t$라 하면 $\dfrac{dt}{dx}=\dfrac{1}{2}$, $dx=2\,dt$이므로

$$\int\left(\dfrac{1}{2}x+2\right)^3\,dx=\int 2t^3\,dt=\dfrac{1}{2}t^4+C$$

$$=\dfrac{1}{2}\left(\dfrac{1}{2}x+2\right)^4+C$$

(3) $1-2x=t$라 하면 $\dfrac{dt}{dx}=-2$, $dx=-\dfrac{1}{2}\,dt$이므로

$$\int\dfrac{1}{(1-2x)^4}\,dx=\int\dfrac{1}{t^4}\times\left(-\dfrac{1}{2}\right)dt=\dfrac{1}{6}t^{-3}+C$$

$$=\dfrac{1}{6}(1-2x)^{-3}+C$$

$$=\dfrac{1}{6(1-2x)^3}+C$$

  답 (1) $\dfrac{1}{4}(x^3-4x+2)^4+C$

  (2) $\dfrac{1}{2}\left(\dfrac{1}{2}x+2\right)^4+C$

  (3) $\dfrac{1}{6(1-2x)^3}+C$

02

(1) $\dfrac{1}{x^2+5x+6}=\dfrac{1}{(x+2)(x+3)}=\dfrac{1}{x+2}-\dfrac{1}{x+3}$

이므로

$$\int\dfrac{1}{x^2+5x+6}\,dx=\int\left(\dfrac{1}{x+2}-\dfrac{1}{x+3}\right)dx$$

$$=\ln|x+2|-\ln|x+3|+C$$

$$=\ln\left|\dfrac{x+2}{x+3}\right|+C$$

(2) $\dfrac{x^2+1}{x+1}=\dfrac{(x+1)(x-1)+2}{x+1}=x-1+\dfrac{2}{x+1}$이므로

$$\int\dfrac{x^2+1}{x+1}\,dx=\int\left(x-1+\dfrac{2}{x+1}\right)dx$$

$$=\dfrac{1}{2}x^2-x+2\ln|x+1|+C$$

(3) $x^3-3x+5=t$라 하면

$$\dfrac{dt}{dx}=3x^2-3,\ (3x^2-3)\,dx=dt\text{이므로}$$

$$\int \frac{3x^2-3}{x^3-3x+5}\,dx = \int \frac{1}{t}\,dt = \ln|t|+C$$
$$= \ln|x^3-3x+5|+C$$

다른 풀이

$f(x)=x^3-3x+5$라 하면 $f'(x)=3x^2-3$이므로

$$\int \frac{3x^2-3}{x^3-3x+5}\,dx = \int \frac{f'(x)}{f(x)}\,dx = \ln|f(x)|+C$$
$$= \ln|x^3-3x+5|+C$$

답 (1) $\ln\left|\dfrac{x+2}{x+3}\right|+C$

(2) $\dfrac{1}{2}x^2-x+2\ln|x+1|+C$

(3) $\ln|x^3-3x+5|+C$

03

(1) $x^2-1=t$라 하면

$\dfrac{dt}{dx}=2x$, $x\,dx=\dfrac{1}{2}\,dt$이므로

$$\int x\sqrt{x^2-1}\,dx = \int \sqrt{t}\times\frac{1}{2}\,dt = \frac{1}{3}t\sqrt{t}+C$$
$$= \frac{1}{3}(x^2-1)\sqrt{x^2-1}+C$$

(2) $x^3+1=t$라 하면

$\dfrac{dt}{dx}=3x^2$, $x^2\,dx=\dfrac{1}{3}\,dt$이므로

$$\int \frac{x^2}{\sqrt{x^3+1}}\,dx = \int \frac{1}{\sqrt{t}}\times\frac{1}{3}\,dt = \frac{2}{3}\sqrt{t}+C$$
$$= \frac{2}{3}\sqrt{x^3+1}+C$$

(3) $x^2-1=t$라 하면

$\dfrac{dt}{dx}=2x$, $x\,dx=\dfrac{1}{2}\,dt$, $x^2=t+1$이므로

$$\int x^3\sqrt{x^2-1}\,dx = \int x^2\sqrt{x^2-1}\times x\,dx$$
$$= \int (t+1)\sqrt{t}\times\frac{1}{2}\,dt$$
$$= \frac{1}{2}\int (t^{\frac{3}{2}}+t^{\frac{1}{2}})\,dt$$
$$= \frac{1}{5}t^{\frac{5}{2}}+\frac{1}{3}t^{\frac{3}{2}}+C$$
$$= \frac{1}{15}t^{\frac{3}{2}}(3t+5)+C$$
$$= \frac{1}{15}(x^2-1)(3x^2+2)\sqrt{x^2-1}+C$$

답 (1) $\dfrac{1}{3}(x^2-1)\sqrt{x^2-1}+C$ (2) $\dfrac{2}{3}\sqrt{x^3+1}+C$

(3) $\dfrac{1}{15}(x^2-1)(3x^2+2)\sqrt{x^2-1}+C$

04

(1) $e^{2x}-1=t$라 하면 $\dfrac{dt}{dx}=2e^{2x}$, $e^{2x}\,dx=\dfrac{1}{2}\,dt$이므로

$$\int e^{2x}(e^{2x}-1)^4\,dx = \int t^4\times\frac{1}{2}\,dt = \frac{1}{10}t^5+C$$
$$= \frac{1}{10}(e^{2x}-1)^5+C$$

(2) $e^x+e^{-x}=t$라 하면

$\dfrac{dt}{dx}=e^x-e^{-x}$, $(e^x-e^{-x})\,dx=dt$이므로

$$\int \frac{e^x-e^{-x}}{e^x+e^{-x}}\,dx = \int \frac{1}{t}\,dt = \ln|t|+C$$
$$= \ln(e^x+e^{-x})+C$$

다른 풀이

$f(x)=e^x+e^{-x}$이라 하면 $f'(x)=e^x-e^{-x}$이므로

$$\int \frac{e^x-e^{-x}}{e^x+e^{-x}}\,dx = \int \frac{f'(x)}{f(x)}\,dx = \ln|f(x)|+C$$
$$= \ln(e^x+e^{-x})+C$$

(3) $\ln x=t$라 하면 $\dfrac{dt}{dx}=\dfrac{1}{x}$, $\dfrac{1}{x}\,dx=dt$이므로

$$\int \frac{3(\ln x)^2}{x}\,dx = \int 3t^2\,dt = t^3+C$$
$$= (\ln x)^3+C$$

(4) $\ln x=t$라 하면 $\dfrac{dt}{dx}=\dfrac{1}{x}$, $\dfrac{1}{x}\,dx=dt$이므로

$$\int \frac{\cos(\ln x)}{x}\,dx = \int \cos t\,dt = \sin t+C$$
$$= \sin(\ln x)+C$$

답 (1) $\dfrac{1}{10}(e^{2x}-1)^5+C$ (2) $\ln(e^x+e^{-x})+C$

(3) $(\ln x)^3+C$ (4) $\sin(\ln x)+C$

05

(1) $5x=t$라 하면 $\dfrac{dt}{dx}=5$, $dx=\dfrac{1}{5}\,dt$이므로

$$\int \cos 5x\,dx = \int \cos t\times\frac{1}{5}\,dt = \frac{1}{5}\sin t+C$$
$$= \frac{1}{5}\sin 5x+C$$

(2) $\sin x+\cos x=t$라 하면

$\dfrac{dt}{dx}=\cos x-\sin x$, $(\cos x-\sin x)\,dx=dt$이므로

$$\int \frac{\cos x-\sin x}{\sin x+\cos x}\,dx = \int \frac{1}{t}\,dt = \ln|t|+C$$
$$= \ln|\sin x+\cos x|+C$$

다른 풀이

$f(x)=\sin x+\cos x$라 하면 $f'(x)=\cos x-\sin x$
이므로

$$\int \frac{\cos x-\sin x}{\sin x+\cos x}\,dx=\int \frac{f'(x)}{f(x)}\,dx$$
$$=\ln|f(x)|+C$$
$$=\ln|\sin x+\cos x|+C$$

(3) $\sin x=t$라 하면

$$\frac{dt}{dx}=\cos x,\ \cos x\,dx=dt$$이므로

$$\int e^{\sin x}\cos x\,dx=\int e^t\,dt=e^t+C$$
$$=e^{\sin x}+C$$

(4) $\int \sec x\tan x\,dx=\int \frac{\sin x}{\cos^2 x}\,dx$에서

$\cos x=t$라 하면 $\frac{dt}{dx}=-\sin x,\ \sin x\,dx=-dt$
이므로

$$\int \frac{\sin x}{\cos^2 x}\,dx=\int \frac{1}{t^2}\times(-1)\,dt=\frac{1}{t}+C$$
$$=\frac{1}{\cos x}+C=\sec x+C$$

답 (1) $\frac{1}{5}\sin 5x+C$ (2) $\ln|\sin x+\cos x|+C$

(3) $e^{\sin x}+C$ (4) $\sec x+C$

참고 (4) $(\sec x)'=\sec x\tan x$이므로

$$\int \sec x\tan x\,dx=\sec x+C$$

06

(1) $2x+3=t$라 하면 $\frac{dt}{dx}=2,\ dx=\frac{1}{2}dt$이고

$x=-1$일 때 $t=1$, $x=3$일 때 $t=9$이므로

$$\int_{-1}^{3} \frac{1}{\sqrt{2x+3}}\,dx=\int_{1}^{9}\frac{1}{\sqrt{t}}\times\frac{1}{2}\,dt=\Big[\sqrt{t}\,\Big]_1^9=2$$

(2) $\ln x=t$라 하면 $\frac{dt}{dx}=\frac{1}{x},\ \frac{1}{x}dx=dt$이고

$x=e$일 때 $t=1$, $x=e^2$일 때 $t=2$이므로

$$\int_{e}^{e^2}\frac{1}{x(\ln x)^2}\,dx=\int_{1}^{2}\frac{1}{t^2}\,dt=\Big[-\frac{1}{t}\Big]_1^2=\frac{1}{2}$$

(3) $\sin x=t$라 하면 $\frac{dt}{dx}=\cos x,\ \cos x\,dx=dt$이고

$x=\frac{\pi}{6}$일 때 $t=\frac{1}{2}$, $x=\frac{\pi}{2}$일 때 $t=1$이므로

$$\int_{\frac{\pi}{6}}^{\frac{\pi}{2}}\sin^2 x\cos x\,dx=\int_{\frac{1}{2}}^{1}t^2\,dt=\Big[\frac{1}{3}t^3\Big]_{\frac{1}{2}}^{1}=\frac{7}{24}$$

답 (1) 2 (2) $\frac{1}{2}$ (3) $\frac{7}{24}$

07

(1) $f(x)=\ln x,\ g'(x)=2x$라 하면

$f'(x)=\frac{1}{x},\ g(x)=x^2$이므로

$$\int 2x\ln x\,dx=x^2\ln x-\int x\,dx$$
$$=x^2\ln x-\frac{1}{2}x^2+C$$

(2) $f(x)=x^2,\ g'(x)=\sin x$라 하면

$f'(x)=2x,\ g(x)=-\cos x$이므로

$$\int x^2\sin x\,dx=-x^2\cos x+\int 2x\cos x\,dx\quad\cdots\ \text{㉠}$$

$\int 2x\cos x\,dx$에서

$u(x)=2x,\ v'(x)=\cos x$라 하면

$u'(x)=2,\ v(x)=\sin x$이므로

$$\int 2x\cos x\,dx=2x\sin x-\int 2\sin x\,dx$$
$$=2x\sin x+2\cos x+C$$

㉠에 대입하고 정리하면

$$\int x^2\sin x\,dx=-x^2\cos x+2x\sin x+2\cos x+C$$
$$=2x\sin x-(x^2-2)\cos x+C$$

답 (1) $x^2\ln x-\frac{1}{2}x^2+C$

(2) $2x\sin x-(x^2-2)\cos x+C$

08

(1) $\cos(\pi-x)=-\cos x$이고

$f(x)=x,\ g'(x)=-\cos x$라 하면

$f'(x)=1,\ g(x)=-\sin x$이므로

$$\int_{0}^{\pi}x\cos(\pi-x)\,dx=\Big[-x\sin x\Big]_0^{\pi}+\int_{0}^{\pi}\sin x\,dx$$
$$=0+\Big[-\cos x\Big]_0^{\pi}=2$$

(2) $f(x)=\ln x,\ g'(x)=\frac{1}{x^2}$이라 하면

$f'(x)=\frac{1}{x},\ g(x)=-\frac{1}{x}$이므로

$$\int_{1}^{e}\frac{\ln x}{x^2}\,dx=\Big[-\frac{\ln x}{x}\Big]_1^{e}-\int_{1}^{e}\Big(-\frac{1}{x^2}\Big)\,dx$$
$$=-\frac{1}{e}-\Big[\frac{1}{x}\Big]_1^{e}=-\frac{1}{e}-\Big(\frac{1}{e}-1\Big)$$
$$=-\frac{2}{e}+1$$

다른 풀이

$\ln x = t$라 하면 $\dfrac{dt}{dx} = \dfrac{1}{x}$, $\dfrac{1}{x}\,dx = dt$, $x = e^t$이고

$x = 1$일 때 $t = 0$, $x = e$일 때 $t = 1$이므로

$$\int_1^e \frac{\ln x}{x^2}\,dx = \int_1^e \frac{\ln x}{x} \times \frac{1}{x}\,dx$$
$$= \int_0^1 \frac{t}{e^t}\,dt = \int_0^1 te^{-t}\,dt$$

$f(t) = t$, $g'(t) = e^{-t}$이라 하면

$f'(t) = 1$, $g(t) = -e^{-t}$이므로

$$\int_0^1 te^{-t}\,dt = \left[-te^{-t}\right]_0^1 + \int_0^1 e^{-t}\,dt$$
$$= -e^{-1} + \left[-e^{-t}\right]_0^1 = -\frac{2}{e} + 1$$

$\qquad\qquad\qquad\qquad$ 目 (1) 2 $\quad$ (2) $-\dfrac{2}{e} + 1$

09

$1 + 2\ln x = t$라 하면 $\dfrac{dt}{dx} = \dfrac{2}{x}$, $\dfrac{1}{x}\,dx = \dfrac{1}{2}\,dt$이고

$x = 1$일 때 $t = 1$, $x = e^2$일 때 $t = 5$이므로

$$\int_1^{e^2} \frac{f(1 + 2\ln x)}{x}\,dx = \frac{1}{2}\int_1^5 f(t)\,dt$$

곧, $\dfrac{1}{2}\displaystyle\int_1^5 f(t)\,dt = 5$이므로

$$\int_1^5 f(x)\,dx = 10$$

$\qquad\qquad\qquad\qquad\qquad\qquad\qquad$ 目 ⑤

10 전략 $g(x) = t$로 치환하는 경우 $\dfrac{dt}{dx} = g'(x)$이므로

$\qquad g'(x)\,dx = dt$를 대입한다.

(1) $\dfrac{\cos^3 x}{1 - \sin x} = \dfrac{(1 - \sin^2 x)\cos x}{1 - \sin x} = (1 + \sin x)\cos x$

에서 $1 + \sin x = t$라 하면

$\dfrac{dt}{dx} = \cos x$, $\cos x\,dx = dt$이므로

$$\int \frac{\cos^3 x}{1 - \sin x}\,dx = \int (1 + \sin x)\cos x\,dx$$
$$= \int t\,dt = \frac{1}{2}t^2 + C$$
$$= \frac{1}{2}(1 + \sin x)^2 + C$$

다른 풀이

$(1 + \sin x)\cos x = \cos x + \sin x \cos x$
$$= \cos x + \frac{1}{2}\sin 2x$$

이므로

$$\int \frac{\cos^3 x}{1 - \sin x}\,dx = \int\left(\cos x + \frac{1}{2}\sin 2x\right)dx$$
$$= \sin x - \frac{1}{4}\cos 2x + C$$
$$= \sin x - \frac{1}{4}(1 - 2\sin^2 x) + C$$
$$= \frac{1}{2}\sin^2 x + \sin x + C$$

(2) $\dfrac{1}{\cos x} = \dfrac{\cos x}{\cos^2 x} = \dfrac{\cos x}{1 - \sin^2 x}$에서

$\sin x = t$라 하면 $\dfrac{dt}{dx} = \cos x$, $\cos x\,dx = dt$이므로

$$\int \frac{1}{\cos x}\,dx = \int \frac{\cos x}{1 - \sin^2 x}\,dx = \int \frac{1}{1 - t^2}\,dt$$
$$= -\frac{1}{2}\int\left(\frac{1}{t - 1} - \frac{1}{t + 1}\right)dt$$
$$= -\frac{1}{2}(\ln|t - 1| - \ln|t + 1|) + C$$
$$= -\frac{1}{2}\ln\left|\frac{t - 1}{t + 1}\right| + C$$
$$= -\frac{1}{2}\ln\left|\frac{\sin x - 1}{\sin x + 1}\right| + C$$

(3) $\tan^3 x = (\sec^2 x - 1)\tan x = \sec^2 x \tan x - \tan x$

이므로

$$\int \tan^3 x\,dx = \int \sec^2 x \tan x\,dx - \int \tan x\,dx$$

$\tan x = t$라 하면 $\dfrac{dt}{dx} = \sec^2 x$, $\sec^2 x\,dx = dt$이므로

$$\int \sec^2 x \tan x\,dx = \int t\,dt = \frac{1}{2}t^2 + C$$
$$= \frac{1}{2}\tan^2 x + C$$

또 $(\cos x)' = -\sin x$이므로

$$\int \tan x\,dx = \int \frac{\sin x}{\cos x}\,dx = -\ln|\cos x| + C$$

$\therefore \displaystyle\int \tan^3 x\,dx = \frac{1}{2}\tan^2 x + \ln|\cos x| + C$

$\qquad\qquad\qquad$ 目 (1) $\dfrac{1}{2}(1 + \sin x)^2 + C$

$\qquad\qquad$ (2) $-\dfrac{1}{2}\ln\left|\dfrac{\sin x - 1}{\sin x + 1}\right| + C$

$\qquad\qquad$ (3) $\dfrac{1}{2}\tan^2 x + \ln|\cos x| + C$

참고 (1) 적분상수가 $\dfrac{1}{2} + C$와 C로 다르게 표현되지만 관계

$\qquad$ 없다.

11 전략 $\int f(x)g'(x)\,dx=f(x)g(x)-\int f'(x)g(x)\,dx$
를 이용한다.

(1) $f(x)=x^2-2x+4$, $g'(x)=e^x$이라 하면
$f'(x)=2x-2$, $g(x)=e^x$이므로

$\int (x^2-2x+4)e^x\,dx$

$=(x^2-2x+4)e^x-\int (2x-2)e^x\,dx$ $\cdots$ ㉠

$\int (2x-2)e^x\,dx$에서

$u(x)=2x-2$, $v'(x)=e^x$이라 하면
$u'(x)=2$, $v(x)=e^x$이므로

$\int (2x-2)e^x\,dx=(2x-2)e^x-\int 2e^x\,dx$

$\qquad\qquad\qquad =(2x-2)e^x-2e^x+C$

$\qquad\qquad\qquad =(2x-4)e^x+C$

㉠에 대입하고 정리하면

$\int (x^2-2x+4)e^x\,dx$

$=(x^2-2x+4)e^x-(2x-4)e^x+C$

$=(x^2-4x+8)e^x+C$

(2) $f(x)=(\ln x)^2$, $g'(x)=x$라 하면
$f'(x)=\dfrac{2\ln x}{x}$, $g(x)=\dfrac{1}{2}x^2$이므로

$\int x(\ln x)^2\,dx$

$=\dfrac{1}{2}x^2(\ln x)^2-\int x\ln x\,dx$ $\cdots$ ㉠

$\int x\ln x\,dx$에서

$u(x)=\ln x$, $v'(x)=x$라 하면
$u'(x)=\dfrac{1}{x}$, $v(x)=\dfrac{1}{2}x^2$이므로

$\int x\ln x\,dx=\dfrac{1}{2}x^2\ln x-\int \dfrac{1}{2}x\,dx$

$\qquad\qquad\quad =\dfrac{1}{2}x^2\ln x-\dfrac{1}{4}x^2+C$

㉠에 대입하고 정리하면

$\int x(\ln x)^2\,dx$

$=\dfrac{1}{2}x^2(\ln x)^2-\left(\dfrac{1}{2}x^2\ln x-\dfrac{1}{4}x^2+C\right)$

$=\dfrac{1}{2}x^2\ln x(\ln x-1)+\dfrac{1}{4}x^2+C$

답 (1) $(x^2-4x+8)e^x+C$

(2) $\dfrac{1}{2}x^2\ln x(\ln x-1)+\dfrac{1}{4}x^2+C$

12 전략 (1) $\sqrt{a^2-x^2}$을 포함한 꼴 ➡ $x=a\sin\theta$로 치환한다.

(2) $\dfrac{1}{a^2+x^2}$을 포함한 꼴 ➡ $x=a\tan\theta$로 치환한다.

(1) $x=\sin\theta\left(-\dfrac{\pi}{2}\leq x\leq\dfrac{\pi}{2}\right)$로 놓으면

$\dfrac{dx}{d\theta}=\cos\theta$, $dx=\cos\theta\,d\theta$이고

$x=0$일 때 $\theta=0$, $x=\dfrac{\sqrt{2}}{2}$일 때 $\theta=\dfrac{\pi}{4}$이므로

$\int_0^{\frac{\sqrt{2}}{2}}\dfrac{1}{\sqrt{1-x^2}}\,dx=\int_0^{\frac{\pi}{4}}\dfrac{1}{\sqrt{1-\sin^2\theta}}\times\cos\theta\,d\theta$

$\qquad\qquad\qquad\quad =\int_0^{\frac{\pi}{4}}1\,d\theta=\Big[\theta\Big]_0^{\frac{\pi}{4}}=\dfrac{\pi}{4}$

(2) $x=\dfrac{1}{2}\tan\theta\left(-\dfrac{\pi}{2}<x<\dfrac{\pi}{2}\right)$로 놓으면

$\dfrac{dx}{d\theta}=\dfrac{1}{2}\sec^2\theta$, $dx=\dfrac{1}{2}\sec^2\theta\,d\theta$이고

$x=-\dfrac{1}{2}$일 때 $\theta=-\dfrac{\pi}{4}$, $x=\dfrac{1}{2}$일 때 $\theta=\dfrac{\pi}{4}$이므로

$\int_{-\frac{1}{2}}^{\frac{1}{2}}\dfrac{1}{4x^2+1}\,dx=\int_{-\frac{\pi}{4}}^{\frac{\pi}{4}}\dfrac{1}{\tan^2\theta+1}\times\dfrac{1}{2}\sec^2\theta\,d\theta$

$\qquad\qquad\qquad =\int_{-\frac{\pi}{4}}^{\frac{\pi}{4}}\dfrac{1}{\sec^2\theta}\times\dfrac{1}{2}\sec^2\theta\,d\theta$

$\qquad\qquad\qquad =\int_{-\frac{\pi}{4}}^{\frac{\pi}{4}}\dfrac{1}{2}\,d\theta=\Big[\dfrac{1}{2}\theta\Big]_{-\frac{\pi}{4}}^{\frac{\pi}{4}}$

$\qquad\qquad\qquad =\dfrac{\pi}{4}$

답 (1) $\dfrac{\pi}{4}$ (2) $\dfrac{\pi}{4}$

13 전략 $\dfrac{f'(x)}{f(x)}$ 꼴이 아닌 유리함수가

(분자의 차수)<(분모의 차수)이고 분자가 상수가
아니면 x에 대한 항등식을 이용하여 적분한다.

(1) $\dfrac{a}{x+1}+\dfrac{b}{x+3}=\dfrac{(a+b)x+3a+b}{(x+1)(x+3)}$

에서 $(x+1)(x+3)=x^2+4x+3$이므로 분자를 비
교하면
$a+b=1$, $3a+b=5$
두 식을 연립하여 풀면 $a=2$, $b=-1$

(2) $\int \dfrac{x+5}{x^2+4x+3}\,dx=\int\left(\dfrac{2}{x+1}-\dfrac{1}{x+3}\right)dx$

$\qquad\qquad\qquad\qquad =2\ln|x+1|-\ln|x+3|+C$

답 (1) $a=2$, $b=-1$

(2) $2\ln|x+1|-\ln|x+3|+C$

14 전략 $f'(x)=-f(x)$에서 $\dfrac{f'(x)}{f(x)}=-1$이고

$$\int \frac{f'(x)}{f(x)}\,dx=\ln|f(x)|$$임을 이용한다.

$f(x)\neq0$이므로 $f'(x)=-f(x)$에서 $\dfrac{f'(x)}{f(x)}=-1$

$$\int \frac{f'(x)}{f(x)}\,dx=\int(-1)\,dx$$

$$\therefore \ln|f(x)|=-x+C$$

$f(x)>0$이므로

$$\ln f(x)=-x+C \qquad \therefore f(x)=e^{-x+C}$$

$f(0)=e$이므로 $e^{C}=e \qquad \therefore C=1$

따라서 $f(x)=e^{-x+1}$이므로

$$f(1)=e^{-1+1}=e^{0}=1$$

답 ①

15 전략 좌변은 $\ln x=t$로 치환하고, 우변은

$\sin2x=2\sin x\cos x$로 식을 변형하여 적분한다.

$$\int_{e^{2}}^{e^{3}} \frac{a+\ln x}{x}\,dx$$에서

$\ln x=t$라 하면 $\dfrac{dt}{dx}=\dfrac{1}{x}$, $\dfrac{1}{x}\,dx=dt$이고

$x=e^{2}$일 때 $t=2$, $x=e^{3}$일 때 $t=3$이므로

$$\int_{e^{2}}^{e^{3}} \frac{a+\ln x}{x}\,dx=\int_{2}^{3}(a+t)\,dt=\left[at+\frac{1}{2}t^{2}\right]_{2}^{3}$$

$$=a+\frac{5}{2} \qquad \cdots \text{㉠}$$

$$\int_{0}^{\frac{\pi}{2}}(1+\sin x)\sin2x\,dx$$에서

$(1+\sin x)\sin2x=2(1+\sin x)\sin x\cos x$이므로

$\sin x=s$라 하면 $\dfrac{ds}{dx}=\cos x$, $\cos x\,dx=ds$이고

$x=0$일 때 $s=0$, $x=\dfrac{\pi}{2}$일 때 $s=1$이므로

$$\int_{0}^{\frac{\pi}{2}}(1+\sin x)\sin2x\,dx$$

$$=\int_{0}^{\frac{\pi}{2}}2(1+\sin x)\sin x\cos x\,dx$$

$$=\int_{0}^{1}2s(s+1)\,ds=\int_{0}^{1}(2s^{2}+2s)\,ds$$

$$=\left[\frac{2}{3}s^{3}+s^{2}\right]_{0}^{1}=\frac{5}{3} \qquad \cdots \text{㉡}$$

㉠, ㉡에서 $a+\dfrac{5}{2}=\dfrac{5}{3} \qquad \therefore a=-\dfrac{5}{6}$

답 $-\dfrac{5}{6}$

16 전략 주어진 등식의 양변을 적분 구간 $\left[\dfrac{1}{2},\,2\right]$에서 적분

한다.

$$\int_{\frac{1}{2}}^{2}\left\{2f(x)+\frac{1}{x^{2}}f\left(\frac{1}{x}\right)\right\}dx=\int_{\frac{1}{2}}^{2}\left(\frac{1}{x}+\frac{1}{x^{2}}\right)dx$$

$$\int_{\frac{1}{2}}^{2}\frac{1}{x^{2}}f\left(\frac{1}{x}\right)dx$$에서 $\dfrac{1}{x}=t$라 하면

$\dfrac{dt}{dx}=-\dfrac{1}{x^{2}}$, $\dfrac{1}{x^{2}}\,dx=-dt$이고

$x=\dfrac{1}{2}$일 때 $t=2$, $x=2$일 때 $t=\dfrac{1}{2}$이므로

$$\int_{\frac{1}{2}}^{2}\frac{1}{x^{2}}f\left(\frac{1}{x}\right)dx=\int_{2}^{\frac{1}{2}}f(t)\times(-1)\,dt$$

$$=\int_{\frac{1}{2}}^{2}f(t)\,dt=\int_{\frac{1}{2}}^{2}f(x)\,dx$$

$$\therefore \int_{\frac{1}{2}}^{2}f(x)\,dx=\frac{1}{3}\int_{\frac{1}{2}}^{2}\left(\frac{1}{x}+\frac{1}{x^{2}}\right)dx$$

$$=\frac{1}{3}\left[\ln|x|-\frac{1}{x}\right]_{\frac{1}{2}}^{2}$$

$$=\frac{2\ln2}{3}+\frac{1}{2}$$

다른 풀이

$$2f(x)+\frac{1}{x^{2}}f\left(\frac{1}{x}\right)=\frac{1}{x}+\frac{1}{x^{2}} \qquad \cdots \text{㉠}$$

양변에 x 대신 $\dfrac{1}{x}$을 대입하면

$$2f\left(\frac{1}{x}\right)+x^{2}f(x)=x+x^{2}$$

양변을 $2x^{2}$으로 나누면

$$\frac{1}{x^{2}}f\left(\frac{1}{x}\right)+\frac{1}{2}f(x)=\frac{1}{2x}+\frac{1}{2} \qquad \cdots \text{㉡}$$

㉠$-$㉡을 하면

$$\frac{3}{2}f(x)=\frac{1}{2x}+\frac{1}{x^{2}}-\frac{1}{2}$$

$$\therefore f(x)=\frac{1}{3}\left(\frac{1}{x}+\frac{2}{x^{2}}-1\right)$$

$$\therefore \int_{\frac{1}{2}}^{2}f(x)\,dx=\frac{1}{3}\int_{\frac{1}{2}}^{2}\left(\frac{1}{x}+\frac{2}{x^{2}}-1\right)dx$$

$$=\frac{1}{3}\left[\ln|x|-\frac{2}{x}-x\right]_{\frac{1}{2}}^{2}=\frac{2\ln2}{3}+\frac{1}{2}$$

답 ②

17 전략 $f(x)=\displaystyle\int_{1}^{x}e^{t^{2}}\,dt$에서 $f(1)=0$, $f'(x)=e^{x^{2}}$임을

이용한다.

$$\int_{0}^{1}xf(x)\,dx$$에서 $u(x)=f(x)$, $v'(x)=x$라 하면

$u'(x)=f'(x)$, $v(x)=\dfrac{1}{2}x^{2}$이고

$f(1)=0$, $f'(x)=e^{x^3}$이므로

$$\int_0^1 xf(x)\,dx = \left[\frac{1}{2}x^2 f(x)\right]_0^1 - \int_0^1 \frac{1}{2}x^2 f'(x)\,dx$$

$$= \frac{1}{2}f(1) - \int_0^1 \frac{1}{2}x^2 e^{x^3}\,dx$$

$$= -\frac{1}{2}\int_0^1 x^2 e^{x^3}\,dx \qquad \cdots \text{㉠}$$

㉠에서 $x^3=t$라 하면 $\dfrac{dt}{dx}=3x^2$, $x^2\,dx=\dfrac{1}{3}dt$이고

$x=0$일 때 $t=0$, $x=1$일 때 $t=1$이므로

$$-\frac{1}{2}\int_0^1 x^2 e^{x^3}\,dx = -\frac{1}{2}\int_0^1 e^t \times \frac{1}{3}\,dt$$

$$= -\frac{1}{6}\left[e^t\right]_0^1 = -\frac{1}{6}(e-1)$$

$$\boxed{\text{답}}\ -\frac{1}{6}(e-1)$$

참고 ㉠에서

$$\int_0^1 x^2 e^{x^3}\,dx = \left[\frac{1}{3}e^{x^3}\right]_0^1 = \frac{e-1}{3}$$

18 전략 $\{f(x)g(x)\}'=f'(x)g(x)+f(x)g'(x)$를 이용하여 주어진 식의 양변을 미분한다.

$$xf(x)=x^2 e^{-x}+\int_1^x f(t)\,dt \qquad \cdots \text{㉠}$$

양변에 $x=1$을 대입하면 $f(1)=\dfrac{1}{e}$ $\qquad \cdots$ ㉡

또 ㉠의 양변을 x에 대하여 미분하면

$$f(x)+xf'(x)=2xe^{-x}-x^2 e^{-x}+f(x)$$

$$f'(x)=(2-x)e^{-x}$$

$$\therefore f(x)=\int(2-x)e^{-x}\,dx$$

$u(x)=2-x$, $v'(x)=e^{-x}$이라 하면

$u'(x)=-1$, $v(x)=-e^{-x}$이므로

$$f(x)=(x-2)e^{-x}-\int e^{-x}\,dx$$

$$=(x-2)e^{-x}+e^{-x}+C$$

$$=(x-1)e^{-x}+C$$

㉡에서 $f(1)=\dfrac{1}{e}$이므로 $C=\dfrac{1}{e}$

따라서 $f(x)=(x-1)e^{-x}+\dfrac{1}{e}$이므로

$$f(2)=e^{-2}+\frac{1}{e}=\frac{e+1}{e^2}$$

$$\boxed{\text{답}}\ \frac{e+1}{e^2}$$

19 전략 치환적분법과 로그함수의 적분법을 이용한다.

$\dfrac{1}{1+e^{-t}}$의 분모, 분자에 각각 e^t을 곱하면

$\dfrac{e^t}{e^t+1}$이므로 $f(x)=\displaystyle\int_0^x \dfrac{e^t}{e^t+1}\,dt$

$e^t+1=s$라 하면 $\dfrac{ds}{dt}=e^t$, $e^t\,dt=ds$이고

$t=0$일 때 $s=2$, $t=x$일 때 $s=e^x+1$이므로

$$f(x)=\int_2^{e^x+1}\frac{1}{s}\,ds=\left[\ln|s|\right]_2^{e^x+1}$$

$$=\ln\frac{e^x+1}{2} \qquad \cdots \text{㉠}$$

$(f\circ f)(a)=\ln 5$에서 $\ln \dfrac{e^{f(a)}+1}{2}=\ln 5$

$e^{f(a)}=9$ $\qquad \therefore f(a)=\ln 9$

㉠에 $x=a$를 대입하면 $f(a)=\ln \dfrac{e^a+1}{2}$이므로

$$\ln\frac{e^a+1}{2}=\ln 9,\ e^a=17 \qquad \therefore a=\ln 17$$

$$\boxed{\text{답}}\ ④$$

20 전략 $F(x)=1\times F(x)$로 생각하고 부분적분법을 이용한다.

$$\int_{-1}^x f(t)\,dt=F(x) \qquad \cdots \text{㉠}$$

양변에 $x=-1$을 대입하면 $F(-1)=0$

또 ㉠의 양변을 x에 대하여 미분하면 $f(x)=F'(x)$

㉠에서 양변에 $x=1$을 대입하면

$$F(1)=\int_{-1}^1 f(x)\,dx=12$$

$\displaystyle\int_{-1}^1 F(x)\,dx$에서 $u(x)=F(x)$, $v'(x)=1$이라 하면

$u'(x)=f(x)$, $v(x)=x$이므로

$$\int_{-1}^1 F(x)\,dx = \left[xF(x)\right]_{-1}^1 - \int_{-1}^1 xf(x)\,dx$$

$$= F(1)+F(-1)-\int_{-1}^1 xf(x)\,dx$$

$$= 12-\int_{-1}^1 xf(x)\,dx \qquad \cdots \text{㉡}$$

$\displaystyle\int_0^1 xf(x)\,dx=\int_0^{-1}xf(x)\,dx$에서

$$\int_0^1 xf(x)\,dx - \int_0^{-1}xf(x)\,dx=0$$

$$\int_0^1 xf(x)\,dx + \int_{-1}^0 xf(x)\,dx=0$$

$$\therefore \int_{-1}^1 xf(x)\,dx=0$$

㉡에 대입하면 $\displaystyle\int_{-1}^1 F(x)\,dx=12$

$$\boxed{\text{답}}\ 12$$

13 넓이

1

$$\lim_{n\to\infty}\left\{\frac{1}{n}\left(\frac{2}{n}\right)^4+\frac{1}{n}\left(\frac{4}{n}\right)^4+\cdots+\frac{1}{n}\left(\frac{2n}{n}\right)^4\right\}$$

$$=\lim_{n\to\infty}\sum_{k=1}^{n}\frac{1}{n}\left(\frac{2k}{n}\right)^4=\frac{1}{2}\lim_{n\to\infty}\sum_{k=1}^{n}\frac{2}{n}\left(\frac{2k}{n}\right)^4$$

에서 $f(x)=x^4$이고 $a=0$, $b=2$이므로

$$(주어진\ 식)=\frac{1}{2}\int_0^2 x^4\,dx=\frac{1}{2}\left[\frac{1}{5}x^5\right]_0^2=\frac{16}{5}$$

🔁 $\dfrac{16}{5}$

참고 $\lim_{n\to\infty}\sum_{k=1}^{n}\dfrac{1}{n}\left(\dfrac{2k}{n}\right)^4$ 에서 $\dfrac{k}{n}$ 를 x, $\dfrac{1}{n}$ 을 dx로 고치고 적분

구간을 $[0,1]$로 바꾸면 $\displaystyle\int_0^1 (2x)^4\,dx$

$2x=t$로 치환하면 $\displaystyle\int_0^2 t^4\times\dfrac{1}{2}\,dt$이므로 위와 같다.

대표 **01**

(1) $\displaystyle\lim_{n\to\infty}\sum_{k=1}^{n}\frac{(n+k)^3}{n^4}=\lim_{n\to\infty}\sum_{k=1}^{n}\frac{1}{n}\left(1+\frac{k}{n}\right)^3$

에서 $f(x)=x^3$이고 $a=1$, $b=2$이므로

$$\int_1^2 x^3\,dx=\left[\frac{1}{4}x^4\right]_1^2=\frac{15}{4}$$

(2) $\displaystyle\lim_{n\to\infty}\frac{1}{n}\sum_{k=1}^{n}\left(1-\sqrt{\frac{2k}{n}}\right)=\frac{1}{2}\lim_{n\to\infty}\sum_{k=1}^{n}\frac{2}{n}\left(1-\sqrt{\frac{2k}{n}}\right)$

에서 $f(x)=1-\sqrt{x}$이고 $a=0$, $b=2$이므로

$$\frac{1}{2}\int_0^2 (1-\sqrt{x}\,)\,dx=\frac{1}{2}\left[x-\frac{2}{3}x\sqrt{x}\right]_0^2$$
$$=1-\frac{2\sqrt{2}}{3}$$

(3) $\displaystyle\lim_{n\to\infty}\left(\frac{1}{n+1}+\frac{1}{n+2}+\cdots+\frac{1}{n+n}\right)$

$$=\lim_{n\to\infty}\sum_{k=1}^{n}\frac{1}{n+k}=\lim_{n\to\infty}\sum_{k=1}^{n}\frac{1}{1+\frac{k}{n}}\times\frac{1}{n}$$

에서 $f(x)=\dfrac{1}{x}$이고 $a=1$, $b=2$이므로

$$\int_1^2\frac{1}{x}\,dx=\Big[\ln x\Big]_1^2=\ln 2$$

🔁 (1) $\dfrac{15}{4}$　(2) $1-\dfrac{2\sqrt{2}}{3}$　(3) $\ln 2$

참고 (1) $\dfrac{k}{n}$ 를 x, $\dfrac{1}{n}$ 을 dx로 고치고 적분 구간을 $[0,1]$로 바

꾸면 $\displaystyle\int_0^1 (1+x)^3\,dx$

$1+x=t$로 치환하면 $\displaystyle\int_1^2 t^3\,dt$이므로 위와 같다.

(2) $\dfrac{k}{n}$ 를 x, $\dfrac{1}{n}$ 을 dx로 고치고 적분 구간을 $[0,1]$로 바

꾸면 $\displaystyle\int_0^1 (1-\sqrt{2x}\,)\,dx$

$2x=t$로 치환하면 $\displaystyle\int_0^2 (1-\sqrt{t}\,)\times\dfrac{1}{2}\,dt$이므로

위와 같다.

(3) $\dfrac{k}{n}$ 를 x, $\dfrac{1}{n}$ 을 dx로 고치고 적분 구간을 $[0,1]$로 바

꾸면 $\displaystyle\int_0^1 \dfrac{1}{1+x}\,dx$

$1+x=t$로 치환하면 $\displaystyle\int_1^2 \dfrac{1}{t}\,dt$이므로 위와 같다.

1-1

(1) $\displaystyle\lim_{n\to\infty}\sum_{k=1}^{n}\frac{6}{n}\left(1+\frac{2k}{n}\right)^2=3\lim_{n\to\infty}\sum_{k=1}^{n}\frac{2}{n}\left(1+\frac{2k}{n}\right)^2$

에서 $f(x)=x^2$이고 $a=1$, $b=3$이므로

$$3\int_1^3 x^2\,dx=3\left[\frac{1}{3}x^3\right]_1^3=26$$

(2) $\displaystyle\lim_{n\to\infty}\frac{1^4+2^4+\cdots+n^4}{n^5}=\lim_{n\to\infty}\sum_{k=1}^{n}\frac{1}{n}\left(\frac{k}{n}\right)^4$

에서 $f(x)=x^4$이고 $a=0$, $b=1$이므로

$$\int_0^1 x^4\,dx=\left[\frac{1}{5}x^5\right]_0^1=\frac{1}{5}$$

(3) $\displaystyle\lim_{n\to\infty}\frac{1}{2n}\left\{\ln\left(1+\frac{2}{n}\right)+\ln\left(1+\frac{4}{n}\right)\right.$

$$\left.+\cdots+\ln\left(1+\frac{2n}{n}\right)\right\}$$

$$=\lim_{n\to\infty}\sum_{k=1}^{n}\frac{1}{2n}\ln\left(1+\frac{2k}{n}\right)$$

$$=\frac{1}{4}\lim_{n\to\infty}\sum_{k=1}^{n}\frac{2}{n}\ln\left(1+\frac{2k}{n}\right)$$

에서 $f(x)=\ln x$이고 $a=1$, $b=3$이므로

$$\frac{1}{4}\int_1^3 \ln x\,dx=\frac{1}{4}\Big[x\ln x-x\Big]_1^3=\frac{3\ln 3-2}{4}$$

🔁 (1) 26　(2) $\dfrac{1}{5}$　(3) $\dfrac{3\ln 3-2}{4}$

참고 (1) $\dfrac{k}{n}$ 를 x, $\dfrac{1}{n}$ 을 dx로 고치고 적분 구간을 $[0,1]$로 바

꾸면 $6\displaystyle\int_0^1 (1+2x)^2\,dx$

$1+2x=t$로 치환하면 $6\displaystyle\int_1^3 t^2\times\dfrac{1}{2}\,dt$이므로 위와

같다.

(3) $\lim\limits_{n\to\infty}\sum\limits_{k=1}^{n}\dfrac{1}{2n}\ln\left(1+\dfrac{2k}{n}\right)$에서 $\dfrac{k}{n}$를 x, $\dfrac{1}{n}$을 dx로

고치고 적분 구간을 $[0,\,1]$로 바꾸면

$$\int_0^1 \ln(1+2x)\times\dfrac{1}{2}\,dx=\dfrac{1}{2}\int_0^1 \ln(1+2x)\,dx$$

$1+2x=t$로 치환하면 $\dfrac{1}{2}\int_1^3 \ln t\times\dfrac{1}{2}\,dt$이므로 위

와 같다.

대표 02

$x_k=1+\dfrac{k}{n}$이므로 $S_k=\dfrac{1}{2}x_k f(x_k)=\dfrac{1}{2}\left(1+\dfrac{k}{n}\right)e^{1+\frac{k}{n}}$

$\therefore \lim\limits_{n\to\infty}\dfrac{1}{n}\sum\limits_{k=1}^{n}S_k=\dfrac{1}{2}\lim\limits_{n\to\infty}\sum\limits_{k=1}^{n}\left(1+\dfrac{k}{n}\right)e^{1+\frac{k}{n}}\dfrac{1}{n}$

$f(x)=xe^x$이고 $a=1$, $b=2$이므로

$$\lim\limits_{n\to\infty}\dfrac{1}{n}\sum\limits_{k=1}^{n}S_k=\dfrac{1}{2}\int_1^2 xe^x\,dx$$
$$=\dfrac{1}{2}\left(\left[xe^x\right]_1^2-\int_1^2 e^x\,dx\right)$$
$$=\dfrac{1}{2}\{(2e^2-e)-(e^2-e)\}=\dfrac{1}{2}e^2$$

답 $\dfrac{1}{2}e^2$

참고 $\dfrac{1}{2}\lim\limits_{n\to\infty}\sum\limits_{k=1}^{n}\left(1+\dfrac{k}{n}\right)e^{1+\frac{k}{n}}\dfrac{1}{n}=\dfrac{1}{2}\int_0^1 (1+x)e^{1+x}\,dx$

라 해도 된다.

2-1

$x_k=1+\dfrac{e-1}{n}k$이므로

$S_k=\{f(x_k)\}^2=\left\{\ln\left(1+\dfrac{e-1}{n}k\right)\right\}^2$

$\therefore \lim\limits_{n\to\infty}\dfrac{e-1}{n}\sum\limits_{k=1}^{n}S_k$

$=\lim\limits_{n\to\infty}\sum\limits_{k=1}^{n}\dfrac{e-1}{n}\left\{\ln\left(1+\dfrac{e-1}{n}k\right)\right\}^2$

$g(x)=(\ln x)^2$이고 $a=1$, $b=e$이므로

$\lim\limits_{n\to\infty}\dfrac{e-1}{n}\sum\limits_{k=1}^{n}S_k=\int_1^e (\ln x)^2\,dx$

$u(x)=(\ln x)^2$, $v'(x)=1$이라 하면

$u'(x)=\dfrac{2\ln x}{x}$, $v(x)=x$이므로

$$\int_1^e (\ln x)^2\,dx=\left[x(\ln x)^2\right]_1^e-\int_1^e 2\ln x\,dx$$
$$=e-2\left[x\ln x-x\right]_1^e=e-2$$

답 $e-2$

참고 $(e-1)\lim\limits_{n\to\infty}\sum\limits_{k=1}^{n}\left\{\ln\left(1+\dfrac{e-1}{n}k\right)\right\}^2\dfrac{1}{n}$

$=(e-1)\int_0^1 [\ln\{1+(e-1)x\}]^2\,dx$

라 해도 된다.

개념 Check   202쪽 ~ 203쪽

2

$\int_0^2 e^x\,dx=\left[e^x\right]_0^2=e^2-1$

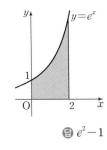

답 e^2-1

3

(1) $y=\sqrt{x-1}$에서 $y^2=x-1$

$\therefore x=y^2+1$

(2) $\int_1^2 (y^2+1)\,dy$

$=\left[\dfrac{1}{3}y^3+y\right]_1^2=\dfrac{10}{3}$

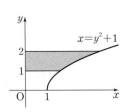

답 (1) $x=y^2+1$ (2) $\dfrac{10}{3}$

대표 Q   204쪽 ~ 208쪽

대표 03

(1)

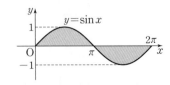

$0<x<\pi$일 때 $\sin x>0$,

$\pi<x<2\pi$일 때 $\sin x<0$

따라서 둘러싸인 부분의 넓이는

$$\int_0^{2\pi}|\sin x|\,dx=\int_0^{\pi}\sin x\,dx+\int_{\pi}^{2\pi}(-\sin x)\,dx$$
$$=\left[-\cos x\right]_0^{\pi}+\left[\cos x\right]_{\pi}^{2\pi}=2+2=4$$

(2) $y=\dfrac{2-x}{1+x}=-1+\dfrac{3}{x+1}$

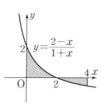

$y=0$일 때 $x=2$이고,

$x<2$일 때 $y>0$,

$x>2$일 때 $y<0$

따라서 둘러싸인 부분의 넓

이는

$\displaystyle\int_0^4\left|\dfrac{2-x}{1+x}\right|dx$

$=\displaystyle\int_0^2\left(-1+\dfrac{3}{x+1}\right)dx+\int_2^4\left(1-\dfrac{3}{x+1}\right)dx$

$=\Big[-x+3\ln|x+1|\Big]_0^2+\Big[x-3\ln|x+1|\Big]_2^4$

$=(-2+3\ln3)+(2-3\ln5+3\ln3)=3\ln\dfrac{9}{5}$

(3) $y=0$일 때 $x=1$이고,

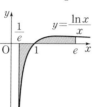

$0<x<1$일 때 $y<0$,

$x>1$일 때 $y>0$

따라서 둘러싸인 부분의 넓

이는

$\displaystyle\int_{\frac{1}{e}}^{e}\left|\dfrac{\ln x}{x}\right|dx$

$=\displaystyle\int_{\frac{1}{e}}^{1}\left(-\dfrac{\ln x}{x}\right)dx+\int_1^e\dfrac{\ln x}{x}dx$

$\ln x=t$라 하면 $\dfrac{dt}{dx}=\dfrac{1}{x}$이고

$x=\dfrac{1}{e}$일 때 $t=-1$, $x=1$일 때 $t=0$,

$x=e$일 때 $t=1$이므로

$\displaystyle\int_{-1}^0(-t)dt+\int_0^1 t\,dt$

$=\Big[-\dfrac{1}{2}t^2\Big]_{-1}^0+\Big[\dfrac{1}{2}t^2\Big]_0^1=\dfrac{1}{2}+\dfrac{1}{2}=1$

답 (1) 4 (2) $3\ln\dfrac{9}{5}$ (3) 1

3-1

(1) $y=0$일 때 $x=1$이고,

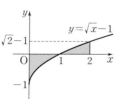

$0<x<1$일 때 $y<0$,

$x>1$일 때 $y>0$

따라서 둘러싸인 부분의

넓이는

$\displaystyle\int_0^2|\sqrt{x}-1|dx$

$=\displaystyle\int_0^1(-\sqrt{x}+1)dx+\int_1^2(\sqrt{x}-1)dx$

$=\Big[-\dfrac{2}{3}x^{\frac{3}{2}}+x\Big]_0^1+\Big[\dfrac{2}{3}x^{\frac{3}{2}}-x\Big]_1^2$

$=\dfrac{1}{3}+\left(\dfrac{4}{3}\sqrt{2}-\dfrac{5}{3}\right)=\dfrac{4}{3}(\sqrt{2}-1)$

(2) $y=0$일 때 $x=0$이고,

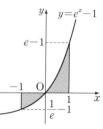

$x<0$일 때 $y<0$,

$x>0$일 때 $y>0$

따라서 둘러싸인 부분의

넓이는

$\displaystyle\int_{-1}^1|e^x-1|dx$

$=\displaystyle\int_{-1}^0(-e^x+1)dx+\int_0^1(e^x-1)dx$

$=\Big[-e^x+x\Big]_{-1}^0+\Big[e^x-x\Big]_0^1$

$=e+\dfrac{1}{e}-2$

(3) $y=0$에서 $\ln(x+e)=0$

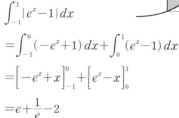

$x+e=1$

$\therefore x=1-e$

따라서 둘러싸인 부분의

넓이는

$\displaystyle\int_{1-e}^0\ln(x+e)dx$

$x+e=t$라 하면 $\dfrac{dt}{dx}=1$이고

$x=1-e$일 때 $t=1$, $x=0$일 때 $t=e$이므로

$\displaystyle\int_{1-e}^0\ln(x+e)dx=\int_1^e\ln t\,dt$

$=\Big[t\ln t-t\Big]_1^e=1$

답 (1) $\dfrac{4}{3}(\sqrt{2}-1)$ (2) $e+\dfrac{1}{e}-2$ (3) 1

참고 (3) y축 사이의 넓이로 생각할 수도 있다.

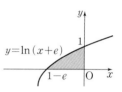

$y=\ln(x+e)$에서 $x+e=e^y$ $\therefore x=e^y-e$

$e^y-e=0$에서 $y=1$이므로

$\displaystyle\int_0^1(-e^y+e)dy=\Big[-e^y+ey\Big]_0^1=1$

대표 04

(1) $2\sqrt{x-1}=x$에서

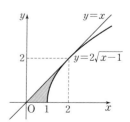

$4(x-1)=x^2$

$\therefore x=2$

따라서 둘러싸인 부분의

넓이는

129

$$\int_0^2 x\,dx - \int_1^2 2\sqrt{x-1}\,dx$$

$$=\left[\frac{1}{2}x^2\right]_0^2 - \left[\frac{4}{3}(x-1)\sqrt{x-1}\right]_1^2 = 2-\frac{4}{3}=\frac{2}{3}$$

(2) $-1 \le x < 0$일 때 $e^{-x} > e^x$,

$0 < x \le 1$일 때 $e^x > e^{-x}$

따라서 둘러싸인 부분의

넓이는

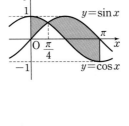

$$\int_{-1}^0 (e^{-x}-e^x)\,dx$$

$$+\int_0^1 (e^x-e^{-x})\,dx$$

$$=\left[-e^{-x}-e^x\right]_{-1}^0 + \left[e^x+e^{-x}\right]_0^1$$

$$=\left(-2+e+\frac{1}{e}\right)+\left(e+\frac{1}{e}-2\right)$$

$$=2\left(e+\frac{1}{e}-2\right)$$

(3) $\sin x = \cos x$에서

$0 \le x \le \pi$이므로 $x=\frac{\pi}{4}$

따라서 둘러싸인 부분의

넓이는

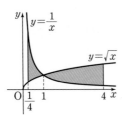

$$\int_0^{\frac{\pi}{4}} (\cos x - \sin x)\,dx$$

$$+\int_{\frac{\pi}{4}}^{\pi} (\sin x - \cos x)\,dx$$

$$=\left[\sin x + \cos x\right]_0^{\frac{\pi}{4}} + \left[-\cos x - \sin x\right]_{\frac{\pi}{4}}^{\pi}$$

$$=(\sqrt{2}-1)+(1+\sqrt{2})=2\sqrt{2}$$

답 (1) $\dfrac{2}{3}$ (2) $2\left(e+\dfrac{1}{e}-2\right)$ (3) $2\sqrt{2}$

참고 (1) $\displaystyle\int_0^2 x\,dx$는 삼각형의 넓이이므로 $\dfrac{1}{2}\times 2\times 2=2$이다.

(2) 색칠한 두 부분의 넓이가 같으므로

$2\displaystyle\int_0^1 (e^x - e^{-x})\,dx$를 계산해도 된다.

4-1

(1) $\dfrac{1}{x}=\sqrt{x}$에서 $x=1$

따라서 둘러싸인 부분의

넓이는

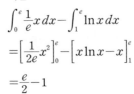

$$\int_{\frac{1}{4}}^1 \left(\frac{1}{x}-\sqrt{x}\right)dx$$

$$+\int_1^4 \left(\sqrt{x}-\frac{1}{x}\right)dx$$

$$=\left[\ln|x|-\frac{2}{3}x^{\frac{3}{2}}\right]_{\frac{1}{4}}^1 + \left[\frac{2}{3}x^{\frac{3}{2}}-\ln|x|\right]_1^4$$

$$=\left(\ln 4 - \frac{7}{12}\right)+\left(-\ln 4 + \frac{14}{3}\right)$$

$$=\frac{49}{12}$$

(2) $\cos x = \sin 2x$에서

$$\cos x = 2\sin x \cos x$$

$$\cos x(2\sin x - 1)=0$$

$$\cos x = 0 \text{ 또는 } \sin x = \frac{1}{2}$$

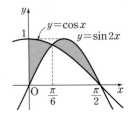

$$\therefore x=\frac{\pi}{6} \text{ 또는 } x=\frac{\pi}{2}$$

$$\left(\because 0 \le x \le \frac{\pi}{2}\right)$$

따라서 둘러싸인 부분의 넓이는

$$\int_0^{\frac{\pi}{6}} (\cos x - \sin 2x)\,dx + \int_{\frac{\pi}{6}}^{\frac{\pi}{2}} (\sin 2x - \cos x)\,dx$$

$$=\left[\sin x + \frac{1}{2}\cos 2x\right]_0^{\frac{\pi}{6}} + \left[-\frac{1}{2}\cos 2x - \sin x\right]_{\frac{\pi}{6}}^{\frac{\pi}{2}}$$

$$=\frac{1}{4}+\frac{1}{4}=\frac{1}{2}$$

답 (1) $\dfrac{49}{12}$ (2) $\dfrac{1}{2}$

4-2

$f(x)=\ln x$라 하고, 접점의 좌표를 $(a, \ln a)$라 하면

$f'(a)=\dfrac{1}{a}$이므로 접선의 방정식은

$$y-\ln a = \frac{1}{a}(x-a)$$

이 직선이 원점을 지나므로

$$-\ln a = -1 \qquad \therefore a=e$$

따라서 접선의 방정식은

$$y-1=\frac{1}{e}(x-e) \qquad \therefore y=\frac{1}{e}x$$

따라서 둘러싸인 부분의 넓

이는

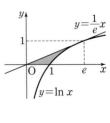

$$\int_0^e \frac{1}{e}x\,dx - \int_1^e \ln x\,dx$$

$$=\left[\frac{1}{2e}x^2\right]_0^e - \left[x\ln x - x\right]_1^e$$

$$=\frac{e}{2}-1$$

답 $\dfrac{e}{2}-1$

참고 $\displaystyle\int_0^e \frac{1}{e}x\,dx$는 삼각형의 넓이이므로 $\dfrac{1}{2}\times e\times 1 = \dfrac{e}{2}$이다.

대표 05

(1) $y=\ln x$에서 $x=e^y$이므로
둘러싸인 부분의 넓이는

$$\int_{-1}^{1} e^y\,dy=\Big[e^y\Big]_{-1}^{1}=e-\frac{1}{e}$$

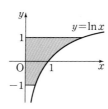

다른 풀이

그림의 직사각형 ABCD의
넓이에서 색칠한 부분의 넓
이를 빼도 된다.

$-1=\ln x$에서 $x=\dfrac{1}{e}$,

$1=\ln x$에서 $x=e$이므로

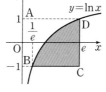

$$2e-\int_{\frac{1}{e}}^{e}\{\ln x-(-1)\}\,dx=2e-\Big[x\ln x\Big]_{\frac{1}{e}}^{e}=e-\frac{1}{e}$$

(2) $y=x^2+1$에서

$x=\sqrt{y-1}$ ($\because x\geq 0$)

$2\leq y\leq 5$일 때 $y\geq\sqrt{y-1}$이
므로 둘러싸인 부분의 넓이는

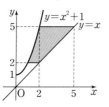

$$\int_{2}^{5}\{y-\sqrt{y-1}\}\,dy$$
$$=\Big[\frac{1}{2}y^2-\frac{2}{3}(y-1)\sqrt{y-1}\Big]_{2}^{5}$$
$$=\frac{35}{6}$$

답 (1) $e-\dfrac{1}{e}$ (2) $\dfrac{35}{6}$

5-1

(1) $y=\dfrac{1}{x}$에서 $x=\dfrac{1}{y}$이므로
둘러싸인 부분의 넓이는

$$\int_{1}^{e}\frac{1}{y}\,dy=\Big[\ln|y|\Big]_{1}^{e}=1$$

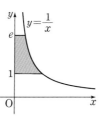

(2) $y=\sqrt{x+1}-2$에서 $y+2=\sqrt{x+1}$

$(y+2)^2=x+1$ $\therefore x=y^2+4y+3$

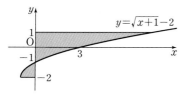

$x=0$일 때 $y=-1$이고, $-2\leq y<-1$일 때 $x<0$,

$y>-1$일 때 $x>0$

따라서 둘러싸인 부분의 넓이는

$$\int_{-2}^{-1}(-y^2-4y-3)\,dy+\int_{-1}^{1}(y^2+4y+3)\,dy$$
$$=\Big[-\frac{1}{3}y^3-2y^2-3y\Big]_{-2}^{-1}+\Big[\frac{1}{3}y^3+2y^2+3y\Big]_{-1}^{1}$$
$$=\frac{2}{3}+\frac{20}{3}=\frac{22}{3}$$

답 (1) 1 (2) $\dfrac{22}{3}$

대표 06

(1) 그림에서 ㈎, ㈏ 두 부분
의 넓이가 같다.

㈎와 ㈐의 넓이의 합은

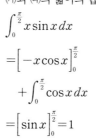

$$\int_{0}^{\frac{\pi}{2}} x\sin x\,dx$$
$$=\Big[-x\cos x\Big]_{0}^{\frac{\pi}{2}}$$
$$\quad+\int_{0}^{\frac{\pi}{2}}\cos x\,dx$$
$$=\Big[\sin x\Big]_{0}^{\frac{\pi}{2}}=1$$

㈏와 ㈐의 넓이의 합은 직사각형의 넓이이므로

$$\frac{\pi}{2}\Big(\frac{\pi}{2}-k\Big)$$

㈎와 ㈐의 넓이의 합과 ㈏와 ㈐의 넓이의 합이 같으
므로

$$1=\frac{\pi}{2}\Big(\frac{\pi}{2}-k\Big) \quad\therefore k=\frac{\pi}{2}-\frac{2}{\pi}$$

(2)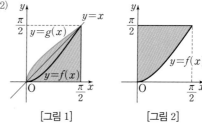

[그림 1]   [그림 2]

$\displaystyle\int_{0}^{\frac{\pi}{2}} g(x)\,dx$의 값은 [그림 1]에서 색칠한 부분의 넓이

이고, 곡선 $y=f(x)$와 $y=g(x)$가 직선 $y=x$에 대칭

이므로 [그림 2]에서 색칠한 부분의 넓이와 같다.

$$\therefore \int_{0}^{\frac{\pi}{2}} g(x)\,dx=\frac{\pi^2}{4}-\int_{0}^{\frac{\pi}{2}} x\sin x\,dx$$
$$=\frac{\pi^2}{4}-1$$

답 (1) $\dfrac{\pi}{2}-\dfrac{2}{\pi}$ (2) $\dfrac{\pi^2}{4}-1$

참고

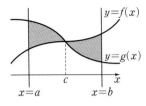

색칠한 두 부분의 넓이가 같으면

$$\int_a^c \{g(x)-f(x)\}\,dx = \int_c^b \{f(x)-g(x)\}\,dx$$

이므로

$$\int_a^c \{g(x)-f(x)\}\,dx - \int_c^b \{f(x)-g(x)\}\,dx = 0$$

$$\int_a^c \{g(x)-f(x)\}\,dx + \int_c^b \{-f(x)+g(x)\}\,dx = 0$$

$$\therefore \int_a^b \{f(x)-g(x)\}\,dx = 0$$

6-1

두 부분의 넓이가 같으므로

$$\int_0^1 e^{2x}\,dx$$

$$= \int_0^1 (-2x+a)\,dx$$

$$\left[\frac{1}{2}e^{2x}\right]_0^1 = \left[-x^2+ax\right]_0^1$$

$$\frac{1}{2}(e^2-1) = -1+a \qquad \therefore a = \frac{e^2+1}{2}$$

다른 풀이

두 부분의 넓이가 같으므로

$$\int_0^1 \{e^{2x}-(-2x+a)\}\,dx = 0$$

임을 이용해서 구해도 된다.

답 $\dfrac{e^2+1}{2}$

6-2

곡선 $y=f(x)$와 $y=g(x)$가 직선 $y=x$에 대칭이므로 초록색 두 부분의 넓이가 같다.

따라서 가로의 길이가 1, 세로의 길이가 e인 직사각형의 넓이이므로

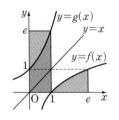

$$\int_1^e f(x)\,dx + \int_0^1 g(x)\,dx = e$$

답 e

날선 07

(1) $y=\{f(x)\}^2$에서

$$y' = 2f(x)f'(x),$$

$$y'' = 2f'(x)f'(x) + 2f(x)f''(x)$$

$f'(x)>0$이므로 $f'(x)f'(x)=\{f'(x)\}^2>0$

또 $f'(x)>0$에서 $f(x)$는 증가하고 $f(0)=1$이므로 $f(x)>1$이다.

따라서 $f(x)f''(x)>0$이므로 $y''>0$이다.

곧, 구간 $(0, 1)$에서 곡선 $y=\{f(x)\}^2$은 아래로 볼록하다. (참)

(2) $\displaystyle\int_0^1 f(1-x)\,dx$에서 $1-x=t$라 하면 $\dfrac{dt}{dx}=-1$

$$\int_0^1 f(1-x)\,dx = \int_1^0 f(t)(-dt) = \int_0^1 f(t)\,dt$$이므로

$$\int_0^1 \{f(x)+f(1-x)\}\,dx = 2\int_0^1 f(x)\,dx$$

$y=f(x)$의 그래프는 그림과 같고 $\displaystyle\int_0^1 f(x)\,dx$는 색칠한 부분의 넓이이다.

또 사다리꼴 OABC의 넓이는 $\dfrac{3}{2}$이므로

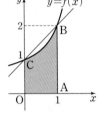

$$\int_0^1 f(x)\,dx < \frac{3}{2} \qquad \therefore 2\int_0^1 f(x)\,dx < 3 \ (참)$$

(3) 구간 $[0, 1]$을 n등분한 점과 양 끝 점을

$$0=x_0,\ x_1,\ \cdots,\ x_n=1$$이라 하자.

$x_k=\dfrac{k}{n}$이므로 그림에서 사다리꼴의 넓이는

$$\frac{f(x_{k-1})+f(x_k)}{2}\times\frac{1}{n}$$

사다리꼴의 넓이의 합은 정적분의 값보다 크므로

$$\sum_{k=1}^n \left\{\frac{f(x_{k-1})+f(x_k)}{2}\times\frac{1}{n}\right\} > \int_0^1 f(x)\,dx$$

$$\therefore \frac{1}{n}\sum_{k=1}^n \left\{f\left(\frac{k-1}{n}\right)+f\left(\frac{k}{n}\right)\right\} > 2\int_0^1 f(x)\,dx \ (거짓)$$

답 (1) 참 (2) 참 (3) 거짓

참고 (3) $\displaystyle\lim_{n\to\infty}\sum_{k=1}^n \frac{1}{n}\left\{f\left(\frac{k-1}{n}\right)+f\left(\frac{k}{n}\right)\right\} = 2\int_0^1 f(x)\,dx$

7-1

(1) $0<x<1$일 때, $0<x^2<1$이고

$0 < \sin \dfrac{x^2}{2} < 1$이므로

$x^2 \sin \dfrac{x^2}{2} < \sin \dfrac{x^2}{2} \qquad \therefore f(x) > x^2 \sin \dfrac{x^2}{2} \ \cdots \ \text{㉠}$

또 $0 < x < 1$일 때, $0 < \dfrac{x^2}{2} < \dfrac{1}{2} < \dfrac{\pi}{4}$이므로

$\sin \dfrac{x^2}{2} < \cos \dfrac{x^2}{2} \qquad \therefore f(x) < \cos \dfrac{x^2}{2} \ \cdots \ \text{㉡}$

㉠, ㉡에서 $x^2 \sin \dfrac{x^2}{2} < f(x) < \cos \dfrac{x^2}{2}$ (참)

(2) $f'(x) = x \cos \dfrac{x^2}{2}$

$f''(x) = \cos \dfrac{x^2}{2} + x \left(-x \sin \dfrac{x^2}{2} \right)$

$\qquad = \cos \dfrac{x^2}{2} - x^2 \sin \dfrac{x^2}{2}$

(1)에서 $x^2 \sin \dfrac{x^2}{2} < \cos \dfrac{x^2}{2}$이므로

$\cos \dfrac{x^2}{2} - x^2 \sin \dfrac{x^2}{2} > 0$, 곧 $f''(x) > 0$이므로 구간 $(0, 1)$에서 곡선 $y = f(x)$는 아래로 볼록하다. (거짓)

(3) $f(1) = \sin \dfrac{1}{2}$이므로

$\dfrac{1}{2} \sin \dfrac{1}{2}$은 그림에서 삼각형 OAB의 넓이이다. 구간 $(0, 1)$에서 곡선 $y = f(x)$는 아래로 볼록하므로

$\displaystyle \int_0^1 f(x) \, dx \le \dfrac{1}{2} \sin \dfrac{1}{2}$ (참)

답 (1) 참 (2) 거짓 (3) 참

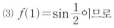

13 넓이

01 (1) $\dfrac{e^2 - 1}{2}$ (2) $2\sqrt{3} - \dfrac{4\sqrt{2}}{3}$ (3) $\dfrac{2}{\pi}$

02 (1) 9 (2) $\dfrac{1}{3}$

03 (1) $e^4 - e^2 - 4$ (2) $12\sqrt{2} - \dfrac{32}{3}$ **04** ②

05 2 **06** ① **07** ③ **08** ③

09 $\dfrac{3\sqrt{3}}{2} - 1$ **10** $e + \dfrac{1}{e} - 2$ **11** ⑤

12 $\dfrac{2}{\pi}$ **13** 32 **14** 2

01

$\displaystyle \lim_{n \to \infty} \sum_{k=1}^{n} f\left(a + \dfrac{(b-a)k}{n} \right) \dfrac{b-a}{n} = \int_a^b f(x) \, dx$와 비교하여 $f(x)$와 a, b의 값을 찾는다.

(1) (주어진 식)$= \displaystyle \lim_{n \to \infty} \dfrac{1}{n} \sum_{k=1}^{n} e^{\frac{2k}{n}}$

$\qquad\qquad\quad = \dfrac{1}{2} \displaystyle \lim_{n \to \infty} \sum_{k=1}^{n} e^{\frac{2k}{n}} \times \dfrac{2}{n}$

에서 $f(x) = e^x$이고 $a = 0$, $b = 2$이므로

(주어진 식)$= \dfrac{1}{2} \displaystyle \int_0^2 e^x \, dx = \dfrac{1}{2} \Big[e^x \Big]_0^2$

$\qquad\qquad\quad = \dfrac{e^2 - 1}{2}$

(2) (주어진 식)$= \displaystyle \lim_{n \to \infty} \sum_{k=1}^{n} \sqrt{2 + \dfrac{k}{n}} \times \dfrac{1}{n}$

에서 $f(x) = \sqrt{x}$이고 $a = 2$, $b = 3$이므로

(주어진 식)$= \displaystyle \int_2^3 \sqrt{x} \, dx = \left[\dfrac{2}{3} x^{\frac{3}{2}} \right]_2^3$

$\qquad\qquad\quad = 2\sqrt{3} - \dfrac{4\sqrt{2}}{3}$

(3) (주어진 식)$= \displaystyle \lim_{n \to \infty} \dfrac{1}{n} \sum_{k=1}^{n} \sin \dfrac{k\pi}{n}$

$\qquad\qquad\quad = \dfrac{1}{\pi} \displaystyle \lim_{n \to \infty} \sum_{k=1}^{n} \sin \dfrac{k\pi}{n} \times \dfrac{\pi}{n}$

에서 $f(x) = \sin x$이고 $a = 0$, $b = \pi$이므로

(주어진 식)$= \dfrac{1}{\pi} \displaystyle \int_0^\pi \sin x \, dx$

$\qquad\qquad\quad = \dfrac{1}{\pi} \Big[-\cos x \Big]_0^\pi = \dfrac{2}{\pi}$

다른 풀이

적분 구간을 $[0, 1]$로 하고, $\dfrac{k}{n}$를 x, $\dfrac{1}{n}$을 dx로 고쳐 풀 수도 있다.

(1) $\displaystyle \lim_{n \to \infty} \dfrac{1}{n} \sum_{k=1}^{n} e^{\frac{2k}{n}} = \int_0^1 e^{2x} \, dx = \left[\dfrac{1}{2} e^{2x} \right]_0^1 = \dfrac{e^2 - 1}{2}$

(2) $\displaystyle \lim_{n \to \infty} \sum_{k=1}^{n} \sqrt{2 + \dfrac{k}{n}} \times \dfrac{1}{n} = \int_0^1 \sqrt{x + 2} \, dx$

$\qquad\qquad\qquad\qquad = \left[\dfrac{2}{3} (x+2)^{\frac{3}{2}} \right]_0^1$

$\qquad\qquad\qquad\qquad = 2\sqrt{3} - \dfrac{4\sqrt{2}}{3}$

(3) $\displaystyle \lim_{n \to \infty} \dfrac{1}{n} \sum_{k=1}^{n} \sin \dfrac{k\pi}{n} = \int_0^1 \sin \pi x \, dx$

$\qquad\qquad\qquad\qquad = \left[-\dfrac{1}{\pi} \cos \pi x \right]_0^1 = \dfrac{2}{\pi}$

답 (1) $\dfrac{e^2 - 1}{2}$ (2) $2\sqrt{3} - \dfrac{4\sqrt{2}}{3}$ (3) $\dfrac{2}{\pi}$

02

(1) $\sqrt{x}-3=0$에서 $x=9$

따라서 둘러싸인 부분의
넓이는

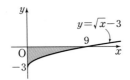

$$\int_0^9 |\sqrt{x}-3|\,dx$$
$$=\int_0^9 (3-\sqrt{x})\,dx$$
$$=\left[3x-\frac{2}{3}x^{\frac{3}{2}}\right]_0^9=9$$

(2) $0 \leq x \leq \dfrac{\pi}{2}$에서

$\sin^2 x \cos x \geq 0$
이므로 둘러싸인
부분의 넓이는

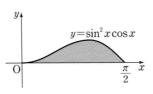

$$\int_0^{\frac{\pi}{2}} \sin^2 x \cos x\,dx$$

$\sin x = t$라 하면 $\dfrac{dt}{dx}=\cos x$이고

$x=0$일 때 $t=0$, $x=\dfrac{\pi}{2}$일 때 $t=1$이므로

$$\int_0^1 t^2\,dt=\left[\frac{1}{3}t^3\right]_0^1=\frac{1}{3}$$

🔲 (1) 9   (2) $\dfrac{1}{3}$

03

(1) 그림에서 색칠한 부분의
넓이이므로

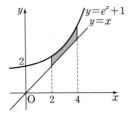

$$\int_2^4 (e^x+1-x)\,dx$$
$$=\left[e^x+x-\frac{1}{2}x^2\right]_2^4$$
$$=e^4-e^2-4$$

(2) $\dfrac{8}{x}=\sqrt{x}$에서 $x=4$

따라서 둘러싸인 부분의 넓
이는

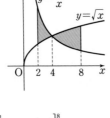

$$\int_2^4 \left(\frac{8}{x}-\sqrt{x}\right)dx$$
$$+\int_4^8 \left(\sqrt{x}-\frac{8}{x}\right)dx$$
$$=\left[8\ln|x|-\frac{2}{3}x^{\frac{3}{2}}\right]_2^4+\left[\frac{2}{3}x^{\frac{3}{2}}-8\ln|x|\right]_4^8$$
$$=\left(8\ln 2-\frac{16}{3}+\frac{4\sqrt{2}}{3}\right)+\left(\frac{32\sqrt{2}}{3}-8\ln 2-\frac{16}{3}\right)$$

$$=12\sqrt{2}-\frac{32}{3}$$

🔲 (1) e^4-e^2-4 (2) $12\sqrt{2}-\dfrac{32}{3}$

04

$y=\ln(x+2)$에서

$x+2=e^y$

$\therefore x=e^y-2$

$x=0$일 때 $y=\ln 2$이고

$y<\ln 2$일 때 $x<0$,

$y>\ln 2$일 때 $x>0$이므로

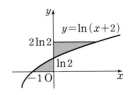

$$\int_0^{\ln 2} (2-e^y)\,dy+\int_{\ln 2}^{2\ln 2} (e^y-2)\,dy$$
$$=\left[2y-e^y\right]_0^{\ln 2}+\left[e^y-2y\right]_{\ln 2}^{2\ln 2}$$
$$=(2\ln 2-1)+(2-2\ln 2)=1$$

🔲 ②

참고 구하는 넓이는 그림에서
A와 B의 넓이의 합이다.
B의 넓이는 직사각형
OPQR의 넓이에서 C
의 넓이를 빼면 된다.

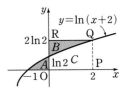

$\ln(x+2)=2\ln 2$에서

$x+2=4$ $\therefore x=2$

따라서 $A+B$의 넓이는

$$\int_{-1}^0 \ln(x+2)\,dx+\left\{2\times 2\ln 2-\int_0^2 \ln(x+2)\,dx\right\}$$

를 계산해도 된다.

05

$2x=t$라 하면 $\dfrac{dt}{dx}=2$이고

$x=0$일 때 $t=0$, $x=2$일 때 $t=4$이므로

$$\int_0^2 f(2x)\,dx=\int_0^4 \frac{1}{2}f(t)\,dt=\frac{1}{2}\int_0^4 f(t)\,dt$$

A, B의 넓이가 각각 6, 2이므로

$$\int_0^3 f(x)\,dx=6, \quad \int_3^4 f(x)\,dx=-2$$

$$\therefore \frac{1}{2}\int_0^4 f(t)\,dt=\frac{1}{2}\int_0^4 f(x)\,dx$$
$$=\frac{1}{2}\left\{\int_0^3 f(x)\,dx+\int_3^4 f(x)\,dx\right\}$$
$$=\frac{1}{2}\times(6-2)=2$$

🔲 2

06

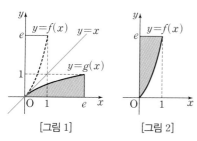

[그림 1]　　　　　[그림 2]

$\displaystyle\int_0^e g(x)\,dx$의 값은 [그림 1]의 색칠한 부분의 넓이이고,
곡선 $y=f(x)$와 $y=g(x)$는 직선 $y=x$에 대칭이므로
[그림 2]의 색칠한 부분의 넓이와 같다.

$$\therefore \int_0^e g(x)\,dx = 1\times e - \int_0^1 f(x)\,dx$$

$$= e - \int_0^1 xe^x\,dx$$

$$= e - \left[xe^x\right]_0^1 + \int_0^1 e^x\,dx$$

$$= e - e + \left[e^x\right]_0^1 = e-1$$

답 ①

07 전략 $\displaystyle\lim_{n\to\infty}\sum_{k=1}^{n} f\!\left(a+\dfrac{(b-a)k}{n}\right)\dfrac{b-a}{n} = \int_a^b f(x)\,dx$를
이용한다.

$$\lim_{n\to\infty}\sum_{k=1}^{n}\frac{k}{n^2}g\!\left(1+\frac{k}{n}\right)$$

$$=\lim_{n\to\infty}\sum_{k=1}^{n}\frac{k}{n}g\!\left(1+\frac{k}{n}\right)\times\frac{1}{n}$$

$$=\lim_{n\to\infty}\sum_{k=1}^{n}\left\{\left(1+\frac{k}{n}\right)-1\right\}g\!\left(1+\frac{k}{n}\right)\times\frac{1}{n}$$

에서 $f(x)=(x-1)g(x)$이고 $a=1,\ b=2$이므로

$$\int_1^2 (x-1)e^x\,dx$$

$$=\left[(x-1)e^x\right]_1^2 - \int_1^2 e^x\,dx$$

$$=e^2 - \left[e^x\right]_1^2$$

$$=e^2 - (e^2-e) = e$$

답 ③

참고 $\dfrac{k}{n}=x,\ \dfrac{1}{n}=dx$로 고치고 적분 구간을 $[0,\,1]$로 바꾸면

$$\lim_{n\to\infty}\sum_{k=1}^{n}\frac{k}{n}g\!\left(1+\frac{k}{n}\right)\times\frac{1}{n} = \int_0^1 xg(1+x)\,dx$$

를 계산해도 된다.

08 전략 넓이를 구하는 부분을 그림으로 나타낸 다음, 그래
프의 대칭성을 이용한다.

곡선 $y=|\sin 2x|+1$은 그림과 같다.

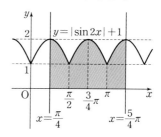

색칠한 네 부분의 넓이가 같으므로 둘러싸인 부분의 넓
이는

$$4\int_{\frac{\pi}{4}}^{\frac{\pi}{2}}(|\sin 2x|+1)\,dx = 4\int_{\frac{\pi}{4}}^{\frac{\pi}{2}}(\sin 2x+1)\,dx$$

$$=4\left[-\frac{1}{2}\cos 2x+x\right]_{\frac{\pi}{4}}^{\frac{\pi}{2}}$$

$$=\pi+2$$

답 ③

09 전략 두 곡선의 교점을 찾아 $\displaystyle\int_0^{\frac{\pi}{2}}|\sin x-\cos 2x|\,dx$를
계산한다.

$\sin x=\cos 2x$에서

$\sin x=1-2\sin^2 x$

$(2\sin x-1)(\sin x+1)=0$

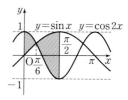

$0\le x\le\dfrac{\pi}{2}$이므로 $\sin x=\dfrac{1}{2}$

$$\therefore x=\frac{\pi}{6}$$

따라서 둘러싸인 부분의 넓이는

$$\int_0^{\frac{\pi}{6}}(\cos 2x-\sin x)\,dx + \int_{\frac{\pi}{6}}^{\frac{\pi}{2}}(\sin x-\cos 2x)\,dx$$

$$=\left[\frac{1}{2}\sin 2x+\cos x\right]_0^{\frac{\pi}{6}} + \left[-\cos x-\frac{1}{2}\sin 2x\right]_{\frac{\pi}{6}}^{\frac{\pi}{2}}$$

$$=\left(\frac{3\sqrt{3}}{4}-1\right)+\frac{3\sqrt{3}}{4}$$

$$=\frac{3\sqrt{3}}{2}-1$$

답 $\dfrac{3\sqrt{3}}{2}-1$

10 전략 $x=g(y)$ 꼴로 나타낸 다음 $\int_a^b |f(y)-g(y)|\,dy$를 이용한다.

$y=\ln x$에서 $x=e^y$,

$y=-\ln x$에서 $x=e^{-y}$

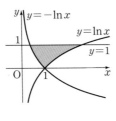

따라서 둘러싸인 부분의 넓이는

$$\int_0^1 (e^y-e^{-y})\,dy=\left[e^y+e^{-y}\right]_0^1$$
$$=e+\frac{1}{e}-2$$

답 $e+\dfrac{1}{e}-2$

참고 $f(x)=1$에서

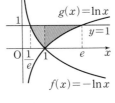

$$-\ln x=1 \qquad \therefore x=\frac{1}{e}$$

$g(x)=1$에서

$$\ln x=1 \qquad \therefore x=e$$

또 $f(x)=g(x)$에서

$$-\ln x=\ln x$$
$$\ln x=0 \qquad \therefore x=1$$

따라서 그림에서 색칠한 부분의 넓이는 다음을 계산해도 된다.

$$\int_{\frac{1}{e}}^1 \{1-f(x)\}\,dx+\int_1^e \{1-g(x)\}\,dx$$
$$=\int_{\frac{1}{e}}^1 (1+\ln x)\,dx+\int_1^e (1-\ln x)\,dx$$

11 전략 접점의 좌표를 $(t,\,f(t))$라 하고 접선의 방정식 $y-f(t)=f'(t)(x-t)$에서 t의 값을 구한다.

접점의 좌표를 $(t,\,e^t)$이라 하면

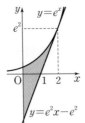

$y'=e^x$이므로 접선의 방정식은

$$y-e^t=e^t(x-t)$$
$$\therefore y=e^t x-(t-1)e^t$$

이 직선이 점 $(1,\,0)$을 지나므로

$$0=e^t-(t-1)e^t \qquad \therefore t=2$$

따라서 접점의 좌표는 $(2,\,e^2)$이고

접선의 방정식은 $y=e^2 x-e^2$이므로 둘러싸인 부분의 넓이는

$$\int_0^2 \{e^x-(e^2 x-e^2)\}\,dx=\left[e^x-\frac{1}{2}e^2 x^2+e^2 x\right]_0^2=e^2-1$$

답 ⑤

12 전략 곡선 $y=\sin\dfrac{\pi}{2}x$는 직선 $x=1$에 대칭이므로 곡선 $y=\sin\dfrac{\pi}{2}x$와 직선 $y=k$로 둘러싸인 부분의 넓이는 직선 $x=1$에 의하여 이등분된다.

곡선 $y=\sin\dfrac{\pi}{2}x$는 직선 $x=1$에 대칭이므로

곡선 $y=\sin\dfrac{\pi}{2}x$와 두 직선 $y=k$, $x=1$로 둘러싸인 부분의 넓이는

$$\frac{1}{2}S_2=S_1$$

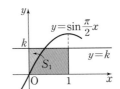 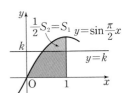

따라서 가로의 길이가 1, 세로의 길이가 k인 직사각형의 넓이와 $\int_0^1 \sin\dfrac{\pi}{2}x\,dx$의 값이 같으므로

$$k=\int_0^1 \sin\frac{\pi}{2}x\,dx=\left[-\frac{2}{\pi}\cos\frac{\pi}{2}x\right]_0^1=\frac{2}{\pi}$$

답 $\dfrac{2}{\pi}$

13 전략 삼각형 OQ_kB의 넓이를 n, k에 대한 식으로 나타낸 다음, 급수를 정적분으로 고친다.

$\angle AOP_k=\dfrac{\pi}{2}\times\dfrac{k}{n}=\dfrac{k\pi}{2n}$, $\angle BOQ_k=\dfrac{\pi}{2}-\dfrac{k\pi}{2n}$이므로

$$\overline{OQ_k}=8\cos\left(\frac{\pi}{2}-\frac{k\pi}{2n}\right)=8\sin\frac{k\pi}{2n}$$

$$\therefore S_k=\frac{1}{2}\times 8\times 8\sin\frac{k\pi}{2n}\times\sin\left(\frac{\pi}{2}-\frac{k\pi}{2n}\right)$$
$$=32\sin\frac{k\pi}{2n}\cos\frac{k\pi}{2n}=16\sin\frac{k\pi}{n}$$

$$\lim_{n\to\infty}\frac{1}{n}\sum_{k=1}^{n-1}S_k=\lim_{n\to\infty}\frac{1}{n}\sum_{k=1}^{n-1}16\sin\frac{k\pi}{n}$$
$$=\frac{16}{\pi}\lim_{n\to\infty}\sum_{k=1}^{n-1}\sin\frac{k\pi}{n}\times\frac{\pi}{n}$$

에서 $f(x)=\sin x$이고 $a=0$, $b=\pi$이므로

$$\frac{16}{\pi}\int_0^\pi \sin x\,dx=\frac{16}{\pi}\left[-\cos x\right]_0^\pi=\frac{32}{\pi}$$

$$\therefore \alpha=32$$

답 32

참고 $k=n$일 때 $\sin\dfrac{k\pi}{n}=0$이므로

$$\lim_{n\to\infty}\frac{1}{n}\sum_{k=1}^{n-1}16\sin\frac{k\pi}{n}=\lim_{n\to\infty}\frac{1}{n}\sum_{k=1}^{n}16\sin\frac{k\pi}{n}$$

14 전략 조건을 만족시키는 함수 $y=f(x)$의 그래프를 그린 다음, 정적분의 값을 넓이를 이용하여 나타낸다.

$y=f(x)$의 그래프는 점 $P(1,1)$, $Q(3,3)$, $R(7,7)$을 지나고 $x\ne3$에서 위로 볼록하므로 그래프는 [그림 1]과 같다.

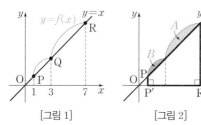

[그림 1]　　　　[그림 2]

구간 $[3,7]$에서 $f(x)-x\ge0$이고

$\displaystyle\int_3^7|f(x)-x|\,dx$의 값은 [그림 2]에서 A의 넓이이다.

그런데 $\displaystyle\int_1^7 f(x)\,dx=27$이므로 $1\le x\le7$에서 곡선 $y=f(x)$와 x축 및 두 직선 $x=1$, $x=7$로 둘러싸인 부분의 넓이가 27이고, 사다리꼴 $PP'R'R$의 넓이는

$\dfrac{1}{2}\times6\times(1+7)=24$이므로 B의 넓이를 구하면 된다.

[그림 3]에서 빨간색 부분의 넓이는 B의 넓이와 같고 파란색 부분의 넓이는

$\displaystyle\int_1^3 g(x)\,dx$이므로 B의 넓이는

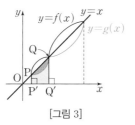

[그림 3]

$\square P'Q'QP-\displaystyle\int_1^3 g(x)\,dx$

$=\dfrac{1}{2}\times2\times(1+3)-3=1$

$\therefore \displaystyle\int_3^7|f(x)-x|\,dx=27-24-1=2$

답 2

---

14 부피와 길이

1

x축 위의 좌표가 x인 점에서 x축에 수직인 평면으로 자른 단면의 넓이가

$\pi(\sqrt{2x})^2=2x\pi$이므로

$$\int_0^4 2x\pi\,dx=\pi\Big[x^2\Big]_0^4=16\pi$$

답 16π

대표 Q1

(1) 물의 깊이가 $x\,\mathrm{cm}$일 때, 수면의 넓이 $S(x)$는

　$S(x)=x+4\,(\mathrm{cm}^2)$

이므로 깊이가 $6\,\mathrm{cm}$일 때 물의 양은

$$\int_0^6 S(x)\,dx=\int_0^6(x+4)\,dx=\Big[\frac{1}{2}x^2+4x\Big]_0^6$$
$$=42\,(\mathrm{cm}^3)$$

(2) 용기에 $24\,\mathrm{cm}^3$의 물을 넣을 때, 물의 깊이를 $h\,\mathrm{cm}$라 하면

$24=\displaystyle\int_0^h(x+4)\,dx=\Big[\dfrac{1}{2}x^2+4x\Big]_0^h=\dfrac{1}{2}h^2+4h$

$h^2+8h-48=0,\ (h-4)(h+12)=0$

$h>0$이므로 $h=4$

따라서 수면의 넓이는 $(\sqrt{4+4})^2=8\,(\mathrm{cm}^2)$

답 (1) $42\,\mathrm{cm}^3$　(2) $8\,\mathrm{cm}^2$

1-1

물의 깊이가 $8\,\mathrm{cm}$일 때 물의 양은 $\displaystyle\int_0^8\ln(x+1)\,dx$이다.

$x+1=t$라 하면 $\dfrac{dt}{dx}=1$, $dx=dt$이고,

$x=0$일 때 $t=1$, $x=8$일 때 $t=9$이므로

$$\int_0^8\ln(x+1)\,dx=\int_1^9\ln t\,dt$$
$$=\Big[t\ln t-t\Big]_1^9$$
$$=9\ln9-8\,(\mathrm{cm}^3)$$

답 $(9\ln9-8)\,\mathrm{cm}^3$

1-2

높이가 $x\,\text{cm}$일 때, 단면의 넓이 $S(x)$는

$$S(x)=\frac{\sqrt{3}}{4}\left(\sqrt{e^{\frac{x}{4}}+4}\right)^2$$

$$=\frac{\sqrt{3}}{4}\left(e^{\frac{x}{4}}+4\right)(\text{cm}^2)$$

이므로 입체도형의 부피는

$$\int_0^8 \frac{\sqrt{3}}{4}\left(e^{\frac{x}{4}}+4\right)dx=\frac{\sqrt{3}}{4}\left[4e^{\frac{x}{4}}+4x\right]_0^8$$

$$=\sqrt{3}(e^2+7)(\text{cm}^3)$$

답 $\sqrt{3}(e^2+7)\,\text{cm}^3$

참고 한 변의 길이가 a인 정삼각형의 넓이는 $\frac{\sqrt{3}}{4}a^2$이다.

대표 02

그림과 같이 지름 AB를 포함하는 직선을 x축, 원의 중심을 O라 하면 원의 반지름의 길이가 2이므로 $A(-2, 0)$, $B(2, 0)$이다.

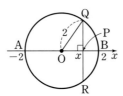

지름 AB 위의 점 $P(x, 0)$을 지나고, 지름 AB에 수직인 현 QR를 그으면

$$\overline{QR}=2\overline{PQ}=2\sqrt{2^2-x^2}$$

따라서 정삼각형의 넓이 $S(x)$는

$$S(x)=\frac{\sqrt{3}}{4}\overline{QR}^2=\sqrt{3}(4-x^2)$$

따라서 입체도형의 부피는

$$\int_{-2}^2 S(x)\,dx=\int_{-2}^2 \sqrt{3}(4-x^2)\,dx$$

$$=2\sqrt{3}\int_0^2 (4-x^2)\,dx$$

$$=2\sqrt{3}\left[4x-\frac{1}{3}x^3\right]_0^2=\frac{32\sqrt{3}}{3}$$

답 $\frac{32\sqrt{3}}{3}$

2-1

정사각형의 넓이 $S(x)$는

$$S(x)=(\sqrt{\sin x})^2=\sin x$$

따라서 입체도형의 부피는

$$\int_0^\pi S(x)\,dx=\int_0^\pi \sin x\,dx$$

$$=\left[-\cos x\right]_0^\pi=2$$

답 2

2-2

$\overline{PH}=\frac{1}{x+1}$이므로

직각이등변삼각형의 넓이 $S(x)$는

$$S(x)=\frac{1}{2}\left(\frac{1}{x+1}\right)^2=\frac{1}{2(x+1)^2}$$

따라서 입체도형의 부피는

$$\int_0^1 S(x)\,dx=\int_0^1 \frac{1}{2(x+1)^2}\,dx$$

$$=\frac{1}{2}\left[-\frac{1}{x+1}\right]_0^1$$

$$=\frac{1}{2}\times\frac{1}{2}=\frac{1}{4}$$

답 $\frac{1}{4}$

개념 Check 218쪽~220쪽

2

시각 t에서 P의 위치는

$$2+\int_0^t e^t\,dt=2+\left[e^t\right]_0^t=2+(e^t-1)=e^t+1$$

답 e^t+1

3

$$\int_0^3 \sqrt{\left(\frac{dx}{dt}\right)^2+\left(\frac{dy}{dt}\right)^2}\,dt=\int_0^3 \sqrt{(-3)^2+4^2}\,dt$$

$$=\int_0^3 5\,dt$$

$$=\left[5t\right]_0^3=15$$

답 15

대표Q 221쪽~223쪽

대표 03

(1) $\int (t-2)e^t\,dt=(t-2)e^t-\int e^t\,dt=(t-3)e^t+C$

이므로

$$\int_1^3 v(t)\,dt=\left[(t-3)e^t\right]_1^3=2e$$

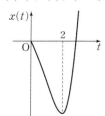
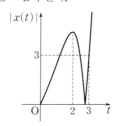

(2) $t<2$일 때 $v(t)<0$이고, $t>2$일 때 $v(t)>0$이므로

$$\int_1^3 |v(t)|\,dt$$

$$=\int_1^2 \{-(t-2)e^t\}\,dt+\int_2^3 (t-2)e^t\,dt$$

$$=\Big[-(t-3)e^t\Big]_1^2+\Big[(t-3)e^t\Big]_2^3$$

$$=(e^2-2e)+e^2=2e^2-2e$$

(3) $a(t)=v'(t)=e^t+(t-2)e^t=(t-1)e^t$

이고 $e^t>0$이므로 $a(t)=0$이면 $t=1$

따라서 P의 위치는

$$\int_0^1 v(t)\,dt=\int_0^1 (t-2)e^t\,dt$$

$$=\Big[(t-3)e^t\Big]_0^1=3-2e$$

(4) P의 시각 t에서 위치를 $x(t)$라 하면

$$x(t)=0+\int_0^t v(t)\,dt$$

$$=\Big[(t-3)e^t\Big]_0^t$$

$$=(t-3)e^t+3$$

$t<2$일 때 $v(t)<0$이고, $t>2$일 때 $v(t)>0$이므로 $x(t)$와 $|x(t)|$의 그래프는 그림과 같다.

따라서 $t=2$일 때 원점에서 가장 멀어지고 그때의 P의 위치는

$$\int_0^2 v(t)\,dt=\Big[(t-3)e^t\Big]_0^2=3-e^2$$

다른 풀이

$t<2$일 때 $v(t)<0$이고, $t>2$일 때 $v(t)>0$이므로 $t=2$일 때 위치와 $t=3$일 때 위치를 비교하면

$$x(2)=\int_0^2 v(t)\,dt=\Big[(t-3)e^t\Big]_0^2=3-e^2$$

$$x(3)=\int_0^3 v(t)\,dt=\Big[(t-3)e^t\Big]_0^3=3$$

$|3-e^2|>3$이므로 $t=2$일 때 원점에서 가장 멀리 있고, 그때의 P의 위치는 $3-e^2$이다.

🔁 (1) $2e$ (2) $2e^2-2e$

               (3) $3-2e$ (4) $3-e^2$

3-1

(1) $\displaystyle\int_0^{\frac{\pi}{2}} v(t)\,dt=\int_0^{\frac{\pi}{2}} \sin t(2\cos t-1)\,dt$

$$=\int_0^{\frac{\pi}{2}}(2\sin t\cos t-\sin t)\,dt$$

$$=\int_0^{\frac{\pi}{2}}(\sin 2t-\sin t)\,dt$$

$$=\Big[-\frac{1}{2}\cos 2t+\cos t\Big]_0^{\frac{\pi}{2}}=0$$

(2) $\sin t(2\cos t-1)=0$에서

$\sin t=0$ 또는 $\cos t=\dfrac{1}{2}$

$0<t<\dfrac{\pi}{3}$일 때 $v(t)>0$이고

$\dfrac{\pi}{3}<t<\dfrac{\pi}{2}$일 때 $v(t)<0$이므로

$$\int_0^{\frac{\pi}{2}}|v(t)|\,dt$$

$$=\int_0^{\frac{\pi}{3}}\sin t(2\cos t-1)\,dt$$

$$+\int_{\frac{\pi}{3}}^{\frac{\pi}{2}}\{-\sin t(2\cos t-1)\}\,dt$$

$$=\Big[-\frac{1}{2}\cos 2t+\cos t\Big]_0^{\frac{\pi}{3}}+\Big[\frac{1}{2}\cos 2t-\cos t\Big]_{\frac{\pi}{3}}^{\frac{\pi}{2}}$$

$$=\frac{1}{4}+\frac{1}{4}=\frac{1}{2}$$

(3) $\sin t(2\cos t-1)=0$에서 $\sin t=0$ 또는 $\cos t=\dfrac{1}{2}$

이므로 P는 $t=\dfrac{\pi}{3}$와 $t=\pi$에서 운동 방향을 바꾼다.

(i) $t=\dfrac{\pi}{3}$일 때, P의 위치는

$$\int_0^{\frac{\pi}{3}}\sin t(2\cos t-1)\,dt=\frac{1}{4}$$

(ii) $t=\pi$일 때, P의 위치는

$$\int_0^{\pi}\sin t(2\cos t-1)\,dt=\Big[-\frac{1}{2}\cos 2t+\cos t\Big]_0^{\pi}$$

$$=-2$$

(i), (ii)에서 $t=\pi$일 때 P가 원점에서 가장 멀어지고 그때의 P의 위치는 -2이다.

🔁 (1) 0   (2) $\dfrac{1}{2}$ (3) -2

참고 (2) (1)에서 $\displaystyle\int_0^{\frac{\pi}{2}}\sin t(2\cos t-1)\,dt=0$이고 $t=\dfrac{\pi}{3}$에서

       운동 방향을 바꾸므로 움직인 거리는

$$\int_0^{\frac{\pi}{2}}|v(t)|\,dt=2\int_0^{\frac{\pi}{3}}v(t)\,dt$$로 구해도 된다.

대표 04

(1) $\dfrac{dx}{dt}=1-\cos t$, $\dfrac{dy}{dt}=\sin t$이므로 움직인 거리는

$$\int_0^{2\pi}\sqrt{(1-\cos t)^2+(\sin t)^2}\,dt$$

$$=\int_0^{2\pi}\sqrt{2(1-\cos t)}\,dt$$

$1-\cos t=1-\left(1-2\sin^2\dfrac{t}{2}\right)=2\sin^2\dfrac{t}{2}$이고

$0\le t\le 2\pi$일 때 $\sin\dfrac{t}{2}\ge 0$이므로

$$\int_0^{2\pi}\sqrt{2(1-\cos t)}\,dt=\int_0^{2\pi}\sqrt{4\sin^2\dfrac{t}{2}}\,dt$$

$$=\int_0^{2\pi}2\sin\dfrac{t}{2}\,dt$$

$$=\left[-4\cos\dfrac{t}{2}\right]_0^{2\pi}=8$$

(2) 속력은 $\sqrt{(1-\cos t)^2+(\sin t)^2}=\sqrt{2(1-\cos t)}$

이므로 $t=\pi$일 때 속력이 최대이다.

$0\le t\le\pi$일 때 $\sin\dfrac{t}{2}\ge 0$이므로

$t=0$에서 $t=\pi$까지 움직인 거리는

$$\int_0^{\pi}\sqrt{(1-\cos t)^2+(\sin t)^2}\,dt$$

$$=\int_0^{\pi}\sqrt{2(1-\cos t)}\,dt$$

$$=\int_0^{\pi}\sqrt{4\sin^2\dfrac{t}{2}}\,dt$$

$$=\int_0^{\pi}2\sin\dfrac{t}{2}\,dt$$

$$=\left[-4\cos\dfrac{t}{2}\right]_0^{\pi}=4$$

답 (1) 8 (2) 4

4-1

(1) $\dfrac{dx}{dt}=-6\cos^2 t\sin t$, $\dfrac{dy}{dt}=6\sin^2 t\cos t$이므로

$$\left(\dfrac{dx}{dt}\right)^2+\left(\dfrac{dy}{dt}\right)^2$$

$$=(-6\cos^2 t\sin t)^2+(6\sin^2 t\cos t)^2$$

$$=36\cos^4 t\sin^2 t+36\sin^4 t\cos^2 t$$

$$=36\sin^2 t\cos^2 t(\cos^2 t+\sin^2 t)$$

$$=(6\sin t\cos t)^2=(3\sin 2t)^2$$

따라서 움직인 거리는

$$\int_0^{\frac{\pi}{2}}\sqrt{(3\sin 2t)^2}\,dt=\int_0^{\frac{\pi}{2}}3\sin 2t\,dt$$

$$=\left[-\dfrac{3}{2}\cos 2t\right]_0^{\frac{\pi}{2}}=3$$

(2) 속력은 $\sqrt{(3\sin 2t)^2}$이고 $-1\le\sin 2t\le 1$이므로

$\sin 2t=1$에서 $2t=\dfrac{\pi}{2}$, 곧 $t=\dfrac{\pi}{4}$일 때 속력이 최대이다.

$0\le t\le\dfrac{\pi}{4}$일 때 $\sin 2t\ge 0$이므로

$t=0$에서 $t=\dfrac{\pi}{4}$까지 움직인 거리는

$$\int_0^{\frac{\pi}{4}}\sqrt{(3\sin 2t)^2}\,dt=\int_0^{\frac{\pi}{4}}3\sin 2t\,dt$$

$$=\left[-\dfrac{3}{2}\cos 2t\right]_0^{\frac{\pi}{4}}=\dfrac{3}{2}$$

답 (1) 3 (2) $\dfrac{3}{2}$

대표 05

(1) $\dfrac{dy}{dx}=\dfrac{e^x-e^{-x}}{2}$에서

$$1+\left(\dfrac{dy}{dx}\right)^2=1+\left(\dfrac{e^x-e^{-x}}{2}\right)^2$$

$$=\dfrac{e^{2x}+2+e^{-2x}}{4}$$

$$=\left(\dfrac{e^x+e^{-x}}{2}\right)^2$$

$\dfrac{e^x+e^{-x}}{2}>0$이므로

$$\sqrt{1+\left(\dfrac{dy}{dx}\right)^2}=\dfrac{e^x+e^{-x}}{2}$$

따라서 곡선의 길이는

$$\int_{-1}^{1}\dfrac{e^x+e^{-x}}{2}\,dx=\left[\dfrac{e^x-e^{-x}}{2}\right]_{-1}^{1}=e-\dfrac{1}{e}$$

(2) $x\ge 0$, $y\ge 0$이므로 $0\le x\le 1$

$x^{\frac{2}{3}}+y^{\frac{2}{3}}=1$을 x에 대하여 미분하면

$$\dfrac{2}{3}x^{-\frac{1}{3}}+\dfrac{2}{3}y^{-\frac{1}{3}}\dfrac{dy}{dx}=0$$

$$\dfrac{dy}{dx}=-\dfrac{x^{-\frac{1}{3}}}{y^{-\frac{1}{3}}}=-\dfrac{y^{\frac{1}{3}}}{x^{\frac{1}{3}}}\ (x\ne 0)$$

$$\therefore\ 1+\left(\dfrac{dy}{dx}\right)^2=1+\dfrac{y^{\frac{2}{3}}}{x^{\frac{2}{3}}}=\dfrac{x^{\frac{2}{3}}+y^{\frac{2}{3}}}{x^{\frac{2}{3}}}=x^{-\frac{2}{3}}$$

따라서 곡선의 길이는

$$\int_0^{1}\sqrt{x^{-\frac{2}{3}}}\,dx=\int_0^{1}x^{-\frac{1}{3}}\,dx$$

$$=\left[\dfrac{3}{2}x^{\frac{2}{3}}\right]_0^{1}=\dfrac{3}{2}$$

답 (1) $e-\dfrac{1}{e}$ (2) $\dfrac{3}{2}$

5-1

(1) $\dfrac{dy}{dx}=\dfrac{1}{2}x-\dfrac{1}{2x}$에서

$1+\left(\dfrac{dy}{dx}\right)^2=\dfrac{1}{4}x^2+\dfrac{1}{2}+\dfrac{1}{4x^2}=\left(\dfrac{1}{2}x+\dfrac{1}{2x}\right)^2$

$1\leq x\leq 3$에서 $\dfrac{1}{2}x+\dfrac{1}{2x}>0$이므로

$\sqrt{1+\left(\dfrac{dy}{dx}\right)^2}=\dfrac{1}{2}x+\dfrac{1}{2x}$

따라서 곡선의 길이는

$\displaystyle\int_1^3\left(\dfrac{1}{2}x+\dfrac{1}{2x}\right)dx=\left[\dfrac{1}{4}x^2+\dfrac{1}{2}\ln|x|\right]_1^3$
$=2+\dfrac{1}{2}\ln 3$

(2) $\dfrac{dy}{dx}=\dfrac{1}{2}\times(x^2-2)^{\frac{1}{2}}\times 2x=x(x^2-2)^{\frac{1}{2}}$에서

$1+\left(\dfrac{dy}{dx}\right)^2=1+\left\{x(x^2-2)^{\frac{1}{2}}\right\}^2=1+x^2(x^2-2)$
$=(x^2-1)^2$

$2\leq x\leq 3$에서 $x^2-1>0$이므로

$\sqrt{1+\left(\dfrac{dy}{dx}\right)^2}=x^2-1$

따라서 곡선의 길이는

$\displaystyle\int_2^3(x^2-1)\,dx=\left[\dfrac{1}{3}x^3-x\right]_2^3=\dfrac{16}{3}$

답 (1) $2+\dfrac{1}{2}\ln 3$ (2) $\dfrac{16}{3}$

5-2

$3y^2=x(x-1)^2$에서

$6y\dfrac{dy}{dx}=(x-1)^2+2x(x-1)=(3x-1)(x-1)$

$\dfrac{dy}{dx}=\dfrac{(3x-1)(x-1)}{6y}$ $(y\neq 0)$

$\therefore 1+\left(\dfrac{dy}{dx}\right)^2=1+\dfrac{(3x-1)^2(x-1)^2}{36y^2}$
$=1+\dfrac{(3x-1)^2}{12x}=\dfrac{(3x+1)^2}{12x}$

$0\leq x\leq 1$에서 $3x+1>0$이므로

$\sqrt{1+\left(\dfrac{dy}{dx}\right)^2}=\dfrac{3x+1}{2\sqrt{3}\sqrt{x}}$

따라서 곡선의 길이는

$\displaystyle\int_0^1\dfrac{3x+1}{2\sqrt{3}\sqrt{x}}\,dx=\dfrac{1}{2\sqrt{3}}\int_0^1\left(3\sqrt{x}+\dfrac{1}{\sqrt{x}}\right)dx$
$=\dfrac{1}{2\sqrt{3}}\left[2x^{\frac{3}{2}}+2x^{\frac{1}{2}}\right]_0^1=\dfrac{2\sqrt{3}}{3}$

답 $\dfrac{2\sqrt{3}}{3}$

참고 $3y^2=x(x-1)^2$에서 $y^2\geq 0$이므로 $x\geq 0$이다.

$y\geq 0$일 때,

$y=\sqrt{\dfrac{x}{3}}\,|x-1|$

$y\leq 0$일 때,

$y=-\sqrt{\dfrac{x}{3}}\,|x-1|$

이고, 곡선은 그림과 같다.

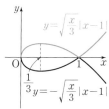

연습과 실전 **14 부피와 길이** 224쪽~225쪽

01 ②	02 ②	03 (1) 3 (2) 4	04 2
05 $\dfrac{3}{4}$	06 45π cm³	07 ⑤	
08 $\sqrt{1+\pi^2}$		09 ②	

01

물의 깊이가 a cm일 때 부피는

$\displaystyle\int_0^a(e^{\frac{1}{2}x}-x)\,dx=\left[2e^{\frac{1}{2}x}-\dfrac{1}{2}x^2\right]_0^a$
$=2e^{\frac{1}{2}a}-\dfrac{1}{2}a^2-2$

부피가 $(2e-4)$ cm³이므로

$2e^{\frac{1}{2}a}-\dfrac{1}{2}a^2-2=2e-4$

$\therefore a=2$

답 ②

02

단면은 한 변의 길이가 $\sqrt{\dfrac{e^x}{e^x+1}}$ 인 정사각형이므로

입체도형의 부피는

$\displaystyle\int_0^k\left(\sqrt{\dfrac{e^x}{e^x+1}}\right)^2dx$

$=\displaystyle\int_0^k\dfrac{e^x}{e^x+1}\,dx$

$=\displaystyle\int_2^{e^k+1}\dfrac{1}{t}\,dt$ (∵ $e^x+1=t$라 하면 $e^x\,dx=dt$)

$=\left[\ln t\right]_2^{e^k+1}=\ln(e^k+1)-\ln 2=\ln 7$

따라서 $e^k=13$이므로 $k=\ln 13$

답 ②

03

(1) 운동 방향을 바꿀 때 속도가 0이므로

$v_1(t) = \cos t = 0$에서 $t = \dfrac{\pi}{2}, \dfrac{3}{2}\pi, \dfrac{5}{2}\pi, \cdots$

따라서 $t = \dfrac{3}{2}\pi$일 때 두 번째로 운동 방향을 바꾸므로

움직인 거리는

$$\int_0^{\frac{3}{2}\pi} |\cos t|\, dt = \int_0^{\frac{\pi}{2}} \cos t\, dt - \int_{\frac{\pi}{2}}^{\frac{3}{2}\pi} \cos t\, dt$$
$$= \Big[\sin t\Big]_0^{\frac{\pi}{2}} - \Big[\sin t\Big]_{\frac{\pi}{2}}^{\frac{3}{2}\pi}$$
$$= 1 - (-2) = 3$$

(2) 시각 t에서 P, Q의 위치를 x_p, x_q라 하면

$$x_p = \int_0^t \cos t\, dt$$
$$= \Big[\sin t\Big]_0^t = \sin t$$
$$x_q = \int_0^t 2\cos 2t\, dt$$
$$= \Big[\sin 2t\Big]_0^t = \sin 2t$$

P, Q가 만나면 $x_p = x_q$이므로

$\sin t = \sin 2t$

$\sin t = 2\sin t\cos t$, $\sin t(2\cos t - 1) = 0$

$\therefore \sin t = 0$ 또는 $\cos t = \dfrac{1}{2}$

$0 < t \le 2\pi$이므로 $t = \dfrac{\pi}{3}, \pi, \dfrac{5}{3}\pi, 2\pi$

따라서 P와 Q는 4번 만난다.

답 (1) 3 (2) 4

04

$\dfrac{dx}{dt} = \dfrac{2a}{t}$, $\dfrac{dy}{dt} = a\Big(1 - \dfrac{1}{t^2}\Big)$이므로

$t = 1$에서 $t = 2$까지 움직인 거리는

$$\int_1^2 \sqrt{\Big(\dfrac{2a}{t}\Big)^2 + a^2\Big(1 - \dfrac{1}{t^2}\Big)^2}\, dt = \int_1^2 \sqrt{a^2\Big(1 + \dfrac{1}{t^2}\Big)^2}\, dt$$
$$= a\int_1^2 \Big(1 + \dfrac{1}{t^2}\Big) dt$$
$$= a\Big[t - \dfrac{1}{t}\Big]_1^2 = \dfrac{3}{2}a$$

움직인 거리가 3이므로

$\dfrac{3}{2}a = 3$ $\therefore a = 2$

답 2

05

$\dfrac{dy}{dx} = \dfrac{1}{4}e^{2x} - e^{-2x}$에서

$$1 + \Big(\dfrac{dy}{dx}\Big)^2 = 1 + \Big(\dfrac{1}{4}e^{2x} - e^{-2x}\Big)^2$$
$$= 1 + \Big(\dfrac{1}{16}e^{4x} - \dfrac{1}{2} + e^{-4x}\Big)$$
$$= \Big(\dfrac{1}{4}e^{2x} + e^{-2x}\Big)^2$$

$0 \le x \le \ln 2$에서

$\dfrac{1}{4}e^{2x} + e^{-2x} > 0$이므로

$$\sqrt{1 + \Big(\dfrac{dy}{dx}\Big)^2} = \dfrac{1}{4}e^{2x} + e^{-2x}$$

따라서 곡선의 길이는

$$\int_0^{\ln 2} \Big(\dfrac{1}{4}e^{2x} + e^{-2x}\Big) dx$$
$$= \Big[\dfrac{1}{8}e^{2x} - \dfrac{1}{2}e^{-2x}\Big]_0^{\ln 2} = \dfrac{3}{4}$$

답 $\dfrac{3}{4}$

06

전략 깊이가 x일 때 단면의 넓이가 $S(x)$이고 높이가 h인 입체도형의 부피는 $\displaystyle\int_0^h S(x)\, dx$이다.

그림과 같이 반구에 물이 남아 있다고 생각해도 된다.

남아 있는 물의 높이는

$6 - 6\sin 30°$
$= 6 - 6 \times \dfrac{1}{2} = 3\,(\text{cm})$

물의 깊이를 x cm라 하면
$0 \le x \le 3$이고, 단면의 반지름의 길이는
$\sqrt{6^2 - (6-x)^2}$
$= \sqrt{12x - x^2}\,(\text{cm})$

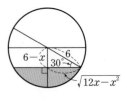

따라서 남아 있는 물의 양은

$$\int_0^3 \pi(12x - x^2)\, dx$$
$$= \pi\Big[6x^2 - \dfrac{1}{3}x^3\Big]_0^3$$
$$= 45\pi\,(\text{cm}^3)$$

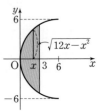

답 45π cm^3

07 **전략** x축 위의 점 $(x, 0)$에 수직인 단면의 넓이가 $S(x)$

일 때, 입체도형의 부피는 $\int_a^b S(x)\,dx$이다.

자를 때 생기는 작은 입체도형을
그림과 같이 밑면의 중심을 O라
하고 지름을 포함하는 직선을
좌표축으로 정하자.

$-2 \le x \le 2$일 때, x축 위의 점
P$(x, 0)$에서 x축에 수직인 평
면으로 자른 단면을 $\triangle$PQR라
하면

$\angle$RPQ$=60°$, $\overline{PQ}=\sqrt{2^2-x^2}=\sqrt{4-x^2}\,(\text{cm})$

$\overline{RQ}=\overline{PQ}\tan 60°=\sqrt{4-x^2}\times\sqrt{3}\,(\text{cm})$

이므로 $\triangle$PQR의 넓이는

$\dfrac{1}{2}\times\sqrt{4-x^2}\times\sqrt{4-x^2}\times\sqrt{3}=\dfrac{\sqrt{3}}{2}(4-x^2)\,(\text{cm}^2)$

따라서 입체도형의 부피는

$\displaystyle\int_{-2}^{2}\dfrac{\sqrt{3}}{2}(4-x^2)\,dx=\sqrt{3}\int_0^2 (4-x^2)\,dx$

$=\sqrt{3}\left[4x-\dfrac{1}{3}x^3\right]_0^2=\dfrac{16\sqrt{3}}{3}$

탑 ⑤

08 **전략** 좌표평면 위를 움직이는 점 P의 시각 t에서 위치
(x, y)가 $(f(t), g(t))$일 때, P가 움직인 거리는
$\int_a^b \sqrt{\{f'(t)\}^2+\{g'(t)\}^2}\,dt$이다.

$\dfrac{dx}{dt}=-e^{-t}\cos\pi t-e^{-t}\pi\sin\pi t$

$\quad =-e^{-t}(\cos\pi t+\pi\sin\pi t)$

$\dfrac{dy}{dt}=-e^{-t}\sin\pi t+e^{-t}\pi\cos\pi t$

$\quad =-e^{-t}(\sin\pi t-\pi\cos\pi t)$

$\therefore \left(\dfrac{dx}{dt}\right)^2+\left(\dfrac{dy}{dt}\right)^2$

$\quad =e^{-2t}(\cos\pi t+\pi\sin\pi t)^2+e^{-2t}(\sin\pi t-\pi\cos\pi t)^2$

$\quad =(1+\pi^2)e^{-2t}$

따라서 움직인 거리는

$S(a)=\displaystyle\int_0^a \sqrt{1+\pi^2}\,e^{-t}\,dt$

$\quad =\sqrt{1+\pi^2}\left[-e^{-t}\right]_0^a=\sqrt{1+\pi^2}(1-e^{-a})$

$\therefore \displaystyle\lim_{a\to\infty} S(a)=\lim_{a\to\infty}\sqrt{1+\pi^2}(1-e^{-a})=\sqrt{1+\pi^2}$

탑 $\sqrt{1+\pi^2}$

09 **전략** $\int_0^1 \sqrt{1+\{f'(x)\}^2}\,dx$는 $0 \le x \le 1$에서 곡선

$y=f(x)$의 길이이다.

$y=f(x)$는 원점 $(0, 0)$과 점
A$(1, \sqrt{3})$을 지나는 곡선이다.

또 $\displaystyle\int_0^1 \sqrt{1+\{f'(x)\}^2}\,dx$는

$0 \le x \le 1$에서 곡선 $y=f(x)$의
길이이다.

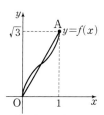

그리고 $0 \le x \le 1$에서 $y=f(x)$의 그래프가 두 점 O, A
를 지나는 직선일 때, 곡선의 길이가 최소이다.

따라서 최솟값은

$\overline{OA}=\sqrt{1^2+(\sqrt{3})^2}=\sqrt{4}=2$

탑 ②

memo